1 MONTH OF
FREE
READING

at
www.ForgottenBooks.com

By purchasing this book you are eligible for one month membership to ForgottenBooks.com, giving you unlimited access to our entire collection of over 1,000,000 titles via our web site and mobile apps.

To claim your free month visit:
www.forgottenbooks.com/free703913

ISBN 978-0-332-57991-7
PIBN 10703913

Allgemeine Zeitschrift

für

Psychiatrie

und

psychisch-gerichtliche Medicin,

herausgegeben von

Deutschlands Irrenärzten,

in Verbindung

mit Gerichtsärzten und Criminalisten,

unter der Redaction

von

Damerow,
Flemming und Roller.

Sechster Band.

Berlin,

Verlag von August Hirschwald.

1849.

Dem

Herrn Geheimen Rathe, Professor u. s. w.

Dr. Friedrich Nasse,

in Anerkennung seiner Verdienste

um die Psychiatrie

durch Wort, Schrift und That,

seit mehr als drei Decennien,

bei der

Feier seines Jubiläums

den 20. Januar 1850

in dankbarer Verehrung

gewidmet

von der Redaction.

Inhalt des Sechsten Bandes.

Zweites Heft.

Drittes Heft.

Viertes Heft.

Theorie der Geisteskraft.

Gefühlseindruck der Schallwellen.

Obliteration der Arterien.

Schwefeläther gegen Selbstmonomanie.

Opiumgaben — *Heilung der Epilepsie* durch Cotyledon
umbilicus — Essenz der Mandragora — Hanfaufguss bei
den Cchinesen.

Gegen Harnverhaltung in Hirnaffectionen.

Cholera in Salpetrière und Bicêtre.

Statistik der Wohlthätigkeitsanstalten in Frankreich.

Predigtkrankheit.

Irrenhäuser in Mexiko.

Wahnsinn bei den Buräten.

Allgemeine Zeitschrift

für

Psychiatrie

und

psychisch-gerichtliche Medicin,

herausgegeben von

Deutschlands Irrenärzten,

in Verbindung

mit Gerichtsärzten und Criminalisten,

unter der Redaction

von

Damerow,
Flemming und Roller.

Sechster Band. Erstes Heft.

Berlin,

Verlag von August Hirschwald.

1849.

Inhalt.

Was heisst Irresein?

Von

Dr. Tschallener,

Director der k. k. Irrenanstalt zu Hall.

Irresein heisst, sich irrige Vorstellungen machen, daraus irrige Begriffe, Urtheile und Schlüsse ableiten und dadurch die wahre Sachenlage der sich vorgestellten Dinge verkennen, d. i. wähnen, dass sich alles so verhalte, wie man es sich vorstellt; wenn dieses auch nicht der Fall ist.

Wer liefert den Stoff zu diesem Irresein oder Wähnen? Die krankhaften niedern und höhern Sinne als Werkzeuge der Seele und des Leibes, d. i. der Persönlichkeit im psychischen (nicht ethischen) Sinne liefern diesen Stoff.

Wenn also die niedern und höhern Sinne zum Wahn führen, was entsteht daraus? Ganz einfach und ohne allen Zwang der Sinne Wahn, (sprachgebräuchlicher) der Wahnsinn als unwillkührliche Täuschung in der Erkenntniss.

Diese Täuschung in der Erkenntniss gehört eigentlich allein vor das Forum der Psychiatrie.

Es giebt in Irrenanstalten aber auch noch manche andere Individuen, welche von den eigentlichen Irren aber doch wohl unterschieden werden müssen; weil es bei diesen Kranken in der Regel nur an der

Empfänglichkeit für Vorstellungen überhaupt fehlt und
dieses ganz besonders aus Mangel an gehöriger Aufmerksamkeit, aus Mangel. an dem entsprechenden Gedächtnisse, um die erhaltenen Sinneswahrnehmungen
geeignet aufzubewahren und nach Willkühr zu er-
neuern, während die äussern Sinne ganz gesund sein
können.

Dergleichen Kranke nennt der allgemeine Sprachgebrauch Blödsinnige, und das Wesen ihrer Krankheit
besteht bei ihnen daher und aus Obigem in einem re-
latif nur mangelhaften, desshalb aber noch nicht irrigen Erkennen, wenn schon selbst der Blödsinnige von
irrigen Vorstellungen *ipso facto* nicht frei sein muss,
sondern auch vom Wahnsinn befallen sein kann, wie
dieses in und ausser den Irrenanstalten häufig beobachtet wird.

Aus dem bisher Gesagten geht hervor, es gebe
Menschen, deren Seelenwerkzeuge an und für sich
auf einer höhern oder auf einer nur niederern Stufe
stehen, so dass der allgemeine Sprachgebrauch erstere
in ihren gesunden Tagen „verständige Leute" und
letztere „Blöde" nennt.

Diese in ihren gesunden Tagen auffallend verschiedenen Menschen werden aber auch noch während
ihres, wenigstens nicht schon zu weit vorgerückten,
Irreseins ansichtlich verschieden bleiben; man wird den
erstern ansehen, dass sie einmal, nach ihrem Stande,
verständige Männer waren, während man aus dem
ganzen Aeussern der andern unzweideutig schliessen
muss, dass sie schon vor ihrem noch nicht so weit
vorgeschrittenen Irresein blöde gewesen sind.

Hieraus folgert von selbst: die krankhaften Affectionen dieser Leute, sofern sie Objecte der Psychiatrie sind, bilden zwei Ordnungen, wovon die

1ste als einfacher Wahn, und die

2te als Wahn mit Blödigkeit auftritt.

In diesem kurzen Aufsatze nur von der ersten Ordnung etwas in Folgendem:

Da die krankhaften niedern und höhern Sinne, sei dieses durch Vermittlung des ganzen Gehirns oder nur einzelner Theile desselben, der Cortical- oder Medular-Substanz, des verlängerten Rückenmarks oder selbst Gangliensystems, gleichviel, den Stoff zum Wahn und somit zum Wahnsinn liefern; so bildet sich aus dem Wahnsinn die Klasse für die erste Ordnung, woraus der intermittirende, continuirende und remittirende Wahnsinn wie er nach diesem Typus wirklich beobachtet wird, als Geschlecht; der fixe und vage Wahnsinn als Gattung; der Wahn- und Aberwitz als Arten des fixen Wahnsinns; die Narrheit, Verrücktheit, und Verwirrtheit aber als Arten des vagen Wahnsinnes hervorgehen, während als Unterarten des Wahnwitzes füglich passiren können alle Irrungen zeitlichen Inhaltes und die sogenannten Monomanieen mit Ausnahme der Dämonomanie, welche wie alles hyperphysische Irresein, mit den Alten zu reden, eine Unterart des Aberwitzes ist. Wenn es sich aber fragt, wohin gehört die Tobsucht, die Melancholie, und die Erotomanie, so kommt es zuerst auf die Frage an: Was ist die Manie, was ist die Melancholie und was ist die Erotomanie?

Der Manie legt man nach Schnitzer Steigerung des Selbstgefühls und des Vertrauens, der Melancholie aber Herabstimmung des Selbstgefühls und Mangel an Selbstvertrauen zum Grunde.

Was anderes als aus irrigen Vorstellungen Irresein liegt aber diesem Grunde zum — Grunde?

Würde die krankhafte Persönlichkeit des Maniakers sein Selbstgefühl und Selbstvertrauen nicht — abnorm steigern und überschätzen, wie die des Melancholikers sein Selbstgefühl und daher auch sein Selbstvertrauen nicht — zu weit, also abnorm herabstimmen, so wäre keiner von beiden seelengestört; jeder von beiden wäre hinsichtlich einer Manie oder einer Melancholie gesund.

Der Maniaker, wie der Melancholiker haben also irrige Vorstellungen, der eine von seinem übertriebenem Werth und der andere von seinem übertriebenen Unwerth, sie bilden sich irrige Begriffe u. s. w., wie jeder andere Irre und namentlich wie der Wahnsinnige; sie sind nur in der Modalität ihrer Nebenrollen, die sie spielen, verschieden, die Hauptrolle behauptet der Wahnsinn (Täuschung in der wahren Sachenlage) auch bei diesen Formen der Seelenstörungen.

Durchaus nicht anders verhält es sich mit der Erotomanie, existire der geliebte Gegenstand wirklich oder auch nur als ein Ideal, wie es Fälle giebt.

Der Erotomane ist mit seinem geliebten Gegenstande bald fertig; er nimmt alles für baare Münze, was ihm die vorstellungsreiche Phantasie vorgaukelt, ohne auch nur die gröbste Inconvenienz zu beachten, ohne den Werth oder Unwerth dieser unausgesetzten Träumereien von den Vorzügen des geliebten Gegenstandes und von dem nur einzigen Glücke, ihn zu besitzen, näher zu würdigen.

Mit der ersten Befangenheit hat der Erotomane seinen Kopf schon verloren und er gehört von diesem Augenblicke an mit Fug und Recht schon in das Irrenhaus, zur Klasse der Wahnsinnigen, zu den sich irrig Vorstellenden.

Wer kann in Abrede stellen, dass der Maniaker, der Melancholiker und der Erotomane von irrigen Vorstellungen, folglich auch von irrigen Begriffen u. s. w. geleitet wird?

Eine abnorme Sinnesthätigkeit liegt auch diesen Seelenstörungen zum Grunde, und sie sind nichts mehr und nichts weniger als lediglich nur symptomatische Producte eines und des nämlichen Stammvaters, des

Wahnsinnes. Bei normaler Thätigkeit der niedern und höhern Sinne, sei diese nach Obigem von Seite des Gehirns u. s. w. bedingt, durch was sie wolle, giebt es keine Tobsucht, keine Melancholie, keine Erotomanie, keine Narrheit, keine Verrücktheit, keine Verwirrtheit, keinen Wahn- oder Aberwitz, keine Monomanie von was immer für einer Art, kurz keine Seelenstörung, und in so fern gehört auch die *Mania sine delirio* nicht zu den Seelenstörungen, wenn es eine solche Manie giebt.

Man dürfte aber sehr schwer auch nur einen einzigen Fall über diese *Mania sine delirio* nachzuweisen im Stande sein, welchem keine Abnormität der Sinnesthätigkeit NB. — entweder vorausgegangen wäre oder ihn begleitet hätte.

Ich erlaube mir hier meine Vermuthung auszusprechen, welche dahin geht, dass diejenigen Herren Aerzte, welche eine *Mania sine delirio* annehmen, den Zustand des Kranken während seiner vielleicht grässlichen That mit seinem Zustande vor der That entweder verwechseln, oder dass die Vorzeichen des Anfalles bei den angegebenen Fällen übersehen worden sind.

Zwar sollen die bei S c h n i t z e r zusammengestellten Krankengeschichten das Bestehen der *Mania sine delirio* nachweisen; ob diese Geschichten aber eine strenge Prüfung aushalten, zweifle ich sehr: die ersten zwei Geschichten sind doch gar zu succinct, als dass sie de facto entscheiden könnten; andere sprechen für meine Meinung, und mehrere gehören eigentlich nicht für dieses Thema. Ehe ich mich aber in dieses, die *Mania sine delirio* läugnende, Thema näher einlasse, finde ich es nothwendig, meinen Begriff, den ich mit dem Delirium verbinde, hier anzugeben.

Ich halte denjenigen Kranken für einen Deliranten, welcher entweder durch Worte, oder durch Geberden

oder durch Handlungen im eigentlichen Sinne zu erkennen giebt oder errathen lässt, dass sein Ideengang
vom gesunden Zustande unwillkührlich abweicht, gleichviel ob diese Abweichung vom gesunden, d. i. verständigen oder vernünftigen Benehmen des in Rede
stehenden Individuums, durch wahrnehmbar krankhafte
Sinnesthätigkeiten oder durch Affecte von was immer
für einer Art bedingt werde; auch der von einem Affect Ueberwältigte ist für die Dauer seines Affektes
in meinen Augen ein Delirant, ein relativer Maniaker
allzeit — *cum*, niemals — *sine delirio*; auch hier leidet die Sinnesthätigkeit. Angenommen aber auch, mein
Selbstdenken sei zu gewagt und gegen so gewichtige
Männer wie Esquirol, Hoffbauer und Hartmann
zu anmassend, so berufe ich mich doch gerade auf
diese grossen Männer und ihre eigenen Begriffe, welche sie über die *Mania sine delirio* und ihre Entstehungsweise aufstellen, um sie für mich zu benutzen,
wie folgt:

Esquirol sagt nach Schnitzer: „Solche Kranke
leiden zwar in den Anfällen an Verdunkelung des Bewusstseins, Störung des Verstandes, Verstandesverwirrung, nie aber am wahren Wahnsinn, wie man dieses bei der Manie antrifft.”

Kann man aber eine Krankheit mit Verdunkelung
des Bewusstseins, mit Störung des Verstandes, mit
Verstandesverwirrung eine *Mania sine delirio* nennen?

Es theilt der nämliche Esquirol diese Manie in
3 Perioden:

In der ersten sind der Charakter und die Ge-
wohnheiten sowie das Benehmen des Kranken verändert; in der zweiten zeigt er verkehrte Neigungen,
in der dritten tritt wilde Aufregung oder ein gewalt-
samer Ausbruch von Leidenschaften mit — Verdrängung der Verstandeskräfte hinzu.

Tritt bei diesen Kranken die wilde Aufregung also — *uno impetu* und ohne Vorbereitung auf und wenn sie auftritt, tritt sie mit — Verdrängung der Verstandeskräfte ohne Delirium auf?

Diese Mania Esquirols ist nach meiner Ueberzeugung eine *Mania — cum*, nicht — *sine delirio*; aus einer trüben Quelle fliesst niemals ein klares Wasser. Die so oder anders geartete Einwirkung des Verstandes ist aber bei einer jeden Handlung des Menschen eine *conditio sine qua non*; ohne Denken giebt es keine Handlung und gerade der unwiderstehliche Trieb, an welchen man so oft appellirt, worin kann er anders bestehen, als in einem unwiderstehlichen Motiv, so und nicht anders zu handeln?

Damit ich aber sagen und mit Grunde behaupten kann, ein unwiderstehliches Motiv habe mich so und nicht anders zu handeln gezwungen, muss ich mich mit ihm ja näher eingelassen haben; mein Verstand d. i. meine Denkkraft muss mich von dem Motiv zu einer vernünftigen d. i. freien Handlung mit einer solchen Gewalt abgelenkt haben, dass ich dem Motiv zu einer unvernünftigen d. i. unfreien Handlung nicht mehr widerstehen konnte; denn sonst könnte ich mich durch einen unwiderstehlichen Trieb nicht entschuldigen.

Woher kommen aber die Motive zu vernunftwidrigen Handlungen?

Die Antwort ist klar: sie kommen auf dem Wege der kranken Sinnlichkeit von irrigen Vorstellungen, irrigen Urtheilen und irrigen Schlüssen; und wohin führen sie diese Motive? Die Antwort ist eben so klar: zum Wahnsinn, wovon das Delirium, so lange er besteht, unzertrennlich ist.

So sagt Esquirol an einem andern Ort: „Die Kranken, welche unwiderstehlich zu Handlungen angetrieben werden, mag Wuth dabei sein oder nicht, fühlen ihren Zustand, raisonniren darüber besser als

irgend Jemand, urtheilen darüber sehr richtig; sie be-
weinen ihn, strengen sich an, ihn zu überwinden: befinden sie sich dann nicht bei klarem Bewusstsein?"
Bis dahin, antworte ich: „allerdings, aber von da an
nicht mehr weiter"; denn Esquirol sagt im weitern
Contexte: „bald darauf ein Raub ihres Zustandes
(doch des unvernünftigen, nicht vernünftigen, des irren,
nicht psychisch-gesunden?); leidenschaftlichen Menschen ähnlich, werden sie fortgerissen; die Vernunft
vermag es nicht mehr sie zu leiten." Wenn die Vernunft solche Unglückliche nicht mehr leiten kann, wer
leitet sie denn? Die Antwort liegt doch auf der Hand:
Wahnvorstellungen leiten sie — *cum*, nicht — *sine
delirio*.

Hoffbauer erklärt das Zustandekommen der *Mania sine delirio*, wie folgt:

Der Reiz zu einer Handlung ist bei diesem Individuum so gross, dass

1) die Vorstellung der diesem Reize entgegengesetzten
   Gründe gar nicht zur Klarheit (zum Bewusstsein)
   gelangen kann; oder dass

2) die Vorstellung des gegenwärtigen Zustandes eines
   solchen Menschen bei demselben durch diesen Reiz
   verdunkelt wird, und ihn also zu einer ganz andern
   Handlung hinreisst, als er vorzunehmen glaubt: —
   oder dass

3) diese beiden Gründe zusammenwirken; oder dass

4) die Stärke dieses Reizes zu einer Handlung durch
   einen — Irrthum das Uebergewicht über den Gegen-
   reiz erhält.

Hier ist die Rede von entweder nicht klaren, oder
von verdunkelten Vorstellungen, welche die Absicht
des Kranken täuschen und — irre führen.

Wenn aber ein Getäuschter, ein geistig Irrege-
führter in Wuth geräth und eine seinem bessern Be-

wusstsein zuwiderlaufende Handlung unternimmt und ausführt, kann dieses ohne Delirium geschehen?

Ich glaube es aus dem oben schon Gesagten einmal nicht.

Nach Hartmann ginge die *Mania sine delirio* nicht aus Traumbildern der Phantasie, sondern aus krankhaften Gefühlen, besonders aus starken Affectionen des Gemeingefühls und dessen Organen hervor, welche die Seele heftig ergreifen, alle Aufmerksamkeit auf sich hinlenken, alle Reflexionen auf ihre übrigen Verhältnisse unterdrücken und eben dadurch den Verstand gar nicht verwirren, aber doch eine Zeitlang ganz ausser Thätigknit setzen.

Ob derjenige, den Gemeingefühlsstörungen nur mehr allein fixiren und auf gar nichts Anderes mehr reflectiren lassen, so dass sein Verstand wenigstens temporär ganz ausser Thätigkeit gesetzt wird, ob ein solcher Patient, wenn er in Wuth geräth, nicht delirire, möchte wohl kaum zu glauben sein; meine Erfahrungen am Krankenbette widersprechen wenigstens, sie zeigen mir offenbar, dass der Ideengang dieser Kranken vom gesunden Zustande auch ohne Wuth (um so mehr mit, bei und unter der Wuth) abweiche, und sie reihen Patienten mit Gemeingefühlsstörungen unter die Wahnsinnigen, bei welchen der Verstand wohl — noch — allerdings, aber nur — verkehrt thätig ist. Von einem ganz unthätigen Verstande habe ich bei solchen Kranken, denen in ihren Anfällen Arglist und eine sehr wohlberechnete Auswahl der Mittel zu ihren Zwecken mit Grund und aus Erfahrung zugemuthet werden kann, keinen Begriff, und ich kann es mir nicht erklären, wie der Verstand bei den mit *Mania sine delirio* behaftet sein sollenden Kranken ganz still stehen soll.

Geht denn die Persönlichkeit bei den Gemeingefühlsstörungen auch nur momentan zu Grunde?

An meinem Krankenbette einmal nicht.

Freiherr v. Feuchtersleben nimmt Seite 316 seines Werkes die *Mania sine delirio* der Erscheinung nach als eine Varietät, dem Wesen nach aber als eigentliche Manie an und sagt davon: „Der Kranke folgt einem verkehrten Impuls, ob er dieses durch Irrereden oder Irrehandeln ausdrückt, ist gleichviel."

Eine *Mania sine delirio* ist daher nicht nur nach meiner Meinung, sondern auch nach diesen Citaten und ihrer Interpretation zu Folge nicht anzunehmen.

Es giebt doch keine Handlung ohne Impuls, keinen Impuls ohne Empfindung, keine Empfindung ohne Perception, keine Perception ohne Aufmerksamkeit, keine Aufmerksamkeit ohne Phantasie, und keine Phantasie ohne Gedächtniss. Wenn sich nun eine jede, auch die gleichgültigste Handlung nach der Quantität und Qualität dieser Bedingungen zum Impuls richten muss, so hängt jede Handlung, folglich auch die des mit vorgeblicher *Mania sine delirio* Behafteten davon ab, und sie kann nur in der Voraussetzung, dass die Seelenwerkzeuge dabei verkehrt, d. i. krankhaft eingewirkt haben, nicht imputirt werden.

Zum Schlusse über diese Meinungssache zwei Fragen:

A. Wie verträgt sich die Annahme einer *Mania sine delirio*, d. i. die Unternehmung und Ausführung einer Handlung, gegen welche sich Verstand und Vernunft — mit Gefühl sträubt, mit dem in meiner Gegenwart öfters laut gewordenen und fest behaupteten Grundsatze:

„Es ist nicht denkbar, dass ein Mensch etwas Böses oder Unerlaubtes thut, wenn er einsieht, dass es böse und unerlaubt ist?"

B. Kann die Annahme einer *Mania sine delirio* der Gerechtigkeitspflege eine gleichgültige Sache sein,

wenn der Uebelthäter nämlich nur so gescheit ist,
standhaft zu behaupten:

"Es kam mir auf einmal so in den Kopf, ich
konnte nicht mehr anders, ich musste so handeln,"
um nicht gestraft werden zu können,

und sollte es überhaupt nicht im wesentlichen Interesse der Gerechtigkeitspflege liegen, *ex officio*
zu veranlassen, dass sich die — praktischen Irrenärzte endlich einmal in den Eintheilungen und Begriffsbestimmungen der Seelenstörungen vereinigten?
Man darf nur den Schnitzer lesen, und jeder Laie
wird die Schnitzer einsehen, welche sich die Aerzte
bei den Eintheilungen und Begriffsbestimmungen der
Seelenstörungen zu Schulden kommen lassen.

Geschichte des abnormen geistigen Zustandes Carls IX. Königs von Frankreich,

besonders nach Bartholomäus 1582.

Ein Beitrag zur Geschichte der Psychiatrie
von
Dr. Friedrich Bird.

(Schluss der in Bd. V. Hft. 4. abgebrochenen Abhandlung.)

Geisteszustand Carls IX. Königs von Frankreich, vor und nach der Bluthochzeit.

Carl IX. war von Natur gut und mit trefflichen Anlagen begabt; er zeigte in frühester Lebenszeit ein grossmüthiges Naturell, er entwickelte einen lebhaften Geist, zeigte eine schnelle Fassungskraft, und sein Körperbau war schön, versprach ihm ein majestätisches Aussehen; wegen seines ernsthaften Verhaltens in zartem Alter, schätzte und ehrte man den Knaben gar sehr. Mit elf Jahren durch den Tod seines Bruders Franz II. — König geworden, wird Carl IX. mit 14 Jahren, am 14. August 1563, schon majorenn erklärt und man lies ihn bei dieser Gelegenheit eine Rede im Parlament halten, die nichts Gutes versprach. Carl ist von jetzt an bereits als den Kinder- und Jünglingsjahren entwachsen zu betrachten, er ist Mann schon, und er ist dies, in der schönen Bedeutung des

Worts, doch nie geworden; denn er war nie etwas
Anderes als eine willenlose Maschine in der Hand
seiner herrschsüchtigen, bösen Mutter Catharina de
Medici. — Die Erziehung, welche diese Mutter ihrem
Sohne Carl IX. geben lies, ist in psychologischer Hinsicht so merkwürdig, dass wir Alles darüber mittheilen wollen, was die Geschichte aufgezeichnet hat. —
Carl IX. ist eigentlich nicht erzogen, er ist nur dres-
sirt zum Bösen, denn in der Erziehung sucht man die
Vernunft zu entwickeln, dass sie richte über Gutes
und Böses, aber in der Dressur wird die Vernunft
nicht entwickelt, wohl unterdrückt, denn das Subject
soll nicht urtheilen lernen über Gutes und Böses, über
Wahres und Falsches, nein! — es soll nur gewissen
Zwecken dienen, für die man es bestimmt hat. Damit nun der Sohn nie die Herrschaft der Mutter entbehren könne, nie selbständig werde, ist also mit
Carl IX. verfahren: Die ersten Lehrer trifft kein Vorwurf, allein die guten Lehrer blieben nicht lange, oder
es kamen dazu andere, die nichts taugten. Aber nicht
blos durch Lehrer, sondern auch durch Freunde, durch
Umgang bemühte man sich, den König zu verderben,
und dass dies gelingen musste, ist natürlich, denn Carl
war sanguinisch, lebhaft. geneigt zur Heftigkeit, allen
Eindrücken zugänglich, und so ist es kein Wunder,
wenn hier die gute Anlage durch das Böse unterging.
Je lebhafter und reizbarer ein Kind ist, um so sorgfältiger muss die Erziehung sein, denn nur eine religiöse, eine streng moralische Erziehung giebt die
Fähigkeit, bedingt die Kraft, dass ein von Temperament, und durch Constitution heftiger, brausender
Mensch sich im spätern Leben selbst zügeln lernt,
und solche moralische Erziehung wird um so nöthiger, wenn das gute, aber heftige und lebhafte Kind
ein König ist, wie Carl IX., der über dem Gesetz
steht, was Carl mit 14 Jahren und schon früher musste

— um so unglücklicher, da Carl das höchste Gesetz, das ihn allein bindende, nicht kannte und nicht kennen sollte, auf Befehl seiner welschen Mutter. — Neben den berüchtigten Lehrern Martigues und Losses, war Carl IX. ein Jugendfreund gegeben, der sich ihm unentbehrlich zu machen wusste; dieser Freund hiess Albert von Gondy, in Ansehung dessen man mindestens mit Recht behauptet, dass er ein schlechter Gesellschafter für Carl IX. gewesen ist; doch ist auch wahr, dass Carl IX. überhaupt und fast beständig in unpassender und einem Könige nicht anständiger Gesellschaft sich befand. Der jugendliche König, stets unruhig und ohne Rast, ergab sich der Jagdlust frühe, weil dieses Vergnügen seiner Wildheit durchaus zusagte und alle Schriftsteller bezeugen, dass Carl IX. die Jagdlust bis in das Tolle getrieben hat; der König musste hier, selbst ohne Alberts von Gondy Immoralität, roh und sittenlos werden. Einmal auf der Jagd, konnte er kein Ende des Vergnügens finden, und so kam es wohl, dass der König sogar des Nachts im Walde blieb. Er liebte es, selbst auf dem Jagdhorn zu blasen, und wohl ist möglich, dass dadurch seine Brust gelitten hat. Mit welcher Maasslosigkeit und mit welchem Nachtheil für sein physisches und moralisches Wohlsein der König die Jagdlust und sonstige Anstrengungen trieb, das wollen wir genau nach den Schriftstellern angeben: „Der König trieb die Jagdliebhaberei, sagt de Thou, bis zum Argsten; er liebte es, seine Hände mit dem Blut der wilden Thiere zu besudeln; so wurde er wilder, selbst grausam, indem er sein Blut durch die heftigsten Anstrengungen erhitzte. War Carl nicht auf der Jagd, so erfreuten ihn andere anstrengende Vergnügungen, wie z. B. die Schmiedearbeit. — Davila versichert, dass der König in Folge seiner Lust zur Jagd, zum Reiten, Ringen und Ballspiel, seine Gesundheit total zerrüttet habe. Brantome bemerkt, dass das tolle Jagen, Reiten und der Mangel an Ruhe dem König verderblich wurden. — Massonius berichtet, dass Carl die Häuser als Gräber der Lebenden ansah. Mezerai erzählt, dass Carl unter Anderem mit dem Ballspiel sich wohl sechs Stunden lang zu Zeiten beschäftigte und zur Abwechslung den Schmidt machte; seine Activität, seine Beweglichkeit waren ohne Gleichen, aber diese heftigen Anstrengungen zerstörten des Königs Gesundheit. Serres sagt, dass Carl mit Vorbedacht zur tollen Jagdlust angeführt, mit Wollust das Blut der Thiere vergoss, und somit zur Grausamkeit gegen die Menschen verführt wurde, indem man die wilden Thiere und Rebellen ihm als gleich schilderte. — Sipiére, Carls bester Lehrer, bald entfernt, blieb ohne dauernden Einfluss, — und so wollte man es. Während der junge, culturfähige König seine Zeit in so misslicher Art verbrachte, kann derselbe kaum Zeit gehabt haben, etwas Nützliches zu lernen, und es fehlte auch an Lust, man hielt ihn nicht zu ernster Arbeit an; denn seine Mutter wollte es nicht. — Aller solcher Hindernisse ungeachtet, soll Carl Musik und Poesie geliebt haben, selbst musikalisch gewesen sein und Verse gemacht haben. Beides ist zu glauben, wobei die Verse indess schlechte sein durften, ohne des Beifalls darum zu entbehren; und blies der König das Jagdhorn, dann hat das Gefolge sicher nie verfehlt, in Entzücken zu gerathen! — Durch Jagd und alle die anderen unpassenden Beschäftigungen hielt man den König ab vom Regiment, so dass grade Musik und Gedichte, die Einige als Beweis wissenschaftlicher Ausbildung bezeichnen, in der That nichts bedeuten, und eben so ist es mit der von Einigen belobten Beredtsamkeit beschaffen; denn der König liebte es, grob, roh, gemein, drohend zu reden: wir sehen, dass von wissenschaftlicher Ausbildung nicht die Rede sein kann.

Als Kind trank Carl puren Wein, aber, weil der
Wein ihn in der Art berauschte, dass er gewaltthätig
und fast toll danach wurde, so mied er ihn und trank
fortan nur Wasser, wohl mit Zusatz von Zucker und
Zimmet; ob man ihn auch zum Weintrinken verleiten
wollte, so widerstand hier der König. Auch war es
anfangs nicht möglich, den König zu Ausschweifungen
mit Weibern zu bringen, er wollte nicht, und er hatte
nur zwei Liebschaften, was sehr wenig war in jener
sittenlosen Zeit. — An dem in Mord und Lastern
aller Art versunkenen Hofe der Catharina fehlte keine
Art von Unzucht, und es ist jedenfalls gewiss, dass
neben dem wilden Leben auch Ausschweifungen geholfen haben, Carls Gesundheitszustand völlig zu zerrütten; nach der Blutnacht suchte man, wie wir später hören werden, den König in einer Weise zu zerstreuen, die arg ist und Uebeles vermuthen lässt. —
Carl, der umsonst strebte, sich der Gewalt seiner Mutter zu entziehen, soll gesagt haben, dass Herrschsucht
eine unheilbare Krankheit sei, die erst im Tode endige;
er war durchaus herrschsüchtig, aber geistig unfähig,
unterdrückt, erlag er der Medicäerinn, denn Carl
konnte sich nicht beherrschen; ohne Halt gab er sich
dem Jähzorn hin, der zu Zeiten in wahre Wuthanfälle ausartete, und befielen ihn diese z. B. auf der Jagd,
nachdem er im Blute der Thiere gearbeitet, so ver-
griff er sich selbst an seinen Dienern, — er prügelte sie
durch. Wir sehen es: ohne alle Religion, ohne Moral, durch Erziehung verdorben, und dem Spiel der
Leidenschaften bis zum Wahnsinn hin Preis gegeben,
ist in Carl dem IX. alles Widerspruch, es fehlt jede
Consequenz, er entbehrt der hiezu nöthigen Ruhe und
sein angeborener Scharfsinn half ihm nichts; er durchschaute seine Mutter, und seine wahnsinnige Zügel-
losigkeit machte ihn immer wieder zum Werkzeug
ihrer blutigen Hand.

Was die Gestalt, die Constitution und das körperliche Befinden des Königs noch insbesondere betrifft, so geben uns die Schriftsteller hier kein reizendes Bild — es ist grosse Aenderung zum Schlimmen eingetreten und, sollte man nach der obigen Schilderung fast glauben, als habe Carl IX. bereits lange gelebt, so ist dem nicht so, wir sind mit unserer Schilderung bis zum Jahre 1570 gekommen, wo der König erst in sein 21stes Lebensjahr getreten war, also eigentlich noch in des Lebens Blüthezeit lebte, indess die Blüthezeit war frühe dahin, und die jetzt folgende körperliche Schilderung gehört auch den Jahren 1571 bis 1572 und selbst Anfang von 1573, wo der König entschieden körperlich krank wurde.

Carl hatte einen schlanken Körperbau, er war gut proportionirt, die Beine waren indess schwach gebaut, womit wohl gesagt sein soll, dass sie dünne waren; zu seinem sanguinischen Temperament hatte sich eine gallige Natur gemischt, die Augen waren oft gelb, das Gesicht blass, der Blick drohend, stier und unangenehm, die Physiognomie war eine rohe und wilde geworden. — Ueberkam den König das wilde Wesen, berichtet Jesuit Daniel, dann wurden seine Augen gelb und liessen Grausames in sich blicken. War die Gestalt hoch und schlank, so ging Carl nicht grade, sondern, nach vorn gebeugt, der Hals war etwas schief und die gebeugte Haltung war Folge der Magerkeit und sich einfindender Schwäche. — Das blasse Gesicht wurde später aschfarbig, hatte einen Anflug von Grau. — Musste er, der Wuthanfälle wegen, den Wein meiden, so ass Carl höchst wenig, nur soviel, um sich zu erhalten, er hatte fast gar keinen Hunger; dieser Mangel an Appetit scheint zeitig eingetreten, aber später nach Bartholomäus 1572 zum höchsten gestiegen zu sein, wodurch des Königs Tod gefördert ist. Ebenso ist es bemerkenswerth, dass

Carl nicht schlafen konnte, oft schon vor Mitternacht
wieder aufstand, um seine Unruhe durch Arbeit zu
beschwichtigen; nach Bartholomäus 1572 hinderten
obendrein Angstanfälle den Schlaf. Dieser böse Schlaf-
mangel hat des Königs Blut erhitzt, sagen die Schriftsteller, und seine böse Zornmüthigkeit unterhalten und
gesteigert, die so heftig wurde, dass man von halben
Anfällen der Krankheit Carls VI. sprach, fürchtete,
auch Carl IX. werde völlig wahnsinnig werden. — In
Bezug auf den psychischen Zustand des Königs ist
eine Geschichte merkwürdig, welche sich im Jahre
1570 zutrug, fast alle Schriftsteller theilen dieselbe
mit, sie erinnert an jene, die mit Carl VI. im Walde
von Mans sich zutrug. Carl IX. war auf der Jagd in
einem Walde in der Normandie; während er durch die
Jagd wahrscheinlich bereits sehr erhitzt war, hatte er
eine feurige Vision, welche verschwand, als der König nach kurzem Gebet darauf los ging, kühn und
schrecklos, was sehr belobt wird. Das feurige Gespenst, welches der König erblickte, war von der Höhe
einer Lanze — er sah es vor sich im Walde und er-
schrak dort so sehr, dass er ein kleines, etwas son-
derbares Gebet sprach: *Deus adjutor meus, Sis in
deum adjutorem meum* —! — Nun gefasst, eilte der
König auf das Gespenst los und es verschwand; die
Umgebung des Königs aber verschwand auch, denn
sie nahm die Flucht. Ich deute die Geschichte also:
Der König war erhitzt und obendrein in Zorn gerathen, seine lebhafte Phantasie war erregt und bildete
sich ein Phantasma, ein Leidenszustand, den wir jetzt
zu erklären wissen und worüber ich meine Ansicht zu
oft aussprach, um dies hier wiederholen zu dürfen.
War Carl zornig, so drohte auch ein Wuthanfall, und
seine Diener entflohen, um nicht von ihm misshandelt
zu werden. Der Jesuit Daniel nennt das Phantasma
eine entzündete Erdausdünstung, und wir bemerken,

dass der Gespensterschrecken weiter keine nachtheiligen Folgen auf den König ausübte.

Catharina, des Königs böse Mutter, welche ein-
sah, dass sie die Hugenotten durch Krieg nicht
bezwingen würde, sann auf Verrath und Mord, um
ihr Ziel zu erreichen, und es gelang ihr, die Heirath
ihrer Tochter mit dem König von Navarra, Heinrich IV. durchzusetzen. Am 14. August 1572 fand
die Hochzeit Statt; die Lustbarkeiten dauerten bis in
die Nacht vom 23. auf den 24., wo sie das so blutige
Ende nahmen. War der Mord im Voraus beschlossen
oder nicht? — wusste Carl IX. um solchen Beschluss?
oder ist seine Mutter an allem Schuld? — alle Schriftsteller geben zu, dass Catharina die Seele des Unternehmens war, insbesondere unterstützt durch den Herzog von Guise. — Wer die obenverzeichneten Schriften gut studirt, wird einsehen, dass der Mord ein
längst berechneter Plan war und ebenso, dass die
Tage der Hochzeit dazu bestimmt sind, und nur soviel
scheint gewiss, dass man den Moment der Ausführung nicht ganz bestimmt berechnet hat noch es konnte;
hier entschieden die Umstände, und es ist gewiss, dass
als am Vormittag des 23. August der Herr von Mon-
trevel auf Befehl des blutigen Guise, den Admiral von
Coligny morden wollte, ihn aber nur an der Hand verwundete, es galt zu handeln oder den Mord aufzugeben, und Catharina entschied sich zur That, aufge-
muntert durch den Blutconseil. — Was den König
betrifft, so mag er, durch unbestimmte Andeutungen
längst aufmerksam gemacht, wohl etwas von dem
Mordplan geahndet haben, allein ein Mitwissender war
er nicht und konnte es nicht sein, denn wie hätte
Carl IX. wohl ein Geheimniss bewahren können? —
und von dem Geheimhalten hing allein der Erfolg ab. —
Der König war körperlich und geistig leidend, sein
Jähzorn ging in Zustände über, die sich dem Wahn-

sinn nur zu sehr näherten; Personen von der Art aber,
sind inconsequent, sie handeln nur nach dem Impuls
des Augenblicks, und so war denn seine böse Mutter
so gescheit, das Geheimniss für sich zu halten und
den Sohn in der Art zu benutzen, als er brauchbar
war, für den Impuls des Augenblicks, wo sie seiner
königlichen Sanction bedurfte. Ausserdem hatte Carl
eine unvertilgbare Anhänglichkeit an mehrere Personen, die höchst eifrige Protestanten waren, von denen
wir nur seine Amme und den Leibwundarzt Paré nennen; dann ehrte Carl den Admiral, und Catharina wusste,
dass ihr Sohn nach Selbständigkeit immer strebte,
und sie war gestürzt, wenn er sich den Protestanten
in die Arme warf. — Der König konnte kein Mitwissender sein! — es ist nicht möglich gewesen, er
hätte die Sache ausgeschwatzt, mochte er noch so
gut heucheln und sich verstellen können, er hätte in
einem Zornanfall, wo er selbst die Mutter nicht schonte,
schon aus Rachsucht geschwatzt und alles, selbst wider Willen, verrathen. Der Hergang der Mordge-
schichte war in Bezug auf die uns hier allein interes-
sirende Person des Königs, folgender: Als um Mittag
des 23. August die Kunde von der Verwundung des
Admirals ins Schloss, den Louvre, kam, spielte der
König sein wildes Ballspiel, und er wurde, als er das
Geschehene gehört, gleich so heftig, dass er seinen
Stock zerbrach, sein Gesicht zeigte das empfundene
Entsetzen, sein Zorn stieg dann in der Art, dass er
fast Convulsionen bekam und die in Schrecken gesetzten Anwesenden fürchteten, der Zorn des Königs werde
in einen Wuthanfall übergehen; indess, so weit kam
es nicht, aber Carl schwur, er werde den Admiral in
einer Weise rächen, wovon noch die Nachwelt sprechen solle. Bald danach besuchte der König den Admiral und beruhigte Alle, indess Catharina und ihre Getreuen begleiteten den König, ihn zu überwachen. —

Fast alle Schriftsteller nennen dieses Thun des Königs eine böse Heuchelei; ich nehme das nicht an, denn Carls Benehmen erscheint mir natürlich, ein Resultat seines abnormen geistigen Zustandes. Catharina, die von des Sohnes Inconsequenz mit Recht jetzt Alles fürchtete, und Guise, von Carl tief gehasst, mussten jetzt um jeden Preis mit dem Morden eilen, sie mussten des Königs Einwilligung haben, und jetzt erst, es ist gewiss, wurde Carl — nach der Rückkehr vom Admiral in das Louvre, von seiner Mutter und ihren Räthen mit Allem bekannt gemacht. Catharina denuncirte eine Verschwörung, die schon im Augenblick drohe, sie erklärte die Krone, die Ehre und das Leben des Königs in Gefahr, und es gelang ihr, den Sohn in der Art zu reizen, wild und toll zu machen, dass er nicht nur in eine Ermordung des Admirals einwilligte, sondern in seiner Wuth nun selbst befahl, alle Hugenotten zu ermorden — so wollte es Catharina, so hatte sie es berechnet! — Da die Vermählungsfeste noch fortdauerten, so erschien an diesem 23. August gegen Abend, wie gewöhnlich, der Hof sehr zahlreich. Wenn Carl in seinem vergangenen kurzen Leben durch Rohheit und verrückte Inconsequenz, falsch und heuchlerisch erschien, dann mag er sich am Abend des 23. diesen Vorwurf, und mit Recht, in hohem Grade zugezogen haben, denn er hat sich vollendet verstellt gegen die Schlachtopfer, und ich nehme an, dass es ihm leicht wurde, weil er aufgeregt war. Indess, als es später wurde, scheint der Aufregung die Depression gefolgt zu sein, der König lies seine Amme im Schloss bleiben, und Ambrosius Paré erhielt den Befehl, die Nacht im Schlafgemach des Königs zu weilen, auch suchte er einen der Barone festzuhalten und also zu retten — dies, und wahrscheinlich sein Verhalten überhaupt, erschreckte Catharina und rasch erfolgte der Befehl, das Mordsignal früher zu geben, gegen Mit-

ternacht. Es ist natürlich, dass man Carl nicht mit
der nothwendig erachteten Beschleunigung des Mor-
dens bekannt machte, aber doch setzte ihn die jedenfalls nähernde Zeit des auf der Kirche Saint-Germain-
l'Auxerroi zu gebenden Mordsignals in die grösste
Angst, der Schweiss stand auf seiner Stirn, er zitterte wie in einem Fieberanfall; als er das Glocken-
läuten und den ersten Pistolenschuss von Guise's Mör-
derbande hörte, da wurde der König so heftig erschüttert, dass er Gegenbefehle gab, wollte, dass das Morden nicht sollte Statt finden, indess — Catharine und
Guise hatten gesorgt, es war zu spät, die wahnsinnige
Inconsequenz Carls IX. konnte die Schandthat nicht
weiter hindern und selbst die inneren Räume des Louvre wurden mit dem Blute der Ermordeten roth gefärbt, denn das Blut floss in Strömen — 1572 war
blutiger als 1790.

Sei es, dass Catharina ihren Sohn in den Zustand der Wahnsinns-Exaltation wieder zu versetzen
wusste, oder sei es, dass Carl, gewohnt an Thier-
mord und Blut, sich erhitzte, als er die blutige
Menschenjagd in dem eigenen Hause beginnen sah;
soviel ist gewiss, dass der König sich als einen
Rasenden zeigte, denn so liess er z. B. gleich während der Mordscene im Louvre den König von Navarra und den Prinzen von Condé vor sich kommen,
er empfing sie mit wüthenden Blicken, die ihm bei
seinem eigenthümlich stieren, drohenden und unangenehmen Ausdruck im Auge leicht wurden; Carl sprach
dabei böse Worte in seiner rohen, lästernden und flu-
chenden Redeweise. Am Bartholomäustage den 24.
und den folgenden 25. August bis gegen Abend, blieb
der König anhaltend im Zustande von wahnsinniger
Aufregung, und von den Thaten des neunten Carls an
beiden Tagen wird noch Folgendes berichtet: Der König schoss mit der Kugelbüchse, die er auf der Jagd

der Thiere gebraucht, auf die Menschen, welche seine
Unterthanen waren. — Carl war überhaupt an diesen
zwei Tagen, wie sonst auf der Thierjagd, blutig und
grausam, er half selbst die Menschen morden, er feu-
erte die Mörder an, und er sah mit Wonne zu, wie
die Menschen als Thiere geschlachtet sind, und wie
die Mörder zweitausend Leichen der Schlachtopfer
heranschleppten und in die Seine warfen. — Die Leichen lagen in den Gärten des Louvre und den nächsten Strassen, bevor man sie in die Seine warf, auf-
gehäuft, und der Pöbel hatte sie der Kleider beraubt;
nicht blos Carl IX., auch seine Mutter und ihre Damen wanderten unter den nackten Männerleichen herum und besahen mit Lust die Geschlechtstheile ihrer
Bekannten, und besonders waren die Genitalien des
Baron von Pons ein Gegenstand ihrer Neugierde, weil
der Ermordete wegen Impotenz von seiner Frau ver-
klagt war — Wollust und Mordsucht stehen sich nahe.
Carl IX. war bereits körperlich zu sehr zerrüttet, um
anhaltend in der Wahnsinns-Exaltation leben zu können, daher war er gegen Abend am 25. August umgewandelt, und in seiner verrückten Inconsequenz be-
reute er das, was nicht mehr zu ändern war. Nun
wollte er abermals, dass das Morden in Paris und im
ganzen Lande solle aufhören, und verlangte sogar, dass
die Familie Guise sich als Urheberin des Mords angeben solle; es versteht sich, dass sich Niemand an
Carls Befehle und Wünsche kehrte. Es gelang übrigens der Mutter, den Sohn zu beschwichtigen und von
Neuem aufzuregen für die Scenen am 26. August, an
welchem Tage zuerst ein Te-Deum für den erfochte-
nen Sieg abgehalten wurde; nach demselben begab
sich Carl ins Parlament und sprach hier die Lection,
die ihm seine Mutter aufgegehen hatte — dieses sogenannte Lit de Justice am 26. August 1572 ist wohl
als die letzte Handlung Carls IX. zu betrachten, bei

der er noch mit einigem Anschein von Selbständigkeit auftrat. — War Carl früher in Zornaufwallungen oft wie wahnsinnig, so entwickelte sich nach der heftigen Aufregung auf dem Bartholomäus-Menschenschlachten die Melancholie, die sich indess mit Wahnsinn-gleichen Aufregungen oft verband, und wir wundern uns nicht, wenn der 23jährige König, dessen Gesundheit bereits sehr verdorben war, jetzt geistig und leiblich immer tiefer sank und in schleunigster Eile dem Tode entgegenlief; wahrlich, Carls IX. Leben ist eine Krankengeschichte, so wichtig und merkwürdig in vielen Beziehungen, dass die Psychiatrie ein Aehnliches nicht aufzuweisen hat.

Der König, fortan melancholisch mit dazwischen laufenden Anfällen von Zorn bis zum Wahnsinn, scheint den Aufenthalt im Louvre nicht lange mehr haben aushalten zu können, weshalb er die letzte Hälfte von 1572, den jetzt folgenden Winter und Anfang von 1573, meist in seinen Lustschlössern verlebte, nachdem sich noch im Louvre selbst — die fortan mehr anhaltende Geistesstörung aussprach. Wir wollen genau angeben, was die Zeitgenossen über das leibliche und geistige Befinden des Königs aussagen: „Seit dem Mord, oder eigentlich seit dem 26. August, wurde der inconsequente, nur dem Impuls des Augenblicks besinnungslos sich hingebende König von den heftigsten Gewissensbissen ergriffen, und wider Willen erfasste ihn ein Schauder, wenn in seiner Gegenwart von den Mordscenen die Rede war. Ich weiss nicht, sagte Carl zu seinem Arzt Ambroise Paré, was mir seit etlichen Tagen überkommen ist, ich bin an Leib und Seele so ergriffen, als hätte ich das Fieber; jeden Augenblick, schlafend und wachend, ist es mir, als sähe ich die blutigen Leichen der Ermordeten, mit ihren scheusslichen Gesichtern, ich wollte, man hätte mindestens die Schwachen und Unschuldigen verschont.". — Die Hofleute, versichert Daniel, bemerkten, dass nach der Blutnacht der Blick des Königs, der an sich etwas grausames und abschreckendes hatte, gewöhnlicher wurde, wobei Carl in seiner Sprache roh und unanständig sich zeigte. Ueberhaupt war der 23jährige König nach Bartholomäus ganz verändert; er war nicht mehr gütig, wie zuweilen früher, nicht mehr höflich und herablassend, was er doch sonst wohl war, er erschien im Gegentheil hart und strenge, was schon im Ausdruck seiner Miene lag. Wie leidend der König auch war, so konnten die Aerzte doch nicht helfen, denn, heisst es, was wir gern glauben, die Aerzte hatten bei Carls Krankheit ihr Latein vergessen, sie konnten den Zustand des Königs nicht begreifen; der König, bemerkt ein Schriftsteller, einst so brav, so kühn, so schrecklos, als er in einem Walde in der Normandie eine feurige Vision hatte, der damals so muthige König wird auch bei anderer Gelegenheit gleich muthig gewesen sein, denn nichts ist schrecklicher als Visionen haben — indess, Carl wurde von bösen Phantasmen gequält — er klagte sich selbst an und der Muth war verloschen. Tief verstimmt, mürrisch, unzufrieden, misstrauisch überdies, ging die Angst des Königs oft in so starke Bewegungen über, dass er wie total verrückt erschien. Der König scheint es versucht zu haben, sich mit dem Jagdvergnügen und den anderen ihm einst angenehmen Zerstreuungen noch zu befassen, aber ohne Erfolg für das gesuchte geistige und leibliche Wohlbefinden; wenn Einer bemerkt, dass durch die in Folge der Melancholie den König quälenden bösen Visionen ein früher Tod gefördert ist, so kann das nur wahr sein. Seiner bösen Mutter jetzt völlig unterworfen und von ihr verachtet, konnte nichts die Niedergeschlagenheit und Gewissensbisse des Königs entfernen und er zitterte beim Anblick eines Hugenotten. Indem nun der Gesund-

heitszustand des Königs übeler wurde, fiel doch Allen
das psychische Verhalten desselben zuerst und am
meisten auf; und da kein Mittel helfen wollte, so
brachte man jenen alt-testamentarischen Curversuch
mit der Musik in Vorschlag; man erinnerte sich, dass
Davids Harfenspiel die Melancholie von König Saul
einigemale entfernt hat. Da nun Carl in der Nacht,
meist schlaflos, dann die heftigsten Anfälle von Angst
erlitt, wenn er nach dem Einschlummern erwachte,
so brachte man Knaben in das Schlafgemach, welche
durch Gesang den nach dem Erwachen im Angstan-
fall leidenden König beruhigen sollten — aber, als ob
an dem unflätigen Hof der Medicäerinn nichts rein sein
sollte, so sangen jene Knaben, den König desto besser zu beruhigen — *inter eas ab humanitate abhor-
rentes exercitationes*, von denen hier nicht weiter zu
reden ist. — Bei der Belagerung von Rochelle 1573
anwesend, gab der leidende König durch sein uner-
wartetes Benehmen, seiner Mutter und ihrer Partei —
Anlass zu grossen Sorgen, denn er liess durch den
Baron de la Nou mit Rochelle unterhandeln, er wollte
den Frieden, er wollte versöhnen, indess, Alles war
eitel. Zu ohnmächtig, die Parteien zu beherrschen,
war Carl hoch erfreut, als er vor Rochelle die Er-
wählung seines Bruders Heinrich zum König von Polen erfuhr, nun hoffte er endlich auf Ruhe und Selbständigkeit, und er drang deshalb auf des Bruders Abreise; man machte Frieden und nun musste
Heinrich von Anjou fort; der König, so elend, krank
und leidend er war, liess sich nicht abhalten, aus Vorsicht dem neuen König von Polen das Geleit bis an
die Grenze zu geben, bis Vitry in Champagne, und
versteht es sich, dass Carls Mutter anwesend war.
In Vitry angekommen, nimmt des Königs Krankheit
plötzlich so heftig zu, dass man seinen Tod erwartete.
Fast alle Schriftsteller sind, wie Carl IX. selbst, der

Meinung, Catharina habe ihren Sohn vergiftet — ich
aber bin der Meinung, dass dies nicht wahr ist! —
Es ist wahr, Catharina war böse, aber sie war auch
klug; warum sollte sie einen Sohn vergiften, der physisch und moralisch so beschaffen war, dass er mit
dem Titel, sie mit der That die Herrschaft hatte —
das war es ja, was sie wollte! — sie aber that nichts,
was unnütz war; Carls Krankheit ist gut zu erklären,
ohne Gift — Carls ganzes Leben ist eine Krankengeschichte, die zuletzt heftigere Erscheinungen zeigt,
welche das Ende andeuten. — Im September 1573
in Vitry nahmen die Leiden des Königs sehr zu, er
wurde fieberhaft, litt heftige Schmerzen in der Brust,
und es folgte Bluthusten; der Blutausfluss aus den
Lungen muss stark gewesen sein; Anfangs October
wurde der Zustand noch bedenklicher. Das Fieber
war nicht immer gleich stark, sondern nahm ab, um
dann wieder zu exacerbiren — namentlich war es um
den 4ten Tag heftiger. Mehrere Schriftsteller sagen,
dass Gesicht und Hals des Kranken, der ganze Kopf
sehr ergriffen wurde; wahrscheinlich waren diese
Theile entzündlich aufgetrieben, es fanden sicher Congestionen zum Kopfe Statt, sowie zur Brust, während
die Lungenblutungen da waren. Der Blutdrang nach
Oben konnte seine Ursache zum Theil in dem längst
kranken Zustande des Unterleibs haben; wahrscheinlich war in der kranken Lunge eine Induration erweicht, gerissen, ausgeleert, und aus dieser Stelle erfolgte die Blutung. Die Geschwulst des Kopfs setzte
die Umgebung in Sorgen; denn Viele fürchteten, der
König werde die Pocken bekommen. Die Krankheit
wurde durch den gestörten Gemüthszustand des Königs, überdies sehr verschlimmert, er hatte keine Ruhe;
dazu kam noch, dass er der Umgebung nicht traute,
sich für vergiftet hielt und im Geiste jener Zeit geneigt war, sich obendrein für behext zu halten. Da-

vila nennt die Idee von Behextsein eine Kinderei,
und Mezerai erzählt, dass nicht Alle an eine Vergiftung glaubten, Manche vielmehr nicht übel behaupteten, wie das heftigere Erkranken in Vitry die Folge
seines Zustandes überhaupt sei, seines Temperaments,
das aus verbrannter Galle bestehe — *qui éstoit de
bile brûlée* — weil er wenig geschlafen und schon an
halben Anfällen der Krankheit Carls VI. d. h. an Wahnsinn, gelitten. Weil nicht selten bei Lungenblutungen
aus localen Ursachen die Besserung oft bald eintritt,
so wundern wir uns nicht, wenn der König sich Ende
October bereits wohler fühlte. Nun bestand er auf
die Abreise des Königs von Polen — Heinrich reiste
ab. Es scheint, als haben die Freude über die Abreise des gehassten Bruders nach Polen belebend auf
den kranken König eingewirkt, und er fühlte sich nun
bald so wohl, dass er Ende October Vitry schon verliess und sich nach Saint-Germain begab, in der Hoffnung, in ländlicher Umgebung die Ruhe zu finden, die
er bis jetzt umsonst gesucht hatte. Genesung erfolgte
indess nicht, langsam zehrte der König vielmehr aus,
und er konnte die Reue über das Geschehene nicht
überwinden; denn in den geistig hellen Zwischenzeiten
sah er ein, dass man ihn missbraucht hatte, und so trugen die Scham und der Abscheu über ein verfehltes
Leben nicht wenig dazu bei, den unglücklichen König
mehr und mehr zu verwirren. Den folgenden Spätherbst 1573, sowie im Winter von 1573 auf 1574 nahm
die Krankheit des Königs nicht auffallend zu, und die
Leibärzte wurden selbst der Meinung, dass der Zustand des hohen Kranken sich bessere. Nach dem
Eindruck, welchen die Berichte der Schriftsteller auf
mich gemacht haben, muss ich annehmen, dass das
gute Prognosticon der Aerzte für Carl IX. sehr nachtheilig wurde, denn Catharina kannte ihres Sohnes zunehmenden Widerwillen gegen ihren bösen Einfluss;

ihr Sturz und ihre Verbannung nach Polen waren gewiss, sollte Carl genesen, und nun hatte derselbe keine Ruhe mehr. Die Hugenotten fürchteten ohne Unterlass die Falschheit des Hofes, den Catharina beherrschte, und sie rüsteten sich deswegen. Catharina, die alles fürchtete, fand nun für gut, abermals eine Verschwörung zu erdichten, und da es galt, nur List anzuwenden, so übertrug sie die Bearbeitung dieser Verschwörung ihrem derzeitigen Günstling, einem Italiäner, dem Grafen von Martinengo. Von den Beschuldigten liess Martinengo unter Anderen den Herrn de la Mole hinrichten, dessen Tod als ein Curversuch zum Besten Carls IX. sogar motivirt wird, eine Art von Medicin, die wir zum Glücke nicht mehr kennen — und ich will deshalb diese therapeutische Methode hier schildern: Man fand unter der Habe des Barons de la Mole einen Hut mit Figuren von Gold, und überdies eine kleine Figur aus Wachs, deren Herz mit einigen Nadelstichen durchstochen war. Das war ein Zauber, Herr de la Mole hatte damit den König behext, nun kannte man die Ursache der Seelenstörung des Königs; der Unglückliche wurde gefoltert und gestand, dass ein Italiäner Ruggieri, ihm jenen Zauber gegeben, aber er habe nur dazu gedient, la Mole die Liebe eines Mädchens zu gewinnen, für Carl gelte der Zauber nicht — es half nichts, la Mole wurde enthauptet. Nutzte der Curversuch, die Hinrichtung de la Mole's dem Könige nichts, so nutzte ihm desto mehr, nämlich zur Beschleunigung seines Todes, eine andere Erfindung seiner Mutter, indem sie nämlich, ob es auch nicht wahr war, eine Hugenotten-Armee auf das Schloss von Saint-Germain los marschiren lies. Sie und ihr Hof flohen in wilder Unordnung und Hast nach Paris, und der durch die ihm bereiteten Aufregungen tiefer erkrankte König musste folgen, aber — man musste ihn liegend in einer Sänfte nach Paris tragen, wo er

Abends ankam und nicht im Louvre abstieg, sondern
in dem Hause seines Jugendfreundes, Alberts von
Gondy. Hier blieb Carl acht Tage „und als in dieser
Zeit die Zimmer im Schloss Vincennes bereitet waren,
trug man den König dahin, um — dort zu sterben.
Den Rest des Winters von 1574 fühlte der König sich
leidlich wohl, aber der jetzt im Beginn des Jahres von
Neuem ausbrechende Bürgerkrieg, so wie der für ihn
verderbliche Einfluss der Frühjahrszeit, zerstörten alle
Hoffnungen und beschleunigten des Königs Tod. —
Die Kunde von dem neuen Ausbruch des Kriegs soll
den König in einen Anfall von Wuth versetzt haben,
der so heftig war, dass seine Auflösung nun rasch
fortschritt. — Im Frühjahr, derjenigen Jahreszeit, wo
die Säfte von Neuem brausen, *où les humeurs bouil-
lonnent,* wie gesagt wird, wurden dem Kranken als
Heilmittel verordnet: Purgantia und Aderlass; es waren, wird bemerkt, nur unnütze Palliative, die Krankheit nahm zu, Viele sahen wieder die Ursache davon
in Vergiftung, Andere dachten wieder an Behexung,
und Carl selbst nahm zuerst, weil das Fieber wieder
am 4ten Tage sehr stark war, seine Krankheit für eine
Quartana. — Indess nahmen die innern Schmerzen
sehr zu, der Blutauswurf erneuerte und vermehrte
sich derartig, dass zu Zeiten selbst aus den natürlichen Oeffnungen des Körpers sich das Blut in reicher
Menge ergoss, selbst soll das Blut aus den Poren der
Haut gedrungen sein; und als einmal die Blutung aus
den natürlichen Oeffnungen sehr heftig war, der König in Ohnmacht fiel, da konnte man ihn nicht gleich
aufheben, er lag in seinem eigenen Blute eine Weile,
bevor man ihn zu reinigen im Stande war — ein un-
angenehmer Zufall, an welchen die heftigsten Feinde
Carls, den sie den neuen Herodes nennen, die bitter-
sten Bemerkungen knüpfen, aber zu weit gehen, weil
sie übersehen, dass Carl IX. selbst ein Opfer der Bos-

heit ist. Zu den Blutungen kam noch ein öfteres
Nervenzucken, wonach sich ein Starr- und Steifwer-
den der Glieder einfand; sonst aber, wegen innerer
Unruhe und Ergriffensein — *transports*, weinte der
König oft und strebte, sich in Bewegung zu halten,
um seine Angst zu mildern. Carl eilte unter solchen
Umständen seiner Auflösung entgegen: bei zunehmender Schwäche gleichgültig und ruhig geworden, starb
er in den Armen des Königs von Navarra am ersten
Pfingsttage oder den 30. Mai 1574, Nachmittags halb
4 Uhr, noch nicht ganz 25 Jahre alt. Nur Wenige
bedauerten seinen Tod; man hatte befürchtet, dass er
mit der Zeit ganz und gar in die Krankheit Carls VI.,
in Wahnsinn, verfallen würde.

Als der König gestorben war, fragte der Herr
von Brantome den Arzt Ambroise Paré nach der Ursache des Todes, und er gab die sonderbare Antwort:
*le roi est mort, pour avoir trop sonné de la trompette
à la chasse du Cerf, qui lui avoit tout gaté son pau-
vre corps.* Indess, hier ist doch Wahres, denn das
Hornblasen und das zügellose Treiben dazu, haben gewiss den ersten Grund zur Entartung gelegt, von welcher die Lungen später ergriffen sind. Bei der Section
fand man nach de Thou blaue und faulige Stellen.
Pater Daniel berichtet, dass die Section keine Spuren
von Vergiftung zeigte, was wir glauben, dagegen fand
man das Herz welk und rein vertrocknet, im Herzbeutel fehlte die Feuchtigkeit, ein Lungenlappen hing
an den Seiten fest und derselbe war mit einer schlei-
migen, eiterigen und stinkenden Materie angefüllt. —
Elf Aerzte und acht Wundärzte, unter letzteren Paré,
unterzeichneten den Sectionsbericht. Catharina erliess
nach des Sohnes Tod ein Rundschreiben an die Statt-
halter der Provinzen, in welchem sie sagte: „um den
übeln Gerüchten in Ansehung des Todes Carls IX.
vorzubeugen, werde bemerkt, dass der Tod in Folge

eines heftigen anhaltenden Fiebers erfolgt sei, das
Fieber habe seine Ursache in einer Lungenentzündung
gehabt, die der König sich wahrscheinlich durch seine
heftigen Leibesbewegungen habe zugezogen. Ausser
den Lungen, habe die Section alle anderen Organe gesund nachgewiesen und man könne annehmen, dass er
ohne die heftigen Leibesbewegungen lange habe leben
können." — Man hielt indess Catharine durchaus für
die Mörderin ihres Sohnes, aber Carl IX. ist, wie ich
fest annehme, nicht vergiftet. Carl ist frühe durch
ein wildes Leben und durch Ausschweifungen geschwächt; seine Haut war dunkel, zu Zeiten gelb und
also eine solche, wie wir sie bei Melancholikern finden, also eine Haut, die nicht aushilft, wenn die Lunge
durch Krankheit zum Athmen unfähig wird. Nun trat
endlich Lungenkrankheit offenbar ein, der Keim dazu
war wohl lange dagewesen; erst so oft aufgeregt bis
zum Wahnsinn, erlahmten endlich Hirn- und Nerven-
leben, Melancholie trat ein, mit zwischenlaufenden
Aufregungen, die ein immer tieferes Sinken des Lebens nöthig machten; und konnte es da anders sein,
als dass die Arteriellität schwand, die Venosität überhand nahm, und indem die allgemeine Cachexie selbst
das Blut nicht verschonte, traten die Blutungen ein.
Die Zerrüttung und allgemeine Auflösung entwickelte
sich nothwendig, es bedurfte dazu keiner eigentlichen
Vergiftung.

Obgleich Widersacher der ungerechten und un-
wissenschaftlichen Ansicht, dass Sünde und Verrücktheit dasselbe seien, ist es mir doch angenehm, hier durch eine merkwürdige historische Thatsache zeigen zu können, dass es allerdings Fälle giebt,
wie Carls IX. Krankheit beweist, in welchen Sünde
und Geisteszerrüttung in einer bedingenden Beziehung
zu einander stehen, sich verwandt sind, selbst nahe
verwandt sind — ich kenne keinen Fall, in welchem

ein solches Verhältniss, eine Verwandtschaft zwischen
Sünde und Seelenstörung so deutlich ausgesprochen
wäre, als in dem Leben Carls IX. — Die Stufen-
folge im Leben Carls IX., wie sie vom Guten hin
durch das Böse, in Körperzerrüttung, Seelenstörung,
Auflösung des Körpers — wanderte und mit Tod endigte, ist jedenfalls interessant, aber immer nur einzeln, nie allgemein bedeutend; die meisten Fälle von
Seelenstörung befallen solche Personen, die nicht
schlecht und böse waren.

———————

Ambroise Paré schrieb nichts über Carl IX.
Krankheit, auch konnte er dem Könige kein guter Arzt
sein, als Carl entschieden psychisch leidend wurde;
denn Paré glaubte so ziemlich an die Hexen-
lehre des Thomas Erastus, der mit Paracelsus den
Hexen die tollsten Eigenschaften und mit diesen den
übelsten Einfluss auf die Menschen beilegte; Paré
giebt nur zu, dass man die Wirkung der Dämonen
nicht begreifen könne — Sprengel, Geschichte der
Medicin Bd. 3. S. 279. 285. — Aus dem 14ten Jahrhundert giebt Friedreich wenig; lesen wir was aus
dem 16ten Jahrhundert berichtet wird über die Ansichten des Dr. Fernelius, Leibarzt von Heinrich II.,
dem Vater Carls IX., was die Aerzte Rondelet,
Vallesius, Piso, Schenk, Mercurialis, Pla-
ter, Prosper Alpinus und Andere gesagt haben,
so ist anzunehmen, dass die Aerzte dem König auch
reichlich Arznei gaben, da schon Dr. Rondelet eine
Menge von complicirten Receptformeln angiebt. Auch
an Streit und Uneinigkeit über des Königs Behandlung mag es nicht gefehlt haben; es war die Zeit, in
welcher die Vernunft den Anfang machte, die böse
Dummheit einer schlechten Vergangenheit zurück zu
drängen, um sich wieder mehr allgemein geltend

zu machen. — Dr. Friedreich citirt (Literärge-
schichte der Pathologie und Therapie der psychischen
Krankheiten Würtzburg 1830) l. c. S. 135. 136. mehrere Schriften über Melancholie und die Verbindung
derselben mit Manie, die in Paris 1597, 1598 und
1600 gedruckt sind, so wie ähnliche Schriften, die
ich alle nicht zu bekommen weiss; sollte hier nicht
Interessantes in Bezug auf Carl IX., auch ohne den
König zu nennen, gesagt oder angedeutet werden? —
die ärztliche Behandlung genau zu kennen, wäre gewiss werthvoll! — Schliesslich will ich noch bemerken, dass wir, um eine Geschichte der praktischen
Psychiatrie je vollständig besitzen zu können, die
Krankengeschichten hoch stehender Personen benutzen
müssen und auch nur können, weil die Schriftsteller
nur von ihnen Kunde hinterlassen haben, die auf die
Nachwelt gekommen ist.

Ueber

den Einfluss der Einbildungskraft einer Mutter auf die Frucht.

Mitgetheilt

von

Dr. Friedrich Bird.

Ueber den Einfluss der Einbildungskraft einer Mutter auf die Frucht, oder über das sogenannte Versehen einer Schwangeren, ist sehr Vieles gesagt worden, ohne dass die Sache entschieden wäre; wir theilen hier nur ein, aber auch ein sehr interessantes, Factum mit, aus „*Muratori* über die Einbildungskraft, deutsch und mit Zusätzen von **Richerz**. Leipzig 1785. Bd. 2. S. 292 und 294", wo **Richerz** das Folgende giebt, nach *Blondel, dissertation physique sur la force de l'imagination des femmes enceintes sûr le fetus.* Leyde 1734. S. 18.

Zu den vielen Beispielen, wonach der unerwartete und selbst gewaltthätigste unangenehme Eindruck auf die schwangere Mutter, ohne alle Folgen geblieben ist für das Kind, fügt **Blondel** noch das Folgende: „Als die mit Recht übel verrufene Maria Stuart, Königin von Schottland, eines Abends zur Tafel sass, traten einige mit Dolchen bewaffnete Personen ins

3 *

Zimmer, und überfielen den Secretär David Riccio, in
der Absicht, ihn zu ermorden. Riccio hoffte sein Leben zu retten, indem er die Knie der Königin um-
fasste und um Barmherzigkeit flehte. Aber umsonst! —
die wüthenden Mörder verdoppelten ihre Stösse nur,
bis Riccio todt war. Fürchterlich waren das Schreien
und Aechzen des Unglücklichen und der Königin, welche damals mit Jacob I. schwanger ging; und hat dieser ihr Sohn nie die geringste Narbe oder Schmarre
am Körper, kein Maal bekommen, das nur die geringste
Aehnlichkeit mit den Wunden des Riccio gezeigt hätte."
Ein Geschichtschreiber, bemerkt B l o n d e l weiter,
hat freilich erzählt, dass König Jacob I. von England
und Schottland, keinen blossen Degen sehen konnte,
allein — er wurde auch durch einen Flintenschuss,
wodurch Riccio nicht getödtet ist, in gleich starke
Gemüthsbewegung gesetzt. Es giebt genug Leute,
die eine ähnliche Schwachheit haben, obgleich ihre
Mütter, als sie mit ihnen schwanger gingen, nicht in
einer hier bezüglichen Weise erschreckt sind. Man
muss solche Besonderheiten eher für eine Folge der
Erschlaffung gewisser Nerven halten, sagt B l o n d e l,
als von Mangel an Muth und Entschlossenheit herleiten. — Ueberdies darf man nicht eben zur Einbildungskraft seine Zuflucht nehmen, um die wahren
Ursachen des Abscheus aufzufinden, den Jacob I. gegen einen blossen Degen gefasst hatte. Der König
hatte das Unglück, von Kindheit an unter steter Furcht
erzogen zu werden, seine Diener waren die Todfeinde
seiner Mutter, sie erzählten ihm ohne Unterlass das
traurige und blutige Ende des Riccio, und die grau-
same Todesart von Heinrich Stuart, Vater des jungen
Königs. Vermuthlich begleiteten sie diese Erzählungen mit Drohungen und ungestümen Vorwürfen gegen
die Königin Mutter, welche bekanntlich 1587 enthauptet wurde.

Wissen wir nun nicht, wie aufmerksam Kinder, selbst ehe sie sprechen können, auf Alles sind, was ihnen von Geistern, Hexen und Erscheinungen gesagt wird? — wie leicht sie nachdem von panischem Schrecken ergriffen werden? — und auch, dass solcher Zustand sie im spätern Leben nie verlässt?

König Jacob I. wurde von seiner Gouvernante, und von dem gelehrten Hofmeister, einem Pedanten, — rauh und stolz behandelt. Sir James Melvil, ein gleichzeitiger Schriftsteller, erzählt, dass die Gouvernante Marr und der Hofmeister Georg Buchanan den jungen König sehr in Furcht und Unterwürfigkeit hielten. Man schlug eine Münze in seinem Namen, auf deren Revers ein Schwert geprägt war, mit der drohenden Umschrift: *pro me, si mereo, si non, in me.* — Jacob I. verlebte seine Jugend unter steten bürgerlichen Unruhen und Gefahren; er erlebte das Unglück der Hinrichtung seiner Mutter. Gewiss, beachten wir alle diese Umstände und Verhältnisse, dann scheint es, als ob in der Erziehung, in den erlebten Gefahren, in dem steten Druck und dem künstlich herbeigeführten Mangel an Vertrauen, die Ursachen liegen, weshalb Jacob I. so furchtsam war, und es bedarf hier durchaus keiner Annahme durch Einfluss des Schreckens der Königin, als Riccio ermordet ist. Es ist ausgemacht, dass wenn wir in der Psychologie nur richtig forschen, dann fällt Alles fort, was an das Wunderbare nur entfernt — selbst erinnern könnte, aber — hier ist eine Wahrheit, mit welcher nicht Allen gedient ist.

Zweiter Bericht

über

die Irrenanstalt zu Sorau,

auf Hohe Anordnung erstattet

von

Dr. Schnieber,

Arzt dieser Anstalt.

Der Zustand der hiesigen Irrenanstalt hat seit zwei Jahren nur die einzige Veränderung erlitten, dass auch geistig gesunde Arme, welche wegen körperlicher Gebrechen ihren Unterhalt sich nicht erwerben können, als Pfleglinge in die Anstalt aufgenommen werden.

Am Ende des Jahres 1845 befanden sich in der Anstalt:

männl. Irre . . 92, weibl. Irre . . 61 = 153

„ Pfleglinge 2, „ Pfleglinge 1 = 3

Summa 156

Im Jahre 1846 und 1847 wurden in die Anstalt aufgenommen:

männl. Irre . . 30, weibl. Irre . . 13 = 43

„ Pfleglinge 4, „ Pfleglinge = 4

Summa 47

Diese 47 Aufgenommenen zu der Bestandsumme am Ende des Jahres 1845 — 156 — hinzugerechnet, ergiebt die Summe von 128 Männern, und von 75 Weibern

Summa 203 Personen

Von dieser Summe wurden im Jahre 1846 und 1847 geheilt entlassen:

Männer 7, Weiber 1 = 8

ungeheilt entlassen:

Männer 6, Weiber 3 = 9

Gestorben sind in diesen zwei Jahren:

Männer 31, Weiber 14 = 45

Es blieb also am Ende des Jahres 1847 ein Bestand von

männl. Irren . 79, weibl. Irren . 56 = 135

„ Pfleglingen 5, „ Pfleglingen 1 = 6

Summa 141

Davon litten:

an permanentem Wahnsinn

u. permanenter Verrückheit Männer 43, Weiber 36

an periodischer Manie				
und Verrücktheit	„	2,	„	1
an reinem Blödsinn	„	19,	„	16
an Blödsinn mit manieartigen				
Exaltationen	„	6,	„	1
an Blödsinn mit Epilepsie	„	2,	„	—
an Blödsinn oder Verrücktheit				
mit Epilepsie und Tobsucht-				
anfällen	„ .	7,	„	2
Pfleglinge	„	5,	„	1

Die enorme Anzahl der in diesen beiden Jahren Gestorbenen muss befremden. Während meiner 32jährigen Amtsführung ist die Sterblichkeit in der Anstalt niemals so bedeutend gewesen, und dennoch ist der Grund davon leicht einzusehen. In einer Aufbewah-

rungsanstalt für unheilbare Irre findet man immer eine
Menge Todescandidaten, die von jahrelangem Siech-
thum endlich durch den Tod erlöset werden. Auch
unter den 45 Gestorbenen befinden sich viele Kranke,
die schon lange an Wassersucht, an Lungen - und
Gekröse - Tuberculose, und an organischen Fehlern
der Leber und der Milz gelitten hatten. Ferner wurden mehrere Kranke mit schon unheilbaren körperlichen Krankheiten in die Anstalt eingeliefert. Ein
an Lungenschwindsucht leidender Pflegling starb schon
am 19ten Tage nach seiner Aufnahme. Ein anderer
Kranker brachte eine bösartige Ruhr mit in die Anstalt, von welcher sechs Irre und zwei Wärter angesteckt wurden. Die beiden Wärter und drei Irre
genasen, aber der erwähnte Kranke und drei Irre,
welche schon lange an Schwindsucht und Wassersucht darnieder gelegen hatten, gingen an der Krankheit zu Grunde, weil sie zu einem Kampfe mit einer
bösartigen Ruhr keine Kräfte mehr hatten.

Die Diagnose wurde durch die an jedem Gestorbenen vollzogene Section bestätigt. Es starben also:

an Ruhr	4	Personen
an Gehirnschlagfluss plötzlich . .	5	,,
an Lungenschlagfluss . . .	2	,,
an Magenschlag	1	,,
an Brustwassersucht . . .	1	,,
an Bauchwassersucht . . .	2	,,
an Wassersucht der Seitenhöhlen des Gehirns, die enorm erwei- tert waren	4	,,
an geschwüriger Lungenschwind- sucht, und fast totaler Tuberculose .	16	,,
an Tuberculose des Gekröses . .	8	,,
an Lebergeschwüren mit Milz- verhärtung	2	,,

Latus 42 Personen

Transport 42 Personen

an Lungenentzündung . . . 1 „

an Blasenentzündung nach vorausgegangenen anhaltenden
Blasenhämorrhoiden . . . . - „

'an *Marasmus senilis* mit Verknöcherung der Herzklappen . . 1 „

Summa 45 Personen

Zum Schlusse dieses Berichts erlaube ich mir aus
früheren Jahren einige in hiesiger Irrenanstalt gemachte Beobachtungen mitzutheilen, die nicht ohne
alles Interesse sein dürften.

1.

Seltene Abnormitäten in der Leiche einer melancholischen Irren.

Anna Klauck aus Trebitz, 56 Jahr alt, zeigte
schon vor Ausbruch ihrer Seelenstörung Hang zur
Einsamkeit und Schwermuth; jedoch bildete sich aus
dieser Gemüthsverstimmung, welche ihr Arzt aus der
ihr angeborenen scheinbaren *atresia vaginae* herleite-
te, weil die Functionen des Genitalsystems dadurch
behindert wurden, erst im 53sten Lebensjahre eine
sehr bedeutende Melancholie, nachdem sie vorher an
Brustkrampf und Leibesverstopfung gelitten hatte.
Nach einigen kleinen Verlusten in ihrer Wirthschaft
begann sie zu seufzen und zu klagen, dass sie und
ihr Mann verhungern müssten, und dass auf dem
Felde Alles umkomme u. s. w. Den traurigsten Vorstellungen hingegeben, bekümmerte sie sich nicht
mehr um ihre Wirthschaft. Vergeblich versuchte man
gegen diese Seelenstörung starke Abführungsmittel,
Antispasmodica, Venäsectionen, Vesicatorien, religiöse Uebungen, Vorlesen und Zerstreuung, und man
sah sich endlich genöthiget, die Kranke am 19. Juli
1818 in die hiesige Anstalt zu bringen.

In den ersten Wochen ihres Aufenthalts in der
Anstalt seufzte sie unaufhörlich mit grosser Angst
und Brustbeklemmung: „Ach Jesus! Wir müssen
Alle verhungern!" u. s. w. Sie sah sehr elend aus,
genoss wenig Speise, litt an Leibesverstopfung, an
Herzklopfen, an Husten, bisweilen auch an ziemlich
heftigem Asthma bei härtlichem Pulse, und an Schlaflosigkeit. Auf einen Aderlass, laue Bäder und krampf-
stillende Mittel in Vereinigung mit *radix Senegae*,
squillae und *herba digitalis purpurea* minderte sich
das Asthma, und es fand sich Schlaf und Appetit.
Bei dieser Besserung ihrer körperlichen Leiden verminderte sich auch ihre Seelenstörung. Leider war
sie zu einem geregelten Gebrauch von Medicamenten
nur mit Zwang zu bewegen, der jedoch durch ihr
Widerstreben ihre körperlichen Beschwerden einigermassen verschlimmerte. Allmählig wurde sie wieder
kränker, die Unterextremitäten schwollen an, das
Asthma wurde heftiger, und bei gänzlicher Schlaf.o-
sigkeit nahmen nun die Kräfte mehr und mehr ab.
Der Herzschlag war niemals aussetzend, aber das
Herz schien sich gewaltsam in der Brust herum zu
wälzen. Sie starb am 17. December desselben Jahres
plötzlich an Schlagfluss.

Bei der Obduction fanden sich folgende zum Theil
seltene Abnormitäten: Form des Schädels nicht ungewöhnlich, *dura mater* sehr fest am Schädel anhän-
gend, die *sinus* derselben stark mit Blut angefüllt,
die *pia mater* an einigen Stellen ungewöhnlich dick
und fest, die Venen derselben strotzend von Blut;
sonst im grossen und kleinen Gehirn nichts Abnormes.
In dem linken Pleurasacke ¼ Berliner Quart Wasser,
die linke Lunge frei, die rechte mit der *pleura* verwachsen, beide Lungen strotzend mit Blut angefüllt.
Der Herzbeutel ragte ungewöhnlich hervor, hatte eine
auffallende Grösse und enthielt ein ganzes Berliner

Quart Wasser. Das Herz fast noch einmal so gross,
als es sonst bei Personen dieses Alters und dieser
Körpergrösse zu sein pflegt; es war mit dicken Fett-
lagen bedeckt, auf welchen erbsengrosse Hydatiden
sassen; die *venae coronariae* sehr aufgetrieben und
varikös. Im Innern des Herzens nichts Abnormes;
in beiden Herzkammern geronnenes Blut; die Wände
der Herzkammern waren nicht etwa membranartig
dünn, sondern normal dick, so dass also hier eine
eigentliche *enormitas cordis* vorhanden war. Die Lage
der Unterleibseingeweide normal; das Netz sehr fett;
das Parenchyma der Leber schnitt sich knorpelartig,
die Gallenblase zu der etwas grossen Leber sehr klein;
das Pankreas sehr weich und klein, ebenso die Milz.
Es wurden zwei Muttertrompeten gefunden mit ver-
härteten und von Hydatiden umgebenen Ovarien, aber
ein Uterus, oder ein ihm ähnlicher Körper war nicht
aufzufinden. Die Muttertrompeten waren an der Harn-
blase befestigt. Eben so fehlte auch die Vagina.
Wenn man die Schamlippen von einander entfernte,
präsentirte sich die Clitoris, und etwas zu tief das
orificium urethrae, unter welchem eine kleine seichte
Spalte sich befand, welche den Eingang in die Vagina
andeutete. Als diese Spalte durchstochen wurde, gelangte das Messer durch eine dünne Haut sogleich in
die Beckenhöhle.

2.

Unerwarteter Fund in der Leber eines Verrückten.

Korpe aus Schadewitz, 57 Jahr alt, an partieller
Verrücktheit leidend, befand sich vom Jahre 1816
bis 1818 körperlich wohl. Nun bekam er, ohne über
irgend ein körperliches Leiden zu klagen, *oedema pe-
dum* und unregelmässige Leibesöffnung, bald litt
er an Durchfall, bald an Verstopfung. Im Jahre
1820 schwollen auch die Oberschenkel, und nun erst

verlor er allmählig Appetit, Schlaf und Kräfte. Er
musste wegen grosser Schwäche, zu Bett liegen.
Niemals klagte er über irgend einen Schmerz, wohl
aber einige Wochen vor seinem Tode über Brustbeklemmung und krampfhaften Husten. Sein Puls war
sehr schwach, klein, intermittirend, das Gesicht gedunsen, blass, aber niemals, — wie häufig bei Leberkranken, — von atrabilärem Teint; die Augen thrän-
ten bisweilen, aber die *sclerotica* war nicht gelblich
gefärbt. Der Durchfall erschöpfte trotz der angewandten Mittel seine Kräfte immer mehr. In der
Bauchhöhle fühlte man Fluctuation, und die Leber-
gegend war aufgetrieben. Er starb an Erschöpfung
der Lebenskraft am 23. Mai 1820.

Von dem Obductionsbefunde soll hier nur das Bemerkenswerthe mitgetheilt werden.

In der Unterleibshöhle befanden sich vier Quart
Wasser. Die Leber und besonders der rechte Lappen derselben war sehr gross. Seine obere Fläche
schnitt sich wie eine knorpelige Haut, die einige Linien dick war. Unmittelbar unter dieser Haut befand
sich ein weicher, schmutziggelber Brei, welcher mit
harten, schwarzen, zerreiblichen, den Kohlen ähnlichen Körperchen von der Grösse einer Bohne ver-
mischt war. Unter diesem Brei lagen mindestens 200
halbdurchsichtige, blassgrüne, blassrothe und gelbliche Kugeln von der Grösse einer kleinen Flinten-
kugel bis zur Grösse eines kleinen Billardballs — Akephalokysten. — Drückte man eine solche Kugel, so
platzte die dünne Haut, und indem man dies Expe-
riment fortsetzte, überzeugte man sich deutlich, dass
in einer dieser grössten Akephalokysten gegen Funfzig kleinere eingeschachtelt waren, so dass eine Kugel in der andern steckte und in den kleinen Zwischenräumen zwischen den Kugeln sich ein wenig
Wasser befand. Nach Entfernung dieser Akephalo-

kysten glich der ganze rechte Leberlappen einem Sacke. Die Gallenblase enthielt 55 Gallensteine von schwarzer Farbe, und von verschiedener Form und Grösse.

3.

Merkwürdige Entartung der Leber.

Der blödsinnige Wondke aus Plau starb am 11. Juni 1828 an Brustwassersucht. Seine Leber wog 16 Pfund und war mit mehrern häutigen Säcken von der Grösse einer Obertasse bedeckt, in welchen sich wenig Wasser und sehr schöne Akephalokysten von gelblicher und blassgrüner Farbe, und von verschiedener Grösse befanden. In jeder Akephalokyste waren mehrere eingeschachtelt. Nachdem sämmtliche Säcke ausgeleert worden waren, wog die Leber mit den daran hängenden Säcken noch 10 Pfund. Das Parenchyma derselben war hart und blassroth.

4.

Schwangerschaft des linken Ovarii.

Apollonia, verwittw. Habermann aus Landsberg, alt 36 Jahr, verfiel im Jahre 1819 in Manie, und wurde am 3. März 1820 in die hiesige Irrenanstalt gebracht, wo ihre Seelenstörung sich nur in der Form der Melancholie zeigte. Nach fruchtlos angewandten Heilversuchen verschied sie unerwartet und plötzlich am 25. October desselben Jahres.

Die Obduction, welche alle Zeichen des blutigen Gehirnschlagflusses nachwies, wurde besonders durch das *ovarium sinistrum* interessant. Dasselbe war fast zweimal so gross, als ein Gänseei, jedoch mehr rund und etwas höckerig. Von der *tuba Fallopii* abgetrennt, und von der äusseren häutigen Umkleidung befreit, zeigte es eine knorpelartige Schale, in deren

Höhle sich ein wenig Wasser und folgende Theile
eines kleinen Skelets befanden:

1) das Hinterhauptbein, die Seitenwandbeine, die
   Schläfenbeine, ein Theil des Stirnbeins und mehrere kleine Bruchstücke, — dem Anscheine nach
   von Schädelknochen; —
2) die Wirbelsäule unvollständig;
3) die Rippen von der Dicke schwacher Stricknadeln;
4) das Os sacrum;
5) die Röhrenknochen der oberen und unteren Extremitäten.

Die Gebärmutterhöhle war geräumiger, als in einer
nicht schwangeren Gebärmutter, und der Muttermund
hatte die Beschaffenheit wie im vierten Monat der
Schwangerschaft.

5.

Auffallend abnorme Kopfbildung.

Pohl aus Merzdorf litt an angeborenem Blödsinn.
Er hatte nicht einmal sprechen gelernt, sondern gab
mit freundlichem Grinsen blos die Töne von sich:
„Nä! Gä!" Er war von kleiner Statur, aber breit-
schulterig und robust. Auf diesem breiten und robusten
Rumpfe sass ein ganz kleiner Kopf mit sehr plattem
Hinterhaupt. Die Unterkinnlade stand sehr hervor,
was ihm bei seiner Affengesichtslinie ein sehr widri-
ges Ansehen gab. Er starb in seinem 21sten Lebensjahre an Lungenschwindsucht, nachdem er zwei Jahre
lang in der Anstalt gelebt hatte.

Der kleine Schädel hatte Knochen von fast gewöhnlicher Dicke, wodurch die ohnediess kleine Schädelhöhle noch mehr beengt wurde. Das ganze Gehirn sammt der *pia mater* und *arachnoidea* wog nur
26½ Loth Civilgewicht. Die Durchmesser des Schädels mit einem sehr accurat gearbeiteten Cephalome-
ter gemessen waren folgende:

1) der gerade Durchmesser von der *glabella* bis zur *protuberantia occipitalis externa* 5 rheinl. Zoll;

2) der Querdurchmesser von dem höchsten Punkte der *sutura sqamosa* der Schläfenbeine in der Linie des höchsten Punktes des Scheitels 3 rheinl. Zoll und 11 Linien;

3) der längste Durchmesser von der *protuberantia occipitalis externa* bis zur Mitte des Kinns sechs rheinl. Zoll.

Hieraus lässt sich die auffallende Kleinheit des Gehirns und des Schädels beurtheilen.

6.

Nach Ausbruch von Furunkeln erfolgte Heilung eines blödsinnigen Zustandes mit periodischer Manie.

Lehmann aus Fritschendorf, 28 Jahr alt, zeigte schon in seiner Jugend wenig Verstand, und litt oft an Schmerzen in der linken Seite des Kopfes, die bisweilen so heftig wurden, dass er das Bewusstsein verlor. Er wurde jedoch späterhin gesunder, und so kräftig, dass er zum Militärdienst sehr tauglich erachtet wurde. Im Januar 1817 wurde er still und in sich gekehrt; bisweilen aber zeigte er auch eine ängstliche Unruhe, las viel in der Bibel, entlief bisweilen, und verfiel endlich in periodische Raserei. Er wurde nun am 11. Mai 1817 in die hiesige Irrenanstalt gebracht. In den ersten Tagen äusserte sich seine Seelenstörung durch stilles Irrereden. Angeredet zeigte er gewöhnlich Besonnenheit, und antwortete vernünftig. Auf die Frage: ob er jemals einen Ausschlag gehabt habe? — erzählte er: dass er als Soldat die Krätze gehabt habe, und durch Einreibung einer Salbe schnell davon befreit worden sei. Die beliebte Krätzmilbentheorie, und die darauf basirte, als unschädlich gepriesene Behandlung der Krätze mit

alleinigen äusserlichen Mitteln niemals billigend, hielt
ich es für wahrscheinlich, dass dieser nach schnell
vertriebener Krätze entstandenen Seelenstörung eine
Krätzmetastase zum Grunde liegen könne, zumal
sonst gar keine körperliche Anomalie an ihm aufzufinden war, von welcher man mit einiger Wahrscheinlichkeit die Entstehung dieser Seelenstörung hätte
herleiten können. Bald darauf erfolgte ein heftiger
Anfall von Tobsucht, welcher neun Tage dauerte.
Diese Anfälle von Tobsucht kehrten nach Intervallen
von circa vier Wochen wieder. In den ruhigen Zwischenräumen liess ich ihn Schwefel und laue Bäder
gebrauchen; in den Tobsuchtanfällen erhielt er Blutegel an den Kopf, die Einreibung der Brechweinstein-
salbe im Nacken, laue Bäder mit kalter Douche und
Begiessungen auf den Kopf, und innerlich Brechwein-
stein als Nauseosum. Bei dieser Behandlung erschienen nach einigen Wochen Furunkeln von bedeutender
Grösse, und in solcher grossen Anzahl, dass der
Kranke — ein wahrer Lazarus — ohne heftige Schmerzen weder gehen, noch sitzen, noch liegen konnte.
Mit der Verschlimmerung dieser Furunkel-Eruption verminderte sich die Heftigkeit der Tobsuchtanfälle, ja
sie blieben zu Anfang des Jahres 1818 ganz aus, der
stille, blödsinnige Zustand verlor sich allmählig gänzlich, und es war endlich keine Spur von einer Seelenstörung mehr an ihm wahrzunehmen, so dass er
im Juni 1818 als geheilt entlassen werden konnte.
Er ist gesund geblieben.

Nachträglich erlaube ich mir die Bemerkung, dass
ich an Personen, die blos durch äusserliche Mittel
von der Krätze befreit worden waren, sehr oft eine
Menge Furunkeln beobachtet habe.

Denkschrift

den Zustand der Irren-Abtheilung in der Königl.
Charité-Heil-Anstalt und die Nothwendigkeit des
Neubaues einer Irren-Heil- und Pflege-Anstalt für
die Residenzen Berlin und Potsdam betreffend.

(Berlin den 10. März 1842) *).

I. Geschichtliches.

Die Irren sind im Anfange des vorigen Jahrhunderts
zugleich mit den Waisenkindern, den Kranken und
anderen Armen in dem *Friedrichshospital* an der
Waisenbrücke untergebracht worden, und befindet
sich in den Acten eine besondere „Ordnung für die
irren und dollen Leute" in dem Reglement vom
15. März 1702. — Man überzeugte sich bald, dass
das Hospital zu so verschiedenen Zwecken nicht benutzt werden konnte, und es wurden von dem König
Friedrich I. mittelst Allerhöchster Kabinets-Ordre

---

*) Die Beweggründe zur Veröffentlichung dieser Denkschrift,
welche in Folge der Untersuchungen und Verhandlungen
über die Reform-Angelegenheiten der Charité, im Auftrage
des Herrn Minister Eichhorn von mir gearbeitet und den
14. März 1842 vorgelegt wurde, sind: die zum Gegenstand
der Oeffentlichkeit gewordenen Reformfragen, betreffend die
Charité, deren Irrenabtheilung, die Irrenverhältnisse Berlins (Leubuscher med. Reform 1848 Nr. 17 ff.), ferner der
gemachte Vorschlag zur Verlegung der Irrenabtheilung der

vom 25. November 1709 Vorschläge zur Verbesserung genehmigt. Hierunter war auch der: die Irren aus der Anstalt zu entfernen. Dies geschah zum Theil 1711, wo man mehre Irre in das *Dorotheen-Hospital* brachte auf dem Georgen-Kirchhofe (dies war kurz vorher gebauet und die Stadt verdankt die Entstehung desselben grösstentheils der Gnade des Kurfürsten Friedrich Wilhelm des Grossen und seiner Gemahlin).

Die Entstehung des in der Folge in der *Krausenstrasse* erbaueten Irrenhauses gründet sich in der anno 1710 erfolgten Aufnahme eines geisteskranken Kaufmanns Faber in das Friedrichshospital, dessen Vermögen nebst Haus und Garten in der Krausenstrasse nach seinem 1718 erfolgten Tode auf Grund der Kabinets-Ordre vom 26. Juli 1719 dem Friedrichshospital zugewiesen wurde. Dieses Grundstück, vergrössert durch den Ankauf des Pretschen Hauses Seitens des Armen-Directoriums, benutzte man zur Anlegung eines besondern Irrenhauses. — In diesem befanden sich im Jahre 1739 bereits 95 Irre, und es sind auch die Geisteskranken ohne Unterschied, ob heilbare oder nicht, so lange dort aufbewahrt worden, bis in der Nacht vom 1. zum 2. September 1798 das Haus abbrannte *).

Vorläufig wurden die Irren nach dem Arbeitshause gebracht. Durch Kabinets-Ordre vom 4. September

---

Charité in das Krankenhaus Bethanien, sodann die Beweisführung durch die Denkschrift, wie schon vor sieben Jahren innerhalb des Ministeriums selber der Gegenstand aufgefasst und behandelt wurde, und endlich die Aussicht, dass gerade noch heute unter völlig veränderten Verhältnissen diese Denkschrift zur sachverständigen Entscheidung über Schicksal und Zukunft der Irrenabtheilung der Charité und der Berliner Irren nachwirkend beitragen, auch in weiteren Kreisen von Interesse sein kann.

*) Vgl. d. Ztschr. B. II. S. 150—154.

1798 ward eine Untersuchung in der *Charité* veranlasst, und in Folge derselben durch die resp. K.-O. vom 27. October und 3. December 1798 bestimmt, dass das bisher in der Charité befindliche *Hospital* von der Charité gänzlich getrennt, dem Hospitale das ehemalige Zuckersiederei-Gebäude in der Wallstrasse überwiesen, und die in der Charité befindlichen Hospitaliten dahin verlegt werden sollten, durch welche Trennung die Anlegung eines besonderen Irrenhauses wegfallen und solches in den Gebäuden der Charité angebracht werden könne, *wozu daher auch vorläufig der Versuch gemacht werden müsse.* Diese Allerhöchste Kabinets-Ordre kam sofort 1799 in Ausführung; die Wahnsinnigen wurden in die *Charité* verlegt, 'sie mochten *heilbar* oder *unheilbar* sein, und nur die *nichtgefährlichen unheilbaren* Kranken der Art sind entweder dem neuen Hospital oder Arbeitshause zugewiesen worden. Der Bericht der Armen-Direction vom 15. November 1820 nimmt dies Verhältniss auch als bestehend an, stellt aber die Sache so, als ob die Rücknahme der Unschädlichen nur guter Wille gewesen sei, mit der Bemerkung, dass die Unruhigen sogleich wieder zur Charité zurückgeschickt würden.

In welchem verwahrloseten Zustande die Charité zu der Zeit war, dies geht ganz besonders aus den Schriftchen von J. D. Falk (welcher 1798 behauptet: in der Charité würden die Menschen wie Pferde und in der Ecole veterinaire die Pferde wie Menschen behandelt), von dem damaligen lutherischen Prediger der Anstalt Prahmer: „Einige Worte über die Berlinische Charité zur Beherzigung aller Menschenfreunde, Berlin 1798" 2te Aufl., und von Anderen hervor. Wenn gleich in Folge derselben des hochseligen Königs Majestät die zweckmässigere Einrichtung der Charité befahlen, welche auch der Irren-Abtheilung mit zu Gute kam (wie auch schon früher der menschenfreundliche Monarch einen beträchtlichen Theil des Vermögens der Gräfin Lichtenau dieser Anstalt zugewandt hatte), so blieben doch selbst während E. Horn's Leitung (vgl. dessen öffentliche Rechenschaft u. s. w. Berlin 1818) noch zahllose Uebelstände, unter denen z. B. selbst die Unzweckmässigkeit und Beschränktheit des Locals, im letzten Theile des rechten Flügels des ganzen Hauses in drei Etagen nicht zu beseitigen war.

Mehrmals ward daher von der Armen-Direction auf Fortschaffung der Irren, denen mit grossem Nachtheil für die andern Kranken Zimmer eingeräumt werden mussten, gedrungen.

Das Polizei-Präsidium schlug in einem Bericht an das Ober-Präsidium vom 8. October 1818 die Errichtung eines besondern Irrenhauses im Irrengarten der Charité vor, mit gleichzeitiger Benutzung zur Bildung von Irrenärzten.

Der König genehmigte auf den Immediat-Bericht des Ministerii vom 2. Juni 1825 mittelst K.-O. vom 25. d. M. und J. den Bau eines besonderen Hauses in dem — *damals 75 Morgen* grossen Garten der Charité für die Irren-Abtheilung, wenn die erforderlichen Baukosten insgesammt aus dem Charitéfond bestritten werden könnten. Die specielle Ausarbeitung des Bau- und Einrichtungs-Planes ward von dem Ministerium dem Polizei-Präsidium mit Ansprechung der Wirksamkeit des Medicinal-Collegii aufgegeben. Nach mehrseitigen Verhandlungen über Grösse und Bestimmung der Anstalt ward dieselbe für heilbare und für gemeinschädliche-unheilbare aus den Residenzen und auch aus den Provinzen jedoch mit der Beschränkung bestimmt, dass *mittellose* unheilbare Irre und solche, deren Heilung lange Zeit (?) erfordern würde, in Neu-Ruppin und Sorau unterzubringen seien.

Der von dem Medicinal-Collegium ausgearbeitete Plan ward dem Ministerium im Juni 1827 eingereicht, die Kosten beliefen sich für ppt. 220 Kranke auf 400,000 Thlr.! Langermann vernichtete denselben in dem denkwürdigen Gutachten vom 18. November 1827.

Die von Langermann eine Zeit lang verfolgte Idee: in *Pretsch* eine einzige grosse Irrenheilanstalt für Pommern, Sachsen und Brandenburg anzulegen, musste, abgesehen von allen andern Gründen, wohl allein schon deshalb aufgegeben werden, weil die Vereinigung der *Stände* dreier Provinzen zu diesem *einen* Zweck nicht zu erwarten stand.

Inzwischen ward das Schloss zu Köpenik für eine Irren-Anstalt in Vorschlag gebracht. Der General von Redlich offerirte zu diesem Zwecke sein in der Nähe von Köpenik 800 Schritte längs der Spree belegenes, ohngefähr 120 Morgen grosses Grundstück mit Baulichkeiten. Dasselbe ward, weil der Bericht der Commission sehr günstig lautete, in Folge K.-O. vom 7. März 1829 für 10,000 Thlr. erstanden. Später erst ersah man, dass ein mitten durch das Grundstück zu dem des General von Rühl führender Weg der Ausführung des Projectes grosse Schwierigkeiten entgegenstellte, überdies dass das Grundstück bedeutenden Ueberschwemmungen ausgesetzt sei, Mangel an gutem Trinkwasser und Ueberfluss an Grundwasser habe; den 9. Juli 1830 brannten noch die Gebäude grösstentheils ab, — und so ging auch dieser Plan unter. —

Die Vorbereitungen zum Bau der neuen Charité waren getroffen; dieselbe wurde 1832 — 1834 ausgeführt, mit der Bestimmung, *vorläufig und bis zur Erbauung eines besonderen Irrenhauses, in einer Abtheilung den Geisteskranken, demnächst aber definitiv den*

*Krätzigen, Venerischen und kranken Gefangenen
Aufnahme zu verschaffen.*

Die Unterbringung dieser Kranken in die *neue*
Charité geschah „nicht allein um mehr Raum für die
übrigen Kranken in der *alten* Charité zu gewinnen,
sondern auch, um *dadurch* die alte Charité zu einem
mehr *anständigen* Civilkrankenhause umzuschaffen."
Im Spätherbste des Jahres 1834 ward die neue Charité eröffnet, und die Irren aus der alten Charité in
die beiden ersten Etagen der neuen translocirt.

II. Gegenwärtiger Zustand der Irren-Abtheilung. Nothwendigkeit eines Neubaues.

Wenn gleich die Räumlichkeiten als solche, in
welcher in der neuen Charité die Irren untergebracht
sind, viele Vorzüge vor denen in der alten haben, so ist
dennoch die ganze äussere und innere Einrichtung u. s. w.
so weit entfernt von Erfüllung nur der gewöhnlich-
sten Anforderungen an eine zweckmässige Irrenheil-
Anstalt, dass die steten dringenden Anfragen einhei-
mischer und fremder Sachverständiger: „wie es nur
erklärlich und möglich sei, in *neuester* Zeit, in der
Residenz des *Preusischen* Staates eine solche Irrenheil-Anstalt inmitten solcher Umgebungen herzustellen", nur durch das Factum zu beschwichtigen sind:
die Irren-Abtheilung der Charité sei keine eigentliche definitive Irrenheil-Anstalt, sondern nur ein
provisorischer Nothbehelf bis zur Erbauung einer neuen.

Und wahrlich, es ist hohe Zeit, dass diesem in
keiner Weise länger zu haltenden Provisorium ein
Ende gemacht werde! —

Mit halben Maassregeln, mit einstweiligen palliativen Besserungsmitteln ist nicht wieder und immer
wieder anzufangen, um nimmer zu enden.

Es bedarf einer gründlichen durch und durchgreifenden Reform, ja einer totalen Reorganisation des

Irrenwesens und der Irren-Anstalt der Residenz; und diese ist nicht zu schaffen durch Veränderungen in der bestehenden Irren-Abtheilung der neuen Charité, sondern nur *durch den Neubau einer zeit- und zweckgemässen selbstständigen Irren-Heil- und Pflegeanstalt für die Residenzen Berlin und Potsdam.*

Gründe.

Diese betreffen:

1. *die Bestimmung und Einrichtung der neuen Charité.*

Der *erste* und grösste, nicht allein den Aerzten, sondern dem gesammten Publicum und zunächst den Betheiligten in die Augen springende Uebelstand ist die unheilvolle, an barbarische Zeiten der Irren-Behandlung grell erinnernde

Zusammenbringen der Seelenkranken mit Venerischen, Krätzigen und kranken Gefangenen unter einem und demselben Dache!

Leicht liesse sich eine besondere Abhandlung über dieses widrige und widersinnige Ensemble schreiben; allein die Arbeit wäre eine überflüssige, in sofern als sie wesentlich nicht viel Anderes enthalten könnte, als eine weitläuftige Umschreibung von dem, was jeder gebildete Mensch, ja selbst ein Theil der Irren begreift und fühlt: nämlich, dass jene Verbindung absolut nichts für sich, aber absolut alles gegen sich hat, und aus administrativen und ärztlichen, moralischen und humanen Gründen eine so verderbliche als verwerfliche ist, ja einen unauflöslichen Widerspruch mit allen, auf Erfahrung und Recht begründeten Anforderungen an eine nicht schlechte Irren-Anstalt in sich begreift. — Die unglücklichen Seelenkranken — der innigsten Theilnahme so wie der schonendsten Rücksichten am bedürftigsten, bei de-

nen in der Mehrzahl das Selbstbewusstsein und das
Gefühl für Recht und Unrecht eben so wenig erstorben ist, als bei den körperlich Kranken das Bewusstsein des Lebens und das Gefühl des Schmerzes —
zusammenbringen und lassen mit den niedrigsten und
widrigsten, grossen Theils nicht nur *physisch*, sondern auch *moralisch* inficirten Kranken, ist wahrlich
nicht zu verantworten.

Die etwaige Entgegnung, dass die Sache nicht
so übel stehe, da die Irren-Abtheilung von den übrigen getrennt in 2 Etagen sich befinde, ist ohne reale
Bedeutung. Denn da die Irren die beiden *ersten*
Stockwerke einnehmen, das Haus nur *einen* Haupt-
Ein- und Ausgang, *einen* dergleichen Vorhof hat, so
können die Kranken der einzelnen Abtheilungen sich
überall im Hause begegnen, hören und sprechen und
aus den Fenstern sich sehen, so dass die nöthige
Isolirung des *Irren-* und *Wart*-Personals allerdings
unmöglich ist. Gewohnheit stumpft den Sinn für
Uebelstände ab, welche der frische unbefangene Blick
ohne Weiteres in ihrem ganzen Umfange auffasst.
Die Kenntniss der *geheimen* Geschichte der unzüch-
tigen schamlosen Scenen, der verderblichen gemeinen Klatschereien, welche bei Tag und Nacht hinter
dem Rücken der Administration und Direction vor-
gehen, und welche gewiss noch viel ärger sein mag,
als das was bekannt geworden, würde all' und jedes
Räsonnement zur Beschönigung dieses Ensembles von
Kranken *in* einer Irren-Anstalt für immer zum
Schweigen bringen. Uebrigens hat schon die blosse
Idee, dass Seelenkranke unter einem Dache mit lie-
derlichem Gesindel, Huren und Gefangenen behandelt
werden, für das Publicum und die Irren Indignirendes
und Empörendes genug, um der Sache ein Ende zu
machen. Die Gebildeten scheuen sich mit Recht, besonders weibliche Kranke dieser Irren-Abtheilung zu

übergeben, sie verliert dadurch bedeutend an Ruf und Einnahme. Viele Familien sehen sich genöthigt, die Ihrigen entweder in hiesige, weniger als mittelmässige Privat-Irren-Anstalten oder in auswärtige Institute unterzubringen, — Thatsachen, welche weder der Charité, noch der Residenz, noch dem Gouvernement zur Ehre gereichen.

Unzweifelhaft und vor allen Dingen müsste also die Irren-Anstalt, getrennt von den übrigen Abtheilungen, für sich bestehen. Solches könnte aber nicht allein durch einen Neubau, sondern auch *durch Evacuirung der übrigen Abtheilungen und Bestimmung des neuen Charitégebäudes ausschliesslich zur Irren-Anstalt, bewirkt werden.*

Dieser letztere Vorschlag liegt nahe, und die Ausführung desselben scheint auf den ersten Anschein nicht wenig für sich zu haben, *vorausgesetzt* nämlich, dass durch dieses Hülfsmittel die neue Charité in eine, nur den billigsten technischen Anforderungen entsprechende Irrenheil-Anstalt umgewandelt werden kann. Die Beweisführung, dass dies *nicht* möglich sei, ist mit die Veranlassung zu dieser Denkschrift, und, *weil es nicht möglich*, ist *der Neubau der Irren-Anstalt eine Nothwendigkeit* geworden.

Die nachfolgende nähere Motivirung dieser Grundansicht enthält zugleich die Beseitigung der Frage nach der Zulässigkeit der qu. Evacuation.

Diese Frage provocirt überdies zugleich die *Gegenfrage:*

Wohin mit den in der neuen Charité befindlichen Abtheilungen der Krätzigen, Venerischen und kranken Gefangenen?

Die alte Charité ist überfüllt, dahin können sie also nicht gebracht werden und wenn, so wäre es ein Rückschritt zum Schlechteren aus denselben Gründen,

wegen welcher jene Kranken-Abtheilungen von dort
entfernt wurden. Eine anderweitige Localität ist auch
nicht vorhanden; — selbige erst zu schaffen, veranlasste einen ganz unnützen und grossen Aufwand von
Kosten und Zeit, weil die neue Charité *definitiv* und
ganz *zweckmässig* für die event. zu evacuirenden Abtheilungen eingerichtet ist.

Es liegt mithin einerseits sowohl im Interesse der
Charité im Allgemeinen, als der neuen Charité insbesondere, dass die Venerischen, Krätzigen und
kranken Gefangenen in der neuen Charité verbleiben. Da nun andererseits diese Krankenabtheilun-
gen den Interessen und Zwecken der Irren-Abtheilung nicht entsprechend eingerichtet sind, so
erfordern alle Rücksichten und Verhältnisse mit lo-
gischer Consequenz die Entfernung der Seelenkranken von dort.

Der *zweite* in der Bestimmung und Einrichtung
der neuen Charité liegende Beweggrund zum Neubau
einer Irren-Anstalt hierselbst ist die *Einrichtung
derselben.*

Da nämlich die Irren-Abtheilung nur *provisorisch*
für Irre, das ganze Haus aber *definitiv* für andere
Kranken-Abtheilungen bestimmt ist, die Einrichtung
der Irren-Anstalt deshalb im Wesentlichen dieselbe
ist, wie die der übrigen Abtheilungen, diese aber eine
von jener ganz verschiedene Einrichtung erfordern,
so folgt daraus, dass die Irren-Abtheilung der ihr
eigenthümlichen und nothwendigen Einrichtungen durchaus ermangelt. Die Irren-Abtheilung trägt den Charakter der Nichtbestimmung für *ihre* Zwecke und der
Bestimmung für andere Zwecke an sich, und ist
mithin an und für sich ein Widerspruch dessen, was
sie ist, mit dem, was sie sein sollte. Dieses Urtheil
stützt sich auf eine Reihenfolge von Thatsachen, wel-

che von Laien und Sachverständigen ohne Unterschied anerkannt sind.

Es sei nur an folgende erinnert: Nicht einmal die *Geschlechter* sind gehörig von einander getrennt, und um eine solche einigermassen zu bewirken, hat man zu sogenannten Flurwärtern die unsichere Zuflucht nehmen müssen. *Die fehlende Sonderung von Wohn- und Schlafstuben,* eines der allergewöhnlichsten Erfordernisse, bildet einen Heerd von Uebelständen für jede Irren - Haus - Ordnung – und Zucht; eben so wenig existiren besondere *Haupt-, Neben-* und *Unter-Abtheilungen.* Die Tobsüchtigen liegen auf demselben Corridor mit Ruhigen und Reconvalescenten; sogar für eine isolirte Localität für *körperlich Erkrankte* kann nicht immer gehörig gesorgt werden. Hierzu kommen noch die schlechten Badeanstalten, Abtritte, Pissoirs, Waschplätze, ganz abgesehen von dem Mangel einer Menge von Vor- und Einrichtungen, welche in einem guten Irrenhause zur Tagesordnung gehören, die man jedoch in der Charité nie gekannt hat.

Diesen Gebrechen wäre entweder gar nicht oder nur mit grossen, im Verhältniss zu den dürftigen Resultaten, unnützen Kosten abzuhelfen, wenn ein solcher Vorschlag irgend gemacht werden könnte.

2. *Lage und Umgebungen.*

Die Irren-Anstalten erfordern eine ruhige, in sich abgeschlossene Lage; die Gebäude müssen in gehöriger Entfernung rings umgeben sein von ihrem eigenen Gebiete, die Anstalt muss Herrin sein auf ihrem Grund und Boden, frei und fern von allen möglichen und wirklichen störenden, hemmenden und aufregenden heterogenen Einflüssen und Umgebungen. Sie soll ein sicheres Asyl zur Pflege und Heilung erkrankter Gemüther nicht nur *versprechen,* sondern auch in Wahrheit *bieten.*

Diesen Haupt-Erfordernissen in Betreff der Lage und Umgebungen einer Irren-Anstalt, zumal einer *Heil*anstalt, widerspricht:

a) die Lage innerhalb der Ringmauern der Residenz;

b) die Nähe der Charité, die Verbindung mit und die Abhängigkeit von diesem grossen allgemeinen Krankenhause;

c) die vorauszusehende noch grössere Einengung der neuen Charité durch die projectirten Zwischenbauten;

d) das Entstehen von neuen Wohnhäusern und Strassen ganz in der Nähe der Charité und der dazu früher gehörigen Grundstücke, wodurch die Charité der Mittelpunkt eines neuen Stadtviertels geworden ist, aus deren Häusern man zum Theil in die Fenster, Höfe und Gärten derselben sehen kann.

Mit Rücksicht auf die vorstehenden Anforderungen an die Lage und Umgebungen einer Irren-Anstalt bedarf es wohl keiner weitern Beweisführung, dass unter den betreffenden Verhältnissen, Lage und Umgebungen der Charité einen Complex von Uebelständen darstellen, welcher nicht nur das äussere Getriebe der Anstalt und das Gute, was sie noch hat, ausserordentlich beeinträchtigt, sondern auf den Organismus und Geist der Anstalt überall nur hemmend und lähmend einwirken kann. Die Beweise hierfür vervollständigt:

3. *die Organisation, Verwaltung und Direction.*

Was für eine Ansicht über das Wesen der Seelenkrankheiten auch hingestellt werden möge, Thatsache ist es und bleibt es, so lange es Irre auf der Welt giebt, dass die Verrichtungen der Seele und des Geistes krankhaft alienirt erscheinen, und der Wahnsinn eine Krankheit des ganzen Menschen, wie er leibt, fühlt und denkt, ist. Das was den Menschen zum Menschen macht, die edelsten Kräfte seiner Natur sind leidend und mitleidend. Demzufolge muss ein Institut, welches die höchste Aufgabe der Heilkunst hat, nicht blos ein trefflich organisirtes Krankenhaus mit den Eigenthümlichkeiten, welche die Natur und Behandlung der psychischen Krankheiten fordert, sein, sondern es muss ausserdem die Totalität der Hülfs – und Heilmittel zur Wiedererlangung des gesunden leiblichen, psychischen und intellectuen Lebens in sich vereinigen, d. h. sich zu einem praktisch-sittlichen moralischen Institut durch Zucht, Ordnung, Unterricht, Religion und besonders durch nützliche, mit Musse und Erholung abwechselnde *Thätigkeit*, von der in Feld und Garten an, bis zur wissenschaftlichen, erheben und von diesem Geiste im Ganzen und Einzelnen in *Wort* und *That* durchdrungen und beseelt sein. —

. Die Irren-Abtheilung in der Königl. Charité-Heilanstalt erfüllt nicht und kann nicht diese Bedingungen erfüllen, wie schon aus II. 1 u. 2 zu entnehmen ist. Denn die Localität, sowie die Lage und Umgebungen verkümmern Mittel und Wege zur einigermassen umfassenden Beschäftigung, selbst in der angemessensten mit Feld – und Gartenbau; für Werkstätten fehlt es an Raum. Und der Geist der Sitte, Zucht und Ordnung kann nicht möglichst einheimisch werden bei dem Zusammensein der Irren und *Irren-wärter* mit den genannten Kranken-Abtheilungen.

Ausser diesen localen zweckwidrigen Verhältnissen sind es noch die der *inneren* Organisation, Verwaltung und Direction, welche, unzertrennlich mit jenen verwebt, die Nothwendigkeit des Neubaues der Irrenanstalt rechtfertigen helfen.

Hierher gehört gehört ganz besonders . *die der Irren-Abtheilung fehlende Selbstständigkeit*, ihr Bei-

und Untergeordnetsein der Verfassung der allgemeinen Charité-Heilanstalt.

Die Eigenthümlichkeit und Verschiedenartigkeit
der Seelenkrankheiten, der diätetischen, pharmaceutischen, psychischen und moralischen Behandlung derselben von den blos körperlich Kranken fordert ge-
bieterisch freie, selbstständige Organisation, Verwaltung, Etats-, Kassen- und Rechnungswesen nach allen
Beziehungen. Keine Irren-Anstalt ist gut zu nennen,
welche ein Theil eines grossen Krankenhauses ist,
am wenigsten eine solche, welche nur als Nebenab-
theilung, als Appendix und lästiges Provisorium existirt, daher in Speise und Trank, Kleidung und Bet-
tung u. s. w. zufrieden sein muss, wenn sie das den
andern Abtheilungen Zustehende auch erhält, wobei
natürlich specielle höhere Anforderungen an Diät und
Regimen wohl nur nach Kämpfen, oder gar nicht
durchzusetzen sein mögen, ohne dass dies Verfahren der Direction irgend wie zur Last gelegt werden könnte.

Man denke sich den Zustand einer Irrenheil-Anstalt, deren freie Bewegung in allen diesen wichtigen
Dingen bis ins Detail hinein genirt und gehemmt ist:
sie ist ein Bruchstück, eine Art von Missgeburt.

Die Abzweigung der Administration der Irren-
Abtheilung von der General-Verwaltung der Charité
würde nicht zu überwindende formale Schwierigkeiten
machen, und materiell wegen der von Haus aus un-
geeigneten Bestimmungen, Einrichtung, Lage und Umgebungen doch nichts Ganzes und Tüchtiges werden.

Die Unselbstständigkeit der Administration ist auch
rückwirkend auf die Direction der *Irren-Abtheilung.*
Die ganze Charité hat nur *einen* Director. Den einzelnen Kranken-Abtheilungen stehen „dirigirende
Aerzte" vor, deren directer Wirkungskreis vornehm-

lich die ärztliche Behandlung der Kranken umfasst
und welche nur einen beschränkten mittelbaren Einfluss auf Regulirung der Administration ausüben. In
Betreff des gleichgestellten dirigirenden Arztes der
Irren-Abtheilung ist diese Stellung eine für die psychiatrische Behandlung der Irren höchst nachtheilige
Beschränkung; einerseits — weil die freie Disposition
über Gegenstände der Verwaltung die Psychiatrik
sehr unterstützt; andererseits, weil der Irrenarzt
ceteris paribus desto mehr Herr ist über die Seelenkranken, und diese ihn als solchen anerkennen, je
mehr er selber im Irrenhause Herr ist und Autorität
hat. Dazu kommt noch der grosse Mangel, dass
der dirigirende Irrenarzt nicht in, sondern ausser
der Anstalt, wenn auch in deren möglichster Nähe
wohnt, auch wegen Raummangels in derselben nicht
wohnen kann.

Es ist dadurch für ihn ein gewichtiger Hebel zur
Erkenntniss und Behandlung der Kranken, sowie zur
Controlirung der Hausdisciplin und des unter ihm stehenden ärztlichen und Warte-Personals ausser Wirksamkeit gesetzt. Der Irrenarzt, als geistiger Mittelpunkt der Irren-Anstalt, muss auch *in* derselben wohnen, sonst kann seine ganze Stellung eine schiefe,
schwankende, ja selbst möglicherweise in mancher
Beziehung *de facto* eine secundäre werden, zumal als
der 2te Arzt (Hülfsarzt) *in* der Abtheilung wohnt,
dadurch zum Theil Hauptperson ist, und überdies
der dirigirende Arzt demselben viel glauben muss,
was er nicht weiss und viel überlassen muss, was er
selber nicht übersehen kann.

*Der Geist der Einheit und Consequenz in der
psychiatrischen Behandlung* der Seelenkranken wird
überhaupt durch die eigenthümliche Stellung der *Militairärzte,* auch zur *Irren-Abtheilung* der Charité,

nichts weniger denn begünstigt — ein Grundmangel,
welchen jedes sachverständige Auge auf den ersten
Blick sieht: nur Stabsärzte des K. Friedrich - Wil-
helms - Instituts sind die Assistenzärzte.

Ihr dienstliches Verhältniss zur Charité ist kein
andauerndes, fixes, sondern ein wechselndes, „*um* jungen Militairärzten zu ihrer vollständigeren praktischen
Ausbildung die seltene Gelegenheit zu verschaffen." —

Wenn gleich dieser Wechsel seit einigen Jahren
auf der Irrenstation seltener als auf den übrigen, nämlich
ohngefähr aller 2 Jahre, eintritt, so ist und bleibt er
ein Uebelstand; denn so wenig vorzügliche Qualification
und Liebe zur Irrenheilkunst bei einzelnen Stabsärzten
irgendwie in Abrede gestellt werden kann, so ist doch
nicht zu läugnen, dass bei Einzelnen diese unerlässlichen Erfordernisse in wünschenswerthem Maasse nicht
angetroffen werden dürften. Und wenn möglicherweise
einzelne Stabsärzte diese ihre Stellung als Assistenzärzte der Irren - Anstalt, welche doch temporär ihre
einzige und Hauptbeschäftigung ist, lediglich als einen
Durchgangspunkt für ihre, diesem Gebiete fern liegende *militairärztliche* Laufbahn ansehen sollten, so
könnte sie auch wohl blos als Nebensache behandelt
und abgemacht werden. Gesellte sich nun zu diesem
Mangel an Vorliebe zur Irrenheilkunst noch Mangel
an gründlichen Vorkenntnissen und die subjective Ueberzeugung des Besserwissens, so stände es natürlich
noch übler um ihre Wirksamkeit. Ueberdies ist das
Geschäft, Geisteskranke zu beobachten und zu behandeln, den Kurplan richtig aufzufassen und tüchtig
durchzuführen so schwierig und hat so viel Abwei-
chendes von der übrigen ärztlichen Praxis, dass viel
Zeit und Studium nöthig ist, um nur einige Sicherheit darin zu gewinnen. Hieraus folgt, dass selbst
die ausgezeichnetesten Stabsärzte, nachdem sie sich

mit der Sache und den Kranken vertraut gemacht, und letztere Vertrauen zu ihnen gefasst haben, dem nachfolgenden den Platz räumen müssen, welcher diese Grundlage seiner vollen Wirksamkeit sich nun wieder erst erwerben muss u. s. f. —

Wenn nun endlich gar noch die auf einander folgenden Stabsärzte in ihrem persönlichen Charakter und in der durch denselben *mitbedingten* psychisch-moralischen Behandlung der Kranken, so wie in ihren theoretischen und praktischen Ansichten von einander oder selbst von dem dirigirenden Arzte wesentlich abweichen — dann muss anstatt der unerlässlichen Einheit und Einigkeit in der Leitung der Anstalt, und in der Führung der Kranken das Gegentheil sich geltend machen. Weder Kranke noch Wärter wissen, was sie thun und lassen *sollen*, und thun und lassen daher vielfach, was *sie wollen*.

Was von dem Wechsel der Stabsärzte gilt, gilt auch in verhältnissmässigen Grade von dem noch viel häufiger (selbst nach Monaten) eintretenden Wechsel der *jungen* Stations-Chirurgen.

Es ist schon öfter versucht, diese Stellung der Militairärzte in der Irren-Abtheilung aufzuheben, allein ohne Erfolg, da die einseitige Durchführung dieser Maassregel, abgesehen von allen übrigen Hindernissen, wesentlichen Bedenken unterliegen dürfte, zumal als dem dirigirenden Arzte keine Wohnung in der Irren-Anstalt verschafft werden kann.

Ein wahres Unglück für eine Irrenanstalt ist ein schlechtes *Wartpersonal* *).

---

*) Ich unterdrücke die nachfolgende Stelle der Denkschrift, weil das Wartpersonal wesentlich besser geworden ist, und dieselbe sich für die Veröffentlichung nicht eignet. Die angeführten Thatsachen und Beweismittel gingen noch zurück auf die Zeit vor 1842, in welcher unter dem Wartpersonal faule

Bei blos körperlich Kranken mag Furcht vor Klage gegen die Aerzte bösen Wärtern noch einen
Zügel anlegen; die unglücklichen Wahnsinnigen dagegen sind wohl rücksichtslose Opfer der Brutalität.
Denn wenn sie auch fähig sind die Wahrheit zu
sagen, so hat ihre Klage nicht den vollen Glauben;
noch häufiger verschweigen sie die erfahrene Unbill,
um der Rache der Wärter zu entgehen; diese lügen
sich nicht nur durch, sondern legen dem durch ihre
Schuld mit Recht aufgebrachten Kranken die Zwangsjacke an, und berichten über einen Anfall von Wuth
und Tobsucht, welcher entweder gar nicht stattgefunden hat, oder in Folge des Zustandes, in welchem
sie sich unter solchen Wärtern befinden, hervorgebracht werden kann.

Welchen Ekel und Widerwillen gegen Reden und
Leben gemeiner Wärterinnen müssen weibliche Kranke, zumal höherer Stände, empfinden?

Hass und Abscheu gegen die Anstalt kann durch
einen schlechten Wärter sich so steigern, dass Kranke
ihrem Aufenthalt daselbst durch Flucht, ja Selbst-
tödtung ein Ende zu machen suchen.

Die psychisch - moralische Einwirkung des Arztes
auf die Seelenkranken wird durch ein zucht - und sit-

Tagelöhner, verdorbene Handwerker, zweideutige, lieder-
liche Frauen, selbst vorher als syphilitisch auf dem Pavillon gewesene Lustdirnen sich befanden — ein Lohnwart-
personal, welches, allerdings mit Ausnahmen, seine frühere
Sinnes- und Lebensweise so viel thunlich beibehielt, die zu
schlecht besoldete Stellung als ein Absteigequartier für ein
besseres Unterkommen ansah, die guten Subjecte zum Theil
verdarb, selbst herausdrängte, so dass die besseren sich nicht
meldeten. Ich lasse daher aus der Denkschrift nur einige
allgemeine Bemerkungen über die Wirkungen eines schlechten
Wartpersonals folgen.

tenloses **Wartepersonal** grösstentheils vernichtet. **Es**
ist als wollte man dem in irrespirabler Luft Athmen-
den Arzneimittel reichen, ohne ihn aus dieser Atmosphäre zu entfernen. Solch ein Wartepersonal ist
ein Hohn, ein Gespött für die alltäglich wiederholte
Forderung, dass die Irren–Heil–Anstalt ein sittliches
Institut, eine Art von Erziehungs-Anstalt sein müsse. —
Auf jeder Irren–Anstalt mit einem verderbten Wartepersonal ruht ein schweres Verhängniss. Ohne Wärter keine Irrenanstalt, ja im gewissen Sinne keine
Irrenheilkunst.

Durch schlechte Wärter werden Seelenkrankheiten hingehalten, verschlimmert und heilbare gerade-
hin unheilbar gemacht, ja selbst geheilt Entlassene
sind während ihres Aufenthalts in der Anstalt moralisch schlechter geworden, und dies Uebel ist in
manchen Fällen ärger als die Krankheit.

Nachdem aus vorstehenden Erörterungen über
die Localität, Einrichtung, Lage und Umgebungen,
über innere Organisation, Verwaltung und Direction,
kurz nachdem aus dem ganzen Zustande der Irren–
Abtheilung wie sie ist, die Nothwendigkeit eines *Neu-*
baues sich unzweifelhaft herausgestellt hat, wird diese
Nothwendigkeit zugleich ein Ehrenpunkt für die Residenz und die Regierung. Denn die hiesige Irren-
Heilanstalt ist das einzige bedeutende *Königl.* Institut der Art im ganzen Lande.

Betreffend
III. den Neubau,
so bleibt noch übrig:
1) über Zweckbestimmung,
2) über Grösse und Kosten,
3) über Wahl des Orts wenigstens die allgemeinen
   Gesichtspunkte aufzufassen.

5 *

Ad 1. *Bestimmung und Zweck.*

Die Anstalt sei eine Königliche Irren-Heil- und Pflege-Anstalt für heilbare und für gemeingefährliche unheilbare Seelenkranke aus den Residenzen Berlin und Potsdam, desgleichen für diejenigen, deren Unterbringung des Königs Majestät befehlen, und endlich für eine gewisse Anzahl von zahlenden In- und Ausländern höherer Stände. Ihre Nebenbestimmung sei Bildungs-Anstalt für junge Aerzte in der praktischen Irrenheilkunst unter den nöthigen Beschränkungen und Modificationen.

Demzufolge bleibt also im Wesentlichen die Bestimmung die bisherige, nur mit der statutenmässig auszusprechenden Unterscheidung, dass mit der Heil-Anstalt auch eine Pflege-Anstalt für präsumtiv unheilbare gemeingefährliche in relative Verbindung gebracht werde, obgleich auch bisher schon in der jetzigen Charité-Irren-Abtheilung die letzteren verbleiben müssen. Durch diese letztere doppelte Bestimmung wird die qu. Irren-Anstalt, in Betreff der Aufnahme-Bedingungen der Seelenkranken, den in sämmtlichen Provinzial-Irren-Heil- und Pflege-Anstalten festgestellten entsprechen. Auch stimmen m. E., nach den aktenmässigen Untersuchungen in dieser Hinsicht, die früheren und bestehenden Verhältnisse der Charité-Irren-Abtheilung zur Stadt mit den angenommenen glücklicherweise in der Hauptsache überein, so dass von dieser Seite her erhebliche, Zeitverlust und Schrebereien veranlassende, Schwierigkeiten und Weiterungen kaum zu erwarten sind, wenn nicht Neben- und Detail-, Rück- und Ansichten in die Hauptsache mit hineingezogen werden.

In der „Ordnung für die irren oder dollen Leute" vom 15. März 1702 §. 7 heist es: „der bezahlen kann, bezahlt, wer es aber von den Berlinschen nicht kann, wird umsonst gehalten. Die von fremden Orten aber anher geschickt, müssen von der Obrigkeit oder Gemeinde, die sie geschickt, unterhalten werden." Die Einnahme des Irrenhauses aus eigenen Fonds ist bis zur Vereinigung mit der Charité ohne irgend eine Bedeutung gewesen. In den älteren Zeiten sind keine förmlichen Etats angefertigt worden; allein aus der Jahresrechnung von 1785 ergiebt sich, dass die Ausgaben theils aus der Charitékasse geleistet wurden. Später, bis 1798, scheint das fehlende Geld aus der Armenkasse entnommen und aus der Haupt-Charité-Kasse kein Zuschuss gezahlt zu sein. Den Zuschuss aus der Armenkasse berechnete man im Etat pr. 17⁹⁸/₉₉ auf 3370 Thlr.

Seit 1799, wo Irre in die Charité gebracht wurden, ist kein besonderer Etat mehr entworfen. Bis zum Jahr 1809 sind aus der Armenkasse keine Zuschüsse an die Charitékasse gezahlt, auch bei der Trennung der Charité von der übrigen Verwaltung des Armenwesens im Jahre 1819 ist angenommen worden, dass die Armenkasse keine Zuschüsse zu zahlen habe.

Bei Auseinandersetzung zwischen der Stadt und vormaligen Regierung ist indess angenommen worden, dass in der Folge die Charité unmittelbar aus Königl. Fonds erhalten werden soll, soweit die Revenüen derselben aus eigenen Fonds- und Verpflegungs-Geldern nicht ausreichen. In Folge K. O. vom 3. Mai 1819 hat Kommune sich zwar dazu verstanden, die Unterbringung der *unheil*baren armen Kranken der Residenz zu bewirken, ohne die gemeinschädlichen Geisteskranken davon scheinbar auszunehmen, allein sie hat an diese nicht gedacht, weil sie gemeint: es werde bei dem bisher unausgesetzt beobachteten und gesetzlichen Verfahren, dass unheilbare gemeinschäd liche in der Charité verbleiben, sein Bewenden behalten.

Hierzu kommt noch, dass die Charité das Kapital-Vermögen des ehemaligen Irrenhauses mit 5200 Thlr. Gold und 3010 Thlr. Cour. erhalten hat; das Kapital steckt jetzt noch in dem Vermögen der Charité.

In einer Verfügung des diesseitigen Ministerii vom 19. April 1823 an das Königl. Polizei-Präsidium ist auch gesagt, dass sich für die hiesige Kommune unläugbar seit mehr als *hundert* Jahren das Verhältniss ausgebildet, dass die Kommune für die Verpflegung armer Geisteskranken, in welchem Grade sie solches auch gewesen sein mögen, *nichts* bezahlt hat. Auch noch jetzt werden für die *Irren-Abtheilung* die der Kommune bewilligten 100,000 freie Verpflegungstage in der Charité nicht mitgerechnet, daher wird auch für die armen Irren Seitens der Charité der Kommune nichts angerechnet, und zwar mit auf Grund des erhaltenen Kapitalvermögens des ehemaligen Irrenhauses. Mithin sind bisher in der Charité-Irren-Anstalt alle diejenigen armen Irren der hiesigen Kommune unentgeldlich behandelt und verpflegt worden, über welche die Aufsicht sonst nicht mit gehöriger Sicherheit nach der Beschaffenheit ihrer Krankheit geführt werden kann, wogegen die Kommune die übrigen unheilbaren Irren unter eigene Aufsicht und Verpflegung übernimmt, selbige in der Regel in dem Arbeitshause unterbringt, von wo sie jedoch bei eintretender Gemeingefährlichkeit wieder in die Charité zurückversetzt werden.

Es ist dies ein grosser Uebelstand für Kommune und Charité, welchem allseitig abgeholfen werden kann durch die kaum länger zu umgehende Errichtung eines grossen *städtischen Siechenhauses* mit einer Depot-Abtheilung für ruhige unheilbare Kommunal-

Irre, von denen am 1. Januar d. J. 78 im Arbeitshause sich befanden *).

Die Gründe, wegen welcher der qu. Neubau nur hauptsächlich für die Residenzen *und nicht zugleich für die Provinz Brandenburg* hergestellt werden soll, sind folgende:

Erstens, die gegenwärtige Bestimmung, Einrichtung und Verwaltung der alten und neuen Charité und der Irrenabtheilung in letzterer, anstatt welches die neue Irrenanstalt errrichtet werden soll;

Zweitens, das Bedürfniss einer *Königlichen* Irren-Heil- und Pflegeanstalt, im Gegensatze zu, und gegenüber den *Ständischen* Provinzial-Irren-Anstal-

---

*) Bestand war 1846 1. Jan. 96; 1847: 91; 1848: 88. Im Jahre 1846 starben 15, im Jahre 1847 20. —
   Ich habe zuletzt im Juli 1848 das Arbeitshaus und die *Irren-Abtheilung* daselbst besucht und muss offen und öffentlich sagen, dass wenn die Frage nach der möglichst unzweckmässigen und schlechten Unterbringung unheilbarer, nicht gemeinfährlicher armer Irren als Aufgabe gestellt werden könnte, dieselbe durch die ausführliche, wahrheitstreue Beschreibung der Irrenabtheilung im Arbeitshause an sich und in ihrer Verbindung mit diesem und der dortigen Klasse von täglich wechselnden Bewohnern u. s. w., gewiss aufs gründlichste gelöset, und zugleich dadurch bewiesen werden würde, dass für die unheilbaren *armen* Irren, für die seelenkranken Pflegebefohlenen der Stadt, für die unmündigen Wahn- und Blödsinnigen, welche gesetzlich vom Staate unter Vormundschaft genommen werden müssen, in der Residenz Berlin am schlechtesten im Preussischen Staate gesorgt, ja so gut wie nichts, weil nichts Gutes, geschehen ist. — Hier ist es an der Zeit und am Orte, hier ist nicht nur die Nothwendigkeit, sondern auch die *Möglichkeit* vorhanden, die Forderungen der Armen, die ihnen gegebenen Versprechungen, zunächst an einem Theile der hülflosesten unter den armen, ihre Lage *auch* fühlenden Mitmenschen zeit- und zweckgemäss, würdig und auf die *Dauer* zu erfüllen! —

ten. Ein solches Institut ist nöthig, *einmal*, damit der Staat resp. das Ministerium der pp. Medicinal-Angelegenheiten bei Erbauung, Einrichtung, Organisation und Unterhaltung derselben sich mit Freiheit, Sicherheit und Leichtigkeit bewegen kann, und nicht vielseitig, selbst in Ausführung der besten Maassregeln, sich gehemmt sieht, wie solches bei den Ständischen Provinzial-Irren-Anstalten, deren Ausführung und Unterhaltung aus ständischen Fonds geschieht, häufig genug der Fall gewesen ist und noch ist; *sodann*, weil allein durch Staatsmittel und Kräfte für die Residenz eine *Normal*- und *Muster*-Irren-Anstalt ins Leben treten kann.

Drittens, weil die — übrigens aus andern Gründen zu verwerfende — *Idee* der Vereinigung der qu. Anstalt mit einer *Provinzial*-Irren-*Heil*-Anstalt zu unabsehbaren, sachlichen, finanziellen und administrativen Controversen und Difficultäten mit den Ständen führen und wenigstens die rasche Ausführung des hier in Rede stehenden Neubaues auf viele Jahre hinaus verschieben würde.

Viertens, weil die Provinz Brandenburg die beiden grossen Irren-Anstalten zu Neu-Ruppin und Sorau hat, und die ständischen Landarmendirectionen bis jetzt sich nichts weniger als geneigt gezeigt haben zu durchgreifenden Reformen des öffentlichen Irrenwesens, obgleich beide Anstalten factisch vielmehr *Pflege*- als Heil-Anstalten sind, und vorauszusehen ist, dass die Stände über lang und kurz für Errichtung einer *besonderen* Irren-*Heil*-Anstalt werden Sorge tragen müssen *).

---

*) In der Kurmärkischen Land-Irrenanstalt zu Neu-Ruppin (s. m. Abh. ü. relat. Verbindung der Irrenheil- und Pflegeanstalten 1840. S. 76—77) sind inzwischen seit der im Jahr 1842 vorgenommenen Reform in der Zusammensetzung der Verwaltungsbehörde durch Anstellung eines dirigirenden

Fünftens, weil, wenn auch die Provinz die Sorge
für ihre heilbaren Irren der qu. Anstalt unter Bedingungen
überlassen wollte, auf dieses Anerbieten allein schon
wegen der sub 3. angeführten Gründe nicht einzugehen sein dürfte, ausserdem aber die Verhältnisse dieser Provinzial-Irren-Heil-Anstalt einerseits zu den
absolut davon getrennten Pflege-Anstalten zu Neu-
Ruppin und Sorau, andererseits zu der qu. *relativ*
verbundenen Heil- und Pflege-Anstalt für die Residenzen, Disharmonie und Verwirrung in das Ganze bringen
würde, eine solche vereinte Anstalt das *technischer Seits
zulässige Maass von Ausdehnung zu sehr* überschreiten

Arztes daselbst, in der Person' des Dr. Wallis, wesentliche Verbesserungen nach vielen Beziehungen erreicht worden. (Vgl. Bd. II. S. 475—505 der Zeitschr. f. Psychiatrie.)
Diese waren und sind nicht ausreichend zur Erzielung einer
zeit - und zweckgemässen Irren-Heil - und Pflegeanstalt
und wurde daher der Dr. Wallis, mit in Folge seiner
energischen Bestrebungen, auf Grund des Landtagsbeschlus-
ses von 1844 von der Ständischen Landarmendirection
der Kurmark beauftragt: einen Plan zur Erbauung einer
neuen, dem jetzigen Standpunkte der Psychiatrie entsprechenden, relativ verbundenen Irrenheil - und Pflegeanstalt
für 350 Kranke zu entwerfen, und dabei die Kosten
möglichst approximativ u. s. w. zu berechnen. Diesem Auf-
trag unterzog sich Dr. Wallis unter technischer Mitwirkung des Wegebaumeisters Steudener in Halle, welcher
schon die Anstalten zu Owinsk und Halle gebaut hatte. Das
Resultat ist der 1846 veröffentlichte Entwurf zum Neubau
der Anstalt u. s. w., mit 3 lithographirten Plänen, welcher dem Kurmärkischen Kommunallandtage 1845 zur Prüfung und Beschlussnahme vorgelegt wurde, dessen Ausführung aber leider aus nicht hierher gehörigen' Gründen
unterblieben ist. — In der Irrenanstalt zu Sorau ist m. W.
keine wesentliche günstige Veränderung, wohl aber leider
eine ungünstige eingetreten, in sofern als die in dem betreffenden Berichte (S. 38 dieses Heftes) ergangene Anordnung
zur Aufnahme von armen siechen Nichtirren in die bisher
reine Irrenanstalt als ein Rückschritt zu bezeichnen ist.

und ganz besonders die darin aufzunehmende über-
grosse Zahl *heilbarer* Irren es *unmöglich* machen
würde, dass jedem Einzelnen die sorgfältige specielle
psychiatrische Behandlung zu Theil werden könnte.

Die Benutzung der qu. neuen Irren-Anstalt als
Lehranstalt der praktischen Psychiatrie müsste unter
die Bestimmungen derselben aufgenommen werden,
da auch in der Irren-Abtheilung der Charité eine
Klinik für Geisteskranke festgesetzt ist. In der neuen
Anstalt, als einer Königlichen, können ausserdem
diejenigen Maassregeln und Einrichtungen am besten
getroffen werden, welche dazu dienen, dass die für
die Anstalt, die Kranken und jungen Aerzte ange-
messenste Methode zur Vorbildung der jungen Leute
in der Psychiatrie in Ausführung gebracht werde,
was in den fast ausschliesslich das Kommunal-Inter-
esse im Auge habenden ständischen Instituten erfahrungsmässig schwerlich zu erwarten steht.

Ad 2. *Grösse und Kosten.*

Als im Jahre 1825 (vgl. Geschichtliches) das Project der Erbauung einer neuen Irren-Anstalt auf dem
Grundstück der Charité aufgenommen wurde, schlug
das Polizei-Präsidium die Normalzahl der Kranken
auf 300 an, wobei jedoch zugleich auch auf epileptische nicht geisteskranke, so wie auf heilbare Irre
aus der ganzen Provinz gerücksichtigt wurde.

Aus den oben angegebenen Gründen reducirte
man diese Zahl auf 220.

Für jetzt scheint die Normalzahl von 300 Irren
die maassgebende zu sein.

In den Jahren 1819—1829 enthielt die Charité
durchschnittlich 170 Irre. Dies Verhältniss dürfte
überhaupt als das approximativ richtigere angenommen werden können. Es befanden sich z. B. schon
im Jahre 1739 in dem Irrenhause in der Krausenstrasse 95 Irre; in der Charité 1. October 1806: Irre

und Epileptische 210; desgl. 1812: 175; desgl. 1818: 212 incl. der Beurlaubten; 1835: 129; 1840: 157 ohne Epileptische, deren Zahl in der Regel die von 20—30 noch überstieg.

Bei 300 Normalbestand in der qu. neuen Anstalt blieben nun nach Abrechnung der 170 durchschnittlich in der Charité befindlichen, noch 120 Stellen offen.

In Erwägung jedoch des vorauszusetzenden Uebergehens eines Theils von den ppt. 40 in den hiesigen Privat-Irren-Anstalten und von den 78 (1. Jan. 1842) in dem Arbeitshause vorhandenen Kranken *); in Erwägung ferner der zunehmenden Bevölkerung und des grösseren Verkehrs in der Residenz, so wie der (S. 68) vorangestellten Aufnahme - Bedingungen überhaupt, wird die Bestimmung der qu. Heil - und Pflege - Anstalt für 300 Irre nicht zu gross sein, ja bei der Anlage selbst auf die Möglichkeit leichter und bequemer Vergrösserung der Pflegeanstalt Bedacht genommen werden können.

Fürs Erste dürfte eine gleiche Anzahl heilbarer wie unheilbarer Seelenkranken also ppt. 150 jeder Klasse angenommen werden.

Maassgebend für dies Verhältniss sind: die vorzugsweise Bestimmung der Anstalt als Heilanstalt; ferner die Thatsache, dass unter den ppt. 170 in der Charité befindlichen Irren stets ein grosser Theil, vielleicht fast die Hälfte, unheilbare gemeingefährliche sind, und endlich die unentbehrliche sogenannte Pensions - Anstalt für zahlende Kranke höherer Stände.

Der muthmassliche Ueberschlag der Kosten für den Bau einer solchen relativ verbundenen Irren -

---

*) Am 1. Jan. 1848 waren in den Privat-Irren-Anstalten und dem Arbeitshause nach dem Berichte des Polizei - Präsidiums zusammen: 135 Irre. (S. Ztschr. f. Psych. Bd. V. S. 305.)

Heil- und Pflege-Anstalt dürfte, nach umfassenden Analogien und Erfahrungen zu urtheilen, ppt. auf 250,000 Thlr. und *incl.* der Einrichtungskosten auf allerhöchstens 300,000 Thlr. sich belaufen.

Ad 3. *Localität (Wahl des Orts zur Anlage).*

Erfordernisse sind: Lage ohngefähr eine halbe Stunde ausserhalb der Ringmauern der Stadt, in der Nähe keine störenden, geräuschvollen Umgebungen, Landstrassen, Vergnügungs-Orte oder der Weg zu selbigen etc., das Terrain so belegen, dass keine grossen Anbauten umher zu fürchten sind, trocken, aber mit gutem Brunnen- und Fliesswasser reichlich versehen, wenn möglich schon mit Baum- und Gartenanlagen, und einem so ausgedehnten Areal, dass nach Aufführung der Gebäude noch ringsum wenigstens ppt. 30 Morgen Land zu Zier- und Nutzgärten übrig bleiben *). *Damerow.*

Meine Ansichten über den eventuellen Vorschlag der Verlegung der Irrenabtheilung der Charité in das Krankenhaus *Bethanien* näheren Ermittelungen vorbehaltend, bemerke ich hier nur noch, dass gegen diese Bestimmung mehr oder weniger *die* Gründe erhoben werden können, welche vor sieben Jahren in meiner Denkschrift unter II. 1. S. 57—58 u. II. 2. a und d. S. 60 gegen die Bestimmung der ganzen neuen Charité zur Irrenanstalt erhoben worden sind: namentlich die,

dass Bethanien *auch* für andere Zwecke bestimmt, erbauet und eingerichtet sei;

dass im Innern kostspielige bauliche Umänderungen, ohne befriedigendes Resultat, herzustellen wären;

---

*) Die schliesslich gemachten Vorschläge zur Wahl des Platzes lasse ich fort, weil jetzt nach 7 Jahren die Lokalverhältnisse sich durchaus verändert haben.

dass ein besonderes Gebäude für Tobsüchtige, vielleicht eines für jedes Geschlecht, neu aufgeführt werden müsste;

dass die Lage innerhalb der Ringmauern der Residenz gleich unpassend sei;

dass die Umgebungen in Zukunft durch Bebauung des Köpeniker Feldes mehr und mehr eingeengt werden, und auch Bethanien der Mittelpunkt eines neuen Stadttheils werden würde;

dass eines der wesentlichsten Erfordernisse einer guten Irrenheilanstalt, ausgedehntes Areal an Acker- und Gartenland, schwerlich vorhanden und noch schwerer zu beschaffen und

dass das Gebäude nicht einmal gross genug sein würde für Aufnahme von der übrigens auch nicht ausreichenden Zahl von 250 *Irren*. —

Zugegeben auch, dass die Verlegung der Irrenabtheilung der Charité nach *Bethanien* eine unläugbare Verbesserung in vielen Beziehungen wäre, so würde doch auch diese Verbesserung das Schicksal der Verbesserung der Irrenabtheilung der Charité durch Verlegung derselben aus der *alten* in die *neue* Charité haben: nämlich, dass diese Verbesserung lediglich bezüglich des früheren schlechteren Zustandes eine solche, also eine relative, zu nennen, Bethanien an sich übrigens eine mangelhafte Irrenheilanstalt werden und bleiben würde, und dass hier, wie dort in der neuen Charité, die Nothwendigkeit des Neubaues einer Irrenheilanstalt sich hinterher doch auch herausstellen würde, und Bethanien demnach später wieder eine anderweitige völlig angemessene Bestimmung erhalten müsste. —

Wenn aber mit Bethanien eine Veränderung der bisherigen Bestimmung wirklich im Werke sein sollte, so müsste ihm sofort eine solche gegeben werden, welche einem längst tief gefühlten unumgänglichen

Bedürfniss in vorzüglichster Weise ohne Weiteres sofort abhülfe, und das wäre, meiner unvorgreiflichen,
event. näher zu begründenden Ansicht nach:

*die Bestimmung, ich möchte sagen, die Hinge-
bung Bethaniens zu einem grossen Siechenhause für
die Residenz.* (Vgl. meine Denkschrift vom Jahr 1842
S. 70)

Hierdurch würde Berlin ausser der grossen Kran-
ken-*Heil*anstalt (*Charité*), unerwartet und wie sonst
nicht, eine herrliche unübertroffene Kranken-*Pflege*-
anstalt (*Bethanien*) erhalten und es würde, wenn dazu
noch der Neubau einer *Irren-Heil-und Pflegeanstalt* käme, für alle Klassen von Krankenwohlthä-
tigkeits-Anstalten, so wie für das öffentliche Kran-
ken- und Irrenwesen der Residenz das Grossartigste
und Würdigste geschaffen sein! —

In dem Siechenhause (Bethanien) müsste eine
besondere Abtheilung für diejenigen Irren bestimmt
und eingerichtet werden, ·welche weder in eine Irren-Heilanstalt als heilbare, noch in eine Irren-Pfle-
geanstalt als unheilbare und zugleich gemeingefährliche
gehören, d. h. für diejenigen armen Irren, welche als
aufgegeben und nicht gemeingefährlich, aber principa-
liter siech, Seitens der Kommunen unterzubringen
und zu versorgen sind. Durch diese Abtheilung würde
zunächst dem Arbeitshause die erste und beste Gelegenheit gegeben, den daselbst befindlichen grösseren
Theil der armen unheilbaren Kommunal-Irren auf die
auch für dieselben zweckmässigste Art loszuwerden und
daselbst unterzubringen. Desgleichen würde die Charité vielleicht einen Theil ihrer körperlichen Kranken
dahin als Sieche verlegen können, und beide Anstalten würden dadurch jedenfalls nöthiger und zweck-
entsprechender zu benutzende Räumlichkeiten gewinnen. *Dw.*

Gutachten

über die

Zurechnungsfähigkeit des der Ermordung seiner Ehefrau angeklagten Jacob Loos von Erbesbüdesheim.

Von

Dr. Amelung.

———

Nachdem der Unterzeichnete, Grossherzogl. Hess. Medicinalrath und dirigirender Arzt des Grossherzogl. Landeshospitals und Irrenhauses Hofheim, vom Grossherzogl. Hess. Assisengericht zu Mainz vermöge Urtheils vom 17. Januar 1848 als Experte ernannt worden ist, um den des Meuchelmords an seiner Ehefrau angeklagten Jacob Loos von Erbesbüdesheim, nachdem derselbe in Folge Verfügung Grossherzogl. Hess. Ministerium des Innern und der Justiz dat. vom 20. December 1847 am 28. Januar 1848 in das Hospital Hofheim aufgenommen worden ist, zu beobachten, respective zu behandeln und dann über den psychischen Zustand desselben ein Gutachten zu erstatten; so verfehlte der Unterzeichnete nicht, diesem verehrlichen Auftrage zu entsprechen und sieht sich nun im

Stande, nach gleichmässiger Einsicht der ihm vom Grossherzogl. Generalstaatsprocurator am Grossherzogl. Obergerichte für die Provinz Rheinhessen mitgetheilten Untersuchungsacten über den Inculpaten nachfolgendes Gutachten abzustatten.

Um den in Rede stehenden Fall gründlich zu erörtern, wird es nothwendig, den psychischen Zustand des Inculpaten vor, während und nach der That, deren er angeschuldigt ist, soweit solcher sich aus den vorliegenden Acten ermitteln lässt, zu untersuchen, hieran die weiteren Beobachtungen anzureihen, welche sich während seines Aufenthalts in der hiesigen Anstalt ergeben haben, und endlich daraus die Schlussfolgerungen zu ziehen, welche sich, auf wissenschaftliche Gründe gestützt, als das Resultat dieser Untersuchung ergeben.

Da es sich hier um einen zweifelhaften Geistes- oder Gemüthszustand des Inculpaten handelt, so kommt es vor allem darauf an, die Punkte, welche als mehr oder weniger triftige Beweisgründe eines kranken oder abnormen Geisteszustandes angesehen werden können, besonders hervorzuheben und deren mehr oder minder grosse Beweiskraft zu prüfen. Zu dem Ende erlaubt sich Ref. den Fall den Hauptergebnissen der Untersuchungsacten nach zu skizziren und hieran die Bemerkungen anzuknüpfen, welche sich in psychologischer und pathologischer Beziehung ergeben.

Wir haben es hier mit einem Menschen zu thun, der zwar von Natur eine gesunde, kräftige Constitution und gesunde geistige Anlagen besessen, aber durch den mehrere Jahre fortgesetzten häufigen und übermässigen Genuss des Branntweins, und zwar eines Branntweins der schlechtesten Sorte, dieses schleichenden Giftes, den gesunden Zustand seiner Organe und insbesondere des Gehirns und Nervensystems zerrüttete und nothwendig zerrütten musste.

In wiefern dieser häufige Genuss des Brannteweins
und wohl auch die in Folge des von ihm begangenen
Verbrechens statt gehabten Gemüthsaffectionen nachtheilig auf seine physische oder körperliche Gesundheit wirkten, wird später dargethan werden. Vorerst
ist nur zu bemerken, wie weit dieses Gift den Zustand seines psychischen Seins gestört haben mag.

Aus dem Zeugenverhöre ergiebt sich, dass Loos
im nüchternen Zustande ein ruhiger, ordentlicher und
verständiger Mann war, dass er aber im betrunkenen
und, wie es scheint, wohl selbst nur im angetrunkenen Zustande sich sehr heftig, zornig, gleich einem
wüthenden Thiere gebärdete, und dann auch häufig
genug seine Frau mit Wort und That misshandelte.
Es ist dies eine bekannte, bei manchen Menschen
eigenthümlich hervortretende Wirkung der Trunkenheit und diese die Folgeerscheinung des durch den
Genuss des Alkohols gereizten und hyperämischen,
d. h. mit Blut überfüllten Zustandes des Gehirns. Es
ist sehr natürlich und leuchtet von selbst ein, dass,
je häufiger ein solcher Reizzustand dieses edlen Organs, dieses physischen Instrumentes aller psychischen Thätigkeiten, eintritt, er eine um so nachtheil-
igere Wirkung haben muss, und am Ende einen
mehr oder weniger intensiven und bleibenden krankhaften Zustand desselben herbeiführt. Es lehrt dies
die tägliche Erfahrung und auch bei Loos trat diese
Wirkung ein, wenn auch früher sich weniger durch
körperlich sichtbare Erscheinungen, als durch psychische Irregularitäten kundgebend. Der Anhaltspunkte,
welche dieses beweisen, sind zwar vor dem begangenen Morde nur wenige, doch hinreichend, um gewichtig genug zu erscheinen. Ausser den in dieser
Weise immerhin etwas ungewöhnlichen Excessen,
welche Loos im trunkenen Zustande gegen seine Frau
sich zu Schulden kommen liess, kommen in dieser

Beziehung insbesondere folgende Zeugenaussagen in Betracht:

1) Der Zeuge F. B., welcher den Inculpaten in der letzten Zeit vor dem Verbrechen öfters zu sehen Gelegenheit hatte, sagt aus: dass es ihm so vorgekommen, als ob es mit seinem Geiste nicht mehr ganz richtig stehe und er an *delirium tremens* (d. h. an Säuferwahnsinn) laborire.

2) Wichtig ist besonders die Aussage des Pfarrers B. zu Erbesbüdesheim, wonach Loos in der Woche vor der That mehrmals bei ihm gewesen und erzählt habe, es sei ihm auf der Reise nach Bacharach jemand begegnet, der gesagt habe, er (Loos) wäre vom bösen Geiste besessen. — Bemerkenswerth sind besonders noch die Worte von Hölle, Teufel u. dgl. am Tage vor der Nacht, in welcher Loos das Verbrechen beging, so wie die Bemerkung dieses Geistlichen, dass das Benehmen dieses Loos immer (d. h. wohl, so oft er in dieser Zeit bei ihm war) etwas aufgeregt, excentrisch, sein Blick wild und unstät gewesen sei, so dass er ihm beinahe Angst eingeflösst hätte.

Der Zeuge setzte hinzu, dass er diesen Zustand dem Genusse des Branntweins zugeschrieben hätte.

Da jedoch Loos, wie aus den Acten hervorgeht, an diesem Tage vorzugsweise erst den Abend Branntwein getrunken hatte, so ist dies kaum anzunehmen.

Diesen directen Zeugenaussagen steht freilich eine Mehrzahl anderer gegenüber, welche besagen, dass Loos im nüchternen Zustande seines Verstandes mächtig gewesen sei und kein Anzeichen von Irrsein habe wahrnehmen lassen. Auffallend aber ist es, dass mehrere dieser Zeugen, so namentlich M. B. und M. J., das Benehmen des Loos im betrunkenen Zustande ausdrücklich dem eines Verrückten gleichstellen. Ersterer sagt aus, dass Loos schon seit zwei

Jahren es gar zu arg getrieben, sich ganz dem Branntwein überlassen, und sich im trunkenen Zustande wie
ein wildes Thier gebärdet habe. „Im betrunkenen
Zustande, sagt B. ausdrücklich, musste er einem
manchmal wie ein verrückter Mensch vorkommen”;
und M. J. drückt sich in dieser Beziehung also aus:
„Nur im betrunkenen Zustande benahm sich Loos
ganz rasend und schien mit der fixen Idee behaftet,
seine Frau sei ihm untreu”. — Eine solche Uebereinstimmung zweier Zeugen, welche bei Loos im betrunkenen Zustande etwas Ungewöhnliches, einen dem
Wahnsinne gleichen, oder wenigstens sehr ähnlichen
Zustand wahrzunehmen glaubten, ist immerhin bemerkenswerth. — Im übrigen möchte, was die Verschiedenheit der Zeugenaussagen bezüglich des psychischen Zustandes des Inculpaten vor der That überhaupt betrifft, der Aussage des Pfarrers B. vor andern und um desswillen ein besonderes Gewicht beizulegen sein, weil

1) einem Manne von gelehrter Bildung und psychologischen Kenntnissen in dieser Beziehung ein
richtigeres Urtheil zuzutrauen ist, als dem gemeinen Manne;

2) weil er der Seelsorger des Loos war, dem dieser am ersten und ungescheut die Tiefen seines
Herzens und seiner Gedanken offenbarte und vor
den Wahnvorstellungen, die ihn quälten, selbst
Schutz und Trost bei ihm suchte;

3) weil die Unterredungen dieses Seelsorgers mit
Loos unmittelbar vor dem von ihm begangenen
Verbrechen, in der laufenden Woche, ja unmittelbar am Tage vor der That statt fanden, während Loos bereits seit Jahr und Tag die Tröstun-
gen der Religion verschmäht hatte.

Ehe und bevor Ref. zur Darstellung der Momente
übergeht, welche sich unmittelbar vor, während und

6 *

nach dem Verbrechen als Beweismittel eines getrübten Seelenzustandes des Inculpaten ergeben, erscheint es von Belang, eine Thatsache zu erörtern, auf welche die meisten Zeugen aufmerksam machen, nämlich die Idee von Untreue und die daraus entsprungene Leidenschaft der Eifersucht, welche Loos im betrunkenen Zustande wiederholt zu erkennen gab.

Ueber den Ursprung dieser Idee giebt Loos selbst einige Auskunft. In seinem Verhöre am 12. August 1846 sagt er aus: „Ich habe manchmal gemeint, meine Frau gebe sich mit Andern ab und darum habe ich sie Hure geheissen. Ueberzeugung habe ich allerdings keine. Ich war aber einmal fünf viertel Jahr von Haus weg, in welcher Zeit ich auch meine Frau nicht beschlafen habe, und doch hat sie in dieser Zeit ein kleines Kind gekriegt; wo es nun her ist, das kann ich doch jetzt nicht sagen." In einer weiteren Antwort bemerkt er auf die bezügliche Frage: „Nein, ich war nicht bös, weder über das Kind, noch über meine Frau, ich habe ihr nur gesagt, sie soll dies nicht mehr thun, das wäre gefehlt, allein es werde ihr auch wieder verziehen."

Ob L's. Meinung von der statt gehabten Untreue seiner Frau wirklich Grund hatte, bleibt dahin gestellt, und möchte schwerlich zu ermitteln sein. Aber selbst angenommen, die Frau sei unschuldig gewesen, was, da der Zeitpunkt der Geburt des Kindes nicht angegeben ist, sehr möglich ist, so war der vermeintliche Fehltritt seiner Frau, für Loos doch eine Wahrheit. Im nüchternen Zustande war ihm inzwischen diese Sache gleichgiltig, und er sagt selbst, dass er seiner Frau verziehen habe. Im betrunkenen Zustande, zumal, wenn er, wie anzunehmen ist, durch Vorwürfe seiner Frau seines betrunkenen Zustandes wegen gereizt wurde, tauchte diese Idee immer wieder von neuem auf, sie wurde, wie der

Zeuge J. sich ausdrückt, zu einer wahren fixen Idee, und macht die ihr folgenden heftigen Ausbrüche und Misshandlungen gegen seine Frau erklärlich. Wenn dies noch kein Beweis von Wahnsinn ist, vielmehr, des logischen Zusammenhangs wegen, in welchem diese Ideenassociationen und die ihr folgenden Handlungen stehen, eher das Gegentheil beweisen könnten, so trug diese Idee doch unstreitig dazu bei, den gereizten und, man kann geradezu sagen, krankhaften Zustand, welcher durch den wiederholten Branntweingenuss veranlasst wurde, bedeutend zu erhöhen und in wahrhaft tobsüchtige Anfälle auszubrechen.

Betrachten wir nun die Art und Weise, wie und unter welchen Umständen Loos das Verbrechen beging, so ergeben sich daraus unleugbar Momente, die sich mit einem gesunden Verstande, den man etwa unterstellen wollte, nicht zusammenreimen lassen, selbst wenn man die vom Pfarrer deponirten Aussagen über den Gemüthszustand des Loos am Tage vor der That nicht in Anschlag bringt.

Loos hatte den Tag über gearbeitet, etwas Wein und den Abend eine unbestimmte Menge Branntwein getrunken. Dem ganzen Zeugenverhöre nach zu urtheilen, kann man annehmen, dass er hiernach keineswegs sehr betrunken, vielmehr nur in einen sogenannten angetrunkenen Zustand gerathen war. Loos war wie gewöhnlich brummig, zänkisch, schimpfte und drohte auch wohl, aber es kam zu keinen weiteren Excessen. Das Ehepaar verhielt sich vielmehr die späteren Abendstunden ganz ruhig, hatte sich ruhig zu Bett gelegt und schlief mehrere Stunden, bis Loos erwachte und seine Frau fragte, ob sie nicht aufstehen müssten, um Binden zu gehen. Ob Loos hierauf wieder eingeschlafen sei, bleibt ungewiss. Loos behauptet es wenigstens. Als der Nachtwächter kurz vor zwei Uhr seine Frau weckte, lag er, wenn wir seiner eigenen Aussage Glauben schenken wollen, im halbwachen oder schlaftrunkenen Zustande. Die Frau scheint sich, nachdem sie mit dem Nachtwächter am Kammerfenster gesprochen hatte, wieder gelegt zu haben. Auf einmal fällt Loos ohne alle unmittelbare Veranlassung über seine Frau her und erdrosselt sie. Ob er vorher, wie sein Kind aussagt, oder nachher, wie Loos behauptet, Licht angezündet, ist allerdings nicht gleichgiltig. Da Loos inzwischen die ganze Aussage seines Kindes, die so schwer gegen ihn zeugt, bis auf diesen einen Punkt bestätigt, so wird es wahrscheinlich, dass er wirklich erst nachher Licht angemacht habe, um, wie er sagt, seine Hosen zu suchen. Ob Loos sich hierauf zu seiner ermordeten Frau wieder zu Bett gelegt, wie sein Kind aussagt, bleibt ungewiss. Seiner eigenen Aussage und der Aussage der Wittwe R. nach zu urtheilen, scheint dies wenigstens nicht lange der Fall gewesen zu sein. Wir sehen ihn später im Hofe der Wittwe R. zurufen, dass heute Nacht ein Kerl in seinem Hause gewesen sei und seiner Frau die Kehle zugedrückt habe. Auf das Geheiss der R. begiebt er sich auf den Weg zum Bürgermeister, um den Vorfall anzuzeigen, kommt aber unverrichteter Sache wieder zurück, und wird vom Zeugen J. G. im Zimmer auf und ab gehend und mit der grössten Gleichgiltigkeit seine Pfeife rauchend getroffen.

So weit der Thatbestand, wie er sich nach den Untersuchungsacten ermitteln lässt. Kann man hier Absicht und Prämeditation unterstellen, oder hat Loos die That in einem unfreien Seelenzustande, in einem wahnsinnigen Paroxysmus verübt? Das erstere angenommen, so steht damit in Widerspruch, dass keine unmittelbare Veranlassung zu dieser schrecklichen That vorausging. Wenn auch Loos, der Aussage der Wittwe R. zu Folge, am Abend vor der unheilvollen Nacht gedroht haben soll, so war doch gerade diesmal keine thätliche Misshandlung der Frau vorgefallen. Er legte sich ruhig zu Bette, schlief bis um zwei Uhr, musste mithin, wenn er irgend betrunken war, seinen Rausch ausgeschlafen haben, und jetzt erst fällt er über die Frau her und erwürgt sie. Hätte Loos den Mord unmittelbar in Folge thätlicher Misshandlungen seiner Ehefrau, oder nach unmittelbarer Anreizung durch Vorwürfe von Seiten der letzteren begangen, so könnte man wohl eher Absicht, und hätte er sie erwürgt, während sie im ersten Schlafe lag, so könnte man wohl eher Prämeditation unterstellen. Alles dieses fand nicht statt, und so lässt sich, nach Ref. Meinung, der psychologische Vorgang oder der Anreiz zur That, nach logischen Gesetzen nicht wohl erklären, oder vielmehr nicht anders erklären, als dass ein krankhafter, ein vom normalen Zustande abweichender Seelenzustand des Inculpaten die ·unmittelbare Veranlassung zur That abgab.

Angenommen nun, es sei wirklich ein solcher krankhafter Seelenzustand die unmittelbare Ursache des Verbrechens gewesen, liesse sich da der Vorgang und die unmittelbare Anreizung der That leichter erklären?

Gestützt auf zahlreiche ähnliche Fälle, welche in den Annalen der gerichtlichen Medicin aufbewahrt sind, sowie auf die Anzeigen, welche sich aus den Untersuchungsacten ergeben, glaubt Ref. diese Frage bejahen zu müssen. Erinnern wir uns, dass Loos bereits seit einiger Zeit an Sinnestäuschungen, an Illusionen und Hallucinationen gelitten hat, worüber er dem Pfarrer B. mehrere Tage vor dem Verbrechen Eröffnungen machte, dass er noch am Tage vor der That bei diesem seinem Seelsorger von Hölle und Teufel sprach und sich dabei in einem aufgeregten

und excentrischen Zustande befand; erinnern wir uns,
dass Loos, seiner Aussage nach, beim Nachhause-
kommen im Zimmer einen ungewöhnlichen Gestank
habe wahrgenommen, worauf die Frau gesagt habe,
der Teufel müsse ihn die Nacht noch holen, oder der
Teufel wird „hein" sein, die Leute sagen ja, du wärst
der Teufel; und dass er, nachdem er zu Bette gegangen über das Teufelholen noch nachgedacht habe,
und darüber ganz wirr geworden sei: so wird die
Aussage des Loos nicht unglaublich, dass es ihm,
während er sich, was wohl zu berücksichtigen ist,
im halbwachen oder schlaftrunkenen Zustande befand,
so vorgekommen, als habe ihn seine Frau an der
Kehle gepackt, dass er hierauf „auch sie an der Kehle
krigt," dass es ihm so vorgekommen sei, als müsste
er seine Frau todt drücken und dass, *als er wieder
zu sich gekommen*, seine Frau todt gewesen sei.
Weiterhin bemerkt Loos ausdrücklich, dass er seine
Frau nicht absichtlich, mit Fleiss oder Vorsatz umgebracht; dass er selbst nicht wisse, wie es gekommen sei; der Geist, der Böse, der in ihm „gestocken,"
habe ihn dazu gebracht. Mit ziemlicher Wahrscheinlichkeit kann man, weniger diesen Aeusserungen, als
vielmehr der ganzen Sachlage nach, annehmen, dass
Loos in dem Momente, als er seine Frau überfiel und
sie erwürgte, von einer Wahnvorstellung befangen
war, die mit den früheren und noch am Tage vor
der That statt gefundenen Illusionen und Wahnvorstellungen im Zusammenhang stand. — Dass diese
Wahnvorstellung nur vorübergehend, und Loos später,
wenn auch noch gereizt, seiner selbst wieder mächtig war, steht damit nicht in Widerspruch. Es ist
dies nicht nur möglich, sondern eine Thatsache, die
häufig genug vorkommt und wissenschaftlich als *mania occulta* oder *transitoria* bezeichnet wird. Auffal-
len muss es allerdings, dass Loos später, nachdem

er gegen die Wittwe R. einige Aeusserungen gethan, wonach er die Schuld von sich abzuwälzen schien, das begangene Verbrechen nicht nur nicht läugnete, sondern gegen mehrere Zeugen ausdrücklich sagte, er habe seine Frau vorsätzlich umgebracht. Dieses Benehmen möchte aber eher das Gegentheil beweisen, als dass es ihn besonders gravirte. Wäre Loos geflohen, hätte er sich versteckt und der ahnenden Gerechtigkeit zu entfliehen gesucht, hätte er das Verbrechen geläugnet, wäre er auf den ersten gegen die Wittwe R. gemachten Aeusserungen, wonach er einen fremden Kerl oder den Teufel als den Mörder bezeichnete, bestanden: so würde ihn dies unstreitig weit mehr gravirt haben. Auch späterhin in dem Verhöre vom 12. August, wo Loos offenbar wieder mehr zur Besinnung gekommen war und ziemlich klare Geständnisse ablegte, läugnete er das Verbrechen an sich nicht, wohl aber, dass er es absichtlich begangen habe, und entschuldigt seine früheren in dieser Beziehung geschehenen Aeusserungen damit, dass er jene Aeusserungen in der Hitze gethan habe. Denken wir uns die ganze Eigenthümlichkeit dieses Menschen, den durch übermässigen Genuss des Branntweins, durch die Wahnvorstellungen, durch das Verbrechen und dessen Folgeauftritte und die damit in Verbindung stehende Gemüthsaffection immerhin noch in hohem Grade statt findenden gereizten Gemüthszustand desselben, so wird eine solche von Rohheit und Trotz zeugende Aeusserung sehr erklärlich.

Wie ganz anders benahm sich Loos mehrere Stunden später und insbesondere drei Tage später, als er, in Alzey in Verhaft gebracht, seine Aussagen vor dem Untersuchungsrichter deponirte. Wir sehen ihn wieder zu sich selbst gekommen, seine Lebensgeschichte und die *species facti* sehr detaillirt angeben, das begangene Verbrechen durchaus nicht läugnend,

wohl aber das Geschehene bedauernd und die Schuld
in so weit von sich abwälzend, dass er es nicht mit
Vorsatz, vielmehr unwillkührlich begangen habe. —

Wäre Loos in diesem Zustande verblieben, in
einem Zustande, von dem man, seinen Aeusserungen
und seinem ganzen Benehmen nach, annehmen kann,
dass er seiner Vernunft wieder ziemlich mächtig war,
so möchte es vielleicht gerechtfertigt erscheinen, noch
Zweifel zu hegen, dass Loos, während er das Verbrechen beging, sich in einem seelengestörten Zustande befunden und an Wahnvorstellungen gelitten
habe, die als unmittelbare Triebfedern des Delictes
anzusehen seien. In einem solchen Zustande verblieb
inzwischen Loos nicht. Wir sehen vielmehr, dass
seine Geisteskräfte allmählig mehr und mehr getrübt
erscheinen, dass er immer mehr in grössere Verwirrung und Blödsinn versinkt, und dieser gestörte Seelenzustand einen bleibenden Charakter annimmt.

Schon der Grossherzogl. Physikatsarzt Dr. F. in
seinem Gutachten vom 21. September, also etwa fünf
Wochen nach dem begangenen Verbrechen, sagt, dass
in der *letzten Zeit* Inculpat sich gar nicht mehr dessen
erinnern wolle, was in jener Nacht vorging, *dass er
jedoch das ihm zur Last gelegte Verbrechen nicht in
Abrede stelle*, indem es ja die Leute behaupteten,
und setzt hinzu: „dass er in seinen Reden überhaupt
nicht mehr so fliessend sei, mehr niedergeschlagen
aussehe, mehr abgestumpft sei und gleichgiltiger,
mehr theilnahmlos als früher erscheine." — Am
17. October 1846 wird Loos nach Mainz gebracht.
Aus den vor dem Assisengericht am 23. April 1847
deponirten Aussagen des Grossherzogl. Physikatsarztes
Hofrath S., welcher den Inculpaten vom 1. Januar
1847 an, mithin über $3\frac{1}{2}$ Monate, fast täglich beobachtete, ferner aus dem ebendaselbst deponirten Aussagen des Arresthaus-Verwalters M. und des Pfar-

rers M. geht hervor, dass die Geistesverwirrung und
Geistesschwäche desselben mittlerweile nicht abgenommen, vielmehr zugenommen habe, dass, wenn er
auch, wie Pfarrer M. bemerkt, über verschiedene
Dinge ziemlich vernünftig und im Zusammenhange
sprach, er sonst aber tolles und verkehrtes Zeug
redete. —

Selbst die in seinem Gutachten vom 29. März 1847
angegebenen Beobachtungen des Grossherzogl. Physikatsarztes Dr. L. über das Benehmen und die Aeusserungen des Inculpaten widersprechen dem nicht. Er
bemerkt ausdrücklich, dass sein Verstand sehr beschränkt, dass er ein dummer Mensch sei, und sucht
die Aussagen früherer Zeugen, wonach derselbe früher ein sehr gescheiter Mensch gewesen sei, mit
dem Mangel an Bildung jener Zeugen zu entkräften;
die Aeusserungen, die Loos bezüglich des begangenen
Verbrechens giebt, scheint er für Simulationen zu halten. Des Contrastes wegen zwischen dem früheren
(gesunden) und dem jetzigen (kranken) Seelenzustande
des Inculpaten bleibt aber die Aussage jener Zeugen
immerhin wichtig. Inzwischen bleibt sich das Verhalten des Loos, sein Benehmen, seine Aeusserungen, kurz alle Symptome, welche den eingetretenen
Blödsinn documentiren, gleich, oder nehmen vielmehr
allmählig zu. Ref. hatte Gelegenheit denselben gegen
Ende July 1847 einmal in Mainz zu sehen, und kann
sonach jetzt, wo er ihn tagtäglich zu sehen Gelegenheit hat, einen solchen Fortschritt dieser Symptome
nach persönlicher Ueberzeugung mit Bestimmtheit bezeugen. Ob hier noch Simulation zu unterstellen, oder
auch nur möglich sei, diese Frage wird sich später
nach Schilderung seines Zustandes und seines Verhaltens in der hiesigen Anstalt, gründlicher und überzeugender beantworten lassen. Vorerst erlaubt sich
Ref. darauf aufmerksam zu machen, dass ein solcher

Uebergang von einem früheren, wenn auch nur vorübergehenden, oder kürzere Zeit anhaltenden Wahn-
sinnszustande in Blödsinn nicht nur möglich ist, sondern auch sehr häufig einzutreten pflegt, und ganz
dem gewöhnlichen Verlaufe der Geistesstörungen entspricht. Es ist dies ein sehr gewöhnlicher Folgegang,
dass der Wahnsinn, wenn er einen bleibenden Charakter annimmt, oder in öfteren Anfällen repetirt,
früher oder später in Blödsinn übergeht, d. h. dass
die intellectuellen Vermögen allmählig in grössere
Schwäche verfallen, abgestumpft werden, dass Ge-
dächtnissvermögen und Urtheilskraft an Energie verlieren, und so den Charakter einer directen Geistesschwäche documentiren. Stellen wir in dieser Beziehung den Verlauf in Betracht, wie er sich nach allen,
durch die ganze Eigenthümlichkeit des Falles gegebenen, Indicien erkennen lässt, so mag sich derselbe
etwa auf folgende Weise gestaltet haben, ein Folgegang, der, wie Ref. hier ausdrücklich aussprechen
zu müssen glaubt, nicht aus der Luft gegriffen, sondern auf psychologische und pathologische Gründe gestützt ist.

Es ist bereits oben zu schildern versucht worden,
wie der wiederholte übermässige Branntweingenuss
das Gehirnorgan dieses Menschen nothwendig in einen
gereizten und krankhaften Zustand versetzen musste.
War dieser Reizzustand auch abwechselnd minder
stark und zeigte dann Loos auch abwechselnd mehr
Besinnung, so kehrte er doch immer wieder aufs neue
zurück und musste allmählig einen ernsteren und ge-
fährlicheren Charakter annehmen, der sich dann in
den angegebenen Wahnvorstellungen und der ihnen
folgenden verbrecherischen Handlung thatsächlich aussprach. Nachdem Loos in Verhaft gebracht und des
gewohnten Branntweingenusses beraubt, mithin der
Reizzustand des Gehirns vermindert war, sehen wir

ihn eine Zeitlang in ruhigerem Zustande und sich ziemlich verständig äussern. Aber schon nach wenigen Wochen war dies nicht mehr der Fall, seine intellectuellen Fähigkeiten erscheinen geschwächt, seine Sprache weniger fliessend, sein Benehmen linkischer, sein Gemüth niedergedrückter, abgestumpft, theilnahmlos. Es sind dies die äusseren Merkmale, oder die psychischen Symptome von einem mittlerweile eingetretenen Schwächezustand des Gehirns, welcher pathologisch sich dahin erläutern lässt, dass auf den habituellen Reizzustand, in welchem dieses Organ sich wiederholt seit so langer Zeit befand, ein bleibender Schwächezustand desselben und höchst wahrscheinlich wässerige Ergiessungen eingetreten sind. Es ist dies, wie bereits bemerkt, nicht nur bei Wahnsinnigen, sondern auch bei Gewohnheitssäufern eine sehr häufige Erscheinung, deren Eintritt bei Loos vielleicht dadurch noch beschleunigt wurde, weil er, der Jahre lang den Reiz des Branntweingenusses gewohnt war, denselben nun auf einmal gänzlich entbehren musste. Ja man kann annehmen, dass, wäre dem Loos nach seiner Detention dieses Reizmittel nicht völlig entzogen, ihm vielmehr in kleinen Quantitäten gereicht und die Gabe desselben nur allmählig vermindert worden, dieser funeste Ausgang, dieser Uebergang in einen lähmungsartigen Zustand vielleicht eher vermieden worden wäre. Es beruht diese Annahme auf physiologischen Gesetzen und ärztlichen Erfahrungssätzen, deren nähere Entwickelung hier nicht der Ort ist.

Nachdem Ref. auf diese Weise versucht hat, den psychischen Zustand des Inculpaten, unmittelbar vor, während und nach dem ihm zur Last fallenden Verbrechen, so weit sich solcher nach den in den Acten liegenden Indicien ermitteln lässt, zu schildern, und daraus, wo nicht mit unbestreitbarer Gewissheit, doch

mit hoher Wahrscheinlichkeit die Schlussfolgerung gezogen hat, dass Loos zur Zeit des begangenen Verbrechens sich in der That in einem unfreien, d. h.
krankhaften Seelenzustande befunden habe, kommt er
nunmehr zur Schilderung seines Zustandes während
seines Aufenthaltes in dem Hospital Hofheim.

Bei seiner Aufnahme in diese Anstalt, welche am
28. Januar l. J. erfolgte, benahm sich Loos ruhig und
fügte sich ohne Widerstreben in seine neue Situation.
Von dem ihn begleitenden Gensdarmen erfuhr ich, dass
er auch unterwegs sich fortwährend ruhig und still
benommen und nur bei Darreichung eines Weissbrods
mit ängstlicher Miene gefragt habe, ob er es auch
essen dürfe. Als ich ihn mehrere Stunden nach seiner
Ankunft besuchte, fand ich ihn im Bett liegend, sich
bei meinem Eintritte aufrichtend, mich befremdend an-
sehend und auf meine Frage, ob er sich meiner erinnere, erwiedernd, es seien viele Herren bei ihm
gewesen, die hätten ihm Bücher gegeben. Auf die
Frage: wie er sich befinde, antwortete er verworren; doch konnte man aus seinen Reden entnehmen, dass er früher im Kopfe und Unterleib gelitten
habe, sich jetzt aber besser befinde. Sein ganzes
Wesen drückte Scheu und Aengstlichkeit aus. Er
sprach sehr undeutlich, leise, oft nur zwischen den
Zähnen murmelnd, mehrentheils erst auf wiederholte
Fragen und dann ohne gehörigen Zusammenhang.
Die Speise, die man ihm reichte, ass er zwar mit
Appetit, berührte sie aber jedesmal erst dann, nachdem er mit ängstlicher Miene gefragt hatte, ob er
das auch essen dürfe. Die folgende Nacht schlief er
wenig. Der Wärter berichtete am folgenden Morgen,
dass er ihn mehrmals munter getroffen und ihn, von
ihm unbemerkt, unverständliche Worte habe murmeln hören.

In den folgenden Tagen blieb sich L.'s Zustand, so weit er die Aeusserungen seiner Seelenthätigkeiten betrifft, ziemlich gleich. Fortwährend zeigte er sich scheu, furchtsam, gegen keine Anordnung widerstrebend, mehr oder weniger grosse Angst beurkundend. Bei jedem Imbiss, den man ihm reichte, fragte er, ob er es auch essen dürfe, ob das auch keine Sünde sei. Einmal hielt er das Frühstück für vergiftet, genoss es aber, nachdem Wärter es gekostet hatte. Später über diesen Umstand befragt, erinnerte er sich dessen nicht mehr. In der zweiten Nacht hörte ihn der Wärter wieder mit sich selbst sprechen und verstand die Worte: „Ach Gott, was wird denn das noch werden!" Bei Fragen und Anreden blieb er häufig Anfangs die Antwort schuldig, und antwortete erst auf wiederholte Ansprache, selten deutlich und passend, häufig mit: „ich wass net", oder auch unverständlich, verworren und ohne Zusammenhang, mehrentheils mit leiser Stimme, oft nur murmelnd, häufig nur nickend oder kopfschüttelnd. Man bemerkt deutlich, dass das Sprechen ihm schwer fällt, dass ihm zur deutlichen Aussprache theils die nöthige Willenskraft, theils physisches Vermögen gebricht. Mit Vorsicht nach seiner Frau befragt, äusserte er: „die Leute sagten, sie sei gestorben." Der Namen seiner Kinder erinnerte er sich dem Anscheine nach schwer. Fortwährend verhielt er sich ruhig, sowohl bei Tage als bei Nacht, und wenn er nicht schlief, häufig für sich murmelnd, und zwar namentlich auch dann, wenn er, von ihm unbemerkt, beobachtet wurde. Er verlangte öfters ins Freie geführt zu werden. In den Hof geführt, blieb er aber, trotz der Kälte, entweder auf einem Fleck stehen, oder ging nur langsam und träge auf und ab. Von andern Hospitaliten, welche sich mit ihm im Hofe befanden, verhielt er sich ganz isolirt. Sehr häufig konnte man

eine mehr oder weniger anhaltende Bewegung seiner
Lippen wahrnehmen, wie wenn er mit sich selbst
spreche, ohne dass man den Ton seiner Stimme hörte.
Selbst wenn man sich in ein Gespräch mit ihm ein-
liess, war diese tonlose, ich möchte sagen unwillkührliche, Bewegung der Lippen zu bemerken. Darüber befragt, wusste er keine Rechenschaft zu geben
und schien selbst nichts davon zu wissen.

Dieser unmittelbare Ausdruck seines Gemüths-
und Geisteszustandes, wie er sich schon in den ersten Tagen zu erkennen gab, blieb sich während der
ganzen Zeit seines hiesigen Aufenthaltes völlig gleich,
mit Ausnahme vielleicht davon, dass er allmählig
wohl etwas zutrauungsvoller wurde und sich der Ausdruck von Angst und Scheue etwas minderte. Immer
aber blieb er einsylbig, in seinen Manieren, Antworten und Aeusserungen völlig gleich. Dass hierdurch
ganz das Bild eines in höherem Grade schwach- oder
blödsinnigen Menschen sich darstellt, bedarf wohl
kaum einer besondern Erwähnung, und dass hier bei
dieser fortwährenden Gleichheit der Erscheinungen,
des Benehmens, der Aeusserungen und charakteristi-
schen Eigenthümlichkeiten, wie namentlich des un-
verständlichen Murmelns, das oft nur an der Bewegung der Lippen wahrnehmbar ist, und bei dem Umstande, dass dieser Zustand sich in allen Situationen
gleich bleibt, er mag allein sein oder in Gesellschaft,
er mag wissentlich oder unwissentlich beobachtet werden, der Verdacht von Simulation wohl nicht mehr
Platz greifen kann, glaube ich mit Zuversicht aussprechen zu können. Sollte es inzwischen dennoch
möglich sein, in dieser Beziehung noch irgend Zweifel zu hegen, so wird derselbe doch völlig beseitigt, wenn man den Zustand berücksichtigt, in welchem sich die physischen Organe des Loos befinden
und welchen eine genaue und tägliche Beobachtung

zur Evidenz erwiesen hat. Dieser Zustand ist folgender:

Obwohl Loos früher ein kräftiger Mann gewesen sein mag, so ist sein ganzer Habitus doch jetzt nichts weniger als kräftig zu nennen. Er ist schlecht genährt, die Muskulatur schlaff, seine Haltung unsicher, die Temperatur seiner Hände, besonders der linken Hand, etwas kühl. Sein Auge ist zwar klar, aber der Blick scheu, unsicher, Geistesschwäche und Verlegenheit ausdrückend. Die rechte Gesichtshälfte zeigt sich gegen die linke deutlich erschlafft, die Züge mehr verflacht oder verstrichen, dabei die Haut etwas gedunsen. Der rechte Mundwinkel steht um 1—2 Linien tiefer als der linke; der Mund hat dadurch eine schiefe Stellung bekommen. Beim Herausstrekken der Zunge bemerkt man, dass ihre Bewegung etwas schwerfällig ist, dass die Zungenspitze zittert, sich nach unten und etwas nach der linken Seite richtet. Es sind dies Zeichen, welche auf eine unvollkommene Lähmungsaffection der Bewegungsnerven der rechten Gesichtsseite und der rechten Zungenhälfte schliessen lassen. —

. Der Puls ist auffallend klein, schwach, langsam. Die Bewegungsfähigkeit und die Kraft des linken Arms sind sehr geschwächt, halb gelähmt. Dies zeigte sich deutlich, als man Loos, seinem eigenen Wunsche gemäss, zur Arbeit führte. Er war völlig ausser Stand Holz zu hauen, und konnte die Säge nur mit der rechten Hand führen. Beim Sandschöpfen und Steinklopfen zeigte er sich sehr ungeschickt, und man konnte deutlich wahrnehmen, dass ihm hierzu im linken Arme die Kraft fehlte, obwohl er sich sichtlich Mühe gab, die Anweisung, die man ihm gab, zu erfüllen. Ebenso, wenn auch in geringerem Grade, zeigt sich das linke Bein in einem unvollkommenen gelähmten Zustande. Sein Gang ist langsam, unsicher. Man sieht, dass er mit dem linken Beine nicht fest und sicher auftreten kann, dass er es vielmehr etwas schleppt oder schlendert. — Seine Sinnesvermögen und das Gefühlsvermögen scheinen ungetrübt und ebenso die Functionen des vegetativen Lebens, wenn auch etwas träge, doch normal von statten zu gehen. Sein Appetit ist gut, wenn auch nicht stark; die Leibesöffnung träge, sonst normal, die Respiration ohne Fehler, der Herzschlag schwach, langsam, mit dem Pulse correspondirend. Der Schlaf ist öfter unterbrochen. —

Dieser Zustand seiner Organe, soweit er durch äussere Zeichen sich zu erkennen gab, blieb sich während seines Aufenthalts in der Anstalt ebenso gleich, wie der oben beschriebene Ausdruck seiner Geistes - und Gemüthsbeschaffenheit. Es sind dies Zeichen, die keiner willkührlichen Verstellung unterliegen können, Erscheinungen eines krankhaften Zustandes, welche man als Lähmung und in diesem Falle als unvollkommene halbseitige Lähmung bezeichnet. Dass diese Lähmung am Kopfe an der rechten Seite, an den Extremitäten aber an der linken statt findet, correspondirt ganz mit der anatomischen Lage der hierbei afficirten und im Gehirne, als dem Centralpunkt des Nervensystems, sich concentrirenden Bewegungsnerven. Es lässt sich hiernach mit apodictischer Gewissheit annehmen, dass die rechte Gehirnhälfte der leidende Theil ist, von welcher alle diese Lähmungserscheinungen ausgehen, oder in welchem sie ihren Ursprung finden. Es beruht dies auf anatomisch-physiologischen Thatsachen. Nicht minder beruht es ferner auf vielfältiger Erfahrung, dass dergleichen Lähmungsaffectionen bei Geisteskranken, bei welchen immer das Gehirn, als das körperliche Organ aller psychischen Thätigkeiten, mehr oder weniger leidend erscheint und die nächste Ursache der abnormen Erscheinungen des höheren Seelenlebens enthielt, sehr häufig in höherem oder geringerem Grade vorkommen und dann gewöhnlich mit dem Ausgange in unheilbaren Blödsinn oder sogenannte Verwirrung (*dementia*) gleichen Schritt halten, oder als begleitende Erscheinungen dieser Seelenstörungen auftreten.

Kann man nun nach allem diesen noch daran zweifeln, dass Loos dermalen wirklich an *dementia* oder erworbenem Blödsinn leide? Und kann man, wenn Ref. diese Schlussfrage verneinen muss, auch selbst darüber noch Zweifel hegen, dass Loos bereits zu der Zeit, als er das Verbrechen beging, körperlich und geistig erkrankt war und dieses Verbrechen in einem Zustande beging, der, wenn auch durch eigene Schuld, durch den unmässigen Branntweingenuss, erworben, ihn dennoch unzurechnungsfähig machte? Auch diese Frage glaubt Ref. verneinen zu müssen, und somit der ihm gewordenen Aufgabe pflichtmässig entsprochen zu haben.

Hospital Hofheim den 2. März 1848.

———————

Literatur.

Schlemm (Th. Dr.), Bericht über das britische Irrenwesen in Hinsicht auf Einrichtungen und Bauart der Irrenhäuser, auf Verwaltung und Heilkunde nach eignen Anschauungen gegeben. Berlin, (Albert Förstner) 1848. X u. 225 S. Zwei Steindrucktafeln. —

Der Vf. (Sohn des berühmten Anatomen) theilt die Ergebnisse seiner literarischen Studien und der eigenen Anschauungen uns mit, welche er bei einer Herbstreise durch Grossbritannien im Jahre 1846 sammelte, und hatte dabei die Absicht, mit möglichster Zurückhaltung des eignen Urtheils eine reine objective Beschreibung und Uebersicht des Gegenstandes zu geben. Diese Absicht hat er in der That durchgeführt, indem das Werk so bequem als leicht eine recht ausführliche Kunde von dem grossbritannischen (vorwiegend freilich des englischen Irrenwesens) giebt. Diejenigen freilich, welche der Literatur über den bearbeiteten Stoff gefolgt sind, werden weniger Unbekanntes darin finden: wir erkennen namentlich eine Benutzung der bekannten „Beiträge" von Julius, dem der Vf. sich auch persönlich wegen der ihm ausserdem gelieferten Beiträge verpflichtet bekennt.

. Ausser den Beiträgen von **Julius** und den darin
.enthaltenen, übersetzten Schriften von **Thurnam**
und **Tuke** und des **Jacobi**'schen Werkes über Anlegung von Irren-Anstalten wurden hauptsächlich benutzt: die Aufsätze von **Hagen** und **Julius** in der
psychiatrischen Zeitschrift (Bd. II.) Artikel der Zeitschriften von **Gerson** und **Julius**, **Jacobi** und
Nasse, das ausführlichere Werk von J. **Thurnam**,
englische Jahresberichte u. a.

Der Vf. theilt, wie **Julius**, sein Buch in 3 Theile
und behandelt darin Irren-Gesetzgebung, britische
Irren-Anstalten im Allgemeinen und einzelne Irren-
Anstalten.

Erste Abtheilung. Erster Abschnitt. Geschichte der Irren-Gesetzgebung in England.

Zum Verständniss der englischen Irren-Gesetzgebung ist es wichtig, sich zu erinnern, dass dort
die Fürsorge für die Gemüthskranken nicht von ein-
sichtsvollen und menschenfreundlichen Aerzten ausging, wie in Frankreich und Deutschland, sondern
dass das Parlament, durch immer erneute Anzeigen von
Verbrechen, welche gegen Gemüthskranke und in
Irren-Anstalten verübt wurden, wiederholt zur Er-
fassung schützender Gesetze veranlasst wurde. —
Eine Beschränkung der Vorsteher von Irren-Anstalten und Ueberwachung derselben durch vorgesetzte
Behörden waren die ganz natürlichen Maassnahmen,
aber man vergass über den Pflichten der Humanität
die ärztlichen, wissenschaftlichen Rücksichten und
verlor den Hauptpunkt, nämlich den Aerzten die Heilung von Gemüthskranken möglichst zu erleichtern, gänzlich aus den Augen. — Wir wollen versuchen aus den Mittheilungen des Vf.'s eine Uebersicht der jetzigen englischen Irren-Gesetzgebung
auszuziehen.

Die oberste Behörde für das gesammte Irrenwesen bilden eilf Commissarien, welche theils Aerzte,
theils Anwälte sind. Drei von denselben bilden mit
dem Lord-Kanzler einen geheimen Ausschuss und sie
haben an den Minister des Innern Bericht abzustatten.
Diese Behörde hat für alle Geisteskranke in England Sorge zu tragen. Sie haben das Recht, alle
Orte, wo sich solche Kranke befinden, jederzeit zu
besuchen (Bedlam ausgenommen), die Anlegung und
Verwaltung der öffentlichen Anstalten unterliegt ihrer
Einsicht, besonders gross ist aber ihre Gewalt über
die Privatanstalten, denen sie Concessionen geben
und nehmen, aus denen sie Kranke entlassen, ja in
denen sie sogar die Beköstigung armer Kranker vorschreiben können; selbst auf einzelne in Privathäusern untergebrachte Irren erstreckt sich ihre Macht
durch den geheimen Ausschuss, und zwar sowohl auf
die Sorge für die Kranken selbst, als für deren Vermögen. Es scheint nach den Gesetzen, als ob die
Commissarien alle Maassregeln durchsetzen könnten,
welche sie zum Wohl der Gemüthskranken für
nöthig erachten. Aehnliche Macht, wie die Commissarien sie für alle Irren-Anstalten haben, ist einem
Ausschuss der Grafschaftsrichter für einzelne öffentliche und Privatanstalten gegeben, ja in den öffentlichen Anstalten sind sie im Besitz der ganzen administrativen Gewalt. Die Erbauung der Anstalten,
die Regeln für ihre Verwaltung, die Anstellung und
Entlassung der Beamten, auch der Aerzte und des
Dienstpersonals, die Aufnahme, Versetzung und Entlassung der Kranken haben sie zu bestimmen und
sie mischen sich selbst in die ärztliche Behandlung,
verfügen die Aufhebung von Zwangsmitteln u. dgl.
und lassen dem Hausarzt durch einen besuchenden
Arzt controliren, wenn es ihnen gefällt. Die Aerzte
haben daher nur den Einfluss, welchen ihnen diese

Behörde verstattet; in der Gesetzgebung ist von ihnen
nur sehr oberflächlich und nebensächlich die Rede und
selbst in Privatanstalten werden ärztliche Bemühungen wenig geachtet, denn bei einer Krankenzahl über
50 bis 100 werden tägliche, bei einer unter 50 wöchentlich zweimalige Besuche verlangt, während doch
100 heilbare Kranke die Kräfte eines nur für sie beschäftigten, im Hause wohnenden Arztes übermässig
in Anspruch nehmen würden. Zur Aufnahme der
Kranken selbst endlich sind schematische Scheine von
zwei Aerzten, bei Armen von einem Arzte und einem
Geistlichen oder Beamten nöthig.

Den Bemerkungen, welche der Vf. über die unwürdige Stellung der Aerzte macht, da sie in rein
ärztlichen Functionen von Juristen beaufsichtigt und
beschränkt würden, stimmen wir vollkommen bei,
aber auch in andern Beziehungen hat die Gesetzgebung die allergrössten Mängel und ist dem Stande der
Wissenschaft am allerwenigsten gemäss. Die Gesetz-
geber scheinen von dem alten Vorurtheile befangen
gewesen zu sein, dass Irre eine besondere, von allen
andern Menschen leicht unterscheidbare Kaste bildeten, welche von Laien ebensogut als solche erkannt
würden, als von Aerzten. Dass Kranke freiwillig
sich in Irren-Anstalten begeben können, dass unter
Umständen Kranke, die fast nur Hypochondristen zu
nennen sind, gegen ihren Willen geheilt werden müssen, und endlich, dass dann die günstigste Zeit für
die Heilung ist, wenn Laien oft noch keine Spur eines
psychischen Leidens und nur unbedeutende psychische
Symptome (Kopfschmerz, Verstopfung, Herzklopfen)
erkennen, daran denkt das Gesetz nicht. — Von
den Aerzten wird zur Aufnahme ein schematischer
Beglaubigungsschein der Gemüthskrankheit verlangt,
also nicht einmal eine Krankengeschichte, ein motivirtes Urtheil kommt den Richtern nicht zu Hülfe,

und sie sind daher allen Irrthümern ausgesetzt. Gewiss kann aber eine Irren-Anstalt nicht zur vollen Wirksamkeit gelangen, wenn alle Kranke, welche den Juristen als geistes-gesund erscheinen, abgewiesen werden, der Gesetzgebung aber ist durch jene scharfe Trennung in völlig Geistes-Gesunde und Geistes-Kranke, welche in der Wirklichkeit nicht existirt, über einen der schwierigsten Punkte weggeholfen, nämlich welche Kranke in Irren-Anstalten aufgenommen werden müssen, und welche privatim behandelt werden können: ein Punkt, welcher der wissenschaftlichen Beurtheilung unterliegt ebenso ausschliesslich, wie der Rath, eine Badekur oder dgl. zu geben.

Wenn es, wie mehrfach angegeben wird, wahr ist, dass in England so auffallend viele chronische Irre sich befinden, so ist es leicht möglich, dass diese Gesetzgebung daran Antheil hat. Zugleich mag es damit zusammenhängen, dass gar keine Gesetze über Curatel-Bestellung und Bevormundung von Gemüthskranken existiren, worüber die französischen Gesetze hauptsächliche und gute Bestimmungen enthalten. — Wir können demnach die englische Gesetzgebung nur recht mangelhaft und in Beziehung auf die Unterordnung der Aerzte unter die Administration, welches Verhältniss erfahrungsmässig vortrefflichen deutschen Psychiatern so viele Hindernisse und Verdriesslichkeiten gemacht hat, sehr schlecht nennen, aber Etwas darin sollten wir Deutsche uns zur Lehre nehmen, nämlich die Aufsicht auf Privatanstalten, deren jetziger Zustand in einigen grossen Städten zum Theil der Art ist, dass eine obrigkeitliche Beaufsichtigung dringend nothwendig ist.

Auffallend ist uns ein Tadel des Vf.'s über die Bestimmung gewesen, dass die Fortschaffung der

armen Kranken durch die Armenwächter besorgt
werden sollte; er will dazu die Wärter der Anstalt
benutzt wissen, weil sie mit den Kranken besser umzugehen wüssten. — Uns erscheint die gesetzliche
Bestimmung über diese auch in Deutschland schon angeregte Frage praktischer; denn

1) ist die Abholung durch Wärter bei weiten
Entfernungen und in dringenden Fällen zu zeitraubend.

2) Die um die Kranken beschäftigten Wärter können nicht ohne Schwierigkeit und Unordnung öfter und
auf längere Zeit fortgeschickt werden; die Irren-
Anstalt wäre also genöthigt, ein eignes Personal
(auch wohl ein eignes Fuhrwerk) für jenen Zweck
zu unterhalten.

3) Dieses Personal würde gar nicht zu übernehmen
men sein und als ungebildete Personen ebenso schlecht
mit den Kranken umgehen, als anderweitig bestellte.

4) Die Einlieferung der Kranken in die Irren-Anstalt ist diesen häufig an sich eine gehässige Maassregel und es kann den ärztlichen Bemühungen in der
Anstalt sehr hinderlich sein, wenn die Kranken Veranlassung finden, diesen Hass auf die Aerzte, Beamten und Diener der Anstalt zu übertragen.

Zweiter Abschnitt. Ansichten und Verordnungen
der Irren-Commission. Nach Erlass der Gesetze haben die Commissarien den Behörden ihre Ansichten
über Anlegung und Verwaltung von Irren-Anstalten
als Rathschläge mitgetheilt; Vf. giebt dieselben in
6 Paragraphen wieder, welche über Lage, Plan und
Form, Zeichnungen und den Commissarien zu machende Angaben, Leitung im Allgemeinen, Eintheilung der Geisteskrankheiten und Classification der
bestehenden Irrenhäuser sich ausbreiten. Rücksichtlich der Baulichkeiten stimmen diese Ansichten mit
den in Deutschland herrschenden durchgehends überein; rücksichtlich der Leitung der Anstalten aber gar

nicht, wie wir schon erwähnten, obgleich doch der
Hausarzt etwas besser gestellt sein würde, als nach
den Gesetzen nöthig ist. Die Eintheilung der Geisteskrankheiten, welche statistischen Berichten zu Grunde
gelegt werden soll, ist eine gewöhnliche, mit Ausnahme der Aufführung eines „moralischen Irreseins"
(*moral insanity* Prichard), einer Verkehrung der Neigungen und Gefühle bei anscheinend ungetrübtem Erkenntnissvermögen, wohin Trunksucht, hysterische
und sexuelle Gereiztheit gehören, und der Aufführung
des *delirium tremens* als besonderer Art. Der Ausdruck *moral* hat nicht mit dem deutschen moralisch
gleiche Bedeutung. Engländer und Franzosen haben bekanntlich keinen Ausdruck für Gemüth, und so ist
unter moralischem Irresein (*moral insanity*) wohl dasselbe verstanden, was Nasse neuerlich als Gemüthskrankheiten definirt hat, nämlich die ersten Stadien
psychischer Krankheiten, wobei die Intelligenz noch
nicht auffallend gestört ist. —

Die bestehenden Irrenhäuser sind in 5 Klassen
getheilt:

1) Grafschafts-Anstalten, errichtet durch Beschatzung der Grafschaften.

2) Irren-Anstalten, errichtet durch Beschatzung
und durch freiwillige Beiträge.

3) Irren-Abtheilungen der Regierungshospitäler
für Soldaten und Seeleute.

4) Oeffentliche Hospitäler oder Abtheilungen derselben, die ganz oder zum Theil durch freiwillige
Beiträge erhalten werden.

5) Privat-Anstalten. Wales hat gar keine öffentlichen, im nördlichen Theil auch keine Privatanstalt
und der Zustand der Geisteskranken wird uns als
höchst elend geschildert. —

Dritter Abschnitt. Irren-Verpflegung in Irland und Schottland. Die gegebene Uebersicht ist nicht ausführlich genug, um eine Vorstellung von den dortigen Irren-Verfassungen zu geben; wir gehen daher hier darüber weg, so wie über die daran sich schliessende statistische Uebersicht über die in England und Irland in den Jahren 1844—47 befindlichen Geisteskranken: denn die Benutzung der statistischen Nachweise ist bekanntlich eine sehr missliche Sache, wovon uns Vf. selbst einen neuen Beweis liefert. Da nämlich nach einer statistischen Tabelle, die in den grossbritannischen Irren-Anstalten verpflegten Männer 53 Procent, die Weiber 47 Procent ausmachen, so schliesst er, sei die Meinung E s q u i r o l 's und fast aller neueren Schriftsteller unrichtig, dass Weiber häufiger, als Männer von Geisteskrankheit befallen würden, während doch zunächst nur daraus hervorgeht, dass mehr geisteskranke Männer, als Frauen in Irren-Anstalten abgeliefert werden, und man sich bis zur weiteren Erforschung manche Gründe denken kann, weshalb Männer mehr und eher in Anstalten versetzt werden, als Frauen. Die Gesammt-Irrenzahl verhält sich nach den Rechnungen des Vf.'s zur Einwohnerzahl in England wie 1 : 756, in Irland wie 1 : 689; also, sagt der Vf., sind in Irland die Geisteskrankheiten häufiger, als in England. Wiederum ein sehr rascher Schluss; da es höchst willkürlich ist, wie weit man den Begriff *Irresein* ausdehnen will, so sind solche Verhältnisszahlen auch willkürlich, und da es sehr auffällt, wie bei jeder neuen Zählung das Verhältniss der Irren in erschreckendem Grade wächst, so könnten wir unsererseits daraus den Schluss ziehen, es werde endlich dahin kommen, dass die Zahl der Gemüthskranken ebenso gross werde, als die Einwohnerzahl, oder dass man keine Zählungen der Kranken, sondern der

Gesunden oder höchstens zu praktischen Zwecken derjenigen Kranken anstellen werde, welche einer Behandlung in einer Irren-Anstalt bedürfen. —

Zweite Abtheilung. Ein britisches Irrenhaus und seine Einrichtungen. — Vf. beschreibt uns
hier nach einander folgende Punkte: Formen der Irren-
Anstalten, Anlage der Corridore und Zimmer, zu-
rückgezogene Balkone, Höfe, Einzelzimmer, Schlafsäle, gepolsterte Zellen, Bettstellen, Waterklosets,
Fenster, Ventilation und Heizung; sodann erwähnt
er der Wärter, der Krankenzahl, Kleidung, Diät,
Classification der Kranken, bespricht ausführlicher das
Nicht-Zwangsystem, kürzer die ärztliche Behandlung, dann die Beschäftigung der Kranken, ihre Vergnügungen, den Gottesdienst und endlich die Sorge
für die Entlassenen. Auch dieser Theil des Werkes
zeichnet sich durch Anschaulichkeit und Uebersicht-
lichkeit aus, doch hätten wir von einigen Punkten
mehr zu erfahren gewünscht, während andere, zum
Theil solche, welche nur den neugierigen Laien interessiren können, füglich hätten fehlen können (z. B.
die Beschreibung der Spiele, die Geschichtchen S. 119
und 162 Anm., der Brief einer Oberaufscherin über
die Kaplane, das Gedicht eines Reconvalescenten
u. a. m.). — Wir heben Einzelnes heraus:

„Die H-Form ist die häufigste und wird jetzt
ziemlich allgemein für die zweckmässigste gehalten":
worin die Deutschen schwerlich beistimmen dürften.

Gegen die Benutzung der Corridore, als Tagräume,
führt der Vf. nebst andern triftigen auch den wunder-
lichen Grund an, dass dadurch dem Arzte die psychische Behandlung erschwert werde, indem er genöthigt sei, dieselbe bald bei diesem, bald bei jenem
ihn auf seinem Wege durch den Flur begleitenden
Irren ins Werk zu setzen.

Die Grösse der Schlafsäle ist durchschnittlich auf 12 Betten bestimmt, und die Commissarien haben sich für den Vorzug der Säle vor den Einzelzellen zum Schlafen entschieden. Vf. führt die von englischen Schriftstellern gegebenen Gründe dafür und dagegen grundsätzlich auf; wir können uns aber kaum denken, dass den englischen Aerzten entgangen sein sollte, wie für einige Kranke diese, für andere jene Anordnung die bessere sei.

„Es wird behauptet, dass auch die für die gepolsterten Räume bestimmte Klasse von Patienten sich meistens des Nachtstuhls bediene." Vf. fand diese Räume meistentheils leer, sonst hätte er vermuthlich auch gegentheilige Fälle berichten können; übrigens wäre wohl zu erwähnen gewesen, ob solche Räume reinlich gehalten und ob sie vor Zerstörung durch die Kranken geschützt werden können, namentlich bei'm Nicht - Zwangsystem. „Man gebraucht die gepolsterten Räume für Kranke, welche mit dem Kopfe gegen die Mauern laufen, für Epileptische, für solche, die sich entkleiden und sich auf den Boden legen, und für diejenige, welche zum Selbstmord geneigt sind, wenn man ihre Absperrung für nöthig erachtet." Daraus erklärt sich der seltene Gebrauch von selbst! — „Eine andere Art sind *die eisernen Bettstellen* (für Unreinliche) mit Canvassboden, welche der Harn ebenfalls durchdringt, um entweder auf einen schräg gelegten Steinfussboden zu gelangen oder in viereckige in den Fussboden der Stube eingelegte Zinkkasten (welche in Glasgow nach Art der Waterklosets gespült werden) zu laufen." — Die Canvassboden kann man sammt den Gestellen herausnehmen und sie waschen und trocknen.

Wasserbetten, um Durchliegen zu verhüten: „die hölzerne Bettstelle enthält einen sie ganz ausfüllenden Zinkkasten voll Wasser; über denselben ist ein

Mackintosh-Laken ausgespannt, welches gross genug
ist, um seinen Rand zu überragen. In diesem Rande
befindet sich eine ganz herumlaufende Rinne, in welche eine hölzerne Leiste so eingefügt ist, dass sie
das Laken überall festzwängt, unmittelbar auf dem
letzteren liegt der Kranke."

In den meisten Anstalten findet strenge Trennung
der Geschlechter statt, in einigen jedoch, wie in Lincoln, können sich die Kranken beider Geschlechter
auf ihren Spazierhöfen sehen und mit einander verkehren. Vf. meint, Gutes könne aus dieser Freiheit
nicht entstehen und man könne die Sache zu leicht
nehmen; gewiss mit Recht, wenn, wie es in Lincoln der Fall scheint, alle Kranke dieselbe Freiheit
geniessen. Aber man kann auch zu ängstlich sein,
wenn man z. B. wie in englischen Anstalten, die
Kapellen so einrichtet, dass die Geschlechter sich
nicht sehen können, und eine unnöthige Beschränkung
der Geisteskranken ist theils inhuman, theils der Heilung nachtheilig, namentlich da die nothwendigsten
Einschränkungen häufig schon den Widerwillen der
Kranken erregen. Ueber die in dieser Beziehung in
England herrschenden Grundsätze erfahren wir nur
nebenher vom Vf. Weniges, z. B. dass man mit den
Kranken Spaziergänge machte, woran aber, wie an
den Theaterbesuchen die öffentliche Meinung Anstand
genommen habe. Es scheint aber, als ob man in
England im Allgemeinen die Kranken ziemlich strenge
abgeschlossen halte.

„Für Kranke, die sich entkleiden, hat man Kittel von starkem Drillich, die vorn keine Oeffnung
haben und am Nacken mit einem Schlosse versehen
sind." Vf. berichtet nicht, ob der Kittel die einzige
Bekleidung bildet, oder wie die andere Kleidungsstücke daran befestigt sind.

Die Classification der Kranken ist nach des Vf.'s Beschreibung offenbar sehr unvollkommen, meistens sind keine abgesonderten Abtheilungen für Tobsüchtige und Unreinliche vorhanden, welche gewöhnlich einige Säle des untern Stockwerkes bewohnen; besonders gilt dies für England. Als Norm für die Eintheilung der Kranken in den Grafschafts-Anstalten könne im Allgemeinen die von Gloucester angenommen werden, welche Ruhige und Genesende, Epileptische, Narren, Schmutzige, Lärmende und Arbeitende unterscheidet.

Zwang und Nicht-Zwang mit den bekannten Gründen dafür und dawider werden angeführt, aber wir vermissen eine Schilderung der Art und Weise, wie beim Nichtzwang in denjenigen Fällen verfahren wird, wo in Deutschland die mechanischen Zwangsmittel gebraucht werden. Den Zustand von Lincoln schildert uns der Vf. freilich als völlig anarchisch, und führt das seltsame Hausgesetz an, dass es dem Hauschirurgus angezeigt werden müsse, wenn ein Kranker 10 Minuten lang von den Wärtern gehalten wurde; dieser habe, wenn er das Verfahren noch länger fortdauern lasse, das Factum dann in ein Buch einzuschreiben. Vielen Kranken, sagt er ferner, sei es zur Gewohnheit geworden, den Arzt und die Matrone zu schimpfen, zu stossen oder sonst thätlich anzugreifen, wogegen von diesen nichts gethan werden dürfe. Unter Conolly und Hutcheson dagegen herrscht vollkommene Ordnung, es müssen also doch dort wirksame Zwangsmaassregeln angewendet werden, meistens wahrscheinlich die Einsperrung, und hier wäre es interessant gewesen zu erfahren, nach welchen Grundsätzen dabei gehandelt wird, und namentlich, ob viele solche Kranke eingesperrt sind, welche von den deutschen Aerzten mit dem Kamisol bekleidet, sonst aber frei gelassen werden.

Arzeneimittel sollen von den englischen Aerzten durchgehends wenig angewendet werden, doch werden Brown und Hutcheson als Anhänger der pharmaceutischen Behandlung genannt, Gründe dieses Mangels seien das geringe Vertrauen auf Arzeneien, die Menge chronischer Kranker und die häufig unübersehbare Krankenzahl. Der Bericht über die pharmaceutische Behandlung ist daher dürftig, indessen hätten doch wohl die leitenden Grundsätze und die Methoden der genannten Aerzte besser hervorgehoben werden können — oder sollte wirklich Hutcheson, wie es nach S. 176 scheint, mit einer so oberflächlichen, symptomatischen Behandlung sich begnügen, dass er jedesmal in der Tobsucht bei hartem, schnellen Pulse und contrahirter Pupille *Tartarus stibiatus* in grossen Gaben, bei schwachem, frequentem Pulse und natürlichen Pupillen *Tinctura Hyoscyami* mit Kampher anwendete?

Dritte Abtheilung. Einzelne öffentliche Irren-Anstalten in Grossbritannien.

Wir können nicht umhin, diesen letzten Theil als den wenigst befriedigenden zu bezeichnen; eine genügende Beschreibung der angeführten 27 Irren-Anstalten kann man von Einem Reisenden und Einer Reise freilich nicht erwarten, aber ebensowenig statistische und bauliche Notizen, wie von Norfolk, Bedford, Northampton, Leicester, York, Perth, Dublin, Belfast, Stafford, Shrewsbury, Gloucester, Exeter, Oxford, Surrey, St. Luke und Bedlam gegeben sind, lehren eigentlich nichts weiter, als das Dasein jener Anstalten. Etwas ausführlicher sind: Nottingham, Lincoln, Wakefield, Friends-Betreat; Edinburgh, Dundee, Glasgow, Dumfries, Lancaster und Hanwell behandelt, aber selbst diese Beschreibungen sind wenig lehrreich, namentlich die statistischen Nachrichten, welche viel zu vereinzelt sind, um irgend eine

wissenschaftliche Schlussfolgerung zu erlauben. Da
Jacobi, Julius und A. uns schon kürzere Notizen
über manche britische Anstalten gegeben haben, so
wäre es wohl an der Zeit, und unsers Bedenkens
nützlicher gewesen, von einer oder der andern Irren-
Anstalt eine gründliche Beschreibung zu liefern, und
dazu hätte sich dem Vf. Glasgow, welches er ohnehin am ausführlichsten behandelt, wohl am meisten
empfohlen, da Hanwell schon bekannter ist. Die Beschreibung und der Grundriss von Glasgow haben
uns (neben mehreren schon oben erwähnten Details,
am meisten interessirt; es ist nach der Meinung des
Vf.'s das schönste aller Irrenhäuser und aus Sand-
stein vom Architekten Wilson erbaut. Wenn
wir auch Manches, z. B. die Lage des Oekonomie-
Gebäudes, den Mangel eines Gebäudes für Tobsüchtige nicht zweckmässig finden, so ist dagegen Anderes, z. B. die Anlage der Eingänge, der Bäder und
Waterklosets, der Treppen, der Schlafsäle u. A. eigenthümlich und vielfach belehrend. Das Oekonomie-
gebäude selbst scheint sehr originell und zweckmässig,
aber luxuriös eingerichtet und viele andere Einzelheiten fallen bei'm genaueren Studium des Grundrisses
auf, welche wenigstens zum Nachdenken auffordern
und von der Einsicht und Sorgfalt der Erbauer Zeugniss ablegen. Uebrigens ist dieses neue Haus, welches
1843 eröffnet wurde, nicht mit dem älteren, jetzt zum
Armenhause verwendeten sternförmigen Gebäude zu
verwechseln. —

Schliesslich haben wir noch der ersten Steindruck-
tafel zu erwähnen (die zweite enthält den eben angeführten Grundriss), welche recht zweckmässig eine
schematische Uebersicht der Hauptformen britischer Irren-Anstalten giebt, die sich seltsam genug ausnehmen.

Die äussere Ausstattung des Buches ist zeitgemäss.

Dr. W. Jessen.

Das pennsylvanische Strafsystem vom psychisch-
ärztlichen Standpunkte betrachtet und kritisch
beleuchtet. Von Dr. *Friedrich Engelken* zu
Oberneuland bei Bremen. Bremen bei Johann
Georg Heyse. 1847. VI u. 46 S. 8.

Das Recht des Irrenarztes über Gegenstände vor-
liegender Art sich entscheidend auszusprechen, wird
wohl Niemand bestreiten können; denn die unausge-
setzte Beobachtung Geisteskranker und die Erwägung,
dass verbrecherischen Handlungen oft Irresein entweder folgt, oder dieses zum Grunde hatte, und endlich die Aufgabe des Irrenarztes jeden Menschen in
allen seinen Erscheinungen und Verhältnissen zu ermitteln; alles dieses, glauben wir, möchte ihn sogar
vorzugsweise befähigen, den Standpunkt der menschlichen Natur mit dem dem Verbrecher zuertheilten
Strafmaasse in Vergleich zu bringen und darnach das
Wie der Ausführung zu bestimmen.

Vf., bekannt als humaner Irrenarzt, ist dem pennsylvanischen System trotz der zu Frankfurt, in der
Versammlung für Reform des Gefängnisswesens, vorgeschlagenen Modificationen nicht zugethan; denn es
bedürfe dazu nicht allein enormer Geldmittel, engli-
scher und amerikanischer Staatsinstitutionen, sondern
der gemüthliche Deutsche eigne sich zu dieser Haft
auch weniger, als der Engländer und Amerikaner,
bei denen offenbar die Verstandesthätigkeit prävalire,
und wir setzen hinzu, das *„make money"* alle Handlungen leitet.

In einer kurzen Einleitung erklärt Vf. erst den
Zweck der Strafe, bevor er über die Anwendbarkeit
oder Nichtanwendbarkeit des pennsylvanischen Systems sich auslässt. Früher gab es zwei Ansichten,
über den Zweck der Strafe, wovon die eine „Abschreckung" die andere „Besserung" zur Grundlage

hatte; Beides zeigte sich aber ungenügend und die errichteten Anstalten entsprachen keinesweges. Nach Vf. wird die Geneigtheit und die Fähigkeit des Menschen zu Rechtsverletzungen gehemmt oder vernichtet: 1) durch Abschreckung, 2) durch Besserung und 3) durch Erschwerung oder Freiheitsberaubung. Der Staat müsse nun hiernach seine Einrichtungen treffen. Früher sei dies nur durch Abschreckung und Rache geschehen, gegenwärtig aber solle alles durch ein angeblich verbessertes Gefängnisssystem, nämlich das pennsylvanische, bewerkstelligt werden, was jedoch, wie Vf. darzuthun beabsichtigt, damit nur mangelhaft zu erreichen steht. Er beweist dies vom psychisch-ärztlichen Standpunkte aus, und bringt folgende Resultate:

1) Das pennsylvanische Gefängnisssystem im Allgemeinen ruinire Körper und Geist, und auf Kosten des ganzen Menschen werde der Zweck der Besserung und Verhütung der Verschlechterung entweder gar nicht oder doch nicht in ausgezeichneterem Maasse wie bisher erreicht.

2) Wolle der Staat keine Rache üben, sondern Besserung des Verbrechens, so sei die strenge isolirte Haft eine so entsetzliche und qualvolle Strafe, dass besonders leichte Verbrecher bei noch ungestörten Geistes- und Körperkräften sich schon frühzeitig das Leben nehmen.

3) Die Verpflegung sei zu kostspielig (in Preussen 200 Thlr. auf den Kopf) im Verhältniss zu der Zahl günstiger Erfolge.

4) Die *auburnsche* Modification des pennsylvanischen Systems sei wohl humaner, biete aber ungenügenden Ersatz für menschlichen Verkehr und verhindere das Bekanntschaftmachen der Verbrecher unter einander nicht.

8. *

5) Mit geringeren Kosten und eben so guten Resultaten als die Isolirungshaft aufzuweisen habe, würde man mit psychologischen Kenntnissen versehen dasselbe in gewöhnlichen Gefängnissen erreichen; wenn man den zur Besserung fähigen Individuen, abgesondert von den übrigen, besondern Fleiss zuwenden wollte.

6) Wolle man durchaus das, vor dem pennsylvanischen, allerdings vorzuziehende auburnische System beibehalten, so müsse es zuvor sehr wesentliche Veränderungen erleiden. Bei einer Haft von mehreren Jahren machten sich die Folgen der Isolation zu bemerkbar; die Besserungsfähigen verdienten besondere Aufmerksamkeit, auch möglicher Weise Gestattung des Verkehrs unter sich, mit den Angestellten der Anstalt, mit Befreundeten und selbst Fremden ausserhalb der Anstalt u. s. w. Versorgung des Verbrechers nach der Entlassung; Anlegung von Verbrechercolonieen jenseits des Meeres, besonders zum Behufe abzukürzender Haft. England könne in Betreff Vandiemensland als Beispiel genommen werden.

7) Wie eine pennsylvanische Strafanstalt beschaffen sein müsse, wenn sie allseitigen Anforderungen entsprechen solle, theilt der Vf. aus dem neuesten Bericht der Musteranstalt zu Pentonville mit. Dazu gehörten aber freiere Staatsinstitution, und ein grösserer Geldaufwand als Deutschland zu erschwingen vermöge.

Seine Bemerkungen über das pennsylvanische Gefängnisssystem beschliessend, berücksichtigt Vf. noch die von Froriep empfohlene *Isolirung der Sinne als Basis der Isolirung der Strafgefangenen*, wo wir dann mit ihm vollkommen einverstanden sind, wenn er diesen, *deutschem Charakter unwürdigen Vorschlag* gänzlich verwirft, da ein unmenschlicheres Verfahren als dieses selbst bei ungebildeten Völkern seines Gleichen suchen, aber nicht finden dürfte.

Eine ausgezeichnete, von uns in O p p e n h e i m's Journal angezeigte Schrift: „*Hygiène physique et morale de Prisons ou des l'influence que les Systèmes pénitentiaires exercent sur le physique et le moral des Prisonniers, et des modifications qu'il y aurait à apporter au regime actuel de nos prisons; par Auguste Bonnet, Dr. M. Chevalier de la Légion- d'honneur, Professeur de Pathologie interne à l'Ecole de Medecine de Bordeaux etc. Paris, Just. Rouvier 1847. 162 S. 8.*" behandelt den Einfluss des pennsylvanischen Systems auf das körperliche und moralische Befinden der Gefangenen, so ausführlich und gründlich, dass wir wohl gewünscht hätten, Herr Engelken hätte .*vor* Herausgabe seiner kritischen Beleuchtung davon Kenntniss nehmem können.

Mansfeld.

Annales méd.-psychologiques. Journal de l'anatomie, de la physiologie et de la pathologie du système nerveux etc. Par *M. M. Baillarger, Cerise et Longet.* Tome X. 1stes bis 3tes Heft.

Historische Studien über die Anatomie und Physiologie des Nervensystems. Von P a r c h a p p e. Die Untersuchungen und Ansichten von Malpighi und Fracassati sind in diesem Artikel in gedrängter Uebersicht dargestellt.

Krankheiten des Willens. Von B i l l o d. I. Physiologische und psychologische Betrachtungen über den Willen. Dieser Theil ist raisonnirend und enthält nicht wesentlich neue Ansichten und Betrachtungen.

II. Pathologie der Willenskrankheiten. Vf. unterscheidet drei Gruppen von Willenskrankheiten.

1) Störungen in den psychischen Functionen, welche
den Willensakt bedingen; 2) Störungen des Willens
selbst; 3) Störungen in den Functionen, welche den
Willen ausführen sollen. (Die Unterscheidung wird
in der Wirklichkeit unausführbar sein. Ref.) Er beginnt mit der zweiten Gruppe und führt Beobachtungen an, in denen seiner Meinung nach alle übrigen
Functionen normal und nur der Wille selbst erkrankt
und kraftlos sein soll. Erste Beobachtung. P.,
65 Jahre alt, vormaliger Notar, verfiel in Melancholie
mit Angst, die sich durch keine Besonderheit auszeichnete. Im ferneren Verlauf der Krankheit trat
die Angst zurück und es entwickelte sich die Idee,
dass er nicht wollen könne, verbunden mit Trübsinn
über diesen unglücklichen Zustand. Er konnte z. B.,
schreiben, seinen Namen unterzeichnen, aber einen
nöthigen Schnörkel konnte er erst nach dreiviertel-
stündigen Versuchen über dem Papier nothdürftig zu
Stande bringen. Fünf Tage lang machte er sich täglich zum Ausgehen fertig, aber erst am sechsten gelang es ihm mit vieler Anstrengung, wirklich auszu-
gehen. Sein Wille war indessen sehr kräftig, als er
in Marseille nur durch Gewalt in ein Paquetboot gebracht werden konnte, da er nicht mit seiner Krankheit in ein fremdes Land gehen wollte. (Auch bei
anderen Angelegenheiten entwickelte er eine nicht
unbedeutende Willenskraft, woraus gegen die Meinung des Vf.'s hervorgeht, dass die scheinbare Abulie durch eine fixe Idee bewirkt wurde.) Die zweite
Beobachtung, von Esquirol entlehnt, ist der ersten
ziemlich ähnlich; die dritte betrifft eine Melancholie,
welche der Vf. selbst einen sehr complicirten Zustand
nennt; die vierte ist ein sehr interessanter, übrigens
nicht hieher gehöriger Fall von *melancholia attonita*:
B. litt an sehr heftigen Kopfschmerzen, an Ohrenfluss und äusserst hartnäckiger Verstopfung, er sprach

langsam, aber verständig. Rasch verfiel er in Stumpfsinn, hielt die Augen 8 Monate lang zugekniffen
und lag im Bette mit überall so flectirten Gelenken,
wie es das natürliche Uebergewicht der Flexoren bewirkt. Endlich, nachdem er mehrere Tage Strammonium genommen, erwachte er mit dem Ausrufe: Frau
Müllerin; etwas Brod! — ass, sagte, dass er die
Augen des Rauches im Saal wegen zugekniffen, dass
Phantome mit ihm sprächen, fiel wieder in seinen
Stumpfsinn zurück, wachte aber zur Essenszeit wieder auf und schien nach mehreren Schwankungen auf
dem Wege der Besserung. Die fünfte Beobachtung
betrifft eine sonderbare Nervenkrankheit bei einem
61 Jahr alten Geschäftsmann, welche im dreissigsten
Jahre durch die Schrecken des Angriffs auf Paris entstand. Jede Art von Erregung, wohin auch der Anblick eines offnen Fensters, einer Brücke, einer
Treppe gehört, bewirkt krampfhaftes Zittern, Suffo-
cation, Seufzen und Weinen. Geht er allein aus, so
bleibt er bald mitten auf der Strasse stehen, bis ihn
ein Bekannter wegführt, er kann ebenfalls nie allein
sein. Dabei ist er im Stande, seine Geschäfte zu
leiten. Alle diese Zustände nennt der Vf. eine Schwächung des Willens; dass auch eine Erregung vor-
komme, weiss er nicht aus Erfahrung, aber es scheint
ihm möglich, da der Wille gesunder Menschen so
sehr verschieden sei. Er versucht alsdann das Verhältniss des Willens in den verschiedenen Arten von
Geisteskrankheiten darzustellen, und redet zum Schluss
den in Deutschland seit einiger Zeit in Verruf gekommenen „Trieben" sehr das Wort, so dass Selbstmord und Todtschlag nach ihm durch einen unüber-
legten, unwillkürlichen, unwiderstehlichen Impuls bei
gesundem Denken und Empfinden veranlasst werden
kann.

Vf. vermehrt seine Krankheits-Geschichten durch solche, welche er seit Publication des Vorigen erfahren: doch mangelt ihnen mit der nöthigen Genauigkeit die Beweiskraft; namentlich gilt dies von denjenigen, welche einen reinen „Trieb" zum Mord und Selbstmord beweisen sollen. Interessant ist die Erwähnung von sogenannten Piqueurs, welche vor etwa 20 Jahren in Livorno 7 oder 8 an der Zahl zum Geständniss gebracht wurden, obgleich von ihrem Gemüthszustande nichts mitgetheilt wird. — Der übrige Theil der Abhandlung bespricht die Willenskrankheiten, welche Resultat der Verletzung anderer Seelenvermögen sind, nämlich erstens diejenigen, welche von einer Störung des Agens der Willensthätigkeit (der Anregung zum Wollen, der Ueberlegung, der Selbstbestimmung und des Willens-Bewusstseins) abhängen; zweitens diejenigen, welche durch eine Verletzung der Werkzeuge des Wollens (insonderheit der Bewegungsorgane) bedingt sind. Dieser Abschnitt ist kurz gefasst; doch auch hier begegnen wir jener Unklarheit und Unsicherheit der Begriffe, welche es schwierig macht dem Vf. zu folgen und seine Ansichten treu wiederzugeben, mit Verzichtleistung auf eine Kritik derselben. Schliesslich entschuldigt der Vf. die Auslassung der beiden Kapitel über Aetiologie und Therapie der Willenskrankheiten: es sei zur Zeit und mit einer noch so unzureichenden Zahl von Beobachtungen unmöglich zu entscheiden, ob die Aetiologie und Therapie der Willenskrankheiten von denen der Geistesstörungen im Allgemeinen verschieden sei.

Behandlung der Epilepsie. Von Delasiauve. Vgl. Bd. IX. Heft 3. Fortsetzung der Specifike. Die Asa nüzt nicht viel, hat aber, selbst bis zur Gabe von 8 Grammes keine anderen Nachtheile, als den üblen Geschmack. Aehnliche Stoffe, wie Gummi Ammoniak,

Sagapenum, Opoponax, Lauch, Raute sind ganz
ausser Gebrauch gekommen. Der Moschus hat einige
Male Heilung oder Besserung bewirkt. Castoreum,
Bernstein und Ambra werden wenig gerühmt. Opium
wurde früher häufig zur Radikalkur, später nachdem
der erregende Einfluss desselben auf das Gehirn durch
Sydenham und Tissot bekannt wurde, nur zur Beseitigung von Schlaflosigkeit und von heftigen Schmerzen benutzt. Die Versuche mit Strammonium und
Hyoscyamus haben ungünstige Resultate gegeben.
Die Belladonna, selbst dem Tissot noch unbekannt,
wurde besonders durch Debreyne (1842) in die Praxis eingeführt. Er hält dieselbe für das wirksamste
Mittel, welches in den meisten Fällen Heilung oder
Besserung bewirke. Andere Schriftsteller haben weniger davon gesehen; Vf. selbst kann nur einen Fall
anführen, mehrere dagegen, wo Verschlimmerung
der Symptome eintrat: vielleicht könne dies daher
rühren, dass ihm mit Ausnahme jenes einen nur alte
Fälle vorlagen. Die gebräuchlichste Form ist die des
Extracts oder des Pulvers von Stengeln und Blättern
in Pillen oder mit Zucker abgerieben. Die Gabe steigt
bis zu 30 Centigr. Extract nach Debreyne oder 20
Gr. Pulver nach Rognetta für den Tag. Von der Digitalis haben nur Wenige Nutzen gesehen, namentlich Scott und Skarkey; von der Aqua laurocerasi
aber, obgleich sie einen Bestandtheil vieler zusam-
mengesetzten Mittel gegen die Epilepsie ausmacht,
fast. Keiner. Von vielen Aerzten empfohlen ist das
Zinkoxyd, obgleich auch dieses sich in vielen Fällen
wirkungslos zeigte, die grössten Gaben waren eine
halbe Drachme täglich, wobei häufig Erbrechen ohne
nachtheilige Folgen eintrat. Das schwefelsaure Zink
kann ebenfalls bei allmähligem Steigen bis zu grossen
Gaben, wie 2 Gramm., gegeben werden, ohne dass
Erbrechen entsteht; in einigen Fällen hat man gün-

stige Wirkungen beobachtet, nachdem die Dosis wiederum allmählig vermindert wurde. Nur zwei günstige Fälle des valeriansauren Zink's sind bekannt geworden: die höchste Gabe war 15 Centigr. — Das Dippelsöl, obwohl im vorigen Jahrhundert vielfach gebraucht, ist von sehr zweifelhaftem Nutzen: Tissot verwirft es ganz, Alibert dagegen sah Besserung nach dem Gebrauch, und Portal gebrauchte es äusserlich.

China und Chinin sind von verschiedenen Schriftstellern mit Erfolg in Fällen periodischer Epilepsie angewendet worden. Vf. selbst hat keine günstigen Wirkungen gesehen, selbst in Fällen, welche der Periodicität halber es zu versprechen schienen; er meint, dass sie nur in wirklicher mit epileptiformen Krämpfen complicirter Intermittens von Nutzen sei. — Eisen und eisenhaltige Wasser (Pyrmont, Spaa) haben ihren früheren Ruf ganz verloren, nur das Eisencyanur ist durch Jansion (Arzt zu Bauguière) in Ruf gekommen. Er erzählt mehrere sehr merkwürdige Fälle; Vf. hat es nur in einem Falle glücken wollen, indessen hat er nicht genau die Anwendungsweise von Jansion nachgeahmt, z. B. das Abnehmen des Mondes nicht berücksichtigt. Die Gaben steigen von 5 — 30 Centigr. — Indigo, der zuerst von Ideler, später von mehreren Franzosen mit Glück angewendet wurde, gab Rech und Sc. Pinel gar kein Resultat. Ausserdem stört er die Verdauung sehr und bewirkt häufig Erbrechen, Diarrhöe, Schwindel, Gesichts-Täuschungen u. dgl. Die Gabe war von 8.—32 Grammes in Latwerge oder Pillen. Vf. selbst hat das Mittel nicht versucht. — Die Artemisia, von Burdach wegen ihrer überaus raschen Wirkung und von Hufeland empfohlen, konnte Vf. aus Mangel an der Substanz ebenfalls nicht prüfen; in Frankreich hat sie wenig Eingang gefunden. — Das salpetersaure Silber, dessen Gebrauch wahrscheinlich von England

ausging, ist eben so oft als nützlich, als unnütz und
gefährlich bezeichnet worden. In den Versuchen des
Vf.'s hat es weder viel genützt, noch geschadet.
Vermehrte Wärme, stärkere Urinsecretion, Durchfall
waren die von ihm beachteten Wirkungen kleiner Gaben. Andere sahen heftige Koliken, Durchfall, Erbrechen, ja sogar Durchlöcherung des Magens und
dunkle Färbung der Haut. Am zweckmässigsten erscheinen Gaben von $1/10 - 1/4$ Gr. und flüssige Form,
um Anätzung zu vermeiden. — Das Ammoniak hat
schon Pinel als Riechmittel zur Beseitigung der Anfälle Nutzen geschafft, mehr aber innerlich gebraucht
von Martinet, Delanglard, Pinel Grand-
champ und Le Moine. Letzterer theilt drei Krankengeschichten mit glücklichen Ausgängen mit.

Es folgen eine Menge von Mitteln, von denen
fast nur glückliche Resultate erzählt werden: die
Kupferpräparate, namentlich Kupfersalmiak und schwe-
felsaures Kupferoxydammoniak, Schwefelsäure, Ter-
penthinöl, Canthariden, Phosphor, Einathmungen von
Sauerstoff, von Kohlensäure, Kochsalz in grosser
Gabe, Strychnin, Sedum acre, Selinum palustre,
Gratiola, die hornige Epidermis der Innernseite des
Beins vom Pferde, die Mistel. — *Specifische Cur-
methode.* Hier erwähnt der Vf. einer Menge weiterer
Heilmittel, wie psychische Eindrücke, Elektricität,
Magnetismus, spontan entstandene oder künstlich her-
vorgerufene (Selade) Wechselfieber, Verheirathung,
Trepanation, Unterbindung der Carotis, Ligatur der
Extremitäten, Nervendurchschneidung, Operationen
krankhafter Geschwülste, cariöser Knochen, einge-
drungener fremder Körper, Operationen an Zähnen und
Zahnfleisch, Behandlung von Dyskrasien und anderen
Krankheiten, z. B. der Syphilis, der Encephalopathia
saturnina, der Würmer, der Krätze und künstliche
Hervorrufung der letzteren.   (Forts. folgt.)

Ueber den Corybantismus. Von Maury. Die
Absicht des Vf. ist, nachzuweisen, dass die Tanz-
wuth mit der Chorea identisch sei. Er fasst zuvörderst die Corybanten ins Auge, weist nach, dass
das Wort Corybantismus einen Zustand von Wuth
und Delirium nach Art derjenigen, in den sich jene
Priester der Cybele versetzten, bedeute, und giebt
dann über ihre Ceremonien und Excesse das Bekannte
an. Die meisten alten Schriftsteller stellen die Corybanten als halb Fanatiker, halb Charlatane dar, welche sich absichtlich in Zustände von Tollheit und
epileptische Convulsionen versetzten. Aehnlich sei
es mit den Mänaden, die sich überdies der Spirituosa
bedient hätten, mit den Priestern der Bellona, mit
den Tanzwüthigen des Mittelalters gewesen, und noch
heutigen Tage bieten einige Sekten von Derwischen
(*meslevi* oder Dreher und *bedevi* oder Heuler genannt),
die *chasidim* (Tänzer) unter den Juden u. a. asiati-
tische und afrikanische Sekten Aehnliches dar. Selbst
in England und den vereinigten Staaten zeige sich
Verwandtes bei den *jumpers* und *barkers.* Vf. rechnet alle diese Zustände zu der Ekstase und hält sie
dem Wahnsinn nahe verwandt: von der Chorea unterschieden sie sich dadurch, dass in denselben die
willkürliche Bewegung auf keine Weise beeinträchtigt
sei, dagegen sei eine psychische Aberration vorhanden, welche in der Chorea fehle. Der Hauptsitz
seien die heissen Länder, wo die Chorea nach den
Beobachtungen von Rufz selten sei.

Ueber das Programm und den Plan des Dr. Bottex *betreffend die Irren-Anstalt des Departement
du Rhone.* Von Girard. Der Aufsatz enthält eine
auf bekannte Grundsätze gebaute Kritik des angeführten
Planes über eine grosse Anstalt (für 550 Kranke),
welche bei Lyon erstehen soll.

Ueber die Irren-Anstalten Grossbritanniens. Von
Morel. (Siebenter und letzter Brief.) Vf. hat seine
Angaben nicht aus eigner Ansicht, sondern grösstentheils aus Julius Beiträgen zur britischen Irrenheilkunde geschöpft, einem zu bekannten (auch in dieser Zeitschrift schon besprochenen) Werke, als dass
es eines nochmaligen Auszugs bedürfte. Zuletzt giebt
er die Ansichten Langermann's über die Classification der Gemüthskranken, bespricht die Pflegeanstalt
zu Andernach als eine im übrigen freilich wohl gehaltene, in der aber manche Kranke nur wegen Mangel hinlänglicher Behandlung ungeheilt blieben, berührt dann die Verhältnisse der Krankenwärter und
zum Schluss die Kliniken in Irrenanstalten, ohne aber
Neues darüber zu bringen.

Ueber die Sensation und ihr Organ. Von Lélut.
Enthält nur Allgemeines und sehr Bekanntes, wie
man aus folgenden Schlussfolgerungen entnehmen kann,
welche der Vf. zieht: dass nicht alle Organe äussere
Eindrücke weiter leiten können, dass diejenigen,
welche leiten können, namentlich die Sinnesorgane,
nicht der Ort der Wahrnehmung einer Empfindung
seien, sondern das Gehirn; und endlich, dass es
keine unbewussten Empfindungen geben könne, wenn
auch einige Empfindungen eben so schnell vergessen
als bemerkt würden.

Ueber einen Fall von Imbecillität. Von Girard.
Ein Gutachten über einen durchaus Blödsinnigen, der,
trotz demselben, wegen eines Angriffs auf ein acht-
jähriges Mädchen zu dreimonatlicher Gefängnissstrafe
verurtheilt wurde.

Ueber Kliniken der psychischen Krankheiten. Von
Falret. Genügende Kenntnisse in der Psychiatrie
werden von den Aerzten seltsamer Weise nicht verlangt, obgleich denselben nicht allein gänzlich die

Beobachtung und Behandlung der Anfänge psychischer Krankheiten und grösstentheils die Bestimmung
über die weiteren Schicksale der Gemüthskranken,
sondern auch die Beurtheilung hierhin gehöriger Fälle
von Gerichtswegen übertragen wird. Daher sind Irrthümer in jeder Hinsicht häufig, und das Bedürfniss eines
zweckmässigen d. h. praktischen Unterrichts hat sich
vielfach geltend gemacht. In Frankreich hielten Pinel, Esquirol, Ferrus, Baillarger und Vf., in
England Battie (schon 1758), Sutherland, Mor-
rison, Conolly, in Deutschland Horn, Neumann,
Ideler, Müller, Autenrieth, Jos. Franck,
Conradi, Nasse psychiatrische Kliniken. Mehr noch
wurde über die Möglichkeit derselben geschrieben und
gestritten, besonders in Deutschland, und es entwickelten sich daraus drei Ansichten: 1) die Klinik
in den Irrenanstalten sei statthaft (Reil, Ideler,
Schröder von der Kolk, Guislain, Damerow).
2) Eine kleinere Zahl von Gemüthskranken ausserhalb
der Irrenanstalten seien besonders zum klinischen Unterricht zu bestimmen (Nasse, Jacobi, Heermann, Lorent). 3) Kliniken seien unstatthaft, nur
längerer Aufenthalt einzelner Schüler in Irrenanstalten nützlich und statthaft (Flemming, Roller).
Die letzte Methode, überall anwendbar und sehr nützlich, kann nur sehr Wenigen zu Nutze kommen und
diesen nur durch Aufopferung vieler Zeit; sie ersetzt
also die Kliniken keineswegs. Die zweite würde zu
vielen Unzuträglichkeiten sowohl für die Umgebung
des Kranken, als namentlich für diese selbst Veranlassung geben, wenn sie in gewöhnlichen Krankenhäusern oder überhaupt an Orten behandelt werden
sollten, welche die Einrichtungen der Irrenanstalten
nicht besitzen; es wäre also nöthig, dem Orte der
Klinik die Einrichtung einer Irrenanstalt zu geben,
und deshalb bleibt die zuerst angeführte Methode als

allein in Betracht kommend übrig. Ein kleines Etablissement für 20 bis 30 Kranke zur Klinik einzurichten, wie Einige (Nasse, Heermann) vorgeschlagen haben, ist unzweckmässig, theils wegen der übermässigen Kostbarkeit, theils wegen der ungenügenden Zahl von Krankheitsfällen, die nicht häufig genug wechseln, besonders aber deswegen, weil die nachtheiligen Einflüsse einer Klinik wenige Kranke eben so sehr, ja wegen der häufigeren Störung noch mehr treffen würden, als eine grössere Anzahl. Nasse machte den Vorschlag, unter dieser geringeren Krankenzahl durch Rapport mit einer benachbarten Irrenanstalt einen häufigeren Wechsel zu bewirken; aber abgesehen von den Uebelständen des Transports, würde die Auswahl der Kranken sehr schwierig sein, ein gewissenhafter Irrenanstalt-Director würde sich sehr häufig scheuen, Kranke den Nachtheilen der Klinik auszusetzen; der Professor der Klinik kennt die Kranken nicht, und unter diesen beiden Männern müsste eine wunderbare Sympathie herrschen, wenn nicht aus solchem Verhältnisse sehr störende Misshelligkeiten entstehen sollen.

(Forts. folgt.)

Prüfung des Gesetzes vom 30. Juni 1838. die Irren betreffend. Von Lisle. Ueber die Sequestration gefährlicher Irren. Das angeführte Gesetz bestimmt, dass in Paris der Polizei-Präfect, in den Departements die Präfecten (in dringenden Fällen vorläufig die Polizei-Commissaire und Maire's) durch *motivirte* Ordres die Aufnahme gefährlicher Geisteskranken bewirken sollen; dass das Orts-Tribunal dagegen die Macht habe, auf den Antrag der sequestrirten Kranken selbst, ihrer Verwandten, Freunde u. s. w. eine Untersuchung einzuleiten, und durch *unmotivirte* nicht wieder umzustossende Verfügung die Freilassung zu bewirken. Dieses Gesetz hat aller-

dings den Vortheil, die persönliche Freiheit Einzelner
zu beschützen; aber es schützt die Gesellschaft nicht
hinlänglich vor gefährlichen Kranken. Der erste Uebelstand ist, dass die nöthigen Untersuchungen, um die
psychische Krankheit zu constatiren, eine zu lange
Zeit in Anspruch nehmen, namentlich wenn die Familie die Krankheit verheimlichen will. Die erste bei-
gebrachte Krankengeschichte erwähnt den Fall eines
schon mehrmals gemüthskrank gewesenen Mannes,
dessen Familie seine Versetzung in eine Anstalt unter
Beibringung ärztlicher Berichte beantragte, weil der
Kranke Feuer anzulegen drohte. Dessen ungeachtet
dauerten die Voruntersuchungen 4—5 Tage, und die
Familie musste den Kranken durch List in die Anstalt locken. Besonders die drohende unmotivirte Aufhebung ihrer Ordres ist für die Präfecten u. s. w.
eine Ursache vorsichtiger und langwieriger Voruntersuchungen, da noch dazu das beikommende Tribunal
durchaus nicht immer die nöthigen Kenntnisse besitzt.
Die zweite Krankengeschichte erzählt den Fall, dass
ein Mann, dessen Krankheit durch O r f i l a, F e r r u s
und D e v e r g i e untersucht und bestätigt war, vom
Tribunal in Freiheit gesetzt wurde, weil dasselbe
beim Verhöre des Kranken an ihm keine Krankheit
wahrnehmen konnte, und doch war er in solchem
Zustande, dass er schon einige Tage nachher in die
Anstalt zurückgebracht werden musste. Es folgen
mehrere Fälle, wo Kranke, deren Gefährlichkeit den
Behörden bekannt war, dessen ungeachtet nicht aus
der Gesellschaft entfernt wurden, und die zum Theil
Misshandlungen und Unthaten gegen andere Menschen
verübten. Eine Tabelle weist nach, dass von 1835
bis 1844 in Frankreich 87 schwere Verbrechen von
Irren begangen wurden, und in den Zuchthäusern
fand man ausserdem 359 Irre auf eine Zahl von 21000
Gefangenen. Indem nun der Vf. hierauf und auf die

Schwierigkeit, die besondere Gefährlichkeit einzelner Gemüthskranker zu ermitteln und zu bestimmen, sich bezieht, schliesst er, dass gesetzmässig alle notorisch Gemüthskranke, welche ihre Familien nicht hinlänglich überwachen können oder wollen, in Irrenanstalten versetzt werden müssten; und er will ferner, dass für das Unheil, welches nicht gehörig überwachte Geisteskranke anrichten, die beikommenden Personen verantwortlich gemacht werden. Um zu verhüten, dass nicht Gesunde in solche Anstalten gebracht oder Genesene zurückgehalten werden, hält der Vf. die Befugniss der Aerzte, alle Gesunde sogleich zu entlassen, und die Anstellung einer Ueberwachungs-Commission bei jedem Etablissement für ausreichend. Dr. *W. Jessen.*

Programme et Plan pour la construction de l'Asile public des Aliénés du Rhône, par le Docteur *Bottex*, médecin en chef, membre de l'Académie royale des sciences, belles-lettres et arts de Lyon etc. Travail demandé par *M. Jayr*, pair de France, conseiller d'état, préfet du Rhône. Lyon, (Guilbert et Dorier.) 1847.

Diese Schrift hat zunächst natürlich ein lokales und nationales Interesse. Da sie aber einen hochwichtigen Gegenstand verhandelt, und neben den gewünschten speciellen gutachtlichen Rathschlägen auch allgemeine Grundzüge in Betreff ihres Gegenstandes giebt, so muss sie selbst über Frankreich hinaus beachtet werden, das der geehrte Vf. bei ihrer Abfassung leider nicht verlassen hat. Es ist das um so mehr zu bedauern, als seine intelligenten Erörterungen bedeutende Fachkenntniss, tüchtige Erfahrung, eindringliche Urtheilsreife und grosse administrative Gewandtheit documentiren und *extra muros*, namentlich in deutschen psychiatrischen Werken, vieles von ihm gefunden sein würde, was ihm in der Zusammenstellung mit französischen Autoritätsansichten ohne Frage grosse Befriedigung gewährt hätte und von erheblichem Belange gewesen wäre. Denn dass die Psychiatrie in Deutschland einen eben so hohen, wo nicht höhern Standpunkt einnimmt, möchte von keiner billigen Competenz bezweifelt und schon durch die klangreichen, weithin gekannten Namen ihrer frühern und spätern Vertreter verbürgt werden können.

Die auffallende Verbesserung des Schicksals der Irren in Frankreich datirt sich von dem den 30. Juni 1838 zu dem Ende *promulgirten* Gesetze. Es schreibt den Departements vor, ihre dürftigen Kranken in specielle Obhut zu nehmen und separate Hospitäler für sie zu errichten. Rouen, Nantes, Marseille, Strassburg, Auxerre, Dijon und einige andere Orte erfreuen sich darnach freigebig eingerichteter Anstalten, die ihrer Bestimmung mehr oder weniger zweckmässig entsprechen. Zu Lyon wurden die Irren bisher in dem auf einer Anhöhe liegenden ehemaligen römischen Kloster, Antiquaille, mit Syphilitischen und Hautkranken untergebracht. Die häufig wiederholte sach- und fachkundige Rüge dieser unpassenden Vereinigung und der Mangelhaftigkeit des zudem übel gelegenen Gebäudes, an dem sich keine erspriesslichen Veränderungen anbringen liessen, hat die Regierung nun bewogen, ernstlich an die Erhebung eines eigenen Hauses zu denken, und zu dessen mit dem gegenwärtigen Standpunkte der Wissenschaft im Einklange stehenden Einrichtung von unserm Autor die nöthigen Vorschläge begehrt.

Bottex glaubt eine Lokalität gefunden zu haben, die alle Anforderungen vollkommen erfüllen zu können scheint. Er giebt sie in ihren Einzelnheiten umständlich an. Sie liegt 4 Kilometer von Lyon. Ihre Fläche hält 75 Hectaren.

Ueber die zweckmässigste Constructionsweise eines Irrenhauses bestehen noch immer Meinungsdissidenzen. Auch über die Zahl der Sectionen in Krankenhäusern für Irre beider Geschlechter sind die Ansichten getheilt. Bottex meint, dass 6 hinreichten, wenn man 2 oder 3 Unterabtheilungen statuire, die durch die besondere Natur gewisser, individuelle Isolirungen erheischender Seelenleiden erforderlich gemacht werden dürften. So schlägt er für ein Hospital, das zur Aufnahme von 550 Irren bestimmt ist, folgende Abtheilungen vor, die eine rechts für das weibliche Geschlecht, die andere links für das männliche:

Man errichte auf jeder Seite 4 grosse Hauptgebäude in Form von verlängerten Quadraten. Sie müssen sich ganz gleich sein. Ihre Hauptfaçade sei nach Westen gerichtet. Ihre Aufeinanderfolge gehe von Westen nach Osten. Zwischen ihnen lasse man einen bedeutenden Platz zu Spazierplätzen, die mit Bäumen besetzt sind. In der Mitte dieser Räume seien springende Fontainen. Jedes dieser Seitenhäuser (pavillons) bestehe aus einem Erdgeschosse, einem ersten Stockwerke, einem Boden. West - östlich habe jedes von ihnen einen Porticus, getragen von gegossenen, mit Zink belegten Säulen, der eine Galerie bildet, die sich längs jeder Façade hinzieht (regnera) und 2 Meter 50 Centimeter in der Breite hält. Die Kranken können während der Regenzeit und grossen Sommerhitze darin spazieren gehen. Es haben diese Bogengänge auch den Nutzen, das Erdgeschoss vor Feuchtigkeit zu bewahren und die Einwirkung eines zu lebhaften Lichtes zu verringern, das die Kranken beunruhigt. Jedes dieser Ga-

9 *

bäude sei von unten nach oben in 2 Parthieen getheilt, durch einen Vorraum (vestibule) und eine zu
den obern Etagen führende Treppe. Im Erdgeschosse
befinden sich die Speisezimmer, so wie die Arbeits-
und Erholungssäle. Sie seien bituminirt. Bergharz
macht weniger kalt, als Steinfussboden. Und da es
zudem weniger consistent und weniger glatt wäre,
so würde Fallen hier minder häufig und minder be-
deutsam sein. Die Mauern werden von gutem Mate-
riale gebaut und haben 50 Centimeter Dicke, die Höhe
des Deckenstückes, des Erdgeschosses sei 5 Meter
50 Centimeter etwa; das des ersten Stockwerkes
14 Meter 75 Centimeter. Auf dem Söller (plate-forme)
der Treppe der ersten Etage befinden sich nicht nur
die Eingänge mit Flügelthüren zu den Schlafzimmern,
sondern auch einer mit Flügelthüren zu einer Kammer
mit 2 Betten, welche die Schlafzimmer trennt. Für
2 Aufseher bestimmt, haben diese eine Oeffnung auf
das correspondirende Schlafzimmer, wodurch eine beständige Bewachung vermittelt werde. Jedes Schlafzimmer enthalte 2 Reihen von 13 Betten, im Ganzen
daher 26. Sie sollen mindestens 8 Meter Breite haben und die einzelnen Betten von der Mauer so weit
entfernt sein, dass man bequem ganz umhergehen kann.
Zwischen ihnen sei ein Raum von 60 bis 65 Centimeter, wie es von Aerzten berechnet ist, die sich mit
Hospitalbauten befasst haben (unter denen die Herren de Poliniére und Bégin), damit jedes Individuum den von den Gesetzen der Hygieine geforderten Luftumfang habe. Die Fussböden bestehen
aus Eichenholz, die alle Tage von den Irren ge-
wichst und abgerieben werden, was für sie eine heil-
same Beschäftigung ist. Die an ihrer obern Parthie
zu wölbenden Fenster müssen in genauem symmetri-
schen Verhältnisse mit einander stehen und wenigstens den 3ten Theil der Gesammtausdehnung der

Mauern einnehmen. Sie gehen 1 Meter 50 Centimeter über dem Fussboden an und erstrecken sich bis zum Karniess. Ueber jedem Fenster und in der Mitte desselben bringe man, im Niveau des Fussbodens, eine oblonge Oeffnung von 20 Centimeter Länge auf 10 Höhe, die bei Tage ungeschlossen bleiben, und des Nachts mittelst eines eichenen Schiebers zu verstopfen sei. Die Rahmen seien in 4 Fächer getheilt, die sich einzeln aufmachen lassen, damit man nach Gefallen und ohne Belästigung für die Kranken von oben und unten Luft einlassen könne.

Durch die Anwendung dieser verschiedenen Vorkehrungen würde man eine gute Ventilation und gesunde Säle bekommen.

Die eisernen Fensterstangen begünstigen, der Erfahrung zufolge, wie der Vf. sagt, den Selbstmord, (?) und sind zu verbannen. Die Schlösser müssen keinen Vorsprung haben und in das Holz hineingefügt sein. Den Schlüssel dazu habe der bestimmte Wärter. Die genannten vier grossen Gebäude seien von Seite der Gärten, d. h. im Norden und Süden, durch Mauern von übersehbarer Höhe; die vor sich einen Graben haben (avec un fossé en saut-de-loup en dedans), mit einander vereinigt. Es werde dadurch die Entweichung verhütet, der Klause ein Anschein von Freiheit verliehen, der Luft freies Spiel gelassen, und der Aussicht Gelegenheit gegeben, sich weithin auszudehnen. Von Seite des Centralhofes haben sie Verbindung mit einander durch eine bedeckte Galerie mit nakten Bögen (formée d'arcades à jour), wodurch der Zutritt des Lichtes und der Luft ungehindert bleibe. Sie erleichtern den Dienst ungemein, indem man so, vor Regen und Schnee geschützt, von einem Ende der Anstalt zum andern kommen könne. Diese Einrichtung sei vom Hn. Dr. de Polinière in seinem Berichte über die Abhandlung des Hn. Dr. Girard angegeben.

Die Kranken sind auf den Rathschlag von Bottex auf nachstehende Weise in diesen Flügelbauwerken (pavillons) unterzubringen: In das erste, dessen von Mauern eingeschlossener Spazierplatz nach vorn, und daher im Westen von der Hauptfaçade liege, verlege man die ruhigsten Irren, die intermittirenden Maniaci, die bisweilen Monate hindurch, ja Jahre lang vernünftig wären, die Convalescenten und gewisse Monomaniaci, die vollkommen ruhig in Hospitälern bleiben, die man aber darin zu bewahren genöthigt sei, weil ihre äusserste Reizbarkeit, ihre bizarren und excentrischen Ideen sie gefährlich machen könnten, sobald sie in die Freiheit kämen, indem sie die geringste Contrarietät in Wuth zu versetzen vermöchte. Es werden die Kranken nicht eher in diese Section gegeben, als bis sie ruhig sind. Von hieraus erlangen sie ihre Freiheit wieder. Sie würden ihre Versetzung in diese Abtheilung als eine Gunst ansehen, da sie die der Reconvalescenten genannt werde, und sich bestreben, in selbige hinein zu kommen.

In das zweite, welches dieselben architektonischen Einrichtungen besitzen müsse, als das vorhergenannte, werden die Maniaci und Lypemaniaci zur Behandlung gelassen.

Die Erfahrung habe bewiesen, dass es nicht passend sei, diese Klassen von einander zu trennen, dass gegentheils ihre Vereinigung den Melancholischen Vortheil bringe, da die Maniaci viel munterer und expansiver wären.

In das dritte versetze man die für unheilbar gehaltenen Maniaci und Lypemaniaci, die Blödsinnigen und nicht paralytischen Verwirrten, welche im Schlafzimmer gelassen werden können.

Die Gesammtkranken dieser 3 Klassen haben ihre Schlafzimmer im ersten Stockwerke; am Tage werden sie in den Sälen des Erdgeschosses, in den Arbeitswerkstätten, in den Gärten vertheilt oder wohl mit Feldarbeiten beschäftigt.

Der vierte und letzte Flügel enthalte die bereits erwähnte Unterabtheilung. Eines der Schlafzimmer diene zur Krankenstube und sei zur Aufnahme von Irren mit accidentellen Uebeln bestimmt. Die Betten stehen sich weniger nahe, als in den übrigen Schlafzimmern.

Das zweite Schlafzimmer dieses Gebäudes nehme die Idioten, die Halb- und Ganzblödsinnigen auf. Die Kinder, die fast alle zu dieser Kategorie gehören, werden durch eine Scheidewand oder einen Verschlag (cloison) von den älteren Kranken separirt. Uebrigens seien sie im Allgemeinen in geringer Anzahl in Irrenhäusern. Im Erdgeschosse, unter diesem Schlafzimmer, liege der Speise- und Lesesaal dieser Section: Letzterer könne auch als Erholungssaal dienen. Vornhin sei ihr Spazierplatz, der von der folgenden Section durch eine Mauer abgesondert sein müsse. Das Erdgeschoss der entgegengesetzten Seite werde in zwei getheilt durch eine Zwischenwand, welche vom Speisesaale ein Schlafzimmer mit 16 Betten scheide. Diese Abtheilung sei von den epileptischen Maniacis besetzt, die nicht agitirt genug wären, um in die Zellen gesteckt werden zu müssen, und die nicht ohne ernste Inconvenienzen ein Schlafzimmer im ersten Stockwerke einnehmen könnten. Vorn befinde sich der Spazierplatz dieser Section.

Die beiden letzten Abtheilungen müssten sich nur im Erdgeschosse finden und die eine für die unreinlichen (gâteux) und sogenannten gefährlichen Kranken, die andern für die Maniaci und die furiösen Epileptici bestimmt sein. Die Section der Unreinlichen bestehe aus einer Schlafkammer mit 26 Betten, aus einer Halle de fauteuils, aus einem kleinen Speisezimmer und einem grünen Platze.

Eine der Seiten der Schlafkammer diene zur Infirmerie für accidentelle Kranke dieser Section und solche, welche, zu schwach, um sich aufrecht oder im Lehnstuhle zu halten, beständig im Bette bleiben müssten. Die anderen könnten den Speisesaal und den grünen Platz, je nach dem Zustande ihrer Kräfte, benutzen.

In dieser Section bilde man nach aussen eine kleine Unterabtheilung, zusammengesetzt aus einem Schlafzimmer mit 6 Betten, einem kleinen Speisesaale und einem grünen Platze, für die besagten gefährlichen Irren, d. h. für diejenigen, welche als Mörder, Brandstifter, Diebe u. s. w. gerichtlich belangt, aber als von Geistesalienation Ergriffene wieder frei gelassen worden. Alle einigermassen bedeutende Irrenhäuser enthalten eine gewisse Zahl davon.

In diese Section müssten auch gewisse Individuen mit angebornen und unheilbaren lasterhaften Neigungen versetzt werden. Man dürfe sie als Irre betrachten, weil sie ihren Trieben nicht zu widerstehen vermöchten und die Moralität ihrer Handlungen nicht genugsam zu schützen wüssten. Dass die Entweichung aus dieser Unterabtheilung möglichst und besonders zu verhüten sei, verstehe sich von selbst.

Die 6te und letzte Section endlich habe ihre Räume hinter den der Unreinlichen (gâteux), d. h. ganz nach Osten in dem hintersten Theile der Anstalt. Sie halte 2 Reihen Zellen, 13 an jeder Seite, mit einem kleinen Speisezimmer und einem Spazierplatze, was 2 durch eine Mauer getrennte Unterabtheilungen bilden werde: die eine bestimmt für die Maniaci, die andere für die wüthenden Epileptici. Die Zellen seien

bituminirt und in einem Plano inclinato nach der
Thüre hin disponirt, damit der Urin leicht abfliessen
könne. Jede Zelle messe 3 Meter 50 Centimeter Tiefe
und 3 Meter sowohl in der Breite, als Höhe; das
Deckenstück sei gewölbt und biete ein Fensterwerk
(un ciel - ouvert) dar, durch welches das Tages-
licht dringen und das man nach Ermessen verdunkeln
könne.

Die zur Sonderung der Zellen dienenden Zwi-
schenwände müssten feste Mauern sein, nicht einfache Backsteinverschläge, die den Unbilden gewisser
Irren nicht widerstehen möchten.

Jede Zellenthür halte in gewisser Höhe eine Oeffnung, die man mittelst eines Schiebbrettes nach Willkühr verschliessen könne, kein Gitter, keine Quer-
stangen von Eisen, was, erfahrungsgemäss, den
Selbstmord begünstige. Jede Zelle habe 2 Thüren,
damit man sich leichter eines wüthenden Irren bemeistern könne. Diese Einrichtung mache es unerlässlich, dass in jeder eine Wärme-Mündung existire,
weil sonst die Kälte darin zu gross sein würde. Diese
Zellen müssten an ihrem hintern Theile mit einem
Gange versehen sein und alle sich unter einem Porticus öffnen, ähnlich dem schon beschriebenen. Da er
bedeckt sein werde, so könne er auch als Spazierplatz bei regnichtem und feuchtem Wetter für andere
Kranke dienen, wenn sie ruhig genug seien, um ihnen
etwas Freiheit geben zu dürfen. Einige dieser Zellen wären mit Strohmatten oder selbst mit Polster
für wüthende Irre zu belegen; die sich zu entleiben
suchten, insonderheit aber für furiöse Epileptische,
die von allen die gefährlichsten und am schwierigsten
zu handhaben seien. Es möchte zweckmässig sein,
unabhängig von dieser Zellensection, 2 Zellen an der
Ecke jedes Spazierplatzes, an der Vorderseite der
Latrinen zu errichten.

Diese Zellen oder kleinen Cachots würden ohne
Betten sein und ihr Licht von oben in der Art empfangen, dass man sie nach Gefallen verdunkeln
könne. Sie könnten zur Correction auf kurze Zeit
dahin zu steckender Kranken dienen, welche durch
ihr ephemeres Toben die Ordnung störten.

Alle diese, 2 grosse Abtheilungen, eine für das
männliche und eine für das weibliche Geschlecht, bildenden Bauten müssten durch Hülfe zweier Hitzeträ-
ger gewärmt werden.

Der Vf. resumirt seine umständlichen Expositionen
über die verschiedenen corps de bâtiments und die an-
gemessenste Classification der Irren in Folgendem:

Erster Pavillon oder erste Section: Conva-
   lescenten, Maniaci, intermittirende Maniaci
   und Monomaniaci   52
Zweiter Flügel: Maniaci und Lypemaniaci in
   Behandlung   52
Dritter: Maniaci, Lypemaniaci und an un-
   heilbarer Dementia Leidende . . .   54
Vierter: 1) Krankenstube   20
       2) Idioten und Blödsinnige . .   26
       3) Ruhige Maniaci epileptici . .   14
                  zusammen 60
Fünfte Section: 1) Unreinliche Kranke (gâ-
           teux)   26
       2) Für gefährlich gehalten
           werdende Irre . .   6
                  zusammen 32
Sechste Section: 1) Zellen für wüthende Ma-
           niaci   13
       2) Zellen für wüthende Epi-
           leptische . . .   12
                  zusammen 25
            Total Summa 275

Diese Zahl doppelt genommen würde die Summe der Irren beiden Geschlechtes ausmachen, die in die Anstalt aufgenommen werden könnte.

Die Population des Irrenquartiers im Hospital de l'Antiquaille, die sich den 31. December 1846 auf 420 erhob, hat dem Verf. die Grundlage zu der hier geschilderten Vertheilung gewährt.

Er verhehlt sich nicht, dass die möglichst beste Classification der Seelenkrankheiten immer noch viel zu wünschen übrig lässt, weil die verschiedenen, sie von einander unterscheidenden Symptomgruppen bei weitem nicht immer schneidend genug seien und die Natur sich nicht so genau unserer Beschreibungsweise unterwerfen lasse. Nichts desto weniger wäre sie unerlässlich, um der Ohnmacht des menschlichen Geistes zu Hülfe zu kommen und zu einer methodischen Behandlung des Irreseins zu gelangen.

Die nähere Beschreibung der für den Special-Service wichtigen Latrinen und Bäder übergehen wir und bemerken nur, dass man die Latrinen in dem Winkel eines jeden Spazierplatzes und vor den erwähnten Zellen errichten solle. Sie seien in ihrem Sitztheile aus einem ausgehöhlten Steine geformt, damit man sie durch wiederholte Abschwemmungen genugsam rein halten könne. Die Steinplatten dürften zwischen sich nur den nöthigen Raum lassen, dass der Kranke gezwungen sei, sich gerade nur auf die Brille zu setzen. Diese, für 50 bis 60 Irre in 3 Fächer abgetheilten Latrinen seien von der Seite des Spazierplatzes durch eine fliegende Thür aus Eichenholz, die nur einen Meter Höhe habe und unter sich einen freien Raum von 15 Centimeter lasse, zu schliessen. Durch Hülfe dieser Einrichtung werden die Gesetze der Decenz respectirt, ohne dass d Kranken einen einzigen Augenblick der Aufsicht Wärter entschlüpfen könnten. Unterhalb jeder

trine werde ein besonderer Cloak gebaut, der sich in
einen gemeinschaftlichen Abzugskanal fortbegebe; oberhalb ein Wasserbehälter angelegt, der vermittelst eines Hahnes die nöthigen Abspülungen wiederholen
lasse, um eine beständige Reinlichkeit zu unterhalten.

Die Bäder, welche von so grosser Wichtigkeit in
Irrenanstalten seien, müssten dem agitirtesten Kranken nahe liegen, d. h. solchen, die ihrer am meisten
bedürfen. (liegen nach dem Plan, welcher überhaupt
noch wesentliche Mängel der französischen Construction von Irrenanstalten hat, für alle übrigen Abtheilungen gleichwie Küche und Oekonomieräume äusserst
unbequem; Red.) und eine aus 2 an einander gelehnten
Parthieen bestehende specielle Construction bilden, die
rechts den Frauenzimmern und links dem männlichen
Geschlechte angehörten. — Jeder Badesaal halte mindestens zehn Badewannen von Kupfer und zwei aus
Holz für Arzeneibäder.

Betreffend die allgemeine Verwaltung mit ihren
Dependenzien, so lassen sich dieselben ohne Plan nicht
recht anschaulich beschreiben und werde hier nur hervorgehoben, dass in einer gewissen Entfernung von der
Einfriedigungsmauer, rechts die Kapelle und links die
Wohnung für den residirenden Hülfsarzt, der auch
zugleich Director sein könne, angebracht ist. Rechts
von der Kapelle und nach hinten zu werde der Ver-
wahrungsort für die Todten und ein Saal für die Oeffnung und Zergliederung der Leichen angebracht. Ein
grosses Speisezimmer für alle (?!) Beamten des Hauses
ist auch projectirt; desgleichen eine kleine Krankenstube mit 8 Betten für die *Schwestern* oder Kranken-
pflegerinnen; links eine ähnliche Krankenstube für die
Brüder oder Krankenwärter.

Später könnten eigene Pavillons zur Aufnahme
von Pensionairen errichtet werden, die reichen Familien angehörten. Die reichlichern Zahlungen von Sei-

ten dieser Klasse liessen Vortheile gewinnen, die den
dürftigen Irren und den Landeskreisen zu Gute kommen könnten.

Endlich errichte man Gebäude zu Arbeitswerkstätten für Convalescenten und unschwache incurables
valides.

Die Bauart eines Irrenhauses, bemerkt der Vf.,
muss einfach und von unnützen Zierrathen exempt,
alles darin zu einer guten Classification der Kranken
und zu ihrem physischen, wie moralischen Wohlsein
aufgeboten sein.

Dr. August Droste.

Blik op de dierlijke vermogens en derzelver betrek-
king tot de ziel; door *J. N. Ramaer*, M. D. etc.
Rotterdam, H. A. Kramers. 1845. VIII. 187. 8.
Blick auf die thierischen Vermögen und die Beziehung derselben zur Seele; von *J. N. Ramaer*,
erstem Arzte der Irrenanstalt zu Zütphen.

Nach des Vf.'s eigenen Worten ist die vorliegende Schrift als ein Bestreben zu betrachten, die
Psychologie dahin bringen zu helfen, wohin sie einmal gehören muss, nämlich in das Gebiet der Naturwissenschaften.

Nachdem R. sich bemühet hat, die Unhaltbarkeit der
Theorieen von der Lebenskraft nachzuweisen, kommt
er zu dem Schlusse, dass, wenn das Leben weder
für die Aeusserung einer besonderen Kraft gehalten,
noch auch als die Folge eines Zusammentreffens der
allgemeinen Naturkräfte mit einer eigenthümlichen
Kraft angesehen werden kann, dasselbe eine Folge
der allgemeinen Kräfte des Stoffes sein müsse. Leben ist nichts anders als eine Erscheinung, welche
von dem Bilde des organisirten Stoffes unzertrennlich

ist', eine Folge der Organisation, diese letztere aber
ist die Kryatallisation der organischen Verbindungen
(Zellenbildung).

Nach dem bisher Gesagten kann man die Lebenserscheinungen der organisirten Wesen unmöglich unabhängig von ihrer Organisation betrachten. Will man
zur Kenntniss der geheimnissvollen Aeusserungen des
thierischen Lebens gelangen, so muss man alle die
verschiedenen Lebensäusserungen der Thiere (thierische Vermögen genannt) mit den Eigenthümlichkeiten der Organisation eines jeden Thieres insbesondere in Verbindung zu bringen suchen. Da es indess
nicht möglich, die Vermögen eines jeden Thieres zu
erforschen, die zu derselben Species, ja zu derselben
grösseren Abtheilung gehörenden Thiere aber in Hinsicht auf ihre Vermögen sehr viel Uebereinstimmendes zeigen, reicht es aus, zu wissen, in welchen
Vermögen eine oder mehrere Thierarten mit einander
übereinstimmen, und sich wieder von andern unterscheiden, um hiernach zu untersuchen, welcher Körpertheil derselben mit diesen Vermögen in Verbindung
stehen könne, und endlich durch Experimente und
pathologisch - anatomische Thatsachen zu beweisen,
dass das Bestehen und die Modificationen dieser Vermögen in der That von dem Bestehen und den Modificationen in dem Zustande jenes Körpertheiles abhängig sind.

R. geht in den Untersuchungen von den untersten
Thierklassen, Infusorien, sowie Polypen u. s. f. aus,
bei welchen die Bewegungen mehr oder weniger zufällig, unwillkührlich, bewusstlos sind.

Bei den *Weichthieren* tritt als neue Lebenserscheinung das Bewusstsein auf. Man muss indess
hier wohl zwischen Bewusstsein einer Sinnesaffection
und Bewusstsein von Vorstellungen unterscheiden.
R. hält beide nur für quantitativ verschieden, diese

Verschiedenheit aber für in der Verschiedenheit der
Bestandtheile begründet. Er nähert sich in seiner Ansicht über die Arten des Bewusstseins am meisten
der Eintheilung von Hagen, welcher ein sinnliches,
verständiges und ein Selbstbewusstsein annimmt,
trennt aber hiervon noch das wahrnehmende Bewusstsein, während er das Unterscheiden der verstellenden
Person von der Vorstellung, von Hagen zum Selbstbewusstsein gerechnet, als zum verständigen Bewusstsein gehörig betrachtet.

Bei den Weichthieren findet sich zuerst unter
allen Thieren das sinnliche Bewusstsein in seiner nak-
testen Einfachheit vor.

Nicht bei allen Weichthieren offenbart sich das
Bewusstsein auf dieselbe Weise, vielmehr findet man
von den niederen zu den höheren Arten übergehend
eine fortschreitende Entwicklung dieses Vermögens.
Bei den höher entwickelten Mollusken ist das sinnliche Bewusstsein bereits zum Erkenntnissvermögen
geworden, unterscheidet sich jedoch keineswegs in
seinem Wesen, sondern nur allein durch die grössere
Menge der Eindrücke von aussen und die grössere
Deutlichkeit, mit der dieselben zu ihm gelangen, von
dem Bewusstsein der niederen Arten. Ebenso ist
auch der Hauptknoten des Nervensystems jener in
seiner Bildung nicht von dem dieser verschieden, nur
durch die grössere Zahl der aus ihm entspringenden
Nerven und deren Zusammenhang mit vollkommeneren
Sinnesorganen ausgezeichnet.

Ob sich die Summe der Eindrücke bereits bei den
Mollusken zu einer Vorstellung bildet, lässt sich nicht
bestimmen, von den Kerfthieren dagegen lässt sich
dies annehmen, und nicht unwahrscheinlich werden
schon die meisten Handlungen dieser Thiere durch
Vorstellungen bestimmt. Noch sehr zweifelhaft ist es,
ob auch die Wahl, welche man die Kerfthiere sowohl

bei Aufsuchung ihrer Nahrung als bei der Bestimmung
des Ortes, wo sie ihre Eier legen, treffen sieht, als
aus Vorstellungen hervorgegangen oder nur als Aeusserungen des sinnlichen Bewusstseins anzusehen sind.
Nimmt man das erstere an, so hat man auch das
Recht, nicht nur bei den niederen Arten der Kerfthiere (Annulata), sondern auch bei den höheren
Weichthieren das Bestehen des Vorstellungsvermögens anzunehmen und ist sogar gezwungen, den Geschlechtstrieb der Schaalthiere, Insekten und Mollusken für eine Aeusserung des Vorstellungsvermögens
zu halten, obgleich derselbe so wenig bestimmt ist,
dass er nur das Geschlecht, nicht das Individuum
zum Objecte hat. R. ist der Ansicht, dass dieser
Reihe von Lebenserscheinungen nicht einmal bei den
Kerfthieren Vorstellungen zu Grunde liegen, hält
aber übrigens die Existenz des Vorstellungsvermögens
bei denselben durch die bekannten Erscheinungen
beim Baue und der Wiederherstellung der Nester,
durch die Sorge für die Zukunft der Brut, die Selbst-
vertheidigung u. s. w. für unzweifelhaft erwiesen. —
Dass eine grosse Menge von Vorstellungen ohne Einfluss auf die Handlungen der Thiere sind, denselben
unbeachtet vorübergehen, und dass auch die Thiere
nicht allezeit durch dieselben Vorstellungen zu denselben Handlungen angetrieben werden, erklärt R.
aus dem Einflusse der Stimmung des Bewusstseins,
d. h. des Zustandes, in welchem das Organ desselben sich bei der Einwirkung einer Vorstellung befindet. Ein Gedächtniss lässt sich nach seiner Ansicht
bei den Kerfthieren nicht annehmen. Alle Erscheinungen, welche man bei den Bienen und Spinnen als
ebenso viele Beweise für das Vorhandensein dieses
Vermögens angeführt hat, lassen sich auf die verschiedenen Stimmungen des Bewusstseins und auf
einfache Vorstellungen zurückführen.

Die Beschreibung des Nervensystems dieser Thiere
übergehend, sei nur daran erinnert, dass bei allen
Kerfthieren, so verschieden auch die Form ihres Nervensystems ist, man den Kopfknoten gesondert findet.
Schon hieraus kann man schliessen, dass dieser Theil
für eine eigene Verrichtung in der thierischen Oekonomie bestimmt ist: eine Vermuthung, welche durch
die Form und die bedeutendere Grösse im Vergleiche
mit andern Nervenknoten, welche um so mehr hervortritt, je mehr die höheren Vermögen des Thieres
entwickelt sind, durch seine Verbindung mit anderen
Organen und durch Experimente bestätigt wird. Der
Kopfknoten ist das Organ des Bewusstseins (jedoch
nicht das des Willens, den kein Thier besitzt), in
ihm bilden sich die Vorstellungen, er kann mit Recht
als Gehirnknoten bezeichnet werden. —

Vorstellung ist nach R. die Verrichtung eines bestimmten Theiles des Nervensystems, welche sich
hier auch als Reflex nach aussen offenbart. Der Zusammenhang der Nerven bewirkt, dass nach irgend
einem Eindrucke von aussen gleichzeitig mit der Bildung der Vorstellung diese auch zum Bewusstsein gebracht wird, dieses letztere aber, in Thätigkeit versetzt, die entsprechenden Körperbewegungen veranlasst. Dass das Bewusstsein indess auch schon Kenntniss von der äusseren Einwirkung haben kann, bevor dieselbe sich zu einer Vorstellung gebildet hat;
dass es von der sich erst bildenden Vorstellung schon
Kunde haben kann, lässt sich mit der schlingenför-
migen Endigung der Nervenfäden an der Peripherie in
Zusammenhang bringen. Die Ansicht Schroeder's
van der Kolk, dass einer der beiden Fäden, welche
an jedem Punkte der Peripherie zu einer Ansa zusammentreffen, sein Ende im Rückenmark habe und
die Erscheinungen des unbewussten Reflexes hervor-
rufe, während der andere in einem der Centra des

Gehirnes ende, um die Eindrücke der Aussenwelt dorthin zu bringen, nimmt R. mit der Modification an, dass jeder der Nervenfäden ein verschiedenes Centrum, hier also wahrscheinlichst einer in das Organ des Bewusstseins, der andere in das der Vorstellung ausläuft. Wird ein Punkt der Peripherie von einem äusseren Eindrucke afficirt, so müssen die Organe der Vorstellung und des Bewusstseins ziemlich gleichzeitig von demselben getroffen werden, und das Bewusstsein muss früher Kenntniss von der Einwirkung des Eindruckes auf die Peripherie selbst gewinnen, als von der Vorstellung, welche sich erst in Folge jenes Eindruckes in dem Organe des Vorstellungsvermögens gebildet hat. Indess kann diese Kenntniss nur von einer allgemeinen, unbestimmten Art sein, und auch nur dann, wenn die Veränderung in dem Organe des Bewusstseins durch den äusseren Eindruck sehr stark ist, Bewegungen veranlassen. Die meisten peripherischen Veränderungen bringen unmittelbar nur geringe Veränderungen in dem Organe des Bewusstseins hervor, und meist müssen Vorstellungen hinzukommen, um eine hinreichend starke Veränderung in dem Organe des Bewusstseins sowohl als durch dessen Vermittelung in den Bewegungsorganen hervorzurufen. Im ersten Falle ist die Erscheinung ein einfacher Reflex, im zweiten eine zusammengesetzte, welche auf ihrem Wege einen neuen Bestandtheil aufnimmt.

Spuren eines besonderen sympathischen Nerven findet man schon bei den Ringelwürmern; bei den Insekten ist das gesonderte Bestehen desselben gar nicht zweifelhaft. Der Bauchstrang mit seinen Nervenknoten ist das Analogon des Rückenmarkes.

Die untersten Klassen der Wirbelthiere verdienen eine höhere Stellung in der Thierreihe, als Weich- und Kopfthiere, weil man bei ihnen ohne Unterschied

diejenige Vermögen findet, welches man mit dem
unpassenden Namen Einbildungskraft (besser Einbil-
dungsvermögen) bezeichnet.

Der eigentliche Charakter der Einbildungskraft
besteht darin, dass sie mehr oder minder von der
sinnlichen Wahrnehmung entbindet, indem sie Bilder
schafft, welchen kein vorhandener äusserer Gegenstand entspricht (Burdach). Dies will jedoch nicht
sagen, dass gar keine Bilder vorhanden sind: denn
eine Vorstellung bildet sich nicht von selbst, ist keine
Lebenserscheinung, welche auf sich selbst beruht,
sondern das Produkt einer Veränderung in dem Zustande des Organes des Vorstellungsvermögens, welches letzte keine Veränderung aus eigener innerer
Bewegung erleidet. Die nutritiven Veränderungen
veranlassen keine Vorstellungen, sondern haben nur
einen Einfluss auf den inneren Zustand des Organes
und die Energie seiner Lebensäusserung. Stärkere
Einwirkungen auf das Organ des Vorstellungsvermögens, welche eben deshalb auch Vorstellungen hervorbringen, sind ausser den Abweichungen vom normalen Gange der Ernährung alle Veränderungen der
in das Organ des Bewusstseins auslaufenden Nervenfäden, sei es durch Vermittelung der Sinne oder in
Folge eines ungewöhnlichen Zustandes im eigenen
Körper. Bei den bisher betrachteten Thieren verschwindet die Veränderung, welche das Organ des
Bewusstseins erlitten hat, und mit ihr die durch dieselbe gebildete Vorstellung allmählig wieder, bei den
höheren Thieren aber durchläuft das Organ des Vorstellungsvermögens, nachdem es durch einen Eindruck
von aussen verändert worden, um wieder in den Zustand der Ruhe zurückzukehren, eine gewisse Reihe
von Veränderungen, welche sich durch eine Aufeinanderfolge von Vorstellungen kundgiebt. Dies ist die
Ideenassociation, aus welcher die Einbildungskraft,

d. h. die Bildung von Vorstellungen aus anderen, wirklich vorhandenen hervorgeht, welche Bildung selbst
nicht nach einem blinden Zufalle (Griesinger), sondern nach bestimmten Gesetzen geschieht.

Das Gedächtniss ist unzweifelhaft vom Bewusstsein abhängig; dass es jedoch schon mit dem sinnlichen Bewusstsein beginne, wie Burdach glaubt,
ist nicht wahrscheinlich. Die Thiere, deren höchstes
Vermögen das sinnliche Bewusstsein ist, haben noch
kein Gedächtniss, dasselbe offenbart sich hingegen
erst bei denjenigen, welchen durch die Ideenassociation das Mittel gegeben ist, verschiedene Vorstellungen mit einander zu vergleichen. Uebrigens ist auch
die Ideenassociation allein nicht ausreichend, eine frühere Vorstellung wieder erkennen zu lassen, was nur
durch Vermittelung des Bewusstseins geschehen kann.
Vom Bewusstsein hängt die Klarheit, von der Ideenassociation die Stärke des Gedächtnisses ab. Da die
Ideenassociation ein Bestandtheil sowohl der Einbildungskraft als des Gedächtnisses ist, so erklärt es
sich, dass bei Leiden der Einbildungskraft auch das
Gedächtniss krankhaft afficirt ist, und hiermit stimmt
überein; dass die Thiere um so deutlichere Spuren
von Gedächtniss zu erkennen geben, eine je höhere
Stelle sie in der Thierreihe einnehmen, je mehr also
die Einbildungskraft bei ihnen ausgebildet ist. —

Ideenassociation und ihre Produkte, Gedächtniss
und Einbildungskraft, charakterisiren die Seeleneigen-
schaften aller Wirbelthiere und sichern diesen die
Stelle über den bereits abgehandelten Thierklassen.
Bei den Vögeln nimmt R. eine Art Erfahrung an; als
Beweis für das Bestehen der Einbildungskraft bei den
höchsten Klassen der Vertebraten gilt ihm auch das
Vorkommen der Träume bei denselben, welche er
nicht für Produkte der Seele gehalten wissen will.

Für das Organ der Einbildungskraft hält R. nach dem Vorgange von **Foville**, **Delaye** u. A. die Rindensubstanz des Gehirns. Seine Gründe für diese Ansicht stützen sich auf anatomische und vergleichend - und pathologisch - anatomische Thatsachen und sind mittelbare und unmittelbare. Zu den ersteren, d. h. denen, welche zu dem Schlusse führen, dass die Rindensubstanz überhaupt ein eigenthümliches und wichtiges Organ in der thierischen Oekonomie sein muss, gehören zunächst die Thatsachen, dass die Gehirnrinde ihre eigenen Blutgefässe hat, welche nicht mit denen der Marksubstanz zusammenhängen, dass die Verbreitung der Capillargefässe in der Rindensubstanz eine ganz eigenthümliche Vertheilung beobachtet, dass die Rindensubstanz sehr viel arterielles Blut erhält, und dass der Stoffwechsel in ihr sehr rasch geschieht. Unmittelbare Gründe, d. h. solche, welche dafür sprechen, dass die Rindensubstanz gerade das Organ der Ideenassociation ist, sind zunächst die anatomische Rangordnung des Gehirns, dann die Lehren der vergleichenden Anatomie und vergleichenden Psychologie, nach welchen die Entwickelung der Rindensubstanz des Gehirns mit der der Einbildungskraft gleichen Schritt hält, und endlich die pathologisch - anatomischen Erfahrungen der Irrenärzte, nach welchen krankhafte Aeusserungen der Ideenassociation gleichen Schritt halten mit krankhaften Affectionen der Rindensubstanz des Gehirns.

Bei der Erläuterung des vorletzten der unmittelbaren Beweisgründe kommt R. auch auf die Schädellehre, welche nach seiner Ansicht in ihrer ursprünglichen Form die Verwirklichung der Grundregel ist, dass die Einbildungskraft nach Maassgabe der grösseren Entwickelung einzelner Theile der Rindensubstanz des Gehirns verschiedene Richtungen annimmt. Weit entfernt, Gall's Lehre in allen ihren Anwe dungen für richtig zu erklären, hält er doch das Princip, welches aus derselben hervorgegangen, für unbezweifelt wahr, und glaubt, dass die Zeit herangekommen ist, dasselbe vorurtheilsfrei auf praktischem Boden zu entwickeln, damit es nicht mehr Gefahr laufe, in die mit Unrecht geschiedenen Kategorien des Erkennens, Fühlens und Begehrens verdreht zu werden.

Was man vom Verstande und Denkvermögen der Thiere gesprochen hat, lässt keine befriedigende Entwickelung zu, ebenso wenig besitzen die Thiere freien Willen, vielmehr ist jede ihrer Handlungen die nothwendige und unmittelbare Folge der stärksten Vorstellung, welche grade vorhanden ist. Die thierischen Vermögen dürfen in der Psychologie nicht zu hoch gestellt werden, andererseits ist es aber auch für eine empirische Auffassung dieser Wissenschaft nicht minder nachtheilig, wenn man dem Menschen eine zu hohe Stelle zuerkennt, seine Menschheit getrennt betrachtet und das Band übersieht, welches ihn an die materielle Natur bindet. Viele der Vermögen, welche man gewöhnlich dem Menschen allein zuschreibt, besitzen die Thiere ebenfalls und müssen bei jenem ebenso gut wie bei diesen vom Stoffe abhängig sein, ja es unterliegt keinem Zweifel, dass wir alle thierischen Vermögen auch bei den Menschen antreffen. Die vorzüglichsten dieser Vermögen sind im Menschen in einem solchen Grade entwickelt, dass ihm schon dieserhalb die erste Stelle in der Reihe der Thiere gebührt, nichts destoweniger aber lässt es sich nicht in Abrede stellen, dass der Mensch nicht in allen Beziehungen die Thiere übertrifft, dass derselbe sogar in der einseitigen Virtuosität eines Organes von demselben übertroffen werden kann. Die Organe, welche zur Entwickelung und zum Bestehen jener Vermögen bei den Thieren für nothwendig gel-

ten, gehen dem Menschen so wenig ab, dass man
vielmehr alle Eigenthümlichkeiten, welche diese Vermögen beim Menschen charakterisiren, aus der Entwickelung der Organe bei ihm erklären kann. Die
Entwickelung des Organes der Ideenassociation ist
bei dem Menschen so vollkommen, dass ihm darin
kein Thier zur Seite steht. Uebrigens nimmt R. bei
den Thieren auch eine productive Einbildungskraft an,
wiewohl eine weit beschränktere als beim Menschen,
und daher muss auch dieses Vermögen nach seiner
Ansicht vom Stoffe abhängig gedacht werden.

Ausser den bisher betrachteten Vermögen besitzt
der Mensch ein besonderes, höheres, welches eine
scharfe Grenzlinie zwischen ihm und den Thieren
zieht und bei keinem der letzteren ein Gegenstück
hat, ein Vermögen, welches, ebenso erhaben in seiner Aeusserung als gross in seinem Wesen, das Bewusstsein zur Selbständigkeit erhebt, uns eines höheren Ursprungs vergewissert und der Gottheit näher
bringt: die Seele. Diese ist nicht abhängig vom Stoffe,
der Gedanke ist keine Ausscheidung des Gehirns, wie
die Galle ein Secret der Leber, sondern Denken,
Ueberlegen, Verstand, Kenntniss des Guten und Bösen, Vernunft, freier Wille und sittliches Gefühl
u. s. w. werden durch das Vermögen hervorgebracht,
welches die Aeusserung eines höheren Wesens ist,
welches auf unbekannte Weise mit unserer Thier-
natur verbunden ist. Was für ein Theil unseres Körpers afficirt werden mag: keiner derselben veranlasst
eine Veränderung in den Aeusserungen der Seele,
und daher kann man getrost annehmen, dass es keinen Körpertheil, von welchem das Vermögen, welches wir der Seele zuschreiben, abhängig sein könnte, dass es kein Seelenorgan giebt. Die Seele ist
ein einfaches, untheilbares, unsterbliches Wesen,
eine einfache Kraft: das Urtheil, diese erhabenste

Eigenschaft des menschlichen Geistes, welche sich
im gesunden Verstande so herrlich und kräftig offenbart, das wahrhaft Menschliche im Menschen.

Man glaube ja nicht, die Aeusserungen des Urtheils aus einer höheren eigenthümlichen Entwickelung
der Einbildung erklären zu können. Das Urtheil hat
mit der Einbildungskraft nichts gemein, da wo die
letztere in hoher Entwickelung angetroffen wird, glänzt
selten der Verstand (Urtheil), so sehr sogar, dass,
wenn das Organ der Einbildungskraft in einem eigenthümlichen Zustande von Aufgewecktheit ist und Vorstellungen auf Vorstellungen mit ausserordentlicher
Schnelligkeit gebildet werden, der Verstand zurück-
gedrängt erscheint und die Stimme des Urtheils kaum
mehr gehört wird. Das Urtheil scheint da zu sein,
um im gesunden Menschen die Einbildungskraft zu
zügeln: hierin liegt der Kampf des Geistes mit seiner Körperlichkeit, nicht im Traume, nicht im Irresein noch in der Gewohnheit, wo kein Streit, sondern Sieg auf Seiten des Körpers besteht.

Das Urtheil äussert sich nicht nur bei demselben
Menschen, sondern auch bei verschiedenen Individuen
allezeit als dasselbe; mögen auch in den Vorstellungen unendliche Verschiedenheiten herrschen: in den
Schlüssen, welche aus demselben Complex von Vorstellungen gezogen werden, in der Beurtheilung des
Werthes derselben besteht keine Verschiedenheit.
In diesem Vermögen ist uns das Erkennen der Wahrheit gegeben, und zwar nicht einem Einzelnen mit par-
teiischer Vorliebe, sondern Allen gleichmässig zuge-
theilt, eine Thatsache, welche den Vf. von selbst zu
dem Schlusse führt, dass das Urtheil nicht eine Kraft
ist, die an jede Seele insbesondere gebunden ist,
sondern die allgemeine Kraft, durch welche ein höhe-
es Wesen auf den Menschen wirkt, die unmittelbare

Offenbarung Gottes an die edelsten seiner Geschöpfe.
In dieser Kraft liegt die verständige Sicherheit des
Menschen und in dieser seine sittliche Freiheit: unsere Seele mit Verstand, Vernunft und Urtheil begabt, handelt frei und besitzt zur Begleiterin auf den
Lebenswegen sittliches Gefühl. Urtheil, Verstand,
Vernunft und sittliches Gefühl sind nach R. keine
Eigenschaften der Seele, welche bei dem einen mehr,
bei dem andern weniger kräftig entwickelt sind:
offenbart sich die Seele in uns als eine einzige Kraft,
so können die Fähigkeiten der Seele unter sich nur
durch den materiellen Bestandtheil verschieden sein,
das sittliche Gefühl muss dasselbe sein was die Vernunft, dasselbe was das Urtheil, muss unmittelbar
aus der eigenthümlichen Kraft der Seele hervorgehen. —
Diese Wahrheit findet ihre Anwendung unver-
kennbar am besten im Gebiete der Heilwissenschaft,
und besonders in der Lehre vom Irresein. Bei den
Irren ist das Urtheil immer gesund; dass dieselben
die Aussprüche ihres Urtheils nicht immer berücksichtigen, widerspricht dieser Ansicht keineswegs, denn
dasselbe findet sich auch bei psychisch Gesunden.
Nie muss man bei Irren die Ursache der Abweichung
in den Aeusserungen ihrer verständigen Vermögen in
der Seele suchen; nach den in diesen Blättern aus-
einandergesetzten Principien giebt R. von den meisten Erscheinungen, welche das Irresein ausmachen,
eine organische Erklärung und erklärt sich mit kurzen Worten über die Hauptformen des Irreseins gerade
so, wie er dies genauer und ausführlicher in seinem
Werkchen: „Ein Wort an Nichtärzte über Irresein
und Irrenbehandlung" gethan hat.
Schliesslich erlaubt sich der Referent noch die
Bemerkung, dass das hier im Auszuge mitgetheilte
Werk Ramaer's nicht weniger als Beweis gründlichen

Nachdenkens über den ein so grosses und reichhal-
tiges Feld berührenden, bisher noch nicht sehr weit
geförderten Stoff gelten kann, als auch von fleissiger Benutzung der vorhandenen Quellen und grosser
Belesenheit des Vf.'s im Gebiete der ausländischen
Literatur ein rühmliches Zeugniss giebt.

Dr. *Bergrath*,
praktischer Arzt in Cleve.

Recherches cliniques sur l'anesthésie, suivies de quelques considérations physiologiques sur la sensibilité par *Beau*. (Arch. géaér. Janv. 1848.)

Es ist eine Anästhesie für das Gefühl des Schmerzes und
das Gefühl der Empfindung zu unterscheiden.

Bleikolik. Nach *Tanquerel des Planches* findet sich nur
auf 1 unter 100 Kranken Anästhesie der allgemeinen Empfindlichkeit. Beau hält jedoch dieses Symptom für habituell für alle
diese Krankheiten. Er beobachtete im Januar einen Maler mit
einer sehr ausgeprägten Bleikachexie; die er Mensch klagte über
Empfindungslosigkeit an dem obern und innern Theile des linken
Schenkels; man konnte in der That die Haut an diesen Stellen
kneipen und stechen, wie man wollte, er empfand keinen
Schmerz, er empfand es ebensowenig, wenn man nur leise mit
dem Finger darüber strich. Bei genauerer Untersuchung fand
sich auch an den übrigen Theilen des Körpers Schmerzlosigkeit,
aber scharfes Gefühl für jede Berührung, auch wenn man nur
leise mit dem Finger darauf tupfte. Zwei andere gleichzeitig an
Blei-Intoxication in Behandlung befindliche Kranke empfanden
ebenfalls die leiseste Berührung, das Streichen mit dem Bart
einer Feder, aber weder den Stich einer Nadel, noch das Kneipen der Haut. Fortgesetzte Untersuchungen an derartigen Kranken wiesen durchgreifend diesen Unterschied der Analgesie von
der eigentlichen Anästhesie nach. Analgesie fand sich nur unter
je vier Fällen; wo sie vorhanden war, fand sich an denselben
Stellen, freilich immer in beschränktem Umkreise, auch Anästhesie. Bei einem Kranken zeigte sich an den untern Extremitäten
Anästhesie und Analgesie, an den obern jedoch nur Analgesie.
Die Anästhesie zeigt einen höhern Grad der Intoxication an, als
Analgesie. — Man darf sich bei der Untersuchung natürlich

nicht bloss mit der Aussage der Kranken begnügen, sondern muss auch auf ihren Gesichtsausdruck achten, ob sie wirklich keinen Schmerz empfinden. Es ist bemerkenswerth, dass die Kranken bei der Analgesie auch gegen das Kitzeln, selbst an der Fusssohle, unempfindlich sind; die Analgesie kann sich über die ganze Haut verbreiten, gemeiniglich markirt sie sich aber an den Extremitäten stärker, als an dem Rumpf und Kopf, am häufigsten am Arm und Vorderarm; sie erstreckt sich auch auf die Schleimhäute; man kann die Ovula, den Eingang des Pharynx, die Nasenschleimhaut kitzeln und reizen, ohne Ekel und Niesen zu erregen, die conjunctiva reizen, selbst ein Tabakskörnchen darauf legen, ohne dass das Auge thränt.

Die Anästhesie verschwindet, sobald die Erscheinungen der Intoxication zurücktreten, sobald das Gesicht seine bleiche Farbe verliert, sobald die Verdauung anfängt, sich zu regeln; blosse Analgesie verschwindet zuweilen in Folge der Behandlung schon nach sechs Tagen, vollkommne Anästhesie als der höhere Grad bedarf längere Zeit zur Heilung. Die Schmerzlosigkeit bei der Bleikachexie bezieht sich nur auf den künstlich hervorgerufenen Schmerz; es ist eine bekannte Thatsache, dass Koliken, Arthralgieen einen hohen Grad von Intensität erreichen.

Für die *Hysterie* hat G e n d r i n zuerst die Beobachtung ausgesprochen, dass Anästhesie eins ihrer constanten Symptome sei. B e a u modificirt diese Beobachtung dahin, dass es in der Hysterie Analgesie sei, wenn sie auch in höher entwickelten Formen mit der Anästhesie zusammenfällt. B e a u meint, dass diese Empfindungslosigkeit um so stärker hervortritt, je grössere Störung in den Verdauungsfunctionen da ist. Im Uebrigen lässt sich alles bei der Blei-Intoxication Beobachtete auch auf Hysterie anwenden, ebenso wie auf *Hypochondrie*, die B e a u als eine wirkliche Krankheit betrachtet, deren hauptsächlichste Symptome nach seiner Ansicht Störungen der Verdauung, Gasentwickelung im Darmkanal, Palpitationen, Dyspnœ, Schwindel, Betäubung u. s. w. sind. Freilich kommt die Empfindungslosigkeit nicht bei jeder Hypochondrie vor, sondern nur bei denen von älterm Datum, und in solchen Fällen, wo die Nervensymptome überhaupt stärker hervortreten. Interessant sind die beiden mitgetheilten Fälle. Ein Tischler 23 Jahr alt, hatte, wie er meinte, durch seine Gewohnheit jeden Tag vor der Arbeit ein grosses Glas reinen Weins zu trinken, sich die Krankheit zugezogen. Er litt an schlechter Verdauung, Mattigkeit, sauerm Aufstossen, an einer *neuralgia intercostalis*, Schwindel, Klopfen in den Korotiden und einer eigenthümlichen, sehr peinlichen

Empfindung in der Haut. An den Armen, am Thorax kann man ihn kneipen, so viel man will, ohne dass er etwas davon empfindet; gleichwohl unterscheidet er sehr gut jede Berührung. Ein Schuhmacher von 18 Jahren litt an einer Schwäche des Gesichts. Erweiterte, aber contractile Pupillen; er wird bei der Betrachtung kleiner Gegenstände leicht schwindlig; dabei schlechten Appetit, Schwäche in den Beinen, Constipation u. s. w. Auf den Armen empfindet er gar keinen Schmerz, selbst beim Brennen nicht, und doch giebt er, auch bei weggewendetem Kopfe, genau an, wenn man ihn mit einem Federbart berührt. —

Es ist wahrscheinlich, dass diese Erscheinungen nicht blos in den genannten Krankheiten vorkommen, vermuthlich finden sie sich in der Kolik von Madrid, in der *colique végetale*, in der indischen Krankheit *beriberi*, im Skorbut und im Pellagra, da diese Krankheiten so oft mit Paralyse enden. Auch das von Dupuytren bei Wunden und nach grossen Operationen als Complication beobachtete *nervöse Delirium* zeigt diese Analgesie. Das Factum, dass diese Kranken mit Frakturen, Contusionen u. s. w. Bewegungen mit der grössten Leichtigkeit ausführen, die ihnen sonst äusserst schmerzhaft sein müssten, scheint dafür zu sprechen.

Im Weitern schliessen sich häufig zu beobachtende Thatsachen aus den Irrenhäusern an, von Monomaniacis, von Blödsinnigen, und Beau ist geneigt, auch die bisher blos durch die Kraft des Willens erklärten Fälle von religiöser Monomanie hierher zu ziehen. Er beruft sich z. B. auf die in Calmeil gegebene Schilderung, auf den Ausdruck, die *trombleurs des Cévennes* hätten *les entrailles bruyantes*, d. h. sie hätten an den die Hysterie und Hypochondrie charakterisirenden Flatulenzen gelitten. Im Bicètre hat Dr. Nelaton kürzlich einem nicht paralytischen Irren den Unterschenkel amputirt, ohne dass dieser die geringste Schmerzensäusserung von sich gab. Der Kranke war mehrere Tage mit seinem fracturirten Unterschenkel umhergegangen, als wenn Nichts geschehen wäre, bis der Eintritt einer gangranösen Entzündung die Amputation nöthig machte. Der Kranke starb an den Folgen der Amputation.

Als Schlusssätze kann man aussprechen: 1) Analgesie kommt gewöhnlich vor ohne Aufhebung des Tastgefühls; 2) Wenn Aufhebung des Tastgefühls da ist, so findet sich auch Analgesie.

Beau ist somit durch pathologische Thatsachen zu einem ähnlichen Resultate gekommen, wie Hagen, der in seinen psychologischen Untersuchungen aus den Beobachtungen der Aethereinathmung, wie auch schon früher, direct eine Trennung des

Tastgefühls von dem Gefühl des Schmerzes folgert. Ref. erlaubt sich auf die bei Gelegenheit der Anzeige von Hagen's Buch gemachten Bemerkungen hinzuweisen. B. führt zur Unterstützung seiner Ansichten noch folgende Beispiele an: Wenn man sich an einen Leichdorn stösst, so hat man zuerst das Gefühl des Stosses, nach einigen Secunden aber, wenn das Gefühl des Stosses aufgehört hat, kommt der Schmerz; dann, wenn man sich in den Finger schneidet, hat man zuerst das Gefühl des schneidenden Instrumentes, später aber erst das des Schmerzes. Er macht dabei noch die Hypothese, dass der Schmerz erst durch die reflectirte Nerventhätigkeit entstehe. Diese Beispiele scheinen dem Ref. aber nicht beweiskräftig für das, was B. will; sie beweisen ihm nur, dass der Schmerz ein höherer Grad sei, dass, wenn man sich das Wesen der Empfindung als einer Schwingung, als eine Locomotion der Nervenfaser oder des Nerveninhalts denkt, zum Zustandekommen des Schmerzes eine stärkere Schwingung nöthig sei, dass also nur ein *gradueller* Unterschied zwischen diesen beiden Vermögen bestehe. Zur Unterstützung dieser Behauptung dient, dass Analgesie ohne Anästhesie vorkommt, aber nicht Anästhesie ohne Analgesie, also der Nerv kann das Vermögen sich in die für den Schmerz nöthigen stärkeren Schwingungen zu versetzen verloren haben, kann aber noch die für das Tastgefühl nöthigem Schwingungen machen; kann er sich jedoch nicht einmal in diese schwächeren Schwingungen versetzen, so versteht sich von selbst, dass er auch die stärkeren Schwingungen erst recht nicht mehr machen kann. *R. Leubuscher.*

Bibliographie.

1. Selbständige Werke.

Deutsche.

Ennemoser (Dr. Jos.), Der Geist des Menschen in der Natur, oder die Psychologie in Uebereinstimmung mit der Naturkunde. Mit einer schematischen Abbildung. Stuttgart u. Tübingen (Cotta), 1849. XXVIII u. 774 S. 8.

Romberg (Mor. Heinr.), Lehrbuch der Nervenkrankheiten des Menschen. 2te veränd. Aufl. Erste Lieferung. Berlin (Alex. Duncker), 1849. 96 S. 8.
Zehn Lieferungen, à 16 Sgr. in 4—5 wöchentlichen Zwischenräumen.

v. Feuchtersleben, Zur Diätetik der Seele. Fünfte vermehrte Auflage. Wien (Gerold), 1849. XXIV u. 184 S. kl. 8.

Wagner (Rud.), Handwörterbuch der Physiologie u. s. w. Lief. 18. (Bd. III. Abth. 1. Lief. 4. S. 463 bis 606) Braunschweig (Vieweg).
Obige Lief. enthält von S. 469 ab den Anfang des Art. *Temperament*, *Physiognomik* und *Cranioskopie*, von Harless zu München.

Barkow (H. Dr. Prof.), Bemerkungen über die Bestimmung der Nerven im Allgemeinen und über den *Nervus vagus* insbesondere. Als Einladungs-

Programm zu der an der Königl. medic. chirurgischen Lehranstalt den 15. Aug. 1845 stattfindenden
öffentlichen Prüfung. Breslau, Druck von Grass,
Barth u. Comp. 31 S. 8. Nebst einer Tafel.

Physiologische Experimente scheinen weniger geeignet, über
die Bestimmung der Nerven zu entscheiden, als Ursprung und
Verlauf der Nerven und die Funktion des Organs, für die sie
bestimmt sind. Beispiele:

Anatomische Beschreibung des N. vagus. Er ist vorzugsweise Empfindungsnerv. Er steht in inniger Beziehung zur Thätigkeit der Seele; diese äussert sich durch Erkennen, Wollen
und Empfinden. Das Organ der Seele ist zwar vorzugsweise
das Gehirn, aber nur die beiden ersten Thätigkeiten haben in
ihm ihren Sitz. Das eigentliche Empfindungsorgan der Seele ist
das Herz, zum Theil sind es wohl auch die grossen Blutgefäss-
stämme und die Lungen mit ihren Nerven. Alles, was die
Seele hebt und sie herabstimmt, wird im Herzen empfunden.

Der N. sympathicus mit Einschluss der Fibern, die er von
den Rückenmarksnerven empfängt, giebt bei dem Mangel an
Einheit seines Ursprungs vom Centrum des Nervensystems und
bei unseren anderweitigen Kenntnissen von den durch ihn hervorgerufenen Empfindungen keinen Anhaltspunkt zur Begründung
der Ansicht, dass er die Seelenempfindungen vermittelt. Wohl
aber der N. vagus, der von der medulla oblongata, dem Ursprunge fast aller Gehirnnerven, entspringt.

Der Hergang ist dieser, dass die sensibeln Fasern bei den
Vorstellungen den Hirnreiz empfangen, ihn zu den Theilen leiten, in denen die Seelenempfindungen ihren Sitz haben und hier
die Empfindung erwecken. So besonders im Herzen, wie die
Nerven der Magenschleimhaut die Empfindung des Hungers, die
des Mundes und Schlundes das Gefühl des Durstes. Die sensiblen Nerven wirken zwar überall centripetal, doch nur deshalb, weil der Reiz die peripherischen Nervenenden trifft. Vf.
hat auch die centrifugale Kraft oft an sich selbst empfunden.
So schweigen auch bei heftigen Bronchial-Katarrhen gewisse
Gemüthsstimmungen ganz, kehren aber nach deren Beseitigung
wieder. Der N. vagus ist demnach der Vermittler der Seelenempfindungen, er ist der Gemüthsnerv.

Zur Heftigkeit und Länge der Empfindungen der Seele tragen besonders zwei Bedingungen bei. Einmal eine grosse Blutmasse, die in der Seele Empfindungs-Organen auf einmal angehäuft ist. Ferner erwecken die Vorstellungen stets von
neuem die Gefühle der Seele und diese halten wiederum die Vorstellungen rege.

Der Wille übt nur einen beschränkten Einfluss auf die Empfindung der Seele aus. In vielen Fällen reflectirt das Gehirn
die schnell erweckte Vorstellung unwillkürlich auf den Gemüths-
nerven und erweckt die Empfindung der Seele, z. B. die Töne
einer freundlichen Musik.

Ueber die organische Nerventhätigkeit des Vagus ist wenig
bekannt.

Betrachtungen über einige Ursachen, wodurch sehr
viele Menschen körperlich, geistig und moralisch
u. s. w. krank werden. Oldenburg (Schulze), 1849.
8. (n. 5 Sgr.)

Neumann (H. Dr.), Gedanken über die Zukunft der
Schlesischen Irrenanstalten. Wohlau (Breslau, Go-
sohorsky), 1849. 8. (4 Sgr.)

Ausländische.

Guillaume (J. Amédée), De la physiologie des sensations. Dôle 1848. 2 Vol. 8.

Gilliot (Alphonse), Esquisse d'une science morale.
(Prém. part.) Physiologie du sentiment, ou méthode
naturelle de classification et de description de nos
sentiments moraux. 2 Vol. Strasbourg (Derivaux),
1848. 68$\frac{1}{4}$ Bog. 8. (10 fr.)

Waddington-Kàstus (C.), De la psychologie d'Ari-
stote. Paris (Joubert), 1848. 24$\frac{1}{2}$ Bog. 8. (6 fr.)

Royer-Collard, Considérations physiologiques sur la
vie et l'âme. Paris 1848. 3$\frac{3}{4}$ Bog.

Belhomme, Cinquième mémoire sur la localisation des
fonctions cérébrales et de la folie. Paris (Germer-
Baillière), 1848. 10$\frac{1}{4}$ Bog. 8.

Petit (A.), Mémoire sur le traitement de l'aliénation
mentale. Paris (Baillière), 1847. 112 S. 8.

Morel, Notice sur l'hospice d'*Eberbach*, statistique
des aliénés du Duché Nassau. Considérations gé-
nérales sur le patronage des aliénés. Paris (Fortin,
Masson), 1847. 8.

Rénaudin, Sixième rapport sur le service de aliénés
de l'asile de *Fains*. Août 1848.

Notice sur la maison de santé de Préfargier, Canton
de Neuchatel, par L. B. (ovet) D. M. Neuchatel
1848. 21 S.

Für 100 Kranke érrichtet. Nach einer Zählung vom J. 1844 waren im Kanton 233 Irre (108 männliche und 125 weibliche), darunter 38 heilbare. Reizende Lage nahe am See mit Aussicht auf die Hochalpen, 1½ Stunden von Neuchatel. 5 Unterabtheilungen. Interessante Mittheilungen über mehrere Punkte der innern Einrichtung, namentlich über eine neue und zweckmässige Art der Heizung. Der edle Stifter A. de Meuron (Bd. I. S. 522), von dem es heisst, *qu'il a contribué non seulement de sa bourse, mais de son coeur et de son intelligence*, hatte sich auf mehreren Reisen über alle Einzelheiten selbst unterrichtet: ein Communismus, dem recht viele Anhänger zu wünschen wären. Eröffnet wurde die Anstalt, wie Ref. aus brieflicher Mittheilung beifügen kann, zu Ende Januar 1849. Um die Mitte Februars waren es 11 Kranke. Thätig an der Anstalt waren 18 Personen, darunter die Frau des ärztlichen Directors und zwei Diakonissinnen aus Strassburg, welche zu ihrer Ausbildung in Illenau sich aufgehalten hatten. Dr. Bovet ist den deutschen Irrenärzten von seiner Reise im Jahr 1844 bekannt. — Angehängt ist ein *Extrait de l'acte de fondation de Préfargièr* und ein *Réglement général.*   **R.**

Blanche (Em.), Du cathétérisme oesophagien chez les aliénés. 1848.

Eine unparteiische Kritik der verschiedenen Schlundröhren für Nahrung verweigernde Irre von Esquirol, Mitivié und Ferrus, Baillarger, Leuret, Bougard (Belge), Marchant u. Pressat, mit Verbesserungvorschlägen der von Baillarger. Das Instrument wird in dem Referat von L. Lunier (Annal. méd. psych. Novbr. 1848. S. 431—434) „ingénieux" genannt, scheine aber weniger leicht zu handhaben, als dies L. Blanche anzunehmen gemeint sei, obgleich es von diesem und andern mehrmals ohne Schwierigkeiten applicirt ist.

Bonamy, Etudes sur les èffèts physiologiques et thérapeutiques du tartre stibié. Nantes (Mellinet), 1848. 15 Bog.

Geschiedkundig Overzigt der verbeteringen, in de laatste Jaren daargesteld in de verpleging van Krankzinnigen in *Nederland* en toelichtende Opmerkingen nopons de daarbij gevoegde *statisticke Tabellen,* betrekkelijk de Bevolking in de Gestichten voor Krankzinnigen aldaar, in de Jaren 1844, 1845 en 1846 aan Zyne Exc. d. H. Minister van Binnenlandsche Zaken ingediend door de Jnspecteurs dier Gestichten *C. J. Feith* en *J. L. C. Schröder van der Kolk.*

'S Gravenhage (Allg. Lands-Drukkerij 1848. kl. Fol. 54 S. nebst vielen Tabellen).

Hoek (A.), Onderzoekende beschouving van het dierlijk magnetismus of van de al of niet bestaande mesmerische daadzaken. Graomh und Amsterdam 1848.

Lov om Sindssyges Behandling of Forpleining. Christiania 1848. 8 S. 4.

(Anzeige in Oppenheim's Zeitschrift u. s. w. Febr. 1849. S. 236—39. von v. d. Busche.)

Dies zu Malmöe, 17. Aug. 1848 vom Könige sanctionirte Gesetz in Bezug auf Geisteskranke zerfällt in 5 Kapitel. Kap. 1.: *Einrichtung und Verwaltung der Anstalten* (Königl. Autorisation, Genehmigung des Regulativs u. s. w. — Königl. Anstellung des Arztes). Einsperrung und mechan. Zwangsmittel dürfen nur, wenn durchaus nöthig und auf kurze Zeit angewandt werden, Nachweisung im Personen- und Behandlungs-Protokoll und Controlirung durch Commission von 3 Mitgliedern, unter welchen wenigstens *ein* Arzt bei Visitationen (Form). — Kap. 2. u. 3.: *Vorschriften über Aufnahme und Entlassung.* In 48 Stunden nach der Aufnahme eines Kranken Bericht an Controll-Commission, desgl. bei Heilungen. — Kap. 4.: *Verhalten mit Geisteskranken bei Familien und Privatpersonen.* Niemand darf einen Geisteskranken in seinem Hause behalten, oder bei andern unterbringen, wenn er sich nicht bevor durch einen Prediger oder direct an einen examinirten Arzt gewandt hat, der untersuchen muss, ob die getroffenen Anstalten zweckmässig sind oder nicht; eben so bei Kranken, welche auf öffentliche Kosten gehalten werden. Jeder Arzt hat die Pflicht, hiervon der Obrigkeit sofort Anzeige zu machen; alljährlich hat jeder Arzt der Medicinalbehörde ein Verzeichniss derjenigen Geisteskranken, welche bei ihm angemeldet und von ihm untersucht sind, einzusenden. (Sehr. gut.) Kap. 5.: *Allgemeine Bestimmungen.* Kosten. Keiner darf bei Verbrechern eingesperrt werden.

Petrelli (C. M.), Om menniskojälens Natur. Försok till Psychologie. 2. Uppl. öfversedd och sammandragen. Linköping. 1848. VIII u. 200 S. 8.

Ubags (C.), Précis d'anthropologie psychologique. Löwen 1849. (1¼ Rthlr.)

Sokolowski (P. C. M.), Gründe für und wider das Branntweintrinken. Dorpat (Model). Leipzig (Hartknoch), 1848. (n. ⅔ Rthlr.)

Grindrod (Ralph, Barnes), Bacchus: an essay on the nature, causes, effects, and cure of intemperance. 2. edit. 1848. 388 S. 8. (5 sh.)

Bianchi (Nicod.), Delle malatie fisico-morali, ossia della pazzia, ubbriachezza, sonambulismo, magnetismo animale, sordo mutezza e suicidio, considerati in ordine ai bisogni proprii d'ell individualità umana, ai cattolicismo, alla civita, alle passioni, ai dilitti all' imputazione giuridica, al diritto romano e canonico ed leggi civile e criminali dei presenti stati d'Italia. Libri quinque. Reggio (G. Barbini), 1848. Vol. 1. 8. (16 Liv.)

C. Gray, Prison discipline in America. London (J. Murray), 1848. 203 S. 8.

(Anzeige in Oppenheim's Zeitschrift u. s. w. Febr. 1849. S. 220—230 von Hohnbaum.)

Mit dem Namen Pennsylvanisches und Auburnsches System lässt sich kein bestimmter Begriff mehr verbinden, wenn man dabei nicht auf verschiedene Zeiten und Orte Rücksicht nimmt, so viele Veränderungen und Modificationen sind vorgenommen. Vf. erklärt das Gefängnisswesen noch in der Kindheit begriffen und warnt vor voreiligen Ansichten, warnt, über Gesundheit oder Ungesundheit dieses oder jenes Systems, der öffentlichen Meinung zu viel zu vertrauen. (Begründung durchaus praktisch.) Die rechte Gränze könne nur durch Erfahrung gefunden werden, alles Raisonnement *a priori* darüber sei lächerlich. Die (jetzt aufgegebenen) ersten Extreme: ununterbrochene Arbeit ohne Absperrung, Absperrung ohne Arbeit, seien der menschlichen Natur widerstrebende Forderungen.

Ein Vergleich zwischen den Fällen von Wahnsinn in Philadelphia und Charlestown innerhalb der letzten 10 Jahre ergebe ein auffallend günstiges Resultat für das letztere. — In New-Jersey, dem einzigen Staate der Union, wo das System der einsamen Haft noch jetzt besteht, wurde im 1sten Bericht der moralische Zustand der Gefangenen besonders befriedigend geschildert. Im 3ten Jahre berichtet der Arzt (richtig nach analogen Erfahrungen bei isolirten Irren), dass die Gefangenen dyspeptischen Zufällen und Verstandesschwäche unterworfen wären, manche seien matt, schwach, einfältig wie Kinder, und dass, wenn man die einsame Haft noch länger fortsetze, der vollendetste Spitzbube die Fähigkeit verlieren werde, mit der Welt zu verkehren; anderswo, z. B. im Staat Rhode-Island, bemerkt Dr. Cleveland, dass man an den Gefangenen in einsamer Haft ganz ähnliche Erscheinungen beobachtet hat, wie die des *delirium tremens* bei Säufern. Vf. setzt hinzu: das Pennsylvanische System mit Modificationen scheine auch jetzt noch bei den europäischen Nationen die vorherrschende Ausicht zu sein; aber bei den meisten sei sie rein speculativ, wenige, ja vielleicht nicht eine, besitzen gründliche Erfahrung über diese rein-praktische Angelegenheit. Sie beriefen sich zwar häufig auf die Erfahrungen in Amerika, bewiesen aber dabei eine gänzliche Unbekanntschaft mit ihnen, besonders was die neuere Zeit betreffe, deren Erfahrung mehr werth sei, als alle früheren.

Dw.

2. Original-Aufsätze in Zeitschriften.

Deutsche.

Frerichs, Ueber Hirnsclerose.

(Häser's Arch. 1848. H. 3.)

Entwickelt sich gewöhnlich zunächst in den Marklagern über den Seitenventrikeln. Die Verhärtung sei scharf begrenzt und betheilige nicht die Meningen. Es entstehen ohne bestimmte Vorläufer paretische Erscheinungen in einzelnen Theilen, die allmählich Paralyse herbeiführen und sich langsam ausbreiten. Oertlich keine constante Erscheinungen. Verlauf sehr langsam, Ursache nicht constant nachweisbar, Ausgang stets tödtlich.

Zuweilen auch in *Pons Varol.* und *Med. obl.*

Anatomische Zunahme der Consistenz, Zerstörung der normalen Textur in eine formlose, chemisch mit Faserstoff übereinkommende Substanz, ohne entzündliche Reaction in der Umgebung. Diagnostisch charakteristisch die sehr allmälige Parese, langsamer Uebergang in Paralyse und mehr und mehr zunehmender Umfang derselben.

Helfft, Ueber Gehirnerweichung.

(Oppenheim's Ztschr. 1848. Nov. in „Neue med. chir. Zeitung Nr. 3. vom 15. Jan. 1849. S. 71—73.")

Die Gehirnerweichung tritt entweder acut auf und ist wie ein apoplektischer Anfall, oder es stellen sich heftige Delirien ein mit oder ohne Störungen der Motilität oder convulsivische Zufälle. Zuweilen Kopfschmerz, Darniederliegen der psychischen Thätigkeiten, allmählig sich steigernde Lähmung einer Extremität oder einer Körperhälfte, Steigerung, und entweder rascher Tod oder Uebergang in den chronischen Zustand. Alle 3 Zustände sind dem höheren Alter eigen. Anlässe geben: verminderte Hautthätigkeit, geringere functionelle Wirksamkeit aller Organe, sowie geschwächte Leitung in den peripherischen Nerven und ein Vorwalten des Gehirnlebens und des respiratorischen Apparates (Durand Fardel). Veränderung der Consistenz des Gehirns und Alteration der Arterien müssen mit Hyperämie oder *raptus haemorrh.* verbunden sein.

Die gelbe Erweichung ist frei von entzündlicher Natur, diese jedoch zuweilen in der Umgebung.

Im Falle der Heilung unterscheiden sich die gebliebenen Höhlen von denen der apoplektischen Heerde durch die weisse Farbe der sie auskleidenden Membran.

Brach (Dr.), Ueber das *delirium tremens.*
(Rheinische Monatsschrift 1848. Aug.)

Diese Affection ist in gewisser Beziehung ein permanent gewordener Rausch. In beiden eine unaufhörliche Flucht phantastisch auftauchender Ideen und Sensationen mit der Stärke und Lebhaftigkeit wirklicher sinnlicher Anschauungen. Diese Jagd unaufhörlich sich drängender Vorstellungen und sinnlicher Gefühle, begründet in einer abnormen Empfindlichkeit aller Sinnesorgane und der gesammten Gefühlssphäre, ist wohl die Ursache der ausserordentlichen Unruhe und Schlaflosigkeit des Kranken. Die Seele kann die vielen verworrenen Bilder nicht mehr bemeistern. Dieselbe phantastische Production der willkürlichen Bewegungen: der Kranke macht alle Bewegungen, die er sich vorstellt, meist die, an die er gewöhnt ist u. s. w. Urtheilsvermögen oft noch richtig, ebenso die Antworten auf lautes Anreden; Belehrung oft noch möglich. Für dies Delirium charakterisch, dass der Kranke oft sogar witzig wird, ähnlich mit dem Witze der Berauschten darin, dass er sich meist in Wortspielen äussert. Beide suchen die an sie gerichteten Worte zu verdrehen, Gegensätze hervorzuheben. Beide fühlen sich nach dem Anfalle äusserst abgemattet und jämmerlich, und beide endlich entscheiden sich durch Schlaf.

Das Zittern bei *delirium tremens* ist mehr ein Zusammenschaudern des ganzen Körpers von der abnormen Empfindlichkeit der Nerven, besonders stark beim Versuche des Einschlafens.

Fischel (Dr. J., suppl. Primärarzte), Ueber *Mania fixa*, als Nachtrag zu dem im 16. Bd. mitgetheilten Berichte über die Prager k. k. Irrenanstalt im den J. 1844 u. 45.
(Prager Vierteljahrsschrift. V. Jahrg. 1848. 4r Bd. S. 112.)

Diese Fälle sind sehr selten rein; ihre Scheidung von Melancholie sehr schwer. Als der am deutlichsten sich zeigende Fall von fixem Wahne wird das Beispiel einer Frau angeführt, die auf alle mögliche Weise sich zu tödten versuchte, und als dies nicht gelang, ihre Umgebung durch die grössten Schimpfreden zu Thätlichkeiten gegen sich veranlassen wollte. Allmählig nahm das Gemüth an der stets vorgebrachten Klage weniger Antheil, und endlich stiess sie diese Rede nur mechanisch aus, oft während sie mit Behagen ass.

4 Mal wurde der Uebergang der *Mania fixa* „in die Verrücktheit” und 7 Mal in den „Blödsinn” beobachtet. Die Beibehaltung des Namens „*Mania fixa*” findet übrigens Vf. selbst nur für die Prognose wichtig.

Es werden Beispiele erzählt, wo Jemand den Wahn hatte, dass sein Rachen vollkommen verwachsen sei und sich nicht durch künstliche Fütterung abbringen liess, weil nach jeder Application des Katheters der Schlund wieder zuwachse. Ein Anderer, der an der Brust sehr behaart war, hielt sich für einen Bären, ein Anderer für ein Pferd, ein Anderer für den „Sklaven der durchlauchtigsten Universität Leipzig.''

Vf. gesteht zu, dass in keinem Falle eine vollständige Normalität aller übrigen Geistesfunctionen statt gefunden habe, so wenig wie Flemming je „Eine fixe Idee'' fand.

So litten die Kranken „mit krankhafter Processsucht'' durchgehends an Verrücktheit; ebenso die mit der fixen Idee des Verfolgtseins Behafteten.   Dr. *Laehr.*

Martini (Dr. J.; Königl. Sächsischer Bezirksarzt zu Wurzen), Zur Lehre von der Zurechnungsfähigkeit Epileptischer.

(Aus der vereinten deutschen Zeitschr. für die Staatsarzneikunde von Siebenhaar u. A. Jahrgang 1848. Bd. IV. Hft. I. S. 119—128.)

In diesem Aufsatze wird ein Fall von Gemüthskrankheit mitgetheilt, der sich durch die sehr lange Entwickelungsperiode, sowie das gänzliche Vergessen der begangenen Excesse auszeichnet. Dieses letztere Moment ist indess nur sehr flüchtig erwähnt. Der Fall ist kurz dieser:

F. A. T., 24 Jahre alt, der Sohn eines vor einigen Jahren verstorbenen Zieglers, ist von diesem und seit seinem 7ten Jahre von einer noch lebenden Stiefmutter erzogen, von geistig gesunder Familie. Er ist von den gewöhnlichen Kinderkrankheiten verschont geblieben, nie von Krämpfen heimgesucht, und nur einmal an einem Wechselfieber erkrankt gewesen. Er ist in seiner Jugend willig und folgsam gewesen, unterstützte nach dem Tode des Vaters die Mutter in der Fortsetzung der Ziegelei, vermied öffentliche Lustbarkeiten und enthielt sich aller und jeder Ausschweifungen. Mit Anfang des Winters trat eine plötzliche Verwandlung seines ganzen Betragens, verbunden mit unverkennbaren Störungen des bisherigen körperlichen Wohlbefindens ein. Er wurde ärgerlich, reizbar, auffahrend, maliliös und grob, oft ohne alle, oder auf die unbedeutendste Veranlassung, dabei zänkisch, störrisch, lügnerisch, arbeitsscheu und faulenzend. Hatte er sich erbosst, so trank er Branntwein und ward dann von geringen Quantitäten schon überwältigt. Zu diesem Getränk war gleichzeitig mit dem Eintritt des krankhaften Zustandes ein besonderer Trieb erwacht, den er bisher nicht bestanden hatte. T. vernachlässigte sein Geschäft, las viel Romane, schlief viel am Tage und zeigte im Allgemeinen grosse Abspannung und Trägheit. Nachts war er meist unruhig, schien schwer zu träumen, redete im Schlaf, fuhr oft schreiend und erschreckt in die Höhe, verliess öfters das Bett, um lange zum Fenster hinaus zu sehen. Am Tage zeigte er etwas Tiefsinniges, Stieres im Blicke und Verstörtes im Benehmen, führte häufig „quere unvernünftige Reden,'' entwarf die abenteuerlichsten Pläne für die Zukunft, wollte durchaus fort, und benahm sich bisweilen ganz kindisch. War er ärgerlich oder hatte er Branntwein getrunken, so tobte er und stiess bedenkliche Drohungen aus. Er klagte über innere Angst und Unruhe, Kopf—

weh, Schwindel, Ohrensausen, Schwarzwerden vor den Augen, Herzklopfen, mehrmals auch über Rücken - und Kreuzschmerzen, zeigte Zucken und Zusammenschrecken im Schlaf, fortwährende Müdigkeit und Kraftlosigkeit, einige Male auch Zittern der Glieder. Er musste fortwährend, auch Nachts viel kaltes Wasser trinken. Appetit und Verdauung waren ungestört.

Nachdem der geschilderte Zustand ungefähr ¹/₂ Jahr bestanden hatte, brachte der 12. Mai gröbere Excesse mit sich. Zuerst am Vormittag warf er nach seinen Schwestern mit halben Dachziegeln, · als diese ihm seine Faulheit vorhielten. Abends stiess er wiederum gegen seine Mutter lebensgefährliche Drohungen aus, und verfolgte dieselbe unter den Worten: „Ihr müsst noch unter meinen Händen sterben", mit einer Mistgabel, so dass sie sich nur mit Mühe rettete. Darauf wandte er sich aus dem Hause und lief auf seine zwei herannahenden Schwestern mit einem „Schippenstiel" los, ausrufend: „Ich schlage dich todt, Luder, ich muss Blut sehen!" Vom Zuschlagen hielt ihn die herbeieilende Mutter ab und er ging nun unter fortwährenden Drohungen in die Stube, wo er arretirt ward. Er hatte am Nachmittage einige, · — nach seiner Behauptung 2 — Gläser Kornbranntwein getrunken, war aber am Vormittag ganz nüchtern. Er ward am Abend in die Frohnwache gebracht, wo er einschlief und hat sich beim Erwachen 2 Uhr Morgens, seiner Aussage nach, weder auf das, was er gestern Abend gesagt und gethan, noch auf Festnehmung und Transport besinnen können.

Er befand sich in den ersten Tagen seiner Haft in fortwährender Angst, Beklemmung und Unruhe „und erlitt in der Nacht vom 21—22. Mai einen starken epileptischen Anfall, der sich ebenso heftig am 22sten früh wiederholte. Der Vf. fand ihn blass, mit gesenktem stieren scheuen Blick, niedergeschlagen und beklommen. Er klagte über Herzensangst, fortwährendes Aufsteigen des Bluts nach Kopf und Brust, Schwindel, Ohrensausen, Appetitlosigkeit und trägen Stuhlgang. Er war über mittlerer Statur, mehr mager als stark und blond. Die Haut war kühl, Puls langsam, doch klagte er über Klopfen und Wallen im Herzen und der Herzgrube in unbestimmten Perioden. Er erhielt eine abführende Arznei und täglich Bewegung in freier Luft. Die Anfälle blieben aus bis zum 27sten, wo sie täglich 1—2 mal ziemlich stark und andauernd eintraten, indem Patient ein schnelles Aufsteigen vom Unterleibe und nach der Brust bemerkte, dem sofort Besinnungslosigkeit, Umfallen, Schlagen mit den Gliedern folgten, wobei Schaum vor den Mund trat und die Daumen eingeschlagen waren. Nach 2tägiger Anwendung von *Cuprum sulphuricum* war am 30sten der Anfall schwächer und kürzer. Dem Anfalle folgte Wüstheit im Kopfe und Schläfrigkeit. Vom 31sten an verlor sich die innere Angst und Unruhe. Der Vf. erklärt nun unter Anführung mancher Citate, worin die Unzurechnungsfähigkeit kurz vor dem Eintritt der epileptischen Anfälle nachgewiesen wird, den Kranken für unzurechnungsfähig und seine Thaten am 12. Mai als in einem Anfalle krankhafter Zornwuth in *stadio prodomorum* der Fallsucht geschehen.

Dietz (**H. Dr.**), Director der vereinigten Strafanstalten zu Bruchsal), Ueber die Nothwendigkeit besonderer Verwahrungsorte für seelengestörte Verbrecher.

(Aus derselben Zeitschrift. Jahrgang 1848. Bd. IV. Heft 1. S. 95—112.)

Ohne sich auf das Verhältniss zwischen Wahnsinn (wohl nur durch einen Schreibfehler steht Laster im Texte) und Verbrechen weiter einzulassen, beruft sich der Vf. auf das häufige Vorkommen beider Zustände in demselben Individuum — was gewiss jeder Irrenarzt bestätigen wird — um auf die nöthige Fürsorge für solche Fälle aufmerksam zu machen.

Zunächst unterscheidet derselbe mit grossem Rechte zwischen *verbrecherischen Irren*, d. h. solchen, die nachgewiesenermaassen im Zustande der Unfreiheit ein Verbrechen verübt haben — und *wahnsinnigen Verbrechern*, die erst nach Verübung eines Verbrechens, sei es in Folge der Aufregung bei der That und in Folge der Reue, sei es in Folge der Strafgefangenschaft oder eines anderen Umstandes geisteskrank geworden sind. — Nachdem nun der Vf. noch auf die Schwierigkeit der genauen Unterscheidung beider Fälle, besonders wenn der Verbrecher schon eine Zeitlang in Haft gewesen ist, aufmerksam gemacht hat, führt er noch die „weniger zahlreiche" Klasse der Verbrecher anf, wo die Zurechnungsfähigkeit im Augenblicke der That wirklich unentschieden bleibt, — Fälle, welche sich bei dem Fortschreiten der Psychiatrie und ihres genaueren Studiums von Seiten der Gerichtsärzte hoffentlich immer mehr vermindern werden, — um gerade aus diesen Zweifeln zu schliessen, dass solche Individuen weder in die Irrenanstalt, noch in die Strafanstalt gehören. Zunächst gehören dieselben nicht in die Strafanstalten, weil „es wesentlich zur Strafe gehört, dass der Bestrafte sich bewusst ist, dass er eine Strafe erleidet", was bei Seelengestörten, die in Folge blinden Triebes, oder durch Zufall Schaden anrichteten, nicht der Fall ist; dann aber auch, weil die Hausordnung, auf deren strenger und gleichmässiger Befolgung allein die Disciplin der ganzen Anstalt beruht, entweder durch die Geisteskranken gestört wird, zum Nachtheil des Ganzen, oder durch Strenge und Härte zum Nachtheil des Kranken aufrecht erhalten werden muss, zumal da weder die Einrichtungen, noch Wärter und Kranke für solche Fälle in genügender Weise vorhanden sind. — Aehnliche Inconvenienzen stellen sich auf der andern Seite für die Irrenanstalten heraus, indem hier Einrichtungen für Verbrecher ohne Nachtheil für die andern Kranken nicht bestehen können, und daher nach der Hebung der Geisteskrankheit eine Rückversetzung des Verbrechers in die Strafanstalt zur Abhaltung seiner Strafe erfordert wird, die in den wenigsten Fällen ohne die grösste Gefahr eines Rückfalles bewerkstelliget werden kann. — Der Vf. geht dann auf die von ihm *verbrecherische Irren* genannten über, und will auch diese aus einer Anstalt für Gemüthskranke ausgeschlossen sehen. Die Gründe für eine solche Ausschliessung sind indess keine, welche irgend in dem Wesen einer Heilanstalt für Gemüthskranke liegen, sondern lediglich die Furcht vor dem Vorurtheile der öffentlichen Meinung die „jemehr es allgemein bekannt wird, dass die Irrenanstalt nicht mehr ein Ort des Schreckens ist, — sondern dass dort ein Geist der Freundlichkeit und Liebe eingegangen ist —, desto mehr sich verletzt fühlen muss, wenn ein Mensch, der irgend eine fluchwürdige verbrecherische That verübt hat, dahin, statt in eine Strafanstalt versetzt wird. Denn nur wenige sind im Stande zu begreifen, (insbesondere in jenen Fällen, wo der unfreie Zustand — nicht in die Augen fallend war, und erst während der Untersuchung erkannt und constatirt wurde,) dass der Thäter kein verabscheuungswürdiger Verbrecher, sondern ein bedaurungswürdiger Irrer ist u. s. w." —

Unter Beistimmung zu den früher geäusserten Ansichten des Vf.'s wird man doch rücksichtlich der zuletzt geäusserten Meinung anderer Ueberzeugung sein und solche Kranke, die wirklich in ihrer Krankheit eine verbrecherische Handlung auszuüben das Unglück hatten, weder für den Ruf der Anstalt, noch für die Ruhe und Heilung der umgebenden Kranken nachtheilig halten können. Dass aber Einrichtungen des Staates nach „Vorurtheilen" der öffentlichen Meinung gemodelt werden sollen, selbst wenn solche Vorurtheile in „dem Stande der Richter viele Anhänger" haben, wird gewiss der Vf. nicht als seine Meinung aufstellen wollen; denn nicht durch Nachgeben gelingt es je, Vorurtheile zu beseitigen, sondern durch festen Widerstand.

Der Vf. will nun für seine verbrecherischen Irren und wahnsinnigen Verbrecher ein Gebäude aufgeführt wissen, das zwischen Strafanstalt und Irrenanstalt die Mitte hält, und will diese zugleich zur Detentionsanstalt für zweifelhafte Fälle von Zurechnungsfähigkeit verwandt sehen, damit die dortigen Aerzte, auf hinreichend lange Beobachtungen gestützt, ein genügendes Gutachten ausstellen können. — Der Vf. kommt dann zu dem Resultate, dass in grössern Ländern eine Anstalt blos zu diesem Zweck eingerichtet, in kleinern eine Abtheilung für wahnsinnige Verbrecher den Strafanstalten zugefügt werde. Nachdem er noch auf die schon bestehende Abtheilung für Verbrecher im Bedlam-Hospital hingewiesen hat, spricht er sich für diese Verbindung mit Strafanstalten besonders deshalb aus, weil die meisten Fälle solche sein würden, wo die Krankheit erst in der Strafanstalt zur Erkenntniss kommt, und wo daher einestheils die Zweifel über Simulation, anderntheils die sonst nöthigen Weitläufigkeiten eines Transports und so mancher Formalitäten, bei der Verbringung aus einer Abtheilung in die andere am wenigsten Zögerung verursachen würden. Freilich verlangt er, und mit Recht, dass dann „an jeder Strafanstalt die ärztlichen Functionen nicht dem nächsten besten Arzte und gegen geringe Vergütung übertragen, *sondern eigene Aerzte angestellt und ihnen ein wesentlicher Einfluss auf die Verwaltung eingeräumt werde.*"

Der Vf. erwartet mehrfältigen Widerspruch, und meint, die Irrenärzte würden vielleicht nicht zugeben, dass solche Irren, um ihrer gleichzeitigen Eigenschaft als Verbrecher willen, den Irrenanstalten entzogen würden, die Strafanstaltsvorstände sich vor einer Irrenabtheilung noch mehr fürchteten, als vor einzelnen Geisteskranken. Ich glaube nun freilich, dass wahnsinnige Verbrecher gewiss in keiner Irrenanstalt gern gesehen werden, und sei es auch nur um des Verlangens der Behörden willen, dass gegen Entweichung völlige Sicherheit gegeben werde. Dass aber solche Kranke, die zu ihrer Gemüthskrankheit noch die Last einer unglücklichen That zu tragen haben, die also einer doppelten Sorge und der zartesten Behandlung zu ihrer Heilung bedürfen, in eine weniger freundliche Behausung, als eine Heilanstalt für Gemüthskranke ist, versetzt werden, dagegen werden wohl Irrenärzte protestiren.   *C. Jessen.*

Leubuscher (Dr. Rud.), Bemerkungen über *moral insanity* und ähnliche Krankheitszustände.
   (Casper's Wochenschrift f. d. ges. Heilkunde 1848. Nr. 50. S. 785—95 u. Nr. 51. S. 806—14.)
   Der Vf. eröffnet diese, Behufs seiner Habilitation bei der Berliner *Universität, der medicinischen Facultät* vorgetragene Abhandlung mit der allgemeinen im eigentlichen Sinne irrenärztliche Bemerkung, „dass es überhaupt in der Psychiatrie vielleicht schwieriger sei, als in einem andern Gebiete, sich mit seinen Fachgenossen zu verständigen. Die häufig isolirte, von lebendigem Verkehr mit Andern abgeschiedene Stellung des Irrenarztes bringe ihn leicht dazu, sich in sein System einzunisten, sich mit seinen Gedanken zu umbauen und auf seiner einsamen Warte unzugänglich zu werden für das, was Andere in ihrem eben so abgeschiedenen Kreise denken und beobachten", macht dann kritische Bemerkungen über *mania sine delirio*, *folie raisonnante*, die Monomanieen, geht über zur *moral insanity* Prichard's, welche die naturgemässe Auffassung jener Zustände durch Casper (Gespenst der Pyromanie), Ideler und Jessen, wieder zu gefährden drohe, äussert sich über die Veranlassungen zur Aufstellung dieser Form, über die, praktisch und psychologisch unsichere, unrichtige Auffassung, da sie nicht als selbständig zu betrachten sei, reiht hieran psychiatrische und psychologische Beobachtungen und Reflexionen, beantwortet die Hauptfrage: Giebt es eine Geistesstörung, die *blos* in verkehrten Handlungen sich äussert? mit unbedingtem Nein! und lässt das *Warum* folgen, so viel als in solcher Stunde räthlich und möglich, unterstützt durch leicht skizzirte Beispiele aus der Irrenanstalt bei Halle.

Leubuscher (Dr. Rud.), Die Stellung der Psychiatrie zur Medicin.
   (Medic. Reform 6. Oct. 1848. Nr. 14. S. 95—97.)
   Hinweisend auf den früheren Aufsatz „das Verhältniss der Psychiatrie zur Medicin" (s. B. V. S. 658 dies. Ztschr.) sagt der Vf., dass nicht die Vorliebe zu dem ihm zur speciellen Lebensaufgabe gewordenen Zweige der Wissenschaft vom Menschen ihn fühlen lasse, dass die Psychiatrie als ein lebendiges Glied in den Organismus der Wissenschaft hineinwachsen müsse — die

Medicin sei jetzt nicht eine humane, sociale Wissenschaft *geworden*, sondern sie wisse nur, dass sie es *sei*. Die Psychiatrie gehöre auf diesem Standpunkte zu ihr und dürfe sich an dieselbe heranwagen. Das Irrenhaus sei mit tausend Fäden mit den die Welt durchtobenden Leidenschaften verknüpft, und wenn sich in „jedem" Geisteskranken mit „leichter" Mühe im Irrenhause die Gedanken der Zeit, oft freilich in verstellten Zügen, aber „immer" wiedererkennen liessen, — so schreite auch der Wahnsinn, aus den engen Mauern des Irrenhauses herausgreifend, in massenhaften Zügen durch die Geschichte, und der aufmerksame selbst leidenschaftlose Beobachter müsse oft sinnend stehen bleiben und sich fragen: ob nicht ein grosser Theil der Welt ein grosses Narrenhaus gewesen. Die sich dieses ihr zugehörigen Stoffes bemächtigende Psychiatrie müsse, wenn sie nicht blos bei der diagnostischen Ergründung stehen bleiben, sondern auch Therapeutik werden wolle, zur Pädagogik werden. „Die Psychiatrie ist weiter nichts als die angewendete Psychologie, die feinste Pädagogik". —

Wenn der Vf. am Schluss dieser fragmentarischen gelegentlichen Hindeutungen in ∙der Berliner medicinischen ∙Reform sagt: „So weit für jetzt meine Hoffnungen und Wünsche", so mögen dieselben hinsichtlich der „Stellung der Psychiatrie zur Medicin" wohl dahin zielen, dass auch die Psychiatrie jetzt nicht eine humane, sociale Wissenschaft *geworden*, sondern sie nur wisse, dass sie es *ist*. —

Derselbe, Die Irrenverhältnisse Berlins.

(Medic. Reform 1848. Nr. 17. 18 u. 20.)∙

Vgl. dieses Heft S. 49 ff.

Meinel (Dr. Eug. Aug.), Das Chloroform und seine schmerzstillende Kraft. Nach eigenen Erfahrungen.

(Oppenheim's Ztschr. Febr. 1849. S. 153—219.) *Dw.*

∙ Ausländische.

Marshall - Hall, Ueber die Typen der Krankheiten des Rückenmarkssystems, durch Experimente erläutert.

(The Lancet, Aug. 1848. in Frorieps Not. Nr. 172. 1848. S. 281 —288.)

Vf. nennt den Zustand, in dem sich ein Frosch befindet unter dem Einflusse des Strychnins, tetanodisch, und erst dann tetanisch, wenn er durch eine äussere Veranlassung, z. B. Erschütterung, Zuckungen äussert. Unterlässt man letzteres, so bleibt der Frosch am Leben, im andern Fall stirbt er. Aehnlich bei der Wasserscheu. In beiden Fällen gesteigerte Erregbarkeit, ohne nothwendig erregt zu sein. Consequenzen für die Therapie. Ebenso der mit∙ Tetanus behaftete Mensch. So gewisse Formen convulsivischer Krankheiten bei Kindern und Erwachsenen. Die Patienten sind spasmatodisch oder spasmodisch, je nachdem sie gereizt oder vor Reizung bewahrt werden.

Den Typus der Wasserscheu stellt der von Stychnin afficirte Frosch genau dar. Vom Starrkrampfe ist wohl noch kein Typus durch Experimente dargestellt.

Der elektrogenische Zustand ist der, der in einem Nervengewebe mittelst einer gleichförmigen durch dasselbe streichenden galvanischen Strömung von der Stärke, die zu der Reizbarkeit des Thieres in dem gehörigen physiologischen Verhältnisse steht, erzeugt wird und die Erscheinungen treten hervor, sobald der Galvanismus zu wirken aufhört.

Die Wirkungen dieses elektrogenischen Zustandes auf die einfallenden Nerven stellt sich in verschiedenartigen reflectirten Thätigkeiten dar. Der Versuch liefert uns den Typus der convulsivischen Krankheiten, die in erregten reflectirten Thätigkeiten bestehen, wie beim Zahnen, gastrischer Reizung und der des Uterus. — .

Der elektrogenische Zustand des Rückenmarks selbst ist der Typus der Klasse von gewissen convulsivischen Leiden, die aus *arachnitis* an der Basis des Gehirns, aus *arachnitis* des Rückenmarks u. s. w. entspringt.

Endlich ist der elektrogenische Zustand der Muskelnerven der Typus derjenigen Fälle von spasmodischen Leiden, die aus *neuritis* oder Entzündung des *neurilema* entspringen. Ein solcher Zustand im 2ten oder Reconvalescentenstadium der Gesichtslähmung.

Nach Excerebration entstehen bei Reizung der *dura mater* heftige reflectirte Bewegungen, ebenso beim Ausreissen der Eingeweide.

Nahe daran liegt die Betrachtung der Wirkungen beim Einbringen des Bougies, Reizung des äussern Gehörganges, bei Blasensteinen u. s. w.

Versuche, um bei Krankheiten an der Schädelbasis die Theile kennen zu lernen, bei denen Uebelkeit, Erbrechen, Krämpfe u. s. w. entstehen, müsste man mit Anwendung des Chloroform anstellen.

Zerstörung der *med. obl.* hatte auch jedes Mal Aufhebung der Circulation in der Schwimmhaut des Frosches zur Folge. Liesse sich daraus etwas über die Ohnmacht ähnliche Blässe bei vielen Anfällen apoplektischer oder epileptischer Art, Seekrankheit u. s. w. erklären?

Moreau (M. J.), De l'action de vapeur d'éther dans l'épilepsie.

(Gazette des hôpitaux, 1. Avril 1848.)

Die Beobachtungen wurden an 9 Individuen angestellt. Von allen wurde nur an Einem eine wesentliche Besserung bemerkt. Die Inhalationen wurden in den ersten 8 Tagen jeden Morgen angestellt, später wurden 1 oder 2 Tage Zwischenzeit gelassen. Die zur Besinnlosigkeit nöthige Zeit war fast dieselbe, wie bei Andern. Die Patienten unterwarfen sich zuletzt mit Vergnügen der Procedur. Die Disposition ist bei demselben Individuum zu verschiedenen Zeiten verschieden. Häufig entstanden während der Aetherisation nervöse Zufälle, die denen ähnlich waren, die sie in den epileptischen Anfällen zeigten und zwar in der einem Jeden eigenthümlichen Weise. Nur der Unterschied existirt zwischen beiden Zufällen, dass die spontanen Anfälle mit einer grossen Schnelligkeit erfolgen, während die durch Aether hervorgerufenen einen allmähligen Verlauf nehmen. Umgekehrt ist dies mit dem Zustande nach dem Anfalle, wo die spontan epileptischen Anfälle langsam, die durch Aether hervorgerufenen bald das Bewusstsein zur Folge haben.

Einmal war ein fast tetanischer Krampf des ganzen Körpers die Folge der Aetherisation. Ein anderer Kranker hat nicht mehr die Heftigkeit der Anfälle und delirirt nicht mehr seit dem Gebrauche der Aetherisation. In den ersten Tagen der Anwendung empfanden die Kranken mehrere Stunden einige Schwere im Kopfe; beim ferneren Gebrauche verlor sich dies und das Allgemeinebefinden war gar nicht gestört. (Vgl. d. Ztschr. für Psych. Bd. V. S. 496 u. 497.)

(Annales medico-phychologiques. Sept. 1848. p. 237—244.)

Falret, Ueber die moralische Behandlung der Irren.

(Gaz. des hôp. 89 et 93. 1848. in Schmidt's Jahrb. Nr. 1. 1849. S. 97.)

Die moralische Behandlung der Irren ist je nach der jedesmaligen Individualität zu verschieden, als dass sich die Grundsätze derselben besonders darlegen liessen. Doch geistige Ruhe, Entfernung von äussern schädlichen Einflüssen und geschickte Ablenkung vom Delirium leisten noch das Meiste. Bei der Abnahme des Wahnsinnes kann die directe moralische Behandlung mehr Erfolge haben und die Wiederherstellung beschleunigen. Er ist dann viel empfänglicher für Vorstellungen und für die Eigenschaften, die Achtung und Liebe einflössen. Doch auch hier muss man den rechten Augenblick wählen und gehörige Zeit zur Ueberlegung lassen. Selten darf man vor der Abnahme des Irreseins Besuche zulassen, der Arzt muss den Inhalt der Gespräche überwachen, ja zuweilen vorschreiben.

Zuweilen, aber nur mit Vorsicht anzuwenden ist eine plötzliche Hervorrufung von Affecten, um den Kranken aus seiner Zerstreutheit zu erwecken.

Die Selbstschilderungen der Irren verschaffen die Kenntniss von dem, was dem Kranken geschadet hat und von Nutzen war; sie sind eine reichliche Quelle für die praktischen Hülfsmittel der moralischen Therapeutik.

Eine der schwierigsten Punkte ist die Beseitigung des Widerstandes der Irren gegen die Disciplin. Hier ist Duldung und Nachsicht nothwendig. Anfangs Mittel der Ueberredung, dann Drohung, endlich Gewalt. Die Beschränkungsmittel dürfen nie zur Disposition des Dienstpersonales stehen.

Piorry (Prof.), Ueber Anwendung des Chinin sulphuric. bei Geisteskrankheiten.

(Journ. de chimie méd. Sept. 1848.)

Erster Fall. Arzt, 40 Jahr alt, litt in Folge von Gemüthsaufregung an Ohrenklingen, später an Hallucinationen des

Gehörs, wurde in die Irrenanstalt gebracht wegen Heftigkeit der periodischen Anfälle. Anfangs jeden Abend furibunde Delirien. — 3 Gaben Chinin, jede 1 Gramme — worauf sofort, nun 5 Jahre, andauernde Heilung.

Zweiter Fall. Mann von 60 Jahren, seit 6 Wochen Selbstmord-Monomanie, jede Mitternacht. Chinin heilte rasch.

Dritter Fall. Nervöse Dame, 55 Jahr, alle Nächte Ohrensausen, Hallucinationen. 2—3 Gaben Chinin — geheilt.

Vierter Fall. Mädchen, 35 Jahr, furibunde Delirien, Gehörs-Hallucinationen, besonders Nachts. 1 Gramme Chinin — geheilt.

Die Heilungen, selbst als Wechselfieber bezeichnet, äusserst glücklich; als Heilungen von Geisteskrankheiten ist Prof. Piorry *ter quaterque beatus.*

Rul-Ogez (Dr.), Ueber Priapismus und nächtliche Pollutionen.

(Journ. de méd., chirurgie etc., publ. par la société des sciences méd. de Bruxelles. Vol. VI. 1848.)

Die dem Dr. Tessier zugeschriebene Erfindung, Pollutionen durch Umwickelung des Gliedes mit einem ziemlich fest anliegenden Bande zu verhüten, rührt nicht von T. her, sondern findet sich schon in der *Ratio medendi* von Max. Stoll Bd. 4. S. 304. erwähnt. (Oppenheim's Ztschr. Febr. 1849. S. 241.)

Dw.

Miscellen.

(Irrenanstalten in der Provinz Preussen und die Denkschrift des Prof. Heinrich (Bd. V. S. 394 ff.) betreffend.)

— Seit dem Jahre 1845, wo der unglückliche Brand unsere Königsberger Irrenanstalt der Hälfte ihrer Localitäten beraubte, hat sich die Anstalt in einer wahrhaft kläglichen Verfassung befunden. Es lag zunächst die Aufgabe vor, so viele Irren, als nur irgend möglich, sicherstellend unterzubringen, und dieses hatte zur nothwendigen Folge: 1) dass die Pfleglinge hospitalmässig zusammengedrängt, in denselben Zimmern wohnen, schlafen, speisen, arbeiten mussten; 2) dass aus der vorzugsweise in Betracht kommenden, polizeilichen Rücksicht nur Gemeingefährliche Aufnahme finden konnten; 3) dass unter solchen Umständen für Kranke aus den besseren Ständen angemessene Sorge zu tragen unmöglich war; 4) dass wegen der vielfachen Aufnahmegesuche Exspectantenlisten angelegt werden mussten, und die Aufnahmen sich so verzögerten, dass der für die Heilung günstige Zeitpunkt ungenutzt vorüberging. Alles dieses gab dem Institute das Gepräge einer blossen polizeilichen Detentionsanstalt und noch dazu einer im höchsten Grade dürftig ausgestatteten; denn die von den Recipirten gezahlten Beiträge reichen für ihren nothdürftigsten Unterhalt kaum aus und Fonds zur bessern Dotation der Anstalt sind nirgends vorhanden. Anfänglich war es beschlossen, den Wiederaufbau des eingeäscherten Flügels zu unterlassen, weil die Errichtung der Provinzial-Irrenanstalt, zu welcher Capitalien bereits seit dem Jahre 1840 durch jährlich geleistete Beiträge gesammelt und deponirt waren, in unmittelbarer Aussicht stand. Leider schob sich diese Aussicht, wie es bei solchen Anlagen wegen der vielen Bedenklichkeiten und Revisions-Instanzen häufig genug geschieht, in immer weitere und ungewisse Ferne, so dass mein dringender Antrag genehmigt wurde, unsere Anstalt durch die nöthigen Baulichkeiten wieder in den frühern Stand zu setzen.

Die nunmehr gefertigten Anschläge verlangten zu ihrer Bauausführung aber eine Summe, die nicht herbeizuschaffen war. Es mussten daher neue Anschläge gefertigt werden, um mit den vorhandenen Feuerkassen-Geldern auszureichen. Der anzubauende Flügel konnte aus diesem Grunde nur halb so gross werden als früher, und die Anstalt gewinnt durch den Neubau nur 8 Zimmer. Im Sommer vorigen Jahres wurde der Bau begonnen und in den letzten Tagen ist das neue Gebäude bezogen worden. Die ganze Anstalt wird jetzt zwischen 70 und 80 Kranke fassen können. Leider eine winzige Zahl für die einzige Anstalt einer Provinz von mehr als zwei Millionen Einwohnern! Inzwischen wird aber endlich seit dem Sommer mit Eifer an der neuen Anstalt bei Wehlau gearbeitet. Ob der Bau im nächsten Jahre mit gleicher Kraft wird fortgeführt werden, steht meiner Ansicht nach aus Gründen sehr dahin *).

— Schliesslich noch einige Worte über unseres Collegen Heinrich Aufsatz, das Irrenwesen unserer Provinz betreffend. Im Allgemeinen kann ich seinen leitenden Ansichten beipflichten, muss mich aber gegen die von ihm gezogenen Consequenzen wahren. Diese bestehen hauptsächlich in 3 Punkten, die er am Schlusse hervorhebt. 1) Er hält die Wahl für verfehlt und will, dass noch jetzt eine andere Wahl getroffen werde. Darin stimme ich vollkommen bei, dass es in jeder Beziehung angemessener gewesen wäre, bei Königsberg zu bauen. Dem stand aber mit Rücksicht auf die Befestigung der Stadt die Unmöglichkeit entgegen. Unter allen sonstigen Plätzen, die ich untersucht habe — und deren ist eine nicht geringe Zahl — muss dem bei Wehlau gewählten unbedingt der Vorzug gegeben werden. Jetzt noch die Wahl zu ändern, nachdem die Anlage so weit vorgerückt ist, kann überdies kaum mehr in Erwägung kommen. 2) H. verlangt eine neue Irrenzählung. Diese kann zu Nichts führen. Wird sie mit denselben unvollkommnen Mitteln, wie die frühern, veranstaltet, so kann sie auch nur so unvollkommne Resultate geben. An bessere Mittel, also durch Mitwirkung der Medicinalbeamten, zu denken, verbietet aber die grosse Kostspieligkeit — in dieser geldknappen Zeit. 3) Was die von H. vermisste Revision der Baupläne durch Sachkenner betrifft, so darf nur erwähnt werden, dass unsern obersten

*) Nach einer später eingegangenen Correspondenz sollte der Bau so rasch gefördert werden, dass Ende 1850 die Anstalt bezogen werden könne. (Dw.)

sachkundigen Behörden, dem Medicinal-Ministerium, und der
Oberbaudeputation die Pläne vorgelegt und von diesen der Beurtheilung unterworfen sind. — (Beiläufig noch die Notiz, dass
in der Irrenanstalt vier Blödsinnige von der Cholera befallen und
alle vier nach einigen Stunden gestorben sind. Die Erscheinungen boten nichts besonders Bemerkenswerthes.)
Königsberg, 5. Decbr. 1848. *Bernhardi.*

Einverstanden mit diesen drei Punkten, bemerke noch:
Ad 1., dass nicht nur in der von dem Prof. H e i n r i c h (dessen
Denkschr. S. 10., u. d. Ztschr. Bd. V. S. 408) angeführten Ministerial-
denkschrift: die Nothwendigkeit des Neubaues von zwei Irrenheil - und Pflegeanstalten in der Provinz Preussen betreffend,
die Nähe von *Königsberg* aus den von dem Vf. citirten Gründen
dringend empfohlen wurde, sondern dass auch auf die Petition
der Stände um Ueberweisung des alten Schlosses zu Heilsberg zu
einer Irrenanstalt für Ostpreussen, in dem Landtags-Abschiede
vom 7. Novbr. 1841 (22. C.) folgender Bescheid ertheilt wurde:
„Betreffend die Bitte Unserer getreuen Stände, ihnen das un-
benutzte Schloss zu Heilsberg nebst dazu gehörigem Garten
zur Fundirung der Irren-Anstalt für die Bezirke Königsberg
und Gumbinnen anweisen zu lassen, so können Wir darüber
nicht eher einen Beschluss fassen, als bis die desfallsige, mit
dem Bischof von Ermland anzuknüpfende Verhandlung zu einem
bestimmten Resultate geführt hat und durch Sachverständige
ein entschiedenes Urtheil darüber vorbereitet ist: ob Gebäude
und Localität zur Fundirung einer Irrenheil - und einer Irren-
pflege-Anstalt in einem solchen Grade geeignet sind, dass
daselbst ohne verhältnissmässig zu grosse Kosten gegen einen
Neubau ein so wichtiges Institut zweckmässig wird hergestellt werden können. Ueberdies geben Wir Unseren getreuen
Ständen zu erwägen, dass Wir in Unserer Proposition denselben die Gebäude und Fonds der Irrenanstalt zu Königsberg
unter Voraussetzung der Errichtung einer Anstalt in der Nähe
der Haupt - und Residenzstadt zugesichert hatten. Auch wird
es einer wiederholten sorgfältigen Erwägung Unserer getreuen
Stände bedürfen, ob die Vortheile, worauf die günstige Lage
des Schlosses Heilsberg, in der Mitte der Provinz, Aussicht
giebt, denen gleich stehen, welche von dem *Neubau* einer
Irrenanstalt auf einem ruhig gelegenen Terrain in der Nähe
von Königsberg für die Direction der Anstalt, für die Bildung
der Aerzte und für die Wissenschaft, ausser den unmittelbaren Zwecken der Anstalt sich erwarten lassen."

Nach dem späteren Beschluss der Befestigung von *Königs-*
berg musste der der Erbauung der Irrenanstalt in der Nähe von
dieser Residenzstadt unbedingt aufgegeben werden, nicht sowohl
wegen der von dem Baudirector v. Dechen (Heinrich'sche Denkschrift S. 12. u. diese Ztschr. Bd. V. S. 412) angegebenen Gründe, sondern wegen der zur Erhaltung der Anstalt unerlässlichen täglichen Communication mit Königsberg, wegen öko-
nomischer und administrativer Angelegenheiten und Bedürfnisse.
Gegen diese *ultima ratio rerum* bei einer Belagerung und die
dadurch bedingte Lebensfrage der Anstaltslage, konnte das Bedürfniss der Benutzung der Anstalt zur Klinik nicht aufkommen.
Der objectiven Realität im Allgemeinen muss sich das besondere, mehr subjective, selbst ideale Streben unterwerfen und auf
anderem Wege dasselbe möglichst zur Geltung bringen.

Ad 2. Das praktische Gewicht der von B e r n h a r d i ange-
deuteten Bedenken gegen die von H e i n r i c h geforderte neue
Irrenzählung in der Provinz Preussen anerkennend, muss ich
diesem doch dahin beistimmen, dass solche Zählung immerhin
an und für sich und für die daraus zu ziehenden Resultate höchst
wünschenswerth sei. H. sagt, dass die Zählung von „compe-
tenter Behörde" anzustellen sei, ohne über diese und die Erzielung einer zweifelsfreien Irrenzählung sich näher auszulassen.
M. E. kann dies nur möglichst vollständig und zweckentsprechend geschehen, — nach vorgängiger Anordnung einer Irrenauf-
nahme durch das Zusammenwirken der Communalbehörden, Orts-
geistlichen, Aerzte und Kreisphysiker, — von dem zum Director
der Anstalt designirten Arzte, welcher zu diesem Behufe die
ganze Provinz bereisen, die vorgearbeiteten Ergebnisse der
Zählung von seinem irrenärztlichen Standpuncte aus bei allen
Irren revidiren und controliren müsste, wobei gleichzeitig ihm,
der Anstalt und der Provinz der nicht hoch genug anzuschla-
gende Gewinn zu Theil würde: nicht nur die Verhältnisse und
Zustände der Irren, sowie die der Einwohner, sondern auch alle
dem Arzte von Wichtigkeit seienden topographischen und allgemein statistischen Verhältnisse der Provinz aus eigener Anschauung kennen gelernt zu haben. Unbedingt nöthig „vor Angriff des Neubaues der Irrenanstalten mit irgend welcher Sicherheit" erscheint übrigens eine neue Zählung nicht, in sofern als
die allgemeine Irrenstatistik approximativ maassgebend ist, und
die Anstalt mit 400 Kranken den grösstmöglichsten Umfang wenigstens erreicht hat, übrigens auch alle Directoren grosser
Irrenanstalten erfahren haben, dass die Praxis ausserhalb wie
innerhalb der Anstalten alljährig durch die vorausgesetzten statistischen Berechnungen einen Strich macht, d. h. die statistischen

Irrenanstalts - Verhältnisse sich anders und anders gestalten, als auf Grund der allgemeinen Irrenstatistik der Provinz zu erwarten war. — Ob bei der von H. geforderten und bezweckten neuen Zählung die gewünschte Sistirung oder Aufgebung des Baues bei Wehlau den latenten Hintergrund mitbildet, bleibe anheimgestellt.

Auf ähnlichem Grunde und „unter dem Einflusse der Ideen und Bewegungen des Jahres 1848" steht vielleicht der Hr. Vf. auch in Betreff des Punktes ad 3. Er will (S. 21. 22. u. Ztschr. Bd. V. S. 430—431), dass der Plan zu der Irrenanstalt vor seiner Ausführung zur Kenntniss möglichst vieler Sachkenner gebracht werde, damit die betreffenden Behörden ihr Werk nicht zu spät vom „competenten Forum angegriffen sehen und gerechte Vorwürfe hinnehmen müssen." — Ganz abgesehen davon, ob Angriffe und Vorwürfe, „verschiedener Männer vom Fach" begründet wären oder nicht, so würde doch durch des Vf.'s Vorschläge zur möglichsten Zunichtemachung dieser seiner Befürchtung gewiss viel Zeit verloren und höchst wahrscheinlich nach Analogie und Erfahrung verhältnissmässig wenig in der Sache selbst gewonnen werden; — und nun gar das Provociren in dieser Hinsicht auf die öffentliche Beurtheilung durch diese Zeitschrift, ist ein Vertrauen, welchem die anderweitig bisher gemachten trüben Erfahrungen entschieden widersprechen. Uebrigens waren und sind doch wohl: Bernhardi und Baumeister, Regierung (Regierungsmedicinalrath und Baurath), Ministerium der Medicinal - Angelegenheiten (technische, administrative Räthe), die Oberbaudeputation competente Behörden und Personen, zumal wenn man bedenkt, wie die Pläne in erster, zweiter und dritter Instanz gefertigt, revidirt und superrevidirt sind, und wenn man voraussetzt, dass jene Personen und Behörden in ihrer mit den reichsten Materialien versehenen Stellung vertraut sind mit den bisherigen bewährten Erfahrungen über Irrenanstalten in baulichen und irrenärztlichen Beziehungen. Mängel hat der neue Plan, wie jede Kranken - und Irrenanstalt ohne Ausnahme unter allen Umständen; ich selber habe einzelne Einrichtungen, der hiesigen Anstalt entnommen, nicht anempfohlen; mehrere andererseits gemachte Verbesserungsvorschläge waren Verschlechterungsvorschläge; die Anstalt ist im Grossen und Ganzen gut, praktisch und bequem; für die innere Einrichtung kann und wird hoffentlich auf Vervollkommnung Bedacht genommen werden, möglichst jedenfalls durch Vermeidung aller obsoleten Irrenanstalts - Sonderbarkeiten. Das Beste ist und bleibt der die wohlorganisirte Form durchdringende und belebende Geist. —

Betreffend das Project des Neubaues der Irrenanstalt für
Westpreussen zu Schwetz, neben und in Verbindung mit dem
dortigen Landkrankenhause, so möge dem Vf. der Denkschrift
auf die Frage:

> *Woher plötzlich diese Inconsequenz*, dass, nachdem das Mi-
> nisterium Eichhorn gegen diese Verbindung sehr wichtige Be-
> denken erhoben und dieselbe als einen Rückschritt bezeich-
> net hatte, der Landtagsabschied vom 30. Decbr. 1843 die Aus-
> wahl des Orts und die Verbindung beider Anstalten hinsicht-
> lich der Direction und Oekonomie genehmigte, *unter der Be-
> dingung*, dass die Zulässigkeit und Zweckmässigkeit einer
> solchen Gemeinschaft, unbeschadet der im Uebrigen nothwen-
> digen Trennung beider Anstalten, durch Vorlegung der speciel-
> len Baupläne und der Entwürfe zu den Verwaltungseinrichtun-
> gen nachgewiesen werde?

geantwortet werden, dass das Oberpräsidium, die Stände, die
Landarmendirection, das Ministerium des Innern für jene Verbindung waren, dass im Ministerium der Medicinal-Angelegenheiten nach längeren Verhandlungen nicht mehr durchgesetzt
werden konnte, als eben jene *Bedingung*, und dass die Erfüllung derselben mithin erst *vor* der Genehmigung nachzuweisen war, auch nachgewiesen wurde, die beabsichtigte Verbindung beider Institute jedoch noch mehr beschränkt wurde, und
endlich dass, der Nothwendigkeit nachgebend, man sich deshalb mit dem Plan befreunden lernte, weil dadurch zugleich die
ohnedies äusserst fern liegende Möglichkeit näher gerückt war:
in dem Landkrankenhause zu Schwetz mit der Zeit, je nach
dem Bedürfniss, eine Depot-Abtheilung für sieche Irren zu gewinnen. Die von dem Prof. H. (Denkschr. S. 20. Ztschr. Bd. V. S. 426)
in der Note fragweise aufgestellte Erklärung der Inconsequenz
war eine ephemere, „politisch unverfängliche", sei daher eine
vergangene und vergessene, auch für ihn.

In Betreff der „vielen vorübergegangenen Jahre, bevor der
Bau der beiden Anstalten in Bewegung gesetzt wurde", klagt
der Hr. Vf. den Unsegen des alten weitschweifigen, Zeit und
Kräfte unnütz verzehrenden büreaukratischen Geschäftsganges
vornehmlich an, gedenkt jedoch auch wirklicher Thatsachen,
z. B. der Ermittelung und Wahl des Platzes, hingehalten durch
den später hinzutretenden Beschluss der Befestigung von Königsberg. Die durchgreifendste Verschleppungsursache hat er
nicht erwähnt: *die Provinzialständischen Einrichtungen.* Hiernach konnten mehrere Landtage, d. h. 4, 6 und mehr Jahre
vergehen, bevor allgemeine provinzialständische Irrenanstalts-

angelegenheiten erledigt wurden: z. B. Stände machten eine
Petition auf *einem* Landtage; im Landtagsabschiede, eine lange
Reihe von Monaten nach dem Schluss des Landtags, ward der
Bescheid ertheilt; der Bescheid war keine, oder eine an Bedingungen geknüpfte Genehmigung; auf dem nächsten Landtage gingen Stände auf diese Bedingungen nicht ein, stellten
abweichende, entgegengesetzte Gesuche in derselben Sache;
der Landtagsabschied ertheilte wieder den Bescheid, und wenn
derselbe auch, was nicht immer geschah, der Petition entsprach, so verging mit den zur Ausführung nöthigen Zwischen-
verhandlungen Seitens Commissionen, Oberpräsidien, Ministe-
rien u. s. f. die Zeit bis zum weiter nächsten, resp. dritten
Landtage. Man verbrauchte demnach in Provinzialständischen
Angelegenheiten mehr *Jahre* zur Erledigung einer dringlichen
Sache, als *Monate* bei dem gewöhnlichen Geschäftsgange der
Regierung nöthig waren. Deshalb ist für schnelle *Entwickelung*
der Provinzial-Irrenanstalten ohne Ausnahme der Provinzialständische Organismus wie er war, der stärkste Hemmschuh
gewesen. Zu dieser durch die Organisation der Provinzialstände
nothwendig bedingten allgemeinen Ursache der jahrelangen Ver-
zögerung des Baues einer Irrenanstalt in der Provinz Preussen
bis zum ersten Spatenstich, kamen noch sehr eigenthümliche.

Ich kenne die Sache genau, bin in derselben schon 1833 bei
Umarbeitung der Pläne zur event. Anstalt in Springborn als
technischer Beirath zugezogen worden.

Ohne in den wirklich merkwürdigen Details mich zu verlieren, sei nur erwähnt, dass, nachdem schon 1818 (!) auf Veranlassung des Ministers v. Altenstein von dem verstorbenen Land-
hofmeister *o. Auerswald* darauf angetragen war, die Anstalt
für Ostpreussen *neu* zu errichten, die Königsberger Irrenanstalt
der medicinischen Klinik zu überweisen und ein Landsiechenhaus zu
errichten, — und bevor auf dem Landtage von 1841 die Stände
sich bereit erklärten zur Errichtung von 2 neuen Irrenheil- und
Pflege-Anstalten in Folge der unter meinem Referat ausgearbeite-
ten Denkschrift des Medicinal-Ministerii, inzwischen die Irren-
anstalts-Angelegenheit folgenden Kreuz- und Quergang machte.

Octbr. 1822 berichtet der Oberpräsident v. Schön über das Bedürfniss einer Irrenanstalt für Westpreussen und erbittet vom Ministerium einen guten Plan; derselbe wird ihm 9. Mai 1823 mitgetheilt;
im nämlichen Jahre ward von demselben die Ueberweisung des
Klosters Neuenburg zu einer Irrenanstalt beantragt, 1825 gewährt,
unter der Bedingung des Beschlusses zur Errichtung einer Irrenauf-
bewahrungs-Anstalt für Westpreussen auf dem nächsten Landtage;

nach ergebnisslosen Verhandlungen ward von dort das Carthäuser-
kloster als viel besser zu dem Zweck der Heilanstalt angegeben,
und zwar für das „ganze Königreich Preussen." Im 2ten Landtagsabschiede 1828 wurde Seitens des Ministeriums auf Neuenburg zurückgegangen. Der 3te Landtag acceptirte das Königl.
Geschenk dieses Klosters Behufs Anlegung einer Provinzial-Irrenanstalt. Die Ueberweisung wurde im 3ten Landtagsabschiede
zugesichert, wenn Stände über die ihnen, gleich allen Provin-
zialständen, obliegende Einrichtung und Erhaltung aus Provinzialmitteln bestimmte Erklärung abgegeben hätten. Gleich darauf trat der Oberpräsident mit dem allen früheren Anträgen
entgegengesetzten hervor: die Anstalt in Westpreussen nicht
in Neuenburg, sondern in der *Corrections*-Anstalt zu Graudenz
zu errichten, welcher Idee die Stände 1831 nicht nur beitraten,
sondern eine gleiche Einrichtung auch in Tapiau beantragten.
Es versteht sich von selbst, dass solche Projecte im 4ten Landtagsabschiede verworfen wurden — und ward nun Seitens des
Ministeriums Altenstein 1833 das Kloster Springborn zu einer
Irrenanstalt für Ostpreussen vorgeschlagen, der Plan im Sept.
1833 von dort eingereicht, im Ministerium umgearbeitet und ausge-
fertigt. Dabei blieb es. Auf dem 5ten u. 6ten Landtage geschah
nichts, zumeist weil Stände, gegen die Bestimmung in frühe-
rem Landtagsabschieden, vor Abgabe einer bestimmten Erklärung
wegen Einrichtung und Erhaltung der Anstalt aus Provinzialmitteln,
eine Beihülfe haben wollten. — Diese aktenmässige Skizzirung
von Thatsachen wird genügen, um dem Ministerium an und für
sich zu machende oder gemachte Vorwürfe wegen Verschleppung
dieser dringenden Angelegenheit entschieden zurückzuweisen.

Die Akten beweisen in diesem Falle, wie in tausend andern, dass zur unparteiischen Beurtheilung der Wirksamkeit
und Leistungen des Ministeriums der Medicinal-Angelegenheiten
nicht allein die positiven, das Gute und Zweckmässige direct
schaffenden Arbeiten den Maassstab geben können, sondern zugleich auch die negativen, das Ueble und Zweckwidrige indirect verhütenden und überwindenden, von denen jene positiven,
welche ins Leben treten, oft weniger Zeit und Kräfte consu-
miren und weniger nachhaltigen Werth haben, als diese negativen, welche, aktenmässig „todtgemacht", in den Akten ver-
graben bleiben.

Die Irrenanstalts-Angelegenheiten der Provinz Preussen
haben die langweiligsten weil thatenlosesten Decennien ihrer
Geschichte hinter sich. Die Lage der Sache ist z. Z. eine relativ
glückliche zu nennen, weil bei der *post tot discrimina rerum* im

Werke seienden Errichtung der Anstalten die alten provinzialständischen Verhältnisse überwunden sind, noch mehr,. weil diese
Zeit der Errichtung nicht mit der des *letzten* Provinziallandtags
und der darauf folgenden Krisis der altständischen Verhältnisse
zusammengefallen ist. Eine solche Situation wäre die störend-
ste, unangenehmste, welche die dortigen Irrenanstalts - Angelegenheiten nur immer hätte treffen können.

Ich spreche aus Erfahrung. Die hiesige Anstalt befindet sich
eben deshalb seit länger als vier Jahren und noch heute in einer
Lage wie keine. Der letzte Provinziallandtag (1845) liess
die den 1. November 1844 eröffnete Irrenanstalt in mitten ihrer
unvollendeten, zum Theil ungeordneten, provisorischen Organisation zurück. Er ist seitdem nicht wieder zusammengekom-
men. Die Genehmigung aller mehr oder weniger erheblichen
Einrichtungen, Veränderungen in der Oekonomie, in den Etats
u. s. w. hatte der Landtag sich vorbehalten. Bei allen desfallsigen diesseitigen Anträgen wird mit seltenen dankbaren Ausnahmen auf den fraglichen Provinziallandtag zurückgekommen
und hingewiesen oder, — auf ein denselben event. ersetzendes
Institut. Die Königl. Regierung, welche die Verwaltung der
Anstalt unter solchen Verhältnissen zu behalten die Resigna-
tion gehabt hat, bewegt sich in ihrem Ressort äusserst unfrei,
beengt, gebunden, ist mit' allen allgemeineren Gegenständen an die vom Landtage bevollmächtigte Ständische Commission gewiesen, deren Vollmacht übrigens auch wieder eine sehr
beschränkte, vielfach ohnmächtige ist. — Und unter allen diesen, die freie Entwickelung der Anstalt hemmenden, ja läh-
menden Aussenverhältnissen —, ohne hier der damit direct und
indirect, persönlich und sachlich in Verbindung stehenden in ihrer
Art merkwürdigen, stets noch anwachsenden Collection von Details zu gedenken, — hat die junge durch die edelsten Mittel
und Kräfte der Provinz grossartig ins Leben gerufene Anstalt
von innen heraus kräftig aufblühen müssen.

Mögen, wie es auch komme bei dem neuen mit gewaltigen
Schwierigkeiten durchzogenen Gange der Staats-Angelegenheiten,
die in Betreff der Irrenanstalts - Angelegenheiten gemachten Erfahrungen über die bisherigen Verhältnisse der Provinzialstände zu
denselben, gehörig benutzt und möge die zukünftige Stellung der
Irrenanstalten, deren Angehörigkeits - und Verwaltungsverhält-
nisse nicht ohne den wesentlichen Beirath von Irrenanstalts - Directoren, deren gediegene Erfahrungen in die Vergangenheit
hinein - und die Gegenwart und Zukunft *begreifen*, erledigt
werden, damit nicht unter veränderter Form das Wesen der

Sache nach wie vor dasselbe bleibe! — Der Entwurf der Kreis-,
Bezirks- und Provinzial-Ordnung (Staats-Anzeiger 1849. No. 20)
lässt solches, namentlich nach Art. 1. u. 2. und nach Tit. III.
nicht unbedenklich.

    Halle, März 1849.   *Damerow.*

    Auf die (in dieser Zeitschrift Bd. V. S. 679 erwähnte) Em-
pfehlung von Schöller, das *empyreumatische Braunkohlenöl*
bei chronischer Gehirnerweichung in Anwendung zu ziehen,
wurde neulich bei einer vom hiesigen medicinischen Policlinicum
aus behandelten Kranken dieses Mittel versucht. Es betraf dieser Fall eine 56jährige Frau niederen Standes, Tagelöhnerin.
Von arthritischem Habitus, war sie ihren ziemlich verworrenen
Aussagen zufolge früher gesund gewesen, bis vor nur einigen
Jahren allmählig die Zeichen eines Gehirn- und Rückenmark-
leidens auftraten, welches endlich als chronische Erweichung bezeichnet werden musste. Nachdem schon wiederholte Anfälle
von Paralyse erfolgt waren, nach denen jedesmal eine Zunahme
der Gedächtnissschwäche und der lallenden Sprache, grössere
Schwerfälligkeit und oft mehrtägige Ischurie und Stuhlversto-
pfung beobachtet wurden, wurde das Braunkohlenöl nach der
Schöller'schen Formel 6 Wochen hindurch gereicht. Allerdings schien diese Kur anfänglich einigen Erfolg zu erzielen;
die Beweglichkeit der Gliedmassen schien etwas zuzunehmen,
der Gang weniger schwankend zu sein. Indess noch während
der Fortsetzung der Behandlung verlor sich die hierauf gegrün-
dete Hoffnung. Ein neuer paralytischer, zunehmenden Stumpfsinn und melancholische Gemüthsstimmung bedingender Anfall
verschlimmerte den Zustand der Kranken so sehr, dass unter
den gegebenen Umständen von einer ferneren Behandlung abge-
standen werden musste. Das Braunkohlenöl leistete in diesem
Falle um nichts mehr als der Kampfer und das salpetersaure
Strychnin, das erstere zu 2 Gran 4 mal, das letztere zu $1/_{12}$ Gr.
2 mal täglich gegeben.   *C. B. Heinrich.*

    Wir haben hier in der Hallischen Anstalt ähnliche Beobach-
tungen gemacht und aus ähnlichen Gründen das Mittel ausgesetzt;
ich bemerke nur noch, dass dasselbe entschieden zugleich als
Diureticum wirkte und dass vorzüglich deshalb in bestimmten
Fällen, auch von Gehirnerweichung (?) und beginnender *Dementia paralytica* das Mittel der ferneren Beachtung und Anwendung empfohlen zu werden verdient, zumal da es Appetit
und Verdauung nicht schwächt.   *Dw.*

	M	W	S
In der *Land-Irrenanstalt zu Neu-Ruppin* fanden sich am Schlusse des Jahres 1846 . .	103	56	159
im Jahre 1847 sind aufgenommen worden . .	23	13	36
Summa	126	69	195

Davon sind:
1) als geheilt entlassen	10	5	15
2) gebessert entlassen	2	—	2
3) gestorben	8	7	15
4) nach andern Anstalten translocirt . .	14	7	21
Es sind also im Jahre 1847 überhaupt . .	34	19	53
abgegangen und am Schlusse desselben . .	92	50	142

darin verblieben. Die Durchschnittszahl der in der Anstalt verpflegten Personen betrug im Jahre 1847 täglich 158.

Unter den 158 Pfleglingen befanden sich 52, welche theils zu jeder Beschäftigung unfähig waren, theils nur in einer Weise beschäftigt werden konnten, die keinen Ertrag gewährte, die übrigen 106 Personen haben auch in psychischer Hinsicht zu ihrem eigenen Besten periodisch zu nützlichen Arbeiten angehalten werden können, und sie haben

	Rthlr.	Sgr.	Pf.
1) durch Flachs- und Heedespinnen . .	30	—	11
2) durch Federnreissen	66	1	6
3) durch Strohdeckenflechten . . .	158	10	3
4) durch Handarbeiten ausserhalb d. Anstalt	264	15	—
zusammen	518	27	8

baar verdient, sodann auch noch durch Ersparniss an Ausgaben für verschiedene Verrichtungen in der Anstalt . . . .

	521	8	1
im Ganzen also	1040	5	9

eingebracht. **(Aus amtlichem Berichte.)**

In der *Irren- und Siechenanstalt zu Stralsund* (vgl. d. Zeitschrift Bd. V. S. 130) waren ult. Decmbr. 1847 32 Pfleglinge, 16 männl. und 16 weibl., unter diesen 2 Sieche.

Im Jahr 1848 ist nur ein Mann aufgenommen. Abgang ist nicht gewesen. Es ist unerhört nach dem Vf., dass in 18 Monaten von 41 Menschen, deren Alter durchschnittlich gerechnet über 40 Jahre beträgt, Niemand gestorben ist. (Es setzt sich in allen Irrenpflege-Anstalten, welche diesen Namen durch die That verdienen, und in welchen wenig numerische Bewegung ist, ein, man möchte sagen, eiserner Bestand fest, welcher Jahrelang fast unverändert bleiben kann.) Leider hat der Dr. P i c h t nicht Gelegenheit gehabt, Heilungsversuche anzustellen. (Aus d. amtl. Bericht vom 23. Jan. d. J.)

Statistische Nachrichten

über die Heilanstalt Sachsenberg im Jahre 1848.

Die nachfolgende Tabelle giebt einen Ueberblick der Statistik der Heilanstalt im Jahre 1848.

Bestand vom vorigen Jahre			Neu aufgenommen			Ganzer Verpflegungsbestand			Gebessert oder ungebessert zurückgenommen			Genesen			Gestorben			Im Ganzen ausgeschieden			Zurückgeblieben									
																					unter ärztlicher Behandlung			in Verpflegung			Im Ganzen zurückgeblieben		
M	W	S	M	W	S	M	W	S	M	W	S	M	W	S	M	W	S	M	W	S	M	W	S	M	W	S	M	W	S
139	101	240	35	31	65	173	132	305	7	7	14	13	6	19	9	6	15	29	19	48	41	45	86	103	68	171	144	113	257

Die Resultate dieser Uebersichten werden in folgender Zusammenstellung ihre Erläuterung finden.

Zu Ende des Jahres 1847 blieben als Bestand in der Anstalt zurück (139 M. und 101 W. =) 240 Verpflegte, also 13 M. und 7 W., im Ganzen 20 mehr als am Schlusse des J. 1846. Im Laufe des J. 1848 wurden neuerdings aufgenommen: 34 M. und 31 W., zusammen 65 Kranke, demnach 3 M. und 9 W. weniger als im vorigen Jahre. Es gehörten von diesen Neuaufgenommenen dem Auslande 9 M. und 9 W., zusammen 18, (oder 27,6 pCt. der Aufgenommenen) und dem Inlande 25 M. und 22 W., zusammen 47, und von diesen letzteren waren aufgenommen auf Antrag Grossherzogl. Dom. Aemter 11 M. und 11 W. = 22; auf Antrag Ritterschaftlicher Gutsbehörden 9 M. und 2 W. = 11; auf Antrag städtischer Behörden oder ihrer Angehörigen 5 M. und 9 W. = 14.

Als ungeeignet für die ärztliche Behandlung und nur zur Detention und Verpflegung qualificirt wurden bereits bei der Aufnahme 6 M. u. 4 W., im Ganzen 10, oder 14,₄ pCt. erkannt. — Die Gesammtzahl der Verpflegten dieses Jahres betrug daher (173 M. und 132 W. =) 305, folglich 15, nämlich 10 M. und 5 W. mehr als im Jahre 1847.

Von diesem Verpflegungs-Bestande sind im Laufe des Jahres wieder ausgeschieden 29 M. und 19 W., zusammen 48; nämlich:

1) Theils gebessert, zum Theil in der Convalescenz, theils ungebessert zurückgenommen (7 M. und 7 W. =) 14, demnach 8 mehr als im Jahre 1847.

2) Als genesen beurlaubt: (13 M. und 6 W. =) 19, demnach 12 weniger als im vorigen Jahre. Es litten von diesen Beurlaubten bei der Aufnahme 7 an Tobsucht, 11 an Melancholie und 2 an schwermüthiger Verstimmung.

3) Gestorben: (9 M. und 6 W. =) 15, demnach zwei mehr als im vorigen Jahre. Die Mortalität verhielt sich demnach zur Kopfzahl des Verpflegungsbestandes wie 1 : 20¹/₂ oder wie 4⁹⁹ pCt. Es starben 5 (3 M. und 2 W.) an tuberculöser Lungensucht, 4 (3 M. und 1 W.) an allgemeiner und Hirn-Wassersucht, 5 (3 M. und 2 W.) an Entkräftung, — darunter 1 nach 5tägigem, 1 nach 49tägigen Aufenthalt in der Anstalt, in welcher sie bereits im Zustande höchster Erschöpfung aufgenommen waren, — und 1 Weib nach wiederholten epileptischen Anfällen an Nervenschlag. Es starben von denselben:

innerhalb des ersten Verpflegungs-Jahres			5
nach fast 1jähriger Verpflegungs-Zeit			1
„ „ 2 „ „ „			1
„ „ 4 „ „ „			2
„ „ 5 „ „ „			1
„ „ 6 „ „ „			1
„ „ 14 „ „ „			1
„ „ 15 „ „ „			1
„ „ 17 „ „ „			1
„ „ 18 „ „ „			1

Nach Abzug der somit ausgeschiedenen 48 sind am Schlusse des Jahres:

4) unter ärztlicher Behandlung verblieben (41 M. und 45 W. =) 86, und

5) lediglich in Verpflegung verblieben (103 M. und 68 W. =) 171.

Der Krankenbestand war daher am 31. Decbr. 1848. (144 M. und 133 W. =) 257, folglich abermals 17 mehr als am Schlusse des Jahres 1847. *Fl.*

Preisaufgaben.

Preis *Civrieux*. Als Aufgabe von der Academie war gestellt der Selbstmord. Der Preis ist nicht ertheilt. Als Aufmunterung sind bewilligt worden:
 1) dem Dr. Chéreau (Achille) 600 fr.
 2) den DDr. L. Bertrand von Chalons s. Marne, Erasme Robertet u. E. Lisle, jedem 300 fr.

Ehrenvoll erwähnt sind die Herren Tissot von Dijon und Le·Tertre Vallier.

Die Aufgabe war schon 1846 gestellt und nicht gelöset (S. Zeitchr. Bd. IV. S. 359). Es ist daher für 1850 die folgende Preisfrage gestellt: *De la douleur; des moyens qu'on peut lui opposer, et spécialement des moyens dits anesthésiques. Quels sont les avantages et les dangers qui peuvent résulter, de leur emploi? Comment pourrait on prévenir ces dangers?* Preis 1000 fr. Die Abhandlungen sind unter den gewöhnlichen Formen, und leserlich französisch oder lateinisch geschrieben portofrei dem Secretariat der Academie vor dem 1. März 1850 einzureichen.

Preis *Lefévre*. Der dreijährige Preis von 1800 fr. wird 1851 ertheilt werden dem Vf. des besten Werkes über *Melancholie*. Einsendung *vor* dem 1· März 1851.

Personal-Nachrichten.

Beförderungen. Unser sehr geschätzter treuer Mitarbeiter, Hr. Dr. Hagen, Assistenzarzt der Irrenanstalt zu Erlangen, ist zum Oberarzt an der Königl. Bayerschen Kreis-Irrenanstalt für Schwaben zu Irrsee ernannt und wird nächstens dahin abgehen. Er ist schon vor längerer Zeit aus seiner bisherigen Stellung ausgeschieden, um freiere Zeit zu Studien mehrfacher Art und zu wissenschaftlicher Verarbeitung seiner Erfahrungen zu gewinnen, bei deren Herausgabe derselbe unsere Zeitschrift auch erfreuen wird.

Der Dr. Laségue ist zum *inspecteur général adjoint* der Irrenanstalten ernannt worden. Parchappe (vgl. Bd. V. S.680) ist erster Generalinspector.

Todesfälle.

Der Physiolog Bellingeri, bekannt durch seine Arbeiten über das Nervensystem, ist getorben.

Prichard (J. C. Dr.) geb. 1786, starb im Febr. (?) d. J. Der Nekrolog im nächsten Hefte.

(NB. Wegen des Zurückbleibens vieler nicht Original-Miscellen zum nächsten Hefte, in Folge meiner gelegentlichen Bemerkungen über die Irrenanstalten Preussens, möge mich jenes Hippocratische ὁ δὲ καιρὸς ὀξύς, ἡ δὲ κρίσις χαλεπή entschuldigen.)

Dw.

Literarischer Anzeiger

für

Aerzte und Naturforscher.

№ 12.   1848.

Dieser literarische Anzeiger wird
der Wochenschrift für die gesammte Heilkunde,
der neuen Zeitschrift für Geburtskunde,
der allgemeinen Zeitschrift für Psychiatrie,
dem Magazin für die gesammte Thierheilkunde
beigegeben.
Berlin.   *August Hirschwald.*

☞ Sämmtliche in diesem Anzeiger aufgeführten Werke sind stets vorräthig in der

Hirschwald'schen Buchhandlung
in Berlin, Burgstraße Nr. 25.

So eben wurde ausgegeben und ist durch alle Buchhandlungen zu beziehen:

Die **zweite** Abtheilung des **ersten Jahrganges** der

NOTIZEN

für praktische Aerzte
über die

NEUESTEN BEOBACHTUNGEN IN DER MEDICIN,
mit besonderer Berücksichtigung

DER KRANKHEITS-BEHANDLUNG
zusammengestellt von

Dr. F. GRAEVELL,
Arzt in Berlin.

Bogen 21—41 (enthaltend: Besondere Krankheitslehre: Fortsetzung.
Chirurgie. Heilkunde der Kopforgane. Aether. Geburtshülfe.)
roy. 8. broch. Preis 1 Thlr. 15 Sgr.
(Erste und zweite Abtheilung Preis 3 Thlr.)
Die Schlussabtheilung des Werkes, deren Beendigung die so schwierige Anfertigung des Registers verzögert, wird in wenigen Wochen ausgegeben.
Berlin, December 1846.   August Hirschwald.

Bei **Chr. E. Kollmann** in Leipzig ist mit der 13. Lieferung nun vollständig erschienen:

Grisolles, Dr., Vorlesungen über die spezielle Pathologie und Therapie der innern Krankheiten des Menschen. Deutsch unter Redaction des Dr. Fr. J. Behrend. 3 Bde. mit alphabet. Sachregister. Gr. 8. 10 Thlr.

Jeder Band wird auch einzeln zu 3⅓ Thlr. verkauft. Sie enthalten:

Erster Band: Die Fieber und Entzündungen.

Zweiter Band: Die Ergüsse, die Vergiftungen und die Nutritionsstörungen.

Dritter Band: Die krankhaften Um- und Neubildungen, die Neurosen und die Spezialkrankheiten besonderer Strukturen.

Latham, Dr. P. M., Vorlesungen über die Herzkrankheiten. Aus dem Englischen von Dr. G. Krupp. 2. und letzter Band 1⅓ Thlr. (beide Bände 2⅓ Thlr.)

Orfila, M., Lehrbuch der gerichtlichen Medicin. Nach der vierten verbesserten und bedeutend vermehrten Auflage aus dem Französischen übersetzt von Dr. G. Krupp. 1r Bd. 3⅓ Thlr.

Bei **J. F. Steinkopf** in Stuttgart ist so eben erschienen und in allen Buchhandlungen zu haben:

Schneider, Dr. Sigm. A. J., die Kopfverletzungen in medicinisch-gerichtlicher Hinsicht. Vom badischen Verein für Staatsarzneikunde *gekrönte Preisschrift*. 8. geh. Preis 1 Thlr. 27 Sgr.

Wie sehr das Buch seinen Gegenstand auf eine ausgezeichnete, höchst praktische, klare und bündige Weise behandelt, unterstützt von einer ungemeinen Bekanntschaft mit der deutschen und ausländischen Literatur darüber, beweist schon die Preisertheilung des badischen Vereins für Staatsarzneikunde.

Chloroform-Apparate

nach Herrn Dr. v. Walz (dessen Aetherapparate ihrer ausgezeichneten Zweckmäßigkeit halber auf einen allerhöchsten Erlaß in allen Spitälern Bayerns eingeführt wurden), wegen ihrer leichten Transportabilität ganz vorzüglich für den praktischen Arzt und den Feldienst geeignet, mit möglichster Ersparung von Chloroform und der Einrichtung, nach Willkühr sowohl durch den Mund, als durch beide Nasenöffnungen zu athmen und die Wirkung der Dämpfe allmählig zu steigern, wodurch der ganze Vorgang im Gegensatze zum Gebrauche eines bloßen Schnupftuches oder Schwammes, die nebst dem fast doppelten Verbrauche an Chloroform andere und größere Nachtheile gar nicht vermeiden lassen, sehr angenehm, sicher und schnell wird, sind vorräthig zu haben in Würzburg bei Drehermeister Sebastian Gerster, Distr. II., Nr. 388.

Nr. 1. Der Preis eines einfachen Apparates ist . . . . 4 fl.

Nr. 2. Derselbe Apparat mit Nasenkugeln von Elfenbein (bei Nr. 1 von Horn) und Nasenklemmer mit einem schön gearbeiteten verschließbaren Kästchen über das Ganze . . . . 6 fl.

Bestellungen werden auf portofreie Briefe mittels Postnachnahme sogleich besorgt.

Literarischer Anzeiger

für

Aerzte und Naturforscher.

№ 1.   1849.

Dieser literarische Anzeiger wird
der Wochenschrift für die gesammte Heilkunde,
der Zeitschrift für Erfahrungsheilkunst,
der neuen Zeitschrift für Geburtskunde,
der allgemeinen Zeitschrift für Psychiatrie,
dem Magazin für die gesammte Thierheilkunde
beigegeben.
Berlin.   *August Hirschwald.*

☞ Sämmtliche in diesem Anzeiger aufgeführten Werke sind stets vorräthig in der

Hirschwald'schen Buchhandlung
in Berlin, Burgstraße Nr. 25.

Bei dem Unterzeichneten ist erschienen und in allen Buchhandlungen zu haben:

Zwölf Gebote

der

Medicinal-Reform,

von

Dr. F. Grävell,

Arzt in Berlin.
8. geh.   Preis 3 Sgr.

Berlin, Januar 1849.   August Hirschwald.

Vollständig ist jetzt bei **F. A. Brockhaus** in Leipzig erschienen und durch alle Buchhandlungen zu beziehen:

Die operative Chirurgie

von

J. F. Dieffenbach.

Zwei Bände.
Gr. 8.   12 Thaler.
(Auch in 12 Heften zu 1 Thlr. zu beziehen.)

Es wird genügen die Freunde der Wissenschaft auf die Vollend dieses Werkes aufmerksam zu machen, um demselben, als der wichtig Hinterlassenschaft des berühmten Verfassers, fortwährende und ern Theilnahme zu sichern.

Bei dem Unterzeichneten ist erschienen und durch alle Buchhandlungen zu beziehen:

Die **zweite** Abtheilung des **ersten Jahrganges** der

NOTIZEN

für praktische Aerzte

über die

NEUESTEN BEOBACHTUNGEN IN DER MEDICIN,

mit besonderer Berücksichtigung

DER KRANKHEITS-BEHANDLUNG

zusammengestellt von

Dr. F. GRAEVELL,

Arzt in Berlin.

Bogen 21—41 (enthaltend: Besondere Krankheitslehre: Fortsetzung. Chirurgie. Heilkunde der Kopforgane. Aether. Geburtshülfe.) roy. 8. broch. Preis 1 Thlr. 15 Sgr.

(Erste und zweite Abtheilung Preis 3 Thlr.)

Die Schlussabtheilung des Werkes, deren Beendigung die so schwierige Anfertigung der Register verzögert, wird in wenigen Wochen ausgegeben.

Berlin, 1849. **August Hirschwald.**

In allen Buchhandlungen ist zu haben:

Encyclopädisches

VADEMECUM CLINICUM,

enthaltend

die Diagnostik und Therapie

zahlreicher, in das Gebiet der Medicin, Chirurgie und Augenheilkunde einschlagender Krankheitsformen,

nebst einem reichhaltigen

REPERTORIUM

arzneilicher Vorschriften, mit besonderer Berücksichtigung

der

in neuester Zeit entdeckten Medicamente.

Herausgegeben von

Johann Kovácsy,

Doctor der Heilkunde, Magister der Oculistik und Physicus des Sohler Comitats.

8. broch. 46½ Bogen nur 1 Thlr. 20 Sgr. Elegant geb. 2 Thlr.

Verlag von C. A. Haendel in Leipzig.

Literarischer Anzeiger

für

Aerzte und Naturforscher.

№ 2. 1849.

Dieser literarische Anzeiger wird
der Wochenschrift für die gesammte Heilkunde,
der Zeitschrift für Erfahrungsheilkunst,
der neuen Zeitschrift für Geburtskunde,
der allgemeinen Zeitschrift für Psychiatrie,
dem Magazin für die gesammte Thierheilkunde
beigegeben.

Berlin.   *August Hirschwald.*

☞ Sämmtliche in diesem Anzeiger aufgeführten Werke sind stets vorräthig in der

Hirschwald'schen Buchhandlung
in Berlin, Burgstraße Nr. 25.

Aus dem Verlage des Hrn. C. A. H. Schreiber in Eilenburg ist in den meinigen übergegangen:

Zeitschrift

für

Erfahrungsheilkunst,

herausgegeben von
Dr. A. Bernhardi und Dr. F. Löffler.

Diese Zeitschrift hat sich die Pflege der erfahrungs-wissenschaftlichen Arzneimittellehre und Therapie zur Aufgabe gemacht. Sie will namentlich die Erfahrungen und Heilgrundsätze, welche J. G. Rademacher in seiner „Erfahrungsheillehre" niedergelegt hat, einer praktischen Prüfung unterwerfen, und ohne die Schärfe ihrer Principien aufzuopfern, strebt sie nach einer Einigung der besonders in der Therapie so divergirenden Richtungen der heutigen Medicin zu einem wissenschaftlichen Ganzen. Von ihren bisherigen Leistungen geben die bis jetzt erschienenen Lieferungen — I. Bd. 1—4 Heft, II. Band 1 Heft — Zeugniß.

Das zweite und dritte Heft des II. Bandes sind im Drucke und werden in Kurzem ausgegeben werden.

Berlin.   *August Hirschwald*

Bei Ferdinand Enke in Erlangen ist erschienen und durch alle Buchhandlungen zu beziehen:

Aschenbrenner, Dr. K., die neueren Arzneimittel und Arzneibereitungsformen mit vorzüglicher Berücksichtigung des Bedürfnisses praktischer Aerzte bearbeitet. 16. 333 Seiten. 1 Thlr. 2 Ngr.

Blätter, medicinisch-politische oder Mittheilungen für die Reformen im Medicinalwesen. 11 Lieferungen. gr. 8. 49 Bog. 3 Thlr.

Correspondenzblatt, medicinisches bayerischer Aerzte, unter Mitwirkung vieler Aerzte herausgegeben von Dr. H. Eichhorn. 52 Nr. gr. 8. 1848. 4 Thlr.

Correspondenzblatt, pharmazeutisches für Süddeutschland, herausgegeben von einem Vereine süddeutscher Apotheker. VIII. Band. gr. 8. 25 Bg. 1 Thlr. 20 Ngr.

Grauvogl, Dr. von. Die Zukunft der ärztlichen Arbeit. gr. 8. 10 Bg. 24 Ngr.

Grauvogl, Dr. von. Schedula über den ärztlichen Congreß in München. gr. 8. 1½ Bogen. 4 Ngr.

Hoffmann, C., Sammlung der Gesetze und Verordnungen welche das Apothekerwesen in Bayern, insbesondere jenes in der Pfalz betreffen. gr. 8. 8 Bogen. 18 Ngr.

Höfle, Dr. Marc-Aurel, Chemie und Mikroskop am Krankenbette. Ein Beitrag zur medicinischen Diagnostik, mit besonderer Rücksicht auf das Bedürfniß des praktischen Arztes bearbeitet. gr. 8. 45 Bg. 3 Thlr. 22 Ngr.

Jahresbericht über die Fortschritte der gesammten Medicin in allen Ländern im Jahre 1847, herausgegeben von Dr. Canstatt und Dr. Eisenmann. 7 Bände. Ler. Format. 10 Thlr. 3 Ngr.

Den Bemühungen der Redaction ist es nun gelungen, obigen Jahresbericht auf möglichst engem Raum zu beschränken, so daß der Preis vom Jahrgang 1846 ab, fast nicht mehr als die Hälfte eines früheren Jahrgangs beträgt. Die Jahrg. 1841—1845, welche seither 79 Thlr. 18 Ngr. kosteten, werden jetzt um 31 Thlr. 24 Ngr. zusammen abgegeben.

Jahresbericht über die Fortschritte in der Chirurgie und Geburtshülfe in allen Ländern im Jahre 1847, herausgegeben von Canstatt u. Eisenmann. Ler. Form. 27¼ Bg. 2 Lithogr. 1 Thlr. 18 Ngr.

Jahresbericht über die Fortschritte in der Pharmazie in allen Ländern im Jahre 1847, herausgegeben von Prof. Scherer, Dr. Heidenreich und Dr. Wiggers. VII. Jahrgang. Ler. Form. 2 Thlr. 4 Ngr.

Jahresbericht über die Fortschritte in der Thierheilkunde in allen Ländern im Jahre 1847, herausgegeben von Canstatt und Eisenmann. Ler. Form. 8¼ Bogen. 16 Ngr.

Jahresbericht über die Fortschritte in der Staatsarzneikunde in allen Ländern im Jahre 1847, herausgegeben von Canstatt und Eisenmann. Ler. Form. 6 Bogen. 10 Ngr.

Neumann, Dr. K. G., Heilmittellehre nach den bewährtesten Erfahrungen und Untersuchungen in alphabet. Ordnung bearbeitet. gr. 8. 41 Bogen in 2 Abthl. 3 Thlr. 10 Sgr.

Neuß, Dr. A. und **Ferd. Carl,** Recepttaschenbuch, oder Sammlung der in den Kliniken des königl. Julius-Hospitals zu Würzburg gebräuchlichsten Receptformeln. 16. 185 Seiten. 22 Ngr.

Schürmayer, Dr. J. H., Handbuch der medicinischen Polizei. Nach den Grundsätzen des Rechtsstaates, zu academischen Vorlesungen und zum Selbstunterricht für Aerzte und Juristen. gr. 8. 36 Bg. 3 Thlr. 2 Ngr.

Seitz, Dr. Fr., Bemerkungen über epidemische und endemische Krankheitsverhältniffe, gefammelt auf einer Reife nach Paris und London im Sommer des Jahres 1846. gr. 8. 7 Bogen. 18 Ngr.

Sommer, Dr. F., über die äußeren Standesverhältniffe der Militärärzte, insbefondere in Bayern. gr. 8. 7 Bogen. 16 Ngr.

Stahl, Dr. F. C. Neue Beiträge zur Phyfiognomik und pathologifchen Anatomie der Idiotia endemica (genannt Cretinismus) mit 10 Stahlftichen zum Gebrauche für klinifche Vorlefungen. 4. 77 Seiten 1 Thlr. 15 Ngr.

Ullersperger, Dr., die Bruftbräune (Angina pectoris) nach dem gegenwärtigen Standpunkte der Wiffenfchaft bearbeitet. gr. 8. 2 Bg. 5 Ngr.

Verhandlungen des Congreffes bayerifcher Aerzte zu München vom 2. bis 8. October 1848, herausgegeben vom ftändigen Ausfchuffe. gr. 8. 16½ Bogen. 1 Thlr. 4 Ngr.

Wolfring, M. C. Verhältniß des Organifchen zum Unorganifchen oder Grundlinien d. vergleichenden Phyfiologie u. Phyfik. gr. 8. 24½ Bg. 2 Thlr.

Binnen Kurzem werden erfcheinen:

Frank, Dr. C. M. Handbuch der Chirurgie. 2 Bde. mit Kpfrn. gr. 8.

Hoefle, Dr. M. A. Grundriß d. angewandten Botanik. gr. 8. c. 25 Bg.

Kaftner, K. W. G. Experimental-Phyfik überfichtlich erläutert. gr. 8. c. 17 Bogen.

Schürmayer, Dr. J. H., Lehrbuch der gerichtlichen Medicin mit Rückficht auf die neuern Gefetzgebungen Deutfchlands und das Verfahren mit Oeffentlichkeit und Mündlichkeit. gr. 8. c. 20 Bogen.

Schürmayer und von Jagemann, Handbuch der gerichtlichen Medicin.

Wintrich, M. A., die phyfikalifchen Unterfuchungsmethoden und ihre Anwendung für den Mediciner, Chirurgen und Geburtshelfer.

Außerordentliche Preisermäßigung!!!

ftatt 84½ Thlr. — 5⅓ Thlr. oder 1 Ld'or.

Calliffen,
medizinifches Schriftfteller-Lexikon.

1830—1845. 33 Bände. 1100 Bogen.

Ladenpreis 84½ Thlr.

ift von heute ab durch jede Buchhandlung von dem Unterzeichneten

für 1 Ld'or

zu beziehen.

Ferner:

Calliffen,
Syftem der neueren Chirurgie.

2 Bde. 1822—1824 122 Bogen. gr. 8. Ldpr. 8⅓ Thlr. für 2 Thlr.

Hamburg, 8. Febr. 1849.　　　B. S. Berendfohn.

Vollständig ist jetzt erschienen und durch alle Buchhandlungen zu beziehen:

Die

epidemische Cholera;

ein neuer Versuch

über ihre

Ursache, Natur und Behandlung,

ihre

Schutzmittel und die Furcht vor derselben.

Von

Dr. Carl Jos. Heidler,

k. k. Rathe und Brunnenarzte zu Marienbad, königl. sächs. Hofrathe,
Ritter mehrer Orden u. s. w.

———

In zwei Abtheilungen.

Gr. 8. Geh. 28 Druckbogen oder 448 Seiten.
Preis 2 Thlr. = 3 Fl. C.-M.

———

«Neu» ist in diesem «Versuche» theils die Art der
Forschung und Begründung der gewonnenen Resultate,
theils aber sind es diese selbst. Als die wesentlichen Wege
der erstern nennt das Vorwort zwei. «Der e i n e führte durch
die eigenthümlichen A e u s s e r u n g e n — a) zunächst der
epidemischen *Ursache* der Cholera in der Atmosphäre
und dann b) des *Krankheitsprocesses*, den sie erzeugt.

Es waren die erfasslichsten Eigenthümlichkeiten beider, der *Aeusserung* nach. Den andern Weg der Untersuchung boten: die nächsten Analogieen — a) die für die atmosphärische *Ursache* der Epidemie: in den drei Reichen der Natur; b) die für den *Krankheitsprocess*: in der bisherigen allgemeinen und speciellen Krankheits- und Heilungslehre. — Das Resultat würde mehr ein gefundenes als ein gesuchtes sein.»

Die beigefügte «Uebersicht der wichtigsten Punkte des Inhaltes u. s. w.» gestattet uns die nachstehende kurze Andeutung dieses Resultates. Die Cholera ist eigentlich eine miasmatisch-epidemische Krankheit; eine contagiöse nur uneigentlich: durch Verschleppung des Miasma in seltenen Fällen; gegen die Gesetze seiner gewöhnlichen Ausbreitung durch die Luft. — Das infusoriell animalische Miasma äussert als ein heftiges Gift eigenthümlicher Art seinen epidemischen Einfluss zunächst im Digestionscanal als dem Orte seiner unmittelbaren Aufnahme, jedenfalls doch seiner choleraischen Einwirkung (Mutterboden), bis zur kurzen Entscheidung über Leben und Tod. So in der Regel; der wahre *Cholera-Typhus* vermuthlich ausgenommen. — Die zweifellose höhere Prädisposition vieler Menschen zu den eigentlichen Cholera-Graden der Erkrankung ist: eine venös-congestive höhere Reizempfänglichkeit und Reizung des Pfortadergebietes, und namentlich wieder des ¹agens und der Gedärme; denn das allein bewährte

Schutzmittel ist: die Vermeidung alles dessen, was den genannten Zustand unmittelbar und mittelbar erzeugt und steigert, Die Furchtlosigkeit namentlich ist dieses Schutzmittel nicht; denn die Furcht ist erfahrungsgemäss kaum eine indirecte Bedingung zur Erkrankung; und die öffentliche Warnung vor ihr war blos unklug und schädlich. — Der eigenthümliche Krankheitsprocess der exquisiten Cholera ist: eine heilthätig intentirte Concentration aller Lebensenergie, von der Blutseite aus, auf den Digestionscanal; eine vital und organisch selbsterschöpfende und zerstörende, se - und excretorisch congestive Reizung. — in jener heilthätigen Intention; Alles eben so rapid und intensiv, als durchaus eigenthümlich. Daran, nämlich an einer tiefen Hemmung a) des Blutumlaufes, b) der Blutbereitung (von daher) und c) der (functionellen) Blutbethätigung aller Haupt- und Theilsysteme oder Organe des Körpers (durch beides), stirbt unmittelbar der exquisite Cholerakranke, in der Regel; denn er lebt, in der Regel, durch die einfache Wiederherstellung des Blutumlaufes und der Blutthätigkeit an der Peripherie (Prognose). — Die radicalen und palliativen Indicationen, welche der wissenschaftlichen Consequenz aus allen vorstehenden Punkten sich von selbst ergaben, beweist die bisherige praktische Erfahrung oder die Behandlung der Cholera als die naturgemässen, und zwar dadurch, dass diejenigen Heilmethoden und Mittel, welche bisher am meisten geholfen haben, solche sind, die, nach ihren erprobtesten und bekanntesten allgemeinen Eigenschaften und Wirkungen, ausserhalb der Cholera, — im Sinne jener Indicationen — auch wirklich helfen konnten, und wieder helfen können.

Die nöthige wissenschaftliche Begründung jedes einzelnen Punktes verbürgen: der Name des Verfassers und der Umfang der Schrift.

Leipzig, im December 1848.

F. A. Brockhaus.

Von demselben Verfasser ist auch erschienen und durch alle Buchhandlungen zu beziehen:

Die Nervenkraft im Sinne der Wissenschaft, gegenüber dem Blutleben in der Natur. Rudiment einer naturgemässern Physiologie, Pathologie und Therapie des Nervensystems. Gr. 8. Braunschweig, 1845. Geh. 2 Thlr. == 3 Fl. C.-M.

Das Blut in seiner Beziehung zum Schmerz im Allgemeinen und zu den Neuralgien insbesondere. 8. Prag, 1839. Geh. 10 Ngr. == 30 Kr. C.-M.

Sydenham's Antheil an der Uneinigkeit unserer Lehre über die Gicht. 8. Prag, 1838. Geh. 10 Ngr. == 30 Kr. C.-M.

Marienbad et ses différents moyens curatifs dans les maladies chroniques. Avec 6 planches. Seconde édition augmentée. Gr. 8. Prague, 1841. 2 Thlr. == 3 Fl. C.-M.

Naturhistorische Darstellung von Marienbad. Gr. 8. Prag, 1837. Mit Abbildungen. 1 Thlr. 15 Ngr. == 2 Fl. 15 Kr. C.-M.

Hr. Dr. Freiherr *v. Feuchtersleben* zu Wien.
- - *Franz Fischer*, 3ter Arzt zu Illenau.
- - *Focke*, 2ter Arzt der Irrenheilanstalt zu Siegburg.
- - *Friedreich*, Prof. in Ansbach.
- - *van Geuns*, Professor d. Pathol. u. gerichtl. Medicin am Athenäum zu Amsterdam.
- - *Guggenbühl* auf dem Abendberg.
- - *Günther* in Braunschweig.
- - *Güntz*, Med. Rath, St. Phys. zu Leipzig und Dir. der Privat-Irrenanstalt zu Thonberg.
- - *Hagen*, Oberarzt der Kreisirrenanstalt zu Irrsee.
- - *Heinrich* (C. B.), Professor in Königsberg.
- - *Hergt*, 2ter Arzt in Illenau.
- - *Herzog*, russ. Staatsrath, Oberarzt der Irrenanstalt zu St. Petersburg.
- - *Hoffbauer* (J. H.), pr. Arzt zu Bielefeld.
- - *Hohnbaum*, Ob. Med. Rath, Leibarzt zu Hildburghausen.
- - *Hübertz*, pr. Arzt zu Kopenhagen.
- - *Jacobi*, Ob. Med. Rath, Dir. der Provinzial-Irrenheilanstalt zu Siegburg.
- - *Ideler*, Prof. u. dirig. Arzt der Irrenabth. d. K. Charitéheilanstalt in Berlin.
- - *Jessen*, Professor zu Kiel und Director der Privat-Irrenanstalt Hornheim.
- - *W. Jessen*, Hülfsarzt zu Sachsenberg.
- - *Julius* (N. H.) in Berlin.
- - *Karuth*, Kr. Phys. in Bolkenhain.
- - *Klotz*, Hausarzt auf dem Sonnenstein.
- - *Knabbe*, 2ter Arzt der Provinzial-Irrenheil- u. Pflegeanstalt zu Marsberg.
- - *Lessing*, 3ter Hausarzt auf dem Sonnenstein.
- - *Rud. Leubuscher*, Priv.-Doc. in Berlin.
- - *Leupoldt*, Prof. in Erlangen.
- - *van der Lith*, Arzt an der Irrenanst. zu Utrecht.
- - *Mansfeld*, Med. Rath, Arzt an d. Irrenanst. zu Braunschweig.
- - *Martini*, Geh. Sanit. Rath u. Director der Provinzial-Irrenheilanstalt zu Leubus.
- - *H. Meckel v. Hemsbach*, Priv.-Doc. zu Halle.
- - *Meyer*, Sanit. Rath u. Kr. Phys. zu Creuzburg.
- - *Meyer*, prakt. Arzt, Operat., Geburtshelfer, Vorsteher einer Privat-Irrenanstalt zu Eitorf.
- - *Mittermaier*, Geh. Rath u. Prof. zu Heidelberg.
- - *Möller*, Med. Rath zu Nidda.
- - *Müller*, Medicinalrath und Director der Pflegeanstalt zu Pforzheim.
- - *Fr. Nasse.*
- - *Picht*, Director d. Irren- u. Siechen-Verpflegungsanstalt zu Stralsund.

Hr. Dr. *Pienitz*, Hofrath, Director der Heil- u. Verpflegungs-Anstalt Sonnenstein.
- - *Pitsch*, Regierungs-Medicinalrath zu Cöslin.
- - *Quitzmann*, Priv.-Doc. zu Heidelberg.
- - *Ramaer*, erster Arzt der Irrenanstalt zu Zütphen.
- - *Reumont*, 2ter Arzt an d. Priv.-Anstalt zu Endenich.
- - *Rheiner* in St. Gallen.
- - *Richarz*, Dir. d. Privat-Anstalt zu Endenich bei Bonn.
- - *Riedel*, Director der k. k. Irrenanstalt zu Prag.
- - *Rothamel*, Arzt des Landkrankenhauses zu Fulda.
- - *Ruer*, Sanitätsrath u. Director der Provinzial-Irren-heil- und Pflegeanstalt in Marsberg.
- - *Rüppell*, 1ster Arzt der Irrenanstalt zu Schleswig.
- - *Schäffer*, Hofrath und Director der Irrenpflegeanstalt zu Zwiefalten.
- - *Schäffer*, Sanit. Rath u. Kr. Phys. zu Hirschberg.
- - *Schmidt*, Geh. Med. Rath, Prof., dirig. Arzt d. geburtsh. u. syphil. Abth. d. Charité in Berlin.
- - *S. P. Scheltema*, Erster Stadtarzt zu Arnheim.
- - *Schneevoogt*, Arzt der Irrenanstalt zu Amsterdam.
- - *Schnieber*, Kr. Phys. u. Arzt d. Irrenanstalt zu Sorau.
- - *Schroeder van der Kolk*, Prof., Director der Irren-heilanstalt zu Utrecht.
- - *Schupmann*, Arzt an der Provinzial-Siechenanstalt zu Geseke.
- - *Sebastian*, Prof., Director der Irrenanstalt zu Grö-ningen.
- - *Selmer* (H.), in Kopenhagen.
- - *Sinogowitz*, Regim.-Arzt a. D. zu Berlin.
- - *Sondén*, 1ster Arzt der Irrenanstalt zu Stockholm.
- - *L. Spengler*, Nassauischer Med. Accessist zu Herborn.
- - *Spitta*, Ob. Med. Rath u. Prof. zu Rostock.
- - *Spurzheim*, Dir. d. Irrenanstalt zu Ybbs in Oesterreich.
- - *Tobias*, Reg. Med. Rath u. Arzt der Irrenpflegeanstalt zu Trier.
- - *Tribolet*, Schloss Bümpliz bei Bern.
- - *Tschallener*, Direct. der k. k. Irrenanstalt zu Hall in Tyrol.
- - *Varrentrapp* in Frankfurt a. M.
- - *Virchow*, Prosector bei der Charité in Berlin.
- - *Wallis*, dirig. Arzt der Land-Irrenanstalt zu Neu-Ruppin.
- - *Weigel*, Haus-Arzt der vereinten Landesanstalten in Hubertusburg.
- - *Weiss*, Direct. der Landes-Versorganstalt zu Colditz.
- - *Zelasko*, Kr.-Phys. zu Obornick.
- - *Zeller*, Hofrath u. Dir. d. Heilanstalt Winnenthal.

Halle,
Gebauersche Buchdruckerei.

Allgemeine Zeitschrift

für

Psychiatrie

und

psychisch-gerichtliche Medicin,

herausgegeben von

Deutschlands Irrenärzten,

in Verbindung

mit Gerichtsärzten und Criminalisten,

unter der Redaction von

Damerow,
Flemming und Roller.

Sechster Band. Zweites Heft.

Berlin,

Verlag von August Hirschwald.

1849.

Allgemeine Zeitschrift

für

Psychiatrie

und

psychisch-gerichtliche Medicin,

herausgegeben von

Deutschlands Irrenärzten,

in Verbindung

mit Gerichtsärzten und Criminalisten,

unter der Redaction

von

Damerow,
Flemming und Boller.

———

Sechster Band. Zweites Heft.

———

Berlin,

Verlag von August Hirschwald.

1849.

Inhalt.

Neue Beiträge
zur Kenntniss der Harnabsonderung bei den Irren.

Von
Dr. C. B. Heinrich,
Professor zu Königsberg.

Die treffliche Gelegenheit, welche mir meine Stellung als Hülfsarzt der Irrenheilanstalt Rheinpreussens gewährte, zahlreiche Untersuchungen des Urins von Geisteskranken an Ort und Stelle, folglich unter möglichster Berücksichtigung aller dabei in Frage kommenden und mit Pünktlichkeit wahrzunehmenden Cautelen, anzustellen, setzt mich in den Stand, nachstehende theils neue, theils zunächst wenigstens berichtigende Mittheilungen zu machen. Es schliessen sich dieselben an dasjenige an, was über diesen Theil der Semiotik bereits früher von Siegburg aus durch Erlenmeyer *), sowie von dem St. Lukas-Krankenhause zu London aus durch Sutherland u. Rigby **), endlich von mir selbst an verschiedenen Orten veröffentlicht worden ist, und lassen sich meine Erfahrungen in Kürze in Folgendem zusammenfassen.

*) Erlenmeyer, Nonnullae observationes et physiolog. et patholog. in morotrophio Sigburgensi institutae. Pars I. de urina maniacorum. Berolini, 844.
**) Sutherland und Rigby, diese Zeitschr. 1846. S. 56 ff.

Der auch von mir einst geschützten Ansicht, dass
der Urin der Irren, und zwar vornehmlich bei gewissen Hauptformen der Psychose, eine vorwiegende
Neigung besitze, *alcalisch* zu werden, muss ich gegenwärtig widersprechen. Nachdem es mir möglich
geworden, häufig den von Irren gelassenen Harn im
frischen Zustande zu prüfen, überzeugte ich mich
alsbald, dass keineswegs dem Irresein als solchem,
ja nicht einmal vorzugsweise der einen oder der anderen Grundform desselben, eine ausgesuchte Disposition zur Alcalescenz zugeschrieben werden darf. Ich
berufe mich hierbei noch ausdrücklich auf die von
meinen Collegen in Siegburg vorgenommenen Reactionen. Unter 100 Fällen färbte der entschieden saure
Urin 75 mal blaues Lakmuspapier sogleich roth, 11 mal
nur schwach, 15 mal gar nicht, indem das Secret
neutrale Beschaffenheit hatte, während niemals der
frisch gelassene Harn rothes Lakmuspapier blau färbte.
Selbst bei Paralytikern, welchen der Harn entweder
unwillkürlich abfloss oder denen derselbe durch den
Katheter entfernt werden musste, fand sich keine
alcalische Reaction des frischen Nierensecretes vor.
Ein neuer Beweis, mit welcher Vorsicht die Angaben
von der manchen Krankheiten der Nervencentro origi-
nellen Alcalescenz des Urins aufzunehmen sind. Alcalischer, d. h. ursprünglich alcalischer, Harn ist im
Allgemeinen, wie sich bei näherer Prüfung der einzelnen dahin gerechneten Fälle ergiebt, eine seltene
Erscheinung. Für die Ansicht, dass Rückenmarksleiden directe Einwirkung auf eine mehr zur Alcalescenz hinneigende Beschaffenheit des Harns ausüben,
dürfte sich unter meinen neuesten Beobachtungen
höchstens etwa folgender Krankheitsfall anführen
lassen.

Ein Mädchen von blühender Gesichtsfarbe und sehr
ausgebildetem apoplektischen Habitus, von Aeltern

geboren, welche beide eine Zeitlang in Melancholie verfallen gewesen, in der Kindheit rhachitisch, bis zur Pubertät mit Kopfausschlägen behaftet, wurde in ihrem 24. Lebensjahre geisteskrank. Zu anstrengende Beschäftigung in einer Tuchfabrik und die Lösung eines Liebesverhältnisses, ganz besonders aber die plötzliche Unterdrückung einer Fussrose durch äussere Anwendung von Bleipräparaten, führten die Ausbildung einer tief melancholischen Gemüthsstimmung mit Lebensüberdruss und Hang zum Selbstmord herbei. Die Bahn, durch welche die Psychose vermittelt wurde, sprang in diesem Falle deutlicher in die Augen als gewöhnlich: die Gehirnirritation äusserte sich als der Ausgangspunkt eines mit Hyperämie der Hüllen verbundenen Spinalleidens. Nicht nur waren gleich nach der Unterdrückung des Erysipelas und dem Ausbruch des Irreseins von den untersuchenden Aerzten der 2. und 3. Lendenwirbel beim Druck schmerzhaft befunden worden, sondern während der zeitweise auftretenden Wuthanfälle trat ausserdem ein Unvermögen hervor, sich auf den Beinen zu erhalten. Auch die Menses, die schon immer spärlich geflossen, cessirten, so wie die Seelenstörung in die Erscheinung trat. Der Harn dieser Kranken, deren Wirbelsäule an der bezeichneten Stelle zur Zeit der Untersuchung nach wie vor schmerzhaft war, war dermassen schwach sauer, dass Lakmuspapier kaum gefärbt wurde. Wenn man indessen erwägt, dass Harnsäure in diesem Falle vermindert, hingegen der Wassergehalt relativ vermehrt, daher das specifische Gewicht nur 1006 war, so wird man zugeben müssen, dass auch dieser Stütze einer von Spinalleiden bedingten anomalen Harnbereitung wenig Gewicht beizulegen ist.

Die Behauptung von dem häufigeren Alcalischwerden des Urins bei Irren reducirt sich daher aller Wahrscheinlichkeit nach darauf, dass, weil Irresein oft

13 *

mit Paralysen verbunden vorkommt, eben deshalb
eine zu lange Urinretention Zersetzung des Secretes
innerhalb der uropoetischen Organe, insbesondere der
Blase, und alcalische Beschaffenheit desselben begünstigt.

Dagegen kann ich die von mir einst *) urgirte
öftere Anwesenheit *abnormer Fettmengen*, und zwar
des Elains, im Harn der Irren gegenwärtig entschieden bestätigen. Zu näherer Begründung folgende
Fälle:

1) Ein 20jähriges tuberculöses, schwach consti-
tuirtes Mädchen aus guter Familie, melancholisch, die
Melancholie unter der Form grosser Launenhaftigkeit
und Abulie auftretend. Depressionszustand des Un-
terleibsnervensystems, welcher sich zunächst als
Milztumor, träge Darmthätigkeit und Amenorrhöe
äussert, Fetturin; Reaction sauer, specifisches Gewicht 1016.

2) Ein unverheirathetes Frauenzimmer, dessen
Verwandte sämmtlich mehr oder weniger geistesge-
stört sind, mit schon jahrelanger Verrücktheit behaftet, nach wiederholter mehrjähriger Cur unheilbar in
eine Pflegeanstalt entlassen. Idiopathisches Hirnleiden; litt früher am Bandwurm, der Selbstbefleckung
leidenschaftlich ergeben. Der Urin sauer, 1004 specif.
Gewicht; leichtflockige Trübung durch Schleim, Fettkugeln und Phosphate erzeugt. Eiweissgehalt durch
Sublimat dargestellt.

3) Eine Kammerjungfer, 32 Jahre alt, aus Ostpreussen. Schlank gebaut, die wespenartige Taille
von übermässigem Schnüren herrührend mit offenbarer
Beeinträchtigung des Leber- und Milzkreislaufes, ins
Gelbliche spielende Gesichtsfarbe. Melancholie mit
fixem Wahn. Fand Gelegenheit, sich durch den Strick

---

*) Häsers Archiv f. d. ges. Medicin Bd. 7. S. 190 f.

zu tödten. Section: die Leber über einen Fuss hoch,
auch seitlich abnorm vergrössert; das untere Drittheil
derselben durch eine die ganze Breite messende, einige Linien tiefe Querfurche wie abgeschnürt, das
über dieser Furche befindliche Parenchym hyperämisch,
das darunter gelegene Drittheil, darunter der ganze
Lobulus Spigelii, schon von aussen durch sein blasses,
anämisches, körniges Aussehen charakteristisch verschieden, im Innern die Symptome weit vergeschrit-
tener Granularentartung, der Gefässapparat obliterirt,
nirgends Spuren einer Gallenabsonderung. Gallenblase
klein, wenig zähe braungebliche Flüssigkeit enthaltend; Milz gegen 8 Zoll lang, schmal, mit mürber
braunröthlicher Pulpa. Der Urin dieser Irren war
eiainhaltig, neutral, specif. Gewicht 1006.

4) Bei einem 26jährigen scrofulösen Fabrikarbei-
ter von Aachen, dessen saurer Urin sich durch die
Anwesenheit besonders zahlreicher Fettbläschen auszeichnete, verdienten zuvörderst die bis zur Gewissheit hervortretenden Symptome der Lungentuberculose,
ausserdem der harte aufgetriebene Leib und die Neigung zur Verstopfung Berücksichtigung.

5) Eine 30jährige anämisch aussehende Frau, in
deren Familie Rhachitis und Schwindsucht erblich, bei
welcher mannigfache erschöpfende Momente des in
Armuth zugebrachten ehelichen Lebens, namentlich
bei wenig nahrhafter Kost ein fast 4jähriges Stillen
des Kindes, mancherlei durch die Verschiedenheit der
Confession des Mannes herbeigeführte psychische Alterationen, ein gastrisch-nervöses Fieber und endlich
unvernünftige Blutentziehungen, als sich in Gefolge
des letzteren ein tobsüchtiges Delirium eingestellt, einem Zustand anhaltenden Deliriums, völliger Verwirrung herbeigeführt hatten. Das Sinken der Ernährung und die stethoscopisch begründete Gegenwart

einer in der rechten Thoraxhälfte vorhandenen Höhlenbildung zeugten für einen Colliquationsprocess, der, während der Stuhlgang sogar symptomatisch noch befördert werden musste, in den Unterleibsexcretionsorganen durch eine abnorme Fettausscheidung der Nieren sich kund gab. Saure Reaction, specifisches Gewicht 1005.

6) Ein Maurergeselle, 22 Jahre alt, der schon zum zweiten Male in Siegburg Aufnahme gefunden, entleerte einen Fetturin mit saurer Reaction und einem specifischen Gewichte von 1022. Entschieden hereditäre Anlage zum Wahnsinn und die durch Anamnese und Symptome der Gegenwart erwiesene Scrofeldyscrasie die eigentliche Ursache der zum Irresein disponirenden Gehirndisposition, welche durch starken Hang zum Branntweingenuss genährt und gesteigert wurde.

7) Sehr reich an festen Bestandtheilen und Fett, 1028 specif. Gewichtes und von saurer Reaction der Urin einer 22jährigen Nymphomanischen mit starkem Fettpolster und ausgeprägtem scrofulösen Habitus.

8) Eine zartgebaute nervöse Frau von 33 Jahren, nun bereits zum zweiten Male in Melancholie verfallen, dies zweite Mal kurz nach der Entwöhnung des letzten Kindes, nachdem die Entwöhnung selbst durch heftige Kopfschmerzen, Cardialgie, Durchfall und zunehmende Hinfälligkeit nothwendig geworden; *nervous prostration.* Der Harn sauer, specif. Gewicht 1010; in jedem auf das Objectivglas gebrachten Tropfen eine grosse Menge von Fettkügelchen sichtbar. Ausserdem mehr oder weniger reichliche erschöpfende Nachtschweisse und eine trotz gewählter animalischer Kost fortschreitende Abmagerung.

9) Ein 30jähriges unverheirathetes Frauenzimmer, scrofulös und cachectisch, dessen Urin stark sauer, fetthaltig, 1014 specifischen Gewichtes. In der Ver-

wandtschaft der Patientin sind Tuberculose und Irresein zwei hervorstechende Erblichkeitsmomente; eine
charakteristische Gruppe der Vergangenheit wie der
gegenwärtigen Untersuchung entnommener Factoren
— ausser der entscheidenden Localuntersuchung auch
das Vorhergehen einer dreivierteljährigen Tertiana
und einer sechsmonatlichen Chlorose — erheben eine
chronische functionelle Störung der Milz, des Lymph-
gefässsystems überhaupt, und Lungentuberculosis zur
unzweifelhaften Thatsache.

10) Die jetzt 19jährige Tochter eines Vagabun-
den, eine kleine verkrüppelte Person, hatte ihre Kindheit in bitterer Armuth und mit Betteln zugebracht.
Das Irresein, durch einen Zug geschlechtlicher Aufregung charakteristisch bezeichnet, hatte sich vor einigen Monaten unter den Symptomen einer in Abge-
schlagenheit, Kopfschmerzen und gastrischen Störungen sich äussernden nervösen Prostration entwickelt; die Menstruation, welche schon im 7ten Jahre
eingetreten sein, und den Vater veranlasst haben soll,
das Mädchen als ein Wunderkind für Geld zu zeigen,
blieb aus; die Verdauung träge. Der Urin gegenwärtig hellgelb, stark sauer, specif. Gewicht 1014;
eine schon dem unbewaffneten Auge auffallende leichte
Trübung ergab sich unter dem Microscop als eine Zusammensetzung von grösseren und kleineren Schleim-
und Fettkugeln, untermischt mit einzelnen fahlgelben
Körperchen, deren Bedeutung zweifelhaft blieb.

11) Ein Mädchen, 25 Jahre zählend, von blassem,
leidendem Aussehen, der Lungentuberculose sehr ver-
dächtig. Die *vita sedentaria*, welche dasselbe als
Näherin geführt, die mit dieser Beschäftigung in Zusammenhang stehenden nachtheilig wirkenden Einflüsse
und verschiedenartige andere physisch und psychisch
schwächende Ursachen hatten eine tiefwurzelnde Melancholie mit fixem Wahn herbeigeführt. Die durch

flottirende Wölkchen erzeugte Trübung in dem neutral
reagirenden, ein specif. Gewicht von 1007 haltenden
Harn wies sich aus als ein Gemisch von Schleimkör-
perchen, Epitelien, Phosphaten und Fettbläschen;
über der Flamme einiges Gerinnsel, ohne dass auch
Salpetersäure oder Sublimat einen Niederschlag bewirkten.

12) Stark saure, 1006 specifisch schwere, Gruppen von Fettkugeln mit einzelnen Krystallen reiner
Harnsäure enthaltend, ward der Urin eines 18jährigen
Schustergesellen von scrofulösem, zur Fettbildung
neigendem Habitus befunden. Unter mancherlei mächtig erregenden psychischen Reizen war plötzlich das
Irresein als Tobsucht ausgebrochen, eine ungewöhnliche Gemüthsreizbarkeit hielt auch nach dem Aufhören der Manie als bedrohliches Residuum an. Uebrigens Zeichen eines speciell erkrankten Brust- oder
Unterleibsorganes nicht weiter vorhanden.

13) Vorzüglich fettreich war der mattgelb ge-
färbte, schwachsaure, ein specifisches Gewicht von
1013 haltende Urin folgender Kranken. Ein 36jähriges,
schwächlich und gebrechlich aussehendes unverheirathetes Frauenzimmer von abdominellem Habitus ist
seit ihrem 17ten Jahre mit habituellem Blutspeien behaftet, wegen dessen sie in dem Kloster, in welchem
sie als Schwester diente, zum Excess häufig und erschöpfend mit Venäsectionen behandelt worden war.
Das Irresein, in welches Patientin verfiel, war zunächst aus einem Zustand grosser hysterischer Schwäche und Reizbarkeit hervorgegangen, welcher wiederum, wie gewöhnlich, mit Unregelmässigkeiten in
dem Eintritt der Menses, überhaupt mit Störungen in
der Function der Geschlechts- und Harnwerkzeuge,
mit Spinalirritation und Milztumor in nächster ursäch-
licher Verbindung stand. Seelenstörungen und Lungenschwindsucht, Erblichkeitsübel der Familie; Per-

cussion und Auscultation bewiesen auch bei dieser Kranken die Existenz eines abnorm verdichteten Lungenparenchyms.

Nicht genug kann für die microscopische Untersuchung auf Fettgehalt eine, wie es scheint sehr gewöhnlich vernachlässigte, Vorsichtsmaassregel eingeschärft werden: ich meine die unter allen Umständen nöthige Rücksicht auf etwaige Beimischung fremder Bestandtheile zum Nierensecrete in Folge der Passage durch die Harnröhre. Nicht allein die Gegenwart eines *Fluor albus*, schon die nicht erkrankte Urethra, der normale Reiz, welchen der täglich entleerte Harn auf die Mucosa derselben ausübt, analog dem Reiz der herabgeschluckten und der Verdauung unterworfenen Speisen und Flüssigkeiten in ihrer Einwirkung auf die Wandungen der Speiseröhre, des Magens und das Darmkanals, mengt stets eine grössere oder geringere Quantität von Epitelien, Schleimkugeln und Fettzellen dem Urin bei, welche Beimischung, wenn nicht das Ergebniss der Untersuchung eine Täuschung sein soll, möglichst vermieden werden muss. Die Entfernung des zu prüfenden Urins durch den Catheter ist daher Nothwendigkeit, vorzüglich bei weiblichen Irren, deren leicht erregbares Sexualsystem örtliche Hyperämie der betreffenden Organe sowie chronisch-catarrhalische Affectionen der Scheide und Harnröhre sehr gewöhnlich im Gefolge hat.

Meine schon früher motivirte Ansicht, dass der Fetturin zunächst als das Symptom einer behinderten Leber – oder Lungenthätigkeit zu beurtheilen sei *), empfängt durch die grössere Hälfte der eben angezogenen Fälle neue directe Bestätigung. Fügen wir zu

---

*) Vgl. noch die unter Autenrieth's Mitwirkung geschriebene Abhandlung von C. J. Luz, über krankhafte Fettentleerung durch Darmkanal und Nieren. Tübingen 1841.

berichtigender Ergänzung hinzu., dass jede tiefere
functionelle Störung des der Ernährung dienenden
Drüsenapparates, insbesondere die als *Cachexia pau-
perum* ihren Gipfel erreichende Scrofulose, die pathologische Entleerung gewisser Fettarten durch die Nieren aus dem mit Fetten krankhaft überladenen Blute
zur Folge hat. Aber auch als Symptom eines weit-
greifenden consumirenden Processes, einer Tabes,
die zunächst als die Rückwirkung erschöpfender Säfte-
verluste auf das die Assimilation vermittelnde Nervensystem auftritt, erscheint die pathologische Anwesenheit des Elains im Urin. Vgl. Fälle 5 und 8. Endlich giebt es Fälle, auf welche keines dieser ursächlichen Momente Anwendung findet; so unter den oben
mitgetheilten die mit 2, 10 und 12 bezeichneten. Hier
beginnt das Reich absoluter Ungewissheit und unsiche-
rer Hypothese. Für solche Fälle des Zweifels muss
ich mich hier bescheiden, nächst einer möglichst genauen somatischen Untersuchung lediglich an die Com-
bination des Beobachters, sowie endlich an dessen
ehrliches Bekenntniss zu appelliren, dass auch der
Scharfsinn seine Gränze hat, soll derselbe nicht zu
leeren Gebilden der irrenden Phantasie führen.

Ueber den Ort, an welchem die Ueberführung
von freiem Fett aus einem mit Fetten krankhaft ge-
schwängerten Blute in den Harn Statt findet, gewähren die histologischen Untersuchungen über den anatomischen Bau der Nieren näheren Aufschluss, welche
nach Bowman mittels Injection und Microscop Patruban *) angestellt hat. Worauf es uns hier zunächst
ankommt, ist der Nachweis, dass an der inneren con-
caven Fläche der feinfaserigen Kapseln, in welche die
nach Malpighi benannten Gefässknäuel gebettet sind,

---

*) Patruban, Prager Vierteljahrschrift f. die prakt. Meilk.
1847. Bd. III. S. 87 ff.

eigenthümliche Epitelialgebilde liegen, welche sich bis
in die Zwischenräume der den Gefässknäuel bildenden
Arterien fortzusetzen scheinen. Indem nun diese
Kapseln unmittelbar in Harnkanälchen übergehen, so
dass jede Kapsel als das blinde Ende eines den Harn
secernirenden Kanals erscheint, so wird auch die
innere Wand eines solchen Kanals mit einer Epitelial-
auskleidung versehen. Rücksichtlich des Details dieser Kanälchen muss hier auf die Originalabhandlung
Patruban's verwiesen werden; zu erwähnen ist nur
noch, dass hiernach bei Bright'schen Nieren in den
von Patruban als erste Klasse unterschiedenen und
beschriebenen, im Inneren mit sehr reichlichen Cy-
linderepitelialzellen versehenen Harnkanälchen häufig
eine excedirende Fettbildung, hingegen in den Kanälchen der zweiten Klasse, dem, wie es scheint,
vorzugsweise dem Secretionsprocesse des Harns vorstehenden Drüsenapparate, die als cylindrische Pfröpfe
längst bekannten unter verschiedenen Umständen auch
mit dem Urin entleerten Faserstoffgerinnungen angetroffen werden. Aber auch für jeden anderen Harn
mit fremdartigen Bestandtheilen ist diese anatomische
Anordnung von Bedeutung. Bringt doch, um auf den
alcalischen zurückzukommen, eine Hemmung des Ner-
veneinflusses, unter welchem die Function der con-
tractilen Faser der Urinsecretionskanäle steht, wie
sie in mannigfacher Abstufung bei den Paralyse-Zu-
ständen der Psychosen gäng und gäbe ist, als natürliche Consequenz eine langsame Abführung und daher
bei zu langem Verweilen eine wesentliche Alteration
des Nierensecretes mit sich.

Das häufige Vorkommen von Leberleiden als ätiologische Grundlage von Seelenstörungen lässt erwarten, dass *Gallenbestandtheile* nicht selten als regel-
widrige Beimischung des Urins gefunden werden.
Diese Erwartung war mehrmals gerechtfertigt. So

bei einem 35jährigen Mädchen von entschieden atrabilärem Habitus und melancholischem Temperament.
Schon zum dritten Male melancholisch geworden, von
Wahnideen, welche sich auf Gehörhallucinationen grün-
deten, gefoltert, empfand diese Kranke beim Druck
in das Hypochondrium auf den unteren Rand der Leber ein Schmerzgefühl. Der Harn orangegelb, sauer,
specif. Gewicht 1015. Das hinreichende Quantum Salpetersäure erzeugte eine Mischung, in welcher sich
eine tieferstehende goldgelbe und eine darüberstehende
braunrothe Schicht abgränzten, während Chlorwasser-
stoffsäure eine blass grünlich-gelbe Färbung bewirkte.
Noch viel entschiedener erfolgte die Reaction auf Biliphäin bei einem 57jährigen Manne aus Geldern, einem ehemaligen Napoleonischen Soldaten, der nun
schon zum zweiten Male durch Trunksucht in Tobsucht verfallen und der Behandlung übergeben worden war. Bei diesen Kranken erwies die plessime-
trische Untersuchung eine reichliche Volumenvergrös-
serung der Leber in Höhe und Breite. Der Urin, hell
bernsteingelb, von gewöhnlich urinösem Geruch und
einem specifischen Gewicht von 1014, reagirte schwach
sauer; keine Spuren von Eiweiss. Salpetersäure hin-
zugetröpfelt klärte anfänglich die Urinflüssigkeit unter
leichtem Perlen wasserhell auf; nach Verlauf von einer Stunde erblickte man die bei Anwesenheit von
Biliphäin entschieden charakterisirenden Farbenzonen
in der bekannten Reihenfolge über einander stehend.
Desgleichen rief der Zusatz von Salzsäure nach einer Weile die hellgrüne Färbung hervor *).

---

*) Beachtenswerth war mir bei diesem Patienten wie bei
mehreren anderen Leberkranken die Erscheinung, dass die
innere Substanz der Zähne, durch Abschleifen blossgelegt,
eine auszeichnende intensiv citronengelbe Färbung hatte.
Ich würde mit Rücksicht darauf, dass einige dieser Personen Tabakraucher waren, Anstand nehmen, auf dieses Phä-

Indess sind verhältnissmässig obige Fälle doch nur Seltenheiten. Im Gegensatz zu denselben habe ich ungleich häufiger vergeblich nach Gallenfarbstoffen im Urin gesucht, wo erwartet werden durfte, dergleichen aufzufinden. Die Data der Anamnese, die Beschaffenheit der psychischen Functionen, der Habitus des Kranken, die unzweideutigsten Symptome einer chronischen mit secundärer Cholämie verbundenen Leberkrankheit können zusammentreffen, man weist durch das Plessimeter, ja schon durch die blosse Untersuchung der Hand eine Volumensvergrösserung, eine Hyperämie der Leber nach, die Albuginea des Auges, die dunkle Hautfärbung bezeugen die Retention der Gallenfarbstoffe in dem Blute, und dennoch giebt die Harnuntersuchung nicht die gehoffte Bestätigung. Wir ersehen zum wenigsten für jetzt aus solchem negativen Resultate, dass, so wenig als jeder hyperämische Zustand der Leber das Eintreten des Icterus, ebensowenig jeder Icterus einen icterischen Harn im Gefolge haben muss.

Albuminurie begleitete das Irresein einer 28jährigen Kranken aus der Moselgegend. Als Grund dieses Irreseins war einzig das drückende Bewusstsein eines schweren Vergehens nachweislich, indem Patientin mit ihrem Schwager, der eine ältere Schwester zur Ehe hatte und in dessen Hause sie wohnte, geschlechtlichen Umgang gepflogen und schwanger geworden war. Schon während der Schwangerschaft hatte sich ein Zustand der Aufregung und Verzweiflung ausgebildet, der an Tobsucht gränzte; bei der Geburt musste ihr die Zwangsjacke angelegt werden; der Lochienfluss stellte sich nur sehr gering, die

nomen einen Werth zu legen, wäre nur dasselbe nicht auch bei weiblichen Irren aufgefallen, bei welchen dieser Umstand nicht in Betracht kommen konnte.

Lactation gar nicht ein. Völlig verkehrte psychische
und somatische Behandlung, namentlich harte Vorwürfe ihrer Verwandten und wiederholt an beiden
Füssen vorgenommene Venäsectionen, führten einen
hohen Grad von melancholischer Aufregung herbei,
welche die Kranke 5 Monate nach der Geburt der
Anstalt zu Siegburg zuführte. Eine Person von mittlerer Grösse, auffallend brünett, mit einer beträchtlichen Lebervergrösserung und Hydrarthrus an den
Fussknöcheln behaftet, entleerte dieselbe einen leicht
trüben, gesättigt gelben Urin von saurer Reaction
und einem specifischen Gewichte von 1017. Arm an
Harnstoff, überreich an Erdphosphaten, enthielt er
Biliphäin und zufolge der Prüfung durch Siedehitze
und Salpetersäure einen starken Gehalt an Eiweiss.
War in diesem Falle die Albuminurie noch mit den
Folgen der Geburt in Verbindung zu bringen, oder
war dieselbe nicht vielmehr bei dem allerdings schon
fern gerückten Zeitpunkte der Niederkunft auf einen
secundären Congestivzustand der Nieren zu beziehen?
Für die erstere Annahme würde sich nach den von
mir bereits früher zusammengestellten Thatsachen [*])
namentlich auch eine von A. Walther [**]) gemachte
Mittheilung anführen lassen, eine äussert beträchtliche Eiweissausscheidung im Harn nach plötzlicher
Sistirung der Milchsecretion in Folge der Amputation
der linken Brustdrüse betreffend. Uebrigens sei noch
erwähnt, dass mir auch mehrere Fälle von Puerperal-
manie ohne Albuminurie vorgekommen, darunter sogar einer, wo die Geburt erst vor 6 Wochen Statt
gefunden hatte.

Zweimal beobachtete ich, dass das Hinzufügen
von Quecksilberchlorid einen reichlichen weissen Nie-

[*]) In Häser's Archiv f. d. ges. Medicin Bd. 7. S. 209.
[**]) A. Walther, Griesinger's Archiv für physiolog. Heilkunde 1847. S. 75 ff.

derschlag zur Folge hatte, mithin die Anwesenheit
von Eiweiss anzeigte, während die Anwendung von
Feuer und Salpetersäure ohne die entsprechende Reaction blieb. Der eine dieser Fälle wurde schon oben
beim Fetturin als zweites Beispiel desselben besprochen; die zweite Kranke hat *Focke* *) als lehrreichen
Beleg für ein typisches, durch das Chinin heilbares
Irresein beschrieben. Der Urin, welcher von dieser
letzteren Kranken während eines regelmässig zur
Nachtzeit sich einstellenden, in furchtbarer Aufregung
mit Todesangst und Hang zum Selbstmord sich äussernden Paroxysmus bereitet wurde, war sauer,
hatte ein specifisches Gewicht von 1014 und erfuhr
durch Sublimatlösung eine Fällung. Patientin war
eine durchaus atrabiläre Constitution, Haar, Haut und
Auge auffallend dunkel pigmentirt, Leber und Nieren
ohne erweisliche Beeinträchtigung, wohl aber die Milz
angeschwollen und beim Druck schmerzhaft.

Ueber das Vorkommen von *Traubenzucker* im
Harn ist zur Zeit die ursprüngliche Ansicht dahin
berichtigt, dass derselbe mit nichten blos als Begleiter des *Diabetes mellitus* wahrnehmbar ist. Will doch
P r o u t **) nicht selten bei Gicht und Dyspepsie Zuk-
ker im Urin gefunden haben; L e h m a n n ***) fand
mittels T r o m m e r s Methode 0,76 Proc. Zucker in
dem Harn eines Mannes, der merkwürdiger Weise
sehr wohlgenährt und kräftig war und sich ganz gesund fühlte, und H e l l e r ****) theilt eine Notiz mit,
nach welcher er Zucker in dem Harn von zwei Pa-

---

*) Diese Zeitschrift 1848. S. 378 ff.

**) P r o u t bei P e v e y, Lancet 1842—43. II. p. 773.

***) Lehmann, Schmidt's Jahrbücher d. ges. Med. 1845.
No. 1. S. 10.

****) Heller, Archiv f. physiolog. und patholog. Chemie u.
Mikroskopie 1847. S. 310 f.

tienten entdeckte, die keineswegs mit sonstigen der
Melliturie eigenthümlichen Symptomen behaftet waren, — ähnlicher Resultate von Budge *) nicht zu
gedenken, da seiner Zeit von Scharlau die Unsicherheit derselben nachgewiesen wurde. Nichtsdesto-
weniger vermag ich aus einer Summe von mehr als
200 Harnuntersuchungen, die nach der Heller'schen
Methode theils von mir, theils von meinen Siegburger Collegen angestellt wurden, nur den von mir in
der Rheinischen Monatsschrift für praktische Aerzte
1847. S. 491 ff. umständlich erzählten Fall als solchen
zu bezeichnen, welcher Zuckerharn darbot. Die Section dieser im Wochenbette erkrankten, unter dem
acuten colliquativen Verlauf einer Lungen- und Darm-
tuberculóse verstorbenen Maniaca ergab die Section
hyperämische und regelwidrig vergrösserte Nieren.

Ungemein schwankend sind die Differenzen, welche feste Bestandtheile im Allgemeinen, Wassergehalt, Farbstoffe und das nach den verschiedenartigsten Rücksichten veränderliche specifische Gewicht
bieten. Da der Morgenharn im Allgemeinen am meisten zur Untersuchung geeignet ist, so kommt es vor
allem auf gehörige Würdigung dessen an, was den
Abend zuvor genossen worden, um sich ein richtiges
Urtheil über die wirklichen Eigenthümlichkeiten des
Secretes bilden zu können. So entleerte ein Kranker, weil ihm einer Indigestion wegen ein Brechmittel und strenge Diät verordnet worden war, einen
fast wasserhellen, an Salzen und Harnstoff armen
Urin mit einem specifischen Gewicht von nur 1002.
Nicht weniger wichtig ist natürlich der Einfluss der
Speisen und Getränke auf die Ueberführung von Säu-
ren und Basen, mithin, auf die Reaction des Harns.

---

*) Budge, Roser's und Wunderlich's Archiv f. physiológ.
Heilk. 1844. S. 410. 414.

Die bedeutenden quantitativen Unterschiede, welche
Bence Jones *) je in einem Falle von Säuferwahnsinn und „Hirnentzündung" gefunden haben will, gewähren dieser geringfügigen Zahl von Untersuchungen wegen zu wenig Anhalt, als dass nicht vielmehr
vor der Hand der Grund dieser Unterschiede gleichfalls in der Nahrung oder wenigstens in anderen Dingen, als gerade in einer specifischen Verschiedenheit
der betreffenden Krankheitsformen zu suchen wäre.

Mit einem Worte, um auf das Ergebniss des
Angeführten kurz zurückzublicken: mit dem Urin der
Irren verhält es sich in der That nicht anders wie
mit deren Puls und wahrscheinlich mit noch anderen,
vielleicht sämmtlichen Zweigen der Semiotik. Unsere
Arbeiten auf diesem Gebiete der Wissenschaft trugen
bis jetzt nur Früchte negativer Art. Aber diese Negation enthält auch gleich jeder andern Negation einen
positiven Gewinn, und zwar in diesem Falle einen
neuen Beweis für die Wahrheit des Grundsatzes, dass
die gewöhnliche nach psychischen Phänomenen getroffene Eintheilung der Hauptformen des Irreseins
durchaus mangelhaft ist. Combiniren sich doch dieselben psychischen Anomalieen mit den verschiedenartigsten somatisch-pathologischen Zuständen, und
auf der Diagnose dieser letzteren beruht ja lediglich
die Stärke der ganzen Psychiatrik.

---

*) Bence Jones, s. Prager Vierteljahrschrift f. d. prakt.
Heilk. 1848. Bd. I. Analekten S. 52.

Beschreibung

der Grossh. Bad. allgemeinen

Taubstummen-Anstalt in Pforzheim

mit

**statistischen Nachweisungen und Betrachtungen,
über die körperlichen, geistigen und moralischen
Eigenschaften der Taubstummen im Allgemeinen.**

·Von

Dr. Müller,

**Medicinalrath, dirigirendem Arzte der Siechenanstalt, und Arzte
an der Taubstummen-Anstalt in Pforzheim.**

Seitdem von Aerzten einzelne Krankheitsklassen und
Krankheitsfamilien von der speciellen Pathologie und
Therapie abgesondert und speciell behandelt werden,
wie z. B. die psychischen Krankheiten, die Kinderkrankheiten, der Cretinismus u. A., wurden auch die
Gehörkrankheiten und die Taubstummheit mehr wie
früher erforscht, und in ihrem ganzen Umfange ge-
würdiget.

Bevor dieses geschah, wurden Taubstumme, Simpel und Cretinen ziemlich in eine Kategorie gestellt
und für gleichbedeutend gehalten. Denn Taubstumme,
welche in physischer und intellectueller Beziehung
vernachlässigt, verwahrloset, verstossen, muthwillig

gereizt und geneckt werden, Taubstumme, welche auf keine Weise einen Begriff von Gegenständen erhalten, mussten nach und nach auch in wirklichen Blödsinn versinken, und, den äusseren Erscheinungen nach, dem Menschen mit angebornem oder erworbenem Blödsinn gleich werden. Dass durch Kunst und Wissenschaft das Loos dieser Unglücklichen verbessert, dass sie zu tauglichen und nützlichen Gliedern in der menschlichen Gesellschaft herangebildet werden können — daran dachte man lange nicht.

Die *Griechen* sprachen den Taubstummen geradezu die Empfänglichkeit für geistige Ausbildung ab, und setzten dieselben in eine Kategorie mit den Stumpf- und Blödsinnigen *). Wenn bei den *Römern* auch noch nirgend zu finden ist, dass diese Versuche gemacht, den Taubstummen Sprachbegriffe beizubringen, so haben sie dieselben doch schon für geistig fähiger gehalten, und suchten sie in den schönen Künsten zu bilden, wie dieses Plinius **) von dem Taubstummen G. Pedius berichtet. Im 16ten Jahrhundert treffen wir zuerst bei Joachim Pascha ***), Hofprediger bei dem Kurfürsten von Brandenburg, und bei dem Arzt J. R. Cammerarius ****), Andeutungen, die Taubstummen sprechen und das Gesprochene an den Lippen Anderer absehen zu lernen. Auch andere Aerzte der damaligen Zeit, wie Fabricius v. Aquapendente, haben sich mit Untersuchungen über die Taubstummheit beschäftigt, vorzüglich in Bezug auf Heilung derselben. Weil aber diese und spätere Heilversuche fruchtlos geblieben, wurden alle weiteren unterlassen.

---

*) Hippocrates v. Fleisch. Kap. 7. Seite 3.

**) Naturgeschichte XXIV, 4.

***) Seidels Bildergallerie 1751. Seite 72.

****) Sylloge memorabilium naturae etc. Cent. XX, 1624.

Mehr als den Aerzten möglich war bei der Taubstummheit zu leisten, leisteten Geistliche und Lehrer,
und diesen gebührt der Ruhm, zwar nicht die Taubstummheit zu beseitigen, aber das unglückliche Schicksal der Taubstummen zu mindern durch *Bildung* und
Einführung derselben in die Menschenrechte; diesen
ist gelungen, was früher kaum geahnet worden, die
Taubstummen *sprechen und das Gesprochene an den
Lippen Anderer absehen und verstehen* zu lernen,
und den Taubstummen Bildung und Erziehung wie
den Vollsinnigen zu geben.

Ein spanischer Mönch, Pedro de Ponce, hat
schon im Jahr 1570 sich damit befasst, den Taubstummen Schrift- und Sprach-Bildung zu geben. Dieser verbreitete den Taubstummen-Unterricht in Spanien, wie eine Schrift von Juan Pablo Bonet von
1620 berichtet. Aus Spanien kam der Taubstummen-
Unterricht nach Frankreich, wo zuerst Johann Ro-
driguez Pereira aus Portugall im Jahr 1745 Taubstummen in La Rochelle mit gutem Erfolg Unterricht
gab. Bis daher war aber noch keine sichere Methode
im Unterricht; erst mit Abbé de l'Epée (1755) fängt
eine neue Epoche und Methode im Taubstummen-Unterricht an. Die Methode von Abbé de l'Epée hatte
jedoch den Mangel, dass sie hauptsächlich auf Mimik
und Geberdensprache, nicht auf die Laut-, Ton-
und Schriftsprache gegründet war. Nach Abbé de
l'Epée's Tod — 1789 — trat Abbé Sicard an
seine Stelle, welcher schon die Geberden- mit der
Ton- und Schriftsprache in Verbindung gebracht hat.
Diese Lehrmethode der Taubstummen war aber vor
Sicard schon in Deutschland bekannt, und wurde
Unterricht darinnen gegeben von S. Heinike. Sam.
Heinike hat durch diese Methode mehrere Taubstumme
mit bestem Erfolg unterrichtet, und damit einen Ruf
in Deutschland erhalten. Er wurde von dem Kur-

fürsten *August Friedrich* von Sachsen nach Leipzig
berufen, um das erste Taubstummen-Institut in
Deutschland zu errichten, welches am 15. April 1778
eröffnet worden ist. Von diesem Institute verbreitete
sich der Taubstummen-Unterricht auf andere deutsche
Staaten, indem Lehrer zu S. Heinike nach Leipzig
gesendet wurden, um den Taubstummen-Unterricht
zu erlernen.

Der menschenfreundliche, und für das Wohl seiner Unterthanen väterlich besorgte, damalige Mark-
graf, später Grossherzog *Carl Friedrich* von Baden,
hat den talentvollen jungen Theologen H e m e l i n g
nach Leipzig zu Heinike gesendet, um den Taubstummen-Unterricht zu erlernen. Nach dessen Rück-
kunft 1783 wurde in Karlsruhe ein Taubstummen-Institut errichtet, welches jedoch nur mit 3 Freiplätzen
für ganz arme Taubstumme fundirt war (Vermögliche
mussten bezahlen), welchem H e m e l i n g vorstand.
Nach Hemelings Tode *) wurde Rath K ö n i g (zum
Taubstummen-Unterricht bei Hemeling, und in Paris
bei Abbé Sicard gebildet) als Nachfolger H e m e -
l i n g s, und alleiniger Vorsteher des Instituts (1818)
ernannt. Rath König hat nach der S. Heinike'schen
Methode unterrichtet und namentlich die Tonsprache
mit der natürlichen Mimik verbunden.

Da indessen die Anstalt in Karlsruhe zu beschränkt
war, nur immer 4 Knaben, 2 Mädchen Unterricht in
derselben erlangt haben, und darum dem Bedürfniss
der bildungsfähigen Taubstummen im Grossherzogthum
lange nicht entsprochen werden konnte, so haben früher schon in *Staufen,* später in Freiburg in Breisgau
Lehrer F r e y und in Bruchsal Lehrer N e u m a i e r

---

*) H e m e l i n g starb als Oberbibliothekar und Geh. Hofrath
1817 in Karlsruhe.

Privatinstitute errichtet und einzelnen Taubstummen
Unterricht gegeben.

Aber alle diese Anstalten konnten noch immer
nicht dem Bedürfniss und der Zahl der Taubstummen
des Landes entsprechen. Um diesem Bedürfniss
dauernd abzuhelfen, wurde unter der weisen Regierung des Grossherzogs *Ludwig* die *Errichtung einer allgemeinen Taubstummen-Anstalt* für das Grossherzogthum Baden beschlossen, dieselbe vorerst unter
bereitwilliger Zustimmung der Landstände mit 3000 Fr.
jährlich aus der Staatskasse fundirt, und am 8. November 1826 in Pforzheim feierlich eröffnet.

Anfangs war die Anstalt mit dem allgemeinen
Arbeitshause — jedoch in eigenem, abgesonderten
Lokale — in Verbindung gesetzt, in welchem die
taubstummen Zöglinge den Industrie-Unterricht erhalten sollten, und zur Aufnahme von 30 Zöglingen,
20 Knaben und 10 Mädchen, bestimmt. Als Vorsteher und erster Lehrer wurde Rath Neumaier
ernannt. Zu dessen Unterstützung wurden „zwei
Hülfslehrer” Joseph Bach und Konrad Kall *),
letzterer als Zeichnen- und Industrielehrer, nebst
einer weiblichen Industrielehrerin und einer Aufseherin,
beigegeben. Die Anstalt selbst ward unter die Oberaufsicht einer *Immediat-Commission* bei dem *Ministerium des Innern* gestellt.

Das Statut, welches im Regierungsblatt Nr. XX.
vom 5. August 1826 über die Anstalt gegeben ward,
bestimmt im Wesentlichen die Aufnahme von Zöglingen vom 7ten bis 12ten Lebensjahr und die Lehr-
zeit bei Knaben auf 6, bei Mädchen auf 5 Jahre.
Arme haben bei der Aufnahme den Vorzug vor Ver-
möglichen. Die in die Anstalt aufzunehmenden Kinder dürfen *nicht blödsinnig* und die Taubstummheit

---

*) Kall war ein Taubstummer. Siehe unten dessen Biographie.

mit keinem andern Körpergebrechen verbunden, auch müssen dieselben von ansteckenden Krankheiten frei sein.

Rath Neumaier's Unterrichts-Methode war die vervollkommnete Heinike'sche. Die Kinder lernten laut und deutlich lesen und sprechen, das Gesprochene von Andern absehen und sich Andern mittheilen. Der Unterricht bestand im Erlernen von Lesen, Schreiben, Rechnen, Geschichte, Geographie, Religion, Zeichnen, allerlei mechanischen, häuslichen und Industrie-Arbeiten. Im Jahr 1830 ist der Oberlehrer Rath Neumaier gestorben, und dem 2ten Lehrer Joseph Bach wurde jetzt die Leitung der Anstalt provisorisch übertragen. Zugleich wurde ein Verwaltungsrath gebildet, bei welchem der erste Justizbeamte als Grossh. Commissair den Vorsitz führte, welcher das Oekonomische und Administrative der Anstalt, als dieser zunächst vorgesetzten Behörde, überwacht. Der Verwaltungsrath ist den Kreisregierungen coordinirt, und correspondirt unmittelbar mit dem Ministerium des Innern. Ein Hausvorstand wurde ernannt, dem Verwaltungsrath subordinirt, bestehend aus dem 1sten Stadtpfarrer, als Präsidenten, den beiden Hausgeistlichen, dem Arzte der Anstalt, dem Verrechner und dem 1sten Lehrer, welcher die Hauspolizei, die administrative, die nächste Aufsicht über Lehre und Unterricht u. s. w. zu berathen und zu leiten, und mit dem Verwaltungsrath über alle Verhältnisse der Anstalt zu communiciren hat. Die Anstalt wurde von jetzt an, zu einer *selbstständigen*, vom Arbeitshaus *unabhängigen Staats-Anstalt* erhoben, wodurch eine freiere, das Gedeihen derselben fördernde, Bewegung in dieselbe getreten ist.

War die Zahl der Zöglinge bis daher nur 30, so vermehrte sich dieselbe von jetzt an mit jedem Jahr; es musste darum das Lehrer- und Aufsichtspersonale

vermehrt und die Staatsdotation erhöht werden. Im
Jahr 1834 ist die Zahl der Zöglinge schon bis auf 48
gestiegen; mit der grösseren Bekanntschaft des Nutzens, welchen der Taubstummen-Unterricht gewährte, wurde der Andrang zur Aufnahme immer grösser,
und die seitherige Lokalität nicht mehr ausreichend.

Man suchte eine andere geräumigere. Gefunden
wurde sie endlich nach manchen Schwierigkeiten — und
damit begann für diese Anstalt eine neue Epoche —
in dem schönen Lokale der Landes-Siechenanstalt,
welche in das Arbeitshaus verlegt wurde. Nach den
nöthigen Verbesserungen und Vergrösserungen wurde
dasselbe mit 50 Pfleglingen von der Taubstummen-
Anstalt im Spätjahr 1843 bezogen. Die Einrichtung
war auf 60—70 getroffen, welche auch schnell erreicht wurde.

Die neue Anstalt liegt auf einem Höhepunkt auf
der nordwestlichen Seite der Stadt und hat 3 Stockwerke. Im 3ten befinden sich die für jedes Geschlecht abgesonderten Schlafsäle der Zöglinge, die
Zimmer für die Hülfslehrer und die Aufseherinnen, im
zweiten: die Wohnung für den Hauslehrer, das Conferenzzimmer, die Krankenzimmer und die Arbeitssäle
für die Zöglinge; im ersten: die Lehrzimmer, die
Speisesäle, für jedes Geschlecht abgesondert, die
Hausküche mit nöthigen Gelassen und die Magazine.

Das Gebäude steht in einem geräumigen Garten,
von der katholischen Kirche, Oekonomie-Gebäuden
und Mauern, umfangen und abgeschlossen. Mitten in
dem geräumigen Hofe befindet sich ein Pumpbrunnen,
welcher hinreichend und gutes Wasser liefert. Von
der Anstalt ist ein besonderer Eingang in die katho-
lische Kirche. Der grosse Garten, von welchem die
Anstalt umgeben ist, dient theils zur Oekonomie des
Hauptlehrers, zum grössten Theil ist er aber der Benutzung und dem Vergnügen der Zöglinge übergeben.

In demselben ist ein sehr gut eingerichteter, geräumiger Turnplatz zur Körperübung der Zöglinge her-
gerichtet.

Es hat somit die Anstalt jetzt eine Lokalität,
welche sowohl in ihrer Räumlichkeit als Salubrität
nichts zu wünschen übrig lässt; die innere Ausstattung entspricht dem Aeussern. Erweiterungen lassen
sich, wenn nöthig, in dem die Anstalt umgebenden
schönen Areal leicht anbringen.

Die Lehrmethode in dem hiesigen Taubstummen-
Institute ist vorzüglich auf die Bildung der Schrift-
und Lautsprache gerichtet *). Die Geberdensprache
und Mimik werden nur hülfsweise bei Anfängern benutzt. Es wird dahin gewirkt, dass die Zöglinge
gut und deutlich sprechen und das Gesprochene von
Andern absehen lernen.

Von der Laut- und Schriftsprache geht die Entwickelung und Fortschreitung des gesammten Unterrichts aus, welcher in Realgegenständen im ganzen
Umfange, als Schreiben, Lesen, Rechnen mit Zahlen
und Kopfrechnen, Religion, Geschichte, Geographie,
Naturgeschichte, Geometrie, Zeichnen, mechanischen
und Industrie-Arbeiten, besteht.

In den vom Unterricht freien Stunden werden die
Zöglinge in allen Haushaltungs- und ökonomischen
Arbeiten geübt. Die Knaben üben sich in Garten-
und Baum-Erziehungs-Geschäften, in häuslichen Arbeiten, als: Holz klein machen, Haus und Zimmer rei-

---

*) Die Laut- und Schriftsprache gewährt den Taubstummen
einen doppelten Nutzen: einmal werden sie dadurch fähig,
sich andern Menschen leicht mittheilen zu können und von
diesen, durch Absehen, das Gesprochene zu verstehen, zum
andern wirkt gerade die Uebung durch Sprache wohlthätig auf dieselben zur Entwickelung der Lungen und der
Sprachorgane.

nigen; es wird darauf gesehen, dass die Zöglinge so wenig als möglich sich der Hülfe anderer bedienen, daher sie Kleinigkeiten an sich, wie kleine Flickarbeiten, selbst fertigen lernen müssen. Die Mädchen üben sich in Nähe-, Strick- und Flickarbeiten, Kleidermachen, Waschen und Bügeln (Glätten), wie in allen häuslichen Geschäften. In Weissnähen und Kleidermachen bringen es manche zu grosser Fertigkeit.

Als wesentlich zur Körperentwickelung und Erkräftigung desselben dient die gut eingerichtete *Turnanstalt* im Anstaltsgarten. Knaben und Mädchen turnen abgesondert, unter Aufsicht und Leitung der Lehrer, und haben manche darin schon ungewöhnliche Fertigkeit erlangt. Zu Flussbädern bietet hier der Enzfluss schöne Gelegenheit, welche im Sommer vielfach benutzt wird; für warme Bäder ist in der Anstalt selbst eine gute Einrichtung getroffen.

Es werden mit den Zöglingen bei guter Witterung und Jahreszeit öfter gemeinschaftliche Spaziergänge ins Freie, unter Aufsicht der Lehrer, gemacht, im Sommer mit denselben grössere Ausflüge, kleine Fussreisen unternommen und diese zugleich zur Belehrung über Gegenstände der Natur und Kunst benutzt.

Die Einleitung zur Erziehung für eine kräftige Berufsbildung wird bei den Zöglingen schon in der Anstalt begonnen, deren Beschäftigung nach besonderer Neigung geleitet. Sobald sich ein Zögling zur Erlernung einer Profession entschieden hat, wird derselbe in seinen freien Stunden zu einem Werkmeister in der Stadt gethan, welcher denselben, bei seiner Entlassung aus der Anstalt, in der Regel auch in die Lehre nimmt. Es geht ein solcher Zögling darum schon vorbereitet in die Lehre und kann bald dem Meister nützlich werden.

Die weiblichen Zöglinge werden zu Dienstboten, Nähen, Kleidermachen, Waschen und allen häuslichen Arbeiten erzogen, und schon in der Anstalt dazu gebildet, weshalb dieselben, wenn sie der Anstalt entlassen werden, schon eingeübt und brauchbar sind.

Vor der Entlassung der Zöglinge aus der Anstalt sorgt der Vorstand für ein geeignetes Unterkommen, sofern deren Eltern dieses nicht thun können, und für ganz arme, welche eine Profession erlernen, wird, wenn sie ausgelernt und als Geselle eingeschrieben werden, aus einer besondern wohlthätigen *Stiftung* *), welche der Anstalt zu dem Behuf zu Theil geworden, das nöthige Handwerksgeräthe angeschafft.

So sind aus Zöglingen der Anstalt schon manche taugliche Professionisten gebildet worden, als Schneider, Schuhmacher, Köbler, Schlosser, Buchbinder, Goldarbeiter, Stahlgraveur u. s. w., welche sich selbstständig ernähren können, und Mädchen wurden zu brauchbaren Dienstboten erzogen. Ein Mädchen **) hat sich in Industrie-Arbeiten in der Anstalt so vervollkommt, dass sie dermalen als Industrie-Lehrerin in der Anstalt angestellt werden konnte.

---

*) Die Mitglieder der I. Kammer der Badischen Landstände haben im Jahr 1833 auf ihre Diäten verzichtet, beziehungsweise dieselben grossmüthig zu einer Stiftung zu bezeichnetem wohlthätigen Zwecke bestimmt.

**) Katharina Grümiger. Siehe unten deren kurze Biographie.

Nachweisung

über

die im Grossh. Taubstummen-Institut zu Pforzheim seit dessen Bestehen in demselben verpflegten Zöglinge.

Jahr	Verblieben vom vorigen Jahre	Zugang im Laufe des Jahres	Summa	Abgang im Laufe des Jahres			Verbleiben am Schlusse des Jahres	Bemerkungen.
				als ausgebildet	als bildungsunfähig	gestorben		
1826		24	24		1		23	
1827	23	8	31		3		28	
1828	28	4	32		2		30	
1829	30	3	33		1		32	
1830	32	3	35	1	2	1	31	
1831	31	3	34			1	33	
1832	33	32	65	28		2	35	
1833	35	21	56	10			46	
1834	46	10	56	6	7		43	
1835	43	6	49	2			47	
1836	47	6	53	2			51	
1837	51	17	68	16		2	50	
1838	50	28	78	26			52	
1839	52	10	62	10			52	
1840	52	8	60	7			53	
1841	53	6	59	6			53	
1842	53	16	69	17			52	
1843	52	8	60	4		3	53	
1844	53	22	75	18			57	
1845	57	23	80	16			64	
1846	64	6	70	3			67	
		264		172 +	16 +	9 +	67 += 264	

Das Mortalitäts-Verhältniss ist gleich $1 : 29^1/_3$, ein Verhältniss, welches auch dem bei Vollsinnigen, in der Stadt wohnenden ziemlich gleichkommt.

Die Krankheiten, an welchen die 9 Genannten gestorben sind, waren

    a) Kopfwassersucht bei   2

    b) Abzehrung und Lungensucht   3

c) Nervenfieber   2
d) Darmentzündung   1
e) Gehirnentzündung   1

Da man in letzterer Zeit bei den Aufnahmen von neuen Zöglingen genau geprüft hat, ob dieselben bildungsfähig gewesen oder nicht, so sind vom Jahr 1835 an, keine bildungsunfähigen mehr in die Anstalt gekommen.

Durch statistische Nachweisungen der Taubstummen im Grossherzogthum Baden wurde folgendes Resultat hergestellt. Voraus müssen wir aber bemerken, dass statistische Nachweisungen über gewisse Krankheitsfamilien nie genau und bestimmt die wirkliche Zahl derselben enthalten, dieselbe vielmehr nur annährend bestimmen, weil mancherlei Verhältnisse und individuelle Ansichten entgegenstehen können, und wirklich entgegen stehen.

Nach einer im Jahr 1810 *), im Grossherzogthum Baden vorgenommenen Zählung der Taubstummen ergaben sich, bei einer Bevölkerung von 924300, 470 wirkliche Taubstumme, somit 1 : 1966, und 213 Cretinen, somit 1 : 4338.

Nach einer, im Jahr 1826 durch die Grossh. Regierung vorgenommenen Zählung aller bildungsfähigen Taubstummen im Grossherzogthum Baden fanden sich, bei einer Bevölkerung von 1,108,060850, 850 Taubstumme beiderlei Geschlechts unter 18 Jahren, oder 1 : 1304, oder 767 auf 1 Million **).

---

*) Flachsland, Annalen für die ges. Heilkunde, unter der Redaction der Mitglieder der Grossh. Bad. Sanitäts-Commission. 1r Jahrg. 1s Heft 1824.

**) Neumaier, Ankündigung der am 1. Mai 1828 zu haltenden 1sten öffentlichen Hauptprüfung in dem Grossh. Taubstummen-Institute zu Pforzheim.

Seither ist eine Zählung der Taubstummen im Grossh. Baden nicht mehr vorgenommen worden, und da die Bevölkerung in den letzten 20 Jahren sich bedeutend vermehrt hat, so lässt sich annehmen, dass in demselben Verhältniss auch die Zahl der Taubstummen zugenommen hat. Der gegen solche Zählungen zu erhebenden Bedenken geschieht unten Erwähnung.

Die Zählung der Cretinen im Grossh. Baden dürfte sich hier zweckmässig anreihen lassen.

Auf Anordnung der Grossh. Sanitäts-Commission wurde im Jahr 1844 und 1845 die Zählung der Cretinen vorgenommen. Nach dieser Zählung befinden sich im Grossherzogthum Baden 440 Cretinen, und zwar

1) im Alter bis 10 Jahren	23
2) im Alter von 10 – 20 Jahren	98
3) ohne genaue Bezeichnung von 10—30 Jahren	16
4) von 20—30 Jahren	163
5) von 30—40 Jahren	54
6) über 30 Jahre	43
7) über 40 Jahre	43
	440

Bei einer dermaligen Bevölkerung des Grossherzogthums von circa 1,300,000, ist somit das Verhältniss wie $1 : 2954^{240}/_{440}$.

Es wäre aber wohl möglich, und ist sogar wahrscheinlich, dass bei genauer Zählung der Cretinen im Grossherzogthum Baden die Zahl sich noch höher, als angegeben, stellen dürfte, anderntheils dürften diesen auch noch bildungsfähige Taubstumme zugezählt sein, wie der praktische Arzt Guerdan[*]) einen im hiesigen Taubstummen-Institut befindlichen bildungs-

---

[*]) Annalen der Staats-Arzneikunde von Schneider, Schürmayer und Hergt, XI. Seite 599.

fähigen taubstummen Knaben, *Joseph Frey*, der von ihm berechneten Zahl von Cretinen beigezählt hat.

Dass aber die Zahl der *bildungsfähigen* Taubstummen im Grossherzogthum Baden nicht so gross ist, wie in der Zählung derselben vom Jahr 1826 angegeben worden, wird damit bewiesen werden können, dass dermalen alle bildungsfähigen Taubstummen unter 14 Jahren, bei einer Zahl von 70—75, in dem Grossh. Taubstummen-Institute dahier untergebracht sind und Bildung erlangen können.

Von den dermaligen 36 Exspectanten der Anstalt, wurden im Mai 1847 18 eingerufen — nachdem vorher 16 als ausgebildet entlassen worden — und mit diesen sind mit Einschluss der 1835 Gebornen, alle Taubstummen, welche bildungsfähig sind, in die Anstalt aufgenommen. Von den im Jahr 1836 und den folgenden Jahren taubstumm Gebornen, oder es erst nachher Gewordenen, findet später die Aufnahme ebenfalls statt, weil im Jahr 1849 wieder 20 als ausgebildet entlassen werden können. Es können somit, wie nachgewiesen, bei der Zahl von 70—75 in der hiesigen Anstalt, alle bildungsfähigen Taubstummen des Grossherzogthums Bildung und Erziehung erhalten, was bei einer Zahl von angeblich 850 bildungsfähigen Taubstummen nicht möglich war.

Bildungsfähige Taubstumme haben ausser der Taubstummheit *kein anderes körperliches* oder *geistiges Gebrechen*: sie können, gleich den *vollsinnigen Menschen*, körperlich gesund, kräftig, gut aussehend und wohlgestaltet sein, in geistiger Beziehung leiden sie weder an *Geistesverwirrung*, noch *Geistesschwäche*, *Blödsinn oder Cretinismus.* Ein sogenannter Taubstummer, der aber ziemlich gutes Gehör hat, und doch nicht sprechen kann, auch Gegenstände und

Dinge nicht erkennt und zu·begreifen im Stande ist,
wie häufig Fälle vorkommen, ist nicht mehr als Taubstummer zu bezeichnen. Sobald derartige geistige
Gebrechen den Taubstummen anhaften, können dieselben nicht mehr zu den Bildungsfähigen gezählt
werden. Damit wollen wir jedoch durchaus nicht aussprechen, müssen uns im Gegentheil ausdrücklich dagegen verwahren, dass diese nicht auch durch eine
gute Leitung in der Erziehung *geistig und körperlich*
verbessert, ja selbst zu mancherlei mechanischen und
einfachen Beschäftigungen nützlich gemacht werden
können; aber zum Unterricht in einer Taubstummen-
Anstalt sind solche Individuen nicht tauglich: sie lernen nicht sprechen und das Gesprochene von Andern
nicht absehen; sie erlangen niemals deutliche Begriffe
von Sachen, zumal nicht von abstracten Gegenständen.

Immerhin giebt es aber unter bildungsfähigen
Taubstummen, wie unter vollsinnigen Menschen, auch
Individuen von verschiedenen Geistesgaben. Man darf
darum in der Auswahl, welche ohnehin ihre grossen
Schwierigkeiten hat, weil besonders oftmals Körper-
schwäche den Geist niedergedrückt und unentwickelt
erhält — auch nicht zu rigorös sein, was für die
Abgewiesenen hart und von den traurigsten Folgen
werden könnte *). Wir haben deshalb schon solche
zweifelhaft bildungsfähige Taubstumme $\frac{1}{2}$ Jahr bis
1 Jahr in der Anstalt beobachtet, bevor wir uns ein

---

*) Der Ausspruch *nicht bildungsfähig* ist für das künftige
Schicksal des Taubstummen sehr wichtig, und muss darum
mit der grössten Vorsicht und Gewissenhaftigkeit geschehen; denn ist der Unglückliche einmal für bildungsunfähig
erklärt, so geschieht in der Heimath auch so viel wie gar
nichts mehr für·ihn, er wird auf jede Weise vernachlässiget, versinkt dadurch geistig bis zur Tiefe des Blödsinns,
und verfällt später dem Staat auf andere Weise, in einer
Versorgungs-Anstalt zur Last.

Urtheil über Bildungs – oder Nichtbildungs – Fähigkeit
erlaubt haben.

Den statistischen Nachweisungen der Taubstummen im Grossherzogthum Baden finden wir angemessen, zur Vergleichung und Erlangung von An-
knüpfungspunkten statistische Nachweisungen über
die Taubstummen von andern Ländern folgen zu lassen *).

Nach den statistischen Nachweisungen finden
sich Taubstumme:

1) Im Königreich *Sachsen*: 1:1212, oder 745 auf
   1 Million Bevölkerung.

2) In den sächsischen Herzogthümern: 1:1170, oder
   855 auf 1 Million Bevölkerung.

3) Königreich Preussen: 1:1319, oder 758 auf 1
   Million Bevölkerung.

4) Königreich Hannover: 1:1479, oder 676 auf 1
   Million Bevölkerung.

5) Herzogthum Braunschweig: 1:2026, oder 494
   auf 1 Million Bevölkerung.

6) Königreich Baiern: 1:1867, oder 494 auf 1 Million Bevölkerung.

7) Königreich Würtemberg: 1:1327, oder 754 auf
   1 Million Bevölkerung.

8) Grossherzogthum Hessen: 1:1000, oder 1000 auf
   1 Million Bevölkerung.

9) Kurfürstenthum Hessen: 1:1375, oder 727 auf
   1 Million Bevölkerung.

10) Herzogthum Nassau: 1:1429, oder 700 auf 1
    Million Bevölkerung.

---

*) Wir entnehmen diese Nachweisungen aus der vortreffli-
chen Schrift v. Dr. Schmalz: Ueber die Taubstummen und
ihre Bildung, in ärztlicher, statistischer, pädagogischer und
geschichtlicher Hinsicht. Dresden und Leipzig, Arnold'sche
Buchhandlung. 1838.

11) Oesterreichisches Kaiserreich:

a) Königreich Böhmen: 1 : 1535.

b) Markgrafschaft Mähren: 1 : 2454, oder 407 auf 1 Million Bevölkerung.

c) Königreich Gallizien: 1 : 3430, oder 292 auf 1 Million Bevölkerung.

12) Königreich Holland: 1 : 2000, oder 620 auf 1 Million Bevölkerung.

13) Königreich Belgien: 1 : 2187, oder 457 auf 1 Million Bevölkerung.

14) Königreich Frankreich. In Frankreich sind die statistischen Nachrichten über die Taubstummen unvollkommen. Man rechnet in Frankreich 12000 Taubstumme, 1 : 2500, oder 400 auf 1 Million Bevölkerung.

15) In der Schweiz sind die statistischen Nachrichten über Taubstumme vollständiger. Das Verhältniss ist:

a) Kanton Waadt: 1 : 1020, oder 981 auf 1 Million.

b) Kanton Basel: 1 : 500.

c) Kanton Aargau: 1 : 187, oder 5333 auf 1 Million.

d) Kanton Bern: 1 : 495, oder 5124 auf 1 Million.

e) Kanton Zürich: 1 : 978, oder 1023 auf 1 Million.

16) Königreich Sardinien: 1 : 756, oder 1323 auf 1 Million Bevölkerung.

17) Im Herzogthum Modena ist eine Zählung im ganzen Lande noch nicht vorgenommen worden. Die Gemeinde Modena hat bei 50000 Einwohnern 25 Taubstumme: 1 : 2000. Die Provinz Reggio bei 142000 Einwohnern 72 Taubstumme, oder 1 : 1972.

18) Kirchenstaat. Stadt Rom bei 150000 Einwohnern 70 Taubstumme, 1 : 2143, oder 467 auf 1 Million Bevölkerung.

19) Lombardisch - Venet. Königreich. Die Provinz Cremona hat bei 180000 Einwohnern 167 Taubstumme, 1 : 1078.

20) **Herzogthum Parma** hat bei 419191 Einwohnern 161 Taubstumme, oder 1 : 2604.

21) **Königr. Dänemark** hat 1200 Taubstumme, 1 : 1750, oder 571 auf 1 Million.

22) In **Russland** haben noch keine statistischen Zählungen der Taubstummen Statt gefunden. Von einzelnen adeligen Familien ist bekannt, dass bei denselben mehrere Taubstumme in der Familie als erblich vorgekommen sind.

23) **Grossbritannien.** Eine Statistik des ganzen Reichs mangelt noch; dagegen hat man solche von einzelnen Städten und Grafschaften. So hat *Liverpool* und *Manchester* bei einer Bevölkerung von 150 bis 200000 jede 140 Taubstumme, welche in diesen Städten geboren sind, während Birmingham bei einer Bevölkerung von 150000 nur 16 hat. Die grössere Zahl in den ersten Städten wird deren flacher Lage auf Marschboden zugeschrieben, die geringere in letzterer der hohen, trockenen Lage derselben. Es mögen wohl auch noch andere Verhältnisse, z. B. Fabrikarbeiten der Eltern und Kinder, mangelhafte physische Erziehung der Kinder, schlechte Nahrung u. s. w. dabei wirksam sein.

24) In den **vereinigten nordamerikanischen Staaten** befinden sich nach einer Zählung im Jahr 1830, und bei einer Bevölkerung von 12,860702, 6106 Taubstumme, 1 : 2106, oder 475 auf 1 Million.

25) In der **brittischen Besitzung von Unter-Canada** befinden sich, nach einer Zählung vom Jahr 1831, bei 511913 Einwohnern 408 Taubstumme, 1 : 1255, oder 797 auf 1 Million.

———

Vergleicht man diese statistischen Nachweisungen von Taubstummen in den verschiedenen deutschen und auswärtigen Staaten, so sieht man — so

weit diese Zählungen und Zusammenstellungen derselben richtig sein mögen — einen grossen Unterschied in dem häufigen oder minder häufigen Vorkommen derselben in den einzelnen Staaten. Ob die Ursachen davon in kosmischen, tellurischen und klimatischen Verhältnissen gesucht werden müssen, kann
indessen noch keineswegs daraus bestimmt nachgewiesen werden. In der Schweiz, wo in mehreren
Kantonen die Zählung der Taubstummen genau vorgenommen worden ist, und wo überhaupt ausserordentlich viele Taubstumme vorkommen, finden sich
in den Kantonen mit mehr ebenem und flachem Land
weniger Taubstumme, als in denen, welche im Hochgebirge liegen, wie Bern, Aargau; ein gerade umgekehrtes Verhältniss zeigen die grossen Städte Liverpool und Manchester gegen Birmingham in England.
Auch in andern Staaten, scheint es, dass die Taubstummheit sich häufiger in Ebenen und in flachen
Ländern vorfindet, als in Gebirgen, wie dieses z. B.
in Preussen, Braunschweig, Holland und Dänemark
der Fall ist. Im Grossherzogthum Baden finden sich
die meisten Taubstummen in den Thälern des Schwarz-
waldes und auf der Hochebene des Odenwaldes. Nach
Andern *) kommt die Taubstummheit in engen licht-
armen Thälern vor. Allein weil die Taubstummheit,
wie später nachgewiesen werden wird, weit seltener angeboren als vielmehr erworben wird, so kann man den
kosmischen, tellurischen und klimatischen Verhältnissen als ursächlichen Momenten derselben nicht allein
Geltung geben, sondern es müssen noch andere ursächliche Verhältnisse vorhanden sein.

Aber auch die statistischen Zusammenstellungen
der Zahl der Taubstummen lassen in den meisten

---

*) Zschokke, Die klassischen Stellen der Schweiz und de-
ren Hauptorte u. s. w. Karlsruhe und Leipzig 1838.

Ländern Bedenken zu, indem es noch sehr oft geschieht, dass Individuen zu den Taubstummen gezählt werden, die eigentlich keine Taubstumme sind, z. B. Taubstumme, welche angeboren blödsinnig, mit Hirnarmuth behaftet sind, Simpel und selbst Cretinen, wie dieses von Dr. Guerdan *) geschehen ist, welcher den Satz feststellt; „Taubstummheit muss zu Cretinismus gezählt werden." Wenn aber Quercus und Pinus zwar Bäume sind, so sind diese doch so verschieden von einander, wie Taubstummheit und Cretinismus. Solche Begriffsverwirrung in diesen beiden Krankheitsfamilien mag wohl zur Vermehrung der Zahl der Taubstummen, überall in den statistischen Nachweisungen beigetragen haben. Himmelweit sind aber cretinische Individuen von den wirklichen Taubstummen verschieden. „Der Grund der Cretinischen Taubstummheit, sagt Troxler **), liegt viel tiefer und ist weit zusammengesetzter als die Ursache der sogenannten Taubstummheit, oder der Stummheit, welche nur Folge der Taubheit ist, und die bei Unverletztheit der übrigen Sinne und der Sprachorgane besteht." Den Taubstummen fehlt nur das Gehör und in Folge dieses Mangels die Sprache, den Cretinen aber das geistige, das höhere Denkvermögen gänzlich; die meisten haben Gehör, aber keine, oder nur ganz undeutliche Sprache; ihr Körper ist abnorm entwickelt, klein, unförmlich, kein Glied — was denselben charakteristisch ist — ist conform dem andern: die Nase passt nicht zum Gesicht, der Mund nicht zur Nase, die Hand nicht zum Arm, die Extremitäten nicht zum Truncus, der Kopf nicht

---

*) a. a. O.

**) Der Cretinismus und seine Formen als endemische Menschenentartung in der Schweiz. Eine Abhandlung, vorgetragen in der Versammlung schweizerischer Naturforscher. Zürich 1836.

zum Ganzen. Die Unförmlichkeit und Geistlosigkeit der Cretinen zeichnet sich darum schroff von der Taubstummheit ab, und der erste Blick zeigt schon, dass man es bei diesen mit einer ganz andern Krankheitsfamilie zu thun hat.

Die Aetiologie des Cretinismus ist auch eine ganz andere, von der der Taubstummheit wesentlich verschiedene.

Der Cretinismus ist ererbt und angeboren; zur Hervorrufung desselben tragen kosmische, tellurische, atmosphärische, klimatische und diätetische Verhältnisse wesentlich bei, und kommt derselbe nach Guggenbühl *) auf Höhen von und über 4000 Fuss nicht mehr vor, dagegen sehr häufig auf der Nordseite in engen tiefen, dem Sonnenlicht schwer zugänglichen Thälern wie im Aarthal **) und in den Thälern von Wallis. Es ist ferner nach Rösch ***) und Maffei der Cretinismus in sumpfigen Gegenden, in Wohnungen, welche an Sümpfen von mephitischer Ausdünstung liegen, namentlich in Mühlen, häufig anzutreffen; auch wird kalkhaltiges Trinkwasser als Ursache desselben angesehen. Anders ist dagegen die Aetiologie der Taubstummheit, diese kommt auf Höhen wie auf Ebenen vor, sie wird weit seltener angeboren als in den ersten Lebensjahren erworben, obwohl auch sie nicht selten erblich vorkommt. Häufiger aber verlieren vollsinnig geborne, hoffnungsvolle Kinder, sogar erst im 6—8—10ten Jahr, durch irgend einen Krankheitsprozess im Gehörorgan, das Gehör und werden taubstumm. Dieses kann geschehen auf hohen Bergen wie in flachen Ebenen, in jedem Klima, unter allen Verhältnissen, ja gerade auf Hochgebirgen eher, weil

---

*) Ueber die Heilanstalt am Abendberge.
**) Dr. Zschokke, Cretinismus im Aarthal.
***) Der Cretinismus in Würtemberg. I. Th.

auf diesen grössere Tendenz zu Entzündungskrankheiten, namentlich zu Gehirn – und Ohrenentzündung
durch die atmosphärischen Verhältnisse bedingt ist. —

Seit 20 Jahren am hiesigen Taubstummen-Institut, waren wir von Anfang bedacht, die ursächlichen
Verhältnisse der Taubstummheit zu erforschen. Schon
einmal, im Jahr 1833, haben wir unsere Erfahrungen
hierüber an 62 Taubstummen veröffentlicht *), wir
finden sie jetzt an 264 bestätigt. Unter diesen sind
16, welche blödsinnig, cretinartig in die Anstalt gekommen, darum als *nicht* bildungsfähig wieder entlassen worden sind.

Gehen wir unsere Tabellen durch, so finden wir
17 Familien, welche mehr als ein taubstummes Kind
haben — eine 3, eine 4, eine sogar 5 —, wo also
die Taubstummheit ererbt, beziehungsweise angeboren
ist. Darunter ist ein Kind, dem das äussere Ohr
gänzlich fehlt, und der äussere Gehörgang mit einer
Haut verwachsen ist.

1) Angeboren ist die Taubstummheit im Ganzen bei 40
2) erworben durch Scrophelsucht bei . . 62
3) erworben durch Scharlach und Masern bei 38
4) erworben durch hitzige Krankheiten bei . 31
5) erworben durch Convulsionen in den ersten
   Lebensjahren bei 22
6) erworbene Kopfverletzung durch schwere
   Geburt 4
7) erworbene Metastase durch herpetischen
   Ausschlag 7

*) Ueber Taubheit und deren Ursachen im Allgemeinen. An-
nalen für die ges. Heilkunde unter der Redaction der Mitglieder der Grossh. Bad. Sanitäts-Commission. 4. J. 2. H.

8) unbekannt sind die Ursachen *) bei . . 18
9) die Mutter war während der ganzen Schwangerschaft krank bei 3
10) durch Parotitis und Otitis erworben bei . 7
11) durch Nervenfieber bei 3
13) durch Sturz auf den Kopf bei . . . 14

Unter der erworbenen Taubstummheit sind in der hiesigen Anstalt die Meisten vom 1sten bis 3ten Jahre, mehrere im 4ten, 5ten und 6ten, eines ist erst im 8ten Jahre durch Scharlachmetastase taub und stumm geworden.

Klimatischen und tellurischen Verhältnissen können wir bei den in hiesiger Anstalt vorhandenen Taubstummen keinen besondern Einfluss beimessen; wir haben so viele, ja mehr Taubstumme in der Anstalt vom Hochgebirge des Schwarz- und Odenwaldes, als von den flachen, ebenen Landesgegenden. Dagegen haben wir bemerkt, dass Gewerbe, welche beständig grossen Lärm und Geräusch verursachen, wie Mühlen, Kupferschmieden, Webereien u. s. w. die Erzeugung der Taubstummheit begünstigen. Vielleicht ist das Geräusch bei diesen Gewerben nicht die einzige Ursache, und hat grosse Feuchtigkeit der Wohnung, starke Luftströmung und Staub, wie bei Mühlen der Fall ist, wichtigen Antheil daran.

Die bei weitem grösste Zahl der Taubstummen findet sich bei der *niedern Volksklasse* in den Hütten der Armuth, obwohl es nicht an Beispielen vom Gegentheil fehlt. Dass aber bei den niederen Ständen die Taubstummheit öfter vorkommt als bei höheren, mag ausser den schlechten Wohnungen und diätetischen Verhältnissen seinen Grund hauptsächlich darin

---

*) Die Fragen im Erkundigungsbogen sind manchmal unvollständig beantwortet, wo denn das ursächliche Verhältniss der Taubstummheit unbekannt bleibt.

haben, dass bei diesen die Kinderkrankheiten häufig vernachlässiget, und darum Zerstörungsprocesse begünstiget werden.

———

Um *die Taubstummheit zu heilen* wurden von Aerzten und Nichtärzten schon sehr viele Versuche und Methoden angewendet. Die Hebung der Taubstummheit ist durch die Wiederherstellung des Gehörs bedingt. Diese Wiederherstellung des Gehörs ist aber nicht nur mit grossen Schwierigkeiten verbunden, sondern in den allermeisten Fällen ganz unmöglich, daher auch die verschiedenartigsten Curversuche stets erfolglos geblieben sind.

Zwar fehlt es nicht an Beispielen, dass Gehörlose durch Zufall ihr Gehör wieder erlangt haben. So erzählt Dr. Costberg *), dass ein Taubstummer durch das Abfeuern einer Kanone neben ihm, plötzlich sein Gehör erlangt habe. Itard **), theilt die Geschichte eines Taubstummen mit, welcher durch einen Stockschlag auf den Hinterkopf, der ihm die Hirnschale zerschmetterte, sein Gehör und mit diesem die Sprache wieder erlangt hat. Mücke ***) erzählt einen Fall, wo ein taubstummes Kind, das von einem Blitzstrahl getroffen worden, sein Gehör wieder erlangte; und einen andern, wo ein Taubstummer das Gehör durch das Läuten einer grossen Glocke in seiner Nähe wieder erhalten hat. Einen ähnlichen Fall erzählte auch Itard †).

Dieses sind jedoch ganz einzeln stehende und seltene Fälle, und können diese nur Statt finden bei Taubstummen, deren Gehörorgane noch ganz gut be-

---

*) Programm über die physische Behandlung der Taubstummen.
**) Maladies de l'oreille.
***) Rede bei der jährlichen Stiftungsfeier des Prager Taubstummen-Instituts.
†) a. a. O.

schaffen sind, und wo die Taubheit in Schwäche oder Halblähmung der Gehörnerven bestanden haben mag.

Mehr rationell hat man die Taubstummheit zu behandeln gesucht, indem man den Ursachen derselben nachgeforscht, und darnach die Behandlung derselben eingerichtet hat. Diesem gemäss wurden Aderlässe, Blutegel am Kopfe, drastische Abführ- und Brechmittel, aufregende und reizende Mittel, Aetherdämpfe, Ausschläge erregende Mittel, Blasenpflaster, Fontanelle, Haarseil, Moxa, Glüheisen, Guss-, Sturz- und Dampfbäder, Durchbohrung des Trommelfells und des Processus mastoideus, Einspritzungen in das Ohr und in die Eustachische Röhre, Electricität und Galvanismus u. A. angewendet. Man will davon zwar in einzelnen wenigen Fällen Nutzen gesehen haben, aber in den bei weitem meisten Fällen blieben alle Curversuche, mit welchen die Unglücklichen gemartert worden sind, fruchtlos.

Itard *) erzählt einen Fall, wo durch die Moxa, einen, wo durch Anwendung des Glüheisens auf den Proc. mastoideus das Gehör wieder hergestellt wurde, fügt aber auch bei, dass er diese Mittel noch oft ohne allen Erfolg angewendet habe. Curtis **) will es gelungen sein, in zwei Fällen durch lange Zeit unterhaltene Zugpflaster hinter den Ohren die Taubstummheit zu heben.

Unter innerlichen Mitteln rühmt Itard ***), das *Asarum Europaeum*, und Hahnemann †) schlägt antipsorische Heilmittel vor, welche dieser mit Nutzen bei der Taubstummheit angewendet haben will.

---

*) a. a. O.

**) Die Taubstummheit und ihre Heilung. Aus dem Englischen von Wiese.

***) a. a. O.

†) Deuxième Circulair de l'Institution des sourdements de Paris.

Durch Anwendung des Galvanismus will **Spren-**
ger *) mehreren Taubstummen das Gehör wieder verschafft haben. **Pfingsten** **) und **Eschke** ***),
Bremser und **Hafner** haben davon keinen günstigen Erfolg gesehen. Aehnliche Erfahrungen wurden
von der Anwendung der Electricität gemacht, wie
Itard ****) berichtet. Die Operation der Durchbohrung des Trommelfells und das Proc. mastoideus blieb,
nach **Kern** †), stets erfolglos, jedoch will **Itard** ††)
in einem Fall Nutzen davon gesehen haben. Auch
die Erfahrungen von Dr. **Hendrikzs** empfehlen diese
Operationen nicht. Von Einspritzungen in die Eustachische Röhre hat **Itard** keinen guten Erfolg gesehen. Nach **Hirz** †††) Beobachtungen haben ärztlichen Bemühungen zur Verbesserung und Wiedererlangung des Hörvermögens bei Taubstummen nur zeitraubend gewirkt und sind schädlich gewesen. Auch
Verte ††††) verwirft alles operative Verfahren, welches seit 50 Jahren bei Taubstummen vergeblich angewendet worden, will dagegen ein Heilverfahren zur
Hebung der bei Taubstummen häufig vorkommenden
Scrophelsucht nicht versäumt haben. Auch unsere
Heilversuche bei Taubstummen in dem hiesigen In-

---

*) Nachricht von den zu Jever durch die galvanische Gehör-
   gebekunst beglückten Taubstummen und von **Sprenger's**
   Methode diese durch die Volta-Electricität auszuüben, Oldenburg 1802.
) G. W. **Pfingsten, Vieljährige Beobachtung und Erfahrung über Gehörfehler bei Taubstummen als Winke bei Gal-
   vanisiren zu gebrauchen. ·
***) Galvanische Versuche.
****) a. a. O.
†) Bericht des Director **Venus**.
††) a. a. O.
†††) Beobachtungen am Taubstummen-Institut zu Kempten.
   1844.
††††) Quelques considerations sur les Sourds-muets. 1841.

stitute, welche in Anwendung der Electricität, Blasenpflaster, Haarseil, Glüheisen, Einspritzungen in
die Eustachische Röhre, drastischen Abführmittel,
Anwendung von Heilmitteln gegen die Scrophelsucht
und Anderm bestanden haben, blieben bis jetzt alle
fruchtlos. Wenn so die Anwendung der verschiedensten Heilmittel und Heilmethoden fruchtlos blieben,
während die Unglücklichen damit gequält und elend
gemacht worden sind, so brachte dieses die Aerzte
zur Ueberzeugung, dass die Ursachen der Taubstummheit durch die Kunst nicht zu beseitigen sind. Die
Leichenöffnungen bei Taubstummen geben darüber
Aufschluss. In der Regel findet man bei Leichen von
Taubstummen in den inneren Gehörorganen verschiedene und wichtige Desorganisationen. Bei 6 Leichen
von Taubstummen, welche wir genau untersucht haben, fanden wir überall die inneren Gehörorgane unentwickelt, desorganisirt und destruirt *). So haben
wir Caries an den Gehörknöchelchen, gänzliche Trok-
kenheit der Trommelhöhle und der Schnecke, fehlende Gehörknochen, Verknöcherung des Trommelfells, die Trommelhöhle mit käsiger Masse angefüllt,
Eiter in der Trommelhöhle, Mangel der peripherischen Enden der Gehörnerven, sehr dünne atrophi-
sche Gehörnerven, Verwachsung der Eustachischen
Röhre und des äussern Gehörgangs — gefunden. Auch
Andere, welche sich mit Leichenöffnungen von Taubstummen abgegeben, fanden derartige Veränderungen
in dem innern Gehörorgan. Itard **) fand einmal
den Gehörnerven erweicht, fast nur aus Schleim bestehend, zweimal die Paukenhöhle mit einer kreiden-
artigen Substanz angefüllt. Haigton ***) sah den

---

*) Annalen für die ges. Heilkunde. IV. Jahrg. 2s Heft.
**) a. a. O.
***) Meckel path. Anatomie.

Gehörnerven nur halb so gross als gewöhnlich. Mon-
tuin *) fand das Labyrinth fehlend, eben so die Gehörknöchelchen, und Mersani **) sah den Ambos
fehlen.

Wo aber so viele und beinahe bei allen Taubstummen vorhandene organische Zerstörungen der inneren Gehörorgane angetroffen werden, welche durch
keine Kunst beseitiget werden können, ist es begre.f-
lich, warum bis daher alle eingeschlagenen Heilwege
so geringen Nutzen gebracht haben. Dessen ungeachtet rathen Schmalz und Verte ***), die Heilversuche bei Taubstummen darum nicht ganz zu ver-
nachlässigen.

In Beziehung auf die körperlichen, geistigen und
moralischen Eigenschaften werden die Taubstummen
nicht selten als ganz verschieden von den vollsinnigen
Menschen betrachtet. Itard †) schreibt den Taubstummen ganz eigenthümliche körperliche und moralische Abweichungen zu, welchem auch Mansfeld ††)
so ziemlich beistimmt. Haben aber Taubstumme,
nach unserer Erfahrung, in ihren körperlichen Beziehungen vor Vollsinnigen, ausser dass ihnen Gehör
und Sprache mangelt, nichts Besonderes, so kann bei
guter Beobachtung nicht übersehen werden, dass bei
denselben grosse Anlage zur Scrophelsucht und der
Lungensucht vorwaltend ist. Die Scrophelsucht ist
selbst eine öftere Ursache der Taubstummheit; dieses
jedoch nicht für sich im engern Sinne, sondern durch
die pathischen Ablagerungen auf das Drüsensystem,

---

*) Physiologie.
**) Bonet sepulchret. T. 1.
***) a. a. O.
†) Dict. du sciences medicales. Art.: Sourd-muet.
††) Das Taubst. Institut in Braunschweig.

vorzüglich der Drüsen des Halses und des Ohres, und
der excessiven Folgen durch Vereiterung und Zerstörung der edleren Organe.

Man kann wohl mit Recht annehmen, dass bei
$^6/_{10}$ der Taubstummen Scrophulosität vorwaltend ist;
diese ist aber nicht als ein Attribut der Taubstummheit anzusehen, sie ist vielmehr erworben, ein Erzeugniss schlechter physischer Erziehung der Kinder,
schlechter Nahrung und Wohnung, wie dieses bei
Taubstummen aus den niederen Ständen, aus welchen
verhältnissmässig die meisten herkommen, gewöhnlich
der Fall ist. Es kann aber auch erbliche Anlage dabei eine Rolle spielen, dieses namentlich bei höheren
Ständen.

Neu zugehende Zöglinge im hiesigen Taubstum-
men‑Institute bringen in der Mehrzahl entweder ausgebildete Scrophulosität, oder scrophulose Anlage mit
in die Anstalt, welche sich aber bei der regelmässigen Lebensart, Reinlichkeit und Ordnung, und dem
Gebrauch zweckdienlicher, arzneilicher Mittel schon
in den ersten Jahren verliert.

Dass dieses aber in der hiesigen Anstalt nicht
allein, sondern überall in Taubstummenanstalten so ist,
beweisen die statistischen Nachweisungen von denselben.

Dr. Goldbeck *) hält Scrophelsucht u d Rhachitis für vorzügliche Ursachen der Taubstummheit,
und will, um die Tilgung und Heilung derselben zu
erstreben, die taubstummen Kinder vom 2ten Lebensjahre an in· Behandlung bekommen. Auch Verte **)
stimmt damit überein, dass die Scrophulosis sehr häu-

---

*) Nachricht über die Taubstummen‑Anstalt in Altona. Hufe-
land's Journal 1831.

**) a. a. O.

fig bei Taubstummen vorkommt, und diese sehr oft die Ursache der Taubstummheit sei.

Die Anlage zur Lungensucht wird ebenfalls ungewöhnlich oft bei den Taubstummen gefunden. Bei noch ungebildeten Taubstummen findet man sehr oft den Brustbau platt, eng und eingedrückt, die Lungen und Sprachorgane unentwickelt, die Brustorgane, namentlich die Lungen und den Kehlkopf, wegen Mangel an Uebung, kleiner, das Parenchym der Lunge fester, die Muskeln des Kehlkopfes und des beweglichen Gaumens rigid, unelastisch, die Stimmritze verengert *). Die Pubertät tritt bei den Meisten später, als bei Vollsinnigen ein. In diesem unentwickelten Brustbau ist die Anlage zur Lungenschwindsucht bei Taubstummen begründet, welche indessen durch die scrophulöse Diathese noch begünstigt wird **). Wenn Taubstumme keine Bildung und Erziehung erlangen, bei welchen die Lungen und Sprachorgane Uebung erhalten, so bleiben dieselben in einem unentwickelten Zustande; dieses wird jedoch anders, sobald Taubstumme in Anstalten zu Sprechübungen kommen, durch diese werden die Brustformation, die Lungen und die Sprachorgane entwickelter, vollkommener, und in dem Maasse als sich diese mehr entwickeln, tritt die Anlage zur Lungenschwindsucht bei denselben zurück. Man kann dieses bei Taubstummen nach einem Aufenthalt von wenigen Jahren, in einer Anstalt wo die Ton- und Lautsprache geübt wird, schon wahrnehmen. Es gewährt darum die Lautsprache den Taubstummen, ausser dem Vortheil dass sie sich leichter durch diese den Hörenden mittheilen können, auch noch

---

*) I. G. Mürer, De causis cophoseos surdo mutorum etc. Hafniae MDCCCXXV.

**) Desiré ordinaire. Troisième circ. de l'Institut Royal des Sourds-muets de Paris.

den grossen Nutzen für Verbesserung ihres Gesund-
heitszustandes. Dr. Schmalz *) glaubt zwar, dass
die Anstrengungen der Lungen- und Sprachorgane die
Lungenkrankheiten bei Taubstummen im 2ten Jahrzehend begünstigen. Nach unserer Erfahrung findet
gerade das Gegentheil statt. Wenn aber Lungensuchten im 2ten Jahrzehend bei Taubstummen öfter vorkommen als im ersten, so theilen sie diese Gefahr
bekanntlich mit den Vollsinnigen.

Man wollte noch andere Krankheitsanlagen bei
den Taubstummen sehen. Der erfahrene Itard **)
sagt von ihnen: ihr Organismus sei durchaus träge und
unempfindlich, und auffallend sei bei der Lungensucht
die Abwesenheit des Hustens und des Zehrfiebers, was
er von geringer Reizbarkeit des Organismus ableitet;
auch sollen die Taubstummen geduldig die grössten
Schmerzen z. B. bei chirurgischen Operationen ertragen, und auf erstaunenswürdige Weise den Wirkungen reizender abführender Arzneien widerstehen.
Mansfeld ***) glaubt, dass Taubstumme nicht so
vielen Krankheiten unterworfen wären wie Vollsinnige, und dass taubstumme Kinder doppelt so grosse
Arzneigaben ertragen und erfordern, wie Hörende.

Wenn es nun mit unserer Erfahrung übereinstimmt, dass Taubstumme öfter, aber nicht immer,
geringere körperliche Empfindlichkeit haben wie Vollsinnige, dass bei diesen die körperliche Entwickelung
gehemmt ist, die Pubertät später eintritt als bei Vollsinnigen, welchen letzteren die mangelhafte, vernachlässigte physische Erziehung von früher Kindheit an
zu Grunde liegen mag, so haben wir seit 20 Jahren

---

*) a. a. O.
**) Revue medicale française, Art.: Etrangère etc.
***) Das Taubstummen-Institut zu Braunschweig u. s. w.

doch nie gesehen, dass Taubstumme grössere Arzneigaben erfordern und ertragen, als Vollsinnige, auch
haben deren Lungensuchten in Erscheinungen und Verlauf denselben Gang, dieselben Zufälle, Husten, pu-
rulenten Auswurf, Zehrfieber, wie bei den Vollsinnigen. In Beziehung auf körperliche Empfindlichkeit
gegen Schmerzen, z. B. bei chirurgischen Operationen,
haben wir ebenfalls diese nicht anders als bei Vollsinnigen gesehen. Wenn sie sich aber mit grösserer
Ruhe und Geduld dabei benehmen wie Vollsinnige, so
folgt dies aus grossem Vertrauen zum Arzt und seiner Kunst, wovon unten die Rede sein wird. Es
sind aber auch Taubstumme gar oft sehr empfindlich bei Körperleiden, sogar sehr ängstlich bei kleinen Schmerzen, weil sie sich den Zusammenhang
und die Folgen, wie dieses bei Kindern überhaupt
der Fall ist, nicht erklären können. Oft genug ist
der Arzt darum veranlasst, dieselben zu beruhigen
und zu trösten.

Gegen klimatische und atmosphärische Einflüsse
und die Constitutio epidemica morborum verhalten sich
Taubstumme gerade wie die Vollsinnigen, und zeigen
sich die Jahreskrankheiten bei denselben gerade wie
bei diesen. So sind hier derselbe herrschende Krank-
heitscharakter, dieselben herrschenden Krankheiten in
der Anstalt, wie in der Stadt. Im Winter und Früh-
ling leiden die Zöglinge an catarrhalischen und entzündlichen Affectionen der pneumatischen Organe, im
Sommer an gastrisch - galligen Formen vom einfachen Status gastricus bis zur fbr. gastric. biliosa,
Diarrhöen, Dysenterien, im Spätherbst an Krankheiten der Schleimhäute, fbr. pituitosa u. s. w. Auch
der Verlauf, der Ausgang und die Behandlung verhält sich gleich. Nur erreichen die Krankheiten
bei den Zöglingen der Anstalt selten eine hohe In-

tensität, weil die Krankheit gleich im Entstehen beachtet und derselben zweckmässig entgegengewirkt
wird.

Die Alten haben den Satz aufgestellt: „das Gehör
ist die Thür alles Wissens"; und wirklich ist der
Gehörsinn in Bezug auf intellectuelle und moralische
Vervollkommnung der Menschen unstreitig der wichtigste; wo dieser mangelt, sind alle geistigen Verrichtungen getrübt, durch ihn steht der Mensch mit der
intellectuellen Welt in der engsten Verbindung, durch
ihn erhält die Seele eine Fülle von Eindrücken und
Vorstellungen und Stoff zur Bildung von Begriffen,
Urtheilen und Schlüssen, weshalb solche, denen dieser
Sinn mangelt, wie den Taubstummen, welche keine
Bildung und Erziehung erhalten, die den Gehörsinn
ersetzen — geistig und moralisch verkrüppeln und bis
zur vollkommenen Geistlosigkeit in den tiefsten Blödsinn versinken. Bei Taubstummen, welche Bildung
und Erziehung erhalten, welche den Gehörsinn ersetzen,
wodurch sie zu höheren geistigen Verrichtungen fähig
gemacht werden, ist dieses jedoch anders. Dennoch
hat man in Beziehung auf die geistigen und moralischen Eigenschaften die Taubstummen als sehr verschieden von den Vollsinnigen dargestellt, denselben
Attribute untergelegt, welche sie in der Wirklichkeit
nicht haben.

Itard *), welcher in dem Taubstummen - Institut
zu Paris lange Jahre hindurch als Arzt Beobachtungen gesammelt, behauptet: „die Taubstummen seien
misstrauisch und dennoch leichtgläubig, darum leicht
zu betrügen; sie seien gleichsam in einem Zustande

---

*) Mal. de l'oreille. Dict. des sciences médicales. Art.: Sourd -
muet.

der *halben Kindheit*, Ruhm und Ehrgeitz sei denselben fremd; zu denjenigen, von welchen sie Gutes erwarten und erhalten, hätten *sie unbegränztes* Vertrauen, so namentlich zu ihrem Lehrer und dem Arzte *). Kein menschliches Wesen sei im Allgemeinen fühlloser und schliesse sich weniger fest an, als ein Taubstummer und seien diese überhaupt keiner dauernden Anhänglichkeit fähig, so auch nicht derselben Liebe gegen Eltern, wie Vollsinnige; Dankbarkeit sei bei den Taubstummen wenig zu finden, sie hätten wenig Sinn für Freundschaft, desto mehr für physische Liebe und zeigten sich dabei eifersüchtig; zur Nacheiferung hätten sie gleichfalls wenig Sinn und seien für Lob und Tadel gleichgültig. Das weibliche Geschlecht sei im Allgemeinen liebevoller und für Zuneigung und Freundschaft empfänglicher als das männliche."

Wenn diese moralischen Eigenschaften als wirkliche Eigenthümlichkeiten bei den Taubstummen vorhanden wären, so müsste man dieselben für ganz andere als menschliche Wesen betrachten. Zum Glück für dieselben ist dieses aber nicht der Fall. Es giebt unter Taubstummen, wie unter Vollsinnigen, Individuen von verschiedenen moralischen und gemüthlichen Anlagen, es giebt Gefühllose und Gleichgültige, es giebt solche, welche hohen Grad der Freundschaft, Zuneigung und alle die edleren Motive des Geistes und des Herzens besitzen, und es sind dieselben auch in dieser Beziehung von den Vollsinnigen in *Nichts*

---

*) Hauptsächlich aus diesem Grunde befolgen sie auch unbedingt die Anordnungen von diesen, und unterwerfen sich mit Geduld und festem Vertrauen den Anordnungen des Arztes, selbst dann, wenn dieser schmerzhafte Operationen an ihnen vornimmt. Dieses geschieht darum nicht aus *Gefühllosigkeit*, sondern aus *unbegränztem Zutrauen*.

16 *

verschieden. Itard fühlt dieses auch wohl selbst, indem er zugiebt, dass diese seine Beobachtungen über die moralischen Eigenschaften der Taubstummen *viele Ausnahmen* erleiden können. Wenn in den französischen Taubstummen-Instituten, wo die Ton- und Schriftsprache weniger geübt wird, wie in den meisten deutschen, und die Zöglinge deshalb weniger mit den Vollsinnigen zu verkehren im Stande sind, diese moralischen Abnormitäten bei Taubstummen häufiger gesehen werden; wenn dort die Taubstummen gleichgültig sind gegen Lob und Tadel, Ruhm und Ehrgeiz, Zuneigung und Freundschaft, so liegt dieses ganz gewiss nicht in der Eigenthümlichkeit der Taubstummen, sondern in der Bildungs- und Erziehungsweise derselben. Das Ehrgefühl kann bei denselben wie bei Vollsinnigen geweckt werden, und wird in der hiesigen Anstalt, wie überhaupt bei jeder guten Erziehung, als Sporn zur Nacheiferung mit Glück benutzt.

Doch mehr als wortreiche Deductionen dürften Thatsachen gegen Itard beweisen, wozu wir die Lebensbeschreibungen von zwei Taubstummen aus dem hiesigen Institute nehmen wollen.

1) Konrad Kall war bis zum 6ten Lebensjahr vollsinnig, durch Metastase bei einem hitzigen Nervenfieber verlor er das Gehör und darnach die Sprache. Im Taubstummen-Institut zu Carlsruhe hat er durch Rath König Unterricht und Ausbildung erhalten. Er lernte nur undeutlich sprechen, aber vorzüglich gut das Gesprochene von Andern absehen, weshalb er im Verkehr mit Vollsinnigen sich gut bewegen konnte. Es besass derselbe ausgezeichnete Anlagen des Geistes und des Herzens, grossen Eifer zum Lernen, dabei ein vorzügliches Talent zum Zeichnen, Malen und allen mechanischen Arbeiten. In Berücksichtigung dieses Talentes wurde dasselbe besonders

ausgebildet, und so wurde er ein guter Zeichner und
Portraitmaler mit besonderm Geschicke zu allerlei mechanischen und gewerblichen Arbeiten. Ohne dass
er darin besondern Unterricht gehabt hatte, verfer-
tigte er Dreher-, Schreiner-, Schlosser-Arbeiten, re-
parirte Taschenuhren. Beinahe was er gesehen, konnte
er nachmachen: so konnte er viele Taschenspieler-
künste, besonders mit Karten, ausführen.

Als 1826 das allgemeine Taubstummen-Institut
dahier errichtet worden, wurde Kall als Zeichenleh-
rer für den mechanischen Unterricht dabei angestellt.
Selbst taubstumm, konnte er mit den Zöglingen
trefflich umgehen, es hatten diese grosse Zuneigung
und Vertrauen zu ihm, und seine Leistungen waren
ausgezeichnet. Nicht nur im Zeichnen-Unterricht,
sondern auch in gewerblichen Beschäftigungen brachte
er die Zöglinge sehr vorwärts. Noch hat die Anstalt
viele schöne Arbeiten, welche er selbst und Zöglinge
unter seiner Leitung gefertiget haben, welche in der
Anstalt aufbewahrt bleiben.

1832 hat Kall sich verheirathet. In der Ehe erzeugte er 4 gesunde hoffnungsvolle Kinder — 3 Knaben 1 Mädchen — welche alle vollsinnig sind. Er
war ein eben so guter, treuer Gatte, als besorgter
liebevoller Vater für seine Kinder. Durch seine Geschicklichkeit im Portraitmalen und mechanischen Fer-
tigkeiten kam er mit vielen Familien in der Stadt in
Verkehr, und überall wurde er wegen seines freundlichen Anstandes und seiner gutmüthigen Unterhaltungs-
gabe gern gesehen. So war er Mitglied der hiesigen Schützengesellschaft, überhaupt ein guter Schütze,
weshalb er öfter zu grossen Jagden eingeladen worden, denen er gern beiwohnte. Von seinen Portraits
finden sich bei vielen hiesigen Familien noch schöne
Denkmäler.

Kall war ein grosser Freund von Musik, und versäumte keine Gelegenheit wo musicirt worden ist, besuchte Concerte und Theater. Gefragt, wie er die Musik vernehme, bedeutete er nicht den Kopf, sondern zeigte auf die Brust, namentlich an die Herzgrube. Der Plexus solaris war somit bei ihm Vermittler des Gehörorgans. Er unterschied bei der Musik deutlich gut gelungene, schöne Passagen, gab Beifall und Tadel richtig zu erkennen.

1842 wurde er von der Influenza befallen, welche er nicht beachtete — die Folge war Bluthusten und Lungenschwindsucht, woran er 1843, 44 Jahr alt, gestorben ist.

Reger Eifer in seinem Beruf, treue Pflichterfüllung, eiserner Fleiss, offener, redlicher Charakter, frommer Sinn und Gottergebenheit, waren hervorragende Charakterzüge, welche sein Andenken in der Anstalt und bei allen denen, die ihn näher gekannt haben, ehrenvoll bewahren!

2) Katharina Grüninger wurde 1823 vollsinnig geboren, verlor im 6ten Lebensjahr durch Scharlach-Metastase das Gehör und die Sprache. Sie kam, 12 Jahr alt, 1835 in das hiesige Taubstummen-Institut, begabt mit guten geistigen Anlagen, sanftem Charakter, Trieb und regem Eifer zum Lernen. Der Unterricht in der Anstalt war bei ihr sehr fruchtbar, sie lernte gut sprechen, ganz vorzüglich aber das Gesprochene von Andern gut absehen, weshalb sie bald mit Vollsinnigen verkehren konnte. Für alle häuslichen und weiblichen Beschäftigungen hatte sie grosse Freude und besondere Geschicklichkeit, weshalb sie auch in diesen besondere Ausbildung schon in der Anstalt erhalten hat. Vollkommen ausgebildet hat sie 1840 die Anstalt verlassen, wobei vorher vom Vorstande des Instituts dafür gesorgt war, dass ihr Ge-

legenheit zu weiterer Ausbildung, womit sie sich ihren
Lebensunterhalt verschaffen kann, gegeben worden.
Sie erlernte nun Kleidermachen, Nähen und alle Arten weiblicher Beschäftigung. Ihre Dankbarkeit an
die Anstalt, in welcher sie Bildung erlangt hatte, ihre
Liebe zu derselben und den Unglücklichen, flösste ihr
das Verlangen ein, wieder in die Anstalt zu gehen,
und dieser mit dem Erlernten nützlich zu sein. Da
gerade die Stelle der Industrie-Lehrerin in der Anstalt zu besetzen war, so wurde ihr 1845 diese übertragen. Seither wirkt dieselbe in dieser Eigenschaft
mit ganz besonderm Fleiss und grosser Geschicklichkeit in der Anstalt, und die Zöglinge bezeugen zu
ihr ein grosses Vertrauen und besondere Anhänglichkeit.

Dieselbe ist jetzt eine 24 Jahr alte, blühend aussehende Jungfrau, welche auf das erste Ansehen Niemand für eine Taubstumme halten wird, zumal sie sich
mit Jedermann verständigen kann, weil sie Gespro-
chenes vom Munde gut absieht, schnell versteht und
gleich antwortet *). Von Charakter ist sie sanft, gut-
müthig, bescheiden, anspruchlos und streng sittlich,
welche Eigenschaften ihr zur besondern Empfehlung
dienen.

––––––––

Indem wir unsere Abhandlung hiermit schliessen,
fügen wir derselben noch an, dass wir nicht beabsichtigt haben, eine psychologische Abhandlung über Taub-

––––––––

*) Das Gesprochene vom Munde Anderer gut absehen und
gleich zu beantworten, ist mehr als sinnlicher Eindruck, es
ist eine Verstandesoperation. Aber auch das Gemüth scheint
dabei wesentlichen Antheil zu nehmen, und der Plexus solaris die Stelle des Gehörorgans zu ersetzen. Dass der
Lehrer Kall die Musik durch das Gefühl und den Plexus
solaris empfunden und unterschieden hat, giebt Andeutung
dazu.

stummheit zu geben; nur Thatsachen, wie diese eine 20jährige Beobachtung und Erfahrung an die Hand gegeben, wollten wir zusammenstellen, und damit eines Theils die hiesige Anstalt zu näherer Kenntniss bringen, andern Theils aber auch die unglücklichen Taubstummen vor Missdeutungen iu ihren geistigen und moralischen Eigenschaften schützen.

Genera

rovinzial-

er in der Pro

Es sind im Jahr
nach vollen Tage
net überhaupt in
stalt gewe storben   Summa

$$\frac{110}{\frac{28}{4}}$$

lusse des Jah

die Predigerkrankheit in Schweden.

Von

Dr. L. Spengler.

Ueber diese merkwürdige Erscheinung hat ein neuerer Reisender in Schweden, Ludwig Clarus, an Ort und Stelle selbst Erkundigungen eingezogen, die er in seinen Briefen *„Schweden sonst und jetzt. 2 Thle.* Mainz 1847"* wiedergegeben hat (II. 27ster Brief, S. 282 fg.) und welche wir hier im Auszuge mittheilen wollen.

Die in Rede stehende Krankheit ist die sogenannte Predigtsucht, eine Krankheit, die keine andere der europäischen Nationen in solchem Maasse aufzuweisen hat. Sie zeigt sich seit 1842 bei vielen Mädchen, namentlich in der Provinz *Småland.* Unter krankhaften Symptomen fühlen sich diese Mädchen unwiderstehlich zum Predigen getrieben. Ist auch Religionsschwärmerei dabei im Spiele, so wirken doch ohne Zweifel zugleich leibliche Ursachen mit. Fast alle Kranke, welche über den Hergang befragt wurden, gaben an, dass ihr ungewöhnlicher Zustand mit einer starken Erweckung zur Reue und Besserung angefangen, im Verein mit Uebelbefinden, Schwere im Kopfe oder im Leibe überhaupt, Brennen in der Brust u. s. w.

Die Erweckung ging bei einigen dem körperlichen Leiden voran, bei andern folgte dieselbe. Bei dem auffallenden Charakter der Erscheinung hat man dem Leiblichen als dem minder Bedeutenden und Untergeordneten wenig Aufmerksamkeit geschenkt, und es fehlt daher an sorgfältigen Beobachtungen. Durch Convulsionen gelangten viele in ein Stadium der Krankheit, wo sie Gesichte hatten und predigten. Obgleich die Predigerinnen ein heiteres und freundliches Aussehen zu haben pflegen, so hat man doch in ihren Blicken und Mienen eigenthümliche Erscheinungen wahrgenommen, welche nur bei körperlichen Leiden sich einzufinden pflegen. Die Convulsionen bestehen in ihrer gelindesten Form darin, dass die Achseln heftig gegen die Brust vorgestossen werden, in stärkeren Graden aber ein gewaltsames Schütteln der Arme und des ganzen Leibes Statt findet. Die Bewegungen sind durchaus unwillkührlich. Die Kranken behaupten, sie könnten dieselben durchaus nicht lassen, sondern würden dazu gezwungen. Sie glauben deshalb hierbei unter dem Einfluss einer höhern Macht zu stehen. Darum bilden sich die Patientinnen ein, diese Erschütterungen seien Wirkungen des Geistes Gottes und ein ihnen verliehenes besonderes Gnadenzeichen, wodurch die Kranken zunächst selbst, sodann alle, welche sie sehen, an die Hässlichkeit und Verdammungswürdigkeit der Sünde erinnert werden sollten. Deshalb stellen sich diese Convulsionen auch besonders dann ein, wenn der Kranke von selbst oder durch Andere an die Sünde, oder etwas in seiner Vorstellung Sündhaftes erinnert wird. Ein Berichterstatter sah einzelne Kranke und ganze Schaaren derselben gelinder oder stärker geschüttelt werden, wenn sie die Wörter: Sünde, Satan, Eid, Schwur, Kartenspiel, Branntwein u. s. w. nennen hörten, selbst wenn dieselben ohne besondern Nachdruck ausgesprochen wurden und nur gelegentlich im Gespräche vorkamen. Besonders heftig erfolgen die Schüttelungen, wenn Jemand, wie sich die Kranken ausdrücken, Widerrede thut, d. h. Aeusserungen macht, welche wider die Meinung der Geschüttelten laufen. So äusserte Jemand vor einer Menge ihn umgebender Convulsionäre, dass ihre Schüttelungen Anzeichen eines körperlichen Krankheitszustandes seien. Auf einmal verfielen jene in stärkere Schüttelungen, als worin der Beobachter sie je gesehen, und als er fragte: ob ihnen missfalle, was er aus Ueberzeugung geäussert, verwandelte sich der düstere Gesichtsausdruck Aller in ein freundliches Lächeln, und mehrere antworteten zugleich, dass sie sicherlich nicht übel nähmen, was jener gesagt, aber dass sie, sie möchten wollen oder nicht, zur Schüttelung gezwungen wären, wenn Jemand *Widerrede thäte.*

Ein höheres Stadium scheinen die Convulsionäre erreicht zu haben, wenn sie nach den Schüttelungen rückwärts fallen oder ohnmächtig werden. Nach dem Erwachen erzählen sie von Gesichten, die sie gehabt haben. Stoff und Gehalt dieser Gesichte sind meistens einerlei. Zunächst geben sie vor, einen Anblick der Qual und Pein der Verdammten gehabt zu haben. Wie solcher sie entsetzt und ihnen Schrecken einjagt, so erquickt und erhebt sie der ihnen durch die geöffnete Himmelspforte vergönnte Einblick in die ewige Seligkeit, in welcher vornehmlich der endlose Nachtmahltisch sich hervorthut. Merkwürdig ist, dass fast niemals ältere Personen, sondern nur Kinder, besonders aber Mädchen, von der Affection ergriffen werden. Einem Beobachter wurden zu *Tangebo* drei Kinder vorgestellt, zwei Mädchen und ein Knabe, von denen es hiess, sie hätten Gesichte und könnten predigen. Als die Pflegemutter des einen Mädchens dasselbe aufforderte, sich vor dem Herrn hören zu lassen, ant-

wortete die Kleine, sie habe dazu jetzt keine Macht,
denn keins vermöge zu predigen, das nicht von Innen die Erlaubniss dazu erhalten und die Weckung
dazu gefühlt. Als die Mutter gleichwohl in das Mädchen drang, fiel dasselbe unter Convulsionen rückwärts nieder, was ihm das andere Mädchen, gleichsam angesteckt, nachthat. Beide lagen mehrere Minuten still mit den Händen über der Brust, erhoben
dann ihren Kopf und klatschten mit den Händen, wobei sie convulsivisch lachten und sodann in ihre Lage
zurücksanken. Nach einigen Minuten erwachten sie
von Neuem wie aus schwerem Schlafe, rieben sich
die Augen und erzählten, sie· hätten den grossen
Abendmahlstisch gesehen. Die anwesenden Leute legten das Händeklatschen und Lachen als Aeusserungen
der Freude über jenen Anblick aus. — Auch anderwärts hat man die Bemerkung gemacht, dass die predigenden Kinder in einem Rapport zu einander stehen,
sich gegenseitig angezogen fühlen und nie zusammen
sind, ohne einander unaufhörlich wiederholte Beweise
ihrer Zuneigung zu geben.

Eben so wenig freiwillig, als die Schüttelungen
und der Schlaf sind, scheint das Predigen selbst im
freien Willen der von der Predigtsucht Ergriffenen zu
stehen. Alle Erzählungen stimmen darin überein, dass,
bevor der Predigttrieb sich einstellt, der Kranke nicht
predigen kann. Ergreift ihn aber einmal der innere
Drang, so vermag er dazu mit festem Vorsatz eine
Weile den Trieb zu bewältigen, muss aber zuletzt
doch demselben nachgeben. Der Drang zum Predigen
überfällt den Kranken auch, wenn derselbe sich ganz
allein befindet; ja er gehet dann oft gerade hinaus in
die Einsamkeit des Feldes und der Wälder und verkündet daselbst, von Niemandem angehört, seine Ermahnungen zur Busse und Bekehrung. Das Volk will

behaupten, dass Blumen und Bäume auf die Predigt
hörten, auch die Vögel sich als Auditorium um die
Predigerinnen versammelten. Die Predigerinnen bilden sich dasselbe ein. — Dass die Predigtsucht mehr
aus einem innern Naturdrang als der Absicht, wirklich zu erbauen, hervorgeht, beweiset die Erzählung,
welche ein 20jähriges Mädchen von dem Hergange
machte. Eines Sonntags glaubte sie während der Predigt zu bemerken, dass der Pfarrer *Widerrede thäte.*
Sie wurde geschüttelt, fühlte einen Brand in der Brust,
wobei ihr „so starke Worte" zukamen, dass sie hart
auf die Zähne beissen musste, um nicht sogleich in
das Predigen auszubrechen. Durch solches Bemühen
und Gebet gelang es ihr, bis der Geistliche Amen gesagt hatte, zu schweigen. Sie eilte sofort aus der
Kirche, und fing mit lauter Stimme zu predigen an.

Der Inhalt dieser Predigten ist so ziemlich sich
überall gleich. Sie bestehen in einfachen Ermahnungen
zur Besserung und Enthaltung von Sünden. Als solche
werden vorzugsweise: Spiel, Völlerei, Tanz, hoffär-
tiges Leben angegeben; auch Weissagungen über nahe
Zerstörung der Welt giebt es zu hören. Die Kranken halten sich überzeugt, dass nicht nur die guten
Rührungen zur Besserung, sondern auch alle besonderen Erscheinungen des leiblichen Krankheitszustandes das Werk des heiligen Geistes sind, wofür sie
auch die Weissagung vom nahen Untergang der Welt
ansehen. Als Beweis aus der heiligen Schrift berufen
sie sich auf das zweite Kapitel des Propheten Joël.
Und als man sie auf Apostelgeschichte II, 16 ver-
wies, wonach jene Weissagung bereits in Erfüllung
gegangen, hielten sie dafür, dass dieses eine zweite
Erfüllung nicht ausschliesse.

Haben einige der Kranken auch ein niedergeschla-
genes Aussehen, so fehlt doch viel an jener Düster-

heit, welche die Begleiterin krankhafter Selbstpeinigung zu sein pflegt. Auch die anscheinend in Trauer Versenkten gewannen ein mildes, freundliches und heiteres Ansehen, wenn man sie ansprach oder sie selber die Anrede begannen. Merkwürdiger Weise hat man an diesen Schwärmern von dem geistlichen Hochmuthe, der gewöhnlich solchen Erscheinungen zum Grunde liegt und der sich als Unverträglichkeit und Verdammungssucht zu äussern pflegt, noch wenig vernommen. Alle erkennen zunächst das eigne Bedürfniss der Besserung, des Erbarmens, der Gnade an. Wenn das, was sie über Sünde und Besserung sagen, einem der Anwesenden zu Herzen geht, so meinen sie, dass sie, ohne es gerade selbst zu wissen, die Aeusserungen seinetwegen hätten thun müssen. Sie pflegen aber wissend solche als Sünder zu bezeichnen, welche sich zu den Zusammenkünften der Predigenden in der Absicht einfinden, um dieselben lächerlich zu machen oder zu verachten. Gegen unschuldige Zierrathen, Vergnügungen und Genüsse, welche den Predigtsüchtigen zuwider zu sein pflegen, äussern sie ihren Hass selten auf eine fanatische Weise. Die häuslichen Arbeiten und Verrichtungen gehen bei den Predigenden ihren gleichförmigen und ungestörten Gang fort. Das Familienleben erleidet dabei keinen Abbruch noch Aenderung. Schwören, Tanzgelage, Kartenspiel und der Branntweingenuss haben in den Gemeinden, in welchen die Predigerkrankheit herrscht, ganz aufgehört, oder sind auf ein unbedeutendes Maass beschränkt.

Andere Berichte sind viel leidenschaftlicher gehalten, und namentlich in Betracht des sechsten Gebotes reden sie den Kranken viel Uebles nach. Doch diese scheinen wenig verbürgt. Aber es ist auffallend, dass unter den Sünden, gegen die gepredigt wird, die Versündigungen gegen jenes Gebot nicht mitgenannt werden. — Die Erscheinung hat wie eine Seuche ganze Provinzen durchzogen und die Leute haufenweise befallen und geschüttelt. Clarus war aber nicht so glücklich gewesen, auskundschaften zu können, an wem die Krankheit sich zuerst gezeigt, und wie sie dabei aufgetreten. Daraus würde man über Wesen und Art wohl einen hellern Aufschluss erhalten.

Cl. meint, dass hier keine Erscheinungen einer tiefen religiösen Mystik vorliegen, sondern dass die Hauptsache dem Gebiete der natürlichen Mystik und namentlich dem Bereiche des sogenannten Lebensmagnetismus angehöre, dessen Aeusserungen diesen gutgearteten, religiös erzogenen Leuten ein psychologisches Räthsel sind und wegen der Unbegreiflichkeit als Abkömmlinge höherer Gebiete betrachtet werden. Dem Vitalmagnetismus wird ja auch nachgerühmt, dass er eine die Gefühle veredelnde Kraft, eine Sitten reinigende Macht besitze. Etwas Dämonisches oder dem bösen Principe Angehöriges glaubt Cl. in der schwedischen Predigtsucht nicht annehmen zu dürfen, und deshalb hält er die Gräuel für sehr übertrieben, welche man von den predigenden Mädchen zu erzählen weiss.

Nachtrag.

Ich kann nicht umhin, hier die Mittheilung eines Falles von sporadischer Predigtsucht anzureihen, welcher beweist, dass wenigstens zuweilen doch auch viel Willkühr und Affectation bei diesen Krankheitszuständen mitunterläuft. — Vor anderthalb Jahren machte in einem Dorfe, etwa 6 Meilen von hier, ein junges Dienstmädchen von 22 Jahren durch ihre Pre-

digten und Weissagungen grosses Aufsehen. Sie soll
anfänglich öfters epileptische Anfälle gehabt haben;
nachdem diese verschwunden, verfiel sie periodisch
in jenen schlafähnlichen Zustand, in welchem sie,
ganz wie die schwedischen Predigerinnen und wie die
Propheten aller Zeiten, die Laster der Menschen beklagte und verdammte und grosse Strafgerichte, in
Kriegen und Krankheiten, (wohin auch die damals
verbreitete Kartoffelkrankheit gezogen wurde) ver-
kündigte. Gewöhnlich sagte sie in dem Anfalle, der
stets in der Feierabendstunde eintrat, den nächsten
voraus; die Zuhörer strömten dann herbei und be-
zahlten gern ein kleines Eintrittsgeld, das ihrem Vater zu Gute kam. Das Mädchen versicherte im wa-
chenden Zustande, nichts von ihren Anfällen zu wissen. — Ein Arzt hatte im Auftrage der Obrigkeit
die Kranke mehrmals untersucht, den Zustand für
spontanen Somnambulismus, die Verhältnisse aber für
ungeeignet für die Behandlung des Falles erklärt.
Das Zuströmen des Volkes und der dabei vorkommende Unfug veranlasste endlich die Entfernung der
Kranken nach einem benachbarten Städtchen, wo sich
aber die Scenen in noch schlimmerer Weise wiederholten, so dass man für das Gerathenste hielt, schleunig die Kranke in die hiesige Anstalt, Zwecks der
Beobachtung und, sofern nöthig, der Behandlung zu
schaffen. Es gelang mir schon in der ersten Viertel-
stunde, die Schwangerschaft des Mädchens zu constatiren, deren Kenntniss sie sogar nach einigen miss-
lungenen Versuchen des Läugnens eingestand. Ich
brachte sie sofort in eine Entbindungsanstalt unter
und meine Warnung, vielleicht auch der Mangel an
Zuhörern, bewirkte, dass sie, unter der sorgfältig-
sten Beobachtung, fortan keinen leisen Versuch zum
Predigen wieder machte, vielmehr, nachdem sie eines Knäbleins genesen, des Heiligenscheins entklei-

det in ihre Heimath zurückkehrte und seitdem kein öffentliches Aergerniss mehr gegeben hat. — In der That scheint dieser Fall die Bemerkung des vorstehenden Artikels zu rechtfertigen: es sei auffallend, dass die Predigerinnen, wenn auch wider alle andern Sünden, doch nie wider die gegen das sechste Gebot eifern. —

Flemming.

Wartung und Pflegung der Irren,

nach Herrn Dr. K. E. Kirmsse, aus dem 3ten Bd. 3tes Heft dieser Zeitschrift,

von

Dr. Joh. Tschallener,

k. k. Irrenanstalts - Director und Primararzt in Hall.

Quod tibi non vis fieri, alteri ne feceris; suum ergo cuique

Keineswegs als ob ich die vortrefflichen Leistungen des Herrn Dr. phil. Bergsträsser und des Herrn Dr. med. Kirmsse bekritteln wollte, sondern nur um da oder dort in ihre Vorabeiten auch meine aus einer bald 40jährigen Erfahrung und 12jährigen Irrenpraxis abstrahirte Meinung einfliessen zu lassen, ergreife ich die Feder, wohl wissend, dass es für einen jeden Arzt, ganz besonders aber für den Irrenarzt ein beinahe unauflösliches Problem ist, ein in — jeder Hinsicht passendes Kranken - Wartpersonal aufzubringen, selbes in Ordnung zu erhalten und ihm sowohl von seinen Vorgesetzten als auch von den seiner Pflege Befohlenen die geeignete, ja — nothwendige Achtung zu verschaffen. Die tägliche Erfahrung sagt: „Wie die Kindsmagd ist, so wird das ihr anvertraute kleine

Kind", und nicht viel anders steht es mit dem Verhältniss des Wärters zu den Irren, unsern grossen
Kindern.

Ist es etwa unter unserer (der Irrenärzte) Würde, das, was ich so eben von den Kindsmägden, d. i.
Aeltern-Stellvertreterinnen gesagt habe, auch auf
unsere Irren-Wartindividuen, als auch unsere (der
Irrenärzte) Stellvertreter in einer Beziehung anzuwenden, leistet dieses Personal bei unsern grossen
Kindern (den Irren), wenn es seine Schuldigkeit thut,
nicht nur eben so viel, sondern muss es in mancher
Beziehung nicht viel mehr leisten?

Ich brauche hier keine Beweise zu liefern, ich
müsste nur voraussetzen, dass ich zu Männern spräche, welche gar keinen Begriff von dem äusserst
schwierigen Irrendienste haben, welcher gesundheits-
und lebensgefährlich ist.

Achtung also, dem Achtung gebührt, gutes Brod
dem, der es verdient, und Nachsicht dem, der bei
seinem so schwierigen Dienste so gut wie jeder von
uns Irrenärzten darauf Anspruch hat! Dahin zielt
mein Motto: *suum cuique*.

Wie dieses im Sinne dieser Einleitung geschehen
kann und wie manche Hindernisse in dieser hochwichtigen Sache beseitiget werden können, werde
ich mit Folgendem und zwar Punkt für Punkt nach
der vorliegenden Abhandlung des Herrn Dr. Kirmsse
versuchen, und zwar zur Seite 450, A. u. I.

Ich theile hier die Ansichten des Herrn Vf.'s durchaus: Sträflinge eignen sich nicht; am Wartpersonal
soll gar nichts haften, was dem Kranken zu irgend
einem Anstosse dienen könnte; der Irre ist sehr oft
ein äusserst feiner Beobachter, und wehe dem, der
ihm zur Zielscheibe dienen muss.

Dass der Herr Vf. der ausgedienten Soldaten nicht
erwähnt, ist kein Schade, sie sind zwar an Ordnung;

Reinlichkeit, Subordination, aber auch in der Regel an wenig Gefühl und nicht selten an einen für eine Irrenanstalt nicht passenden Umgang mit den Kranken gewöhnt; drei von vielen haben mir entsprochen. Am zufriedensten kann ich immer mit wohlgesitteten, also gewissenhaften und schlichten Menschen aus dem niedern Stande sein.

Das Wartpersonal braucht gar nicht viel Wissens mitzubringen; wenn es nur guthmüthig, gelehrig und folgsam ist, dann macht sich alles in kurzer Zeit zurecht.

Zur Seite 455, II. Ueber das Zahlenverhältniss des Wartpersonales zu den Kranken lässt sich durchaus nichts festsetzen, dieses hängt einerseits von der Bauart der Anstalt und der Irrenlocalien und andererseits von der Qualität der Kranken ab. Hier gilt nur die Regel: jeder Schluss über den absoluten Bedarf des Wartpersonals von einer Anstalt auf die andere ist ein Trugschluss, so lange man eine vollkommene Gleichheit der Kranken, der Bauart der Anstalten überhaupt und der Irrenlocalien insbesondere nicht voraussetzen kann.

Ist die Bauart neuerer Art, sind die Abtheilungen der Kranken absolut nicht getrennt, so dass wenigstens doch zwei und zwei Wartindividuen miteinander unmittelbar communiciren, und bestehen die Irrenzimmer so zu sagen nur aus 4 kahlen Wänden mit, allerdings eine gemächliche Sicherheit gewährenden, aber auch eine in — lichten Augenblicken peinliche und kerkerartige Abgeschiedenheit von der Welt bedingenden Oberlichtfenstern, mit Kunstheizung; so braucht man allerdings wenigere Wartindividuen. Ist aber dieses nicht der Fall, so wird es ohne alle weitere Rücksichten nicht nur eines grössern Wartpersonals, sondern auch noch anderweitiger Unterstützungsmittel bedürfen, um Nachtheil von den Kranken und

ihrer Umgebung möglichst abzuhalten; wer sich auf
das Wartpersonal auch *in einzelnen Fällen* allein verlassen will, der ist verlassen, und hätte er selbst uns
— Irrenärzte — zu Wärtern.

Es ist eine alte Regel: wer den Zweck erreichen
soll, dem müssen auch die Mittel dazu frei stehen.
Dem Dirigenten einer Irren - Heilanstalt soll es also
ganz und gar überlassen bleiben:

a) wie immer beurkundete Uebelstände in der Anstalt auf der Stelle zu heben, sobald er entweder durch eigenes Nachdenken oder durch irgend
ein Ergebniss darauf aufmerksam gemacht worden ist,

b) sich ein Wartpersonal nach seinem Kopfe heran-
zubilden und es auch so lange zu behalten, so
lange es ihm entspricht, und

c) dieses Wartpersonal nach Umständen zu vermeh-
ren oder zu vermindern.

Ueberhaupt aber soll das Wartpersonal eher über-
zählig als nur vollzählig sein, und besonders aus
Handwerkern bestehen; weil man die überzähligen
Individuen dieser Art in einer Anstalt 1) anderweitig
allezeit zum sehr grossen ökonomischen Vortheil der
Anstalt, wie dieses unsere Werkstatts - Rechnungen
evident nachweisen, verwenden kann, und ganz besonders auch desshalb, weil man 2) ein gerade passendes Individuum nicht sonst immer herzunehmen
hat, wenn man es eben braucht.

Sind dem Dirigenten die Hände diesfalls aus was
immer für einer Ursache gebunden, so bleibt er vor
dem Manne, der weiss, was eine Irren - Heilanstalt
dirigiren heisst, von jeder Verantwortung auch ent-
bunden. Hat man eher überzählige Wärter, so bedarf es dann keines besondern Badpersonals mehr,
wogegen ich aber auch für die Anstellung einer männlichen und weiblichen Nachtwache wäre.

Was die Beiwärter aus Reconvalescirenden be_
trifft, so sind selbe zu Haus - und Zimmerarbeiten
wohl sehr gut zu gebrauchen, und man soll sie, wie
bei uns, mässig auch honoriren können; allein als
Aufsichtspersonal für die Kranken selbst sind sie durchaus nicht räthlich; sie sind zu unverlässlich; und wenn
ein Fehler geschehen ist, wie kann man sie ohne
offenbare Gefahr einer Recidive zur Rede stellen?

Zur Seite 458, III. Hier lässt der Herr Vf. eine
ganz erschöpfende Instruction in 40 §§. folgen, gegen
welche ich an und für sich nichts einzuwenden habe,
ausser, dass ich mit langen Instructionen nicht so
ganz einverstanden bin; je länger die Instructionen
sind, desto weniger werden sie in der Regel befolgt.

Auf das Wort folgen und nach dem Worte handeln, ist mir lieber als jede Instruction.

Eine Instruction für das Wartpersonal dürfte indessen mit Folgendem auch genügen:

1) das Wartpersonal vergesse seinen grossen Beruf bei Tage und, wo es nöthig ist, auch bei der
Nacht keinen Augenblick.

Sein Beruf ist Vater- und Mutterstelle nicht nur
an den ihm unmittelbar übergebenen Kranken, sondern an jedem Kranken, welcher in der Anstalt ist,
zu vertreten; alle Kranken ohne Ausnahme und in
jeder Abtheilung sind seine Kinder, und also auch seiner Aufsicht im Garten, auf dem Felde, in der Kirche, auf den Gängen, im Speisesaale, bei den Ab-
tritten, überall — befohlen.

Jedes Wartindividuum kennt die Pflichten braver
Eltern gegen ihre Kinder, es erfülle also

2) diese in Liebe, Sanftmuth und in der eisernen Geduld so vieler Eltern in — jedem Stücke, und
gebe wohl Acht, dass keines der ihm von der Anstalt
anvertrauten Kinder einen Fuss an einem Stein verletze.

Da es in Irrenanstalten oft stündlich Fälle eigener Art giebt, in welchen man sofort einschreiten muss, und nicht erst eine Weisung für sein Benehmen einholen kann, so sorge das Wartpersonal

3) allererst und mit möglichster Schonung für die Sicherheit des Kranken und der Personen überhaupt, lasse sodann den Aufseher (Oberwärter) oder die Aufseherin (Oberwärterin) sogleich rufen, damit dadurch das Weitere veranlasst werden könne, wornach das untergeordnete Personal sich dann pünktlich zu richten hat.

Das Wartpersonal gebe

4) seinen Pflegekindern ein gutes Beispiel durch Nüchternheit, Reinlichkeit, Bescheidenheit, Ordnungsliebe, billige Nachsicht, tadellose Sittlichkeit und vor allem durch unbedingte Folgsamkeit und Ergebenheit in die Anordnungen seiner Vorgesetzten.

Sollte das Wartpersonal eine Anordnung eines Vorgesetzten nicht geeignet glauben, so wird sein Vorgesetzter es ihm nicht nur nicht übel nehmen, wenn es ihm seine Zweifel mit Anstand vorträgt, er soll und wird vielmehr sie geeignet würdigen.

Das Wartpersonal lasse sich

5) in durchaus keinen Disput mit den Kranken ein; dieses ist nach meinen sichern Beobachtungen eine sehr gefährliche Klippe selbst für die Aerzte, und ich habe Männer diesfalls grob fehlen gesehen, von denen man es nicht vermuthen sollte. Das Wartpersonale benimmt sich bei solchen Fällen am klügsten, wenn es thut als höre es Nichts, und sich dabei etwas Anderes zu schaffen macht; nur hat dieses Personal Alles und jedes persönlich und unverfälscht auch zur Kenntniss des Dirigenten zu bringen, wenn es auch die nächste Anzeige seinem unmittelbaren Vorstande, so wie etwa einem Mitbeamten

schon gemacht hat. Nach den Ansichten richten sich
die Vorkehrungen, und die Verantwortung kommt am
Ende doch jederzeit auf den Dirigenten.

Ihm soll zu seinem Wissen und Benehmen also
durchaus nichts verborgen bleiben, was in der Anstalt vorgeht; er, — nicht die Subalternen — sind
zur Verantwortung berufen.

Eltern haben das Recht ihre Kinder zu strafen;
und nachdem ich das Wartpersonal oben als ihre Stellvertreter angenommen und verpflichtet habe, soll dieses Personal auch ein gleiches Recht haben? Keine
Regel ohne Ausnahme; dieses Personal darf also

6) über die Kranken der Anstalt keine Strafen
verhängen, dieses muss dem Vorstande allein vorbehalten bleiben, so lange er mit seinen Disciplinarstra-
fen innerhalb der Gränzen der Humanität einen heilsamen Zweck verbindet und dieses nachzuweisen
vermag.

Das Wartpersonal hat

7) jeden Kranken so lange unter dem Schlosse
zu behalten, bis ihm hierüber eine weitere Weisung
vom Dirigenten selbst zugeht.

Sollte dieser vielleicht auch auf einen ganzen Tag
abwesend sein, so liegt daran nicht so viel, als wenn
ein so oder anders noch verdächtiger Kranke ohne
sein Wissen und nach Belieben ausser das Schloss
gesetzt und selbst zu nicht gleichgültigen Arbeiten
verwendet werden darf.

Ueberhaupt soll über den Kranken ausser in dringenden Fällen nur mit Vorwissen des Dirigenten ver-
fügt werden können; nur dadurch lernt der Kranke
seinen ersten Vorgesetzten kennen und diesem auch
folgen.

Jeden Zweifel oder Anstand, welchen das Wartpersonal wegen der in der Anstalt befindlichen Kranken hat, muss selbes

8) dem Dirigenten selbst vor der jedesmaligen Morgenvisite vortragen. Es wäre eine Hauptregel, wenn sie nur immer befolgt würde, dass die Wärtersleute niemals als Kläger gegen die Kranken aufträten; der Kläger macht sich beim Beklagten niemals beliebt, und der Kranke soll seinen Wärter lieben. Man soll den Kranken jederzeit auf die Meinung zu bringen und darauf zu erhalten suchen, dass man seine Vergehen nicht von seinem Wärter, sondern anderswoher erfahren habe; der einigermassen überlegungsfähige Kranke, und dazu gehören die meisten Irren, wird sich auf diese Art mehr in Acht nehmen, wenn er merkt, dass er nicht nur von den 2 Augen seines nachsichtigen Wärters, sondern auch von vielen und andern Augen in der Anstalt beobachtet wird.

Das Wartpersonal muss hingegen bei der Visite

9) alles vortragen, was es in Bezug auf die Krankheit seines Pflegbefohlenen seit der letzten allgemeinen Visite beobachtet hat. Hierher gehören die Relationen über Appetit, Durst, Stuhl, Urin, Schlaf, Gemüthsstimmung und andere Erscheinungen.

Das Rauchen in den Zimmern hat das Wartpersonal

10) nicht zu gestatten; es muss jede Feuersgefahr selbst sorgfältigst vermeiden und vermeiden lassen. Sollte aber Feuer schon entstanden sein, so hat es alsogleich um Hülfe zu rufen, den Vorgesetzten unverweilte Anzeige machen zu lassen, und zur Löschung des Brandes sein möglichstes beizutragen. Fleissige und getreue Erfüllung dieser Instruction giebt Anspruch auf eine höhere Löhnung, so wie die Nichtbefolgung dieser Vorschriften nach wiederholten Mahnungen und selbst Strafen (mit Hausarrest) die unmittelbare Entlassung zur Folge haben soll.

Zur Seite 464, IV. Dass auf das *Aufsichts*personal in einer Irrenanstalt sehr viel ankommt, unterliegt keinem Zweifel; es ist die — Seele der Anstalt; wie dieses ist, so wird auch das Wartpersonal,
und der Vorstand kann in seiner Anstalt nur dann beruhigt sein, wenn er lebenserfahrene, gewandte,
entschlossene, dabei aber humane, unbefangene, be-
scheidene, durchaus verschwiegene und in — jedem
Stücke gewissenhafte Leute hat, welchen er die Aufsicht über die Wärtersleute und ihre Kranken anver-
trauen soll.

Da sich der Wirkungskreis dieses Personals aber
sowohl auf die ihm unmittelbar übergebenen Wärtersleute, als auch auf die Kranken und auf das Ocko-
nomische der Anstalt beziehen muss; so ist es seine
vorzüglichste Pflicht, die Wärtersleute möglichst und
zwar Tag und Nacht zu überwachen, und gewissen-
haft dafür zu sorgen, dass sich jedes untergeordnete
Individuum unbescholten aufführe, und seine Schuldigkeit thue.

Tadelnswerth ist es, wenn das Oberwartpersonal
aus einem Fehler eines Untergeordneten eine Oeffentlichkeit und ihm in Gegenwart des Kranken Vorwürfe macht.

Dadurch wird das familiäre Band zwischen dem
Kranken und dessen Wartindividuum, ohne welches
in einer Irrenanstalt kein Gedeihen denkbar ist, muthwillig zerrissen, noch mehr, dadurch wird der Kranke
als der doch Untergeordnete zum Ungehorsam gegen
seinen Vorgesetzten (den Wärter) sogar aufgefordert.
Ein wahrhaftes Vergehen ist es, wenn das Aufsichtspersonal der Klatscherei, der Ohrenbläserei und selbst
der mit Wort oder That geübten Bestechung durch
ein sich einschmeichelndes Wartindividuum zugänglich ist.

Auch das Aufsichtspersonal hat nicht selten die menschliche Schwachheit, manchen Fehler seines Untergeordneten nicht zu ahnden, sondern nur zu seiner Privatnotiz zu nehmen, dann aber bei einem sich wieder ereigneten Vorfalle oder etwa erlittener Beleidigung auf einmal und unter Subsummirung aller früheren Vergehungen gegen das fällige Wartindividuum aufzutreten, was grösstentheils auf eine leidenschaftliche Weise geschieht.

Diesem Uebelstande versuchte ich schon seit lange dadurch vorzubeugen, dass das Aufsichtspersonal schriftlich angewiesen ist, ein rubricirtes Tagebuch zu führen, darin auch jedes missbeliebige Ereigniss mit einem Wartindividuum bestimmt zu verzeichnen und mir die Resultate hierüber alle Sonntage zur Einsicht und Unterschrift vorzulegen.

Dass ernstlichere Vergehen eines Wartindividuums alsogleich zu Papier genommen und mir gemeldet werden müssen, versteht sich von selbst; dadurch zwinge ich das Aufsichtspersonal mich in fortwährende Kenntniss über das Benehmen seiner Untergeordneten zu setzen; wenn es sich nicht der Gefahr aussetzen will, leidenschaftlich zu erscheinen und selbst strafbar zu werden.

Diese Verfügung hat etwas Gutes, ganz erreicht sie ihren Zweck aber auch nicht.

Hinsichtlich der Kranken hat sich das Oberwärterpersonal die Instruction der Wärtersleute ebenfalls zu merken, es steht zu den Kranken noch um eine Stufe höher. Das männliche Aufsichtspersonal hat die Haus- und Feldarbeiten, die vom Dirigenten und der Hausordnung bestimmt werden, zu leiten und zu überwachen.

Todesfälle, Entweichungen und Beschwerden der Kranken sind alsogleich zur Kenntniss des Vorstan-

des oder in seiner Abwesenheit an dessen Stellvertreter zu bringen, damit das Geeignete gleich vor-
gekehrt werden kann.

Das Aufsichtspersonal hat aber den Vorstand von
allem und jedem in unverfälschte Kenntniss zu setzen,
was sich auch während seiner allfälligen Abwesenheit
zugetragen hat.

Das Gegentheil wäre strafbar, geschehe es aus
eigenem oder aus fremdem Antriebe. Dass das Aufsichtspersonal alles Unsittliche und die Irren wie immer,
besonders auch von Seite der Fremdenbesuche, Ver-
letzende zu hindern und zur Kenntniss des Vorstandes alsogleich zu bringen habe, versteht sich von
selbst. Geschenke für die Kranken hat das Aufsichtspersonal dem Dirigenten einzuhändigen.

In administrativer Beziehung verschreibt dieses
Personal alle verzehrbaren Gegenstände und sorgt
für ihre richtige Verwendung, wie es auch unter Vor-
weisung der unbrauchbar gewordenen Gegenstände
selbe abschreibt und dafür neue aus dem Magazin erhält, wozu ihm die eigenen Inventarbüchlein gegeben
sind.

Die Oberaufseherin leitet das Waschgeschäft,
welches ich jederzeit in die Hände eigens dazu an-
gestellter und ebenfalls provisionsfähiger Weiber gestellt wissen möchte. Die contractmässige Ueberlas-
sung der Wäsche an ausser der Anstalt wohnende
Individuen hat vieles gegen sich, werde die Wäsche
auch in der Anstalt behandelt.

Diese ausser der Anstalt wohnenden Wäscherin-
nen sind für die Anstalt einmal Fremde, und ihren
Klatschereien ausser der Anstalt muss man freien Lauf
lassen; zudem nehmen sie auch Kranke zu ihrem
Zwecke selbst gegen Erlaubniss da, wo die Wasch-
anstalt von der eigentlichen Anstalt nicht getrennt ist;
auch mit fremder Wäsche geschehen Unterschleife.

Dass man dem Aufsichts- wie dem niedern Wartpersonal das Heirathen nicht wohl hindern könne,
glaube ich annehmen zu dürfen; nur soll die Familie
jedenfalls ausser der Anstalt wohnen und weiter in
die Anstalt als bis in das Sprachzimmer niemals kommen, ausgenommen das in der Anstalt bedienstete
Individuum wäre bedeutend krank. Ueberhaupt aber
möchte ich ältere und gesetzte Ledige vorziehen. Die
Anstellung wie die Entlassung nicht nur des Unter-,
sondern auch des Oberwärterpersonals soll nur vom
Director der Anstalt abhängen, wenn er auch Primararzt ist.

Auf den Primararzt als zugleich Director muss
es ankommen, sich die Hebel zu wählen für die grosse
Last, unter welcher er sonst erliegt; so wie es auch
nur ihm zustehen soll, jene Mittel, welche dem Zwecke
nicht entsprechen, nach gewissenhaftem Gutdünken
zu entfernen und mit besseren zu vertauschen.

Den Director und Primararzt in dieser Hinsicht
beschränken, heisst nach meiner vollen Ueberzeugung
ihm das allerwirksamste Mittel entziehen, aus diesem
Personale das zu machen, was es sein soll, und es
auch auf diesem Standpunkt zu erhalten.

Zur Seite 471, B. Zur Erreichung eines in jeder
Beziehung entsprechenden Wartpersonals schlägt der
Herr Vf. vor:

1) Errichtung von Irrenwärterschulen,
2) hinreichende Besoldung der Wärtersleute, und
3) Sorge für ihr Alter.

Hier erlaube ich mir zu bemerken, und zwar ad

1). Hätte der jeweilige Director und Primararzt
Zeit, und wäre er von unserm schreibseligen Jahrhundert nicht so sehr in Anspruch genommen, so
hielte ich es mit Ruer, der diejenigen, welche unter
das Wartpersonal in die Anstalt treten wollen, selbst

nach Bedürfniss unterrichtet, und daraus nur die Erprobten anstellt.

Macht der Primararzt hier einen Missgriff, so muss er die Folgen davon selbst büssen; schickt man ihm auf seinen Antrag aber ein auf einer Irrenwärterschule gebildetes Individuum, so muss er es annehmen, wie es kommt, er muss es auch doch wenigstens einige Zeit behalten und wieder um ein neues sich bewerben, und dies so lange, bis er endlich aus dieser mit nur sehr wenigen ausgezeichneten Gewinnsten ausgestatteten Lotterie eine Terne gezogen hat, was sich gar sehr in die Länge ziehen könnte; da ich seit 12 Jahren, wenigstens nicht auf dem Grunde einer vorgefassten Meinung, bemerkt zu haben glaube, dass das Wartindividuum mit seinen Kranken gewissermassen sympathisiren soll, wenn es diesem ein Zutrauen abgewinnen will, was bei auf allgemeinen also auch grossen Irren-Wärterschulen gebildeten Wartindividuen gewiss sehr oft nicht der Fall sein könnte.

Ich nehme ein solches Individuum nur auf 6 Monate probeweise auf, und entlasse es wieder, wenn es sich in dieser Zeit nicht gut qualificirt hat.

Wer sich in dieser Zeit nicht zu Recht macht, da er doch täglich *praktischen* Unterricht erhalten musste, der würde sich nach meiner Ueberzeugung auf einer Irren-Wärterschule auch niemals zum brauchbaren Wartindividuum ausbilden.

Zur Seite 474 u. II. „Wie der Lohn, so die Arbeit", meint der Herr Vf.

Man sollte glauben, das Irren-Wartpersonal werde überall im Verhältnisse zu seinen vielen Arbeiten, zu seinen schweren Verbindlichkeiten, zu seinen grossen Verantwortlichkeiten bezahlt; allein dieses ist nicht überall der Fall, und kann es auch nicht sein; die Dienste eines Irren-Wartindividuums in einer schwe-

ren Abtheilung sind mit Geld nicht zu bezahlen, wenn
das Individuum ist wie es sein soll; darüber können
nur die Irrenärzte als tägliche Augenzeugen absprechen, und es kann ihnen nicht gleichgültig sein, wenn
sie sich mein Motto: *„quod tibi non vis fieri etc.",*
nur einigermassen zu Gemüthe führen, dass ein Rauharbeiter eine bessere Schicht als sein Irren-Wartin-
dividuum mache.

Die Aufgabe, Verbindlich- und Verantwortlichkeit eines Rauharbeiters besteht nur darin, dass er
Stein und Mörtel von einer Stelle zur andern trägt.

Hat er sein Tagewerk, dauere es auch 11 Stunden, vollendet, so streckt er seine müden Glieder
und seinen steifen Rücken sorgenlos aus, und er kann
sich einem kummerlosen Schlafe überlassen.

Nicht so bald und nicht so leicht ist es mit der
Schichte des Irren-Wartpersonals abgethan, diese
dauert mit Ausnahme seines kurzen Urlaubes Jahr
aus Jahr ein täglich 24 Stunden; das Irren-Wartpersonal gehört niemals, nicht einmal — im Schlafe
sich selbst, wenn es ist, wie es einigermassen sein
soll; vor jedem Einschlafen ist sein letzter Gedanke
beim Kranken, und beim Erwachen der erste wieder
bei diesem; und wie manche Nacht träumt man vom
Kranken, wie manche Stunde durchwacht man für
den Kranken, wie manches an sich auch unschuldige
Geräusch fährt einem durch Mark und Bein.

Ich setze mich über ein vielleicht nur indifferen-
tes, vielleicht aber auch ungläubiges Lächeln einzelner Leser dieser Zeilen zwar hinaus; ich wünschte
aber einem solchen Manne nur den vierten Theil meiner eigenen Erfahrungen, er würde die Sache dann
seines vollen Ernstes würdigen, und als erstes Wartindividuum seiner Anstalt die gleiche Sprache führen,
dessen bin ich gewiss. Wie steht es nun aber mit

dem Lohne des Irren-Wartindividuums im Vergleich zu jenem des Rauharbeiters?

Ich antworte mit wenigen Zeilen: wäre in einzelnen Staaten, wie auch bei uns, durch die Grossmuth der Regierung für das Alter der Wärtersleute — nicht gesorgt, so stünden sie schlechter, als ein Rauharbeiter, so lange dieser Arbeit hat.

Diese Sorgfalt der Regierungen für das Alter der Wärtersleute allein macht den Irrenwärterdienst suchenswerth, und nöthiget manchem Wartindividuum eine oft unglaubliche Ueberwindung ab, sei es auch an und für sich von Nächstenliebe durchdrungen; in seiner Art ist jeder Mensch ein Söldling. — —

Wollte ich aber fordern, dass unsere Wärtersleute, so wie in Dundee in England, mit jährlich 25 bis 33 Pfund Sterling (s. Julius über das Irrenwesen in England vom Jahre 1841 Seite 54) bezahlt werden, und dass sie dazu, wie in Dundee, noch freie Verpflegung erhalten sollen, so würde ich zwar nicht an und für sich, doch aber aus Staatsrücksichten, die Saiten wohl zu hoch spannen.

Es sei mir aus meinen Notaten einen Beleg hierfür anzuführen erlaubt: Am 22. Mai 1845 besuchte Herr Dr. Vedl aus Oesterreich unsere Anstalt und sagte im Verlaufe des Discourses, er komme gerade vom Besuche der englischen Irrenanstalten.

Es war mir sehr angenehm, nach langer Zeit über eine Sache wieder sprechen zu können, welche mir vermöge meiner Stellung sehr am Herzen lag und noch liegt.

Ich ersuchte diesen Herrn Collegen nun, mir ohne allen Rückhalt zu sagen, was er in Hanwell gesehen habe.

Die Antwort war: „die Tobenden sind in sehr kleinen (etwa Quadratklafter weiten) finstern und aus-

gepolsterten Kellern, die Unreinen sind auf Zwangs-
stühle gebunden, auch gegurtet und von moralischer
Behandlung ist nicht die — Rede."

Ich fragte weiter: wie sieht es aber mit der
Reinlichkeit in diesen Kellern aus? Die Antwort war:
„dieses können Sie sich denken."

Ich dachte mir wirklich meinen Theil, und denke
mir ihn noch.

Wenn ich nun schon den Sold von 250 bis 330 fl.
C. M. sammt Verpflegung für unsere deutschen Wärtersleute keineswegs in Anspruch nehme, so sticht
die Löhnung der Wartindividuen des Herrn Vf. von
höchstens nur 62 fl. C. M. sammt Verpflegung und
freier Medicin mit dem obigen Gehalt doch so sehr
ab, als dass man mir es übel nehmen könnte, wenn
ich ihnen das Wort rede; dies ist — kein Gehalt.
Käme es auf mich an, so machte ich zwischen Wärtern und Wärterinnen, gegen die Meinung Einiger,
keinen Unterschied; die Wärterin hat das Nämliche
zu leisten, wie der Wärter. Zwischen Wärter und
Wärter, zwischen Wärterin und Wärterin soll aber
ein Unterschied sein; das bravere Individuum, dem
man ohnedies die gefährlichern Kranken übergiebt,
soll auch besser gehalten sein. Ich würde diesen Gegenstand folgendermassen organisiren. Jedes Wartindividuum soll:

1) freie Kost mit ganzer Portion nach der dritten
Verpflegsklasse haben, und diese Portion vom Trai-
teur nicht reluiren lassen dürfen.

Dass sich das Wartpersonal selbst verpflege, ist
und bleibt in einer Irrenanstalt ein sehr grosser Uebelstand; es ist geradezu nicht — möglich, das Wartpersonal so zu überwachen, dass die Portion und die
Extraverschreibung dem Kranken von den Wärters-
leuten nicht geschmälert werden kann. Diesem Personale soll

2) seine Wäsche auf Kosten der Anstalt gerei-
niget werden.

3) Da den Wartindividuen von den Kranken jährlich sehr viele Kleider zerrissen werden, so fordert
die Billigkeit, dass sie von der Anstalt mit von der
Kleidung der Kranken im Schnitte verschiedenen
Werktagskleidern versehen werden. Bei einem Stand
von 100 Kranken sollen

4) sechs der besten Wärter und fünf der besten
Wärterinnen monatlich 18 fl. C. M. und die Uebrigen
9 fl. C. M. erhalten.

5) Davon soll aber jedes Individuum monatlich
3 fl. C. M. in die Sparkasse und 2 fl. C. M. monatlich zur Creirung eines Provisionsfonds abgeben.

> *Bemerkung.* Die Abgabe der monatlichen 2 fl. würde ich kei-
> nem Wartindividuum erlassen, zu diesem Zwecke bedarf
> es eines vereinten Wirkens.
>
> Was aber die Zurücklegung von monatlichen 3 fl. in die
> Sparkasse betrifft, würde ich davon nur so lange Umgang
> nehmen, bis sich das eingetretene Individuum ordentlich ge-
> kleidet, und auch keine anderweitigen dringlichen Ausgaben
> mehr zu machen hat, wozu ich vorzüglich die Unterstützung
> armer Eltern rechne. Sollten sich aber noch mehrere (je
> mehrere desto besser) im Dienste wirklich auszeichnen, so
> soll es dem Director und Primararzt einverständlich mit der
> Verwaltung freistehen, auch diesen Individuen die monat-
> lichen 18 fl. C. M. zukommen zu lassen.
>
> Man vergesse niemals, dass das Wartindividuum gleich
> jedem Menschen, wie schon oben berührt wurde, in seiner
> Art ein Söldling ist.

Dass nur eine ausgezeichnete Dienstleistung auf eine
höhere Löhnung Anspruch hat, so versteht es sich
von selbst, dass

6) ein nicht gutes oder strafbares Verhalten die
Zurücksetzung auf mindern Sold oder förmliche Einziehung desselben zum Pensionsfond, wie weiter unten angezeigt werden wird, zur Folge haben soll.
Die Entlassung eines sonst braven und rechtschaffe-
nen Individuums soll

7) nur im wiederholten gröbern Vergehungsfalle eintreten; ein gewissenhafter Mensch wird durch den ersten erheblichen Fehltritt 10mal für 1mal auf immer gebessert, wenn man ihm seinen Fehler nicht immer vorwirft, und gerade an solchen Individuen hat der Vorstand dann für die Zukunft gewöhnlich einen Schatz; Dank -, Ehr - und Pflichtgefühl sind die mächtigen Hebel dazu.

Nach 16jähriger wesentlich ununterbrochener und 11jähriger durch nur ein Vergehen, übrigens aber untadelhafter Dienstleistung, soll das Wartindividuum

8) auf eine lebenslängliche Provision von täglich 8 Xr. C. M. Anspruch haben, und diese Provision soll mit jedem weitern Dienstjahre um 1 Xr. C. M. für den Tag steigen. Diese allmählige Steigerung der Provision würde den zu frühen Austritt braver Wärtersleute wesentlich verhindern, und den gesuchten Ausreden der Dienstunfähigkeit am wirksamsten vorbauen.

Sollte ein Wärter oder eine Wärterin auch vor den zurückgelegten 16 Dienstjahren gründlich erwiesener - und unverschuldetermassen in Folge des Dienstes nicht mehr dienstfähig geworden sein, so soll sie auf täglich 8 Xr. C. M. Provision doch schon Anspruch haben. Ein solches zu frühe dienstunfähig gewordenes Mitglied ist ohnedies schon zu bedauern, und es wäre zu hart, selbes mit leeren Händen abziehen zu lassen.

Wenn unser deutsches Wartindividuum auf diese Art betraut jährlich auch nur auf beiläufig 225 fl. C. M. käme, während das Wartindividuum in Dundee nach Abzug der für unser Individuum mit 30 fl. C. M. in Rechnung gebrachten Werktagskleidung auf 300 bis 380 fl. C. M., folglich noch um 75 bis 155 fl. C. M. jährlich höher steht, so wird unserm Personale eine jährliche Zugabe von wenigstens 163 fl. C. M. doch immer sehr wohl thun, seinen Geist, seine Treue und

seinen Diensteifer beleben, ohne dass dem Staate durch
eine solche Begünstigung dieses Personals eine über-
grosse Last aufgebürdet würde; zumal sich der durch
das Wartpersonal selbst gebildete Provisionsfond in
nicht so vielen Jahren selbst decken müsste, und das
h. Aerar derlei Ausgaben sodann für alle Zukunft
nicht mehr zu bestreiten hätte.

Eine nur oberflächliche Berechnung zeigt, dass
sich der obigermassen beantragte Provisionsfond in
10 Jahren so weit begründet hätte, dass im 11ten
Jahre schon 6 gemeine Wärtersleute mit jährlichen
48 fl. C. M. betheilt werden könnten, wenn 23 Unter-
wärtersleute und 1 Aufseher mit 1 Aufseherin als Con-
tribuenten angenommen werden, wie es der hiesige
Krankenbestand fordert.

Es ist, um weiter zu kommen, allbekannt: „darnach Geld, darnach Waare", und der Hr. Vf. hat vollkommen Recht, wenn er annimmt, dass jeder Mensch
das Bessere suche, und dass der aus einem schlechten Gehalt nothwendigerweise entstehende Wechsel
der Wärtersleute in einer Irrenanstalt nur Nachtheil
bringe und das Räderwerk ins Stocken gerathe, wenn
auch nur ein einziger Zahn ausfällt. Was der Vf.
Seite 478 über die weiteren Ressourcen zur Begründung eines Provisionsfonds anführt, stimme ich seinem
Punkte 1 vollkommen bei. Den Punkt 2 möchte ich
in sofern beanstanden, dass daraus ein Hinderniss für
die Abgabe der Kranken in einer Anstalt erwachsen
könnte; die Leute wollen erben. Dem Punkt 3 kann
ich nicht beistimmen, so gern auch ich blos neugierige
und manchmal doch nicht abweisbare Fremde strafen
möchte. Lässt man solche Zudringlinge aber bezahlen, so behandelt ihre Unverschämtheit die Anstalt als
eine förmliche Menagerie. Der Wink 4 sollte wohl
benutzt werden; allein die Erfahrung hat bisher gezeigt, dass man wenig Sinn für diesen, wenn auch

sehr guten Zweck hat. Da, wo dieses der Fall ist, .
stimme ich ganz mit dem Antrag 5.

Ueber die Kliniken am psychischen Krankenbette habe ich schon Manches gelesen und erst dieser
Tage wieder gefunden, dass die Meinungen noch immer getheilt sind und wahrscheinlich noch länger getheilt bleiben werden. Was mich betrifft, gehe ich
von meinem Motto aus: *quod tibi non vis fieri, alteri
ne feceris.*

Ich setze mich nämlich in die Lage eines Geisteskranken; als solcher bin ich mir während einer solchen klinischen Visite entweder bewusst, oder nicht
bewusst.

Im ersten Falle wird es mich doch wohl sehr begreiflich ungemein geniren, als ein Irrer vor vielen
Herren zu erscheinen, und ein Krankenexamen, sei es
auch noch so leicht, zu bestehen; meine Antworten
werden daher ganz zuverlässig nicht immer die wahr-
haftesten und die aufrichtigsten sein; ich führe durch
mein Schamgefühl verleitet diese guten Herren also
irre. Im 2ten Fall zeige ich ihnen, diesen Prakti-
kanten, keinen sichern Weg, meine Geisteskrankheit
so aufzufassen, dass sie daraus auch eine richtige Anwendung auf einen andern Fall sobald erlernen können, als ihnen die Zeit anberaumt ist, diese Klinik
zu besuchen; dazu gehören Jahre. Wenn ich 10 Irre,
ich meine für den Augenblick sich nicht bewusste
Kranke, neben einander stelle, so werden die Mienen
und Geberden bei jedem anders sein, wenn auch die
Form der Krankheit die gleiche ist, und auf die
Aeusserungen oder die Worte sich wirklich unbe-
wusster Kranken kann man sich auch nicht verlassen.
Der Gewinn für den zweiten Fall ist also nur sehr
unsicher. Angenommen aber auch, die zu diesen eigentlich nur sogenannten Kliniken berufenen Prakti-
kanten lernen dabei, was sie zu lernen wünschen, so

, wird der Vorstand sich doch immer 2 Hauptregeln bei
seinen cumulativen Besuchen zu merken haben, wenn
er seinen Hauptzweck, Heilung seiner Kranken, diesem Nebenzweck, Bildung tüchtiger Psychiatriker,
nicht opfern will. Die

1ste Regel heisst: Sei äusserst, ja fast ängstlich
vorsichtig in der Auswahl der Kranken zu deinem
Zwecke; die

2te lautet: Ueberwache deine junge Herren mit Ar-
gusaugen, dass sie sich ruhig, still und gebührlich benehmen, und sich mit gar keinem Kranken ohne Ausnahme ohne deine ausdrückliche Bewilligung in einen
Discours einlassen; ich habe schon oben bemerkt, dass
dieses ein sehr delikater Punkt ist, ich sage hier nur
noch die wohl zu beherzigenden Worte: — eine dies-
fällige Unvorsichtigkeit kann — lebenslängliche Unheil-
barkeit zur Folge haben. — Ueberhaupt hat mich
eine 12jährige Erfahrung bestimmt überzeugt, dass
die Visiten in corpore das gewiss nicht leisten, was
man sich von ihnen verspricht; sie öffnen und entfal-
ten dem Kranken sein Herz nicht so, wie Unterredungen unter vier Augen und insbesondere in den Pri-
vatwohnungen der Beamten. Ich will damit aber nicht
gesagt haben, dass man keine cumulativen Visiten
machen soll; ich will nur sagen, man soll bei diesen
gemeinschaftlichen Visiten in kein zu nachgrübelndes
Detail eingehen, wenn man den Kranken nicht zu-
rückhaltend und verschlossen, selbst für einzelne Unterredungen, machen will, und man soll diese Visiten
ganz besonders dazu benutzen, um aus einer genauen
Beobachtung des Kranken und seiner oft klaren Mie-
nensprache abnehmen zu können, welches der umstehenden ärztlichen Individuen ihm am besten zu Gesicht stehe, damit sich dieses entweder unter eigener
Leitung oder unter Leitung des Vorstandes mit diesem Individuum besonders abgebe. Vorzüglich hüte

man sich bei Visiten in corpore aber, dass es ja zu
keinen Meinungsverschiedenheits - Debatten komme,
oder dass man hierbei über Gegenstände verhandle,
welche auf ein anderes Blatt gehören; wer so etwas
bei Visiten veranlasst, der findet meinen Beifall nicht;
die Schlichtung solcher und ähnlicher Anstände gehört in das Conferenzzimmer, nicht vor den Kranken
und nicht vor das Wartpersonal.

So viel von dem Unterwartpersonale. Dass aber
auch das Oberwartpersonal verhältnissmässig besser
zu bedenken wäre, folgt aus der Natur der Sache.
Dieses Personal soll der gebildeten Klasse angehören,
und ich würde ihm monatlich nebst Holz, Licht, Wohnung für seine Person in der Anstalt 25 fl. C. M. ver-
abfolgen lassen, und wäre der Aufseher musikalisch,
so liesse ich ihm monatlich noch 5 fl. C. M. abreichen;
die Musik soll man in einer Irrenheilanstalt nicht vermissen.

Von diesem Betrage soll dieses Personal aber
monatlich 4 fl. C. M. in die Kasse des Provisionsfonds legen müssen. Nach 10jähriger und unbeschole-
ner Dienstleitung soll es Anspruch auf eine tägliche
Provision von 16 Xr. C. M. haben, und im Falle des
Fortdienens für jedes Jahr 2 Xr. C. M. täglich mehr
erhalten. Dies wären meine Ansichten in Bezug auf
den Gehalt jener Leute, welche zur Wartung, Pfle-
gung und Beaufsichtigung der Kranken in Irrenanstalten berufen sind. Möchten sie Eingang finden,
dann dürfte man auch eine bessere Auswahl dieses
Personals treffen können, als es beim gegenwärtig so
kargen Lohn möglich ist.

Was schliesslich die Strafen gegen das Wartpersonal betrifft, bin ich mit dem Ausspruche des Herrn
Vfs. S. 464 vollends einverstanden; nur erlaube ich
mir zu bemerken, dass jede Entlassung eines Wart-

individuums auch nach einer gesetzlich überstandenen Strafe vom Vorstande der Anstalt abhängen soll; er könnte widrigenfalls öfters von verlässlichen Individuen auf minder verlässliche und Neulinge zurückgewiesen und dadurch neuen Verlegenheiten ausgesetzt werden. Auch würde ich während der Dauer der Strafzeit den Tagelohn eines solchen Individuums zu Gunsten des Provisionsfonds einziehen, ohne jedoch die Dienstlosigkeit während der Strafzeit als Dienstesunterbrechung anzusehen.

Literatur.

Ueber Visionen. Eine Vorlesung, gehalten im wissenschaftlichen Verein zu Berlin am 29. Januar 1848 von Dr. *J. F. C. Hecker* etc. Berlin Enslin, 1848. 8. 35 S.

Der Titel dieser dankenswerthen Schrift ist etwas ungenau, indem man aus ihm nicht errathen kann, dass dieselbe nicht blos von Visionen überhaupt, sondern der grösseren Hälfte nach von denen der Jungfrau von Orleans handelt. Der allgemeine Theil giebt uns nichts wesentlich Neues, und lässt sich füglich nur als eine zur Einleitung der folgenden Geschichtserzählung dienende übersichtliche Recapitulation des bereits Bekannten betrachten. Daher nur wenige Bemerkungen. Visionen, sagt Vf. mit Recht, kommen überall durch subjectives Sehen zu Stande. Er fährt aber, nachdem er dieses explicirt hat, fort: „Dasselbe geschieht im Gehörorgan wie in allen übrigen Sinnen, und man nennt alle diese Wahrnehmungen ohne Gegenstand Hallucinationen. Der Name ist ungeeignet, ein deutscher zur Zeit noch nich vorhanden. Die Sprachen haben überhaupt keine sinnvollen Bezeichnungen für Begriffe, auf die man sich nicht versteht. Entschieden abzuwehren ist a̶b̶ die Benennung Sinnestäuschungen. Denn die

nicht getäuscht bei den Hallucinationen. Das Urtheil
kann irren in der Herkunft der sinnlichen Wahrnehmung, und kann diese selbst falsch auslegen, die
Wahrnehmung selbst aber, d. h. der Zustand, die
Bewegung der Sinnesnerven, welche zum Bewusstsein kommt, bleibt an sich dieselbe, sie mag von
aussen oder von innen angeregt sein u. s. f." So sehr
ich mit dem Letzteren übereinstimme, so kann ich
doch keineswegs die Beseitigung des Wortes Sinnestäuschungen zugeben. Dass die Sinne getäuscht werden, liegt nicht in dem Worte; eben so wenig, dass
die Sinne uns täuschen, wie ich bereits in meiner
Schrift über diesen Gegenstand S. 2 und 216 erklärt
habe. Ohne Zweifel ist jeder Irrthum, jede Täuschung in letzter Instanz immer Sache des Urtheils;
dies bleibt allen Arten von Täuschungen immer gemeinschaftlich. Aber man kann und darf sich doch
dadurch nicht abhalten lassen, die Entstehungsweisen
des Irrthums weiter zu verfolgen, und darauf einzelne
Arten der Täuschung zu begründen! Für solche fernere Eintheilungen kann aber natürlich der Fehler des
Urtheils kein Bestimmungsgrund mehr sein, eben weil
er schon das Gemeinschaftliche aller Täuschungen ist.
Die Eintheilungsgründe können daher nur von den
Anlässen zum Irrthum hergenommen werden, als welche denn nun auch die Sinnesthätigkeiten fungiren.
Das Wort Sinnestäuschung bezeichnet daher nur eine
Täuschung, welche im Gebiete und bei Gelegenheit
von Sinnesthätigkeiten zu Stande kommt, im Gegensatz zu andern Arten der Täuschung, z. B. der Erinnerung oder der Vorhersage. Ich wüsste nicht,
was sich dagegen einwenden liesse, man müsste denn
läugnen, dass Visionen auch nur Täuschungen überhaupt seien. Allein, wo einmal blos subjective oder
durch Subjectivität modificirte Wahrnehmungen sich
mit solcher Gewalt als reale Erscheinungen aufdrän-

gen, können wir, glaube ich, immer das Wort Täuschung gebrauchen, selbst wenn das betreffende Individuum von der Nichtrealität der Erscheinungen überzeugt ist; sonst müsste man consequenter Weise auch die Worte optische und acustische Täuschung aus der Wissenschaft verbannen.

. Nachdem nun Vf. seine Ansicht über die Hallucinationen abgegeben, dass sie durch innere Reizung der entsprechenden Hirntheile nach dem Gesetze der excentrischen Erscheinung geschehen, giebt er eine Uebersicht dieser Reizungen der Hirntheile. Obenan steht ihm „die angeborene hohe Ausbildung des Seelenorgans, welche das Eigenleben der Phantasie durch ursprüngliche Thätigkeit zu einem beweglichen freien Spiele einladet." Er führt hier Cardanus und Andere an, nennt solche Visionäre Reichbegabte, und ihre Erscheinungen Vorboten oder auch Zeichen einer mächtigen Geisteskraft. Von materiellen Reizen nennt er Spirituosa, Narcotica, besonders das Hachich und Opium, das oxydirte Stickgas, den Aether, bei welchem er indess selbst bemerkt, dass die Visionen bei seiner Anwendung sich auf den Traum beschränken. „Zwei Phänomene, fährt er fort, sind auf der Höhe dieser Anregungen von wesentlicher Wichtigkeit: das Verschwinden des Bewusstseins der Zeit, und das Auffassen einer grossen Menge von Eindrücken in einem Augenblick. In heiteren wie in finsteren Visionen kommt es den Angeregten vor, als verlebten sie in wenigen Minuten ganze Jahrhunderte, worüber denn auch die meisten Aetherisirten voll Entzücken zu berichten wissen. Es scheint diese Täuschung, die an Muhamed's Visionen erinnert, die nothwendige Folge einer fast endlosen Menge von Eindrücken zu sein, die man nach gewöhnlicher Erfahrung das Gefühl hat, nur in einer sehr langen Zeit verarbeiten zu können. Auch sind die gehörten Re-

den übernatürlicher Wesen augenblicklich aufblitzende
Gedanken erhöhter Geisteskraft, sie legen sich aber
nach ihrem Inhalt und nach der Natur des Sinnes,
der seine Eindrücke nach einander zu empfinden gewohnt ist, scheinbar in eine längere Zeit aus einander. Ein Opiophag, der von dem Druck einer unabsehbaren Zeitdauer wie viele Andere in trüben Visionen gemartert wurde, sah die Wellen des Oceans
sich in Myriaden von Menschenköpfen umwandeln,
und glaubte ihren höchst affectvollen Ausdruck von
Schmerz und Wuth und Verzweiflung zugleich von
allen, aber wie von jedem für sich wahrzunehmen.
Beides kommt auch in anderen Visionen vor, doch
nirgends so deutlich, und von so gewaltiger Wirkung
wie hier." Ich habe diese Stelle angeführt, weil sie
Interesse für manche Zustände Wahnsinniger bietet;
auf die Lehre von den Visionen hingegen dürfen nach
meiner Meinung diese Bemerkungen nicht angewendet werden. Alles, was in ihnen gesagt ist, bezieht
sich auf Traum und traumähnliche Zustände; dass
aber Visionen mit diesen nichts gemein haben, muss
ich immer und immer wieder behaupten, was jedoch
des Weiteren zu beweisen hier nicht der Ort ist. —
Als weitere Reizungen der Hirntheile giebt Vf. endlich noch an: die vom Blutandrang in Fiebern und
Entzündungen, und die sympathische durch krankhafte Zustände des Unterleibes, wobei er den Fall
von Nicolai anführt.

Ganz anders aber, als bei diesen organischen
Anregungen, die sich schon durch die begleitenden
Umstände als das geben, was sie sind, verhält es
sich nach Vf. bei der Anregung der Visionen durch
den Reiz der Vorstellung an sich. Diese Anregung
sei bei weitem die wichtigste und folgenreichste. Das
einfachste Phänomen dieser Art sei das Wiederer-
scheinen eines scharf beobachteten Gegenstandes nach

kurzer Zeit. Da Vf. dasselbe auf das Gedächtniss der Sinne zurückführt, so hat er offenbar Unrecht, wenn er diese Erscheinungen hier anführt. Denn wenn man ihm auch zugiebt, dass es ein Sinnengedächtniss gebe (was ich aber in Abrede stelle), so ist doch dabei gewiss nicht von einem Reiz der Vorstellung die Rede, ja nach dem Begründer der Theorie vom Sinnengedächtniss (Henle) gehört es eben zum Begriff desselben, dass dabei Vorstellungen nicht einwirken.

Den meisten Antheil legt Vf. indess der Phantasie bei, deren Macht und Gewalt auf einzelne Menschen wie auf ganze Zeitalter er beredt schildert. Jede lebendige Vorstellung, meint er ferner, gleichviel ob wahr oder phantastisch, gehe in Vision über, sobald sie nur die nöthige Glühhitze erreicht habe. Dass Visionen früher häufiger gewesen, liege nur in der lebendigeren Poesie, der reicheren inneren Sinnlichkeit früherer Jahrhunderte, welche die ganze Natur mit den Wesen ihrer phantastischen Schöpfung belebte. Klarheit der Vorstellungen, die der entzündenden Hitze nicht bedarf, und innere Sinnlichkeit, die nicht bestehen kann ohne gefahrvolles Wuchern der Phantasie, schliessen sich gegenseitig aus. Daher hätten sich die Visionen aus den Zellen der Gelehrten, von den Altären der Andächtigen, aus den Werkstätten der Künstler, aus Gottes freier Natur zurückgezogen in die Krankenzimmer, in die verschlossenen Räume der Irren; sie hätten aufgehört, das Genie zu entflammen, zu übermenschlicher Thatkraft zu begeistern, sie erhöben nicht mehr zu den lichten Höhen der reinen Anschauung des Göttlichen, aber es sei ihnen auch durch Verständniss der Natur für immer die Macht benommen, die Menschen in den tiefsten Abgrund der Finsterniss hinabzuziehen. Die Visionen, wodurch hervorragende Naturen der Vor-

zeit zu ausserordentlichem Wirken begeistert worden
seien, seien keineswegs krankhafter Art, die Begeisterten selbst weder Ekstatische noch Irre gewesen.
Eine grössere organische Kraftfülle sei es wohl, welche die Vorstellung in einem solchen Zustande in eine
Vision überführe, wenn man wolle, eine Ekstase in
der weiteren Bedeutung des Namens, allein eine solche Ekstase habe nichts Krankhaftes, man könne nur
sagen, dass das Sehorgan, welches durch seine Thätigkeit die Vision vermittle, durch Reiz und Uebung
vorwaltend kräftiger geworden sei, eine höhere Erregung, die sich in die vollkommenste Gesundheit des
Geistes wie des Körpers harmonisch einfüge. Als
Beispiele werden der Rhetor Aristides und Cellini
angeführt.

Man sieht, der Vf. huldigt der Ansicht, nach
welcher die Visionen blos durch die Wirkung eines
sehr lebhaften Phantasiebildes auf den (normalbleiben-
den) Sehsinn, also blos durch eine Exaltation der
Phantasie entstehen. Mit derselben Entschiedenheit
wie früher muss ich diese Ansicht noch als eine
ganz und gar irrige bezeichnen. Es ist nicht wahr,
dass Visionen vorzugsweise bei phantasiereichen Menschen vorkommen, und umgewendet haben wir eben
gerade von den „reichbegabtesten", phantasievoll-
sten Menschen sehr wenig Beispiele von Visionen.
Nie und nimmer wird man es durch willkürliche Phan-
tasieanstrengung, auch selbst bei etwa hinzutretender „Uebung" des Sehorgans dafür, zu einer Vision
bringen, wenn nicht ein anderer Factor, ein somatischer Reiz, hinzutritt. Vf. übersieht aber den letzteren so ganz und gar, dass er selbst da eine lediglich geistige Ursache annimmt, wo ganz deutlich nur
jener waltet, wie bei der einfachen, reinen Licht-
empfindung. Er sagt: „Es giebt eine einfache, ele-

mentare Vision durch Spannung der geistigen Thätigkeit ohne Bildnerei der Phantasie, selbst ohne sinnliche Vorstellung: es ist die Vision des gestaltlosen
Lichtes, eine Lebenserscheinung des innerlich erregten Sehorgans, dessen Zustände nicht anders zum
Bewusstsein kommen, als durch subjective Lichtem-
pfindung, von der schwarzen Dunkelheit bis zum
blendenden Schein, gleichviel ob bei geschlossenen
oder offenen Augen." Ich gestehe, dass ich mir keinen Begriff von diesem Vorgang machen kann, wenn
eine krankhafte Ueberreizung des Gehirnes dabei nicht
angenommen werden soll; nimmt man sie aber hier
an, warum nicht auch da, wo wirkliche Gestalten
gesehen werden, warum soll nur bei diesen die Phantasie nicht blos mit- sondern allein wirken? An diesen Bemerkungen möge es hier genügen, da ich ohnedies vorhabe, bald eine gründliche Revision der Lehre
von den Sinnestäuschungen vorzunehmen. Wir wenden uns daher jetzt zur zweiten Hälfte unsrer Schrift,
an der wir nichts auszusetzen, sondern im Gegentheil nur mit Dank vom Vf. zu lernen haben. Er
führt nämlich für die Visionen mit reiner Lichterscheinung ausser dem Beispiel Helmonts noch das des
Mädchens von Orleans an, deren erste Vision von
gleicher Gestaltlosigkeit war, und knüpft daran eine
kurze Geschichte dieser Heldin, wovon ich den Lesern einen kleinen Auszug mittheilen will, in der
Hoffnung, denselben dadurch einen angenehmen Dienst
zu erweisen.

Von der erwähnten ersten Vision des Mädchens
sagt also Hr. H. Folgendes: „Von religiösen Gefühlen
und glühender Vaterlandsliebe wunderbar erregt, wurde sie am hellen Mittag im Garten ihres Vaters von
einer glänzenden Lichterscheinung überrascht, welche
die Tageshelle überstrahlte. Als sie aufblickte, ge-

wahrte sie einen hellen Schein zur Rechten, in der
Richtung der nahegelegenen Kirche, und ergriffen von
andachtvoller Scheu vernahm sie helltönende Worte,
sie solle forthin auf der Bahn der Tugend uud Fröm-
migkeit wandeln, der Schutz Gottes werde ihr nie
fehlen. Sie blieb ihrer selbst vollkommen mächtig,
und von der Ahnung einer höheren Sendung beseelt,
war es schon in dieser Stunde, dass sie das Gelübde
der jungfräulichen Reinheit ablegte." Diese erste
Lichterscheinung fällt in den Sommer des Jahres 1423
oder 1424, das dreizehnte oder vierzehnte Johanna's;
der Tag ist nicht zu bestimmen. Eie Erscheinungen
wiederholten sich in rascher Folge und belebten sich
bald mit Gestalten, Engeln und Heiligen; besonders
ergriff sie aber der Anblick des Erzengels Michael,
der ihr verkündete: Gott habe sich ihres Vaterlandes
erbarmt, sie sei auserwählt, dem König Hülfe zu
bringen und Frankreich zu retten. Worte dieses Sinnes wiederholten sich bei allen ihren Erscheinungen,
und man kann die früheren Mahnungen von den späteren nur daran unterscheiden, dass diese in bestimm-
tere Vorschriften ihres Handelns übergehen, welche
den Personen und Begebenheiten entsprechen. An
dieser Sinnenekstase, sagt der Vf. zu unserer Verwunderung, habe die Phantasie nicht den leisesten
Antheil zu gewinnen vermocht. „Johanna's Erscheinungen waren Bilder der Vorstellung: zu ihrer an-
fänglichen Gestaltung hatte die Phantasie, äussere
Eindrücke verarbeitend, allerdings das Ihrige beigetragen, sie waren aber in ihren Umrissen vollendet,
wurden von der Erinnerung unwandelbar festgehalten, und verwebten sich als Anregungen des Höchsten und Edelsten im Denken in alle geistige Anschauung." — „Die Stimmen ihrer Schutzheiligen vernahm Johanna sehr oft, ohne ihrer Gestalten ansichtig
zu werden. Dann bemerkte sie aber gewöhnlich einen

Lichtglanz in der Richtung, in der die Worte hörbar wurden." Die Stimmen widersprachen sich nie, und nie wurde ein einmal gegebenes Geheiss von ihnen widerrufen. Ferner wird ausdrücklich erinnert, „dass eine höchst einfache Erziehung Johannen vor aller Ansteckung des Aberglaubens, romantischen oder religiösen, bewahrt hatte, und dass sie von dieser Seite frei und ungehindert in vollkommener Reinheit des Geistes auf dem Felde der Thaten auftrat, während in diesem ganzen Zeitalter die wunderlichsten Ausgeburten der Phantasie auf die Gesinnung der Menschen wie auf den Gang der Begebenheiten einen übermächtigen Einfluss äusserten, die tiefste Zerrüttung aber von dem Glauben an Magie und Teufelsbündniss herbeigeführt wurde. Den Connetable Artus von Richemont, nachherigem Herzog von Bretagne, rühmte man als hohes Verdienst nach, dass er von allen Fürsten bei weitem die meisten Hexen mit unerbittlicher Strenge verbrannt habe, und die Inquisition, welche diese Finsterniss herauf beschwor und unterhielt, herrschte über ganz Frankreich. Johanna selbst war in Betreff der Amulete, der Besprechungen, der mystisch‑religiösen Weihungen und alles sonstigen kleinen Zubehörs zum Aberglauben vollkommen ungläubig, und als es darauf ankam, dem Könige die Lügenhaftigkeit einer vielbegünstigten Abenteurerin, der Katharina von La Rochelle, zu enthüllen, die vermöge ihrer Visionen den leeren Schatz zu füllen versprach, benahm sie sich mit einer Geistesfreiheit, deren sich ein Arzt des neunzehnten Jahrhunderts rühmen könnte." — Die Erscheinungen von ihrem Beginn bis zum ersten öffentlichen Auftreten Johanna's währten einen Zeitraum von fünf Jahren hindurch. Ueber Das, was ihren Thaten zu Grunde gelegen, äussert sich der Vf. so: „Was Johanna von ihrem Auszuge aus Vaucouleurs am 13. Februar 1429

bis zu ihrem Feuertode in Rouen am 30. Mai 1431
gethan — wir sind durch die treuen Berichte vieler
Augenzeugen im Stande, von jedem ihrer Tage Rechenschaft zu geben — kann nur zum geringeren
Theile den einfachen Aeusserungen ihres Genies, wie
ihrer edlen Natur zugeschrieben werden; das Meiste
war die Wirkung einer übermenschlichen Geisteskraft,
welche durch ihre Visionen, d. h. durch die ihr gleich-
bedeutende Gewissheit einer höheren Eingebung gehoben wurde. Beides muss sorgfältig von einander
geschieden werden." So können denn ihre Staats-
klugheit, ihre Kriegsgeschicklichkeit, Tapferkeit, Sittlichkeit, Mässigkeit, Bescheidenheit als ursprüngliche
Eigenschaften einer hohen Natur angesehen werden,
alles Uebrige war unmittelbare Wirkung ihrer Visionen. So der Glaube, den sie fand, und die Herrschaft, deren sie sich über die Geister bemächtigte,
und welche sie nicht allein in der Schlacht, von ihren
(noch fortwährenden) Gesichten begeistert, ausübte,
sondern auch an jenen „schweren Tagen der Vorbereitung, wenn böser Wille, Unschlüssigkeit und
die Gewohnheit der schlaffen Gesinnung, allen Auf-
schwung, alles Unbequeme von sich abzuhalten, und
alles Erhabene in den gewohnten Kreis des Gemeinen
herabzuziehen, ihr grössere Hindernisse bereiteten, als
die Waffen der Feinde." Von ihren Kriegsthaten wird
die erste und schönste, die Befreiung von Orleans,
ausführlicher erzählt. Der Tag der Krönung zu Rheims
war der Anfang von Johanna's Rückgang. Nur bis
hierher reichten die Verheissungen ihrer Visionen,
deren sie zwar auch später noch welche hatte, aber
nur Unglück verkündender, zuletzt jedoch tröstender
Art. Obgleich sie den König um Entlassung bat, so
hielt man sie doch zurück; sie liess sich zum Bleiben bewegen, und kam nun in einen Zustand, der
sie ihrem Untergange mit Riesenschritten näher brach-

te. „Nicht weil ihr Genie nicht dasselbe blieb — wir
sehen vielmehr in allem, was sie fortan sprach und aus-
führte, dieselbe Erhabenheit und Grösse, wie an
ihren schönsten Tagen — sondern weil ihm die höchste Spannung durch die Visionen fehlte, durch die
alle Siege bis jetzt errungen worden waren. An die
Stelle ihrer geistvollen Thatkraft, die Himmel und
Erde in Bewegung gesetzt hatte, trat ein nicht minder heldenmüthiger leidender Gehorsam, die stille Unterordnung unter eine höhere Fügung." Ihr endliches
Schicksal ist bekannt.

Ich überlasse dem Leser, sich aus dieser kurzen
Skizze seine Schlüsse zu ziehen, und bemerke nur, dass
bei aller Anerkennung der hohen Geisteskraft der
Heldin und trotz des Mangels sonstiger Krankheitssymptome die Visionen selbst doch recht wohl durch
Mitwirkung eines somatisch krankhaften Elementes
entstanden sein konnten, in ganz ähnlicher Weise,
wie ein Epileptiker ausser seinen Anfällen vollkommen gesund und geisteskräftig erscheinen kann. Jedenfalls sind wir dem Vf. grossen Dank schuldig, dass
er uns diese merkwürdige Erscheinung näher gerückt
und durch dieselbe uns um eine wichtige Thatsache
bereichert hat.

Hagen.

*Zur Erklärung der Träume und des Nachtwan-
delns.* Eine Vorlesung von *Th. Boldemann,*
Dr. med. Lübeck, Boldemann. 1848. 8. 44 S.

Traum und Irresein sind in so vielen Beziehungen verwandte Zustände, dass es in einer psychiatrischen Zeitschrift wohl am Platze sein mag, hie
und da auch der Betrachtung des ersteren eine kleine
Stelle zu gönnen. Dies möge uns entschuldigen
wenn wir obenbenannte Vorlesung, obwohl sie höchst

wahrscheinlich vor einem gemischten Publicum gehalten wurde und für die Wissenschaft nicht eigentlich sehr fördernd ist, etwas ausführlicher besprechen.

Vf. hat sich hauptsächlich den Nachweis zur Aufgabe gestellt, dass der Traum nicht etwas absonderlich Wunderbares sei, sondern vielfach aus den Erscheinungen des wachen Lebens erklärt werden könne. Er schickt deshalb zuerst einige allgemeine Andeutungen über Sinnes-Energieen und Seelenleben voraus, worauf er zu seinen Bemerkungen über die Träume selbst kommt. Wir werden nur bei einigen Punkten, die uns eine Erinnerung nöthig zu machen scheinen, etwas länger stehen bleiben.

S. 14 sagt Herr B.: „Ein ganz gewöhnlicher Traum Gesunder ist es, und er ist auch gewiss fast einem Jeden einmal vorgekommen, dass man sich von der Erde oder aus dem Bette erhoben fühlt, und glaubt in den Lüften zu schweben oder zu fliegen. Ganz besonders hört man diesen Traum häufig von jungen kräftigen Leuten erwähnen, die an eine mässige Lebensweise gewöhnt sind, und diese Erscheinung erklärt sich daraus, dass die Seele den gesunden Körper niemals empfindet. Es ist das wonnige Gefühl der Schrankenlosigkeit, dem ähnlich, welches immer dem Tode des Körpers kürzere oder längere Zeit vorangeht. Den Gegensatz zu diesem Traume bildet der, leider viel häufiger beobachtete, dass man sich von Feinden oder wilden Thieren verfolgt wähnt, zu entfliehen strebt, und dennoch nicht von der Stelle kommen kann. Hier wirken verschiedene Ursachen zusammen. Das Gefühl der Angst ist organisch bedingt, sei es durch den Druck, den ein überladener Magen vermittelst des Zwerchfelles auf die Lungen ausübt, und dadurch die Respiration hemmt, das s. g. Alpdrücken u. s. w., sei es durch die Beschleunigung der Blutcirculation nach Aufregungen oder Genuss geistiger Getränke, oder durch unbequeme Lage" u. s. w. u. s. w. Mit diesen Empfindungen verbinde nun die Seele ganz natürlich wieder solche Vorstellungen, als deren Folge sie jene im wachen Zustande des Körpers kennen gelernt hat; denn wer habe nicht einmal in seinem Leben vor einem Thiere oder ergrimmten Gegner zu entkommen gesucht?

Ich halte diese Erklärung für verfehlt, ganz besonders betreffs des Fliegens. Die reine ungetrübte Gesundheit und ein ruhiger Schlaf bringen gewiss keine Träume hervor, wenigstens keine von solcher Lebhaftigkeit, dass wir uns derselben hinterher vollständig erinnern könnten. Der Vf. gesteht dies eigentlich gegen seinen Willen selbst zu, indem er sagt, die Seele empfinde den gesunden Körper niemals; wenn sie ihn aber nicht empfindet, wie kann sie doch im Traume glauben, er fliege? Eben so sind jene Träume, wo wir verfolgt werden, fliehen, und nicht von der Stelle können, keineswegs allein durch die Angst bedingt. Denn wo blos diese vorhanden ist, entsteht einfacher Alp, Gefühl eines Drucks auf der Brust bei ruhendem Körper, oder überhaupt schlechthin beängstigende Träume betreffs der Zukunft, eingebildete Strafen u. dgl. Damit es zu einem Traume des Laufens, Fliehens komme, ist noch ein anderes Element erforderlich, nämlich das Träumen einer ideellen Bewegung, welche selbst wieder einen organischen Boden haben muss. Irgend eine ungewöhnliche Lage der Glieder, durch welche gewisse Muskelpartieen besonders gespannt, gedrückt, angezogen werden, kommt uns zum dunkeln Bewusstsein, und durch die vergrössernde, übertreibende Kraft des Traumes wird dieser Muskeleindruck so ausgelegt und ausgemalt, als ob wir diese ' jene Bewegung, die bei ihrer wirklichen Ausfüh

einen ähnlichen, wiewohl schwächeren, Eindruck auf
die Seele macht, wirklich ausführten. Ist einmal
durch die Erregung eines solchen Traumes die Seele
ihrem tiefsten Schlaf entrückt, so. kommt es allerdings auf die jeweilige Stimmung des Organismus an,
wie sich der Traum weiter färbt: bei Gefühl des
Wohlseins können wir glauben zu schweben, hei
Angst, verfolgt zu werden. Letztere kann zwar
auch primär entstehen;. aber immer werden ideelle
Muskelempfindungen sich damit verbinden müssen,
wenn es zum Bewegungstraum. kommen soll.

Was Vf. weiter über die, Erregung von Träumen
durch Empfindungen während des Schlafes beibringt
und durch Beispiele erläutert, übergehen wir als bekannt. Wir können uns mit dem Vf. nur einverstanden erklären, wenn er seine Ansicht an einem Beispiel unter Anderm auch in folgender Weise erläutert, S. 17: „Es träumte z. B. Jemandem, dass er
von einigen Personen überfallen würde, welche ihn
der Länge nach auf den Rücken zur Erde hinstreck-
ten, und ihm zwischen der grossen und nächsten
Zehe einen Pfahl in die Erde schlügen. Indem er
sich dieses im Traume sehr lebhaft vorstellte, erwachte er, und fühlte nun — dass er einen Stroh-
halm (natürlich aus dem Bettstroh) zwischen den
Zehen hatte. Dieser kleine Zufall und die dadurch
lebhaft angeregte Empfindung des Tastsinnes erweckt
also in der Seele, indem diese combinirend gleichsam rückwärts schliesst, alle jene Vorstellungen bis
zum meuchlerischen Ueberfall. Je lebhafter also die
auf solche Weise im Schlafe angeregte Vorstellung
ist, desto hastiger ist auch. die Seele mit ihrer Ideenassociation und Begriffscombination bei der Hand —
alles natürlich unbewusst, denn sie weiss im Schlafe
nichts von ihrer Individualität — so dass man nicht
selten glaubt, einen langen Traum geträumt zu haben,

zu welchem die zuletzt gehabte äussere Empfindung den Knalleffect und sachgemässen Schluss bildet.". — Indess scheint Vf. in Bezug auf die Zeitfolge der Traumbegebenheiten etwas zu weit zu gehen, wenn er aus solchen Empfindungen immer die ganze vorhergegangene Reihe ersterer entstehen lassen will. Er fährt nämlich fort: „Gewiss ist Manchen, welche die Weserzeitung lesen, vor einiger Zeit die Erzählung eines seltsamen Traumes aufgefallen, welcher eine Dame in Braunschweig betraf. Der Schluss dieser ausführlich mitgetheilten Begebenheit war etwa folgender: Die Dame befindet sich in einem Laden, um Shawls zu kaufen, eine andere Dame macht sie ihr streitig; sie gerathen in heftigen Zank darüber. Die zweite Dame zieht einen Dolch, stösst ihn sich in das Herz, um mit ihrem ausströmenden Herzblute die Shawls und ihre Gegnerin zu besudeln. Unsre Dame erwacht erschrocken und — vor ihr steht die Magd, welche ihre Herrin ungeschickter Weise mit einer warmen Suppe übergossen hatte. An diesen einen letzten Umstand knüpft sich also auch hier die ganze Begebenheit des Traumes" u. s. w. Hier ist durchaus nicht abzusehen, wie aus dem Gefühl des warmen Wassers und der sich damit verbindenden Idee des Blutvergiessens erst rückwärts die Idee des Kaufens und dann wieder vorwärts der weitere Traum entstanden sein sollte. Viel einfacher ist es, anzunehmen, dass der Traum von Kauf und Zank durch irgend eine andere Veranlassung, vielleicht durch die plaudernde Magd entstanden war, und die Katastrophe erst zufällig durch das Ueberschütten hinzufügt wurde.

Deshalb ist es denn wohl auch gewagt, wenn Vf. auf solche Erklärungen hin später (S. 20) sich äussert: „Dies eine endlich scheint mir bei allen diesen Träumen besonders bemerkenswerth, und von

hohem philosophischen Interesse, dass sie uns über
den absoluten Unwerth und die absolute Inhaltslosig-
keit alles Zeitbegriffes belehren; dass in ihnen alle
Nothwendigkeit einer zeitlichen Aufeinanderfolge für
die inneren Vorstellungen ganz aufgehoben erscheint.
Denn wie wäre es sonst möglich, dass Vorstellungen von Begebenheiten und Handlungen, die nach
unserer sinnlichen Anschauungsweise im wachen Zustande und in den dadurch bedingten relativen Zeit-
begriffen Stunden, ja ganze Tage und länger zu ihrer
Ausführung bedürften, im Traume an den Augenblick
sich knüpfen?" Vf. knüpft daran eine Erklärung der
prophetischen Träume. Ich glaube aber nicht, dass
aus einer nüchternen Beurtheilung der Träume solche
Schlüsse gezogen werden können. Der Zeitbegriff oder
die Anschauungsform der Zeit ist im Traume durchaus
nicht aufgehoben, wir können Begebenheiten schlech-
terdings nicht anders träumen, als in dem Modus des
Aufeinanderfolgens; sonst würde uns ja der Traum
gar nicht als eine Geschichte erscheinen können.
Wir fürchten und hoffen von der Zukunft auch im
Traume, und eben der Umstand, dass uns kaum Ge-
träumtes im nächsten Augenblicke schon als ein längst
Vergangenes vorkommen kann, spricht deutlich dafür, dass der Vergangenheitsbegriff eben sehr intensiv dabei ist. Der Schein, durch welchen wir Vergangenes als Gegenwärtiges träumen, entsteht nur
aus der Subjectivität des Traumes. Im Wachen können wir an die verschiedensten Begebenheiten kurz
nacheinander denken, ohne dadurch gerade allemal
zugleich zu dem Gedanken genöthigt zu sein, dass
dieselben in der Zeit weit von einander getrennt
seien; dem Träumenden kommt aber dieser Zeitge-
danke dabei natürlich um so weniger, als er das blos
Gedachte *eo ipso* für Reelles hält, und Zuschauer
und Schauspieler in einer Person ist. So wenig ich

daher der Seele tiefere, uns noch geheimnissvolle
Kräfte abzusprechen gemeint bin, so kann ich doch
mit dieser Art und Weise ihrer Demonstration nicht
einverstanden sein. — Die Erklärung des bekannten
Traumes von den beiden Arkadiern ist doch etwas
kühn (S. 22) so gegeben: „Man darf hier gewiss
voraussetzen, dass der Wirth schon in einem ver-
dächtigen Rufe stand, und das Gerücht davon den
Freund noch kurz vor Schlafengehen in der Besorgniss wegen seines Gefährten aufgeregt hatte; an diesen Gedanken der Gefahr knüpfen sich nun im Traume die, ganz folgerecht weiter combinirten, Vorstellungen des beabsichtigten und verübten Mordes,
und alles Uebrige erklärt sich dann leicht nach den
vorhergehenden Erläuterungen." Vf. erzählt und erläutert hierauf noch einen Traum des Arztes Gen-
nadius aus einem Briefe des heiligen Augustin, an
dem wir aber durchaus nichts sonderlich Merkwürdiges finden, und geht sodann zum zweiten Theile seines Thema's, dem *Nachtwandeln,* über.

Man erstaunt, hier zuerst auf 4 Seiten eine kurze
Physiologie der Bewegungsorgane unseres Körpers zu
finden, ehe der Vf. zur Sache selbst kommt. Er erzählt sodann mehrere Fälle von Nachtwandlern aus
Schriftstellern und fügt seine Epikrise hinzu. Dabei
verwirft er denn die Ansicht, „dass durch gesteigerte
Sinnesempfindlichkeit im somnambulen Zustande dennoch der Seele Kunde von äusseren Umständen zugeführt werden möchte", ganz und gar. Man kann
aber die hierfür beigebrachten Fälle, z. B. dass ein
Nachtwandler Kohl zu essen glaubte, während er
Hundebrei verzehrte, und Wein zu trinken vermein-
te, während er Wasser trank, vollkommen als wahr
anerkennen, und doch nicht zu dem Schluss gelangen, welchen der Vf. daraus gezogen hat. Es ist
nämlich schon von Vielen angenommen worden, und

gar nicht unwahrscheinlich, dass im somnambulen
Zustande eine Art Gemeingefühl mit verstärkter Macht
hervortrete, durch welches der Patient die äussere
Welt wahrnimmt, ohne dass die specifischen Sinnesthätigkeiten gesteigert zu sein brauchten. Nach dem
Vf. (S. 37) verhielte sich die Sache so: „Das Traum-
bild gaukelt mit lebhaften Farben ein zu erstrebendes
Ziel ihrem inneren Sinne vor. Der Körper, halb erweckt, folgt mechanisch, und mechanisch meidet er
jedes Hinderniss und weicht ihm aus, ohne dass sein
Entgegenstehen ihm zum deutlichen Bewusstsein
kommt, immer nur dem lebhaften, alles Andere in
den Hintergrund drängenden Bilde seines Schattenzie-
les folgend.” Dies sind offenbar nur Worte, die die
Sache völlig unaufgeklärt lassen. Auch ist das Nachtwandeln gewiss nicht blos ein gesteigerter Traum,
wie es nach denselben sein müsste. Wenn nach Vf.
der Samnambule, während er neben bodenlosen Ab-
gründen, die Gefahr nicht kennend, steigt und klettert, „unterdessen sich vielleicht auf lachenden Ge-
filden einherschreitend” denken kann, so sieht man
nicht ein, warum er klettert, warum er „sondirt, um
festen Fuss zu fassen”, warum er überhaupt keinen
einzigen Seitentritt thut, was doch, wenn man durch
lachende Gefilde schlendert, alle Augenblicke vorkommt.

Ref. hält durch das Bisherige seine Ansicht, dass
die vorliegende Schrift als populäre Vorlesung zwar
eine interessante Unterhaltung gewähren konnte, aber
für die Wissenschaft keine Ausbeute gewähre, gerechtfertigt; hoffentlich war aber ihre Besprechung
nicht ohne Nutzen. Ref. kann sich hierbei nicht versagen, auf eine, zwar schon vor längerer Zeit erschienene, aber sehr interessante Behandlung der Traum-
erscheinungen von Nathan unter der Aufschrift:
Elemente einer Traumtheorie, in der Hamburger Zeit-

schrift Bd. XVIII. Heft 2. aufmerksam zu machen, welche allen in diesem Zweige Forschenden zu empfehlen ist, und deren Berücksichtigung auch für unsern Vf. von grossem Nutzen gewesen wäre. —

Hagen.

Psychiatrische Referate aus nicht - psychiatrischen Werken.

1. Berthold, A. A., *Lehrbuch der Physiologie für Studirende und Aerzte.* Dritte Auflage. In 2 Theilen. Göttingen 1848.

Der erste Theil dieses bekannten Handbuchs behandelt die allgemeine Physiologie, deren 4ter Abschnitt überschrieben ist „*Von der Seele*", und die Seele im Allgemeinen, die Seelenäusserungen und Seelenvermögen, die Gemüthsbewegungen und Leidenschaften, Instinkt und Kunsttrieb, und endlich den Schlaf abhandelt. Der für uns wichtigste Theil ist das Kapitel „*Verhältniss der Seele zum Körper*" S. 298—312. Vf. zieht zuerst eine Parallele zwischen Seele und Körper und findet, dass wie der Körper fortpflanzungsfähig sei, so sei es auch die Seele (Erblichkeit der Geisteskrankheiten), und wie der Körper erkranken könne, so könne auch die Seele erkranken. Hierauf bespricht er die nähere Beziehung der Seele zum Körper und gelangt zu dem Resultat, dass die Seele dem ganzen Körper angehöre, indem er auch den Monaden eine Seele vindicirt, dass aber das Gehirn das materielle Substrat sei, wodurch und worin sie ihre Wirkung äussere, und dass beim Menschen der hauptsächliche Sitz die Hemisphären seien. Nachdem er nun noch von der Nervenreizbarkeit an todten Menschen, und dem Verhältniss der Seelenthätigkeit zu bestimmten Gehirnparthien, so wie

20 *

von der Gall'schen Schädellehre, der er nicht beistimmt, gesprochen, fügt er einen Anhang über *Seelenerkrankung* an, die er in idiopathische und symptomatische eintheilt; in letzterer sei der Grund hauptsächlich im Gehirn, aber auch in allen Organen zu suchen, in die sich Nerven verbreiten (?). — Zum Eintritt wirklicher Seelenstörung müsse aber eine besondere Prädisposition vorausgesetzt werden. Leider geht der Vf. über diesen höchst wichtigen Punkt mit wenig Worten hinaus, indem er nur bemerkt, dass oft in dem bedeutendsten Hirnleiden keine Seelenstörung eintrete, und die bedeutendsten Aeusserungen der Seele, Gemüthsbewegungen und Leidenschaften ohne bleibende Seelenstörung verlaufen, während es doch oft umgekehrt geschehe.

2. **Richter**, H. L., *Lehrbuch der speciellen Pathologie und Therapie des Menschen.* Ein Grundriss der innern Klinik für academische Vorlesungen von L. **Choulant.** Vierte Aufl. Leipzig 1847.

In dieser neuen Auflage des Choulant'schen Handbuchs, über das die Kritik schon ihr günstiges Urtheil gesprochen, handelt der Bearbeiter in der 3ten Abtheilung die „*Krankheiten im Nervensysteme*" S. 827—1041 ab, und bespricht im 1sten Abschnitt „*die Krankheiten der Primitivfasern*" als die Krämpfe und Lähmungen, die Hyperästhesien, Empfindungslosigkeiten und Nervenschwindsuchten. Im 2ten Abschnitt werden die „*Krankheiten der Nervenbündel*" abgehandelt, als Nervenentzündung, Neurem, Krankheiten der Hirn-, Rückenmarks- und Ganglien-nerven. Der 3te Abschnitt beschäftigt sich mit den „*Rückenmarkskrankheiten.*" Es werden namentlich aufgeführt die Entzündungen, die Spinalirritation, die organischen Krankheiten, die Lähmungen, die Muskelunruhe, Starrkrampf, Wasserscheu und Hunds-

wuth, Kriebelkrankheit. Der 4te Abschnitt ist den
„*Hirnkrankheiten*" gewidmet S. 943—1041. Sie werden eingetheilt: A. „*Materiellere Hirnkrankheiten*":
Kopfanämie, Kopfcongestionen, innere Kopfentzündun-
gen, Säuferwahnsinn, Kopfwassersuchten, organische
Hirnfehler. — Bei dem *delirium tremens* macht Vf.
mit Recht aufmerksam, dass sehr häufig die *Pneu-
monien* der Säufer unter der Form des Zitterwahn-
sinns verlaufen. Der Beruhigung des Kranken durch
Aether und Chloroform ist nicht erwähnt, ebenso vermissen wir ungern unter der Literatur der Säufer-
dyskrasie die Darstellung von E n g e l aus dem I. Bde.
des II. Jahrg. der Zeitschrift der Wiener Aerzte. —
B. „*Cerebrale Hyperästhesien*": Kopfweh, Schlaflosigkeit, Hypochondrie und Hysterie. Es ist anspre-
chend, diese beiden letzten unter den *Hirn*krankheiten aufgeführt zu sehen. C. „*Cerebrale Krämpfe*":
Grosser Veitstanz, Starrsucht, Alpdrücken, Fallsucht. D. „*Bewusstlose Zustände*": Schwindel, Hirn-
schlagflüsse, Schlafsuchten, Ohnmacht, Scheintod.
E. „*Geisteskrankheiten*" S. 1041—1061. In der dem
Vf. eigenthümlichen und klaren Sprache werden die
Geisteskrankheiten der Tendenz eines klinischen Lehr-
buchs gemäss nur in ihren allgemeinen Grundzügen
gegeben. Vf. geht von dem Grundsatz aus, dass
zwischen den Fieberdelirien und den Geisteskrankheiten,
mit Ausnahme der Zeitdauer, kein objectiv nachweisba-
rer Unterschied existire. Die Ursachen der Geisteskrankheiten müssen nach ihm sowohl von somatischer
als psychischer Seite ausgehen, daher die Cur eine
somatische und psychische, die aber nur in einem guten Irrenhause ausgeführt werden kann. Bei der Eintheilung der Geisteskrankheiten folgt Vf. der psychologischen von Heinroth, und in kurzen aber guten
Umrissen geht er die Narrheit, den Wahnsinn, die
Tobsucht, die Melancholie, die Willenlosigkeit und

den Blödsinn durch, und fügt am Ende ein Lite-
raturverzeichniss der besten Schriften bei.

Wir freuen uns, in einem Lehrbuch der Medicin
eine bündige und klare Abhandlung über die Geisteskrankheiten gefunden zu haben; sie wird viel dazu
beitragen, die Lust zum Studium der Psychiatrie zu
erwecken. Gerade die unglaubliche Vernachlässigung
und Geringschätzung der Psychiatrie von Seiten der
Lehrer der Medicin war es, die diesen Zweig unsrer
Wissenschaft so lange einem unverdienten Schicksal
Preis gab.

3. Fuchs, C. H., Prof. zu Göttingen, *Lehrbuch der
speciellen Nosologie und Therapie.* 2 Bde. Göttingen 1847.

In dieser ausführlichen Bearbeitung des Schön-
leinschen Systems von einem seiner berühmtesten
Schüler ist auch in der IX. Ordnung der *Krankheiten des psychischen Nervenlebens* gedacht. Sie
bilden eine Familie, die 28ste, und werden *Pa-
raneuen, Seelenstörungen* genannt. Vf. war selbst
früher Irrenarzt zu Würzburg, und geht namentlich von dem Grundsatz aus, dass die psychischen
Neurosen keinen Gegensatz zu den somatischen bilden, sondern diesen an die Seite zu setzen sind.
Eine Classification scheint ihm ausserordentlich schwer,
da die verschiedenen Zustände in einander übergrei-
fen, doch lassen sich zwei grosse Klassen: *Geistesverwirrungen, Vesaniae* und *Geistesschwächen, Insaniae,* aufstellen. Die Geistesverwirrungen zerfallen
wieder in zwei Gruppen, die der *Phrenopathien,* Verwirrung der Intelligenz, und *Thymopathien,* Verwirrungen des Gemüths. Die Phrenopathien haben drei
Gattungen, *Phrenesis,* Wahnsin; *Moria,* Verrücktheit, *Monomeria,* fixe Idee. Die Thymopathien werden eingetheilt in drei Gattungen: *Mania, Tobsucht,*

Melancholia, Tiefsinn, *Monomania*, fixer Trieb. —
Die 2te Sippschaft, *Insaniae*, zerfällt in 2 Gattungen: *Anoia*, Blödsinn und *Amnesia*, Gedächniss-schwäche. — Die *Hypochondrie* ist unter den „centralen Neuralgien", die *Hysterie* unter den „allgemeinen Neurospasmen, der Cretinismus unter den Atrophien als *Phrenotrophia, Cretinismus,* abgehandelt, und der angeborne Blödsinn unter den Teratosen, wo er den Namen *Micrencephalon* erhielt, oder Cretinismus campestris im Gegensatz zu dem alpinus.

Es genüge diese Eintheilung hier mitgetheilt zu haben. Sie leidet an denselben Fehlern und Mängeln, und hat dieselben Vorzüge, wie das ganze Buch, das sich durch das strenge Durchführen des vorgesetzten Princips auszeichnet, aber gerade dadurch oft nahe verwandte Formen trennen musste. — Die naturhistorische Anschauung der Psychiatrie scheint uns nicht weiter fördern zu können, und wir werden immer wieder auf die medicinisch-praktische Eintheilung zurückkommen, oder die psychologische annehmen müssen, da eine Eintheilung nach dem eigentlichen Wesen, d. h. nach den zu Grund liegenden anatomischen Veränderungen des Gehirns derzeit unmöglich ist.

4. **Grisolles,** *Vorlesungen über die specielle Pathologie und Therapie der innern Krankheiten des Menschen.* Deutsch unter der Redaction von Behrend. Leipzig 1848.

In diesem vortrefflichen Buche findet sich auf S. 421—463 des 3ten Bandes die dritte Art der Neurosen abgehandelt, die sich nämlich durch *Störungen der Intellectualität* charakterisiren. Es ist ein erfreuliches Zeichen, dass die Geisteskrankheiten sich jetzt nicht mehr wie Stiefkinder in den Handbüchern über

Pathologie zu geriren brauchen, sondern dass sie
durch volle Anerkennung mitten in die Reihe der übrigen Nervenkrankheiten aufgenommen und mit demselben Fleisse dabei bearbeitet werden, während man
sonst gewohnt war, sie in einem dürftigen Anhang
dürftig und flüchtig erwähnt zu finden. Grisolles
spricht zuerst vom *Delirium*, wobei er nachweisst,
dass man demselben einen bestimmten anatomischen
Sitz im Gehirn nicht erweisen könne. Die eigentlichen Geistesstörungen theilt er in *Wahnsinn, Hypochondrie, Idiotismus*. Wenn wir auch im Allgemeinen nichts Neues finden, so giebt doch der Vf. eine
übersichtliche und klare Darstellung der jetzt in Frankreich geltenden Grundsätze. Bei dem Wahnsinn legt
er die Esquirol'sche Schilderung zu Grunde und
passt die neueren Ansichten der französischen Psychiatriker, die er recht gut kennt, daran. Er theilt
sie in *Monomania, Mania* und *Dementia,* und bespricht ziemlich ausführlich die *Hallucinationen,* wo
er namentlich Baillarger und Moreau citirt. Die
Behandlung ist eine moralische und physische, gesteht aber bei ersterer der Persönlichkeit eines Leuret, ihres Hauptvertheidigers, den grössten Einfluss
zu. — Bei der *Hypochondrie* folgt er hauptsächlich
Dubois und Michéa. — Den *Idiotismus* theilt er
in *Imbecillitas, Idiotismus* und *Cretinismus.* — Auffallend ist es, das Vf. so gänzlich Umgang genommen hat von allen deutschen Psychiatrikern, von denen auch nicht einer nur mit einer Sylbe erwähnt ist;
höchstens sind einige ältere lateinische Autoren (Wepfer, Haller, v. Swieten) angeführt. Sogar in
den geschichtlichen Einleitungen, die er jeder Abtheilung vorausschickte, ist von einer deutschen Psychiatrie nicht die Rede, während wir uns alle Mühe
geben, die französischen Werke zu studiren und stets
zu übersetzen. Und doch sind wir in Deutschland stolz

darauf, und mit Recht, die Pfleger und Cultivirer der Irrenheilkunde zu sein.

5. Vogler, J. K. W. (Herz. Nass. Ob.-Med.-Rath, Brunnen- und Badearzt zu Wiesbaden), *die Quellen zu Wiesbaden.* Wiesbaden 1848.

In dieser neuen Badeschrift über Wiesbaden wird unter den pathologischen und therapeutischen Bemerkungen auch ein Kapitel abgehandelt, das überschrieben ist: „*Melancholie, Hypochondrie, Hysterie, Neuralgien, Lähmungen.*" Diese fünf Krankheitsformen werden auf nicht ganz vier Seiten abgehandelt. Die periodische Hypochondrie und Melancholie trete häufig sehr kurz auf, und ihr Paroxysmus ersetze so deutlich einen Gichtanfall, einen hämorrhoidalischen Bluterguss, so wie diese wieder an die Stelle des erstern treten, dass *V.* beide Anfälle für Symptome eines und desselben Grundleidens in den Organen der Assimilation hält. Die Rückwirkung der Störungen des Unterleibes auf die Nerven des vegetativen und animalen Lebens, des Ganglien- und Cerebralsystems bedinge nur die Melancholie, Hypochondrie und Hysterie; und eben diese Rükwirkung bedinge auch vorzugsweise die Heilkraft der Wiesbadener Quelle in den genannten Störungen des Gemüths. Jedoch nicht ausschliesslich, fügt Vf. hinzu.

6. Günsburg, Dr., *pathologische Gewebelehre.* Leipzig 1848.

Im 2ten Bande erzählt der Vf. folgenden Fall von *Geisteskrankheit,* der besonders durch die *mikroskopische Untersuchung des Gehirns* von Interesse ist.

Ein 48jähriger Geisteskranker, der nach der Heilung von Fussgeschwüren die Erscheinungen der cerebralen Irritation und bei einer sehr beweglichen Denkweise den hervorstehenden Zug der Nostalgie darbot, zeichnete sich durch Hang zum Entwenden, Gefrässigkeit und Zerstörungssucht lebloser Dinge aus. Dazu kam später ein Zustand von Eklampsie, epileptische Anfälle, die zusammen an 80 Stunden währten, mit Verlust des Bewusstseins, Sprach- und Bewegungslosigkeit. Nach dem Aufhören der Convulsionen kehrten Sprache und Bewusstsein wieder; mit Ausbildung einer pyämischen Krase stellten sich decubitäre Geschwüre von grossem Umfang ein, stete Erregung der vasomotorischen Nerven, zuletzt seröses Exsudat am Schädelgrunde, das den Tod zur Folge hatte.

Die *Section* ergab Hypostase der Lungen, fibrinarme Blutmasse, fettige Entartung der Leber mit Schwund derselben, Schwellung der Milz, unmässige Ausdehnung des Magens.

Das Schädelgewölbe oval, die Knochentafeln verdünnt, und die Diploë so geschwunden, dass die ersteren an einzelnen Stellen durchscheinend waren. Die harte Hirnhaut blutreich, die Arachnoidea auf der Oberfläche der Hemisphären getrübt, verdickt und leicht zerreisslich, längs des Sulc. longitud. von gelblichen Exsudatflecken belegt, und an der Basis des Gross- und Kleinhirns, so wie der Verbindungstheile zu dicker, gelblich-weisser Exsudatschwarte verwandelt mit eitrigem Belage.

Die graue Masse der Brücke, der Hirnschenkel, der corpor. mamillaria, der Streifen und Sehhügel, die Rindenschichten der untern Flächen der Grosshirnhemisphären und die vordern untern Windungen des Kleinhirns sind von Farbe schiefergrau bis vollkommen kohlschwarz. Der gestreifte Körper der linken Seite ist eingesunken, in einer Ebene mit dem Boden des Seitenventrikels. Die Masse desselben ist weicher, als die andern dergestalt veränderten Hirntheile. Die Faserung der weissen Markmasse tritt scharf hervor; sie ist blutleer und lederartig zähe,

Die Seitenventrikel sind leer; am Schädelgrunde etwa
3 Unzen eitriges Serum.

Die Sonderung der dunkelschiefergrau tingirten
grauen Masse von der weissen Masse tritt überall
scharf hervor. Im Grosshirn sind die Hirnkügelchen
fast durchgängig zu einer feinkörnigen, pulverig er-
scheinenden Masse zertrümmert, nur äusserst wenige
noch kenntlich. Die Hauptmasse bilden Eiterzellen
von 0,015 mill. diam., himbeerartig gestaltet, auf der
Oberfläche und im Innern ganz von dunkeln undurch-
sichtigen Körperchen besetzt. Nach der Peripherie
waren sie noch zahlreicher, als nach der Markmasse
hin. Nervenfasern sind nur an einzelnen Stellen
sichtbar, mit dunklern Rändern, als gewöhnlich, und
zahlreichen Varicositäten. Die feinsten Blutgefässe
sind in grösster Zahl und in zweierlei Formen vorhanden. Sie sind gestreckt, in spitzen Winkeln ver-
ästelt, vollkommen leer; oder sie sind bogenförmig
ramificirt, nur in den capillaren Endschlingen leer.
In den grösseren Aesten mit längs- und quergestell-
ten Kernen führen diese noch Blutkügelchen, zwischen
welchen im Innern des Gefässes, mit dem Blutinhalte
verschiebbar, Eiterzellen ersichtlich sind.

Im Kleinhirn war an den betreffenden Stellen der
Blutreichthum noch grösser, und es fanden sich zwischen den Eiterzellen und dem massenhaften Detritus
Concretionen, in denen einzelne Formen von Blutkügelchen erkennbar waren. Dies ist ein Beweis,
dass die Eiterzellen zuletzt auch das Zerfallen des
haltbarsten Elements der Hirnmasse, der Gefässhaut,
zur Folge gehabt haben. — In dem eingesunkenen
Corp. striat. ist die Ansammlung von Eiterzellen, zer-
trümmerten Molecularmassen dieselbe. An den leeren
Blutgefässen mit bogenförmiger Verästelung liegen
Pigmentkörner von 0,007 — 0,01 mill. diam. in grauer
Masse. Auch im Innern der grössern Gefässstämme

waren Pigmentmassen. Mit dem völligen Zerfallen
der Elementartheile beginnt um die Blutgefässe herum und in ihnen die Pigmentbildung. Hiermit ist
der völlige Schwund des Hirntheils beendet.

Diese Gehirnentzündung ist durch ihre grosse
Verbreitung, durch das allgemeine eitrige Zerfallen,
die Eiteraufnahme in die Blutmasse, und endlich durch
die Bildung von Pigmentmassen ausgezeichnet.

Es ist wohl mit Sicherheit anzunehmen, dass die
graue Substanz Sitz der Cerebralirritation gewesen,
welche der Geisteskrankheit zu Grunde gelegen.

7. Esquiros, *Paris, oder die Wissenschaften,
öffentlichen Anstalten, und die Sitten im* 19ten
Jahrhundert. Stuttgart 1848. 8. *).

Im 2ten Bande dieses Werkes hat der Verf.
seine Erfahrungen und Gedanken über das Irrenwesen niedergelegt, nachdem er im 1sten Bande den
Jardin des plantes und die naturhistorischen Sammlungen zum Gegenstand seiner Abhandlung gemacht
hat. Der Aufsatz über die Irrenhäuser umfasst
S. 1—198, und es folgen ihm dann Betrachtungen
über die Findelhäuser und die Taubstummen. Vf.
ist Publicist in Paris, und hat unter Mitwirkung eines
deutschen Gelehrten daselbst diese deutsche Ausgabe
seiner wissenschaftlichen Beschreibung von Paris besorgt, die das Kultur- und Sittengemälde der Welt-
stadt getreu und unbefangen wiedergiebt. Indem Verf.
die Reihe von Instituten, worin die Hauptstadt alles
Elend des Leibes und der Seele in Absicht der Heilung concentrirt, an unseren Augen vorüberziehen
lässt, folgte er auch dem Gange des Menschen-
geschlechts durch die Tiefe des Blödsinns und die
Finsternisse des Irrseins. Der Vf. ist nicht Arzt,

---

*) S. d. Zeitschr. Bd. V. S. 281.

und stellt sich auf den philosophischen, den psychologischen Standpunkt, wozu er namentlich durch Leuret geführt wurde.

Wie man in Frankreich fast allgemein für die psychische Behandlung sich ausspricht, so geht auch Vf. von der Idee aus, dass der Wahnsinn als Object dem Philosophen und Moralisten so gut zukomme, als dem Arzte. Die Psychiatrie ist ihm in einem sehr unvollkommenen Zustande befindlich, und es bedarf eines entschiedenen Einflusses der Philosophie, wenn sie sich auf den von den übrigen Naturwissenschaften eingenommenen Standpunkt erheben will und soll. Nur wenige, eine höchst untergeordnete Stellung in der Wissenschaft einnehmende Aerzte seien so vom Materialismus befangen, dass sie die palpablen Organe unseres Gehirns für die einzige Bildungsstätte unserer Ideen ansehen. Wir nehmen dieses strenge Urtheil eines Moralisten mit der Bemerkung hin, dass es von jeher ein Unglück für die Medicin war, wenn die Philosophie sich mit ihren Speculationen einmischte; die traurigsten Belege anzuführen, liegt wahrlich nicht fern! Vf. nimmt drei Klassen von Wahnsinn an; die eine rührt von einer organischen Veränderung im Gehirn her, die zweite von einer Verwirrung des Geistes, und die dritte ist eine Mittelstufe zwischen beiden. Dass diese Eintheilung hinkt, fühlt Vf. selbst, indem er sich zur Annahme eines Mitteldinges zwischen geistigen und körperlichen Ursachen genöthigt sieht.

Ein besonderes und grosses Kapitel ist den Hallucinationen gewidmet. Es werden auf geistreiche Weise die Theorien von Foville, Lelut, Leuret, Brierre besprochen; seiner Beschreibung sind eine Menge interessanter Fälle aus den Pariser Anstalten eingewebt. Am meisten huldigt er Foville, dessen psychische Behandlung er, seinen Grundsätzen gemäss, am meisten hervorhebt. Sehr schön ist die Stelle, wo

er mit Voisin behauptet, dass die Organisation des
Gehirns, welche zur Entstehung des Wahnsinns nöthig
sei, fast ganz mit derjenigen grosser Verbrecher und
geistvoller Menschen zusammentreffe, was er durch
Beispiele erläutert. — Nicht das Christenthum war
nach *E.* fähig, den Geisteskranken ein besseres Loos
zu schaffen: denn ihm waren sie von Gott verdammt;
erst die Revolution war im Stande; dies Vorurtheil
zu verscheuchen. Seit dieser Zeit bemerke man auch,
dass der Wahnsinn einen immer mehr individuellen
Charakter annehme, statt des früher häufig epidemischen; auch hält er den religiösen Wahnsinn jetzt
seltener, während es doch gerade diese Form ist, die
sich in den früheren Zeiten öfter zu Epidemien ausgebildet hat.

Unter den Ursachen sind erbliche Anlage und
Hochmuth und überhaupt die geistigen Ursachen besonders hervorgehoben; die somatische Theorie, die
bei uns in Deutschland das Uebergewicht hat, ist gar
nicht berührt. Mit der Zunahme der Civilisation steigen allerdings die Geisteskrankheiten, fällt aber die
Zahl der Idioten. In Paris und London kommen 7
geisteskranke Frauen auf 5 geisteskranke Männer,
während in Italien, Griechenland und der Schweiz ein
umgekehrtes Verhältniss Statt hat. Dass der Wahnsinn in der aristokratischen Familie jetzt so häufig
ist, schiebt Vf. mit Recht zum grossen Theil auf den
Müssiggang und die Verschlechterung der Race durch
die Verheirathungen in der eigenen Familie.

Ideen, Leidenschaften, Gefühle sind nach dem Vf.
die vornehmsten Waffen des Arztes bei Behandlung
des Wahnsinns. Besonders nennt er hier die Liebe,
wie es ihm von seinem Standpunkte als Moralist und
Publicist zukommt. Ein Arzt, der die Macht der Liebe
kennt und in seinen Bemühungen durch edle Frauen
unterstützt würde, hätte eine moralische Macht in

seiner Hand, die sicherer in ihrer Wirkung wäre, als
alle pharmaceutischen Mittel der Welt. Zum Schluss
erhalten wir eine Beschreibung von Bicêtre und Van-
vres. Vf. erhebt bittere Klagen über die Einrichtung
der Anstalten, geht jedoch nicht in's Einzelne.

Wenn auch diese Schrift, die ganz vom philoso-
phisch-moralistischen Standpunkte aus geschrieben ist,
nicht mit den Erfahrungen der Medicin durchaus übereinstimmt, und Vf. nur durch öftere Besuche in Irrenanstalten und bei deren Aerzten und durch Schriften
mit diesem Zweige der Medicin bekannt wurde, der
ein tieferes Studium erfordert: so ist doch diese Abhandlung eine angenehme Lectüre, und namentlich für
das Publicum, worauf sie berechnet ist, eine beleh-
rende; — und wenn auch die Wissenschaft nicht fördernd, so ist sie doch anregend, pikant durch manche
treffende Bemerkungen und interessant durch die vielen eingewebten Geschichten. Sie ist ein treuer Abdruck der Ansichten über Psychiatrie in Paris, und
die glänzende Beredtsamkeit und die frische geistige
Lebendigkeit des Vf.'s macht die Schrift, wenn auch
etwas romanhaft, doch höchst anziehend und wird
nicht verfehlen, bei vielen Lesern die Vorurtheile über
Geisteskranke und Irrenanstalten zu verscheuchen.

Spengler.

*Further Report of the commissioners in lunacy
to the lord Chancellor,* presented to both houses
of parliament by command of her Majesty. London, Shaw and Sons. 1847. 503 S. 8.

Seit dem ersten Berichte der Commission über
das englische Irrenwesen *) erschienen zwei neue

---

*) S. das Referat darüber im zweiten Bande der Zeitschrift
S. 87—141. und S. 523—539.

Parlamentsacte *), durch welche unter Anderm auch
die Obliegenheiten dieser Commission von neuem festgestellt wurden. Die Mitglieder derselben sind, mit
wenigen Ausnahmen, die nämlichen geblieben, der
Gegenstand der Untersuchung hat sich jedoch in etwas verändert, indem 26 neue Anstalten, worunter
vier für die Grafschaften Oxford, Devon, Salop und
den Nord- und Westbezirk von York, entstanden,
17 Hospitäler und Privatanstalten aber eingegangen
sind. Die Gesammtzahl aller inspicirten Anstalten betrug demnach 949, nämlich 21 Grafschaftsanstalten
(County asylums und county and subscription asylums),
11 Irre aufnehmende Hospitäler, 144 Privatanstalten,
750 Arbeitshäuser, und 20, Irre enthaltende Gefängnisse, wozu noch Bethlem, das Militär- und das
Seespital kommen.

Die Commission theilt ihren Bericht in vier Theile
und in Beilagen. Im *ersten Theil* giebt sie im Allgemeinen Rechenschaft über die Art und Weise, wie
sie ihren Pflichten und insbesondere einzelnen Vorschriften der betreffenden Parlamentsacten nachge-
kommen ist, und knüpft daran kurze Mittheilungen
über die gemachten Erfahrungen und ihre Ansichten
betreffs der Abänderung einzelner Verordnungen. Um
hier verständlich zu werden, müsste ich diese ganze
Darstellung wörtlich und ausführlich wiedergeben,
wozu uns jedoch der Raum gebricht. Ich beschränke
mich daher darauf, wenige Punkte hervorzuheben.
Erstens nämlich erkennt die Commission zwar an,
dass ihr die verschiedenen Notizen über Aufnahme,
Entlassung, Tod der Patienten gehörig zugekommen,
rügt aber die mangelhafte Führung der Krankenjour-
nale (Case Books) in mehreren Anstalten. Zweitens
findet sie die Bestimmung, dass jeder Irre alle zwei

---

*) S. Zeitschr. II. Bd. S. 506—518. und III. Bd. S. 336.

Wochen einmal von einem Arzte besucht werden müsse, in Fällen veralteten oder mehr in Geistesschwäche bestehenden Irreseins, so wie da, wo der Besitzer einer Privatanstalt selbst Arzt ist, drückend und lästig, und wünscht, dass für solche Fälle Dispensationen ertheilt werden möchten. Da die Commission auch die Befugniss hat, die Pläne für neu zu errichtende oder zu verändernde Anstalten ihrer Begutachtung zu unterwerfen, so sind ihr deren bereits eine grosse Anzahl eingereicht worden, worunter jedoch sehr viele fehlerhafte. Um nun solche Missgriffe und dadurch herbeigeführten unnöthigen Zeitverlust zu verhüten, hat sie eine in einer der Beilagen mitgetheilte Anweisung betreffs des Baues und der Einrichtung von Irrenanstalten verbreiten lassen. Sie bespricht sodann einzelne solcher Anstalten, wo Neubauten nöthig wurden, besonders. Für Middlesex war die Errichtung einer neuen Anstalt für 800 Kranke unmittelbar neben der schon bestehenden zu Hanwell beantragt worden; die Commission war aber dagegen, und die neue Anstalt wird jetzt im westlichen Theile der Grafschaft errichtet werden. Es sind dazu bereits 120 Acres Land in Colney Hatch zum Ankauf in Vorschlag. Auch in Surrey ist schon eine zweite Grafschaftsanstalt nöthig; die Commission setzte es durch, dass dieselbe, statt, wie beantragt, drei nur zwei Stockwerke hoch wird. Aehnliche Verhandlungen wurden bezüglich neuer Anstalten für Derbyshire, Lancashire, Cornwall, Kent, Lincolnshire, Birmingham, so wie bezüglich Veränderungen und Verschmelzungen anderer gepflogen. Sechzehn Grafschaften sind noch ohne Armen-Irrenanstalten. Die Commission fordert daher, auf die betreffenden Bestimmungen der Parlamentsacte gestützt, den Staatssecretär für die innern Angelegenheiten auf, Maassregeln zu treffen, dass die Behörden jener Grafschaf-

ten genöthigt werden, Anstalten für ihre Armen zu
errichten oder zu diesem Zwecke mit andern Grafschaften sich zu verbinden. Als Anhaltspunkte für
die Beurtheilung der Zweckmässigkeit einer Anstalt
hat endlich die Commission einen Vorschlag zu einem
allgemeinen Regulativ für die Verwaltung von Irrenanstalten (proposed general rules for the government
of lunatic asylums) drucken und vertheilen lassen,
und in einer Beilage dem Bericht beigefügt.

Der zweite Theil handelt *vom gegenwärtigen
Stande des Irrenwesens und der Irrenanstalten.* In
England und Wales befinden sich gegenwärtig über
23000 Geisteskranke, wobei die blos Geistesschwa-
chen (imbeciles) nicht mitgerechnet sind. Davon
kommen gegen 5000 auf die höheren und mittleren
Klassen, und ungefähr 18800 auf die armen. Fast
alle befinden sich in Anstalten oder Arbeitshäusern
u. dgl.; nur 130 werden in Privathäusern verpflegt.
Mehrere tausend Personen sind theils mit der Vormundschaft, theils mit der Behandlung und Pflege
derselben beschäftigt. Die Kosten für Bau, Einrichtung und Veränderung von 19 Grafschaftsanstalten
belaufen sich auf beinahe eine Million Pfund. Die
jährlichen Verpflegungskosten sämmtlicher Irren lassen sich im Durchschnitt auf 750000 Pfund schätzen;
es machen nämlich z. B. 9652 Arme in Anstalten zu
8 Schilling die Woche 200000 Pfund, 8956 Arme in
Arbeitshäusern zu 3 Schilling die Woche 71000 u. s. f.
Alle Verpflegungsorte Irrer in England haben sich in
den letzten Jahren bedeutend verbessert, was zum
Theil davon herrührt, dass sich die öffentliche Aufmerksamkeit mehr auf dieselben gerichtet hat, und
dass man die Behandlung der Irren besser versteht,
grösserentheils aber von der speciellen Oberaufsicht,
welcher die Anstalten jetzt unterworfen sind. Eine
Menge wohlthätiger Veränderungen in Bezug auf

Wohnung, Kleidung, Heizung, Lüftung, Beschäftigung und Unterhaltung sind das Werk der Aufsichts-
behörden. Aber auch die Anstaltsärzte erhalten das
verdiente Lob. Die Commission geht nun in das Detail einzelner Anstalten ein, indem sie bei jeder bemerkt, ob und in wiefern die früher bei derselben
gerügten Uebelstände gehoben sind oder noch fortbestehen. So interessant die hier gegebenen Data
sind, so eignet sich doch dieser Abschnitt des Buches nicht zu einem Auszug, weshalb wir das Referat erst da wieder aufnehmen, wo die Mittheilungen wieder von allgemeinerer Natur ausgehen. Die
Commission hat gefunden, dass die Behandlung der
Kranken im Allgemeinen human und verständig ist.
Vernachlässigungen mögen hie und da vorkommen,
aber ohne ernstliche Folgen. Nur in zwei Fällen sah
sich die Commission genöthigt, eine gerichtliche Untersuchung einzuleiten, und zwar wegen eines durch
Vernachlässigung möglich gewordenen Selbstmordes
und wegen eines Todesfalls in Folge von Misshandlung durch Wärter. Sie schlägt vor, dass die Anstalten sich gegenseitig Listen ihres Wartpersonals
zuschicken, und in Entlassungsfällen einander die
Ursachen der Entlassung mittheilen möchten; sie ist
überzeugt, dass man auf diese Weise ein zuver-
lässigeres und humaneres Wärterpersonal gewinnen
würde. Die mechanische Beschränkung hat in allen
Anstalten bedeutend abgenommen; die Parlaments-
bestimmung, dass jeder Anstaltsarzt ein Verzeichniss
der dem Retraint unterworfenen Kranken führen und
dass jede Anstalt sechsmal jährlich visitirt werden
muss, hat in dieser Beziehung sehr gute Früchte
getragen; so hat sich z. B. in Bethnal Green die
Zahl der unter Retraint Befindlichen von 70 auf 1
oder 2, in Ringmer von 10 (unter durchschnittlich
20 Kranken) auf 1 vermindert. In Bezug auf Klei-

dung und Betten fand die Commission nichts zu erinnern, als dass in manchen Anstalten die Betten zu
wenig Wärme gewährten; bei einer Privatanstalt, wo
dies wiederholt gefunden und doch nie abgeändert
wurde, trug sie auf Entziehung der Licenz an. Ueber
die Kost ergab sich wenig Grund zu Klagen, so sehr
dieser Punkt auch bei den Visitationen immer berücksichtigt wurde. Oefter kam es vor, dass die
Gemeinden für ihre Armen zu wenig (nur 6 oder 7
Schillinge die Woche) zahlen wollten, um sie dafür
in Pflege und Kleidung erhalten zu können; die Commission hatte aber keine Macht, hier Abhülfe zu treffen. Noch immer werden die meisten Kranken nicht
zeitig genug in die Anstalten gebracht, weshalb die
Mehrzahl der Fälle veraltete oder hoffnungslose sind.
Daher kommt auch die zuweilen auffallende Sterblichkeit in Irrenanstalten. Die Untersuchungen der Commission haben von Neuem die Erfahrung bestätigt,
dass die Heilungen mit der Frühzeitigkeit der Aufnahmen in gleichem Verhältnisse stehen; einige angeführte Beispiele zeigen, zu welchem Grade von Ge-
wissenlosigkeit die Neigung vieler Gemeinden, die
Verbringung der Armen in die Anstalten möglichst
zu verschieben, häufig genug steigt. In vielen Anstalten war die Mehrzahl der Aufgenommenen bei
ihrer Aufnahme in einem höchst schlechten Gesund-
heitsstande und viele derselben schon dem Tode nahe.
Die Commission führt hierüber mehrere Aussagen von
Aerzten an, und ermahnt, bei der Beurtheilung der
Erfolge von Anstalten diese Umstände stets zu berücksichtigen. Sie macht ferner eine Anzahl Fälle
namhaft, wo die Behörden ihre Pflicht, die zu ihrem
Bezirk gehörigen Anstalten zu visitiren, theils ganz
versäumten, theils sehr unordentlich erfüllten, und
hebt die Nothwendigkeit, ihnen dieselbe recht einzu-
schärfen, eindringlich hervor; so lästig die Erfüllung

derselben hier und da sein möge, so wichtig sei es,
sich von Zeit zu Zeit von dem Zustand, den Wünschen und Beschwerden der Kranken in Kenntniss zu
setzen. Schliesslich schildert die Commission die Beschaffenheit und den Umfang ihrer eigenen Arbeiten,
und berechnet, dass sie in Zeit von 18 Monaten 107
Sitzungen gehalten habe, so wie dass jedes ihrer
Mitglieder im Durchschnitt 409 Anstalten besucht,
17749 Kranke gesehen habe und 10776 Meilen ge-
reist sei.

Im *dritten Theil*, „specielle Untersuchungen"
betitelt, theilen die Verfasser einige der Fälle, welche ihr Einschreiten erforderten, ausführlicher mit,
theils wegen ihrer Wichtigkeit, theils weil sie die
Nothwendigkeit fernerer gesetzlicher Maassregeln ein-
leuchtend machen. Der erste dieser Fälle betrifft den
Eigenthümer einer Privatanstalt, welcher es den Armen unter seinen Patienten in unverantwortlicher
Weise an Essen, Betten, Kleidung und Heizung
fehlen liess, und welchem, da er trotz wiederholter
Warnung mit dieser schlechten Behandlung fortfuhr,
die Licenz entzogen wurde. Der zweite giebt der
Commission Gelegenheit, einen Mangel der englischen
Gesetzgebung zu rügen, nach welcher in Anstalten
befindliche Irre nicht genugsam vor einer gerichtlichen Verfolgung von Seiten ihrer Gläubiger geschützt
sind. Ein dritter Punkt betrifft das Irrenhospital zu
Lincoln. Die Vorwürfe, welche demselben gemacht
werden, sind hauptsächlich folgende: 1) dass darin
keine Eintheilung und geeignete Trennung der Geschlechter sich vorfindet, wodurch manche Störung
und Unziemlichkeit entsteht; 2) dass die Kranken
durch eine fast unbeschränkte Zulassung Fremder,
einmal 311 in einem Monat, beunruhigt werden, von
denen die Meisten offenbar aus blosser Neugierde das
Hospital besuchen; 3) dass der Hauswundarzt, der

die Patienten doch mehr beobachten kann als die besuchenden Aerzte, gar keinen Theil an der medicinischen oder moralischen Behandlung hat, sondern seine Zeit hauptsächlich auf Führung der Listen, Beaufsichtigung der Wärter und Begleitung der zahlreichen Fremden verwenden muss, und 4) dass die Patienten alle Monate an einen andern Arzt übergehen, wodurch es geschieht, dass keine Behandlungsweise lange genug fortgesetzt werden kann, um sich von ihrer Wirksamkeit überzeugen zu können. Die Behandlung wechselt nämlich zwischen drei Aerzten, von welchen sie immer Einer einen Monat lang hat, welche aber in ihren Methoden sehr von einander abweichen. Welcher Beschränkung hier überdies die Aerzte in der Auswahl ihrer Mittel unterworfen sind, ist schon im früheren Report erwähnt worden (Zeitschr. Bd. II. S. 113). Das Schlimme ist, dass Lincoln keine Grafschaftsanstalt ist, sondern die Oberaufsicht von einem Collegium von Governors ausgeübt wird. — Die Seltenheit der Visitationen der Anstalt zu Shillingtorpe durch die Behörden wird gerügt, und die Behauptung der letzteren, dass jene nicht häufiger nöthig seien, zurückgewiesen. Einer schlechten Privatanstalt, Kingsdown House, deren Besitzer überdies immer die Parlamentsbestimmungen zu umgehen sucht, wird mit Einziehung gedroht. Bei mehreren andern hatte diese Drohung Verbesserungen zur Folge. Schliesslich werden die zwei schon erwähnten Fälle von Dienstvergehen ausführlicher erzählt. Ein Wärter, welcher beständig bei einem Patienten bleiben und denselben nicht verlassen sollte, ehe er einen andern Wärter substituirt habe, hatte doch dawider gehandelt und Patient sich unterdessen strangulirt; der Wärter wurde mit 6 Wochen Gefängniss bestraft. Zwei andere Wärter wendeten bei der Bändigung eines sehr gewaltthätigen Irren so rohe Ge-

walt an, dass sie ihm fünf Rippen brachen und derselbe ein paar Tage später starb; der eine wurde zu
sechs, der andere zu drei Monaten Gefängniss verurtheilt.

Der *vierte Theil* handelt von der medicinischen
und moralischen Behandlung der Irren in den verschiedenen Anstalten. Um davon eine Uebersicht zu
erhalten, erliess die Commission Circulare an die Eigenthümer oder Aerzte der Anstalten mit Fragen
über ihre Behandlungsmethoden, und zwar namentlich der Manie, der mit Irresein verbundenen Epilepsie und Lähmung, und der Melancholie; sie sollten sich dabei besonders über die Blutentziehungen,
Brech- und Purgirmittel, Antimonalien, Opiate oder
sonstigen Anodyna, Antispasmodica, Tonica, Stimu-
lantia und warmen und kalten Bäder erklären. Die
Namen derjenigen, welche dieser Aufforderung nach-
kamen, (53) werden aufgeführt, und ihre Erwiede-
rungen auf die gestellten Fragen in einer der Beilagen in extenso mitgetheilt. Die Commission hat daraus eine übersichtliche Zusammenstellung gemacht,
indem sie die einzelnen Krankheitsformen und die dagegen angewendeten Mittel durchgeht, und überall
angiebt, welche von den erwähnten Aerzten betreffs
der in Frage kommenden Indicationen unter sich übereinstimmen, und welche nicht. Wir heben das Wichtigste davon aus. *Manie.* Ueber die Verwerflichkeit
und die schlimmen Folgen der Aderlässe herrscht nur
eine Stimme; blos, wo eine mit Apoplexie drohende
Plethora vorhanden ist, wollen sie Einige angewendet
wissen. Gegen örtliche Blutentziehung erklärten sich
hingegen nur zwei, alle übrigen sahen von Application derselben an die Schläfe grossen Nutzen. Abführende Mittel empfehlen die Meisten, doch weichen
sie in der Wahl der Arzneistoffe sehr von einander
ab; den Antimonalien schenkt man im Allgemeinen

wenig Vertrauen. Narcotica werden von Allen gelobt, besonders Opium und Morphium (dieses bis zu 2—3 Gr.), indischer Hanf (die Tinctur zu 1½—3 Drachmen), Hyoscyamus; vorzüglich wird die schlafmachende Wirkung berücksichtigt. Ein Fall von 14tägiger Schlaflosigkeit wurde durch starke Mengen Porter erfolgreich behandelt. Warme Bäder mit Regendouche werden vielfach empfohlen. Uebereinstimmend wird die Verabreichung guter, reichlicher Kost bei Manie als nothwendig erkannt; wo Patient sehr herabgekommen ist, geben Viele selbst Wein, Ale und Spirituosa. *Melancholie.* Die Behandlungsweise ist sehr verschieden, und die Anzahl der in Gebrauch gezogenen Mittel sehr gross. Eigenthümlich ist, dass man in England sehr viel auf allgemeine und örtliche Blutentziehungen, für diese Form mehr als für die Manie, hält. Sonst erfährt man nichts wesentlich Neues. *Complication von Epilepsie mit Irresein.* Die Commission spricht sich zuerst über die Prognose derselben folgender Maassen aus: „Irre, welche Anfällen von Epilepsie unterworfen sind, hält man allgemein für unheilbar, und es ist daher wohl Grund zu der Annahme vorhanden, dass in Folge dieses Vorurtheils die mit Seelenstörung verbundenen Fälle von Epilepsie sehr vernachlässigt worden sind. Wir haben bei unsern Besuchen in den Anstalten nicht selten Patienten gesehen, welche aus Arbeitshäusern oder von Hause gekommen waren, wo sie viele Jahre schwerer Epilepsie ausgesetzt und in einen nahe an Stumpfsinn gränzenden Zustand versunken waren, und welche nach ihrer Aufnahme in die Anstalt sich geistig und körperlich sehr gebessert hatten. Wir erfuhren, dass ihre Paroxysmen sehr an Zahl abgenommen und in einigen Fällen ganz aufgehört hatten, und dass die geistigen Fähigkeiten dieser Patienten viel freier geworden waren. Dieser Erfolg

wurde von den Aerzten hauptsächlich der besseren
Kost und der häufigeren Bewegung in freier Luft zugeschrieben. Dass solche Beispiele noch häufiger wären, wenn die Fälle von Epilepsie nicht in der Voraussetzung ihrer Hoffnungslosigkeit vernachlässigt
würden, ist ausser Zweifel. Dr. Sutherland zu
St. Lukas sagt, man müsse unterscheiden zwischen
Epilepsie, die zum Irresein, und zwischen Irresein,
das zur Epilepsie hinzutritt. Die letzteren Fälle sind
nach seiner Erfahrung nicht unheilbar. Er fand in
denselben besonders nützlich Haarseile im Nacken,
Sublimat, Höllenstein, schwefelsauren Zink, citron-
saures Eisen in Verbindung mit Abführmitteln. Er
glaubt, dass man die Kost sehr berücksichtigen und
Haut und Extremitäten gehörig warm halten müsse
u. s. f." Im Uebrigen wurden die verschiedensten
und einander widersprechendsten Methoden und Mittel von den einzelnen Aerzten in Anwendung gebracht.
Prichard hatte 3 bis 4 Fälle, welche in Genesung
endeten, unter strenger Vermeidung aller halbwegs
unverdaulichen Speisen und unter Gebrauch von Soda,
Magnesia, Purgirmitteln und Sorge für die Regulirung
aller Secretionen. *Allgemeine Lähmung der Irren.*
Dr. Sutherland hatte drei Fälle von Genesung von
dieser sonst allgemein für tödtlich gehaltenen Krankheit; zwei davon waren mit Sublimat, der dritte mit
Salzea und fliegenden Blasenpflastern behandelt worden. Die meisten Aerzte wenden, namentlich in der
ersten Zeit des Uebels, örtliche Blutentziehungen,
Haarseile, Blasenpflaster im Nacken und Purganzen
an. Gegen den brandigen Decubitus hydrostatische
Betten, d. i. Betten mit querlaufenden durch Schnal-
len an- und abspannbaren Gurten, unter welchen zur
Erwärmung ein mit warmem Wasser gefülltes Gefäss
auf dem Zinkboden der Bettstelle steht. In der Beilage sind Abbildungen solcher Betten; die sich sehr

bewährt haben, gegeben. Sie sind von Dr. Phillipps
in Bethnal Green in dieser Weise empfohlen. — So
weit die Resultate der Erhebungen über die medicinische Behandlung der Irren. Referent hält dieselben
im Ganzen genommen für sehr trostlos; es ist eben
auch hier ein ewiges blindes Herumtappen in den
Mitteln, in einer Weise, dass Laien, welche mit einigermassen scharfem Blick diesem Wesen zuschauen
würden, sicherlich bald sich die Frage aufwerfen
würden: wie doch bei dieser offenbaren Unsicherheit
und Impotenz der Aerzte es komme, dass dieselben
dennoch die Behandlung Geisteskranker einzig und
allein sich vindiciren? In der That, wenn man diese
handwerksmässigen Indicationen in den Beilagen nebst
der Schilderung der Verfahrungsarten durchliest, so
begreift man nicht, wie zum Finden und Ausüben
solcher Weisheit ein studirter Doctor nothwendig ist;
ich wenigstens getraute mir jedem meiner Bader die
ganze Methode des grössten Theils dieser Aerzte in
sehr kurzer Zeit vollkommen beizubringen, bin aber
der Meinung, dass es besser ist, nichts zu thun, als
durchaus da curiren zu wollen, wo unser Wissen
noch sehr Stückwerk ist. Sobald einmal eine wahrhaft anthropologische Ansicht in der Psychiatrie den
Sieg davon getragen haben wird über die noch vielfach herrschende mechanische unlebendige, so wird
man sich auch nicht mehr für berechtigt halten, die
Curen über einen oder einige Leisten zu schlagen,
und sich ein- für allemal mit bestimmten Methoden zu
begnügen; dann wird den Leuten erst ein Licht auf-
gehen, *wodurch* eigentlich die Psychiatrie etwas
Schweres ist. — *Ueber die moralische Behandlung
der Irren* hat die Commission keine Fragen gestellt,
weil die Beantwortung derselben zu sehr ins Detail
geführt hätte; sie will jedoch diesen wichtigen Theil
der Cur nicht mit Stillschweigen übergehen. Sie

erkennt die hohe Wichtigkeit der moralischen Behandlung an, glaubt aber, dass die Aerzte in den
letzten Jahren dieselben etwas zu sehr vorgezogen
und einige derselben die somatische Grundlage der
psychischen Krankheiten zu sehr ausser Acht gelassen haben möchten. Arbeit im Freien, auf dem Feld
oder Garten, hält die Commission für ungleich zu-
träglicher, als Handwerke, und will diese nur als Sup-
plement. gelten lassen. Schulunterricht ist nur in wenigen Anstalten eingeführt; die Commission bedauert
dies, und wünscht, unter Anführung der Schriften
von Séguin und Guggenbühl, dass sich eigene
Anstalten für die Erziehung Blödsinniger und Geistes-
schwacher bilden möchten, welche in England noch
überall in den Irrenanstalten untergebracht sind. Endlich kommt sie auch hier nochmals auf den Retraint
zurück, und rühmt die allgemeine Abnahme, ja fast
völlige Abschaffung derselben nebst den guten Wirkungen davon auf das Verhalten der Patienten.

Hiermit schliesst der Bericht, und es folgen nun
von S. 233 an die Beilagen, nämlich: *A.* (S. 235—308)
Ein Bericht nebst Tabelle über die in Arbeitshäusern
befindlichen Irren, gerichtet an die Armengesetzcom-
mission. Die Zahl derselben beläuft sich über 6000;
davon sind jedoch über $\frac{2}{3}$ Blödsinnige und Alberne,
zum Theil von Kindheit an, ungefähr $\frac{1}{5}$ epileptische,
und nur der kleinste Theil eigentliche Geisteskranke.
Die Commission hat bewirkt, dass etwa 100 der letzteren in Irrenanstalten gebracht wurden, und es würde
dies in noch grösserem Masse geschehen sein, wenn
die Grafschaftsanstalten nicht zu überfüllt wären. Sobald aber einmal die neu beantragten entstanden sein
werden, werden sich auch die Arbeitshäuser ihrer Irren
mehr und mehr entledigen. Uebrigens geschieht in
denselben das Mögliche, um sie zweckmässig zu ver-
pflegen. *B.* Tabellarische Uebersicht über die Zahl

der Privat- und armen Kranken in allen öffentlichen
und Privatanstalten Englands. Das Hauptresultat davon wurde schon oben mitgetheilt. *C.* Eine Anzahl
Fragen über bürgerliche Stellung, Geldmittel und Befähigung, welche derjenige beantworten muss, der sich
um die Licenz zu einer Privatanstalt bewirbt. *D.* Verordnung, das Krankenjournal betreffend. Es wird über
jeden Kranken eine förmliche Krankengeschichte nach
Anamnese, Status praesens, Verlauf und Behandlung
verlangt. *E.* Regeln, die Lage und Bauart neuer oder
neu herzurichtender Anstalten betreffend. Ich halte
die hier niedergelegten Ansichten als den Ausdruck
dessen, was man in England von einer Anstalt fordert,
für interessant genug zu ausführlicher Mittheilung.
Was die Lage betrifft, so erklärt die Commission
Kreide-, Sand- oder Felsboden für den besten; lässt
sich aber nur ein thoniger Boden bekommen, so ist
eine hohe Lage unerlässlich und muss der Grund tief
genug gelegt werden, um dem Wechsel der Temperatur
nicht ausgesetzt zu sein. Die Anstalt soll möglichst
im Mittelpunkt der Landschaft liegen, für welche sie
gehört; es sollen gute Wege zu ihr führen, sowohl
des leichten Hingelangens als der leichten Beischaffung der nothwendigen Bedürfnisse wegen. Die Lage
soll etwas höher als die nächste Umgebung sein und
eine angenehme Aussicht auf die Gegend gewähren;
in der Nachbarschaft dürfen keine schädlichen Gewerbe, Manufacturen, Bergwerke sein; man darf die
Anstalt nicht von Strassen oder Pfaden aus übersehen können. Es sollen hinreichende Gärten und
Felder bei der Anstalt sein, wo möglich im Verhältniss von 1 Acre auf 10 Patienten. Gutes Wasser
muss in hinlänglicher Fülle vorhanden sein, und es
müssen sich gehörige Abzugskanäle anbringen lassen.
Die Form der Anstalt im Allgemeinen soll eine un-
eingeschränkte Aussicht auf die Gegend und freien

Zutritt von Luft und Sonne gestatten; die verschiedenen Gänge und Flügel sollen wo möglich so angebracht sein, dass man sie alle durchgehen kann,
ohne denselben Weg zweimal zu machen. Die s. g.
Stern- oder Kreuzform ist unpassend, weil die genannten Vortheile sich bei ihr schwieriger erreichen
lassen. (Dies kann doch wohl nur von der unbe-
schränkten Aussicht gelten; die Nachtheile der Kreuzform bestehen in etwas ganz Anderem. Ref.) Die
Richtung des Gebäudes soll eine solche sein, dass
die Wohnzimmer, Gänge und freien Plätze nach Süden oder Südost liegen. Diejenigen Theile desselben,
welche von Patienten bewohnt werden sollen, dürfen
keinesfalls mehr als zwei Stockwerke haben, nämlich
ein Erdgeschoss und einen ersten Stock. Jede Abtheilung sollte ausser dem Gang noch einen besondern
offenen Feuerplatz (fire-place) haben, zu dem man
leicht von der Küche aus gelangen kann, und welcher geräumig genug sein muss, dass auf jeden der
demselben zugetheilten Kranken ein Raum von 11
Quadratfuss kommt. Die Wärterzimmer müssen in
der nächsten Nähe der Schlafräume und der Aufbe-
wahrungskammern sein. Die Einzel-Schlafzimmer
sollen 9 Fuss lang, 6 Fuss 6 Zoll breit, und 11 bis
12½ Fuss hoch sein; die Schlafräume sollen für jeden Patienten 48 Quadrat- und 576 Cubikfuss Raum
bieten; alle Gänge, Wohn- und Schlafzimmer und
Zellen numerirt und die verschiedenen Abtheilungen
mit Buchstaben bezeichnet sein. Die Treppen sollen
nicht gewunden und nicht zu schmal sein. Es muss
vollständige Trennung beider Geschlechter möglich gemacht, und die so entstandenen zwei Abtheilungen
müssen jede wieder in wenigstens drei Klassen getheilt sein. Ein Drittheil der Schlafräumlichkeit soll
zu Zellen, das Uebrige zu Schlafsälen verwendet
werden, von welchen jeder nicht weniger als drei

und nicht mehr als 12 Betten enthalten darf. Alte,
unreinliche, gebrechliche und epileptische Patienten
sollten immer im untern Stockwerk untergebracht,
gewaltthätige und lärmende Patienten aber so weit
als möglich von den übrigen entfernt werden und
Wohnungen für sich allein erhalten. Alle Treppen
sollen von Stein, und die zur Aufbewahrung ver-
brennlicher Gegenstände dienenden Räume feuerfest
sein. Es müssen Vorkehrungen getroffen sein, um
den Gottesdienst ausüben zu können. Auf den höchsten Punkten des Gebäudes müssen sich Blitzableiter
befinden, welche sich gut mit den blechernen Dach-
rinnen in Verbindung setzen lassen. Es muss gehörig für die Erwärmung und Lüftung des Gebäudes
und Herbeischaffung warmen Wassers gesorgt sein.
Ueberall wo absteigende oder horizontale Rauchfänge
gebräuchlich sind, müssen diese ganz von Backstei-
nen gebaut und innen und aussen überstrichen sein;
solche, welche durch einige der Hauptmauern gehen,
sollen noch einen hohlen Raum um sich zu haben,
um die unangenehme Fortpflanzung der Wärme in
das Gebäude in den wärmeren Jahreszeiten zu verhüten. Wasser muss in hinreichender Menge da sein,
zu 40 Gallonen täglich für jeden Kranken u. s. f. Den
Schluss macht eine Anweisung, wie die Pläne neuer
Anstalten, welche an die Commission eingereicht werden, beschaffen sein und über welche Punkte sie Aufschluss geben müssen. *F.* Vorschlag eines allgemeinen Regulatives für die Verwaltung der Irrenanstalten. Wir heben das Wichtigste davon aus. Das
Committee of Visitors soll die Anstalt 4 mal im Jahr
besuchen, soll aber noch ein besonderes Haus-Co-
mité ernennen, welches dieselbe alle Monate besuchen und sich über ihren Zustand in allen Beziehungen unterrichten soll. Der visiting physician soll in
der Anstalt entweder täglich oder wenigstens mehr-

mals die Woche sich einfinden. „Er soll Zutritt zu
jedem Patienten haben; durch die weibliche Abtheilung aber soll er von der Matron oder einer Wärterin begleitet werden." Er soll sich mit dem Hausarzt
über Diät und Behandlung berathen und das Geeignete
darüber in die dafür zu haltenden Journale eintragen.
Der Hausarzt (resident medical officer) soll jeden
Kranken täglich wenigstens einmal sehen, und seine
ganze Zeit dem Dienst der Anstalt widmen. Er soll
der Oberaufseher der Anstalt sein, die Annahme und
Entlassung aller Wärter und Diener beantragen dürfen, die allgemeine Controlle über dieselben haben
und sie nöthigen Falls suspendiren dürfen. „Dieselbe
Controlle soll er haben über die Wärterinnen und
Dienerinnen, aber hier nur in Gemeinschaft mit der
Matron." Er soll die jährlichen statistischen Berichte
machen, mit dem visiting physician Consultationen
hatten, sonst aber die ärztliche, wundärztliche und
moralische Behandlung der Kranken leiten, und alle
allgemeinen Anordnungen in der Anstalt treffen. Er
soll die Patienten classificiren und das Recht haben
von Zeit zu Zeit die Qualität der den Kranken ge-
reichten Lebensmittel zu untersuchen. Er soll sich
nie auf eine Nacht oder länger entfernen ohne vor-
gängige schriftliche Erlaubniss eines von dem Committee of visitors, und dann nur unter der Bedingung,
einen geeigneten Substituten zu stellen. Er soll die
Pflichterfüllung der Matron und das Wart- und Dienstpersonals überwachen. Er soll jederzeit, aber besonders, wenn das Haus ganz oder beinahe ganz angefüllt ist, die Austauschung chronischer und ruhiger
Patienten gegen frische, heilbare und gefährliche bewerkstelligen. Er soll mehrere Listen führen und
überhaupt den Comités-Mitgliedern bei ihren Besuchen über alle Personen und Vorfälle in der Anstalt
Bericht erstatten. Die Matron ist den Aerzten unter-

geordnet, hat ihnen über alle Vorkommnisse Anzeige
zu machen; sie soll alle Patientinnen wenigstens
zweimal täglich sehen, die Aufsicht über die Wärterinnen führen, die Kleidung und Betten der Patienten unter ihre Fürsorge nehmen und die Patientinnen
zu weiblichen Arbeiten anhalten. · Der Kaplan soll
einmal wöchentlich Predigt und mehrmals Betstunde
halten und diejenigen Patienten besuchen, welche der
Hausarzt für geeignet hält. In ähnlicher Weise folgen noch kurze, sich von selbst verstehende, Bestimmungen für den Treasurer und den Clerk, der zugleich
Steward sein soll (Amtsnamen, die sich im Deutschen
durch Verwalter und Rechnungsführer wohl schwerlich entsprechend wiedergeben lassen). — Im Allgemeinen sollen noch folgende Regeln gelten: Männliche und weibliche, ruhige und unruhige, reinliche
und unreinliche Kranke sollen immer streng von einander geschieden, und in jedem Gang (Ward) wenigstens ein Wärter sein; es soll nicht weniger als ein
Wärter auf 20 bis 25 ruhige, und nicht weniger als
zwei auf 12 bis 15 unreinliche oder widerspenstige
Kranke kommen. Es sollen mindestens zwei Krankenzimmer in der Anstalt sein, ein männliches und
ein weibliches. Es soll für Arbeiten und Erholung im
Freien, für allerlei Handwerke, für Lectüre und sonstige Zerstreuungen gesorgt sein. Die Spazierhöfe
sollen den Patienten täglich wenigstens drei Stunden
Vormittags und drei Stunden Nachmittags geöffnet
sein. Die Schlafstätte des Wärters muss so sein,
dass er einen Schlafsaal übersehen kann; er muss
ein Nachtlicht brennen oder wenigstens jederzeit sogleich Feuer machen können. Kein Schlafzimmer für
Männer darf (die Zellen ausgenommen) weniger als
drei Betten enthalten, in jedem Bett darf nur ein Patient liegen, und zwischen den Betten muss ein Raum
von wenigstens 2½ Fuss sein. Kein Patient darf

ohne ärztliche Erlaubniss eingesperrt oder mechanisch beschränkt, und keiner in fortwährendem Retraint oder länger, als absolut nöthig ist, gehalten werden. Allen Wärtern soll ein sanftes Benehmen gegen die Patienten, die Sorge für deren Reinlichkeit und Wohlbefinden, die gehörige Erwärmung, Lüftung und Ordnung auf ihren Abtheilungen zur Pflicht gemacht werden. Nahe Verwandte und Freunde der Patienten sollen dieselben alle 14 Tage einmal besuchen dürfen, wenn nicht der Hausarzt schriftlich erklärt, dass er den Besuch für unzulässig hält. Nur, wenn ein Patient (körperlich) erkrankt oder bei weiten Entfernungen oder sonstigen Hindernissen, sollen die Besuche an Sonntagen stattfinden dürfen, sonst aber an Werktagen. Die Gemeindebeamten sollen ermuntert werden, die ihnen angehörigen Kranken wenigstens einmal alle Vierteljahre zu besuchen, und sich von ihrem Zustand zu überzeugen u. s. f. — *G.* Auszüge aus Commissionsprotokollen, welche die successiven Verbesserungen in einigen Anstalten darthun. *H.* Verhandlungen über das Lincoln-Hospital, wovon das Wesentliche schon im Bericht selbst mitgetheilt ist. *J.* Tabellarische Uebersicht über die Zahl der Irren in England nach Grafschaften. *) *L.* Abdruck aller eingegangenen Erklärungen von Aerzten über die von ihnen befolgten Behandlungsmethoden, wovon ein Auszug ebenfalls schon mitgetheilt ist. *M.* Ein Schema zu einem jährlichen Nachweis über die Einnahmen und Ausgaben.

Hagen.

---

*) Eine Beilage K. fehlt. Ref.

American Journal of insanity. Vol. II. Utica
1845—46. 396 p. 8. *)

Bericht über das Bloomingdale Asylum von Pl.
Earle.

1771 traten mehrere Einwohner von New-York
zur Erbauung eines Hospitals zusammen, das noch
nicht ausgebaute Haus brannte aber schon 1775 ab
und so konnten erst 1791 die ersten Kranken aufgenommen werden. Im Mai 1797 kamen die ersten Irren
in die Anstalt, und am Ende des Jahrs 1808 betrug
unter einer Krankenzahl von 4922 die Zahl der Irren
215. Diese rasche Zunahme der Irren bestimmte die
Regierung schon 1808 (15ten Juli) ein eignes Gebäude für Irre zu errichten, in welches sofort 67
Kranke eintraten. 1815 wurden Erweiterungen der
Räume nothwendig. Weil aber bei der stetigen Zunahme der Stadt dies Gebäude bald im Mittelpunkte
von Häusern lag, kam man auf den Gedanken, ausserhalb der Stadt eine Meierei zur Gründung einer Ir-
renkolonie zu kaufen, und auf diesem Grundstücke
wurde am 17. Mai 1818 der Grundstein zu einer neuen
Irrenanstalt gelegt, die am 16. Juni 1821 zur Aufnahme von Kranken geöffnet werden konnte. 1829
und 1837 musste auch diese Anstalt noch durch Neubauten vergrössert werden. — Die Verwaltung der
Anstalt ist von einem Comité von 6 Personen abhängig, das unter dem Ausschuss für das New-York
Hospital steht; jährlich findet eine Neuwahl statt; nur
4 Mitglieder sind wieder wählbar. Zwei Mitglieder
dieses Comité's besuchen jede Woche die Anstalt.
Die Beamten der Anstalt bestanden ursprünglich aus
einem Superintendent, einer Matrone, einem besuchenden und einem Haus-Arzte; der Superintendent hatte
mit Ausnahme der ärztlichen Behandlung alle Ge-

---

*) Vgl. d. Zeitschr. f. Psych. Bd. II. S. 539 ff.

schäfte der Anstalt zu besorgen. 1831 liess der board of governors die Stelle des besuchenden Arztes eingehen, und der Hausarzt erhielt die Hauptleitung der Anstalt. Die Sorge für den Feldbau, die Lebensmittel, die niedern Beamten, mit Ausnahme der Wärter, wurden einem andern Beamten, unter dem Namen Warden übertragen, die Function der Matrone blieb dieselbe, die Stelle eines Apothekers aber wurde neu kreirt. Im Auftrage der Direction bereiste Dr. Mc Donald die Irrenanstalten Englands, Frankreichs und Italiens 1½ Jahr lang (1831).

Bei der Eröffnung der neuen Anstalt wurden 52 Kranke aus dem städtischen Hospital dahin übertragen, zum grossen Theil unheilbare. 1821 betrug die tägliche Durchschnittszahl der Kranken 68,54, 1836 152,69, 1845 bis zum Juni 117,71.

Bei der in der Anstalt üblichen Behandlung sind Zwangsmaassregeln allmälig immer mehr ausser Gebrauch gekommen.

Neue Verbesserungen in der Construction, Ventilation und Erwärmung der Irrenhäuser. Mit einem Riss des neu zu errichtenden Butler Hospital zu Providence, Rhode Island, von L. Bell, Arzt und Superintendent des McLean Asylum. p. 13.

Zwei beträchtliche Legate haben die Mittel zur Errichtung einer neuen Anstalt verschafft, die den Namen des einen Gebers (Butler) tragen soll. Im Auftrage der für die Anstalt niedergesetzten Commission unternahm Dr. Bell eine Reise nach Europa, um die möglichst zweckmässigsten Einrichtungen kennen zu lernen. Zum Arzt der neuen Anstalt ist Dr. Ray ernannt worden. Der vorliegende Aufsatz ist ein Stück von dem der Commission über die Resultate der Reise vorgelegten Berichte. Bell hatte Paris und die englischen Irrenanstalten vorzugsweise heimge-

sucht, und die englischen und schottischen haben ihm
am meisten Anhaltspunkte dargeboten. Besonders empfehlenswerth erscheinen ihm, um nur die wichtigsten Angaben herauszuheben, geräumige, gemeinsame
Schlafsäle wegen der Ersparniss des Raums, der bessern Ueberwachung der Kranken, die zum Theil auch
die Wache über einander selbst ausüben, wegen der
Möglichkeit einer bessern Ventilation: dies ist nach
seiner Ansicht eine wesentliche Verbesserung der
neuern Irrenanstalten. Eine andere besteht in der Einführung der Heizung durch Luft oder heisses Wasser
anstatt der Feuerröhren. Er findet, dass bei dieser
Atmosphäre die Kranken ein frischeres, lebendigeres
Ansehen gewönnen, während sie bei der Heizung auf
ältere Weise apathisch und indolent würden. Er verwirft die Perkins'sche Methode das Wasser durch
zusammengepressten Dampf zu erhitzen, wie es in
Northampton und Belfast eingeführt ist, als zu kostspielig und gefährlich. Die durch den Apparat erzeugte Temperatur soll nach ihm nicht über 212 Gr.
betragen; es ist wünschenswerth, dass die warme
Luft, bevor sie in die Krankenzimmer geleitet wird,
mit kalter gemischt, und dass sie in weiten *horizontal*
liegenden Röhren fortgeführt werde, weil sie auf die
Weise sich am weitesten verbreitet. Bell lässt sich
sehr speciell und rein technisch über die Methoden der
baulichen Einrichtung solcher Luftheizungsapparate und
der Apparate für die Ventilation, die verschiedenen
Arten der Röhrenleitung u. s. w. aus. Der beigelegte
Riss der Anstalt ist von der Commission noch nicht genehmigt. Die Gebäude bilden eine gerade Linie, an
welche sich auf jeder Seite unter einem rechten Winkel ein Flügel anschliesst. In der Mitte liegt das
Wohnhaus des Arztes und dahinter die Wirthschafts-
räume. Das Ganze bildet ein hinten offnes Oblongum,
das in der Mitte durch eine grade Linie, die Wirth-
schaftsgebäude, durchschnitten wird.

der, welche im Original enthalten ist.

Name des Staates	Name der Anstalt	Lage	Erster Arzt	Eröffnet	Zahl d. Aufnahmen im letzten Jahre	Entlassungen	Heilungen	Todesfälle	Zahl der Kranken im Anf. d. Jahrs	Gegenwärtige Zahl
Maine	Maine Insane Hospital	Augusta	J. Bates	1840	83	75	32	3	68	76
New Hampshire	Asylum for the Insane	Concord	G. Chandler	1842	104	81	37	5	47	70
Vermont	,, ,,	Brattleboro	Rockwell	1837	96	74	51	7	136	158
Massachusets	McLean As. f. Insane	Somerville	L Bell	1818	158	140	68	19	134	152
,, ,,	State Lunat. Hosp.	Worcester	Woodward	1833	236	228	124	15	255	263
,, ,,	Boston Lun. Asyl.	South Boston	Stedman	1839	29	29	9	5	108	108
Connecticut	Retreat for the Insane	Hartford	Butler	1824	105	85	45	11	83	103
New-York	Bloomingdale As.	Bloomingdale	Earle	1821	106	102	50	13	100	104
,, ,,	N. Y. City Lunat. As.	Blackwells Island	} Hashrouck Stewart	1839	274	206			291	359
,, ,,	N. Y. State L. A.	Utica	Brigham	1843	275	211	132	16	196	260
,, ,,	Hudson Private L. A.	Hudson	White	1830						20
,, ,,	City of N. Y. Priv. L. A.	New-York-City	Mc Donald							20
Pennsylvania	Penns. H. f. the Ins.	Philadelphia	Kirkbride	1817	153	134	75	12	132	151
,, ,,	Friends Asyl.	bei Philadelph.	Evans		48	42	25	1	52	58
,, ,,	Phil. H. Dep't f. Lun.	Philadelphia								
Maryland	Maryland Hosp.	Baltimore	Fisher	1816	62	61	45	8	80	81
,, ,,	Mount Hope Hospital	Baltimore	Stokes	1843	63	51	39	6	35	46
Virginia	Eastern Lun. Asyl.	Williamsburgh	Galt	1773	41	18	10	6	109	132
,, ,,	Western Lun. As.	Staunton	Stribling	1828	66	42	27	5	119	143
South Carolina	Lunatic Asyl.	Columbia	Trezevant	1827	23	21	14	5	70	72
Georgia	Georgia Lun. As.	Milledgeville	Cooper	1843	29	4		1	4	29
Tennessee	Tennessee L. A.	Nashville		1840						29
Kentucky	Kentucky L. A.	Lexington	Allen	1824	73	53	34	8	163	183
Ohio	Ohio L. A.	Columbus	Awl	1839	68	70	40	7	148	146

Das Butler Hospital in Rhode Island bei Providence wird demnächst gebaut werden; New-Jersey, South Carolina, Louisiana, Alabama, Mississippi, Missouri, Michigan, Indiana, Illinois und Arkansas haben noch keine Irrenanstalt. —

Es folgt dann die Besprechung der einzelnen Anstalten; es wird bei den meisten eine kurze Geschichte ihrer Entstehung gegeben und einzelne Auszüge aus den Jahresberichten der dirigirenden Aerzte. Dr. Ray, eine gewiss auch in England gewichtige Autorität, hält die Abschaffung der Zwangsmittel in Irrenanstalten, also die Einführung des no-restraint-Systems, für unausführbar. *Neue* Gründe, die noch nicht bekannt wären, werden von ihm zwar nicht beigebracht, aber die vorhandenen erschöpfend und klar auseinandergesetzt; die Bemerkungen von Woodward über die angewendete Behandlung enthalten hauptsächlich die Warnung gegen Blutlassen, die Empfehlung von Dover'schen Pulv. und Morph. wiederholt in kleinen Gaben verabreicht, eigentlich aber nichts Neues. Im Mount Hope Hospital wirken barmherzige Schwestern; bis 1840 waren sie im Maryland Hospital thätig gewesen, dann bis 1844 im Vincent L. H., und seitdem in diesem, wo neben den Irren auch noch andere Kranke aufgenommen werden. Dr. Stribling verlangt die Aufmerksamkeit des Staates für schwarze Irre; bei dem letzten Census der Irren und Idioten in Virginia betrug die Zahl derselben 384, unter denen nur 58 Freie waren; er wünscht für die Schwarzen eine besondere, aber mit der Landesanstalt unter einer Verwaltung verbundene Anstalt. Cooper in Milledgeville hat von seinen innerhalb eines Jahres behandelten 33 Fällen Krankengeschichten geliefert, die ganz erbärmlich und lächerlich abgefasst sind. Eine davon wird als Beispiel angeführt.

*Ueber den Gottesdienst in Irrenanstalten und die
Pflichten der Geistlichen.*

Es werden zuerst Stellen aus einem Berichte von
Jacobi in Siegburg und dem letzten Parlamentsberichte
der Metropolitan-Commissioners in Lunacy, welche
sich unbedingt günstig für die Abhaltung eines regelmässigen Gottesdienstes und einer sonstigen religiösen
Einwirkung auf Irre aussprechen, weitläufig citirt.
Auch in Nordamerika wird jeden Sonntag regelmässig
Gottesdienst gehalten; die Wahl eines Geistlichen für
Irre erfordere aber grosse Vorsicht. Eiferer und Alle,
welche einer bestimmten Sekte angehören, sind nicht
zu wählen; Anspielungen auf den Teufel, auf ewige
Verdammniss dürfen in den Predigten gar nicht vorkommen; die Religion soll den Irren erheben und trösten,
aber sein Gemüth nicht verdüstern und beängstigen.

Ueber die Physiologie des Gehirns von Coventry.
(p. 193.) Eine vor der Young men's Association
in Utika gehaltene Rede, die als solche ihrem Zwecke
vollkommen angemessen ist und in einer gefälligen
populären Sprache folgende Grundsätze ausführt:
1) Die Seele kann während des Lebens nur an einem
materiellen Werkzeuge, dem Gehirn, zur Erscheinung
kommen. 2) Das Gehirn ist kein einfaches Organ,
sondern ein Aggregat (*assemblage*) verschiedener Organe, und zwar so vieler, als verschiedene intellectuelle
und moralische Fähigkeiten vorhanden sind. 3) Die
Kraft, jede Fähigkeit zur Aeusserung zu bringen,
steht, wenn alle übrigen Verhältnisse gleich sind, in
constantem Verhältnisse mit dem Umfange des Organs
oder dem Theile, von dem sie überhaupt abhängt.

Zu einem regelmässigen Fortgange der Hirn-
functionen ist die Bereitung eines gesunden Blutes
nothwendig; um es gesund zu erhalten, ist der Wechsel von Anstrengung und Ruhe durchaus nothwendig.

Beiträge zur Pathologie des Irreseins von **Pliny Earle**.

(p. 218.) Es ist der Anfang eines längeren Aufsatzes, enthält drei gut erzählte Krankengeschichten mit recht genauen Sectionsberichten. Indess scheint **Earle** geneigt, mit seinen einseitigen und vereinzelten Befunden zu schnell abschliessen zu wollen.

Beobachtungen über die vorzüglichsten Irrenanstalten in Grossbritannien, Frankreich und Deutschland, von **Ray**.

(p. 290.) Von deutschen Irrenanstalten kennt **Ray** Siegburg und Illenau. Der längere Aufsatz erlaubt keinen Auszug, bringt auch nichts wesentlich Neues, ist aber durch seine ruhige, besonnene Darstellung, durch die überall von der tüchtigsten Kenntniss und Erfahrung zeugenden Urtheile äusserst empfehlenswerth. Der Vf. geht nicht die einzelnen Anstalten der Reihe nach durch, sondern in schematischer Zusammenfassung bespricht er die für den Irrenarzt wichtigsten Einrichtungen. Wir wollen nur nochmals hervorheben, dass er sich gegen die absolute Einführung des no-restraint-Systems ausspricht.

Dies sind die wichtigsten Originalarbeiten; von den kleinen Artikeln heben wir noch hervor: Eine Beschreibung des Pennsylvania Hospitals aus den *Reports* von **Kirkbride** zusammengetragen (cf. Zeitschr. Bd. II. p. 721); beigegeben ist eine Abbildung der prachtvollen mit einer griechischen Kuppel geschmückten Anstalt, die mit allen möglichen Bequemlichkeiten versehen ist; es gehören zu ihr 41 mit einer steinernen Mauer umgebene Morgen Gartenland; — ferner ein vor die Jury in Neu-York zur Verhandlung gekommener Mord (p. 345), der aber kein weiteres Interesse erregt, weil der Blödsinn des Angeklagten klar am Tage liegt. — Die Rede von **Pariset** über **Esquirol** ist übersetzt; dann wird ein Aufsatz von **Thurnam** über das Verhältniss der Geschlechter in Bezug auf ihre Disposition zum Wahnsinn mit- getheilt, endlich unter dem Titel: Irrenanstalten in England, eine von Lord **Ashley** bei Einbringung seiner Irrenbill im Parlamente gehaltene Rede, die allerdings zu jenen Denkmälern in der Geschichte der Psychiatrie gehört, die unvergänglich sind und ihren Weg durch alle Schriften machen müssten.

Unter den Bücheranzeigen wird **Ideler's** Grund- risss der Seelenheilkunde, C. **Calmeil** *De la folie* etc. zur Uebersetzung sehr warm empfehlen, auch **Wil- liams** über den Gebrauch der Narkotika (cf. Zeitschr. Bd. IV. p. 364) hat seinen Referenten gefunden.

R. Leubuscher.

Bibliographie.

1. *Selbständige Werke.*

Deutsche.

Eigenbrodt (C.), Ueber die Leitungsgesetze im Rük-
kenmark. Giessen (Heyer), 1849. 8. (n. 12 Sgr.)
    Unter der Presse:
Domrich (Prof. O.), Die psychischen Zustände, als
Gelegenheitsursachen somatischer Krankheiten. gr. 8.
(ca 1 Rthlr.)
    (Der Herr Vf. liest auch in diesem Sommersemester zu
Jena physiologische Psychologie.)

Ausländische.

Hickok (P. Prof. theol.), Rational Psychology; or the
subjective Idea and the objective Law of all Intelligence. New-York. 794 S. (24 sh.)
Haddock (J. W.), Somnolism and Psycheism, other-
wise vital Magnetism or Mesmerism considered
physiologically and philosophically: with an appendix of Mesmerism and psychical Experience. London (Hudson), 1849. 78 S. (1$^1/_2$ sh.)
The insanity of men of Genius — Torquato Tasso —
Crichton Institution Biographus, or memoirs of Mad
philosophers, Mad Kings etc. No. I. Dumfries 1849.
    (Ausführliches Referat in Forbes Winslow Journal of psych.
med. No. VI. April 1849. S. 262—292.)

Alfred *Smee* (Surgeon of the Bank of England etc.),
Elements of Electro-Biology or the Voltaic Mecha-
nism of Man; of Electro-Pathology, especially of
the nervous System; and of Electro-Therapeutics.
London (Longman), 1849. p. 178. (10½ sh.)
(Ebend. S. 292—302.)

Pliny Earle History, Description and Statistics of the
Bloomingdale Asylum for the Insane, State of
New-York. 1848.
(Kritik ebendas. S. 189—221.) S. unsere Zeitschr. Bd. V. 184.

On mental Maladies and their Treatment. By E. Esquirol. Translated, with Additions, by Dr. Hunt.
London. 516 S. (14 sh.)

Neuester Jahresbericht der Directoren und des Supe-
rintendenten der *Irrenanstalt von Ohio*. Für das
Jahr 1847. Columbus 1847. 82 S. 8.

Mit Bezugnahme auf die Bemerkungen (B. V. S. 282—283)
über den 7ten Jahresbericht, welche auch für diesen in Betreff
der Heilungsresultate und des Tabellenwesens gelten, werde
noch hinzugefügt, dass selbst in der statistischen Recapitulation
(S. 34—35) mehrere Druckfehler in den *Zahlen* vorkommen: z. B.
gestorben 12 statt 23, 81 statt 18, Gesammtzahl der Aufgenommenen 41047 statt 1047.

Die Anstalt ist noch in der Entwickelung begriffen; öko-
nomische Gebäude, Kapelle sind im laufenden Jahren hergestellt;
Höfe, Wege, Gärten lassen noch zu wünschen übrig.

„Alle die Gebäude, welche für die Anstalt dem Plane gemäss
bestimmt waren, oder welche sie bedurfte, sind nun vollendet.
Sie bildet eine Vorderseite von 376 Fuss. Die Flügel erstrecken
sich zurück von den äussersten Enden der Central-Gebäude.
Jeder von ihnen ist 218 Fuss lang und 40 Fuss breit. Alle diese
Baulichkeiten sind drei Stockwerke hoch über der Grundflur.
Der offene Raum hinter den Front-Gebäuden zwischen den nördlichen Enden des östlichen westlichen Flügels ist mit Ausnahme
schmaler Zwischenräume von zwei Stockwerk hohen Häusern
ausgefüllt. Der auf diese Weise gebildete grosse viereckige
Raum ist überall eingeschlossen und gleichgemäss durch das Gebäude getheilt, welches die Kapelle enthält und bereits beschrieben ist."

Das für die Anstalt bis jetzt angekaufte Land beträgt 64
Acker.

„Die durchschnittliche Anzahl in der Anstalt während des am
15. letzten Novembers endigenden Jahres betrug 318. Während
dieses Zeitraumes wurden 181 (90 Männer und 91 Weiber) auf-

genommen. 99 von diesen aufgenommenen waren neue Fälle und 82 alte. Die ganze Anzahl der während des Jahres Geheilten war 90. Während desselben Zeitraumes wurden 120 entlassen und 23 starben. Von denen, welche entlassen wurden, waren 78 neue Fälle und 62 alte — 74 Männer und 69 Weiber. Das Verhältniss der Heilungen in diesen neuen Fällen war 88 zu 46, in den alten 33 zu 75 pro Cent. Die Durchschnittszahl in beiden war 63 pro Cent. —

Die Gesammtausgaben der Anzahl während des vergangenen Jahres betrugen — mit Einschluss aller Gehalte — S. 28070 21. Die Anstalt kann 340 Patienten fassen."

Wenngleich es zu weit gegangen ist, S. 7. „die Weisheit des Verfahrens zu bezweifeln, welches denjenigen, welcher an Wahnsinn leidet, zwingt, sollte er Eigenthum besitzen, noch eine weitere Taxe gleich der zur Erhaltnng, für die Aufnahme ins Asyl zu bezahlen, so muss doch den gegebenen Ansichten in Betreff derjenigen Kranken völlig beigestimmt werden, bei welchen durch Zahlung in den Irrenanstalten das Kapital angegriffen und Grundstücke veräussert werden müssen. Jede Gelegenheit muss wahrgenommen werden, um Gründen wie die folgenden allmälige Einsicht und Geltung zu verschaffen.

„Sollte der Kranke Familie haben, so folgen in vielen Fällen nothwendigerweise beschränkte Vermögensumstände dem Verluste ihres Hauptes. Die Kosten, ihn in dem Asyle zu erhalten, tragen zu einer solchen Zeit noch zu ihrem Unglücke und ihren Verlegenheiten bei.

Oftmals werden die Mittel der Patienten dadurch erschöpft, dass sie ihre Heilung bewerkstelligen. Sie verlassen das Asyl mit Geisteskräften, die für eine Zeit lang mehr oder weniger geschwächt sind, und werden gezwungen, auf einmal den Uebeln des Mangels zu begegnen.

Sehr häufig werden ihre Mittel erschöpft, ohne dass eine Heilung bewerkstelligt ist, und sie werden als unheilbar entlassen. In solchen Fällen sind sie in die Welt hinausgestossen, den doppelten Uebeln des Mangels und des Verlustes der Vernunft unterworfen.

Der Verlust der Vernunft bei einem einzelnen Bürger ist ein öffentliches Unglück, und sollte es die ganze Gemeinschaft als eine heilige Pflicht ansehen, alle Heilmittel herbeizuschaffen, so lange nur Hoffnung auf Erleichterung bleibt.

Der einzige Einwand, welchen die Unterzeichneten gegen die vorgeschlagene Aenderung sehen, ist, dass sie eine Vermehrung der jährlichen Verwilligung zur Erhaltung der Anstalt, von ungefähr sechs tausend Thalern nöthig machen würde.

Ein grosser Theil dieser Summe würde für diejenigen aufbewahrt werden, welche es bedürften. Nach der Ansicht der Unterzeichneten würden die Wohlthaten der Aenderung bei .weitem die Kosten übersteigen, und die öffentliche Meinung die Maassregel ohne Zweifel billigen."

Noch heben wir nachstehende Bemerkungen hervor (S. 53). „Statistische Uebersichten nach den Jahreszeiten haben keine Schluss-Folgerungen zugelassen"; und doch wird im Widerspruche hiermit und mit dem nachfolgenden Passus (S. 54) als gewiss behauptet, dass lange anhaltendes warmes Wetter die

Aufregung vermehrt, während Kälte die Niedergeschlagenheit verlängert.

Auf die Frage: Uebt der Mond einen besondern Einfluss auf die Wahnsinnigen aus? heisst es unter Anderm:

„Unser guter Freund, Dr. S. B. Woodward, vormaliger Superintendent des Staats-Hospitals in Worchester, Massachusetts, fing auf die Eingebung eines der wissenschaftlichsten Männer Neu-Englands eine Tabelle von Beobachtungen über den Einfluss dieses Planeten auf die Paroxysmen und Todesfälle unter den Wahnsinnigen an, und sagt, nachdem er viel Zeit auf diesen Gegenstand verwendet hatte: „Diese Thatsachen und Zusammentreffen verlassen wir für jetzt mit der einzigen Bemerkung, dass durch sie keine Theorie unterstützt zu werden scheint, welche entweder unter den unwissenden oder weisen Männern existirt hat, die den Einfluss des Mondes auf die Wahnsinnigen geglaubt haben."

Zu diesem höchst achtungswerthen Zeugnisse können wir unsere eigene beschränkte Beobachtung hinzufügen, welche uns zu dem hinneigt, was wir angeführt haben."

Der Mond wirkt auf Geisteskranke wie auf Geistesgesunde entweder nicht, oder aus denselben oder ähnlichen Gründen.

In Betreff der Ursachen wird die nur zu wahre und nur zu oft verkannte Bemerkung gemacht, dass Wirkungen zu häufig irrthümlicherweise für Ursachen angenommen werden — „ihr schweigendes Wirken ist dem Blicke verborgen."

Directoren sind: Dr. Sam. Parson und Dr. D. L. Mc. Gugin; Superintendent: W. M. Awl; M. D. Erster Gehülfsarzt: Dr. R. J. Patterson, welcher die Anstalt nach 4½ Jahren sehr treuer Dienstzeit verlassen hat, um die medic. Anstalten der östlichen Städte zu bereisen. Der jüngere Hülfsarzt Dr. R. C. Hopkins ist zu der Stelle als im höchsten Grade geeignet vorgeschlagen.

Sixteenth annual Report of the Trustus of the State Lunatic Hospital at Worcester. December 1848. Boston 1849. 71 S. 8.

(S. uns. Zeitschr. B. V. S. 283.)

Superintendent ist G. Chandler M. D., Hülfsärzte John, R. Lee und Merrik Bemis. — Auf Vergrösserung des Ackerlandes ist man auch hier sehr bedacht. — 15 Zellen (Strong rooms) für weibliche Tobsüchtige sind noch hergestellt. — Die Generaltabelle schliesst mit der Aufnahmenummer 3084, incl. der 1848 aufgenommenen 261 (M. 128, W. 133); aus andern Staaten keine. Bestand 1. Decbr. 1847: 394 (M. 207, W. 187). Im Laufe des Jahres in der Anstalt: 655 (M. 335, W. 320). Geheilt: 136 (M. 67, W. 69), darunter frische Fälle 114, alte 22. — Die meisten Aufnahmen kamen auch hier zwischen dem 20—50. Lebensjahre vor, die grösste Zahl zwischen den 30—35.: 67. Von frischen Fällen sind 86 von alten 19 pCt. geheilt.

Report of the *Pennsylvania* Hospital for the Insane. For the Year 1847. By Thom. Kirkbride, M. D.

Philad. 1848. 46 S. 8. nebst Anhang von 6 Seiten, betreffend Aufnahmebedingungen und Fragebogen mit 1 Abbildung der Anstalt.

(Vgl. Zeitschr. Bd. V. S. 284.)

Auch hier, wie in den anderen amerikanischen und englischen Anstalten, richtet man mehr und mehr gemeinsame grössere Schlafsäle ein.

Bestand am Schluss von 1846: 161. Zugang 1847: 240, in Summa 401. Bestand am Schluss von 1847: 188. Geheilt 111, gestorben 29. Von 1176 seit Eröffnung der Anstalt sind 513 gesund, 113 gestorben. —

Die schon im vorigen Bande bezeichneten Vorlesungen werden zum Theil von den Assistenten gehalten, auch von andern Herren unentgeltlich, z. B. über den magnetischen Telegraphen, über Leben und Charakter von Johanna d'Arc. Die Anstalten der Amerikanischen Freistaaten haben durch das gemeinschaftliche öffentliche (Communal-) Leben unmittelbar von selbst das öffentliche Interesse für sich, welchem die öffentlichen Wohlthaten folgen.

Twelfth annual Report of the Trustus and Superintendent of the *Vermont* asylum for the Insane. Sept. 1848. Rutland 1848. 11 S. 8.

Seit dem 12jährigen Bestehen der Anstalt sind 1322 Kranke aufgenommen. Von den 1011 Abgegangenen sind 592 als geheilt entlassen. 304 (M. 146. W. 158) war Anfang des letzten Jahres Bestand; 156 (M. 74. W. 82) Zugang, 148 (M. 62. W. 86) Abgang, 312 jetziger Bestand. Geheilt 84, gestorben 36. Auch hier wird der Feld- und Gartenarbeit vor Allem der Vorzug gegeben, und sie wird selbst als ein treffliches Mittel zur Ableitung von den Hallucinationen erkannt.

Traité élémentaire de psychologie expérimentale. Paris (Didot), 22 Bog.

(Vervollständigung von comp. philosoph.)

Marchand (Emile de St.-Foy), De l'influence comparative du régime végétal et du régime animal sur la physique et le moral de l'homme. Paris (Baillière), 1849. 17^5/$_8$ Bog. 8. (5 fr.)

Parchappe (Max. méd. en chef de l'Asyle de Rouen), Du coeur, de sa structure et de ses mouvemens, ou traité anatomique, physiologique et pathologique des mouvemens du coeur de l'homme etc. accomp.

d'un Atlas de 10 pl. in 4to. **Paris (V. Masson),**
1848. 1. Vol. 8. 313 p.
(Rec. in l'Union médicale. 1. März 1849. Tom. III. Nr. 26.)

Dagonet (Henri), Considérations médico-légales sur
l'aliénation mentale 1849. 12½ Bog. 4. (Inaug-Diss.).

J. Marc Dupuy (de Sorges), Quelques considérations
sur la folie. Visite au castel d'Andorte, établ. de-
stiné aux aliénés de la classe riche. Périgueux
1848. 11 p. 8.

Die Beobachtungen geben, ausser leichtfertig hingeworfe-
nen Fragen ohne Abwartung der eigenen Antwort, nichts als
eine fragmentarische Beobachtung von L e u r e t. So neu als sonderbar ist die Ansicht, dass man gegen Ende des letzten Jahrhunderts die Behandlung der Irren den Aerzten nehmen wollte,
weil Laien, wie der Apotheker H o s l a m in England und P o n -
t i o n der Director des Irrenhauses von Manosque, eine ziemlich
grosse Anzahl von Irren geheilt hatten.

Nachdem der Vf. die Irrenanstalten in zwei Klassen, in
hospices für die Armen, und in maisons de santé für die Reichen unterschieden hat, bemerkt er, dass die Provinz arm an
letztern sei und dass man daher genöthigt sei, solche Kranke
oft mit grossen Kosten von weit her nach Paris zu senden. Die
Departements Dordogne, Haute-Vienne, Charente inférieure,
Lot et Garonne besitzen keine maison de santé. Bordeaux hat
erst ein solches seit 18. Juli 1845 unter Leitung des Dr. D e s -
m a i s o n s, und sei die Zahl der Kranken im steten Zunehmen.
Es ist das *Castel d'Andorte*, früher Abtei vor den Thoren von
Bordeaux, in der Commune Bouscat Es ist ein schönes 1788 nach
den Zeichnungen des berühmten Architecten Louis gebautes
Schloss, umgeben von schönen Gärten, Weinbergen und Char-
milles; prächtiges Hauptgebäude und Seitenflügel; die Einrichtung und Vertheilung erscheint zweckentsprechend, ohne Ausgezeichnetes hervorheben zu können. Die moralische Behandlung ist die nach L e u r e t. *Dw.*

---

2. *Original-Aufsätze in Zeitschriften.*
D e u t s c h e.

Hesselbach (Prof. Dr. A. K. in Würzburg), Die Bildung der Aerzte und ihre Stellung im Staate.
(H e n k e (Siebert), Zeitschr. für Staats-Arzneikunde 1849.
2tes Vierteljahrheft S. 271—340.)

Unter den von 10 Facultäts-Professoren vorzutragenden
28 Lehrgegenständen sind mit Recht als nothwendig ad 9. Psy-

chologie, ad **13** *Psychiatrik* und ad **22** *psychiatrische Klinik* aufgenommen. (S. **275—76**.)

Der Prof. der Psychiatrik trägt im *Sommer* viermal wö_chentlich *Psychologie*, im Winter *Psychiatrik* vor und führt die Schüler von Zeit zu Zeit zu den Wahnsinnigen. Er berücksichtigt in seinen Vorlesungen über Geisteskrankheiten vorzüglich die gerichtliche Psychiatrik. (S. **279**.)

Im Universitätskrankenhause fordert der Hr. Prof. auch eine *psychiatrische* Abtheilung (hat sie zufällig in Würzburg). Sie sei aber abgesondert von dem Haupttheile des Krankenhauses, stehe mit demselben nicht unter *einem* Dache, damit durch das Geschrei der Wahnsinnigen die andern Kranken nicht beunruhigt werden können. (Dieser eine einseitige Grund hätte füglich fortbleiben können.)

In der Studienordnung fällt die *Psychologie* in das *fünfte* Halbjahr (Sommersemester). Durch das Studium des normalen Seelenlebens bereitet sich der Schüler zu der Behandlung der Seelenkrankheiten vor (S. **298**). — In das *sechste* Halbjahr (Wintersemester) fällt die *Psychiatrik*. Mit diesen Vorlesungen wird zugleich die *psychiatrische Klinik* verbunden, indem der Professor von Zeit zu Zeit seine Zuhörer zu den Wahnsinnigen führt und ihnen das, was er im Hörsaale gesagt hat, in der Natur nachweiset. (S. **302**.)

Prüfungen sollen am Ende eines jeden Kurses mündlich gehalten werden. In der dritten Kursprüfung am Schlusse des siebenten Semesters kommt *Psychiatrik* vor. (S. **306**.)

Die Schlussprüfung wird mündlich und schriftlich abgehalten, und zwar die schriftliche währen drei Tage Vorm. von 9—12 und Nachm. von 2—6 Uhr. Unter den Prüfungsgegenständen ist auch *Psychiatrik* (S. **308**). — NB. als Beitrag zu den nicht zu ignorirenden Rechten der Psychiatrie in der Medicin und von den Medicinalbehörden.

Schreiber (Dr. zu Eschwege), Ueber die leitenden Grundsätze bei der Wahl des Orts für die in Kurhessen zu errichtende Irrenheilanstalt.

(Ebendas. S. **367—378**.)

Nachdem der Vf. in der Einleitung aus dem Zwecke der gesellschaftlichen Vereinigung der Menschen zum Staate, welche ihm die Förderung und Erreichung der höheren Bestimmungen des Lebens nach der herrschenden Volksansicht ist, die Nothwendigkeit der Besserung (Heilung) und Aufbewahrung der Verbrecher und Seelenkranken in diesem missliebigen Vergleiche aufgestellt hat, folgert er hieraus die Nothwendigkeit und staatliche Verpflichtung zur Errichtung einer Irren-, Heil- und Bewahranstalt, erklärt sich gegen *eine* gemischte Heil- und Bewahranstalt, aber aus dem falschen auf vielfach falscher Ansicht von den unheilbaren Irren beruhenden Grunde, weil es unmenschlich wäre, die heilbaren solchen Scenen der entstellten und zur Thierheit zurückgekehrten menschlichen Natur auszusetzen, und entscheidet sich im Allgemeinen für eine relativ verbundene Heil- und Pflegeanstalt, ohne, wie man aus den seinerseits angeführten Gründen ersieht, die neueren und neuesten Arbeiten und Verhandlungen darüber zu kennen. — Uebergehend zu dem Zwecke des Aufsatzes, betreffend das Kurhessische Irren-Anstaltswesen, wird erwähnt, dass in Haina 279 *männliche* und in Merxhausen 200 *weibliche* Irre *aufbewahrt* werden, dass das Kurfürstenthum, in welchem ohngefähr auf 10000 Einw. 10.—11 Irre kommen, etwa 700—800 Irre zählen würde, und dass daher das ganze Institut für 600 errichtet werden müsse. Diese Zahl, von welcher der Vf. irrig meint, dass sie von *einem* Arzte und einer administrativen Behörde „überschaut" werden könnte, ist zu hoch gegriffen, indem nach Ausschliessung aller blödsinnigen Gutartigen und aller derer, welche aus andern Gründen nicht in die Anstalt kommen, die Zahl von 400 Kranken nach aller Analogie und Erfahrung jedenfalls dem Bedürfnisse völlig entsprechen dürfte.

Wenn man weiterhin auch dem Vf. darin aus den angeführten Gründen beistimmen kann, dass die Ausführung eines demgemässen *Neubaues* einer relativ verbundenen Irrenheil - und Pflegeanstalt die grössten schwerlich zu beseitigenden Schwierigkeiten haben würde, selbst wenn sie von der die Errichtung einer Irren - Heilanstalt „sich angelegen sein lassenden höchsten Behörde," als die beste Idee angesehen würde, so befremdet, mit Rücksicht auf das Vorwort, der Gegengrund, *weil* durch solchen Neubau Institutionen umgestürzt würden, die, von Landgraf Philipp dem Grossmüthigen stammend, durch ein dreihundertjähriges Alter ehrwürdig geworden sind; — es ist die veraltete Irrenanstalt zu Haina gemeint. Uebrigens muss man unter diesen Umständen der entwickelten Ansicht: die Anstalt in *Haina* so zu erweitern, dass auch die weiblichen Irren aus *Merxhausen* dort aufgenommen werden können und eine neue Heilanstalt dort in Haina errichtet werde, beistimmen, zumal als Haina in der Nähe von Marburg liegt, und Merxhausen dann zu einem „Spital für Blödsinnige, Epileptische, Krüppel, Taubstumme und Blinde" — mit einem Wort zu einer Siechenanstalt auch für Irre bestimmt wäre. Dieser Plan würde der im Landtags - Abschiede vom 31. October 1848. §. 16. ertheilten Zusage, dass den Wünschen der Landstände wegen Errichtung einer Irren - Heilanstalt baldthunlichst willfahrt werden soll, in praktischer, administrativer und finanzieller Hinsicht dem unbedingt vorzuziehen sein, in Haina *männliche* und in Merxhausen *weibliche* unheilbare Irre zu belassen, und drittens eine neue Heilanstalt für *beide* Geschlechter noch zu erbauen.

Ich erinnere bei dieser Veranlassung an die treffliche Schrift des damaligen Irrenhaus - Arztes zu Merxhausen, Gross „die Irrenanstalten als Heilanstalten betrachtet" 1832 und an mein Urtheil über dieselbe und die Kurhessische Irrenanstalt, in meiner Abhandlung über die rel. Verbindung der Irrenheil - und Pflegeanstalten S. 52—56, so wie daran, dass seitdem wieder 17 Jahre vergangen sind, ohne Förderung der Sache durch die That. *Dw.*

Rawitz (Dr. in Osnabrück), Neuropathologische Beobachtungen.

(Oppenheim's Zeitschr. etc. 1849. 4tes Heft. S. 471—495.)
II. Katalepsie, Somnambulismus.

Aus der sorgfältig mitgetheilten Krankengeschichte geht hervor, dass, wenn auf der einen Seite die vollkommenste Anästhesie während der Anfälle da war, auf der andern in den freien Zwischenräumen sich Hyperästhesie im vollsten Maasse zeigte. Der Anfall gab sich durch ein plötzliches Starren der Augen nach einem bestimmten Punkte kund, und liess sich dann durch Anrufen etc. verzögern, aber nicht beseitigen.

Die Anfälle kamen nur bei Tage; des Nachts ruhiger Schlaf, nur unterbrochen durch Verlangen nach Speisen. Das Ende des Anfalls liess sich vorhersagen, indem Patientin dann stets die Unterlippe über die Oberlippe hinausschob, wie man es bei Kindern oft vor dem Weinen bemerkt, dann reichlicher Thränenerguss, dann Erwachen und Gefühl von Heiterkeit.

Vf. meint nun, dass die Quelle der kataleptischen Erscheinungen in einer Anämie zu suchen sei, wodurch eine Anergie der Centralfasern sich ausbilde und daraus auch die Hyperästhesie zu erklären sei, wodurch leicht gänzliche Anergie und vorübergehende Erschöpfung durch sonst gewöhnliche Reize. Mit der aufgehobenen Perception, dem unterbrochenen Bewusstwerden äusserer Reize und innerer Empfindungen hört die Irradiation auf die motorischen Nervenfasern auf und es verbleiben die Muskeln in der Action, in der sie sich momentan befinden, da es an der cerebralen Erregung zum Uebergange in eine andere fehlt. Freilich ist damit noch nicht erklärt, warum gerade Katalepsie entsteht. Wahrscheinlich ist nun, was auch Canstatt ausspricht, die Katalepsie gewöhnlich nur eine besondere Erscheinungsweise hysterischer Anfälle und bekanntlich entwickelt sich gern Hysterie aus Anämie. Bei der Pat. gelang es leicht, die Extremitäten zu biegen und die Muskeln verharrten dann in der Flexion, dagegen leisteten sie jedes Mal der Extension einigen, nur durch Kraftaufwand zu besiegenden Widerstand.

Bei ihr kamen nun auch somnambüle Erscheinungen in den Anfällen vor, die sich aber doch auch wohl auf Anämie zurückführen lassen, wie nach erschöpfenden Krankheiten, Blutverlusten u. s. w. Haben wir uns aber bei der Starrsucht eine vorübergehende Anergie derjenigen Theile des grossen Gehirnes gedacht, die das Substrat des cessirenden Empfindungs-, Vorstellungs- und Denkvermögens, so wie der Willenskraft sind: dann müssen wir die für die aus gleicher Grundursache hergeleiteten gleichzeitigen Erscheinungen des Somnambulismus ein antagonistisches Verhalten des diese letzteren zu Tage fördernden Gehirntheils supponiren. Es ist die Phantasie, deren Steigerung die somnambülen Symptome unzweifelhaft hervorruft; die materielle Grundlage derselben aber wohl das mit den übrigen Gebilden des grossen Gehirns zwar innig verbundene, in seiner Organisation jedoch am unabhängigsten dastehende Gewölbe. So wie im Traume die reproductive Wirksamkeit der

Phantasie uns längst entschwundene Bilder vorführt, so im höheren Maasse die besondere Weise im Somnambulismus.

Die Kranke, an der Vf. obige Angaben beobachtete, wurde Anfangs mit China, dann mit Eisen behandelt. Mit der Reconstitution des Blutes schwanden die nervösen Anfälle.

Helfft (Dr. in Berlin), Praktische Mittheilungen aus dem Gebiet der Nervenpathologie.

(Oppenheim's Zeitschrift Bd. 40. Heft 4. Jahrg. 1819. S. 531—541.)

Ueber Glossoplegie und Alalie.

Bei der masticatorischen Lähmung ist zwar die Sprache auch erschwert, weil zur Bildung der Zungen-Buchstaben die ungestörte Thätigkeit der Zunge natürlich erforderlich ist, aber der Kranke ist noch im Stande, laute Töne von sich zu geben, während bei der artikulirenden Glossoplegie, wenn die Leitung in den Nerven ganz aufgehoben ist, Stummheit eintritt, oder wenn die Bewegungen nicht der Norm gemäss vor sich gehen, Stammeln beobachtet wird.

Ueber den Centralsitz der Fasern der Zungennerven, die zur Bildung der Laute beitragen, herrschen die verschiedensten Ansichten. Bouillaud hat nachzuweisen gesucht, dass der Sitz der artikulirenden Bewegung der Zunge in den vorderen Lappen des grossen Gehirnes zu verlegen sei. Eine Reihe von Fällen, die Bouillaud, Rochoux, Cullerier, Boyer, Blandin, Bonnafont, Lallemand beobachtet haben, scheint diese Ansicht zu bestätigen. Doch sind auch Beispiele da, wo bei krankhaften Zuständen in den verschiedensten Partieen des Gehirnes, selbst wenn diese die hinteren Lappen ergriffen hatten, Verlust der Sprache beobachtet wurde oder Affectionen der vorderen ohne die geringste Störung derselben verliefen. So Rochoux, Velpeau, Bérard, Andral, Foville, J. Frank.

Wahrscheinlichkeit aber hat obige Ansicht, und auch Romberg theilt 5 Beobachtungen dieser Art mit. Der Glossoplegie und Alalie liegen meist centrale Anlässe zu Grunde, und zu den sie bedingenden Krankheiten des Gehirnes gehören besonders Hämorrhagien und die Erweichung. Dr. *Laehr.*

Ausländische.

Les clubs et les fonctions cérébrales. (Ohne Angabe des Vf.'s (Brierre de Boismont?).

(L'Union méd. 3. Febr. 1849. Nr. 15.)

Sehr frappante sachliche und psychologische Darstellung der französischen Clubs. „Hochmuth und Leidenschaft Aller und jedes Einzelnen werden aufs höchste gesteigert, ruhige, einfache Sprache der Vernunft werde nicht gehört, sondern nur der, welcher sich zu Hitze, Leidenschaft, Zorn erhebt." — Die Mehrzahl der Wahnsinnigen von neuem Datum haben den Wahnsinn im Schooss der Clubs gezeitigt. Dieser Clubistenhochmuthswahn sei der Wahnsinn der Persönlichkeit, die Anbetung des *Ich* in seiner höchsten Gestalt. Er weiss Alles, Alles zu machen, Alles zu zerstören. Man müsse sie hören, diese unter dem Einflusse der Alienation mentale Genies gewordenen armen Sterblichen! Manche werden gleich als *fous* erkannt, allein wenn die Ueberspannung und Uebertreibung zur Tagesordnung gehören, bleiben diese Namen in grosser Anzahl gemengt mit den vernünftigen Leuten und nähren dort ihren Wahnsinn. So wachse unter ihnen bei steter Exaltation die isolirte Krankheit zu der schrecklichen epidemischen. Man müsse sie schliessen um den menschlichen Geist nicht zu verschlechtern. Man appellire inmitten der National-Versammlung an die Erfahrung der Aerzte in derselben.

Brierre de Boismont, Des folies épidémiques.

(L'Union médicale 13. Febr. 1849. Nr. 19.)

Diesen Brief eröffnet Br. mit der allgemeinen Aeusserung, dass jedesmal, wenn die Menschen unter einer sie leidenschaftlich beherrschenden Idee stehen, ausser Zweifel sich unter ihnen eine Art von Fieber offenbaren wird, dessen traurige Folgen der Wahnsinn für eine grosse Anzahl sein wird.

Die Eröffnung der Annalen der Geschichte bieten uns die Verlegenheit der Auswahl. Als Beweise gelten ihm in einer rapide énumération die Thyades athéniennes, die Kreuzzüge mit ihren Folgen, die Troubadours und die folies amoureuses, die Tage von St. Jean und St. Guy, der Tarantismus, die Lykanthropie, die Dämonen, Besessenen, Sorciers, Hexenprocesse im 15ten und 16ten Jahrhundert, die Convulsionaires, der Vampirism des 18ten Jahrhunderts in Ungarn, Mähren, Schlesien, die Clubistes furieux in der Englischen Revolution, die Einflüsse der Republik, des Napoleonism, der Polizei, der politischen Verurtheilungen auf die Zahl, die Erscheinungen und äussern zufälligen Formen des Wahnsinns, die 3 Julitage, die Cholera, während welcher nach D e s p o r t e s ein Sechstheil mehr Irren der Salpetrière zugeführt wurden.

Br. folgert hieraus, dass der Wahnsinn determinirt wird durch die herrschenden Ideen; die schwachen Geister seien hier *la matière première* de l'alienation. Lebenswahre Beschreibung dieser esprits foibles, welche das Opfer der Anlagen durch die Zeitereignisse werden. Einen wesentlichen Antheil an der Zunahme des Wahnsinns rechnet er den Clubs zu, führt ein Beispiel an und betrachtet selbige als eine erhebliche Gelegenheitsursache zum Ausbruch von Seelenkrankheiten. — *Dw.*

Als Nachtrag und Ergänzung die folgende Mittheilung.

Die Pariser Revolution im Februar und der Wahnsinn.

In der Union médicale hat B r i e r r e d e B o i s m o n t einen ausführlichen, höchst interessanten Brief einrücken lassen, von

dem wir hier Einiges mittheilen wollen, um auf die Wirkungen
der Revolution in dieser Richtung hinzudeuten. Kaum waren
im Februar v. J. die letzten Schüsse gefallen, als schon mehrere Opfer der Revolution in die Anstalt gebracht wurden; die
ersten Patienten waren meist traurig, melancholisch und niedergeschlagen. Ihre fixen Ideen waren grässlicher Art, indem
sie beständig gemordet zu werden fürchteten. Einer darunter,
ein sehr gelehrter Mann und Verfasser mehrer wissenschaftlichen Werke, sass bewegungslos da, blickte starr vor sich hin,
und sprach kaum ein Wort; er glaubte fest, man würde ihn in
eine Cloake werfen, und dort erwürgen. Ein anderer rief beständig „da sind sie; sie schlagen die Thöre ein und wollen
mich packen und erschiessen." Andere bildeten sich ein, sie
hätten drohende Stimmen gehört, die ihnen zuriefen, sie würden sammt ihren Familien guillotinirt und erwürgt werden,
oder sie hörten beständig Flintenschüsse. Die Patienten dieser
Klasse waren meist ehrbare Professionisten, und manche hatten
sich durch Fleiss und Sparsamkeit einiges Vermögen gesammelt,
das sie gern in Frieden genossen hätten. Um dem gefürchteten
Unglück zu entgehen, suchten manche dieser Patienten sich das
Leben zu nehmen, und sie mussten aufs genaueste bewacht
werden, damit sie dieses Vorhaben nicht ausführen konnten.
Einige derselben, welche diese strengen Bewachungen bemerkten, beschlossen Hungers zu sterben, und beharrten mit wilder Energie auf ihrem Vorsatze. Unter sechs von diesen, welche sich alle für grosse Verbrecher hielten oder von ihren Nachbarn ruinirt und verrathen glaubten, starben *zwei*, *trotz der
Anwendung des Schlundrohrs*. Einer dieser beiden litt an einer
der auffallendsten Täuschungen: er bildete sich ein, dass seine
Speiseröhre verstopft und keine Speise durch dieselbe hinabzu-
bringen sei. „Wie soll ich leben", pflegte er zu sagen, wenn
Sie mir das Essen in die Luftröhre hineinstopfen? Sie ersticken
mich, und ich werde bald todt sein." — Einige Zeit später
waren die neuen Patienten anderer Art, ihre Geistesstörung
schien eher von der Einwirkung der neuen politischen Ideen
herzurühren, die Kranken waren nicht niedergeschlagen und
traurig, hatten vielmehr ein stolzes, heiteres, enthusiastisches
Ansehen, und waren ungemein geschwätzig. Sie schrieben beständig Abhandlungen, arbeiteten Constitutionen aus u. s. w.,
hielten sich für grosse Männer, Vaterlandsbefreier, legten sich
den Rang von Generalen, Ministern u. s. w. bei. Man hat
schon lange behauptet, dass der Wahnsinn häufig das Gepräge
des Stolzes an sich trägt; nie hat sich die Richtigkeit dieser
Bemerkung so sehr bestätigt, als bei den durch die Februar-
revolution in Wahnsinn verfallenen Personen, namentlich solchen, welche durch socialistische, communistische Ideen erhitzt,
sich für berufen hielten, in der Welt eine hervorragende Rolle
zu spielen. Einer der Patienten, der ursprünglich von milder
und friedlicher Gemüthsart, nun aber unruhig und enthusiastisch
geworden war, da ihn die aufgeregte Zeit von seinen gewöhnlichen Beschäftigungen abgezogen und auf die Strassen, in die
Clubs und unter die Arbeiter getrieben hatte, äusserte Folgendes: „ich bemerke, dass die Leute mich für wahnsinnig ausgeben; allein ich bin stolz auf den Ruhm, der meinen Namen

amstrahlen wird, wenn mir die Nachwelt einst Gerechtigkeit widerfahren lässt und fragt, wie es möglich war, dass der Urheber so nützlicher und menschenfreundlicher Ansichten für wahnsinnig gelten konnte? Warum sollte ich mich aber über solche Ungerechtigkeit betrüben? Ist es doch Tasso nicht besser ergangen?" — Die furchtbarere Junirevolution hatte auch ungleich furchtbarere Folgen, und die Gemächer des Herrn Brierre füllten sich so zu sagen von dem ersten Momente an, in welchem der Barricadenkampf begann, und zwar liessen sich die aufgenommenen Wahnsinnigen nach der Art ihrer fixen Ideen ganz deutlich in zwei Gruppen sondern, nämlich in solche, welche sich entweder der verzweiflungsvollsten, herzzereissendsten Trauer, oder der wilden und blutdürstigsten Wuth hingaben.   Dr. *Spengler*.

Michéa, *Ueber die Anwendung der Opiate in Geisteskrankheiten.*

(L'Union medic. Tom. III. 1849. Nr. 32. p. 126.)

Der Nutzen des Opium im delir. trem. führte den Vf. dahin, es viel allgemeiner bei Geistesstörungen anzuwenden. In der dement. chron. und paralyt. erschien es immer nützlich. (?) Da, wo Erinnerungsvermögen und Einbildungskraft noch einige Lebhaftigkeit haben, ruft es ein momentanes Wachsen des Delirium hervor. Es erzeugt stets Schläfrigkeit, Injection der Augen, Turgescenz des Gesichtes, kurz die Symptome von Cerebralcongestionen.

Bei acuter Manie vermehrt es die Verwirrung der Ideen und Handlungen, ja es disponirt zu Gehirncongestionen, zumal im sanguinischen Temperamente.

Besonders nützlich war die Anwendung des Opium bei der chron. Manie, der einfachen mit Hallucinationen combinirten Monomanie, endlich der acuten Dementia. — 4 Beobachtungen bestätigen diese Wirksamkeit das Opium. — Das Opium übt seinen Einfluss auf das Gangliennerven- und das Cerebrospinalnervensystem aus. Es wirkt zwiefach, es deprimirt und stimulirt, ist zugleich Sedativ und Excitans.

Durch seine Beziehungen zu dem Gangliennervensysteme deprimirt es die Secretionen des Darmkanals und beschleunigt die Functionen des Herzens, der Haut und der sexuellen Organe; es beschleunigt die Schnelligkeit, Kraft und Völle des Pulses; es steigert die Körperwärme und die Congestionen des Blutes zu den inneren Organen, ruft Schweiss und Erection und Ejaculationen hervor. In Beziehung zum Cerebrospinal-Nervensysteme deprimirt es die Empfindung und Bewegung, denn es besänftigt den Schmerz und hebt den Krampf. Es stimulirt ferner das Gehirn, da es die Erzeugung von Delirium begünstigt.

Die Störungen des Geistes sind nun nicht immer primitiv oder idiopathisch, meist sind sie die Folge einer Läsion des Gangliennervensystemes, die nur noch so unbekannt sind, weil man ihren Veränderungen bei den Sectionen zu wenig Aufmerksamkeit geschenkt hat.

Schmerz, besonders im Bereiche des Gangliennervensystemes, begleitet oft die Störungen der Intelligenz, ist bald primär, bald secundär und trägt dann zur Verstärkung der Krankheit bei. Da nun Opium ein ihn beseitigendes Mittel ist, so ist leicht ersichtbar, weshalb es ein Delirium schwächen oder ganz beseitigen kann: sublata causa tollitur effectus.

Die tägliche Erfahrung beweist nun, dass, je heftiger und allgemeiner ein Delirium ist, es desto mehr Hoffnung zu einer baldigen und radikalen Cur darbietet. Die Manie wird leichter geheilt als die Monomanie, die acute Manie leichter als die chronische. Das Opium ist Stimulans, vermehrt das Delirium, verwandelt die partielle geistige Verwirrung in eine allgemeine, die Monomanie in eine Manie, das chronische Delirium in ein acutes und wirkt in sofern als ein heilsames Agens.

Die Beschleunigung der Herzcontractionen allein ist es nicht, wodurch das Opium Delirien erzeugt; denn bei Fiebern mit grosser Pulsfrequenz ist es nicht vorhanden und in der Meningitis ist der Puls oft nur wenig beschleunigt.

Um ein Resultat von dem Gebrauche des Opium in Geisteskrankheiten zu erhalten, muss man es anhaltend, wenigstens 8—10 Tage und dann in steigender Dosis geben. Ich bediente mich besonders des Laud. Sydenh., des Extr. gummos. und des Morphium. Vom 1sten Tage begann Vf. mit 20 Tr., am 2ten Tage 30, dann 40 und stieg bis 120; drüber selten. Vom Extr. gumm. Anfangs $1^1/_2$ Gr. und stieg bis auf $9^1/_2$—11 Gr.

Vom Morphium Anfangs $^1/_{10}$ Gr. und stieg bis auf $2^1/_2$ Gr.

Mit Ausnahme eines vorübergehenden Erbrechens vertrugen die Kranken das Opium gut. Nur muss man nicht länger als 10—15 Tage es brauchen, weil es sonst leicht Cerebralcongestionen hervorrufen könnte. *Laehr.*

Dubini, Ueber Cretinismus im Aosta-Thale.

(Gaz. méd. di Milano. 1847. 46.)

Die Aerzte in *Aosta* halten *Scrofeln* und *Cretinismus* für zwei verschiedene Krankheiten, obgleich die Cretinen nicht frei von Scrofeln sind. Selbst die erfahrensten Aerzte können einem neugebornen Kinde sehr oft nicht ansehen, ob es ein Cretin ist, oder ob es einer werden wird. Es kommt ein Kind munter, lebhaft und gut entwickelt zur Welt; sein Aussehen, die Feinheit seiner Züge, die Proportionen seines Kopfs, seine Muskelbewegungen bezeugen eine gesunde und kräftige Constitution. Sieht man aber nach einigen Monaten oder Jahren das Kind wieder, so ist es ein ganz anderes Wesen geworden, man findet es abgestumpft und stumm, die Entwickelung der Gliedmaassen nicht im Verhältniss zum Alter, der Kopf gleichsam eingerahmt in einen furchtbaren Kropf, vorherrschend über die dünnen welken Glieder, das Gesicht dem eines abgelebten blödsinnigen Greises ähnlich. Bei den Cretinen ist im Allgemeinen der Schädel sehr gross, aber in Hinsicht seiner Gestalt, seiner Durchmesser, und der Neigung der Basis schlecht gebaut. Indessen findet man unter der grossen Anzahl doch einige, deren Schädel wohlgestaltet ist. Die Erblichkeit der Krankheit ist bis jetzt durchaus nicht erwiesen. Dubini hat mehrmals Gelegenheit gehabt, sich zu überzeugen, dass Cretinen gesunde Kinder hatten, die vortrefflich aufwuchsen und gediehen, wenn sie zufällig in Gegenden versetzt wurden, deren klimatische und atmosphärische Zustände anderer Art waren. Ebenso kam auch der entgegengesetzte Fall vor; so wurde vor einigen Jahren ein piemontesisches Ehepaar, welches aus einem Paar kräftigen wohlgebildeten Leuten bestand, in eine niedrige, in der Tiefe des Thals von Aosta gelegene Hütte versetzt, wo die Luft sehr stagnirend ist, und bekamen dort Kinder, die Cretinen wurden. Ein Officier, mit einer gesunden, wohlgestalteten Frau verheirathet, bewohnte Cormajor; er hatte viele Kinder, die alle gesund und kräftig waren; er siedelte sich nun bei Aosta an, und die Kinder, die er dann bekam, wurden Cretinen. — Das Trinkwasser, welches man als Ursache des Cretinismus betrachtet hat, verdient diese Anklage nicht; denn die chemische Analyse hat bewiesen, dass der grosse Inhalt an kohlensaurem Kalk, den man in den Quellen von Aosta trifft, auch in denen von Cormajor vorhanden ist, wo doch der Cretinismus nicht vorkommt. Es scheint, dass zu Aosta die stagnirende, nicht erneuerte Luft der tiefen Thäler, wo sie früher durch grosse Wälder und alte Bauten noch mehr zurückgehalten wurde, die übrigen endemischen Einflüsse noch steigert. Wenigstens ist es merkwürdig, dass seit einigen Jahren, seit die Wälder theils gelichtet, theils abgeholzt sind, und einige alte Bauten abgetragen, und so der Luft eine freiere Bewegung und Strömung verschafft werden, der Cretinismus sehr abzunehmen scheint, was wohl alle Aerzte des Landes bestätigen werden.

Spglr.

Miscellen.

Ein *röhrenförmiges Gebilde*, welches von einer *Geistes-kranken* auf der Irrenabtheilung der Charité in Berlin bei dem *Stuhlgang* entleert wurde, untersuchte Virchow (dessen Archiv I. 2. 266). Dasselbe hatte eine innere glatte und eine äussere rauhe Fläche. Diese letzte bestand aus einem unregelmässigen Geflecht verästelter und unter ellipsoidischen Formen anastomo-sirender, ziemlich breiter Fasern oder Fäden, welche an ein-zelnen Punkten in ganz regelmässigen Abständen brachen, worauf die einzelnen Bruchstücke eine ziemlich regelmäs-sige, quadratische Zeichnung zeigten. Die ganzen Fäden schie-nen aus Gliedern zusammengesetzt, von denen jedes 4 ins Qua-drat gestellte, dunklere Punkte enthielt, die in eine homogene, glatte Substanz eingesetzt waren. Lagen ein Paar solcher Fä-den zusammen, so kam fast das Bild aufgeweichter Sarcinestücke heraus. Essigsäure veränderte die Substanz kaum; Jod färbte die Fäden gelb, die Punkte braun; setzte man dann concentrirte Schwefelsäure hinzu, so blieben die Punkte braun, die übrige Substanz wurde farblos, und man sah dann deutlich, dass diese 4 braunen Punkte von der homogenen Substanz wie von einer gemeinschaftlichen Hülle umgeben waren. Bei der weitern Un-tersuchung fand sich, dass das ganze röhrenförmige Gebilde eine *Arterie* war, die beschriebenen Fäden veränderte elastische Fa-sern aus der äussern Haut, und es resultirte daraus die inter-essante Erfahrung, dass an den elastischen Fasern der Arterie Elemente und ein componirter Bau zu Tage gekommen waren, von denen wir sonst keine Ahnung gehabt.

An der innern Fläche der *dura mater* kommen *intermenin-geale Blutergüsse* sehr häufig bei *Geisteskranken* vor. Sie sind dann meist sehr fein, obwohl weit verbreitet, und Virchow, der einige Zeit nach ihrem Entstehen Gelegenheit hatte, sie zu untersuchen, fand (Arch. f. pathol. Anat. I. p. 454) sie insbesondere der mittlern Schädelgrube entsprechend, und die *dura mater* mit einer grossen Masse ganz kleiner, rostfarbener *Punkte* wie beschlagen. Erst wenn man mit dem Scalpell leicht über die Fläche hinfährt, erkennt man, dass alle diese Punkte in einer feinen Membran liegen, die aus Bindegewebe besteht, während die Punkte eine Anhäufung braunrother oder gelber Körner bilden. Waren die Extravasate grösser, so kamen darin alle möglichen Pigmentformen vor.

Bei der Section einer Geisteskranken fand Virchow (Arch. f. pathol. Anat. I. p. 418.) ein geplatztes *Aneurysma* der *Arteria fossae Sylvii*, welches sein Blut in das umliegende lockere Bindegewebe der *pia mater*, besonders an der Spitze des mittlern Hirnlappens, ergossen hatte. Das Extravasat war zum Theil schon bedeutend verändert, und zeigte an mehrern Stellen schon eine intensiv orange, hie und da ins Gräuliche ziehende Färbung. Die mikroskopische Untersuchung wies ein fast ganz homogenes, gelbes Pigment nach, welches sowohl mit Schwefel- als mit Salpetersäure die ganze Farbenreihe von Braunroth, Grün, Blau, Roth, Gelb durchzog und mit Salzsäure die ersten Glieder desselben gleichfalls in vollkommner Klarheit erblicken liess.

Bei einem *Geisteskranken*, der vor 7 Jahren ohne bekannte Ursache *erblindet* war, fand Virchow (dessen Arch. 1. 1. 148.) dass die Augen selbst keine wesentlichen Veränderungen zeigten, dass aber beide *optici* schon innerhalb der Schädelhöhle im Durchmesser verkleinert, mehr rundlich als platt, sehr derb und fest und auf dem Durchschnitte vollkommen homogen, durchscheinend, halbknorpelig, waren: nirgends war in der gleichmässigen Masse ein Nervenfaden zu erkennen. Bei der mikroskopischen Untersuchung bestand die ganze Masse fast aus einem dichten Bindegewebe, welches nur noch einzelne sehr sparsame Primitivnervenfasern einschloss. Einzelne derselben zeigten in ihrer Axe Anhäufungen eines gelblichen, ausserordentlich feinkörnigen *Fettes*, welches namentlich nach Behandlung des Objects durch Kalilauge sehr klar hervortrat.

Die zufällig bei den Irren vorkommenden Krankheiten bilden ein noch sehr wenig angebautes, aber sehr schätzbares Feld zur weiteren Forschung. Thore hat in diesem Zweige ein sehr nachahmungswerthes Muster aufgestellt. — Die Krankheiten der Circulationsorgane haben gewiss durch ihre Wirkung auf den Blutlauf, die Vertheilung des Bluts, wodurch in einem oder dem andern Organ, besonders in der Schädelhöhle, beständig Congestionen unterhalten werden können u. s. w., einen grossen Werth in der Psychiatrie. Unter den von Ed. Crisp (Von den Krankheiten und Verletzungen der Blutgefässe. Nebst statistischen Erläuterungen. Eine Preisschrift. Aus dem Englischen. Berlin 1849) angeführten 551 *Aneurysmen*, welche Summe die aller seit 1785 in England bekannt gewordenen Aneurysmen ist, befinden sich 3 Fälle, wo sie *bei Geisteskranken* vorgekommen sind.

1) Nr. 18, ein 69jähriges Weib. Das Aneurysma war an beiden *Carotiden* innerhalb des Schädels. Die Kranke war eine vornehme Dame, und klagte über Schwindel, Kopfweh und schwaches Gesicht. Die Geisteskrankheit war wohl bedingt durch seröse Ausschwitzung innerhalb der Ventrikel. (G. Blane, Transact. of a Soc. for the improvement of Med. and Chir. Knowledge. Vol. II.)

2) Nr. 255. Ein 54jähriger Mann, der seit drei Jahren wahnsinnig war. Die aneurysmatische Affection befand sich an der *basilaris*. Die Geschwulst war von der Grösse eines kleinen Apfels. Der Sack unverletzt. Der Kranke war taub. (Smith, Dublin Journ. Vol. XXV.)

3) Nr. 407. Ein 40jähriger Mann, der geisteskrank war, litt an einem Aneurysma der *rechten poplitea*. Keine Pulsation und kein Geräusch. Die Natur der Geschwulst war zweifelhaft. Amputation. Tod, einen Monat später. (Luke, Medical Gas. Vol. VII.)

Ueber eine durch *Trepanation bewirkte Heilung von Epilepsie* berichtet Campbell (The americ. Journ. of med. etc. — L'Union, Nr. 44.). Die Operation wurde für angezeigt gehalten, weil die Fallsucht nach Heilung einer Schädelwunde und Fractur sich entwickelt hatte. An der Stelle der Knochennarbe fand man auch die dura mater so fest mit dem Knochen verwachsen, dass die Trennung mittelst des Messers vorgenommen werden musste; es schien, dass eine Falte der harten Hirnhaut in den Knochenspalt beim Zurückziehen des verletzenden Instruments (einer Heugabel) eingedrungen, und daselbst bei der späteren Vernarbung eingewachsen war. *Spglr.*

(Hirngewicht bei Irren.) Parchappe weiset (Acad. des sciences 31. Juli 1848) eine gleichmässige Abnahme des Gehirns

mit der Intelligenz im Irre ein nach. Nach seinen Tabellen verliert das Gehirn, im acuten und chronischen Wahnsinn gewogen, durchschnittlich bei Männern 89 Gram, bei Weibern 85
Gram, oder, mit den letzten Stufen des chronischen Irreseins
verglichen, 152 Gr. bei M., 135 bei W. = $^{114}/_{1000}$ und $^{106}/_{1000}$.

(Das Gewicht des Gehirns bei Geisteskranken wie bei Gei-
stesgesunden ist sehr verschieden. Nach den Erfahrungen in hiesiger Anstalt schwankte das Gewicht zwischen 1 Pfd. 30 Loth
bei einer vor der psych. Krankheit gesunden Frau, 2 Pfd. 1 Loth
bei einem kretinartig gebornen jungen Manne, und 3 Pfd. 17
Loth bei einem kräftigen Manne mit Manie und Epilepsie. — Auch
kann das Gehirn doch nur einmal gewogen werden — nach dem
Tode.)   *Dw.*

Heller fand das kohlensaure Kali und Natron in dem alka-
lischen Harn bei chronischen (und zuweilen acuten) Cerebral-
und Cerebrospinalleiden (Erweichungen, Tuberkeln des Gehirns,
nach Erschütterungen u. s. w.). Die Erdphosphate im Harn fand
er bei Gehirnkrankheiten constant vermehrt. Aus „Heller,
chemische Untersuchung des Harns am Krankenbette, in dessen
Archiv 1847. Heft 6." und in Häser's Archiv f. d. ges. Med.
Bd. X. Heft 4. Jan. 1849. S. 362.

Ueber die wohlthätige Wirkung der *Chloroformanwendung*
hat man im Bicêtre die merkwürdigsten Erfahrungen gemacht.
Das Mittel hat sich gegen alle Formen von Neuralgien, besonders aber gegen Ischias und Lumbago vortrefflich bewährt. Ein
Stück mit Chloroform stark angefeuchteter Watte wird nach
dem Verlaufe der leidenden Nerven gelegt und tilgt in der Regel schon nach $^{1}/_{2}$ Stunde den Schmerz so, dass die Kranken
das leidende Glied wieder ohne alle Unbequemlichkeit gebrauchen
können. Bevor das Chloroform nicht ein starkes Gefühl von
Hitze und Prickeln erregt, darf man die Watte nicht abnehmen.
(Privatmitth. aus Paris den 16. Jan. in Allg. med. Central-Zeitung. 24stes Stück. Jahrg. 1849.)

Ueber die Anwendung des Zuckers als Antiaphrodisiacum,
von C. Provençal in „Neue med. chir. Zeitung Nr. 9. 1849.
S. 290." Zucker ist wirksamer als Kampher und dient gleichzeitig
als Nahrungsmittel; er lähmt die Geschlechtslust und stellt die
Kräfte wieder her, beruhigt die durch Enthaltsamkeit bedingte
allgemeine Irritabilität und verhindert deren üble Folgen. In-
dicirt in allen Fällen nervöser Aufregung und entzündlicher

Reizung der Geschlechtsorgane, sowie deren Folgen. Täglich
1 Pfd. in einem Litre Wasser, Milch oder Wein, je nach dem
Zustande des Gesammtorganismus. Bei acuten Reizungen der
Geschlechtsorgane und gegen die Wirkung der Kanthariden hat
der Kampher den Vorzug. Völlige Wirkung erst nach acht-
tägigem Gebrauch. (Journ. des Connaiss. méd. chir. 1849. Fevr.)

Um das Wundliegen zu verhüten, eignet sich nach B e r n a r d
das Arnott'sche hydrostatische Bett; äusserlich als Verbandmit-
tel die Anwendung des Waschmittels von B r o d i e: eine Auflösung von 2 Gr. Hydrarg. bichlorat. in 1 Unze Spir. Vini. Innerlich
giebt man Abends Morph. acet. Bedeckt das Geschwür ein dicker
Schorf, so verordnet Vf. Kataplasmen aus Karottenbrei; ist der
Schorf abgefallen, so wird die Stelle mit einer in eine Mischung
von Gummi Elemi und Ol. Terebinth. aa getränkten Compresse
bedeckt, darauf die Kataplasmen; entstehen Granulationen, so
wendet man den Höllenstein darauf an; im letzten Stadium der
Heilung schlägt man endlich eine Solution von schwefelsaurem
Kupfer über. (Dubl. medical Press, 1848. XIX, 488. Neue und
med. chir. Zeitung 1849. Nr. 11. S. 325.)   *Laehr.*

Unter den 1406 *Sectionen*, die an der pathologisch - anatomischen Anstalt zu *Prag* vom Oct. 1846 bis Sept. 1847 gemacht wurden, kamen 123 auf die *Irrenanstalt*, und zwar auf
Oct. 1846 kamen 5, auf Nov. 8, Dec. 12, 1847 Jan. 16, Febr. 14,
März 7, April 11, Mai 15, Juni 11, Juli 6, August 8, September 10. — Es sind alle verstorbene Irren ohne Ausnahme
secirt worden. Die Tuberculose war eine in allen Formen vorkommende Krankheit. (Prager Viertelj. 1848. II.)   *Spglr.*

In der 2ten Generalversammlung der schlesischen Aerzte
und Wundärzte wird als der Wunsch der Versammlung ausgesprochen, dass in grösseren Kreisen Irrenhäuser mit Abtheilungen für wahnsinnige Verbrecher, Siechhäuser mit Abtheilungen für Epileptische, Erziehungsinstitute für Blödsinnige errichtet werden. (Erste Beilage zu Nr. 79 der Breslauer Zeitung von Mittwoch den 4. April 1849. S. 878.) (Wird wohl ein
Wunsch bleiben und aus finanziellen, administrativen und praktisch - irrenärztlichen Gründen, sowohl allgemeinen als auch
provinziellen, in Rücksicht auf die dasigen bestehenden öffentlichen Irren - und Irrenanstalts - Angelegenheiten bleiben müssen.
Auf - und voranzustellen ist der ausführbarere zunächst liegende

Wunsch, dass Behufs der nothwendigen, ja selbst nothdürftigen Unterbringung der Provinzial-Irren, vornehmlich der unheilbaren und gefährlichen, so wie zur Beseitigung der die Noth mehr als Alles beweisenden Exspectantenlisten, die noch zu benutzenden Räumlichkeiten der Provinzial-Heilanstalt vollständig besetzt und die beiden Pflegeanstalten Brieg und Plagwitz gehörig erweitert, oder, wenn dies nicht zulässig, für den Reg. Bezirk Oppeln eine besondere Pflegeanstalt noch errichtet werde.)

Aus einer „unlieb verspäteten" Corr. aus *Erlangen* in der neuen med. chir. Ztg. 1849. Nr. 8. S. 246.

„Wenn die Regierung überhaupt wollte, dass Vorurtheile und Persönlichkeiten aufhörten Hindernisse zu sein, besässen wir noch einen andern Hebel für die Universität an unserer reich besetzten *Irrenanstalt*.

Hält doch Marcus in Würzburg vor einem zahlreichen lernbegierigen Publikum *psychiatrische Klinik*, und hat mehrmals öffentlich geäussert, dass er durch geschickt geleitete klinische Besuche bei den Irren nur Nutzen und keinen Nachtheil; gesehen. Unsere Anstalt hingegen ist so hermetisch gegen aussen abgeschlossen, als sollte die Pforte des Heiligthums nur erschlossen werden dem Wahnsinn, dem Idiotismus und der Narrheit." Und — in derselben Zeitung Nr. 11. S. 344 die Anzeige, dass Dr. Solbrig, ärztlicher Vorstand der Kreis-Irrenanstalt in Erlangen, zum Ehrenprofessor an der Universität daselbst ernannt worden ist.

Ueber den im Werke seienden Bau der neuen Irrenanstalt innerhalb des Rayon Wien (s. unsere Zeitschr. Bd. V. S. 130 u. 307) wird in einem Corr.-Art. aus Wien v. 13. Jan. d. J. (Allg. med. Centr. Ztg. 1849. N. 7) nur Erfreuliches gemeldet. „Der sogenannte Linienwall bildet eine sichere Abschliessung, der Verkehr mit der Stadt wird nicht gehemmt, und dennoch durch die Weite des umfriedigten Raumes von derselben geschieden. Die Lage überragt durch ihre Höhe jeden andern Punkt im weiten Umkreise; die Anstalt ist im Style einer landwirthschaftlichen Niederlassung gedacht. In jeder Anordnung findet man den grossen Grundsatz festgehalten: nichts Wesentliches zu übersehen, nichts Ueberflüssiges zu dulden. Für die mögliche Absonderung der Pflege- von der Heilanstalt, wenn diese relative Verbindung Beschluss werden sollte, ist gesorgt. Glückliche Harmonie der nothwendigen Centralisation, leichte Communication und Isolirung. Schliesslich der Wunsch, dass Absicht und Opfer des Staates für diese längst ersehnte Errichtung gelohnt, — dass die Anstalt durch Kräfte ausgefüllt und geweiht werden möge, welche einer der höchsten Aufgaben entsprechen, welche das Leben an die sittliche Stärke des Menschen stellt "

Wir fügen diesem so schönen Wunsche für die Zukunft der Anstalt, für die fertige, den für die werdende bei, dass man vor Beginn des grossartigen Baues, über Zweck und Bestimmung, Plan und Idee des Ganzen und Einzelnen, über Grösse, über die Frage, ob und wie Heilanstalt und Pflegeanstalt u. s. w. — sicher, klar und fertig war, mit einem Worte, — dass die Anstalt im Geist ausgeführt und vollendet gewesen sein möge durch das nach allen Seiten und Beziehungen durchdachte Programm, bevor man Hand ans Werk legte. Die Hinstellung dieser nothwendigen Forderung, jetzt noch als Wunsch, als Frage, erscheint gerechtfertigt, da es in dieser Correspondenz heisst, dass für die mögliche Absonderung der Pflege- von der Heilanstalt gesorgt sei, *wenn* diese relative Verbindung Beschluss *werden sollte*, und es auch von andern achtbaren Seiten her bestätigt wird, dass der Bau fortschreitet, ohne vorher schon über wesentliche Punkte des Zwecks und der Bestimmung der Anstalt entschieden zu sein, zu haben.   *Dw.*

Aus „Bericht des Gesundheitsrathes an die hohe Regierung des Cantons Zürich über das Medicinalwesen des Cantons im J. 1847. Zürich, Orell u. Füssli 1848. 8. 107 S." In „Oppenheim's Zeitschr. Bd. 40. Hft. 4. Jahrg. 1849. S. 507." Irre 125; 60 geheilt, 14 gebessert, 6 nicht geheilt, 10 verlegt, 9 gestorben, Rest 26.

Zufolge einer frühern brieflichen Mittheilung des des. Arztes Dr. Selmer erfahren wir, dass der Plan für die jütländische Irrenanstalt bei *Aarhuus* nunmehr seiner Ausführung entgegensieht, und letztere durch den Beginn des Baues bereits in Angriff genommen ist. (Vgl. uns. Zeitschr. Bd. V. S. 132.)

Ob die gegenwärtigen kriegerischen Zustände in Jütland im Allgemeinen und insbesondere bei Aarhuus die Förderung des Baues nicht werde unterbrochen haben, ist eine Frage, deren Beantwortung im Interesse für diese so wichtige Wohlthätigkeits-Anstalt sehr wünschenswerth ist.

364

Wie zu. *Charenton*, so ist auch zu Saint-Yon die medi_
cinische Leitung der Anstalten *zwei* Aerzten anvertraut, dem
einen die männliche, dem andern die weibliche Abtheilung, und
scheint diese Theilung immer mehr Grundsatz der Regierung
zu werden, sowohl im Interesse der Kranken als der Wissenschaft.

———

Der französische Minister des Innern will eine Commission
zur Untersuchung der in dem gesammten französischen Gebiete
befindlichen Irrenanstalten niedersetzen und diesen Commissions_
bericht dann der betreffenden Fachcommission zuweisen. (Berliner Spenersche Zeit. 1848. Nr. 260. Erste Beilage.)

———

Asyl für Idiote in London. Zu den vielen Wohlthätigkeitsanstalten Englands ist ohngefähr seit Jahr und Tag eine Anstalt für Blödsinnige gekommen. Dieselbe enthält schon 70,
welche dort eine ihrer Geistesschwäche entsprechende Erziehung
erhalten. Der Dr. Conolly steht an der Spitze des Etablisse-
ments, dessen Zukunft durch die vielen Beiträge gesichert
scheint. (Ann. méd. psych. Tom. XII. Variétés.) Der Hausarzt
Dr. Callaway ist kürzlich gestorben.

———

Einer der Choleraheerde war die Irrenanstalt bei Peckam,
Peckamhouse, in dem Dr. Hill und Fergusson die Einathmungen von Chloroform nicht ohne palliativen Vortheil anwen-
deten. Der Ausbruch der Cholera in dieser Anstalt fällt mit der
Auskehrung und frischer Bedielung der Versenkgruben und Ka-
näle zusammen. (Neue medic. chir. Zeit. Nr. 15. 1849. S. 6.)

———

Ueber die Irren in Spanien hat Dr. Pedro Maria Rubio,
Arzt der Königin, Mitglied der Academie, einen interessanten
statistischen Bericht geliefert, aus welchem jedoch in dem vorliegenden Auszug über Spanien am wenigsten mitgetheilt ist,
vielmehr Bekanntes, Irrthum und Wahrheit über eine verglei-
chende Irrenstatistik. Es ist nur gesagt, dass in den ersten
Tabellen die Zahl der Irren nach den Provinzen in den Jahren
1846 u. 47, in der zweiten die resp. in den Anstalten und in
den Familien aufbewahrten aufgezählt werden, mit Angabe des
Alters, Geschlechts, der Heilungen u. s. w. — Die Provinz
Álava hatte 24, Barcelona 588 Irre. (Vgl. unsere Zeitschr.
Bd. III. S. 735, IV. S. 538, V. S. 132.)

Wahnsinn in China. Nach dem Dr. Williams, welcher 12 Jahre in China gewesen ist, wären die psychischen Krankheiten sehr selten in diesem himmlischen Reiche. Er hat nur zwei Fälle gesehen. Leichthin erklärt er dies aus der den Chinesen unbekannten fieberhaften Thätigkeit der Europäer und Nord-Amerikaner, so wie aus dem seltenen Genusse reizender Speisen und Getränke.

Der Dr. Hepburn hat in China Idioten und Epileptische gesehen, aber nicht einen einzigen Wahnsinnigen. Es möchte scheinen, dass der Wahnsinn gleich unbekannt wäre in Thibet.(?)

Dw.

In den Irrenhäusern (Timanistan), welche man im ganzen türkischen Reiche findet (vgl. unsere Zeitschrift Bd. V. S. 494 u. 605—621.), herrscht bereits eine vernünftige ärztliche Behandlung; unwürdige Fesseln und Schläge sind abgeschafft und statt deren die Zwangsjacke eingeführt. Besonders ausgezeichnet ist das Irrenhaus des Sulemanich in Constantinopel. Um alle diese Anstalten haben sich vorzüglich deutsche Aerzte verdient gemacht.

Verrücktheiten kommen im Ganzen selten vor, was man wohl der dort noch geringen Geisteskultur zuschreiben muss, indem höhere Geistesentwickelung bekanntlich eine Menge Gelegenheitsursachen zu Geisteskrankheiten mit sich führt, weshalb diese bei civilisirten Völkern häufiger auftreten; so sind Onanie, unglückliche Liebe u. s. w. dort etwas äusserst Seltenes, und daher kommt auch Selbstmord nur selten vor. Die Irren in Constantinopel sind meist Narren und Blödsinnige. Sehr häufig wird bei Kindern der Blödsinn durch narkotische Mittel künstlich erzeugt, um sie ihrer bürgerlichen Rechte verlustig zu machen. Uebrigens halten die Türken die Irren als Begeisterte für heilig, und diesem Umstande mögen Letztere wohl vorzugsweise ihre gute Behandlung zu verdanken haben. (Dr. Paul Kadner, Aerztliche Mittheilungen aus dem Orient. Vereinte deutsche Zeitschrift für die Staatsarzneikunde von Siebenhaar u. Comp. 1848. Bd. III. Heft 2. S. 260.) *C. Jessen.*

Personal-Nachrichten.

Dr. Parigot von Brüssel ist zum Chef-Arzt der Irren-Kolonie in Gheel ernannt.

An der jetzt dem Dr. Bourdoncle gehörigen maison de santé für Geistes-, Nerven- und andere Kranke ist Hausarzt Dr. Michéa — und dennoch können nach der Bekanntmachung die Angehörigen der Kranken die Aerzte wählen? —

Todesfälle.

(Necrolog von Dr. James, Cowles Prichard). J. C. Pr., geboren 1786 zu Ross in Herefordshire, wurde im älterlichen Hause erzogen. Nachdem er im St. Thomas-Hospitale in London begonnen, ging er nach Edinburgh und promovirte dort 1808, wozu er „Diss. de generis humani varietate" schrieb, die schon die Grundzüge seines späteren grossen Werkes enthielt. Dabei besuchte er eifrig die mathemat. und physikalischen Vorlesungen von Dugalt Stuart und Playfair. Nachher war er einige Zeit in Oxford und Cambridge und beschäftigte sich dort hauptsächlich und gründlich mit Sprachen und Mathematik. 1810 liess er sich in Bristol nieder. Anfangs war sein Ruf gering und stieg erst, als er mehrere Jahre darauf Arzt am Hospital St. Peter wurde und mehrere Curse über innere Pathologie hielt.

1813 erschien die erste Ausgabe seiner: „Researches on the physical history of man" und bald darauf seine „Mythologia egyptiaca." 1816 zum ersten Arzte am Krankenhause zu Bristol ernannt, hatte er Gelegenheit, reichliche Beobachtungen zu machen, und 1822 erschienen seine Werke: „History of the epidemic which prevailed in Bristol 1817—19" und „A treatise on diseases of the nervous system. London 1822."

Um diese Zeit war es auch, dass die Geisteskrankheiten seine Aufmerksamkeit zu fesseln begannen.

1829 erschien sein „Essay on vital principle", den er der wissenschaftlichen Gesellschaft zu Bristol widmete, deren Vorsteher er war.

Beim Regierungsantritt Wellington's wurde er zum Kanzler der Universität Oxford, zum Ehrendoctor daselbst und zum inspicirenden Arzte der Irrenhäuser der Grafschaft Gloucester ernannt.

Um diese Zeit gab er eine Reihe psychiatrischer Schriften heraus: „On soundness and unsoundness of the mind 1834"; 1835 „A treatise on insanity and other affections of the mind" Esquirol gewidmet.

1842: „On the different Forms of Insanity in relation to Jurisprudence. In beiden über moral insanity, instinctice madness. Ebenso die Artikel: „Delirium, Hypochondria, Geisteskrankheiten, Somnambulismus, animalischer Magnetismus, über den normalen Zustand der geistigen Kräfte und ihre Zerrüttung, Temperament" in der „Cyclopaed. of practical medicine." Ebenso mehrere analoge Artikel in dem encyklopädischen Werke „library of medicine." —

1845 wurde er zum Mitgliede der Commission ernannt, die die Irrenanstalten des ganzen Königreiches zu beaufsichtigen hatte und aus 3 Personen bestand, von denen Jeder 37500 Fr. Gehalt bezog. Er stand seinem Posten mit Eifer vor, um so mehr, da seine beiden Collegen nur der Gunst ihre Ernennung verdankten.

Um diese Zeit siedelte er nach London über, nachdem er 26 J. erster Arzt an dem Hospitale zu Bristol gewesen war. Er vollendete in 5 Bänden die 2te Auflage der „Researches on the physical history of man. London 1847" und seine „Natural history of man." Seine Theorieen sind vielfach in England und Frankreich angegriffen worden, aber seine zahlreichen Untersuchungen und die hohe Wissenschaftlichkeit dieser gigantischen Productionen hat Europa anerkannt.

Dr. P. war Mitglied der „Royal Society" von London und Dublin, correspond. Mitglied des Instituts, der Acad. nat. de medic. und der Societé de statistique von Frankreich und mehrerer gelehrten Gesellschaften von Amerika und Italien. Er war Präsident der ethnographischen Gesellschaft von London. Als Arzt zeichnete er sich durch gute Prognose und glückliche und rasche Anwendung der Medication aus.

Am 4. Dec. erkältete er sich auf einer Berufsreise in Salisbury, er bekam ein heftiges rheumatisches Fieber, das ihn bis zum 17ten ans Bett fesselte. Nach London gebracht, bildete sich eine acute Pericarditis, begleitet von einer Kniegelenkseiterung und er starb den 22. Dechr. 1848. England verliert in ihm eine der grössten Celebritäten der Gegenwart. (L'Union médicale Tom. III. St. 3. S. 20. 1849. und Oppenheim's Zeitschr. Bd. 40. Heft 2. S. 318. 1819.)

Dr. Will. Twining, bekannt durch seine Abhandlung über den Cretinismus und Abendberg 1843. (S. unsere Zeitschr. Bd. I. S. 703—707) starb zu London Novbr. v. J. im 35sten Lebensjahre.

Der Medicinalrath Dr. Amelung zu Hofheim bei Darmstadt starb den 19. April d. J. Abends sieben Uhr nach viertägigem schweren Leiden in Folge eines Stiches in den Unterleib von einem „als unzurechnungsfähig in der dortigen Irrenanstalt befindlichen Mörder."

Den 17. desselben Monats starb Professor Dr. Heinrich zu Königsberg durch Blausäure.

Beide Todesfälle, beide Todesarten sind tief erschütternd. Das tragische Ende des Einen durch fremde, des Andern durch eigene Hand, wenn auch nicht durch freien Willen, fügt zu dem einfachen reinen Schmerze des Gemüths den ausserordentlichen Schmerz des Geistes über das gewaltige Vorgreifen des Geschicks dem natürlichen Ablaufe des Lebens. Der tiefere Widerspruch des doppelten Schmerzes kann für den Einen nur durch die Ueberzeugung an eine höhere Ordnung der Dinge, an göttliche Schickung gelöst, für den Anderen durch die Erkenntniss der Beweggründe, der Genesis der That gesühnt werden. — Amelung erlitt, s. v. v., den *psychiatrischen* Tod — in seiner Irrenanstalt, von einem Irren, in seinem Berufe, in mitten eines umfassenden Lebens- und Wirkungskreises, welcher hinter ihm grossentheils geschlossen, vor ihm noch nicht abgeschlossen war. Heinrich erlitt den *psychologischen* Tod. Der wesentliche Grund lag in einem tiefen Leiden der Seele, welches die Kritik der reinen Vernunft zu bewältigen nicht mehr vermögend war. In der Blüthe der Jahre ging er an dem bei seiner Persönlichkeit gewaltigen Widerspruch der Anforderungen an sich und an ihn, seiner Anforderungen an die Welt, an das Leben, an die Kunst und Wissenschaft, und dieser an ihn, zu Grunde, unwillkührlicher und nothwendiger vielleicht, wenn er fürchtete: gemüthskrank zu werden oder zu sein. Er war wohl eine jener Faustischen Naturen, welche zu sich sagen mögen: „der Gott, der mir im Busen wohnt, kann tief mein Innerstes erregen; der über allen meinen Kräften thront, er kann nach aussen nichts bewegen; und so ist mir das Dasein eine Last, der Tod erwünscht, das Leben mir verhasst." Wer auch unseres Heinrich Schicksal halb schuldlos, halb selbstverschuldet nennen könnte — er wird inne- und zurückhalten mit seinem Urtheil, wenn er vernimmt, dass das letzte Wort, welches der an seinem 31sten Geburtstage Scheidende den Bleibenden schriftlich zurückliess, war: „*Richtet nicht, so werdet Ihr nicht gerichtet.*" —

Necrologe müssen von näher Vertrauten und Befreundeten erwartet werden. Ich habe Beide persönlich nicht gekannt. Ueber Amelung ist mir kein Necrolog vorgekommen; der über Heinrich in der Kölnischen Zeitung Nr. 96 bedurfte wegen der einseitig-parteiischen, politisch-zeitlosen Insinuation die Erwiederung in Nr. 102.

Es sei nur noch bemerkt, dass ich beider Tod und Todesart gleichzeitig erfuhr, dass ich von jedem nicht lange vorher Briefe erhalten hatte; der von Amelung war voll Hoffnung für seine noch erspriesslichere Wirksamkeit, der von Heinrich, milder als frühere, wandte jenes: *tempora mutantur et nos mutamur cum illis* auch auf sich an; einzelne Stellen in dem mit für ihn vor seinem Tode gedruckten, nach seinem Tode erst erschienenen Miscellenartikel über die Preussischen Irrenanstalten (Heft 1. d. J. S. 184) beziehen sich auf seinen Brief. Beide sandten noch Beiträge für unsere Zeitschrift: Heinrich den, dieses, mit seinem Todesnachruf schliessende, Heft eröffnenden Aufsatz, in welchem er, der die Psychiatrie „fürs Leben in sein Herz geschlossen", in ehrlichem Kampfe mit der fortschreitenden Wahrheit, die frühere chemische Ansicht zurücknahm, im Schlusssatz jedoch nochmals charakteristisch dagegen sich wehrte, — Amelung, seinen letzten Bericht über *Hofheim*, welcher im nächsten Hefte erscheinen wird. Unsere Zeitschrift verliert und vermisst schmerzlich zwei so eifrige als tüchtige wirkliche Mitarbeiter. Ein auffallender Zufall hat es noch gefügt, dass auf Heinrich's Tische neben seinem Sterbebette die bedeutendste Schrift von Amelung und von Bird aus *Bonn* aufgeschlagen lag. — So gehen die Geschicke der Menschen.

Dw.

Gebauersche Buchdruckerei in Halle.

Literarischer Anzeiger

für

Aerzte und Naturforscher.

№ 3.   1849.

Dieser literarische Anzeiger wird
der Wochenschrift für die gesammte Heilkunde,
der Zeitschrift für Erfahrungsheilkunst,
der neuen Zeitschrift für Geburtskunde,
der allgemeinen Zeitschrift für Psychiatrie,
dem Magazin für die gesammte Thierheilkunde
beigegeben.
Berlin.   *August Hirschwald.*

☞ Sämmtliche in diesem Anzeiger aufgeführten Werke sind
stets vorräthig in der

Hirschwald'schen Buchhandlung
in Berlin, Burgstraße Nr. 25.

MORITZ HEINRICH ROMBERG'S
Lehrbuch der Nervenkrankheiten

des

MENSCHEN

erscheint so eben in zweiter veränderter Auflage.
Die Ausgabe dieser neuen Auflage geschieht in 10 Lieferungen
à 16 Sgr. Lieferung I. u. II., gr. 8., geh., liegt in jeder
Buchhandlung zur Ansicht aus.

Berlin, im März 1849.   **Alexander Duncker.**

Bei dem Unterzeichneten ist erschienen und durch alle Buchhandlungen
zu beziehen:

De ossium mutationibus
rhachitide effectis.

Dissertatio inauguralis anatomico-pathologica

ab

Ernesto Gurlt.

Cum tabula lith. gr. 4. Preis 15 Sgr.

Berlin, im Mai 1849.   **August Hirschwald.**

Hr. Dr. *Focke*, 2ter Arzt der Irrenheilanstalt zu Siegburg.
- - *Friedreich*, Prof. in Ansbach.
- - *van Geuns*, Professor d. Pathol. u. gerichtl. Medicin am Athenäum zu Amsterdam.
- - *Guggenbühl* auf dem Abendberg.
- - *Günther* in Braunschweig.
- - *Güntz*, Med. Rath, St. Phys. zu Leipzig und Dir. der Privat-Irrenanstalt zu Thonberg.
- - *Hagen*, Oberarzt der Kreisirrenanstalt zu Irrsee.
- - *Hergt*, 2ter Arzt in Illenau.
- - *Herzog*, russ. Staatsrath, Oberarzt der Irrenanstalt zu St. Petersburg.
- - *Hoffbauer* (*J. H.*), pr. Arzt zu Bielefeld.
- - *Hohnbaum*, Ob. Med. Rath, Leibarzt zu Hildburghausen.
- - *Hübertz*, pr. Arzt zu Kopenhagen.
- - *Jacobi*, Ob. Med. Rath, Dir. der Provinzial-Irrenheilanstalt zu Siegburg.
- - *Ideler*, Prof. u. dirig. Arzt der Irrenabth. d. K. Charitéheilanstalt in Berlin.
- - *Jessen*, Professor zu Kiel und Director der Privat-Irrenanstalt Hornheim.
- - *W. Jessen*, Hülfsarzt zu Sachsenberg.
- - *Julius* (*N. H.*) in Berlin.
- - *Karuth*, Kr. Phys. in Bolkenhain.
- - *Klotz*, Hausarzt auf dem Sonnenstein.
- - *Knabbe*, 2ter Arzt der Provinzial-Irrenheil- u. Pflegeanstalt zu Marsberg.
- - *Lessing*, 3ter Hausarzt auf dem Sonnenstein.
- - *Rud. Leubuscher*, Priv.-Doc. in Berlin.
- - *Leupoldt*, Prof. in Erlangen.
- - *van der Lith*, Arzt an der Irrenanst. zu Utrecht.
- - *Mansfeld*, Med. Rath, Arzt an d. Irrenanst. zu Braunschweig.
- - *Martini*, Geh. Sanit. Rath u. Director der Provinzial-Irrenheilanstalt zu Leubus.
- - *H. Meckel v. Hemsbach*, Priv.-Doc. zu Halle.
- - *Meyer*, Sanit. Rath u. Kr. Phys. zu Creuzburg.
- - *Meyer*, prakt. Arzt, Operat., Geburtshelfer, Vorsteher einer Privat-Irrenanstalt zu Eitorf.
- - *Mittermaier*, Geh. Rath u. Prof. zu Heidelberg.
- - *Möller*, Med. Rath zu Nidda.
- - *Müller*, Medicinalrath und Director der Pflegeanstalt zu Pforzheim.
- - *Fr. Nasse.*
- - *Picht*, Director d. Irren- u. Siechen-Verpflegungsanstalt zu Stralsund.

Hr. Dr. *Pienitz*, Hofrath, Director der Heil- u. Verpflegungs-Anstalt Sonnenstein.

- - *Pitsch*, Regierungs-Medicinalrath zu Cöslin.
- - *Quitzmann*, Priv.-Doc. zu Heidelberg.
- - *Ramaer*, erster Arzt der Irrenanstalt zu Zütphen.
- - *Reumont*, 2ter Arzt an d. Priv.-Anstalt zu Endenich.
- - *Rheiner* in St. Gallen.
- - *Richarz*, Dir. d. Privat-Anstalt zu Endenich bei Bonn.
- - *Riedel*, Director der k. k. Irrenanstalt zu Prag.
- - *Rothamel*, Arzt des Landkrankenhauses zu Fulda.
- - *Ruer*, Sanitätsrath u. Director der Provinzial-Irrenheil- und Pflegeanstalt in Marsberg.
- - *Rüppell*, 1ster Arzt der Irrenanstalt zu Schleswig.
- - *Schäffer*, Hofrath und Director der Irrenpflegeanstalt zu Zwiefalten.
- - *Schäffer*, Sanit. Rath u. Kr. Phys. zu Hirschberg.
- - *Schmidt*, Geh. Med. Rath, Prof., dirig. Arzt d. geburtsh. u. syphil. Abth. d. Charité in Berlin.
- - *S. P. Scheltema*, Erster Stadtarzt zu Arnhem.
- - *Schneevoogt*, Arzt der Irrenanstalt zu Amsterdam.
- - *Schnieber*, Kr. Phys. u. Arzt d. Irrenanstalt zu Sorau.
- - *Schroeder van der Kolk*, Prof., Director der Irrenheilanstalt zu Utrecht.
- - *Schupmann*, Arzt an der Provinzial-Siechenanstalt zu Geseke.
- - *Sebastian*, Prof., Director der Irrenanstalt zu Gröningen.
- - *Selmer* (H.), in Kopenhagen.
- - *Sinogowitz*, Regim.-Arzt a. D. zu Berlin.
- - *Sondén*, 1ster Arzt der Irrenanstalt zu Stockholm.
- - *L. Spengler*, Nassauischer Med. Accessist zu Herborn.
- - *Spitta*, Ob. Med. Rath u. Prof. zu Rostock.
- - *Spurzheim*, Dir. d. Irrenanstalt zu Ybbs in Oesterreich.
- - *Tobias*, Reg. Med. Rath u. Arzt der Irrenpflegeanstalt zu Trier.
- - *Tribolet*, Schloss Bümpliz bei Bern.
- - *Tschallener*, Direct. der k. k. Irrenanstalt zu Hall in Tyrol.
- - *Varrentrapp* in Frankfurt a. M.
- - *Virchow*, Professor in Würzburg.
- - *Wallis*, dirig. Arzt der Land-Irrenanstalt zu Neu-Ruppin.
- - *Weigel*, Haus-Arzt der vereinten Landesanstalten in Hubertusburg.
- - *Weiss*, Direct. der Landes-Versorganstalt zu Colditz.
- - *Zelasko*, Kr.-Phys. zu Obornick.
- - *Zeller*, Hofrath u. Dir. d. Heilanstalt Winnenthal.

Gebauersche Buchdruckerei in Halle.

Allgemeine Zeitschrift

für

Psychiatrie

und

psychisch-gerichtliche Medicin,

herausgegeben von

Deutschlands Irrenärzten,

in Verbindung

mit Gerichtsärzten und Criminalisten,

unter der Redaction von

Damerow,
Flemming und Roller.

Sechster Band. Drittes Heft.

Berlin,

Verlag von August Hirschwald.

1849.

Allgemeine Zeitschrift

für

Psychiatrie

und

psychisch-gerichtliche Medicin

herausgegeben von

Deutschlands Irrenärzten,

in Verbindung

mit Gerichtsärzten und Criminalisten,

unter der Redaction

von

Damerow,
Flemming und Roller.

———

Sechster Band. Drittes Heft.

———

Berlin,

Verlag von August Hirschwald.

1849.

Inhalt.

_____

Zwei Fälle von kranker Gemüthslosigkeit.

Von

Fr. Nasse.

Erster Fall.

N. aus N., ein Ackerwirth, fünf und vierzig Jahr alt, evangelisch, hatte, seiner Erzählung zufolge, vor zwei Jahren nach einem Aerger vierzehn Tage lang an Gelbsucht gelitten, war aber darauf wieder wohl geworden. Dass er andere Krankheiten gehabt, wusste er sich nicht zu erinnern.

Schon seit längerer Zeit befand sich theils durch Verdruss, theils durch Schuldbewusstsein sein Gemüth in einem gedrückten Zustande, den er seinem Arzt erst, als dieser sich in sein Vertrauen Eingang gewonnen, offenbarte. Seit neunzehn Jahren verheirathet, und, wie er versicherte, mit voller Neigung beider mit einander in die Ehe Tretenden, hatte er doch mit seiner Frau, welche die dem ehelichen Verhältniss angehörende geschlechtliche Verbindung roh, nach ihrem Ausdrucke „wüst" fand, von der ersten Zeit nach der Hochzeit an ohne solche Verbindung gelebt; auch hat seine Frau nur ein einziges Kind, eine Tochter, geboren.

25

Durch diese Zurückweisung gekränkt, war er, wie er gestand, darauf verfallen, sich durch Saamen-abtreiben zu erleichtern; auch konnte er nicht ver-hehlen, mit andern Frauen vertraulichen Umgang ge-habt zu haben.

Im letzten Frühjahr traf noch ein anderes Be-drängniss sein Gemüth. Theure und Mangel des Fut-ters für seinen Viehstand machten ihm so grosse Sor-ge, dass er, wie er versicherte, in acht Wochen nicht schlafen konnte.

Mochte nun von dieser Schlaflosigkeit allein Sor-ge die Ursache sein, oder auch ein zu diesen hinzu-getretenes Leiden des Körpers daran Antheil haben: seit jener Zeit nahm seine Gemüths-Empfänglichkeit fortschreitend ab; Frau und Tochter wurden ihm im-mer gleichgültiger, und obschon er wohl sah, dass sein Geschäft rückwärts ging, fühlte er doch keine Besorgniss darum. Von seinen Freunden, denen sein verändertes Benehmen nicht entging, aufgefordert, sich seiner Angelegenheiten mehr anzunehmen, er-klärte er, dass er zwar einsähe, wie er so gleich-gültig gegen alles ihn Angehende sei, auch keinen Grund anzugeben wisse, weshalb ihm die Seinigen und sein Vermögenszustand nicht mehr am Herzen lägen; es sei ihm aber nicht möglich, in sich Re-gungen heraufzurufen, die ihm verloren gegangen wären.

Man veranlasste ihn, Arznei zu nehmen; als die nicht half, reiste er nach einem entfernten Kurort, um daselbst ein auf den Unterleib wirkendes Mineral-wasser zu gebrauchen: aber auch hier, von den Sei-nigen getrennt, dauerte in ihm dieselbe Gleichgültig-keit sowohl gegen seine Angehörigen als gegen seine ökonomischen Angelegenheiten fort.

Weil er selbst sein Aussehen gegen sonst ver-ändert fand, und sich doch keiner neueren Ursachen, die diese Veränderung bewirkt haben könnten, bewusst war, so kam er auf den Gedanken, dass ihm Saamen mit dem Urin abgehe. Die demzufolge mit diesem angestellte Untersuchung zeigte, dass derselbe zwar beim Stehen einen weisslichen Bodensatz bekam, der aber blos Schleim, nicht Saamen war.

Auch nachdem er mehrere Wochen von Hause entfernt gewesen, regte sich in ihm kein Verlangen zur Rückkehr. Die Briefe, die er bekam, sah er nur gleichgültig durch, und wenn er antwortete, so geschah es ohne alle daran Theil nehmende Gemüthsregung.

Auch in wiederholt und über wechselnde Gegenstände mit ihm geführten Gesprächen gelang es nicht, irgend eine Aeusserung eines abgewichenen Erkenntnisszustandes, sei es in einzelnen, sei es in Verknüpfungen von Vorstellungen, in ihm aufzufinden. So weit die Unterhaltung nicht Regungen des Gemüths in Anspruch nahm, ward in ihr auch dem ihr aufmerksam Folgenden Nichts wahrnehmbar, was ein anderes Leiden als den Mangel dieser Regungen hätte andeuten können.

Gesicht und Gehör litten bei ihm nicht. Nach der Wirkung von Eindrücken auf seine anderen Sinne befragt, gab er an, dass das Schnupfen von Taback, welches ihn früher stark gereizt habe, jetzt für ihn kein Reiz mehr sei, sowie auch das Ziehen an einem Haare in der Nase ihm nicht mehr wie sonst Niesen errege. Das Essen schmecke ihm noch wie früher; der Geschlechtsreiz sei aber ganz für ihn verschwunden.

Er könne, berichtete er, noch mehrere Stunden weite Wanderungen machen. Doch fühle er schon seit Monaten Müdigkeit in den Knieen und Schmerzen in den unteren Theilen des Rückgrathes, wozu seit einiger Zeit Kribbeln in den Fingern und den

Plattfüssen gekommen sei. Er schlafe gut bis zum Morgen. Sein Herzschlag und sein Armpuls waren schwach und träge. Das Athemholen litt nicht, sein Unterleib zeigte beim Zufühlen und Aufklopfen nirgends etwas Regelwidriges; der frisch gelassene Urin war klar. Die Untersuchung auf Hämorrhoiden am After ergab nichts. Wie er schon zu Hause seit längerer Zeit an Verstopfung gelitten und von den ihm dagegen verordneten Arzneien keine dauernde Hülfe bekommen hatte, so verschaffte ihm auch der mehrwöchentliche Gebrauch des Mineralwassers nur alle zwei bis drei Tage einmal Oeffnung.

Rückenmarks - Symptome waren hier nicht zu verkennen; nur stimmte die Kraft zu grossen Wanderungen nicht damit.

Gemüthsstumpf, wie er gekommen, und für den Unterleib nicht gebessert, kehrte er nach Hause zurück.

Nach den mir später von seinem Befinden zugekommenen Nachrichten war sein Zustand in krankhafte Gemüthsbeklemmung mit irren Vorstellungen übergegangen, indem er sich mit dem Gedanken quälte, er leide an der Rückenmarksdarrsucht, von der jedoch bei ihm kein Symptom vorhanden sein soll.

Zweiter Fall.

N. N. aus N. N., Fabrikherr, dreissig Jahr alt, evangelisch, war bis in sein männliches Alter von seinem Vater in einer beschränkten, untergeordneten Stellung gehalten worden, dennoch ging ihm der Tod desselben sehr nahe. Begütert, nach seiner Neigung mit einer liebenswürdigen, ihm innig ergebenen Frau verheirathet, zärtlicher Vater von drei Kindern, verband er mit diesen reichen Bedingungen eines glücklichen Lebens Mässigkeit, häusliche Zurückgezogenheit und religiöse Richtung seines Gemüths.

Nach demjenigen, was seine Frau von ihm erzählte, war er für Eindrücke auf sein Gefühl stets sehr empfindlich gewesen, obgleich abgeneigt, seine Weichheit zu äussern. Auch in andern Dingen vermied er etwas zur Schau zu tragen, hatte einen entschiedenen Widerwillen gegen Unwahrheit.

War es allein die bald nach dem Tode seines Vaters eingetretene, ihn sehr besorgt machende Krankheit seiner Frau, oder noch eine andere hinzugekommene, sein Gemüth bedrängende Einwirkung: man bemerkte seit der Genesung seiner Frau eine grosse Veränderung an ihm; er war stiller, in sich gekehrter, scheuer gegen fremde Personen, zeigte für seine Angehörigen weniger Theilnahme und war nicht mehr so regsam zum Geschäft wie bisher. In seiner Esslust und in seinem Schlaf schien zwar nichts verändert; es kostete aber grosse Mühe, ihn aus dem Hause zu bringen, er blieb des Morgens lange im Bett, und stand zuletzt, ausser zum Mittagsessen, gar nicht mehr aus demselben auf.

Nachdem er mehrere Wochen so fortgelebt, gelang es endlich, ihn in Begleitung von einem paar Verwandten zu einer kleinen Reise zu bewegen, wo ich ihn dann sah, und dazu vermochte, ohne seine Begleiter hier zu bleiben. Wie er sich hierzu einmal entschlossen hatte, verursachte ihm der Abschied von den Verwandten allem Anscheine nach keine weitere Gemüthsbewegung. Ich hatte nun Gelegenheit, ihn recht oft zu sehen, und nach Gefallen längere Gespräche mit ihm zu halten.

Er hatte das Aeussere eines gesunden gut genährten Menschen von sanguinischem Temperament; sein Blick war nur wenig scheu, sein Puls ruhig.

Wie es schien, unterhielt er sich gern, und ging
selbst in ein scherzhaftes Gespräch ein.

Was schon seine Angehörigen ausgesagt hatten,
dass in seiner Familie keine Zustände vorgekommen
seien, die auf eine Seelenkrankheit hätten hinweisen
können, bestätigte auch er. Eine das Nervensystem
angreifende Krankheit hatte er nach seiner Versiche-
rung nie gehabt, auch nie besonders an Kopfschmerzen gelitten. Wie er zu Hause im Weingenuss immer mässig gewesen, so versicherte er, auch auf
den Reisen, die er in seinem Geschäfte von Zeit zu
Zeit machen musste, sich ebenso verhalten zu haben.

Wenn das Gespräch auf seine Frau kam, ward
er zurückhaltender; es trat deutlich hervor, dass er
etwas gegen sie hatte. Von seinen Kindern sprach
er mit auffallender Gleichgültigkeit.

Es machte keine Mühe, ihn in den ersten Tagen
zum Aufstehen, wenn auch etwas spät am Morgen,
sowie zum Spatzierengehen und zu kleinen Arbeiten,
Uebersetzen und Abschreiben, zu bewegen.

Die nähere Untersuchung seines Körpers zeigte
einen andauernd ruhigen Puls, keine belegte Zunge,
in der Menge und Beschaffenheit seines Urins nichts
auf Krankheit Deutendes; er hatte in der Regel täg- •
liche, kein Leiden der Verdauung anzeigende Oeffnung: von Hämorrhoiden waren keine Zeichen vorhanden. Seine Esslust war nicht blos gross, sondern
sie ging sogar bis über das Maass.

Nirgends im Körper fühlte er Schmerz oder auch
nur Unbehagen.

· Seine Sinnesthätigkeit schien in keiner Art zu
leiden; doch war er empfindlich gegen körperlich erregten Schmerz. Auf Spatziergängen ermüdete er
eher, als Gesunde seines Alters. Die Nacht brachte
er ruhig zu, allem Anscheine nach in gesundem
Schlafe.

Den Sinn für Reinlichkeit und Ordnung schien er nicht verloren zu haben.

Nachdem er ein paar Wochen hier gewesen, gelang es auch, über seine Empfindungen und Gedanken Offenheit von ihm zu gewinnen. Er fühlte sich von seiner Frau verletzt, weil sie sich ihm seit einiger Zeit entzogen hatte, wodurch er denn, nachdem es ihn Anfangs sehr geschmerzt, dazu gekommen, sich ohne geschlechtlichen Umgang wiederholt zu erleichtern.

Auf die hiermit verbundenen Gefahren nun dringend aufmerksam gemacht, schien er von dem so geübten Laster sich bald wieder frei gemacht zu haben, sofern die Untersuchung der von ihm abgelegten Hemden sowie der Betttücher keine Spuren von Saamenergiessungen zeigten.

Die Gereiztheit, die er in der ersten Zeit bei Hinleitung des Gesprächs auf seine Frau gegen diese verrieth, verlor sich immer mehr, und nach einigen Wochen war an ihre Stelle ruhige Gleichgültigkeit gegen alle, die er zu Hause zurückgelassen, bei ihm eingetreten. Bei der weitern Entwickelung dieses Zustandes hörte er kaum hin, wenn man von der Frau sprach. Die von Hause kommenden Briefe blickte er nur flüchtig an, oder las sie gar nicht; ebenso antwortete er ohne Aeusserung von Zuneigung, oder unterliess es ganz. Nur an seine, nicht an demselben Orte wie seine Frau lebende Schwiegermutter schrieb er einmal, das Verlangen, bei ihr zu sein, in wenigen Worten, aber lebhaft ausdrückend.

Weder Eindrücke aus dem Schönen, noch aus dem Erhabenen in Kunst und Natur vermochten irgend eine Aeusserung, dass sie ihn gemüthlich berührt hätten, aus ihm hervorzurufen. Am Vorgelesenen nahm er keinen Antheil, und wenn es ein religiöses

Buch war, woraus vorgelesen ward, so suchte er
sobald als möglich aus dem Zimmer zu kommen.

Zeichen von Mitleid gegen Arme wurden an ihm
nicht bemerkt.

Andererseits waren jedoch keine Merkmale von
bösartigem Wesen an ihm wahrzunehmen; er zeigte
weder Zornwuth noch Hass, von Angst keine Spur.
Wenn er einmal zornig wurde, so war es nur bald
vorübergehend wegen Nichtbefriedigung seiner sinnlichen Begehrungen.

Das Leben hatte er lieb. Man könne es sich,
meinte er, doch darin bequem machen; der Tod sei,
wie es ja allgemein heisse, bitter.

Zu essen, zu trinken und zu schlafen: das war
der Inbegriff seiner Wünsche. Darauf aufmerksam
gemacht, wie wenig menschlich das sei, scherzte er
über den glücklichen Zustand, nichts weiter nöthig
zu haben. Zurück zu den Seinigen, sie wieder zu
sehen, eine Zusammenkunft auf halbem Wege mit
ihnen zu haben, verlangte er nie. Er meinte, in
einer Anstalt, wo er nur essen, trinken und schlafen könne, werde es ihm ganz behaglich sein.

Zeichen von Neigung zum andern Geschlecht
wurden an ihm niemals bemerkt.

Er erklärte offenherzig, dass nur die Bedrohung
der Strafe ihn davon abhalten könne, sich die Mittel
zu einem gewünschten Genusse gewaltsam zu verschaffen. Auf die Frage: ob er, wenn ihn hungere,
einem Kinde die Speise aus der Hand reissen würde,
selbst wenn er es dabei verwundete, antwortete er
ohne Zögern bejahend.

Arbeiten (Uebersetzen, Abschreiben, Rechnen),
die ihm aufgetragen wurden, machte er, schob sie
aber, sobald er nur konnte, wieder bei Seite, um in
völligem Nichtsthun behaglich dasitzen zu können.

Er hatte zu seinem steten Gefährten einen jungen Arzt. Ich sowohl als dieser haben es uns angelegen sein lassen, seine Erkenntnissthätigkeit in den verschiedenen Richtungen dieser mannigfach auf die Probe zu stellen. In seiner Art, die auf sein Erkennen gehenden Eindrücke aufzufassen, konnten wir nie etwas Regelwidriges entdecken. Sein Gedächtniss war gut, und soviel wir demselben folgen konnten, nie Verkehrtes bringend. Leitete man das Gespräch auf Dinge, worüber er sich nicht gemüthlich zu äussern brauchte, so verhielt er sich ganz wie ein Gesunder. Es fehlte ihm keineswegs an Urtheil. Er wusste im Gebiete des Verstandes angemessene Antworten zu geben, oft in scherzhafter Weise. Nie erging er sich, weder beim Gespräch, noch in dem, was er abzuschreiben hatte, in träumerische, phantastische Abschweifungen; er folgte blos der Aufgabe. Sein Vertrauen zu seinen Geisteskräften, zu seinem Wissen, war so gering, dass er es nie wagte, auf einer von ihm gefassten Ansicht hartnäckig zu beharren.

Alles dieses blieb bei ihm stets gleich. Periodische Verschlimmerungen waren durchaus an ihm nicht zu bemerken.

An die Möglichkeit denkend, dass sich Jemand bei vollem Verstande aus irgend einer Absicht blos so stellen könne, als sei ihm Alles, was ihm sonst lieb gewesen, gleichgültig geworden, haben wir nicht unterlassen, jedwedes, was vor einer Täuschung hierüber in dem vorliegenden Falle behüten konnte, zu Hülfe zu nehmen. Herr N. fühlte sich durch seine Frau gekränkt; dass er sich nun vornahm, die Neigung für sie in sich zu unterdrücken, in seinem Verhalten gegen sie die vollste Gleichgültigkeit zu zeigen, konnte das gemeinsame Erzeugniss seiner frühern Liebe zu ihr und seines gekränkten Gefühles sein.

Aber es war doch zunächst sehr unwahrscheinlich, dass der vorher so weiche, der Unwahrheit so abgeneigte Mann bei freier Erkenntniss anhaltend seine Empfindungen zu unterdrücken, ja selbst das gerade Gegentheil der Gemüthsregung, die in ihm war, zu zeigen fähig sein sollte, dass er nach dem Empfang eines ihm den lebhaftesten Ausdruck der Liebe, der Hingebung überbringenden Briefes jedes Merkmal einer innern Bewegung verbergen, und selbst die Nacht darauf nach allen Zeichen ruhig schlafen konnte. Und wenn er nun auch gegen die Frau sich gefühllos stellte, warum verhielt er sich ebenso gegen seine Kinder? Mehrere Monate lang ertrug der sonst an sorgsame Pflege Gewöhnte die Entbehrung einer bequemen Wohnung, der ihm jeden Augenblick zu Gebote stehenden Bedienung, der seinem Geschmacke zusagenden Speisen, er musste mit einem ihm Fremden zusammenwohnen, in dem nämlichen Zimmer schlafen, auf Spatziergängen demselben Folge leisten, in seinen Beschäftigungen sich leiten lassen, ihm widrige Arzneien nehmen u. s. w., und das Alles that er, ohne seine Gleichgültigkeit aufzugeben. Auch als ihm, nachdem er die Rückkehr in seine Wohnung wiederholt verweigert hatte, vorgeschlagen wurde, doch wenigstens zu einem nahen Verwandten, wo er seine Kinder sehen, sein Geschäft fortführen könne, ins Haus zu ziehen, wollte er nach seiner wiederholten Erklärung, wenn er nur hinreichend zu essen hätte und schlafen könnte, lieber bleiben wo er war.

Die semiotische Erwägung der in dem hier erzählten Falle vorhandenen psychischen und somatischen Krankheitsäusserungen zur Erforschung des diesen Aeusserungen zum Grunde liegenden Körperzustandes führte auf ein krankhaftes Verhalten des Blutes, weniger in der Menge, als in der Beschaffenheit von diesem. Welcher Art die Dysämie, musste freilich unentschieden gelassen werden. Dass ein besonderes Organ in Brust oder Bauch sie bedinge, ergaben die Krankheitsäusserungen nicht. Noch weniger wiesen sie darauf hin, dass dem Gehirn oder dem Rückenmark oder beiden in ihrer Verbindung ein wesentlicher Antheil an der Krankheit zukomme.

Es ward für Beschäftigung des Kranken, für sein häufiges Zusammensein mit gemüthlichen Menschen, so wie für seine Bewegung im Freien, für Anordnung einer ihn mild nährenden Kost und Vermeidung reizender Getränke gesorgt. Nachdem er eine Kur zu Kissingen durchgemacht, nahm ein ihm verwandter Geistlicher ihn zu sich auf's Land, von wo er nach einigen Wochen iu fortgeschrittener Besserung willig zu den Seinigen zurückkehrte.

Bemerkungen.

Von Fällen, wie die hier erzählten, finden sich in den Schriften über Seelenkrankheiten nur zerstreute und kurze Erwähnungen. Entweder müssen Zustände der Art selten sein, oder es ward von ihnen, wenn sie auch hier und da vorkamen, geschwiegen, weil man sie als blosse Gemüthsverstimmungen betrachtete, die nicht wichtig genug seien, um von ihnen öffentlich zu reden, oder auch, ohne ihr Eigenthümliches zu · unterscheiden, zu solchen Arten des Irreseins rechnete, von denen bereits in ärztlichen Schriften die Rede sei.

Was aber erstens die Seltenheit anbelangt, so ist es ja bekannt, dass die Krankheiten, die sich am wenigsten durch Symptome von Aufregung zu erkennen geben, am längsten unbeachtet bleiben. So hat es lange gedauert, ehe man auf stillen Wahnsinn, auf Selbstmordhypochondrie, auf Diabetes, auf Albuminurie aufmerksam wurde. Weil den Irrenanstalten zwar die Fälle mit krankhaft aufgeregtem Gemüth,

sowie die mit vielen Klagen verbundenen eines krankhaft beklommenen Gemüths zugeführt werden, so
kennt man diese dort; weil aber für einen Kranken
mit Gemüthsstumpfheit nicht so leicht in einer solchen
Anstalt Hülfe gesucht wird, so ist es natürlich, dass
jemand, der die Kranken blos dort sieht, jene Art
des Gemüthsleidens nicht anzuerkennen geneigt ist.

Für eine blosse Gemüthsverstimmung kann ein
Zustand, welcher die mit ihm behaftete Person ihren
Berufsgeschäften und selbst ihren häuslichen Pflichten entzieht, bei genauer pathologischer Erwägung
schwerlich gehalten werden. Es giebt viele allgemein als Krankheiten anerkannte Leiden, welche die
Thatkraft der Seele viel weniger niederhalten, als die
krankhafte Gemüthslosigkeit.

Ob nun der in den hier aufgeführten Fällen sich
darstellende Seelenzustand gleicher Art wie der in
andern krankhaften Verrichtungsabweichungen der
Seele sei, müssen die vorstehenden Erzählungen, in
denen der zweite Fall mit Absicht sehr ausführlich
dargestellt ist, entscheiden helfen. Ich weiss nur
zu sagen, dass es mir weder in dem einen noch in
dem andern Falle gelungen ist, Symptome von Gemüthsreizbarkeit oder Beängstigungen oder Täuschungen der Erkenntniss, die ich hätte für Krankheit erklären können, zu entdecken.

Das Leiden der Kranken war eine Stumpfheit
des Gemüths, konnte nicht blos eine des Gefühls
sein, weil bei den Kranken keine Bestrebungen, aus
ihrem Zustande herauszukommen, in sich für die
Ihrigen und ihre Angelegenheiten wieder mehr Theilnahme zu erwecken, wahrgenommen wurden.

Obschon Prichard unter den Fällen, welche er,
als zur Moral insanity gehörende, beschrieben hat,
keinen erzählt, der eine krankhafte Gemüthsstumpfheit darstellt, so ist doch in der Definition, die er

von der Moral insanity giebt *), die krankhafte Gemüthsstumpfheit als dem Genus untergeordnete Species miteinbegriffen. Nachdem Abercrombie (In-
quiries concerning the Intellectual Powers; Edinburgh, 1830. S. 348) unter der Benennung „Moral insanity" eine Gemüthsaufgeregtheit mit Daniederliegen
des sittlichen Gefühls aufgeführt hatte, ist dann von
Prichard noch die krankhafte Gemüthsbeklemmung
hinzugerechnet worden; die dritte Art bildet nun die,
welcher die im Vorigen erzählten Fälle angehören.

. Wenn in der krankhaften Gemüthsreizbarkeit zu
der Zeit, wo diese eine heftige Aufregung herbeiführt, die Stimme des Gewissens überhört wird, oder
der an Gemüthsbeklemmung Leidende auf der Höhe
seiner Angst gegen Alles, was nicht seine Gemüths-
qual betrifft, gleichgültig ist, so kann es den Anschein haben, als sei da ebenfalls Gemüthsstumpfheit
vorhanden. Aber blos Unterdrückung einer Thätigkeit und Erschöpfung derselben sind auch hier zu
unterscheiden.

- Vielleicht bestand bei dem Kranken des ersten
Falles zu der Zeit, wo er über Kribbeln in den
Fingern und Füssen klagte, schon ein Anfang der
kranken Einbildung, woran er jetzt leiden soll;
gewiss war es aber nur der Anfang, falls damals

---

*) Sie heisst in Prichards letzter irrenärztlicher Schrift
(On the different Forms of insanity in relation to Jurisprudence; London 1842. S. 30): Moral insanity is a disorder of
which the symptoms are only displayed in the state of the
feelings affections, temper, and in the habits and conduct
of the individual, or in the exercise of those mental faculties which are termed the active and moral powers of the
mind. There is in this disorder no discoverable *illusion* or
hallucination, or false conviction impressed upon the belief
similar to the delusive or erroneus impressions which cha-
racterise monomania.

nicht bereits wirkliches Rückenmarksleiden bei ihm
statt fand.

In allen genannten Arten von Seelenkrankheit befindet sich der daran Leidende in einem ihn täuschen-
den Verhältnisse zur Aussenwelt; sein Gemüth irrt
in dem, was es der Erkenntniss überliefert. Der
Ausdruck: Gemüthsirresein, passt demnach in dem
Sinne, wie ich ihn bei Eröffnung meiner psychiatrischen Zeitschrift (im Jahre 1818) in die ärztliche
Sprache eingeführt, für das ganze Geschlecht der
Seelenkrankheiten, die des Gemüths miteinbegriffen.

Wie Kränkung des Gemüths wenigstens oft den
andern Arten von Irresein vorausgeht, so scheint es
sich auch bei der kranken Gemüthsstumpfheit in gleicher Weise zu verhalten. In den vorher erzählten
beiden Fällen hatte Verweigerung dessen, wozu innige Geschlechtsliebe drängt und der darum Bittende
sich berechtigt fühlt, einen schmerzhaften und erbit-
ternden Eindruck auf das Gemüth der Zurückgewie-
senen gemacht.

Dass an dem Entstehen eines solchen Gemüthszustandes aber auch ein Leiden des Körpers Antheil
haben müsse, sind wir schon, weil derselbe der Seele
als ein in ihr Nothwendiges aufgedrungen wird, anzunehmen berechtigt, wenn sich gleich die besondere
Art des Leidens, das hier mitwirkt, noch nicht nachweisen lässt. Missbrauch zur Geschlechtskraft ist als
das Nervensystem angreifend, bekannt. Mag er auch
im männlichen Alter weniger schädlich sein, als in
einem frühern oder spätern, so kann doch sein Zu-
sammenbestehn mit einer eingreifenden Gemüthsregung
anderntheils seinen Nachtheil erhöhen.

Bettsucht, die in dem erzählten zweiten Falle
statt fand, ging auch in andern Fällen, von denen
Prichard berichtet, der Gemüthskrankheit vorher.
Vielleicht kann sie selbst schon Gemüthskrankheit sein.

Sehr wahrscheinlich ist es denn auch durch die verschiedene Art des Körperleidens bedingt, dass in dem einen Falle das Irresein die Erkenntniss, in dem andern Falle das Gemüth betrifft. So lässt, wenn eine solche Vergleichung angemessen ist, ein Körper nur die Wärmestrahlen des Lichts durch sich hindurch, da hingegen ein anders gemischter blos den färbenden den Durchgang gestattet.

Welchen Antheil in unserm zweiten Falle die Nachwirkung des Rakoczy, welchen der Landaufenthalt mit den zu diesem hinzugekommenen Beschäftigungen an der Besserung des Kranken hatte, wage ich nicht zu bestimmen. Wäre diese Besserung nicht erfolgt, so hätte ein fixer Wahn, vielleicht auch allmählig Verstandesschwäche in dem Kranken zu Stande kommen können, wenn auch zu der Zeit, wo ich ihn beobachtete, keine Merkmale von diesen Zuständen bei ihm vorhanden waren.

Note. Bei dieser günstigen Gelegenheit übe ich eine Pflicht gegen unsern verstorbenen Heinrich und gegen den verehrten Hrn. Vf. dieses Aufsatzes, wenn ich mittheile, dass Heinrich mir in einem Briefe vom 1. März d. J. dafür, dass ich mehrere Stellen in dem Manuscript seiner „kritischen Abhandlung über die von Prichard als *moral insanity* geschilderten Krankheiten" (uns. Ztschr. Bd. V. Hft. 4.) gestrichen hatte, dankt, obgleich er darin sehr eigen war, und hinzufügt: „Da ich die Abhandlung gedruckt las, wollte mir scheinen, als hätte die Polemik gegen Nasse's Gemüthsirresein, eben so gut, wenn nicht noch besser, mit weniger Schärfe im Ausdruck geführt werden können."

Dw.

Ueber
die sogenannte gleichseitige Hemiplegie.

Von
Dr. Werner Nasse
in Bonn.

Das Gesetz der in gekreuzter Richtung erfolgenden
Leitung der Hirnfasern, welche vom verlängerten
Marke in das grosse und kleine Gehirn sich ausbreiten, wird bekannter Maassen von der gegenwärtigen
Physiologie allgemein anerkannt, und steht nach dem
Ausdruck eines ausgezeichneten Forschers in der Ner-
venpathologie (Romberg) unter allen auf die Physio-
logie des Gehirns bezüglichen „noch am sichersten,
fast von. keiner Ausnahme bedroht." Ehe noch die
Experimente der Physiologen und die Untersuchungen
der Anatomen jenes Gesetz in exacter Weise begründet hatten, hatte die pathologische Beobachtung seine
Existenz den Aerzten höchst wahrscheinlich gemacht.
Aretaeus sprach es bereits aus, dass die in der
Apoplexie vorkommende Lähmung die der kranken
Gehirnhälfte entgegengesetzte Körperhälfte befalle:
und wenn auch in späteren Zeiten dieser Ausspruch
vielfach (z. B. von Bonnet) in Zweifel gezogen
wurde und selbst völlig in Vergessenheit gerathen zu
sein scheint (wie man u. a. aus einigen Stellen bei

Wepfer zu schliessen berechtigt ist), so wurde jene Meinung doch von Valsalva und Morgagni wieder aufgenommen und durch mehrfache, eigene Beobachtungen befestigt, und ist ihre Gültigkeit seit jener Zeit von keinem der zahlreichen Schriftsteller über Gehirnkrankheiten mehr angefochten worden [*]). So überwiegend nun auch die Zahl der den Aerzten so ungemein häufig begegnenden Krankheitsfälle ist, in denen sich jenes physiologische Gesetz vollkommen bestätigt, so entschieden auch allgemein an der Sicherheit einer so vielfach begründeten Regel festgehalten wird: so findet sich doch auf den Blättern unserer wissenschaftlichen Urkunden eine nicht unbeträchtliche Reihe von widerspenstigen Thatsachen aufgezeichnet, welche die Unverbrüchlichkeit jenes Gesetzes, fussend auf das Recht, welches die Natur ihnen in und durch ihre Existenz gewährleistet hat, nicht anerkennen wollen.

So viel mir bekannt, sind es zuerst wieder Valsalva und Morgagni, die, obwohl sie selbst die Ansicht von der Kreuzung der Hirnfasern zur Anerkennung erhoben, auf das Vorkommen von Ausnahmen von diesem Gesetze aufmerksam gemacht haben. Der letztere hat die ihm bekannten Fälle zusammengestellt [**]), acht an der Zahl, zu denen ein später von ihm beobachteter [***]) noch hinzuzufügen ist, und versucht auch eine Erklärung dieser Regelwidrigkeit. In unserm Jahrhundert suchte zuerst Bayle [†]) die Aufmerksamkeit wieder auf diese pathologische

---

*) Es ist hier zunächst nur von dem grossen Gehirn die Rede; der abweichenderen Ansichten in Betreff des kleinen Gehirns wird weiter unten gedacht werden.

**) Epistol. anatom. XIII, 25.

***) De sed. et caus. morb. Op. LVII, 14.

†) Revue médic. 1824. I, 33—55.

Abnormität in einer besonderen Abhandlung zu lenken, in welcher er 7 Fälle anführt, unter denen sich 6 schon von Morgagni citirte und nur ein neuer, Bayle angehöriger, befindet. Unter den Deutschen war es Burdach, welcher ebenfalls in seinem grösseren Werke über das Gehirn *), eine Sammlung von den ihm bekannten Fällen der sogenannten gleichseitigen Lähmung gab, wie es scheint, ohne Kenntniss von den gleichen Bestrebungen seiner Vorgänger, indem unter den 15 von ihm aufgeführten Beobachtungen älterer und neuerer Autoren nur zwei schon von Morg. erwähnte vorkommen. Nach ihm hat Dechambre **) sich mit demselben Gegenstande beschäftigt und führt 10 Beobachtungen von Ausnahmen von dem Kreuzungsgesetze an, von denen er 8 aus den früheren Arbeiten von Morgagni und Bayle entnommen, dagegen 2 neue, ihm selbst vorgekommene hinzufügt. Endlich hat Andral in seiner *Pathol. interne* ***) die Frage über Existenz solcher Ausnahmsfälle erörtert, und stellt in glücklicher Unbekanntschaft mit der Arbeit unseres Landsmannes an die Spitze seiner Sammlung derartiger pathologischer Beobachtungen die naive Behauptung: „il n'y a dans les annales de la science que seize cas de paralysie directe." Diese 16 Fälle, welche 9 schon von Morgagni, Bayle und Dechambre aufgeführte und 7 neue (unter denen freilich 2 ihm nur auf dem Wege mündlicher Mittheilung bekannt gewordene und auch, so weit ich erforschen konnte, bisher noch nicht veröffentlichte von Cruveilhier und Fournet) enthalten, werden freilich durch die Hinzurechnung der in

---

*) Vom Baue und Leben des Gehirns. Bd. III. S. 368. Leipzig 1826.

**) Gazette médic. de Paris 1835. p. 555.

***) Cours de pathol. interne, T. III. p. 75—79. Paris 1835.

den schon erwähnten Arbeiten citirten auf die Zahl von 32 vermehrt, und die Gesammtsumme aller aufgezeichneten Fälle möchte wohl eine viel beträchtlichere sein, als man vermuthen sollte, wenn man erwägt, dass eine seit einigen Jahren auf diesen Gegenstand gerichtete literarische Nachforschung mir die Möglichkeit an die Hand gegeben hat, eine der obigen fast gleiche Zahl weiterer gleichartiger Beobachtungen (26) zusammenzustellen.

Um so auffallender muss es einer solchen Reihe von Thatsachen gegenüber erscheinen, wenn es Männer von sonst in der Wissenschaft hochstehendem Namen giebt, welche die ganze Frage von der Existenz einer solchen gleichseitigen Lähmung durch ein einfaches Leugnen der Thatsachen erledigen zu können glauben. So verwirft z. B. Serres, ohne näher seine Gründe zu entwickeln, alle dahin einschlagenden Thatsachen als irrig, während sich Cruveilhier in ähnlichem Sinne ausspricht, aber die Frage doch bis auf Weiteres offen lässt, und Rostan, welcher früher selbst Fälle directer Lähmung beobachtet und beschrieben hat, ebenfalls neuerdings jener Meinung beipflichtet. Weniger befremdend sind die Urtheile, denen wir häufiger, so bei Copland, Burdach, Treviranus, Gody, Romberg, begegnen, welche gestützt auf verschiedene, gleich zu erwähnende Gründe die Richtigkeit der dem fraglichen Gesetze entgegenstehenden Beobachtungen anfechten. Denn es lässt sich nicht leugnen, dass manche Thatsachen, in Hinsicht der Genauigkeit und Ausführlichkeit der Mittheilung, so viel zu wünschen übrig lassen, dass ihnen eine entschiedene Glaubwürdigkeit und die Berechtigung, als Grundlage für wissenschaftliche Schlussfolgerungen zu dienen, nicht zugesprochen werden kann.

26 *

Dahin gehören vor allem diejenigen Fälle sogenannter gleichseitiger Lähmung, in welchen das nothwendigste Erforderniss, nämlich die Bestätigung der Erscheinung durch den Leichenbefund, vermisst wird, wie Pacchionus *) und Baldinger **) derartige Beobachtungen von tiefen Wunden auf einer Seite des Schädels mit Lähmungssymptomen der gleichen Körperseite mittheilen. Ferner sind dahin zu rechnen die schon oben erwähnten Thatsachen, von deren Existenz die Literatur bisher nur durch die flüchtige Andeutung von Andral Kenntniss hat, von Fournet und Cruveilhier, denen sich noch 2 meines Wissens ebenfalls „inédits" gebliebene Fälle von Blandin ***) anschliessen, die in ihrer Gesammtheit wohl für die grössere Häufigkeit solcher Ausnahmen sprechen, bei einer kritischen Erörterung der Frage aber nicht in Betracht kommen können. Endlich giebt es noch einige wenige Beobachtungen, deren unvollständige Beschreibung des Leichenbefundes und unsichere Angaben über die Lähmungserscheinungen ihre weitere Berücksichtigung unmöglich machen, nämlich von v. Lil †) und Tavernier ††).

---

*) cf. Morgagni, Epistol. anatom. XIII, 25.

**) Baldinger, neues Magazin 17, 51, Leipzig 1784, von Burdach a. a. O. unter Fall 44. aufgeführt.

***) Andral verweist u. a. O. p. 78. auf die Notes von Blandin zu Bichat in Betreff dieser Fälle: dort (Anatomie générale de Bichat, publiée par Blandin T. I. p. 165. Paris 1830) vermochte ich aber nur die Angabe zu finden, dass der Herausgeber zwei „cas encore inédits" von directer Lähmung besitze, in denen die Hirnläsion sich in dem hinteren Theil der Hemisphären befunden habe.

†) cfr. Commentar. Lipsiens. I, 125 u. 126. 1771: von Burdach (unter Fall 506 u. 898) aufgeführt.

††) Andral, Pathol. int. III, 85, fügt der Beobachtung hinzu: „on doit dire que le cas n'a pas tous les caractères d'authenticité nécessaire aux observations, sur lesquelles on veut fonder une théorie."

Ein anderer nicht unerheblicher Grund gegen die historische Gewissheit der Thatsachen liegt in der Möglichkeit einer irrthümlichen Angabe der verschiedenen Gehirn- und Körperhälften, welche namentlich bei den Schriftstellern, die mit dem Gesetze der Kreuzung noch nicht bekannt waren, wohl leichter zulässig sein konnte. Uebrigens gewinnt diese Voraussetzung eines möglichen Irrthums oder Uebersehens durch die Nachlässigkeiten, welche sich auch neuere Autoren in dieser Hinsicht unbestreitbar haben zu Schulden kommen lassen, nicht wenig an Wahrscheinlichkeit. So hat Rostan öffentlich einen derartigen Irrthum vor Kurzem eingestanden *), und einen mehre zwanzig Jahre früher von ihm mitgetheilten Fall zurückgezogen (während er freilich den Widerruf eines zweiten ebenfalls von ihm erzählten Falles **) bei dieser Gelegenheit vergessen zu haben scheint); und selbst der sonst so gewissenhafte Andral, der an einem andern Orte keinen Fall gleichseitiger Lähmung beobachtet zu haben erklärte, hat sich mehrfacher Versehen in dieser Hinsicht schuldig gemacht, indem in seiner Clinique médicale einige Beobachtungen verzeichnet stehen, wo Lähmung und Hirnleiden die nämliche Seite betreffen ***). Es genüge noch auf zwei ähnliche, muthmassliche Schreibfehler bei Tacheron †) und Wenzel ††) aufmerk-

---

*) Gaz. des Hôp. 1844. p. 338.

**) Ibid. 1841. Nr. 55.

***) Clinique médic. (Paris 1832. 2. éd.) T. V. p. 649 wird die in der Beobachtung angegebene gleichseitige Lähmung in den folgenden Bemerkungen gar nicht erwähnt, und, p. 655, wo ebenfalls nach den Daten der Beobachtung die Lähmung eine *directe* war, spricht A. im Commentar von der Lähmung der *entgegengesetzten* Körperhälfte.

†) Recherch. anat. pathol. Paris 1823. T. III. p. 437.

††) Wenzel (J. et C., de penitiori structura cerebri hominum et brutorum. Tub. 1822) theilt S. 99 eine Beobachtung

sam zu machen, und man wird diesem Einwurfe eine
gewisse Geltung nicht versagen können, dagegen
freilich alle die (bei weitem die Mehrzahl bildenden)
Fälle auszunehmen genöthigt sein, bei denen die Autoren ausdrücklich sich gegen die Vermuthung einer
solchen Verwechselung verwahrt haben.

Endlich giebt es noch Fälle, welche zwar von
früheren Schriftstellern als für das Vorkommen directer Lähmung sprechende angeführt worden sind,
ihre Anführung aber wohl nur einer irrthümlichen
Auffassung verdanken, wie die von Burdach (unter
Fall 806) citirte Beobachtung von Lapeyronie *),
und der von demselben Schriftsteller erwähnte Fall
(ebendas. Nr. 1069) von Morrah **).

Wie verhält es sich nun aber mit der, auch nach
Abrechnung jener durch die angeführten Mängel als
beseitigt anzusehenden, immer noch beträchtlichen
Anzahl von Thatsachen, welche jenem physiol. Gesetze zu widersprechen scheinen? — Es soll im Fol-

---

gleichseitiger Lähmung mit, die aber merkwürdiger Weise
zur Bestätigung der Caldani'schen Behauptung, dass bei
jeder Zerstörung der gestreiften Körper die entgegengesetzte Körperhälfte gelähmt sei, beigebracht wird, so dass
also offenbar hier ein Irrthum obwalten muss, obwohl Burdach (unter Fall 246) die Beobachtung aufzuführen keinen
Anstand nimmt.

*) Mem. de l'acad. de Paris 1741. p. 214 heisst es ausdrück-
lich bei Aufzählung der Krankheitssymptome: faiblesse du
côté *droit*, à laquelle succède une vraie paralysie du même
côté seulement — und bei der Sectionsangabe: caillot du sang
dans le corps cannelé *gauche*. Treviranus (Biologie
VI, 120) ist übrigens der irrigen Angabe von B. gefolgt.

**) Med. chirurg. Transact. II, 262. Dieser Fall kann nur von
Burdach gemeint sein, der Med. chir. tr. XI, 260 angiebt
und das Citat nicht vor Augen gehabt zu haben scheint, wo
ausdrücklich rechte Hemisphären und linke Körperhälfte als
krank angegeben werden.

genden der Versuch gemacht werden, alle zum Beweise ihrer Unhaltbarkeit theils von Anderen bereits
gemachten, theils bei einer möglichst genauen kritischen Erwägung des vorliegenden Materials dem Vf.
selbst nahe getretenen Einwürfe geordnet darzulegen,
woraus sich das Urtheil über eine grosse Reihe der
bezüglichen Beobachtungen von selbst ergeben wird.

Eine gewisse Skepsis bedarf bei der Erörterung
dieser Frage, welche die unbedingte Gültigkeit eines
der wenigen bisher durch die Bemühungen der Aerzte
seit Jahrhunderten errungenen Grundgesetze im Gebiete der Physiologie des Gehirns in Zweifel zu ziehen scheint, sicherlich keiner weiteren Bevorwortung.
Dass auf dem mühsamen Wege, welchen die Pathologie früher vielfach (Andral, Burdach) eingeschlagen hat, in der Absicht, ihrerseits zur Aufklärung der Probleme der Nervenphysiologie beizutragen,
das angestrebte Ziel nicht erreicht, sondern die Ungewissheit und Unvollkommenheit unserer gegenwärtigen Kenntnisse nur in helleres Licht gestellt worden
ist, davon dürfte die von den meisten Pathologen bisher befolgte Methode wohl keinen geringen Schuld-
antheil tragen. Auch die fleissigsten und auf diesem
Felde noch unübertroffen dastehenden Arbeiten eines Burdach haben hauptsächlich wegen der ver-
nachlässigten Anlegung jedes kritischen, dem augen-
blicklichen Standpunkt der Wissenschaft entsprechenden Maassstabes die bestehende Verwirrung durch die
gehäufte Zugrundelegung vollkommen verschieden-
artiger, ungenauer und complicirter Beobachtungen *)

---

*) Nähere Belege zu dieser Verfahrungsweise werden jedem,
der sich z. B. die Mühe nimmt, die einzelnen Fälle der
B'schen Zusammenstellung (am Schlusse des dritten Bandes
seines bekannten Werkes) in den Originalien in ihrem Zusammenhange zu vergleichen, bei dieser Beschäftigung schon

und durch die darin begründete Haltlosigkeit des auf
solche mangelhafte Grundlage aufgeführten Gebäudes
keineswegs gehoben, sondern den verschlungenen
Knoten eher noch fester geschürzt. —

Der Zustand der pathologisch-anatomischen Kenntnisse ist vor den neueren, mit besonderer Vorliebe
betriebenen Fortschritten auf diesem Felde unzweifelhaft ein solcher gewesen, der mit einigem Rechte
uns ein Bedenken gestattet, ob bei den von den meisten Aerzten der letzten Jahrhunderte angestellten
Leichenöffnungen nicht anatomische Veränderungen
übersehen oder gering angeschlagen worden sind, welche von grosser Wichtigkeit für die Erklärung der
Krankheitserscheinungen am Lebenden gewesen sein
möchten. Vorzugsweise wird diese Annahme in Betreff der Gehirnuntersuchung gerechtfertigt erscheinen,
wenn man erwägt, dass es erst in neuester Zeit gelungen ist, über mehre pathologische Zustände desselben ein Licht zu verbreiten, welche früher gänzlich unbekannt waren. Der Process der Erweichung
und deren Heilung, so wie die Rückbildung der Blut-
extravasate im Gehirn gehören dahin, und es wäre
freilich nicht undenkbar, dass die gegenwärtige feinere Erforschung der Nervencentren ein anderes Resultat für die Beurtheilung von einzelnen, jetzt als
Abnormitäten zu betrachtenden Fällen herbeigeführt
haben würde, als dies ohne die Hülfsmittel einer genaueren pathologischen Anatomie früher möglich gewesen ist. Romberg macht in Bezug auf den Einfluss, den diese mangelhafte anatomische Kenntniss
in der uns vorliegenden Frage geäussert haben könnte, vor allem auf den so häufig vorkommenden Fall auf-

---

nach den ersten Schritten aufstossen; auf ein auffallendes
Beispiel habe ich an einem anderen Orte (cfr. comment. de
function. sing. cerebr. part. p. 7.) aufmerksam gemacht.

merksam, dass von früheren apoplektischen Anfällen her Gelähmte einem wiederkehrenden Bluterguss erliegen, in dem Gehirn also bei der Section die Erscheinungen des letzten frischen Blutergusses ungleich mehr in die Augen fallen, als die oft nur noch geringen Spuren eines früheren Extravasates, und meint, dass vor der Kenntniss von der Cystenbildung nach Blutergüssen wohl Niemand Anstand genommen hätte, die im Leben beobachteten Erscheinungen ohne Weiteres dem neueren und hervorstechenderen Krankheitsproducte zuzuschreiben. Durch einen solchen Missgriff kann, wenn z. B. bei einer seit Jahren bestehenden rechtseitigen Hemiplegie, welche ursprünglich durch eine in der linken Hirnhemisphäre befindliche, aber zum grossen Theil aufgesogene Blutergiessung bedingt ist, in Folge eines grossen Blutergusses in der linken Hemisphäre rascher Tod eintritt, und bei der Section etwa der ältere Heerd übersehen wird, eine ganz normale Thatsache für einen Fall von gleichseitiger Lähmung angesehen werden. Unter der Zahl der als Beispiele gleichseitiger Lähmung mitgetheilten Beobachtungen befinden sich übrigens mehre, auf welche diese Bemerkung vollkommene Anwendung findet; zuerst der von Baglivi[*]) erzählte Fall, bei welchem sowohl Morgagni als vor allem Bayle begründeten Zweifel erheben, ob der frische beträchtliche Bluterguss in einer Hemisphäre für die Erklärung einer älteren gleichseitigen Lähmung nicht ganz unwesentlich sei, und diese vielmehr für von einem Leiden der entgegengesetzten Hemisphären (von dem sich auch noch Spuren vorfanden) abhängig halten. Auch ein von Brierre de Boismont[**]) beschriebener Fall scheint mir hierher zu

---

[*]) Baglivi, op. omnia. ed. VII., Lugduni 1810. 4. p. 681.

[**]) Gazette des Hôpit. de Paris 1842. p. 400. Frühere apoplektische Anfälle, zurückbleibende Paresis des linken Arms;

gehören, in dem Krankheitserscheinungen und Leichenbefund sich auf ganz natürliche Weise erklären.
Für einen dritten von Freschi*) erzählten Fall (der
noch weiter unten zu erwähnen) kann man eine ähnliche Vermuthung ebenfalls nicht ganz unterdrücken.

Einen weiteren Einwurf gegen die Zulässigkeit
der von den Schriftstellern aufgezeichneten Ausnahmen nimmt Romberg aus der Erfahrung, dass bei
deutlich ausgesprochener Hemiplegie im Allgemeinen
zu wenig Aufmerksamkeit auf die andere anscheinend
gesunde Seite verwendet und so eine geringe Abnahme ihrer Bewegungsfähigkeit nicht selten übersehen werde. Bei aller Zustimmung zu dieser begründeten Bemerkung ist ihr aber doch kaum eine praktische Anwendbarkeit für die vorliegenden Fälle zu-
zugestehen, um so weniger, als mehre Schriftsteller
des normalen Zustandes der einen Körperhälfte ausdrücklich Erwähnung thun; wenden wir uns daher zu
der wichtigeren Thatsache, dass in den erzählten
Ausnahmen von auf der hemiplegischen Seite vorkommenden Gehirnentartungen auch mehrfach verschiedener, andre Theile des Gehirns betreffender Complicationen gedacht ist: ein Umstand, der im Allgemeinen bereits von Treviranus, Copland u. A. zur
Sprache gebracht worden.

Unter complicirten Fällen sind aber alle diejenigen zu verstehen, in denen der Leichenbefund nicht
blos auf die mit den gelähmten Gliedmaassen gleich-

---

plötzliche vollständige Lähmung desselben und des linken
Beins; Convulsionen des rechten Arms bis zum unter apo-
plekt. Erscheinungen erfolgenden Tod — frischer bedeutender Bluterguss im mittleren Lappen der linken Hemisphäre;
5 kleine roth erweichte und 1 weiss erweichte Stelle im
rechten corpus striat. und thalam. optic.
*) Gazette médic. de Paris 1844. p. 48.

samige Hälfte des Gehirns beschränkte, sondern auch
auf die entgegengesetzte Hälfte (entweder auf eine
oder auf mehre Stellen) desselben verbreitete pathologische Abnormitäten nachgewiesen hat. Je nachdem gleichartige oder ungleichartige anatomische Veränderungen in den beiden Gehirnhälften sich vorge-
funden haben, lassen sich jene Fälle der leichteren
Uebersicht halber unter verschiedene Rubriken bringen. Unter den ersteren erwähne ich zuvörderst diejenigen, wo die mit der Körperlähmung gleichseitige
Hälfte des Gehirns anscheinend ausgedehntere Struc-
tur-Veränderungen dargeboten hat als die entgegengesetzte. Leuret *) erzählt eine Beobachtung, wo
dicht am thalamus opticus der gelähmten Seite mehre
haselnussgrosse, gelblichweisse, erweichte Stellen,
dagegen im corpus striatum der anderen Hemisphären
ebenfalls eine grau-weisse, linsengrosse Erweichung
entdeckt wurde, und ausserdem die weichen Hirnhäute, jedoch in höherem Grade die der gelähmten
Seite entsprechenden, auf der Convexität verdickt
waren. Dass dieses Factum der Unthunlichkeit halber, das Alter der verschiedenen Erweichungen zu
bestimmen, kein entscheidendes sei, haben auch
Bayle und Andral bei seiner Anführung zugestanden. Einen zweiten hierher gehörigen Fall theilt C.
Broussais **) mit, wo auf der Oberfläche der beiden Hemisphären zwei Cysten von verschiedenem Umfang, die bei weitem grössere aber auf gleicher Seite
mit der Lähmung, und eine Verwachsung der Häute,
ebenfalls auf der gelähmten Hälfte stärker ausgesprochen, sich befanden. Es würde auch hier mindestens
willkürlich sein, wenn man die Lähmungserscheinungen, welche übrigens nur ganz vorübergehend wäh-

---

*) Journal des Progrès, Vol. XI. und Revue médic. de Pa-
ris 1828. IV, 299.

**) Bullet. de l'académ. de méd. de Paris 1840. T. V. p. 564.

rend zweier Tage im Krankheitsverlaufe beobachtet
wurden, allein der Wirkung der Läsionen von grösserem Umfange auf der gleichnamigen Hirnhälfte zuschreiben wollte. Eher dürfte man dazu in dem Falle
berechtigt erscheinen, dass ausser der gleichartigen,
in beiden Hemisphären vorkommenden Veränderung
in der der gelähmten Körperhälfte entsprechenden Hemisphäre noch weitere Verletzungen gefunden werden, obwohl auch hierdurch ein sicherer Beweis für
die Abhängigkeit der Lähmung von der letzteren Hemisphäre keineswegs geführt werden kann. Die Beobachtungen übrigens, in welchen dieses Verhältniss
statt findet, sind die von Valsalva *), Jastel-
lier **) und Tallard ***) erzählten, welche sämmtlich bei näherer Würdigung zu mehrfachem Zweifel
Anlass geben. — Die 2te Rubrik, wo verschiedenartige pathologische anatomische Veränderungen sich
in den beiden Gehirnhäften dargestellt, umfasst eine
grössere Zahl von Beobachtungen, denen aber be-
greiflicher Weise noch weniger als den eben erwähnten eine für die Constatirung der gleichseitigen Lähmung beweisende Kraft zugeschrieben werden kann.
Es dürfte deshalb auch genügen, kurz bei den einzelnen Fällen die Ergebnisse des Leichenbefundes anzugeben, ohne die auf diese sich stützenden Gründe
gegen die Zulässigkeit jener weiter auszuführen. Die
neun hieher zu zählenden Fälle finden sich von folgenden Schriftstellern mitgetheilt: Bonnet †), Sme-

---

*) Morgagni, epistol. anatom. XIII, 19.
**) Journal de médecine 1815. XXXIII, 17.
***) Gazette médic. de Paris 1846. p. 198.
†) Sepulcret. Lib. IV. Sect. 3. obs. 7 (Lugduni 1700) äussere
   Verletzung beider oss. bregmatis, Krämpfe der rechten, Läh-
   mung der linken Körperhälfte — auf rechtem os. bregmatis
   bedeutende äussere Wunde, linkes zersplittert und zum
   Theil in die Gehirnsubstanz eingedrückt.

tins *), Lancisi **), Bayle ***), Coindet ****),
Cazauvieilh †), Chomel ††), Rostan †††) und
Bouillon-Lagrange ††††).

---

*) Misscell. Lib. X. p. 528. cfr. Bonnet T. III. 309. Auf ei-
nen Schlag auf die linke Schläfe Lähmung des rechten
Arms — Bluterguss in der rechten Hälfte der Schädelhöhle,
Bruch des linken os temporum.

**) Lancisi, de subita morte Lib. I. C. XI. Lähmung rechter
Seite — Bruch des rechten Schläfenbeins und beträchtlicher
Bluterguss zwischen Schädel und dura mater ebendaselbst,
linke Hemisphären mit Blut überfüllt und dunkel gefärbt
(von Burdach unter Nr. 216 angeführt).

***) Revue médic. 1824. I, 50. Schwachsinn, epileptische Au-
fälle, Lähmung der Zunge; nach 9 Monaten Lähmung des
linken Arms 2 Tage vor dem Tode — Membranöse Ausschwitzung auf dura mater, Verwachsung der arachnoidea
mit dieser und der Gehirnsubstanz, beides an der äusseren
Seite des vorderen linken Hirnlappens, der ebendaselbst erweicht; im rechten Seitenventrikel Serumansammlung (der
linke Ventrikel ganz leer).

****) Memoire sur l'hydrencéphale. Paris 1817. p. 47. Linke He-
miplegie, rechterseits Convulsionen, gelatinöse Ausschwitzung
zwischen arachnoidea und pia mater der Umhüllungen, linke
Hemisphären im Erweichungszustande, rechter Seitenven-
tirkel voll Serum (linker ganz leer), ebenso der Rücken-
markskanal (von Burdach unter Nr. 795 aufgeführt).

†) Fr. Nasse, Sammlung zur Kenntniss von Gehirn- und
Rückenmarkskrankheiten, a. d. Frz. v. Gottschalk, Stuttgart 1840. Heft 3. p. 15. Linke Gliedmaassen atrophisch und
gelähmt, Epilepsie und Stumpfsinn — linke Hemisphäre
atrophisch, namentlich linker Sehhügel und Ammonshorn,
im rechten hinteren Lappen eine apoplektische Cyste.

††) Arch. de médic. T. 26. 556. Irresein — unvollkommne
Lähmung der Gliedmaassen; mehr auf linker Seite — Ge-
hirnhäute an der Basis des Gehirns verdickt auf beiden Seiten, jedoch mehr auf linker, Erweichung des hintern Lappens der linken Hemisphäre, beträchtliche Verkrümmung der
Wirbelsäule nach rechts.

†††) Gazette des Hôp. de Paris 1841. p. 220. Lähmung linker Seite — Bluterguss unter dura mater auf linker Hemisphäre, und in der Substanz des vorderen Lappens derselben Seite: Windungen der rechten Hemisphäre zusam-
mengedrückt, stärkere Injection dieser Gehirnhälfte. —

††††) Arch. génér. Juillet 1847. Contractur und Lähmung
der rechten Seite, die bis zum 6 Monate später erfolgenden
Tode ganz verschwanden. — Auf der Oberfläche der rechten Hemisphäre beträchtliche Cyste (Substanz des
gesund), Verwachsung und Verdickung der Hirnh
der Oberfläche der linken Hemisphäre. [Wird a
Sckubr (Schmidt's Jahrbücher 58, 305) und Eise
(Jahresber. f. 1847. III, 52) für nicht beweisend geh

Haben für die letzterwähnten Beobachtungen die pathologischen anatomischen Data uns nicht von der Wirklichkeit der gleichseitigen Lähmung überzeugen können, so wird dies ebensowenig da statt haben können, wo entweder die Lähmungserscheinungen auf der gleichen Seite unvollkommen oder auf beiden Seiten des Körpers vorhanden gewesen sind. Beide Fälle geben nicht die nothwendige Sicherheit von der nach Analogie anderer Thatsachen anzunehmenden Abhängigkeit der Lähmung von der Gehirnverletzung, und können die so beschaffenen Beobachtungen nicht als Beweise gegen die Unumstösslichkeit des Kreuzungsgesetzes dem ungläubigen Physiologen gegenüber gelten, der weder in der Schwäche eines einzelnen Gliedes bei sonstigem normalen Verhalten der Bewegungsfähigkeit, noch in der vorwaltenden Affection einer Körperhälfte bei allgemeinem Bewegungsleiden, zumal wenn der Krankheitsverlauf den Zusammenhang im Ungewissen lässt, untrügerische Zeichen von Gehirnkrankheit erblicken will. Dazu kommt, dass die hier anzuführenden Fälle auch grösstentheils von Complicationen, von denen eben die Rede gewesen, nicht frei sich zeigen, in mehrfacher Hinsicht also Bedenken rege machen müssen. Nur unvollständiger Störung der Bewegungsfähigkeit einzelner Gliedmaassen erwähnen die Fälle von Bonnet *), Boyer **), Treschel ***) und Benecke †); von einer auf beiden Körperhälften andauernd oder abwechselnd, auf der mit der leidenden Gehirnhemisphäre gleichnamigen Seite aber stärker vorhanden gewesenen Bewegungs-

---

*) Bonnet, Sepulcret. III, 344.
**) Arch. général. 1835. II. Ser. VIII, 91.
***) Med. Zeitung des Vereins f. Heilk. in Preussen. 1839. Nr. 45.
†) Casper's Wochenschrift. 1847. Nr. 16.

hemmung ist die Rede bei **Chomel** (s. oben) und **West** *). —

Einer unrichtigen Deutung sind ferner, wie **Romberg** bemerkt, diejenigen Fälle ausgesetzt, wo eine bestehende Krankheit einzelner Hirngebilde, die an der Insertionsstätte abtretenden Nerven als peripherische Bahnen ihrer Leitung verlustig macht; d. h. die Lähmung der von den afficirten, nicht gekreuzt wirkenden Nerven versorgten Theile, z. B. des Gesichts, könnte unrichtiger Weise dem erkrankten Hirntheile als gleichseitige zugeschrieben werden. Es hat mir nicht gelingen wollen, mehr als einen Fall aufzufinden, in welchem diese Befürchtung sich als erwiesen dargestellt hat (es ist dies der schon erwähnte **Boyer**sche Fall von unvollkommner Lähmung eines Arms und der Gesichtshälfte derselben Seite); in den meisten Fällen befanden sich vielmehr die Erkrankungsheerde in den oberen oder mittleren Theilen des Gehirns, so dass sie vermöge ihrer Lage einen nachweisbaren Einfluss (z. B. durch Druck, Erweichung u. s. w.) auf die an der Gehirnbasis abtretenden Nerven nicht geäussert haben können. —

Der Mangel der Untersuchung des Wirbelkanals, deren in den älteren Beobachtungen gar nicht, in den neueren kaum Erwähnung geschieht, ist ein weiter Punkt, der für die uns beschäftigende Frage n ausser Acht gelassen werden darf. Wenn auch genaue Erforschung des ganzen Centralnervensyst zur Gewinnung einer vollkommen treuen pathol schen Beobachtung höchst wünschenswerth erschei, muss, so darf die Unterlassung jener doch nicht daz berechtigen, sämmtliche Beobachtung 'irnkrankheiten, in denen das Rückenm

---

*) London médical gazette. Aug. 1847. p. 3

sucht worden, als ungeeignet zu erklären, um aus
ihnen Schlüsse auf die physiologische Bedeutung des
erkrankt gefundenen Organes in Betreff der im Krankheitsverlauf vorgekommenen abnormen Lebenserscheinungen zu machen. Da ein solches Verfahren auch
fast alle übrigen Beobachtungen von Gehirnkrankheiten ausschliessen würde, die gegenwärtig doch aber
eine wesentliche Grundlage für unsere Kenntniss von
den Verrichtungen dieses Organes allgemein anerkannt
werden, indem höchst selten und nur ausnahmsweise
von den Ergebnissen der Rückenmarksuntersuchung
in ihnen die Rede ist, so scheinen die für unsere
Frage in Betracht kommenden Fälle caeteris paribus
auf eine gleiche Anerkennung Anspruch erheben zu
dürfen. Wie wichtig übrigens die so häufig vernachlässigte Erforschung des Wirbelkanals auch dann sein
kann, wenn die Section die Diagnose des vermuthe-
ten Gehirnleidens vollkommen bestätigt hat, davon
führe ich mit steter Rücksichtnahme auf den hier vorliegenden Gegenstand als Beispiel eine Beobachtung
von Diday *) an, welche in jeder Beziehung als
Muster einer genauen Krankheitsgeschichte genannt
zu werden verdient. Erwähnt sei noch, dass auch
Andral für einen von Rostan **) mitgetheilten

---

*) Bullet. de la société anatom. de Paris. Paris 1836. p. 76.
Unvollkommene Lähmung des rechten Arms und Beins, vollständige der Gesichtshälfte — im corp. striatum der obern
Hemisphäre apoplektische Höhle, in den Umhüllungen derselben Hemisphäre am hinteren Lappen ein kleiner gelber
Kern; die vorderen Wurzeln der letzten auf rechter Seite
dünner als in der linken. — Wenn auch die Nervenver-
änderung vielleicht nur eine Atrophie in diesem Fall darstellen sollte, so steht dem Zweifler doch das Recht zu,
den Einfluss der erkrankt gefundenen Nerven auf die Lähmung der Gliedmaassen geltend zu machen.

**) Untersuchungen über die Erweichung des Gehirns u. s. w.
Beob. 38. p. 155.

Ausnahmsfall (beim kleinen Gehirn) auf die Möglichkeit der Erklärung der gleichseitigen Lähmung durch
ein von ihm vermuthetes Rückenmarksleiden hingewiesen hat *). —

Hiermit wäre denn die Reihe der Gründe, welche
gegen die wirkliche Existenz der sogenannten directen
Cerebral - Lähmung als eigentlich statthafte anzuführ-
ren sind, geschlossen; und fassen wir nun das Resultat der Kritik, welche wir an die ganze Summe
der aufgezeichneten Beobachtungen im bisherigen zu
legen bemüht waren, zusammen, so stellt sich dasselbe dahin heraus, dass von den oben erwähnten
58 Fällen 39 den gemachten Einwürfen nicht Stich
gehalten haben **), und zwar befinden sich darunter
22 von der Zahl der in den früheren Sammlungen
enthaltenen, die anderen 17 hingegen gehören anderen Quellen an.

Es dürfte nun im zweiten Theile dieser Abhandlung die Aufgabe sein, den Versuch zu machen, aus
der kleinen Zahl der übriggebliebenen glaubwürdigen,
Anhaltspunkte zur etwaigen Aufklärung der schwierigen Frage zu gewinnen. — Funfzehn Fälle liegen
vor, in welchen halbseitige Lähmung und Leiden einer Hemisphäre des grossen Gehirns dieselbe Körperhälfte betroffen haben, und finden sich diese an fol-

---

*) Vgl. auch den schon mehrfach citirten Fall von Chomel,
   wo ausser einer mit der Hemiplegie gleichseitigen Hirnerweichung eine Verkrümmung des Rückgrats nach entgegengesetzter Seite bestand.

**) Darunter ist freilich ein von Burdach citirter Fall, des-
   sen Quelle (Merkwürdige Krankengeschichten und seltene
   Beobachtungen berühmter Aerzte; Auszug aus den Abhandl.
   d. k. med. Societät zu Kopenhagen. Halle 1795. S. 332.)
   mir nicht zu Handen war, mitgerechnet.

folgenden Orten: 1) Forestus[1]). 2) Brunner[2]).
3) u. 4) Morgagni[3]). 5) Wenzel[4]). 6) Arnold[5]). 7) Wedemeyer[6]). 8) Abercrombie[7]).
9) Bright[8]). 10) u. 11) Dechambre[9]). 12) Renaud[10]). 13) Bainbridge[11]). 14) Lépine[12]).
15) Boyd[13]).

Um die Leser nicht durch die ausführliche Mittheilung dieser Fälle (deren Quellen den Meisten wohl
ohnehin leicht zugänglich sein werden) zu ermüden,
gehe ich lieber gleich zur Darlegung der aus ihrer
nach verschiedenen Gesichtspunkten angestellten Vergleichung sich ergebenden Resultate über, die unwich-
tigeren Verhältnisse des Geschlechts, Alters, Krank-
heitsverlaufes und der Körperseite weist die folgende
Tabelle nach:

---

1) Opp. omnia Lib. X. Obs. XI. Francof. 1660. 4.

2) Ephemer. a. nat. curios. 1694. Lipsiae. III. ann. prim.
   p. 271.

3) De sed. et caus. morb. epist. LXVII, 14. und Epist. anat.
   XIII, 25.

4) l. c. p. 306.

5) A. G. Arnold, dissert. hist. fungi medull. in cerebro inv.
   exemplum. Vratislaviae 1822. 8.

6) Rust's Magazin 1825. 19, 227.

7) Abercrombie, Krankheiten des Gehirns u. s. w. A. d.
   E. von v. d. Busch. Bremen 1829. Fall 60.

8) R. Bright, Reports of medical cases. London. 1831. 4.
   p. 306.

9) Aus dem Bulletin médical, in Gazette méd. de Paris. 1835.
   p. 555.

10) Renaud, observations de maladies du cerveau etc. Pa-
    ris. 1836. p. 5.

11) The Lancet. 1840. Vol. II. p. 128.

12) Bullet. de l'acad. de méd. de Paris. 1843. IX, 149.

13) Edinb. méd. and surg. Journal 1847. Vol. 68. p. 27.

Geschlecht		Alter:			Krankheits-verlauf:		Körperseite:	
		Kindes-A.	Mittl.	Höheres A.	acut	chronisch	Rechte	Linke
M	W							
6	9	4	6	5	4	10	10	5
15		15			14		15	
					Unbestimmt 1			

Bemerkenswerth dürfte hierbei nur das häufige Vorkommen der gleichseitigen Lähmung in chronischen Fällen und auf der rechten Körperhälfte sein. Ersteres hat Rochoux schon, in der freilich irrigen Weise, ausgesprochen, dass gar keine acuten Fälle dieser Erscheinung sich auffinden liessen; und auf letzteres ist ebenfalls schon früher *) aufmerksam gemacht worden. Die Krankheitssymptome lassen ausser der steten Lähmung der oberen und unteren Gliedmassen einer Seite wenig Uebereinstimmendes wahrnehmen: nur in fünf Fällen ist auch Verlust der Empfindung in den gelähmten Theilen vorhanden, in 4 erstreckt sich die Lähmung auf die Gesichtsmuskeln gleicher Seite, in 6 auf die Sprachorgane und in einigen anderen auf einzelne Sinne; in der Mehrzahl endlich sind psychische Störungen (wie soporöse Zustände, Stumpfsinn u. s. w.) mit den übrigen Krankheitserscheinungen verbunden. Irgend eine Regel in diesen mannigfach wechselnden Verhältnissen aufzufinden, hat mir aber nicht gelingen wollen, obwohl ich ihren gegenseitigen Beziehungen möglichst nachzuforschen in jeder Richtung mich bestrebt habe. — Ebensowenig lässt sich bei der Vergleichung der in jenen Fällen vorgefundenen pathologisch - anatomischen Veränderungen eine Gleichmässigkeit entdecken. In

---

*) Gazette medic. de Paris. 1844. p. 59.

27 *

der Mehrzahl der Fälle kamen in der kranken Gehirnhemisphäre verschiedenartige Structurveränderun-
gen vor, nur in 6 Fällen sollen sich dieselben auf
einfache Krankheitsproducte beschränkt haben; aber
auch unter diesen bestand wiederum eine grosse Verschiedenheit; wie die nachfolgende Tabelle das Nähere darüber erweisen wird. Es fanden sich in den
erwähnten Fällen folgende Krankheitszustände des
Gehirns:

Krankheitsformen.	deren Vorkommen		Summa der Fälle
	einfach	complicirt	
Erweichung	2 mal	4 mal	6
Eiterung	2 ,,	—	2
frische Blutergüsse	1 ,,	3 ,,	4
Geschwülste verschied. Art	1 ,,	3 ,,	4
apoplektische Cysten	—	4 ,,	4
Verhärtung	—	3 ,,	3
Atrophie	—	2 ,,	2

Man ersieht wenigstens aus dieser Zusammenstellung, dass die Erscheinung der gleichseitigen Lähmung mit keiner bestimmten Art von Gehirnkrankheit
in Verbindung zu stehen scheint, so wie dass die
von Rochoux früher ausgesprochene Behauptung,
man habe noch keinen Fall von Apoplexie mit directer
Lähmung gefunden, sich nicht völlig stichhaltig zeigt.

Nicht viel besser ergeht es demjenigen, der etwa
erwartet, durch diese Fälle auf einen bestimmt be-
grenzten Hirntheil, der stets bei dem Vorkommen
dieser abnormen Lähmung erkrankt sei, hingeleitet
zu werden. Nicht allein, dass dieses nicht stattfin-
det, sondern wieder in der Mehrzahl der Beobachtungen finden sich verschiedene Stellen derselben Hemisphäre gleichzeitig krankhaft ergriffen. Es sind
auch hier nur 6 Fälle, wo die Krankheit sich post
mortem auf einen einzelnen Theil des Gehirns beschränkt erwies: in einem Falle (Lépine) fehlt eine
nähere Ortsangabe, und in den 8 übrigen waren

Substanzverletzungen an mehren gesonderten Stellen vorhanden. Der Häufigkeit nach vertheilen sie sich folgendermaassen auf die Theile des Gehirns:

Hirntheile	erkrankt		Summa der Fälle
	für sich allein	gleichzeitig mit andern	
hinterer Lappen	3 mal	4 mal	7
mittlerer ,,	2 ,,	1 ,,	3
vorderer ,,	1 ,,	3 ,,	4
corp. striatum	—	6 ,,	6
thal. opticus	—	2 ,,	2

Unter diesen betraf die Verletzung drei Mal die Oberfläche des Gehirns allein, und zwar zwei Mal die des mittleren Lappens, wo graue und weisse Substanz (Dechambre) krankhaft verändert war. Ausserdem werden die oberflächlichen Windungen als mitleidend angegeben, und in einem Falle endlich war die ganze Hemisphäre in atrophischem Zustande. Aus diesen Daten ergiebt sich zunächst, dass die Ansichten mehrer früherer Schriftsteller über diesen Punkt dahin zu berichtigen sind, dass gleichseitige Lähmung zu keinem Hirntheile in einer ausschliesslichen Beziehung steht. So hat Jobert, auf die Autorität von Blandin gestützt, die irrige Ansicht aufgestellt, als fände die directe Lähmung nur dann Statt, wenn die Hirnverletzung sich in dem am meisten nach hinten gelegenen Theile des lobus posterior befände: eine Meinung, auf deren theoretische Begründung wir noch weiter unten zurückkommen werden. Ebenso entbehrt eine Aeusserung von Castel, dass nur bei Verletzung der Hirnoberfläche directe Lähmung vorkommen könne, alles Grundes. — Dagegen ist nicht zu läugnen, dass sich für die Begründung der abnormen pathologischen Erscheinung ein positives Resultat aus der Betrachtung ihres Verhältnisses zu den einzelnen Hirntheilen ebenso wenig als aus den übrigen erörterten Punkten entnehmen lässt; der re-

lativ häufigere Sitz der Erkrankung in den hinteren
Lappen des grossen Gehirns ist die einzige Thatsache von einiger, jedoch nur beschränkter, Bestän-
digkeit, welche aus dem Ganzen hervortritt. —

Noch erscheint es mir für die Beurtheilung der
Fälle wichtig, das wenige zu berühren, was über
das frühere Verhalten der Kranken sich aufgezeichnet
findet, und demnach für die Erklärung der nachfolgenden Lähmung von Bedeutung sein könnte. In 4
Fällen bestand die Lähmung der einen Körperhälfte
schon längere Zeit in Folge eines plötzlichen apoplektischen Anfalles und dauerte bis zum Tode, der
entweder unter Wiederkehr der schlagflussartigen Er-
scheinuugen oder durch andere Krankheiten (Marasmus, Bronchitis) erfolgte; nur einmal wurde die vorübergehende Lähmung eines Gliedes der entgegengesetzten Körperhälfte beobachtet (Renaud). Sonst
lauten die Berichte über die vorausgegangenen Krankheitszustände sehr dürftig; mehrmals (in 5 Fällen)
waren die Individuen, an denen die Lähmung vor-
kam, vorher schon psychisch erkrankt (z. B. an
Schwachsinn, Stumpfheit, Blödsinn), oder es zeigten
sich vorübergehend andere Hirnerscheinungen, wie
Schwindel, Erbrechen, Kopfschmerz u. s. w.: in 3
Fällen endlich ging eine gewaltsame äussere Kopfverletzung (Fall, Schlag) voraus. — Es kann also
auch nicht die Rede sein von einer besondern durch
frühere Krankheit erworbenen Disposition einzelner
Glieder, welche die vorzugsweise Lähmung derselben bei eintretendem Hirnleiden sich etwa nach dem
pathologischen Grundsatze, dass der schwächere Theil
stets zuerst ergriffen werde, erklären liesse.

Ehe wir nun zu den Erklärungsversuchen übergehen, wird es der Vollständigkeit halber nöthig sein,
auf das kleine Gehirn in Bezug auf unsere Frage noch
einen Blick zu werfen. Während man längst das

Gesetz der gekreuzten Wirkung für die Fasern des
grossen Gehirns nicht mehr bezweifelte, lebte man
meistens noch des Glaubens, dass es mit dem Einflusse des kleinen Gehirns auf die Körperbewegungen
sich grade umgekehrt verhalte *). Erst in userm
Jahrhundert brachten die Untersuchungen von Serres, Hertwig und Andral die Ueberzeugung von
der Irrigkeit dieser Meinung zur allgemeinen Geltung,
und gegenwärtig ist die Leitung in gekreuzter Richtung als allgemein gültige Norm ebenso für das kleine
wie für das grosse Gehirn angenommen. Es lässt
sich nach diesem schwer einsehen, wie sich die Ansicht von Reuss, dass bei Tuberkeln im kleinen Gehirn sich die Lähmung vorwaltend an der dem Sitze
jener entsprechenden Körperhälfte zeige, rechtfertigen
lässt. — Von acht zu meiner Kenntniss gekommenen Ausnahmefällen von diesem Gesetze habe ich im
Obigen die Hälfte (die Fälle von Gastellier, Tavernier, West und Benecke) bereits als unsicher besprochen: es bleiben demnach vier von Burserius **), Bonnet ***), Bianchi †) und Rostan ††) erzählte Beobachtungen übrig, bei deren
Details wir noch kurz verweilen müssen.

Geschlecht (3 männl., 1 weibl.), Alter (2 im
Kindes-, 1 im mittl., 1 im höheren Alter), Krankheitsverlauf (3 acut, 1 chronisch), Körperseite (3
rechts, 1 links) ergeben zwar Abweichungen von den
Fällen des grossen Gehirns; die Zahl der Beobach-

---

*) Vgl. z. B. die Ansicht von Larrey, Hamburger Magazin
  XXI, 696.

**) Burserius, Instit. med. pract. T. III. cap. I. §. 19.

***) Sepulcret. anatom. pract. Lib. IV. Sect. III. §. 8.

†) Raccolta d'opusculi scient. e filos. T. 46. p. 169. Vene-
  zia 1751.

††) Untersuchungen über die Erweichung des Gehirns. p. 155.
  Beob. 38.

tungen dürfte aber zu gering erscheinen, um ein besonderes Gewicht darauf zu legen. Die Krankheitserscheinungen weisen in 3 Fällen Lähmung beider Gliedmaassen einer Seite, in dem 4ten dagegen nur des gleichseitigen Arms, ferner keine Störungen des Gefühls, und in je 2 Fällen Sprachverlust und acutes Delirium nach: jedoch auch hier wie beim grossen Gehirn ohne ersichtliche Regel. Die pathologisch-anatomischen Veränderungen waren 3 Mal Eiterung, 1 Mal Erweichung und betrafen meistens die Substanz eines Lappens in dessen grösstem Theile, 1 Mal mehr die Oberfläche. In 2 Fällen endlich ging den Gehirnerscheinungen ein Ohrenfluss auf der später erkrankenden Seite voraus. Da demnach auch aus diesen Verhältnissen keine constanten Bedingungen für den Grund der abnormen Lähmung zu ersehen sind, so verlassen wir hiermit diesen Weg der Forschung und gehen zu der kurzen Betrachtung der verschiedenen Erklärungsversuche über, welche von mehren Seiten angestellt worden sind.

Es lag bei der Erwägung dieser seltenen Thatsachen nahe, dass man sie, ohne dem Gesetze der Kreuzung der Hirnfasern im Allgemeinen Abbruch zu thun, für bedingt hielt durch eine normale anatomische Abweichung des Verlaufes einzelner Parthien der Fasern von jener für die grosse Mehrheit derselben geltenden Regel: eine Erklärung, welcher schon Burserius und Morgagni, aber ohne nähere anatomische Begründung, das Wort gesprochen. Es ist oben bereits der Blandin'schen Ansicht, welcher sich Jobert und Gody anschlossen, Erwähnung geschehen; sie stützt sich nämlich auf die Gall'sche Angabe, dass der hinterste Theil des hinteren Grossgehirnlappens durch die aus den Olivenkörpern kommenden Fasern gebildet werde und diese Fasern nicht, wie die andern in's Gehirn eintretenden, der Kreuzung unterworfen seien. Das Irrige dieser Angabe ist seitdem durch genauere anatomische Forschungen dahin berichtigt worden, dass die Faserbündel der Olivenkörper sich allerdings ebenfalls kreuzen, nur etwas höher in der protuberant. annularis, und ich verweise in Bezug darauf nur auf einen der neuesten Untersucher *). —

Eine andere anatomische Erklärung hat Burdach versucht, indem er meint, dass die gleichseitige Wirkung auf die Gliedmaassen durch die sich nicht kreuzenden Grundfasern der Pyramiden vollzogen werden könne; indessen haben die Untersuchungen von Foville nachgewiesen, dass auch diese Fasern sich im pons dicht vor den corpora mammillaria noch kreuzen **). — Behauptet endlich Castel, die Kreuzung der Nerven finde in der Tiefe, nicht an der Oberfläche des Gehirns statt, so ist dies freilich eine ebenso unbestreitbare Wahrheit, als seine daraus gezogene Folgerung, dass also bei oberflächlichem Hirnleiden directe, bei tiefem Sitze desselbelben gekreuzte Lähmung erfolgen müsse, selbst eine höchst oberflächliche Aeusserung genannt werden muss. — Bernard hat neuerdings eine Stelle in dem peduncul. cerebell. med. entdeckt, wo eine bis jetzt unbekannte Faserkreuzung stattfinden muss, indem Thiere bei Durchschneidung eines ped. cerebelli med. vor dem Abgang des N. trigem. Drehbewegungen nach der entgegengesetzten, hinter dem Ursprung dieses Nerven aber nach der verletzten Seite machten. Indessen ist diese interessante Thatsache der Verschiedenheit der

---

*) Longet, a. a. O. I, 384 u. 421.

**) Foville, traité complet de l'anatomie etc. du système nerveuse. Paris 1844. T. I. 296. Vgl. auch Schmidt's Jahrbücher 48, 302.

Verhältnisse wegen für die Erklärung der pathologischen Fälle unbrauchbar.

Andererseits lässt sich das Vorkommen gleichseitiger Lähmung als ein Ergebniss einer in einem Bildungsfehler bei einzelnen Individuen begründeten anatomischen Abnormität des Fasernverlaufs auffassen. Serres will zwar in 1100 Leichen, welche er grade in Hinsicht auf die Kreuzung der Pyramidenstränge untersucht hat, gar keine Abweichung von dem normalen Verhalten gefunden haben; die Erfahrung von Longet widerspricht aber einer so beständigen Gleichmässigkeit der Kreuzungsverhältnisse. Dieser Beobachter giebt nämlich an, dass er öfter Gelegenheit gehabt habe, Leichen zu untersuchen, in denen die Kreuzung kaum wahrnehmbar und offenbar unvollkommner gewesen sei, als im normalen Zustande, und knüpft daran den Wunsch, dass man in den Ausnahmefällen nie unterlassen möge eine genaue Untersuchung des verlängerten Marks und der Brücke vorzunehmen. Und in der That dürfte dies einer der Hauptpunkte sein, auf welche bei gleichen Fällen ein besonderes Augenmerk zu richten jeder wissenschaftliche Beobachter verpflichtet sein wird, dem es daran gelegen ist, unsere Kenntnisse zur Lösung dieser Frage um einen Schritt weiter zu fördern.

Diejenigen Leser, welche die Geduld gehabt haben, den vorstehenden Untersuchungen bis zum Schlusse zu folgen, werden mit dem Vf. wohl dahin übereinstimmen, dass eine irgend befriedigende Erklärung für die auffallende, wiewohl seltene Erscheinung gleichseitiger Lähmung sich weder aus dem anatomischen Befunde, noch dem pathologischen Symptomencomplex in den vorliegenden Fällen bis jetzt gewinnen lässt. Wer aber (dem Beispiele von Mor-

gagni und Renaud gemäss *) der Annahme einer
sogenannten nervösen Hirnlähmung in allen den Fällen huldigen sollte, wo sich in der der Körperlähmung entgegengesetzten Hirnhälfte kein sichtbares
Zeichen einer krankhaften materiellen Veränderung
wahrnehmen liess, wird freilich ohne sonderlichen
Aufwand von Scharfsinn im Stande sein, sämmtliche
Ausnahmen als der Norm nicht widersprechend sich
zurechtzulegen. Für meinen Theil muss ich aber leider bekennen, dass ich nicht zu diesen Starkgläubi-
gen gehöre, und mich lieber bescheide, dass der
Stand unserer dermaligen Kenntnisse von der feineren Anatomie und Physiologie des Gehirns uns noch
nicht die Mittel an die Hand giebt, über diese sowie
manche andere wichtige Frage auf diesem Gebiete
(ich erinnere nur an die trotz aller Vivisectionen und
pathologischer Beobachtungen noch so sehr im Argen
liegende Lehre von der physiologischen Bedeutung
der einzelnen Hirntheile) eine endgültige Entscheidung zu füllen.

Um so weniger ich nun im Stande gewesen bin,
einen positiven Beitrag zur Aufklärung des anatomischen physiologischen Räthsels der gleichseitigen Lähmung zu liefern, um so mehr fühle ich mich gedrungen, schliesslich auf diejenigen Verhältnisse aufmerksam zu machen, deren praktische Wichtigkeit für
etwaige künftige Forschungen in vorkommenden Fällen

---

*) R. sucht a. a. O. die von ihm erzählte Beobachtung directer
Lähmung durch die Voraussetzung einer Apoplexie nerveuse
zu erklären: indessen entsprechen die 14 Tage lang bis
zum Tode in gleicher Stärke andauernde Lähmung und die
übrigen Erscheinungen dem gewöhnlich von dieser, in der
Leiche durch kein positives Merkmal zu verweisenden
Krankheitsform aufgestellten Bilde ebensowenig, als eine
nähere Würdigung der Symptome in den übrigen Fällen
eine solche Uebereinstimmung ergiebt.

directer Lähmung namentlich aus dem Verstehenden hervorzugehen scheint. Es ist dies, abgesehen von der möglichst gewissenhaften Bestimmung des Umfanges und des Ortes der Hirnverletzung, einmal die oben berührte genaue Untersuchung der Kreuzungsverhältnisse der Fasern in verlängertem Mark und Brücke, dann die Forderung der Eröffnung des Wirbelkanals und endlich die pathologisch sehr bedeutsame Erforschung der Krankheitssymptome, in Hinsicht auf etwaige frühere Krankheitsanlage der von der Lähmung betroffenen Körpertheile. Ohne die Berücksichtigung dieser Hauptpunkte scheint es mir unmöglich, auf pathologischem Wege diese wichtige Frage ihrer Lösung irgend näher zu bringen, und alle ohne Beachtung dieser nothwendigen Erfordernisse angestellten Beobachtungen würden nur als Curiosa Anspruch auf wissenschaftlichen Werth machen können. Und doch ist dieser Weg wohl der einzige, der uns, und vielleicht schon durch wenige genau erforschte Fälle, zum Ziele führen kann; denn die unendliche Schwierigkeit experimenteller, auf diese Verhältnisse gerichteter Untersuchungen ist eine so einleuchtende, dass sie keiner weiteren Auseinandersetzung bedürfen wird, und der mühsame Weg der feineren anatomischen Forschung über die Faserungsverhältnisse des Gehirns wird so selten mit Erfolg betreten, dass wir der einstigen Belehrung über diesen Gegenstand von dieser Seite her so bald nicht gewärtig sein dürfen.

Die Grundzüge der Homerischen Psychologie

von

J. B. Friedreich.

Um einen möglichst klaren Begriff der homerischen
Ansichten vom geistigen Leben des Menschen und
seinem Verhältnisse zum materiellen zu erhalten,
müssen wir vorerst den Begriff des homerischen Menschen in seiner Gesammtheit erfassen, und dann nach
seinen einzelnen Verhältnissen während des Lebens
und nach dem Tode betrachten *).

I. Der eigentliche Mensch, der αυτος, ist bei
Homer immer nur der Leib: „philosophi nostri, sagt
Halbkart, quum de ratione, quae inter corpus atque
animum intercedit, disserunt, animum pronomine Ego
designare solent, de corpore autem tanquam de re
extra se posita loquuntur: non ita Homerus, qui e
contrario, quum de anima et corpore sermo est, illam
nomine suo, hoc autem pronomine αυτος denotat." So
wird im Anfange der Ilias gesagt, dass Achilles,

---

*) Benutzt sind: Halbkart, psychologia homerica, seu de
homerica circa animam vel cognitione vel opinione commentatio; Züllich. 1796. Völcker, über die Bedeutung von
ψυχη und Ειδωλον in der Ilias und Odyssee, Giessen 1825.
Nägelsbach, die homerische Theologie, Nürnb. 1840.

als er die ψυχας der Heroen in den Hades gesandt,
sie selbst, αυτους, den Hunden und Vögeln zum
Raube gegeben habe. Odysseus erblickte, als er am
Eingange zum Hades opferte, das Scheinbild, ειδωλον, des Herkules, dieser selbst aber, αυτος, war
im Kreise der Götter; Od. XI, 600: Hier ist das ειδωλον (von welchem später die Rede) in seiner wahren
Bedeutung, das ειδωλον des Herkules, sein blosses
Scheinbild ist unten im Hades, wie das ειδωλον aller
übrigen Todten, allein er selbst hat den Vorzug zum
Gott erhoben zu sein, und so ist der wahre Herku-
les, der αυτος, oben im Olymp bei den unsterblichen
Göttern.

II. Während des Lebens des Menschen tritt ein
doppeltes Princip in die Erscheinung; nämlich das
Princip des animalen Lebens, die ψυχη, welche den
Menschen im Tode verlässt und in den Hades wandert; und dann das Princip des geistigen Lebens,
φρενες und ϑυμος. Vom Principe des animalen Lebens, der ψυχη, wird später bei III. die Rede sein;
hier das Nähere über das Princip des geistigen Lebens.

Es ist zwar, wie oben gesagt, nach homerischer
Ansicht der eigentliche Mensch der Leib; aber für
die besondern geistigen Fähigkeiten, die Triebe, Neigungen u. dgl. wurden gewisse Bedingungen und Träger aufgesucht, und somit gestaltete sich die Anschauungsweise eines eigenen Princips des geistigen
Lebens, welches sich, nach Nägelsbach, als ein
doppeltes, 1) als ein körperliches und 2) als ein unkörperliches darstellen lässt.

1) Das körperliche Princip des geistigen Lebens
sind die φρενες, das Zwerchfell, was aus folgenden
Ansichten hervorgeht:

a) die Functionen des Geistes, Verstandes, Denkens, Empfindens, Wollens haben in den φρενες

ihren Sitz; s. Il. I, 362; II, 241; V, 493; VI, 355;
VIII, 360; XIII, 121; Od. XX, 228.

b) Bei Störungen des Verstandes sind die φρενες be-
theiligt; z. B. bei der Berauschung, Od. IX, 362;
XVIII, 331; XIX, 122; XXI, 297. Einem den
Verstand nehmen heisst εξελεσθαι φρενας, Il.
VI, 234; XVII, 470; XVIII, 311; XIX, 137. Mit
dem Ausdrucke βλαπτειν φρενας wird den Göttern die Macht den Geist der Menschen zu verwirren beigelegt, Il. XV, 724; Od. XIV, 178.

c) Wenn dem Thiere Eigenschaften zugeschrieben
werden, welche den Thätigkeiten des menschlichen Geistes analog sind, so beruhen diese gleichfalls
auf den φρενες und inhäriren denselben, wie dieses z. B. Il. IV, 245 auf die Hirschkälber, und
Il. XVII, 111 auf den Löwen angewendet wird.

d) Wenn leblosen Gegenständen geistige Thätigkeiten zugeschrieben werden, so werden ihnen auch
φρενες beigelegt, wie dies Il. XVIII, 419 von den
goldenen Statuen, und Od. VIII, 556 von den mit
Verstand begabten Schiffen gesagt wird.

2) Das unkörperliche, das geistige Princip des
geistigen Lebens ist θυμος, als dessen Sitz gewöhnlich στηθος, die Brust, bezeichnet wird. Der θυμος
erscheint als Träger der geistigen Thätigkeiten, so
dass mittelst des θυμος nicht nur gefühlt, begehrt,
geliebt, gezürnt, sondern auch gewusst, gedacht,
überlegt und begriffen wird. „Θυμος id fere est, sagt
Halbkart, quod Latini animum vocant, agitque
omnia, quae animus agere solet: nam primo vult,
appetit aversaturque, deinde cogitat, recordatur, obli-
viscitur." Der θυμος ist die, durch das körperliche
Substrat, die φρενες, vor sich gehende geistige Thätigkeit; somit müssen φρενες und θυμος mit einander
parallelisirt, und es kann Eines nicht ohne das Andere gedacht werden. In dem θυμος als Grundbegriff

des geistigen Lebens müssen nun ferner, so wie im
Allgemeinen die Besonderheiten, auch die speciellen
Richtungen des geistigen Lebens, die einzelnen Seelenthätigkeiten wurzeln, und diese sind durch μενος
und νους charakterisirt.

a) Der μενος gestaltet sich in einer zweifachen Thä-
tigkeitsäusserung; er ist einmal (gemäss seiner
Verwandtschaft mit μαω, μενοαινω) das Begeh-
rungsvermögen, das Verlangen, Streben nach
Etwas, der Wille, und dann der Affect, Muth,
Zorn. Il. V, 470; VII, 457; VIII, 358; X, 482;
XIII, 60. 105. 634; XIX, 37; XXII, 312.

b) Der νους ist die Verstandesthätigkeit, die Denkkraft, die eigentliche actio des Denkens, dann
die Denkart, die Gesinnung, so wie das Gedachte, der Gedanke, der sich näher bestimmt
als Sinn, Vorsatz, Plan, Rathschluss. Il. VIII,
143: X, 391; XIV, 160; XXII, 382; XXIV, 377.
Od. I, 3; III, 128. 147; V, 23. 190; VI, 121. 320;
X, 329; XI, 177; XIII, 255; XVI, 197.

c) Da nun μενος und νους die zwei Hauptfactoren
des θυμος sind, letzterer aber in den φρενες sein
körperliches Substrat hat, so folgt, dass auch
μενος und νους in den φρενες, als ihrer körperlichen Bedingung, wurzeln.

III. Aus dem bisher Gesagten geht hervor, dass
alles geistige Leben auf den φρενες, seinem materiellen oder körperlichen Substrate beruht. Werden nun
durch den Tod die φρενες vernichtet und sind sie
nicht mehr animalisch belebt durch die ψυχη, so geht
auch das geistige Leben des Menschen verloren; und
die ψυχη bleibt übrig und geht in den Hades, wo sie
ειδωλον wird.

Wenn nämlich der Mensch vom Leben scheidet,
so verlässt, nach homerischer Ansicht, die ψυχη den
Körper entweder durch den Mund oder durch die

tödtende Wunde. „Des Menschen ψυχη kehrt nie mehr zurück, wenn sie einmal über den Zaun der Zähne entwichen ist", Il. IX, 409; „Atreus stach den Hipperenor in den Bauch, so dass die ψυχη aus der Wunde entfloh", Od. XIV, 516. Hat die ψυχη auf diese Weise den Körper verlassen, so eilt sie nach der Unterwelt, dem Hades, was ihr aber nicht eher gelingt, als bis der Körper begraben ist, und bis dahin schwebt sie· an der Pforte des Hades herum, Il. XXIII, 71; Od. XI, 51. Bei diesem allgemeinen Glauben, dass die ψυχαι unbegrabener Menschen nicht an den ihnen bestimmten Ort gelangen könnten und sich in einem Zustande der Unruhe befänden, welcher noch trauriger gedacht wurde als das träumerische Herumschwärmen der ψυχη in ihrem Bestimmungsorte, erklärt sich die, auch als· Wille der Götter betrachtete (Od. XI, 73) ängstliche Sorge für das Begraben der Todten, welche zugleich als das Streben der Hinterlassenen, dem Todten den letzten Liebesdienst zu erweisen (Il. XVI, 457; Od. IV, 197), ein Zeugniss von der Humanität jener Zeit giebt. Daher zeigt sich auch überall das Bemühen durch Kampf oder Vertrag die Leichen der Erschlagenen dem Feinde zu entziehen (Il. V, 573; VII, 408; XXIV, 657); ja bei der Unmöglichkeit der Beerdigung suchte man sich wenigstens durch eine Feierlichkeit von der Verbindlichkeit zu lösen *), Od. IX, 64.

Die ψυχη kommt also nach‚ dem Tode in den Hades und dauert daselbst fort. Diese ψυχη aber bedeutet bei Homer nur den Athem, als Bedingung des Lebens, niemals nach dem Sprachgebrauche der spätern Zeit den Geist oder die Seele. Die ψυχη ist das Princip des animalischen Lebens: sie dauert, wie ge-

---

*) Helbig, die sittlichen Zusände des griechischen Heldenalters; Leipzig 1839. S. 135.

sagt, im Hades fort, und nicht die Seele oder der
Geist, welchen Homer nirgends als etwas Selbstän-
diges, Abstractes erkennt, und sein Begriff vom Leben ist so rein körperlich, dass den Todten im Hades nur aus dem Grunde der Gebrauch geistiger Kräfte
abgesprochen wird, weil sie keinen Körper haben,
und dass sie erst Blut trinken müssen, weil an diese
körperliche Stärkung und Belebung erst die geistigen
Fähigkeiten geknüpft sind, worüber weiter unten etwas Näheres. Die geistigen Thätigkeiten, sagt Völcker, erscheinen nur als Eigenschaften und Kräfte
des ganzen Menschen, die mit dem Körper leben und
ihn im Tode verlassen und aufhören wie das Leben
auch; so weit war das Nachdenken noch nicht gediehen, dass man die Seele nach dem Tode selbständig hätte fortexistiren lassen, sondern der Glaube an
Fortdauer beruhte nur auf sinnlichen Wahrnehmungen. Das Wort $\psi v \chi \eta$, nach seiner Herstammung von
$\psi v \chi \omega$ (hauchen, blasen, athmen) ist zunächst der
Lebenshauch *), der Athem, die Luft, welche wir
ein- und ausathmen, und dieser Begriff liegt allen
Bedeutungen des Wortes $\psi v \chi \eta$ in der homerischen
Sprache zu Grunde: da aber der Athem nur die eine
sichtbare Bedingung des Lebens ist, welche, nach
der Vorstellung der Alten, mit dem zweiten Princip
des Lebens, dem Blute, seinen Sitz in der Brust hat,
so ist allmählig der Ausdruck des Lebens durch die-

---

*) Es ist dieses der Odem, der nach der biblischen Schö-
pfungsgeschichte dem ersten Menschen eingehaucht wurde.
Unter den Griechen galt seit Anaxagoras der Aether als
die lebenswirkende Ursache im Menschen und als das belebende Princip in der ganzen Natur, so wie auch nach
Anaximenes, Diogenes von Apollonia u. A. die Seele
nichts anders als Luft war. Tennemann, Geschichte d.
Philosophie Bd. I. S. 737. Leupoldt, die alte Lehre von
den Lebensgeistern; Berl. 1824.

ses Wort der näher liegende geworden, ohne jedoch
als solcher die Bedeutung des Athmens ganz aufgegeben zu haben. Aus dem Gesagten folgt nun, dass
die homerische ψυχη das materielle Lebensprincip,
basirt auf Athmen und Blut, ist. Derselben ψυχη nun,
die wir auf der Oberwelt als Luft und Lebensprincip
kennen gelernt, begegnen wir nun nach dem Tode im
Hades, und sie muss dieselbe sein, denn es wird
ausdrücklich von ihr gesagt, dass sie in den Hades
gehe; so heisst es z. B. Il. VII, 330: „das Blut vieler Achaier floss an den Ufern des Skamandros und
ihre ψυχαι gingen in den Hades"; und Od. X, 560:
„Elpenor brach das Genick und seine ψυχη fuhr zum
Hades hinab." Die ψυχη also, und nicht die Seele
ist es, welche fortdauert, und diese Annahme beruht
auf der sinnlichen Wahrnehmung und daraus folgenden sinnlichen Vorstellungsart jener Zeit. Wenn der
Mensch eines natürlichen Todes stirbt, so erscheint
der Athem, der ihn verlässt, der sinnlichen Anschauung als Ursache des Lebens und Sterbens; ist
er entwichen, so bleiben die übrigen Theile des Körpers zurück, nur der Athem ist fort und nur er kann
also im Hades sein, woselbst er fortdauern wird,
weil er der Grund des Lebens ist; da aber die ψυχη
auch aus einer tödtlichen Wunde entströmen kann,
so ist auch hier die Vorstellung so sinnlich, dass es
einer Oeffnung bedarf, durch welche das Lebensprincip entweicht.

Dauert nun, wie gezeigt, die ψυχη im Hades fort,
so ergiebt sich die Frage, wie die Art der Fortdauer
dieser ψυχη zu denken sei? Darauf führt uns das
bei Homer oft vorkommende Wort ειδωλον: ψυχη und
ειδωλον sind sich gleich, ειδωλον ist nur die Erklärung der im Hades sich befindlichen ψυχη. Es ist
das ειδωλον im Hades dieselbe ψυχη, die sie auf der
Oberwelt in ihrer Verbindung mit dem lebenden Men-

schen war; da aber die ψυχη durch die Trennung
von Menschen und durch ihren neuen Aufenthaltsort,
den Hades, eine Modification in ihrer Wesenheit erleiden muss, so ergeben sich gewisse Eigenthümlichkeiten des ειδωλον selbst, welche sich unter folgende
Gesichtspunkte zusammenfassen lassen.

Entwickeln wir vorerst mit Völcker den Begriff
des ειδωλον. Das Wort ειδωλον, gebildet von ειδω,
ειδομαι, fasst in seinem Begriffe die drei Bedeutungen
von ειδομαι: das Erscheinen, das Scheinen und das
Gleichen oder Aehnlichsein. Nach der Behauptung
nun, dass ειδωλον die bestimmende Erklärung der im
Hades fortlebenden ψυχη enthält, müssen diese drei
Eigenschaften auch den Psychen der Verstorbenen
zukommen; und so ist es auch, sie machen grade das
Wesen derselben aus. Die ειδωλα sind Erscheinungen, Schattenbilder, wie sie aus dem Hades herauf-
schweben und dem Odysseus sich zeigen; es sind
aber diese Schatten nicht die wahren Menschen, deren Bild sie darstellen, sie sind nur Scheinbilder, aber
dem Originale in Allem vollkommen gleich: man kann
eben so wenig sagen, der Körper sei es, der fortlebt,
als die Seele, sondern eben das ειδωλον, es ist weder
das ειδωλον des Körpers noch der Seele allein, sondern des ganzen wirklichen Menschen, des αυτος.
Daraus aber geht hervor, dass die ειδωλα noch die
individuellen Züge des Menschen gewahren lassen,
denn die ψυχαι der Abgeschiedenen nehmen ganz die
äussere Form und Gestalt ihrer einst wirklichen Menschen mit in den Hades. Patroklus erscheint als
ειδωλον dem Freunde grade so wie er lebte, ähnlich
an Grösse, Gestalt, Augen, Stimme und Kleidern,
Il. XXIII, 65. Als Odysseus am Eingange des Hades
Todtenopfer darbrachte, nahten sich dem Opferblute
die schwirrenden ειδωλα, die Schattenbilder des Hades, aber in Formen lebender Menschen; es erschie-

nen in ihrer früheren Gestalt Jünglinge, Greise, Männer mit Wunden, mit blutbesudelder Rüstung; Odysseus erkennt sogleich seine Mutter, er erkennt den
Ajax, den Achilleus, Od. XI, 23. Es ist also das
εἰδωλον immer grade das Abbild des wahren Menschen, und zwar wie er zur Zeit seines Sterbens war.
Aber auch geistige Eigenschaften, Begehrungen, Neigungen des frühern αυτος gehen mit in den Hades und
sprechen sich an seinem εἰδωλον aus: dies ersehen
wir aus dem, was Odysseus berichtet, wie er, am
Hades opfernd, mit den Schatten in Berührung kam,
wo das εἰδωλον des Agamemnon nach seinem Sohne
Orestes, jenes des Achilles nach Vater und Sohn
fragte und die Kunde der ausgezeichneten Thaten des
Sohnes mit Freude vernahm, wie der Schatten des
Ajax noch auf seinen Nebenbuhler zürnte u. s. w.
Der Grund dieses Glaubens beruhte auf ganz sinnlicher Vorstellung, nämlich darauf, dass sich die
homerische Zeit eine Fortsetzung des Lebens nicht
anders zu denken wusste, als eine Fortsetzung aller
gegenwärtigen Zustände: man kannte kein Leben
ohne in einen Raum eingeschlossen, und wenn ein
Theil des Menschen fortbestehen soll, so werden
Formen und Umrisse keine andern als die menschlichen sein, und so ist es nicht weniger mit den geistigen Eigenschaften, den Gefühlen, den Leidenschaften und allen übrigen Lebensverhältnissen der Fall.
In Allem ist die Unterwelt ein Abbild der Oberwelt,
und daher ist das εἰδωλον ein Abbild des ehemaligen
Menschen.

Obgleich, wie eben gezeigt wurde, die εἰδωλα
des Hades an Form, Gestalt und geistigen Charakter-
zügen der Abdruck des ehemaligen Menschen sind,
so ist doch ihre ganze Wesenheit ein Nichts, oder
höchstens ein Mittelding zwischen Nichts und Etwas.
Sie sind nur luft- und schattenähnliche Gebilde; als

Achilles des Patroklus εἰδώλον, das ihm aus dem Hades erschienen war, umarmen wollte, sank er wieder hinab wie Rauch, Il. XXIII, 100; als Odysseus den Schatten der geliebten Mutter an die Brust drücken wollte, entschwand sie ihm aus den Händen wie Schatten und Truggebilde, Od. XI, 207. So wie kraftlos, so auch besinnungslos sind die εἴδωλα: „im Hades, heisst es Od. XI, 475, wohnen die besinnungslosen Todten, die εἴδωλα kraftloser Menschen." Alle εἴδωλα sind der Besinnung und des Bewusstseins beraubt *), eine Ansicht, die sich folgendermassen entwickelt hat. Die zwei Hauptbedingungen des Lebens, welche die homerische Zeit kennt, sind das Athmen und das Blut, deren beider Sitz in der Brust gedacht wird. Im Tode nun geht die ψυχη in den Hades, das Blut aber bleibt auf der Oberwelt in dem Körper zurück, oder verströmt aus einer tödtlichen Wunde auf die Erde: daher entbehren die Schatten der Todten des Blutes, das nicht mit in den Hades gekommen ist, ihr Leben im Hades ist daher nur ein halbes Leben, weil nur die eine Bedingung des Lebens, der Athem, die ψυχη vorhanden ist; das Blut fehlt ihnen, sie sind daher ohne alles Körperliche. Aber mit dem Körperlichen kommt die Besinnung wieder, wenn die εἴδωλα Blut trinken, wenn

---

*) Eine Ausnahme davon macht Teiresias, welchem durch die Begünstigung der Persephone volles Bewusstsein im Hades geblieben ist, Od. X, 493. Aber Teiresias war auch auf Erden mehr gewesen als ein gewöhnlicher Mensch, er war vermöge seiner Wahrsagerkunst ein Gott unter den Sterblichen, er konnte also nicht so tief sinken als die andern Todten; unter den Besinnungslosen hatte er seine völlige Besinnung, und nur seine Wahrsagerkunst war im Hades von ihm gewichen, weshalb er erst von dem Opferblute trinken musste, um dem Odysseus wahrsagen zu können. Voss kritische Blätter Bd. II. S. 443.

sich dieses zur ψυχη hinzugesellt, denn dann ist das ganze Leben wieder bei einander. Wir finden deutlich diese Ansicht hervortreten in der Od. XI, wo Odysseus am Eingange des Hades das Todtenopfer bringt, und dieses ist ein Blutopfer; die Schatten drängen sich im bewusstlosen Triebe aus dem Hades herauf, begehrend von dem Blute zu trinken, damit ihnen ihr Bewusstsein wiederkehre, und dieses erhalten sie auch sogleich, nachdem ihnen der Bluttrank vergönnt war: der Schatten von Odysseus Mutter sitzt sprachlos, aber verlangend am Blute, welches ihr Sohn opfert, sie erkennt den Sohn nicht; als aber dieser ihr Blut zu trinken giebt, erhält das bisher besinnungslose ειδωλον das Bewusstsein und kann sich nur jetzt erst, den Sohn erkennend, seines Anblickes erfreuen, Od. XI, 141; auch von dem Schatten des Agamemnon wird Odysseus erst dann erkannt, nachdem jener Blut getrunken hatte, Od. XI, 387. — Dieser Zustand der Nichtigkeit der ειδωλα tritt übrigens nur den Menschen gegenüber hervor: unter sich selbst wissen sie sich zu verständigen und Gefühle zu tauschen; sie nehmen Theil an den Begebenheiten der Oberwelt, und lassen sich von den Neuangekommenen Bericht erstatten, besonders über ihre Familien; sie haben Gefühl für Rang und Ehre, und empfinden Marter und Schimpf der Strafe; Minos ist im Hades Herrscher, Sisiphos fühlt das Anstrengende seiner Arbeit, Tityos den Schmerz der abgefressenen Leber, Tantalos die Qual des Durstes u. s. w. Od. XI, 576. Gegen den Zustand der Lebenden gehalten ist aber alles dieses nichtig und Nichts *); den auf der Oberwelt lebenden Menschen gegenüber sind sie Nichts als besinnungslose Schattenbilder, obgleich ihnen, aber nur zu ihrer Qual, ihre Besin-

---

*) Voss a. a. O. S. 444.

nungslosigkeit doch nicht ganz das Vermögen geraubt hat, das Traurige ihres Aufenthaltes zu fühlen und mit Schmerz auf das vergangene Glück in der Oberwelt zurückblicken.

Dieses traurige und finstere Bild der Bewohner des Hades steht in einem auffallenden Contraste mit der lebendigen Schilderung des freudigen und thatkräftigen Lebens der Menschen der Oberwelt; aber der Grieche jener Zeit kannte keine andere Bedeutung des Seins als jenes im Körperlichen, und ging dieses zu Grunde, so war für ihn die Hauptsache verloren, die ψυχη musste hinab in den Hades, und da musste sie, da der andere Factor des Gesammtlebens, das Blut, auf der Oberwelt zurückblieb, ein besinnungsloses Scheinbild werden. Daher wird von dem Tode stets mit Unmuth und Furcht gesprochen („jeder Tod ist dem Menschen schrecklich" Od. XII, 341) und eben so vom traurigen Hause des Hades; Achilleus sagt Od. XI, 489, er wolle lieber bei einem armen Manne ein Knecht, als Beherrscher des Schattenreiches sein, und selbst die unsterblichen Götter hassen den Hades, Il. XX, 64. —

IV. Entnehmen wir der bisherigen Deduction ein gedrängtes Resultat, so werden wir folgendes Schema der gesammten homerischen Psychologie erhalten. 1) Princip des animalen Lebens ist ψυχη (Athem) in Verbindung mit αίμα (dem Blute). Das Blut bleibt nach dem Tode auf der Oberwelt zurück; die ψυχη aber muss in den Hades und lebt daselbst als ειδωλον fort, als bewusstloses Scheinbild, weil das Blut fehlt. 2) Princip des geistigen Lebens: a) körperliches Princip des geistigen Lebens φρενες, b) unkörperliches Princip des geistigen Lebens θυμος, mit seinen zwei Hauptäusserungsweisen μενος und νους.

Bericht

über die Ergebnisse des Hospitals Hofheim in statistischer und heilkundiger Beziehung
vom Jahr 1847.

Vom Medicinalrath Dr. **Amelung** daselbst.

War am Schlusse des Jahres 1846 der Bestand der Anstalt etwas höher, als am Schlusse des Jahrs 1845, so hat sich doch im verflossenen Jahre 1847 die Anzahl der Hospitaliten mehr und mehr vermindert, so dass sich am Schlusse des Jahres 16 Personen weniger in der Anstalt befinden, als zu Anfang desselben, wenn gleich die Zahl der im Laufe des Jahres anwesenden Personen (407) sich um 3 höher stellte als 1846.

Die Zahl der neu Aufgenommenen war in beiden Jahren gleich gross, nämlich 56, die Zahl des Abgangs aber im letzten Jahre um 19 Personen stärker. Dieser bedeutende Abgang fand aber vorzugsweise bei den Männern statt; und da gleichzeitig der seltene Fall eintrat, dass 2 Weiber mehr aufgenommen wurden, als Männer, so stellt sich das Verhältniss der Anzahl der Weiber zu denen der Männer grösser, als es seit einer langen Reihe von Jahren der Fall war, und zwar um nicht weniger als 24 Personen. Es sind nämlich 27 Männer und 29 Weiber zu – und 47 Männer und 25 Weiber (= 72 Pers.) abgegangen.

Von den Zugegangenen litten:

1) an Geisteszerrüttung   22 M. 16 W. = 38 Pers.

2) an Schwach - oder Blödsinn   3 „   8 „ = 11 „

3) an Epilepsie   .   .   1 „   5 „ = 6 „

4) an bösartigen Geschwüren   1 „   — „ = 1 „

Von diesen waren vor der Aufnahme erkrankt:

seit 1 — 3 Monaten .   .   5 M. 5 W. = 10 Pers.

„ 3 — 6   „   „   .   .   3 „ 1 „ = 4 „

„ 6 — 12   „   „   .   .   2 „ — „ = 2 „

„ 1 — 2 Jahren .   .   4 „ 3 „ = 7 „

„ 2 und mehr Jahren .   13 „ 20 „ = 33 „

Unter ihnen befinden sich 7 Personen, welche zum zweitenmale, 2 welche zum drittenmal, 1, welche zum viertenmal, und 1, welche zum fünftenmal in die Anstalt aufgenommen werden mussten.

14 Personen wurden gegen Kostgeld, die meisten unentgeltlich, wenige gegen ein Inferendum aufgenommen, und zwar in die I. Verpflegsklasse 1, in die II. 8, in die III. 48.

Nach den Provinzen waren gebürtig:

aus der Provinz Starkenburg   13 M. 17 W. = 30 Pers.

„   „   „   „   Oberhessen   8 „   8 „ = 16 „

„   „   „   „   Rheinhessen   3 „   2 „ = 5 „

„   „ Landgrafschaft Hessen -
Homburg   .   .   .   3 „   2 „ = 5 „

Dem Lebensalter nach standen bei der Aufnahme:

im   II. Decennium .   .   2 M. 3 W. = 5 Pers.

„   III.   „   „   .   .   6 „ 10 „ = 16 „

„   IV.   „   „   .   .   6 „   8 „ = 14 „

„   V.   „   „   .   .   9 „   7 „ = 16 „

„   IV.   „   „   .   .   2 „   1 „ = 3 „

„   VII.   „   „   .   .   1 „   — „ = 1 „

„   IX.   „   „   .   .   1 „   — „ = 1 „

Dem Civilstande nach waren:

ledig · . . . 16 M. 23 W. = 39 Pers.

verheirathet . . 10 „ 4 „ = 14 „

verwittwet . . 1 „ 2 „ = 3 „

Dem Stande nach waren:

Gelehrte . . . . 1 M. — W. = 1 Pers.

Schullehrer . . . 1 „ — „ = 1 „

Apotheker, Barbier, Maler 2 „ 1 „ = 3 „

Handelsleute . . . 5 „ 1 „ = 6 „

Handwerker . . . 7 „ 1 „ = 8 „

Töchter oder Gattinnen von

Beamten . . . — „ 5 „ = 5 „

Wirthe . . . . 1 „ — „ = 1 „

Landleute . . . 2 „ 4 „ = 6 „

Dienstboten . . . 2 „ 7 „ = 9 „

Taglöhner . . . 4 „ 1 „ = 5 „

Ohne Gewerbe . . . 2 „ 9 „ = 11 „

In ätiologischer Beziehung konnte man bei 33 Personen vorzugsweise physische Ursachen ermitteln; bei 17 Personen kamen als solche vorzugsweise Gemüthsaffectionen in Betracht; bei 6 hielten sich physische und psychische ziemlich das Gleichgewicht; bei 16 fand erbliche Anlage statt, und 15 waren von Geburt an oder schon in früher Kindheit erkrankt.

Die meisten Aufnahmen zählten die Monate Juni und Juli (je 9 Personen). Im Januar wurden 7, im Mai und October je 5, im März, April, August je 4, im Februar, November und December je 3, im September 1 Person aufgenommen.

Wegen Geisteszerrüttung waren 116 Personen im Laufe des Jahres in besonderer ärztlicher Behandlung, und zwar nicht sowohl, um wo es möglich war, eine radikale Heilung zu erzielen, als auch um bei vielen andern, mehrentheils unheilbaren, Erleichterung der Zufälle und zwar bei vielen wiederholt zu erwirken.

Viele andere, bei denen grade keine pharmazeutische
Mittel, vielmehr anderweitige therapeutisch diätetische
Maassregeln und ein passendes psychisches Regimen
in Anwendung kamen, sind hierbei nicht mitgezählt,
und noch andere, bei welchen zufällige Uebelseins-
formen die Zufälle des psychischen Leidens verschlimmerten, mit Beseitigung der ersteren aber ebenfalls
nachliessen, kommen hierbei ebenfalls nicht in Anschlag. Der Form nach litten jene 116 Personen

1) an acutem Wahnsinn   7 M.   5 W. =   12 Pers.
2) an chronischem Wahnsinn 27 „   27 „   =   54   „
3) an periodischem Wahnsinn   9 „   10 „   =   19   „
4) an Melancholie   .   .   2 „   3 „   =   5   „
5) an Blödsinn   .   .   4 „   6 „   =   10   „
6) an Wahnsinn und Epilepsie   5 „   11 „   =   16   „
                           54 „   62 „   = 116   „

Von diesen bieten etwa nur 39 Fälle (21 M. und
18 W.) mehr oder weniger Hoffnung zur Genesung
dar, und unter diesen befanden sich 23 (12 M. u. 13 W.),
welche im Laufe des Jahres aufgenommen worden
waren.

Geheilt entlassen wurden 19 Pers., 12 M. u. 7 W.,
Gebessert entlassen   9   „   2 „ u. 4 W.;
9 sind gestorben, 10 verblieben in gebessertem Zustande in der Anstalt und lassen demnächst vollständige Genesung hoffen.

Von den im Laufe des Jahres in die Anstalt Aufgenommenen sind 9 Personen (7 M. u. 2 W.) bereits
geheilt, 3 (1 M. 2 W.) gebessert, 3 (Mädchen) als
ungeeignet zur ferneren Detention entlassen worden,
7 (Männer) sind gestorben.

Von den geheilt oder in gebessertem Zustande
Entlassenen waren vor der Aufnahme erkrankt:

seit 1 — 3 Monaten   .   .   4 M. 5 W. = 9 Pers.
  „   3 — 6   „   „   .   .   3 „   — „   = 3   „
  „   6 — 12   „   „   .   .   3 „   1 „   = 4   „

seit 1—2 Jahren . . . 1 M. 1 W. = 2 Pers.

„ 2 und mehr Jahren . 3 „ 4 „ = 7 „

Es ist hierbei zu bemerken, dass sich die in gebessertem Zustande Entlassenen in der letzten Rubrik befinden.

Die geheilt oder gebessert Entlassenen befanden sich in der Anstalt

von 1— 3 Monaten . . 3 M. 1 W. = 4 Pers.

„ 3— 6 „ „ . . 3 „ 1 „ = 4 „

„ 6— 9 „ „ . . 2 „ 2 „ = 4 „

„ 9—12 „ „ . . 1 „ 1 „ = 2 „

„ 1— 2 Jahren . . 5 „ 6 „ = 11 „

Von zufälligen Krankheitsformen, welche Hospitaliten und untere Diener befielen, kamen im verflossenen Jahre 693 Fälle vor. Wie gewöhnlich waren gastrisch-biliöse Leidenszustände die vorherrschenden und fortdauernd stationären. Auch Wechselfieber waren in diesem Jahre wieder ziemlich häufig, besonders in den Sommermonaten. Es kamen mitunter, besonders im Mai, sehr hartnäckige Fälle dieser Krankheit vor, und die Zahl der Recidive war ungewöhnlich gross. Im März kamen gleichzeitig mehrere Fälle (9) von Gelbsucht vor, was in dieser Weise eine ungewöhnliche Erscheinung darbot. Rheumatische une katarrhalische Affectionen kamen zwischendurch das ganze Jahr hindurch vor; dagegen selten bedeutendere Entzündungskrankheiten, und kein einziger Fall von Nervenfieber. Sehr häufig waren dagegen apoplektische Zufälle, besonders bei Epileptischen, wie denn auch nicht weniger als 15 Personen, theils Epileptische (9 P.), theils Wahnsinnige unter mehr oder weniger heftigen krampfhaften Erscheinungen apoplektisch starben. Eine andere Reihe von Todesfällen (12) hatte eine bei Geisteskranken sehr gewöhnliche, allmählig zunehmende allgemeine, vom Centralorgane des Nervensystems, dem Gehirne ausgehende Lähmung zur Hauptursache, wenngleich in den meisten Fällen andere, ausserdem mehrentheils unbedeutende Zufälle, wie gastrische Fieber, Durchfälle, Erysipelaceen die entferntere Veranlassung zum letzten Erkranken abgaben. —

Als wahrscheinliche und unmittelbare Todesursachen ergaben sich überhaupt:

1) Lungenentzündung bei   1 M. — W. = 1 Pers.
2) Lungenschwindsucht bei   2 „ 2 „ = 4 „
3) Lungenödem bei . . 1 „ — „ = 1 „
4) Stickfluss bei   . . 1 „ — „ = 1 „
5) Wassersucht bei . . 1 „ 2 „ = 3 „
6) Schlagfluss bei   . . 12 „ 3 „ = 15 „
7) Allgemeine Nervenschwäche (Lähmung) mit colliquativen und gangränösen Erscheinungen bei . . . . 9 „ 3 „ = 12 „
8) Altersschwäche . . 4 „ 1 „ = 5 „

Summa 31 „ 11 „ = 42 „

Die Zahl der Todesfälle war hiernach ungewöhnlich häufig und übersteigt bei ziemlich gleichem Bestande die des Jahres 1846 um 12. Der Grund davon liegt in der bedeutenden Anzahl vorstehend angegebenen in diesem Jahre sehr häufigen Zufälle, ohne dass die Ursache dieser Erscheinungen näher zu ergründen wäre. Doch ist zu bemerken, dass diese Todesarten in verschiedenen Monaten häufiger vorkamen als in andern, so z. B. starben im Januar von 5 Personen 4, und im Mai von 4 Personen 3 am Schlagfluss; im März von 6 Personen 4 an allgemeiner Lähmung. Die zahlreichsten Todesfälle kamen überhaupt in den Monaten März, Juli, October (je 6), Januar und April (je 5) vor. Von unteren Dienern starb keiner. Dagegen haben wir einen tragischen Fall zu beklagen, der einen an chronischer Geisteszerrüttung mit vorherrschender Neigung zum Selbstmord erkrankten Hospitaliten Namens Adam Reidenbach von Meisenheim betraf. Derselbe war am 23. Juli unversehens Morgens, während der Wärter das Frühstück besorgte, auf den Boden gerathen und hatte sich daselbst erhängt.

Was die Leitung und Behandlung der Kranken insbesondere in psychischer Beziehung betrifft,. so ist durch die nunmehr eingetretene bessere Trennung der Geschlechter und theilweise auch der einzelnen Klassen von Kranken, so wie auch durch die vermehrte Anzahl des Wartpersonals und anderer untern Diener, welche in den letzten Jahren und so auch in dem jüngst verflossenen stattfand, eine bessere Beaufsichtigung und Handhabung der Ordnung möglich geworden und hierdurch eine wohlthätige Rückwirkung auf das Wohl und die Leitung der einzelnen Verpflegten erzielt. Bleibt in dieser Beziehung freilich noch viel zu wünschen übrig und ist namentlich die Anzahl der Wärter und Wärterinnen noch immer viel zu gering (mehrere sind immer noch mit der Pflege von 30 — 35 Personen belastet), und gestatten es die gegebenen Räumlichkeiten noch immer nicht, eine durchgängig zweckmässige Sonderung der einzelnen Klassen von Kranken durchzuführen, so sind das Desiderien, die erst nach immerhin noch bedeutender Erweiterung der Anstalt und entsprechenden Einrichtungen in baulicher Beziehung befriedigt werden können.

Bezüglich der von den Hospitaliten zu ihrem eigenen Nutzen und zum Vortheile der Anstalt geschehenen Arbeiten ist zu bemerken, dass die Art und Weise der Beschäftigungsmittel im verflossenen Jahre zwar keine Aenderung erlitt, dass aber durch die Anstellung eines besondern Gärtners für die Anstalt die

Gartenarbeiten besser geregelt vermehrt und vervoll-
kommnet werden konnten und dass bezüglich der
weiblichen Handarbeiten die Veränderung in der Person der Weisszeugverwalterin in so weit einen wohlthätigen Einfluss ausübte, als jetzt diese Arbeiten
von den weiblichen Kranken mit weit mehr Ruhe,
Ordnung und gutem Willen vollzogen werden und dadurch erst einen wahrhaft heilsamen Einfluss auszuüben im Stande sind. Der Contrast, welcher in dieser Beziehung gegen früher und jetzt sattfindet, zeigt
recht, wie viel in einer Anstalt wie die hiesige auf
den Charakter und die ganze Persönlichkeit der Angestellten, sowohl höherer als niederer ankommt, ein
Umstand, der für das Wohl und den Ruf eines solchen Instituts nicht wenig beiträgt und immerhin zu
berücksichtigen ist.

Die Mittel zur geistigen und gesellschaftlichen
Unterhaltung wurden im verflossenen Jahre in der
Weise gefördert, dass die Anstaltsbibliothek um einige Dutzend Bände vermehrt und verschiedene neue
Musikalien und Liederbücher angeschafft wurden, um
so die musikalischen Unterhaltungen mehr zu ver-
vollkommnen. Ausser einigen kleineren Tanzvergnü-
gungen, welche lediglich unter weiblichen Hospitaliten stattfanden, wurde der Saal im neuen Kü-
chengebäude am 12. October durch ein Ballfest einge-
weiht und dieses Fest durch die Anwesenheit der
hohen Commission verschönert.

Das am 26. u. 27. December stattgehabte Weih-
nachtsfest zeichnete sich diesmal durch eine grössere
Menge und Mannigfaltigkeit der Gaben aus. — Um
den Saal für diese und andere Festivitäten besser zu
erleuchten, hatte man Anlass genommen, einen Theil
der dafür bewilligten Mittel zur Anschaffung eines zu
diesem Zweck geeigneten Kronleuchters zu verwenden. Dadurch, dass man die dazu nöthigen Arbeiten

grösstentheils durch Hospitaliten vollziehen lassen
konnte, war es möglich geworden, ihn für eine baare
Ausgabe von nicht mehr als 8 fl. 45 Kr. anzufertigen.

Das gemeinschaftliche Speisen einer gewissen Anzahl von Hospitaliten hat sich auch in diesem Jahre
als zweckmässig bewährt, und es ist zu wünschen,
dass diese Einrichtung, sobald es die Raumverhält-
nisse gestatten, nach Maassgabe der Personen, die
sich dazu eignen, vermehrt werden.

Zum Schlusse dieses Berichts erlaube ich mir
noch die Kranken-, resp. Heilungsgeschichte einiger in diesem Jahre vorgekommenen Fälle kurz mitzutheilen.

1) *Anna Maria Spiess von Gimbsheim*, ein Mädchen von 22 Jahren, zarter Constitution und einer
angenehmen Gesichtsbildung, war bereits ein Jahr
lang erkrankt, als sie am 3. Sept. 1844 in die Anstalt aufgenommen wurde. Sie litt an einer Art von
Gemüthsverstimmung, welche sich, mit Schwachsinn
verbunden, durch grosse Furcht und Scheue, durch
kindisches und ängstliches Benehmen charakterisirte.
Anfangs beständig nach der Mutter jammernd, war
sie kaum ausser Bett zu halten, und kauerte dann gewöhnlich in einer Ecke des Zimmers, mehrentheils in
einer unanständigen Stellung, die Hand unter dem
Rocke. Sie war dabei häufig sehr unreinlich. —
Meine Bemühungen zur Wiederherstellung dieses Mädchens blieben erfolglos. Ihr Zustand verschlimmerte
sich vielmehr und sie befand sich so bereits zwei
Jahre in der Anstalt, als sie im Herbst 1846 von
einem entzündlichen Brustleiden befallen wurde, welches einen ziemlich starken Eiterauswurf zur Folge
hatte und einen tödtlichen Ausgang befürchten liess.
Inzwischen erholte sie sich wieder, und während be-

reits im Verlaufe dieses Leidens ihre Verstandeskräfte
sich klarer gezeigt hatten, kehrte mit vollständiger
Restitution ihrer körperlichen Gesundheit auch das
Licht ihrer Vernunft zurück, so dass sie, vollkommen
genesen, am 3. Januar 1847 aus der Anstalt entlassen
werden konnte.

2) *Gottfried Trüstedt von Meisenheim*, 28 Jahr
alt, Barbier, wurde den 5. Januar 1847 ins Hospital
aufgenommen. Von kräftiger Constitution, gut gewachsen, ein schöner Mann mit gut geformtem Kopf,
war dennoch die Prognose sehr ungünstig, weil erbliche Anlage zur Geisteszerrüttung vorhanden, und
eine bereits seit vielen Jahren an chronischer Verrücktheit leidende Schwester wenige Tage zuvor ebenfalls aufgenommen worden war. (Eine zweite, dermalen ebenfalls in Convalescenz befindliche, aber
lange Zeit im höchsten Grade wahnsinnige, eine in
solchem Maasse seltene, mit wenigen Intermissionen
6 Monate andauernde Zerstörungs - und Tobsucht
darbietende Schwester dieses Kranken wurde den
8. Juni 1847 aufgenommen.) Inzwischen war das Leiden T".s erst seit mehreren Monaten entstanden, und
somit die Hoffnung zu seiner Genesung doch nicht
aufzugeben. Nachdem Pat. in seiner kurzen Lebenszeit schon mancherlei unternommen und mancherlei
Schicksale gehabt, längere Zeit als Barbiergeselle ge-
wandert, dann unter eine Schauspielertruppe gerathen war, und, da er in der That Talent für diese
Kunst zeigte, selbst auf einigen grossen Bühnen de-
butirt hatte, war er vor etwa einem Jahre dennoch
in seine Vaterstadt und zu seinem früheren Metier
zurückgekehrt. Da er als Barbiergeselle sich längere
Zeit in Heidelberg aufgehalten und daselbst medicinisch - chirurgische Vorlesungen besucht, überhaupt
ein gewisses Streben nach höherer Bildung hatte, so
hielt er sich, wie es scheint für berufen, auch ärzt-

lichen Rath zu ertheilen, und gerieth darüber in Conflicte, die ihm manche Alterationen zuzogen. Ungünstiger noch wirkte seine Verheirathung auf seinen
Gemüthszustand. Ohne hinreichende Mittel hatte er
noch dazu eine unglückliche Wahl getroffen und war
schon vor seiner im September 1846 geschehenen
Verheirathung in eine gewisse Unruhe verfallen. So
wurde er, von Schulden, Nahrungssorgen und häuslicher Zwietracht gequält, bald nachher ein Opfer
dieser Gemüthsaufregungen. Er verfiel in Wahnsinn
und Tobsucht, welche letztere inzwischen mit ruhigen Intervallen wechselte. In diesen ruhigeren Zwischenzuständen, wobei inzwischen immer noch eine
gewisse Geistesaufregung bemerkbar war, liess Pat.
in seinen Reden ein merkwürdiges Gemisch von
Sinn und Unsinn, eine gewisse Selbstüberschätzung
und Affection wahrnehmen. Abwechselnd, gewöhnlich Nachts, war er sehr tobend, zerstörungssüchtig
und unreinlich.

Sein Gedächtniss hatte so wenig gelitten, dass
er im Stande war, grosse Stellen aus dramatischen
Dichtern z. B. den Monolog aus Schillers Wilhelm
Tell ohne Anstoss mit theatralischem Pathos und so-
norer Stimme zu recitiren. Zuweilen stand er auf der
im Tellhofe befindlichen Pumpe und sang in hellem
Tenor kunstreiche Arien und Lieder, exercirte und
commandirte dann wieder gleich einem Veteranen,
zeigte sich, angeredet, fein und anständig, und zerriss und verunreinigte in der folgenden Nacht wieder
das Bett. — Nachdem ich, mehrere Monate erkrankt,
erst im März diesen Kranken näher beobachten und
behandeln konnte, hatten wiederholte Blutentziehungen und andere entsprechende Mittel abwechselnde
Besserung zur Folge. Doch kehrte noch öfters grössere Unruhe zurück; erst allmählig wurde Pat. ruhiger und für Vorstellungen und Zuredungen empfäng-

29 *

licher, und so gelang es, nachdem Pat., dessen Kräftezustand etwas heruntergekommen war, sich mit Hülfe einer reichlichen Diät wieder erholt hatte, ihn binnen kurzem und mit vollkommner körperlicher Erholung auch geistig völlig wiederherzustellen, so dass er den 18. Juni aus der Anstalt entlassen werden konnte.

3) *Maria Catharina Boss von Schlitz*, 35 Jahr alt, wurde den 9. Januar 1847 ins Hospital aufgenommen. Der Ermordung ihres siebenjährigen Kindes angeklagt, eines Verbrechens, dessen schauderhafte Umstände allgemein bekannt sind und hier keine nähere Auseinandersetzung bedürfen, sah sie ihrer Bestrafung entgegen, als sie durch das Todesurtheil des Mörders Bock eine solche Gemüthsaffection erlitt, dass sie sofort im Arresthause in Darmstadt in Wahnsinn verfiel. Ihr Zustand glich nach ihrer Aufnahme mehr dem einer Blödsinnigen. Sie sprach kein Wort, sah stier vor sich hin, war sehr unreinlich, verhielt sich aber sonst ruhig. Da sie sich in Abwesenheit Anderer etwas freier bewegte, auf Vorstellungen und liebreiche Ermahnungen allmählig etwas gesprächiger und reinlicher wurde, ja, nachdem sie nach Verlauf mehrerer Wochen in den Arbeitssaal gebracht worden war, sich nicht nur ordentlich benahm, sondern auch fleissig arbeitete, so lag anfangs der Verdacht nahe, dass hier Simulation stattgefunden. Inzwischen lehrte doch die weitere Beobachtung dieser Kranken, dass dem nicht so sei. Sie erlitt mehrmals, da sie sehr reizbar war, selbst nach geringfähigen Gemüthsaffectionen, einigemale auch nach Erkältungen wiederholte Anfälle gesteigerten Irrescin's und tobsüchtiger Aufregung, war dabei mehrentheils und längere Zeit körperlich krank, klagte häufig über heftige Kopfschmerzen und mannichfache anderweitige nervöse (hysterische) Symptome, litt längere Zeit an ander-

weitigen Störungen der Functionen (in *Folge dieses*
Erkrankens waren ihr selbst die Kopfhaare stellen-
weise ausgefallen), so dass an der Wahrheit ihres
psychischen Erkrankens nicht mehr gezweifelt werden konnte. Nur sehr allmählig und unter abwech-
selnden Rückfällen gelang es mit Hülfe psychischer
und moralischer Mittel eine dauernde Besserung und
endlich vollständige Genesung herbeizuführen, so dass
sie, nachdem ihr noch ihr Todesurtheil und gleichzeitig ihre Begnadigung bekannt gemacht worden war,
am 9. October aus der Anstalt entlassen und in die
Strafanstalt nach Marienschloss verbracht werden
konnte.

4) *Helena Debus von Worms*, ein wohlgebildetes
Mädchen von 21 Jahren, war bereits den 22. October
1846 in die Anstalt aufgenommen worden. Der Charakter des psychischen Leidens dieses Mädchens bot
einen merkwürdigen Complex von irren extravagan-
ten Ideen, Albernheit und Querköpfigkeit, die sich
in allen ihren Reden, in ihrem Gange, ihrem Anzuge,
in allen Manieren und Bewegungen aussprach. Abwechselnd steigerte sich dieses Leiden bis zu tobsüchtiger Aufregung, und die lange Zeit und unver-
drossen fortgesetzte Behandlung konnte nur abwechselnde und vorübergehende Besserung erzielen, als
Pat. im September an einem heftigen Wechselfieber
erkrankte, das, mit wiederholten starken Blutungen
aus der Nase verbunden und mit Vorsicht behandelt, erst nach mehreren Rückfällen bekämpft werden konnte, nunmehr aber, besonders, wie anzunehmen ist, in Folge der wiederholten Blutflüsse,
eine andauernde Besserung auch in psychischer Beziehung zur Folge hatte, so dass sie, bis auf einen
gewissen Grad von Geistesschwäche, die eines Theils
ihr angeboren schien, andern Theils das Product einer falschen Erziehung (allzuvieler und unverdauter

Lectüre) war, allmählig soweit genas, dass ich sie,
ihrem eigenen und ihrer Mutter dringendem Verlangen nachgebend, am 20. November aus der Anstalt
entlassen konnte.

5) *Heinrich Winkler von Seeligenstadt*, 38 Jahr
alt, von Profession ein Blechschmidt, wurde den
16. Juni 1847 ins Hospital aufgenommen. Durch einen unglücklichen Process war dieser Mann, ein armer Familienvater, bereits seit mehreren Jahren in
Wahnsinn verfallen, der inzwischen nur in periodischen Intervallen von mehreren Wochen wieder-
kehrte.

Dergleichen periodische Manieen sind gewöhnlich
sehr hartnäckig und es gelingt selten, sie gründlich
zu heilen. Pat. erlitt während seines fünfmonatli-
chen Aufenthalts in der Anstalt bis zur Mitte Sep-
tembers mehrere Anfälle von Tobsucht. Sein Leiden
stand mit einer chronischen Störung der Unterleibsorgane (insbesondere des Pfortadersystems) in ursächlichem Zusammenhange. Ein dieser Indication
entsprechendes und beharrlich fortgesetztes Heilverfahren hatte dauernde Besserung und, wie ich Ursache habe zu hoffen, vollständige Genesung zur Folge. Er wurde den 20. December entlassen.

Wenn gleich noch eine Menge solcher Fälle übrig
sind, die bezüglich der Entstehungsweise, des Verlaufs der Krankheit und ihrer günstigen Entscheidung
mannichfache Interessen darbieten, (so kamen namentlich in diesem Jahre noch mehrere andere Fälle zum
Theil sehr eingewurzelter und nach allen Erscheinungen fast hoffnungsloser Geistesstörungen vor, welche dennoch nach beharrlich fortgesetzter Behandlung zum Theil auch mit Hülfe intercurrirender, mit
Vorsicht behandelter, einen kritisch-heilsamen Einfluss auf das psychische Leiden ausübender Krank-

heilszustände, zu einem glücklichen Ausgange geführt wurden), so muss ich doch befürchten, durch
eine allzugrosse Ausdehnung dieses Berichtes zu ermüden und behalte mir vor, die Geschichte einiger
dieser Kranken, welche sich noch als Convalescenten
in der Anstalt befinden, in meinem nächstjährigen
Rechenschaftsberichte mitzutheilen.

Nekrolog.

Dr. *Franz Amelung* *).

Dr. Franz Amelung, geboren den 28. Mai 1798 zu Bickenbach an der Bergstrasse, Sohn des Grh. Generalstabmedicus, starb zu Hofheim am 19. April 1849, Abends 7 Uhr, in Folge eines Stichs in den Unterleib, welchen ihm am 16. April ein, als nicht zurechnungsfähig erklärter und in die Irrenanstalt aufgenommener Mörder beigebracht. Wenn unsere Vorfahren ihre Criminaljustiz auf dem alt-testamentarischen Spruch: Auge um Auge, Zahn um Zahn — basirt hatten, so hat die neuere Zeit in ihren Humanitäts-Bestrebungen mit Recht jenen Grundsatz aufgegeben; doch wollen wir nicht untersuchen, ob man nicht bereits in diesen modernen Ideen zu weit gegangen ist, wenigstens ist es zu entschuldigen, wenn wir bei der unglücklichen Todesart eines Mannes hier zweifeln, dessen Tod für die Wittwe mit sieben meist unversorgten Kindern, und für die Wissenschaft, so sehr zu beklagen ist. Die Art und Weise, wie Amelung seinen Tod fand, ist zu wichtig, als dass wir sie hier nicht schildern sollten: Am 16. April liess Amelung jenen Mörder, auf dessen Verlangen, durch

---

*) Vgl. VI, 2. uns. Zeitschr. S. 367.

einen Wärter ins Zimmer bringen, weil Amelung,
in Folge gichtisch - rheumatischer Leiden krank war;
ausser Amelung war noch ein Arzt Dr. G... im Zimmer anwesend. Jener Mensch wurde im Herbst 1847
wegen Apfeldiebstahl zu 45 Kreuzer Strafe verurtheilt,
wodurch seine Rachsucht in der Art entflammt ist,
dass er den Angeber erschoss; in Criminaluntersuchung gezogen, erklärte man den Menschen für unzurechnungsfähig, also für verrückt, und so kam er
nach Hofheim. Unzufrieden mit diesem Aufenthalt,
wünschte er Entlassung, die Amelung nicht gewähren konnte, und auch diesmal war es die Bitte um
Entlassung, weshalb der unselige Mensch sich hatte
anmelden lassen. Amelung versuchte es, den Mann
zu beruhigen, aber indem er den Puls fühlte, stiess
ihm der Mörder ein nicht sehr grosses Messer in den
Unterleib, und dies war so rasch geschehen, dass
Dr. G. und der Wärter es nicht hindern konnten.
Sogleich quollen die Gedärme aus der Wunde hervor,
der Blutverlust war nicht bedeutend; innerhalb 2
Stunden war Herr Dr. v. Siebold aus Darmstadt in
Hofheim und übernahm die Behandlung. Anfangs war
man nicht ohne Hoffnung, aber am 2ten Tag stellten
sich heftige Magenkrämpfe mit Erbrechen ein; am
4ten Tag war der Todeskampf frühzeitig eingetreten
und, nach schrecklichem Leiden, hatte Amelung
gegen 7 Uhr Abends für diese Welt überwunden.
Möge Amelung's unglückliches Ende warnend überall da einwirken, wo man geneigt ist, das Verbrechen als Verrücktheit gerne darzustellen; wir billigen
die Humanitätsbestrebungen jedenfalls, hoffen indess,
dass man fortan mindestens die unzurechnungsfähigen
Mörder nicht mehr in Irrenhäusern unterbringen werde. — Aus dem Sectionsbericht ergiebt sich, dass
aus einer kleinen Oeffnung in der Gallenblase die
Galle in den Unterleib sich ergoss, wonach die Lei-

den sich einstellten, welche den Tod herbeiriefen. — Amelung's Verdienste sind zwiefach, denn er machte sich verdient um das Hospital Hofheim und um die Wissenschaft; dass Amelung als praktischer Arzt überdies tüchtig war, bedarf der Erwähnung weiter nicht. — In dem hessischen Schriftstellerlexikon von Scriba befindet sich Kunde über Amelung, auf die wir hier hinweisen. Weil dieses Lexikon indess schon 1830 und 1842 erschienen ist, so lassen wir noch das Verzeichniss der Schriften nachfolgen, welche Amelung von 1842 bis 1849 geschrieben hat. — Wir erlauben es uns, in Bezug auf Amelung's literarische Leistungen das Folgende zu sagen: Vorzugsweise gerne befasste sich Amelung mit der *Psychiatrie;* er ging hier von der Ansicht aus, dass es keine primäre Seelenkrankheiten giebt, dass also Seelenstörung nur eine *Folge von Körperleiden* ist, und so strebte Amelung in seinen Schriften dahin, die körperlichen Ursachen der Verrücktheit aufzuhellen und die ärztlichen Mittel anzuweisen, welche hier heilbringend einwirken. Amelung war den blos theoretischen Ideen über Psychiatrie ebendeshalb, weil er ein tüchtiger praktischer Arzt war, abgeneigt, Amelung's Name wird in spätern Tagen als Förderer der praktischen, d. h. allein wahren Psychiatrie, noch *mit Dank genannt werden*, wenn die Namen der unpraktischen Theoretiker längst vergessen sind. Diese praktische Richtung hat Amelung nie verläugnet, und wir erinnern hier nur an die „Beiträge zur Lehre von den Geisteskrankheiten. B. 1. u. B. 2. Darmstadt 1832 u. 1836", die er in Verbindung mit Dr. Bird herausgegeben hat; ebenso erinnern wir an die „Chirurgische Clinik von Dr. Larrey, deutsch und mit Anmerkungen herausgegeben von Amelung, B. 1. u. B. 2. Darmstadt 1831." — Diese letzte Schrift ist, abgesehen von ihrem sonstigen Werth, auch für Psy-

chiatrie von Bedeutung, wie das Dr. Bird in seinen
„Notizen aus dem Gebiete der psychischen Heilkunde,
Berlin 1835" — anerkannt und gezeigt hat. Amelung's Verdienste um die Psychiatrie und die Medicin überhaupt sind grade, ihrer praktischen Richtung
wegen, werthvoll, und hierdurch ist seinem Namen
ein dauerndes Andenken gesichert. Hat sich Amelung um die medicinischen Wissenschaften durchaus
verdient gemacht, so müssen wir gleichfalls anerkennen, dass seine Bemühungen für das Emporkommen
des Hospitals Hofheim — unsern Dank für den Hin-
geschiedenen sehr in Anspruch nehmen. Nachdem
Amelung seine Studien in Berlin vollendet, wo er
sich der liebevollsten Theilnahme seines *berühmten
Oheims*, des Leibarztes Dr. Hufeland, erfreut hatte;
nachdem er noch einige andere Universitäten besucht
und eine Reise durch Deutschland, Italien, Frankreich und die Schweitz gemacht, wurde er im Jahre
1821 als Arzt des Landhospitals Hofheim angestellt.
Kloster Hofheim wurde zur Zeit der Reformation aufgehoben und von einem der grössten Männer jener
Zeit, von Landgraf Philipp dem Grossmüthigen von
Hessen, zum Heil der leidenden Menschheit in ein
Hospital für Alte, für unheilbare Kranke und Verrückte — verwandelt, und es ist gewiss, dass Philipp des Grossmüthigen Stiftung wahrhaft das Unglück erleichtert und gemildert hat. Weil sich im
Verlauf der Zeit die Ideen und Bedürfnisse der Menschen ändern, so entsprach Hofheim in der Zeit, wo
Amelung zum Arzt desselben ernannt ist, auch
nicht mehr den Bedürfnissen der Gegenwart. Amelung hatte viele Hospitäler gesehen, und so konnte
er in der Zeit, wo man in Deutschland für Spitäler
und Irrenhäuser so Bedeutendes leistete, mit dem
Zustand von Hofheim nicht zufrieden sein und — er

war auch nicht zufrieden. Amelung strebte darnach, Hofheim aus einem *Bewahrungsort in ein wirkliches Hospital zu verwandeln,* und er hat seine Plane
soweit realisirt, als dies möglich war. — Seine Bemühungen fanden bei der *Regierung günstige Aufnahme,* und nur die Unmöglichkeit, die nöthigen
Geldsummen herbeizuschaffen, ist Ursache, wenn nicht
alle Plane Amelung's ins Leben treten konnten.
Durch Amelung's Bestrebungen ist es indess gelungen die *Gebäude* von Hofheim zu *verbessern,* in soweit es nur möglich war. Für die Geisteskranken
ist ein *neues Gebäude* aufgeführt, und so ist es Amelung's Verdienst, wenn in Hofheim eine Irrenheilanstalt zu Stande gekommen ist. — Konnte das alte
Hofheim weder in Lage, Einrichtung, Ausstattung,
noch in Hülfsmitteln, mit neu angelegten und sonst
gepriesenen Irrenanstalten nicht wetteifern, so ist es
um so verdienstlicher für Amelung, wenn die Resultate seiner Heilbestrebungen, wie die statistischen
Tabellen ausweisen, so günstig sich stellen, dass
seine Leistungen *mindestens* mit denen der besten Anstalten, *auf gleicher Höhe stehen* und von keiner übertroffen werden. Ausgezeichnet als Arzt, als Schriftsteller, als Erneuerer und Verbesserer von Hofheim,
das jetzt ein Asyl *für 400 unglückliche Menschen ist,*
für deren Wohl Amelung stets väterlich besorgt war,
weihen wir dem Andenken des Freundes, der uns auf
eine so unglückliche Weise entrissen ist, diese wenigen Zeilen, wobei wir die Hoffnung aussprechen,
es mögen die Verdienste des Vaters der so frühe
verwaiseten zahlreichen *Familie zum Segen gereichen!*

Dr. *Bird.*

Dr. *Carl Berthold Heinrich.*

Am 16. April d. J. starb zu Königsberg C. B. Heinrich, Dr. Philos. u. Medic. und ausserordentlicher
Professor der Albertina. Durch seinen Tod am Vor-
abend seines 30sten Geburtstages vernichtete er seiner
Verwandten und Freunde stolze Hoffnungen, zu denen ebensosehr der reiche Schatz seines Wissens,
wie sein reger Eifer und die schönen Eigenschaften
seines Charakters berechtigten. Es verliert an ihm
die psych. Zeitschr. einen fleissigen und strebsamen
Mitarbeiter.

Sein dem Geschick vorgreifender Entschluss war
die Folge einer allmählig entwickelten tiefen Melancholie, die er selbst als solche erkannt, aber vergebens, auch durch Anwendung verschiedener medicinischer Mittel zu bemeistern versucht hat. So gewinnt des Geschiedenen Lebenslauf und tragischer
Tod auch für diejenigen unserer Collegen ein besonderes Interesse, die ihn nicht persönlich gekannt
haben.

Carl Berthold Heinrich, zu Bonn am 17.
April 1819 geboren, war ein schwächliches, ungewöhnlich folgsames und gutmüthiges Kind. Früh schon
verrieth er ein ausserordentliches Gedächtniss, einen
seltenen Fleiss und eine ungewöhnliche Ordnungsliebe,
die sich in den späteren Jahren fast bis zur Pedan-
terie steigerte. Wohl hätten die schon damals häufigen Kopf-Congestionen, das öftere Nasenbluten und
einige plötzliche Ohnmachtanfälle zur Vorsicht auffordern sollen. Doch war es natürlich, dass der durch
die eigenthümliche Heftigkeit seines Wesens in näheren, wie durch seine bedeutenden philologischen Arbeiten in weiteren Kreisen wohlbekannte Vater des
Knaben, der Professor C. F. Heinrich, erfreut über
den Eifer des Sohnes, diesen zu immer fleissigeren

Studien anspornte. Durch des Vaters streng über-
wachende Erziehung wie durch die Einwirkung seiner Freunde wurde denn auch dem sich entwickeln-
den Geiste eine gediegene klassische Grundlage gegeben. So gestattete der Vater das Studium der Medicin dem im Jahre 1836 zur Universität gereisten
Jüngling nur unter der Bedingung, dass zuvor ein
Semester lang philologische Collegien gehört werden
müssten. Kein Wunder, dass unter diesen Verhältnissen, unter dem auch nach des Vaters 1838 erfolgten Tode fortdauernden Einfluss eines Schopen und
des durch seine zweite Mutter ihm verwandten Harless, jene Klassicität des Styls entwickelt wurde, die
ihn später ausgezeichnet hat, und eine vorwiegende
Neigung zum Studium der Geschichte der Medicin
und der theoretischen Zweige unserer Disciplin.

Dem entsprach wiederum, dass schon auf der
Universität — Heinrich hat nur in Bonn studirt —
seine Commilitonen in ihm den künftigen Docenten
erblickten, wie er denn auch selbst die medicinische
Professur sich so zu sagen zum Lebenszweck machte. Mit des Vaters Tode war sein rastloser Fleiss
noch gewachsen. Mit seltener Selbstbeherrschung
wusste er bei dem, seinem lebhaften Temperament so
entsprechenden Lustbarkeiten nach der Weisung seiner Uhr abzubrechen: er besass in hohem Grade das
goldene Geheimniss der Zeiteintheilung. — Nachdem
er schon vorher aus dem Nachlass seines Vaters Ju-
venal's Satiren herausgegeben und sich dabei geistig so angestrengt hatte, dass ein schlagartiger Ohn-
machtanfall die Folge war, erwarb er sich im Herbst
1839 mit einer Dissertation *de Chryse in Philocteta
Sophoclis* das Doctorat der Philosophie und im Herbst
1841 das der Medicin mit einer Dissertation *de Idio-
syncrasia*, in welcher sich deutlich die historische
Richtung kundgiebt.

Im folgenden Winter absolvirte H. in Coblenz das Staatsexamen, und trat dann, zuvor in Bonn habilitirt, mit reichem encyklopädischem Wissen begabt, eine längere wissenschaftliche Reise an, bestimmt, das Können mit dem Kennen in Gleichgewicht zu bringen, die praktische Tüchtigkeit den theoretischen Kenntnissen conform zu entwickeln. In der That hatte diese Reise, die im Herbst 1843 beendet war, der Besuch anderer deutschen Hochschulen, besonders der Aufenthalt in Berlin und Wien, wo Chemie und Mikroskopie, pathologische Anatomie und Stethoskopie gegen manch Stückchen staubiger Gelehrsamkeit eingetauscht wurde, den jetzt 24jährigen jungen Mann ungemein gefördert. Sie hatte ihn einigermaassen von jener Unselbständigkeit befreit, die die Folge einer zu lange fortgesetzten Herrschaft der Familie zu sein pflegt, und hatte in wissenschaftlicher Beziehung ihn seine Lücken in den praktischen Fächern kennen gelehrt. Eifrig bestrebt, diese auszufüllen, eröffnete er in Bonn seine akademische Wirksamkeit, nicht verschont von jenen Misshelligkeiten, wie sie dem Facultätsleben physiologisch anzugehören scheinen. Auch versäumte er nicht, sich literarisch thätig zu zeigen, so durch einige Aufsätze über die Vortheile des Mikroskop für den praktischen Arzt im IV. und über Oophoritis im V. Bd. von Henle und Pfeuffer Zeitschr. f. rat. Med., durch Mittheilung über einen Fall von Krebskachexie u. s. w. in Haeser's Archiv Bd. VII., durch Anderes in Jahrg. 45 u. 46 des Heller schen Arch. f. phys. und path. Chem. und Mikrosk. — In der zum 50jährigen Jubiläum seines Oheims Harless 1844 separat gedruckten und später durch Haeser's Archiv Bd. VI. dem grösseren Publicum zugänglich gemachten Arbeit: „Mikroskop. und chemische Beiträge zur praktischen Medicin" machte H. die ersten Excursionen auf das

psychiatrische Gebiet, übersetzte und bevorwortete
dann unseres frühverstorbenen Siegburger Assistenten
Hittorf Dissertation über das Blut der Tobsüchtigen,
in Heller's Archiv, und bereitete so zu sagen durch
einen Aufsatz in Haeser's Archiv Bd. VII. Heft 2.
„über die Wichtigkeit mikrosk. und chem. Untersuchungen für die Psychiatrik, mit besonderer Rücksicht auf Harnsemiotik" seinen Uebertritt nach Siegburg vor, wo er von der Bonner Facultät beurlaubt,
als 1ster Assistent im Nov. 1846 eintrat.

Von hieraus besorgte H. die letzten Correctur-
bogen seiner Monographie: „die Krankheiten der Milz.
Leipzig 1847", ein Buch, das fast von allen Seiten
als die gediegenste Zusammenfassung des vorhandenen Materials betrachtet wurde. Mit rastlosem Eifer
hatte der Vf. schon auf der Universität und später
auf seinen Reisen den Stoff zu diesem Werke gesammelt, mit welchem er nach eigener Aussage vorläufig
das „Bücherschreiben" aufgeben wollte, um alle Kraft
der Psychiatrie zuzuwenden und der Geschichte der
Medicin, welche letztere nach gründlichen Vorstu-
dien in einem ausführlichen, erst im späteren Man-
nesalter zu edirenden, Werke zu behandeln er sich
vornahm. Es sollte dies seines Lebens-Hauptinhalt,
Aufgabe und Bedeutung werden. Vereitelte Hoffnung! —

In Siegburg orientirte H. sich unter den Auspi-
cien unseres würdigen Jacobi immer mehr im Gebiete der Psychiatrie wie im Anstaltswesen, so dass
er bei der Versammlung der Naturforscher und Aerzte
zu Aachen im Jahre 47 als eifriges Mitglied der an-
thropologisch-psychiatrischen Section glänzte. Sein
dort mit grosser rhetorischer Fertigkeit gehaltener
Vortrag: „über die different. Diagnostik der bei den
Irren vorkommenden latenten Lungenkrankheiten" fin-

det sich abgedruckt im V. Bd. unserer Zeitschrift *).
Wer in jenen herrlichen Tagen der vielleicht für längere Zeit letzten Naturforscher-Versammlung, wo
die zahlreich vereinte deutsche und holländische Psychiatrie unter dem Motto der Schlusszeilen des ersten
Festliedes tagte:

> Doch wie in Allem Sein von Schein
> Ihr unternehmt zu trennen,
> Eu'r Höchstes bleibt, des Menschen Sein
> Und Wesen zu erkennen.

wer dort ein Mitglied dieser Section war, dem wird
alsbald das Bild des Verstorbenen vor die Seele treten, wie er blond, schlank mit einem Ausdruck von
Entschiedenheit in den offenen, gutherzigen und äusserst beweglichen Zügen vor uns stand, bald der
ernste und eifrige Kämpfer in der wissenschaftlichen
Debatte, bald der heiterste und launigste Gesellschafter an der Tafel und bei der Excursion.

Es fällt jener Besuch Aachens in die glücklich-
ste Zeit von H.'s Leben. Er fühlte sich in Siegburg
fast ganz verschont von jenen Kopf-Congestionen,
wegen deren er sich früher wiederholt und mit Erleichterung Schröpfköpfe in den Nacken appliciren liess.
Seine Besorgniss vor einem Schlagfluss, wohl gerechtfertigt durch die früheren Zufälle, wie durch einen
auffallend breiten wenn auch nicht sehr kurzen Hals,
trat hier ganz zurück. Seine Körperfülle und Kraft

---

*) Kleinere Artikel aus jener Zeit, so „über Faserstoff im
Harn", „über medicinische Volksschriften und Sanitätspo-
lizei", „über die Wichtigkeit der Anamnese bei Behandlung von Irren", „über die psych. Sect. der Aachener Versammlung", so wie „über die Befugniss des Selbstdispen-
sirens der Homöopathen", befinden sich in dem I. u. II. Bd.
der rhein. Monatsschrift für praktische Aerzte.

nahm zu, während damit correspondirend jene Heftigkeit und Empfindlichkeit sich minderte, die, ein Erbtheil seines Vaters, er schon früh äusserlich nieder-
zukämpfen gelernt hatte. Mit der grösseren Beruhigung seines Gemüths wurde auch seine Weltan-
schauung etwas ernüchtert, die eine durchaus idea-
listische und gepaart war mit einem nach so manchen
bitteren Erfahrungen kaum begreiflichen Optimismus
in Beurtheilung der Personen und Sachen. Er gehörte
zu jenen Charakteren, die mit grosser sittlicher Reinheit bei vorwiegendem Gemüthsleben ihr eigenes Selbst
im Objecte wiederspiegeln, und darum leicht Selbst-
täuschungen verfallen. Machte ihn dieser Optimismus,
seine humane Bildung und der unverwüstliche Schatz
seiner Laune zu einem in allen Kreisen willkommen
geheissenen, liebenswürdigen Gesellschafter, so wurde andererseits durch die Beweglichkeit und Vielsei-
tigkeit seines Geistes ein reges Interesse an allen
wissenschaftlichen und politischen Ereignissen, u. A.
damals seine Theilnahme an den beginnenden Medic.
Reform-Bestrebungen bedingt. Aus der strengen geistigen Zucht seiner Kindheit und Jugend stammte
endlich jene pedantische Ordnung in seinen Notizen
und Excerpten, jene Bereitschaft des Stoffes, die in
Verbindung mit der Unruhe des Gemüths zu dem Bestreben führte, jegliche Frage, auch wohl bei unge-
nügender Feststellung der erforderlichen Prämissen,
zu raschem und entscheidendem Abschluss zu bringen.
Diesem Bestreben zu genügen, das Facit zu ziehen
aus dem eben vorliegenden Stoffe und den Resultaten
möglichst nachdrückliche Geltung zu verschaffen, be-
fähigten ihn ebensosehr für literarische Thätigkeit die
Gewandtheit und Klarheit seines Styls, wie für die
Wirksamkeit in mündlicher Discussion sein rhetori-
sches Talent, beides theils Anlage, theils Folge der
philologischen Vorbildung.

H. besass in seltener Vollendung diejenigen Eigenschaften, die eine segensreiche psychologische Einwirkung des Irrenarztes auf seine Kranken bedingen. Er erwarb sich ihre Liebe, ihr Vertrauen in hohem Grade, und viele konnten sich der Thränen nicht erwehren, als die ehrenvolle Berufung zu einer ausserordentlichen Professur nach Königsberg ihm der Anstalt entriss. Selten wohl schied ein Beamter aus unserem Verbande unter so allgemeiner Theilnahme der Gesunden wie der Kranken.

H. verliess uns in den ersten Tagen des ereignissreichen Märzmondes 1848. Mächtig erfasste ihn die Bedeutung des Augenblicks. Seine politische Begeisterung wurde noch genährt und gehoben durch eine am Ende des Monats nach Süddeutschland unternommene Reise, von der er etwas abgemagert und reizbareren Gemüths zurückkehrte, um bald darauf dem Rhein für immer Lebewohl zu sagen und mit raschem Schritt seinem tragischen Geschick entgegenzueilen.

Wer will es ihm verargen, wenn er in der Ueberzeugung, einer höheren Pflicht zu genügen, dem seinen Freunden und Verwandten gegebenen Versprechen, sich übergrosser Geistesanstrengungen enthalten zu wollen, untreu wurde? Er erfasste wie immer frisch und kräftig die dargebotene Arbeit. Die Poliklinik, die er eingedenk seiner vorzugsweise theoretischen Tüchtigkeit mit seinen Freunden nur als einen Durchgangspunkt zur ausschliesslich theoretischen, in specie historischen Professur betrachtet hatte, erschuf ihm manche Schwierigkeiten. Auch das Verhältniss zur Facultät gestaltete sich nicht nach Wunsch, und jede Unannehmlichkeit musste um so irritirender wirken, mit je grösserem Optimismus H. bei seiner Ankunft Personen und Verhältnisse beurtheilt hatte.

Ausserdem nahm die Politik einen grossen Theil seiner Zeit in Anspruch. Mit dem ganzen Idealismus
seiner Persönlichkeit eilte er in den Kampf, und
während er zugleich psychiatrische Aufsätze und politische Journalartikel schrieb, wirkte er mit seiner
Redegabe in politischen Versammlungen, in medic.
Reform‑Vereinen u. s. w. Sein Nervensystem war
der andauernden Aufregung nicht gewachsen. Schon
am 13. Aug. v. J. erlitt er einen Anfall, den er seinen rheinischen Freunden verschwieg, über den jedoch
seine Notizen berichten: „ich spürte eine Aura, ein
Unwohlsein und fiel plötzlich bewusstlos nieder." Erst
nach längerer Zeit soll das Bewusstsein wiederge-
kehrt sein. Es blieb für einige Wochen Unbehaglichkeit zurück. „Ich bin eine Gehirnnatur", schrieb er
in sein Tagebuch, „wonach sich zu richten; aber
welch ein Leben ohne gleichzeitige Anspannung durch
Unruhe!" Nur zu bald brachte, im October, die
Cholera‑Epidemie ein neues Moment der Unruhe, der
Anspannung. Diese geistige Erregtheit, die Alles
ergreifen, bewältigen und zum Abschluss bringen
wollte, war eine krankhafte Potenzirung von H.'s
ganzem Wesen, wie es oben geschildert worden,
eine Exaltation; und es folgte ihr naturgemäss eine
ebenso heftige Depression, zu deren Steigerung wiederum die mit dem Umschwung der politischen Verhältnisse verbundenen Enttäuschungen wesentlich bei-
trugen. Noch mancher andere Kummer belastete das
impressionable, seiner früheren Spannkraft beraubte
Gemüth des Kranken. Es würde dem Zweck dieser
Zeilen durchaus widersprechen, wenn ich an dieser
Stelle Einzelheiten aufführen wollte auf die Gefahr
hin, neue Debatten hervorzurufen. Ebensowenig ist
hier der Ort, aus den vorliegenden werthen Schrift-
stücken meines Freundes eine erschöpfende Schilderung des psychologischen Processes zu geben, der

ihn aus einem begeisterten Anhänger derjenigen con-
stitutionellen Partei, die ich am besten die Gagern-
Dahlmannsche nenne, zu einem ebenso begeisterten
Vorkämpfer der jetzt in Ostpreussen unter dem Namen der „demokratisch-constitutionellen" bekannten
Partei umschuf und ihn später wieder gegen seinen
früheren Standpunkt hin zurückführte. Nur das sei
nicht verschwiegen, dass jene Papiere den unwider-
leglichen Beweis von der unbefleckten Reinheit dieses
vielfach verdächtigten Charakters geben. Was er
gethan und gesprochen, war in jeder Phase seiner
politischen Wirksamkeit unverfälschtes Resultat seiner Ueberzeugungen. Aber das Uebermaass geistiger
Erregung hatte die seelische Kraft gebrochen. Am
letzten Tage des grossen Revolutionsjahres schrieb
H. in sein Journal: „Ich bin schon seit Wochen wie
paralysirt und unfähig, irgend activ zu wirken.....
Ein neues Jahr steht vor der Thür: der Idealismus
von 1848 ist ausgeträumt, die Wirklichkeit folgt
nach."

Mit dem neuen Jahre wuchs die Melancholie rasch;
ihre Ausbrüche im Tagebuch des Kranken werden
immer häufiger, und man sieht aus ihnen, wie schon
im Januar Vernichtungs-Gedanken nächtlich auftau-
chen. Zwischendurch alle mögliche zweifelhafte Hoffnungen, aber kein entscheidender Entschluss, sich
eine dieser Möglichkeiten zu erringen. Keinem seiner rheinischen Freunde theilte er sich deutlicher mit.
Er litt ungemein, litt um so mehr, je mehr er sein
Leiden verbarg, sich selbst aber offen gestand, dass
er dem Wahnsinn entgegengehe. Am 2. April machte
er einen ersten erfolglosen Versuch mit gewöhnlicher,
am 16. April einen zweiten, schnell tödtlichen mit
einer Unze wasserfreier Blausäure. Dem ihm nahe befreundeten Dr. Graf führte er namentlich die Furcht,
wahnsinnig zu werden, als Ursache seines Entschlus-

ses an. Das Tagebuch vom 1. April sagt: „Ich bin wieder traurig gestimmt — so wechselt's immer auf und ab, ein unerträglicher Zustand...... Unsere Person ist die Brille, welche die Dinge uns zum Bewusstsein bringt, und wenn unser Gemüth unglücklich sich fühlt, vermag ein Eldorado uns nicht zu befriedigen....."

Und in der That, H.'s Persönlichkeit hatte ihm auch in Königsberg aufrichtige Freunde erworben; in vielen Familien war er der stets willkommene Gast. Gerührt erkennt er dies oft und wiederholt in seinen Briefen an. Stets aber tauchen die melancholischen Gedanken wieder auf. „Ich habe zu sehr gelitten", schreibt er, „meine Kräfte versagen mir im Kampfe." oder „Es giebt für mich nur eine ultima ratio." Am deutlichsten aber spricht ein unvollendet vorgefundener Brief vom 12. April: „Ich war..... zeitweise von Anfällen der tiefsten, trübsten Schwermuth ergriffen, einer Schwermuth, deren ich trotz alles Widerstandes von meiner Seite nicht Herr werden konnte. Furchtbare Stimmungen! Was vermag Pflicht, Manneskraft, der Glaube an eine höhere Ordnung der Dinge in solchen Stunden! Die traurigsten Vorstellungen, wie sie doch nur dem kranken Hirn entspringen können, fingen an mich bei Tag und bei Nacht zu quälen. Was ich thun wollte, immer derselbe Hemmschuh. Kurz, ich studirte die ausgeprägteste Melancholie an mir......" u. s. w.

Vergebens waren da Brausen und kalte Sitzbäder. Der Kranke hätte aus seinem Königsberg wenigstens für einige Zeit herausgerissen werden müssen. Aber hier ahnete Niemand das Schreckliche, bis es zu spät war.

H. legte schon früher viel Werth auf bestimmte Tage. Es war ein Charfreitag, an dem er in Königsberg einzog, und am Abend vor seinem 30sten Geburtstag entschlief er. Neben ihm lagen die Geburtstagsbriefe der Seinigen, die er so innig geliebt.

Leider wurde die Autopsie unterlassen; es blieben die Fragen unbeantwortet, welche die Daten der Anamnese dem Pathologen aufdrängen.

H.'s Tod fand die regste Theilnahme bei den Königsbergern, deren Mitbürger er kaum ein Jahr lang gewesen. Bei dem Leichenbegängniss galt kein Unterschied der Parteien. Vielmehr scheinen sie sich gleichsam die Hand zur Versöhnung gereicht zu haben über dem frühen Grabe des Geschiedenen. *Sit ei terra levis!* —

Ausser einigen kleinen Veröffentlichungen und Referaten in Virchow's Medic. Ref. und einem im Aprilheft d. Jahrg. der rheinischen Monatsschrift abgedruckten Aufsatze „Policlinische Erfahrungen über die Cholera-Epidemie zu Königsberg in Preussen im Herbst 1848" hat H. meines Wissens von seinem neuen Wohnorte aus nur psychiatrische Arbeiten geliefert, die „Denkschrift über den gegenwärtigen Zustand der Irrenpflege in der Provinz Preussen", so wie die „kritische Abhandlung über die von Prichard als *moral insanity* geschilderten Krankheiten" im V. und eine Notiz über das empyreumatische Braunkohlenöl bei Hirnerweichung im VI. Bde dieser Zeitschrift. Seine letzte psychiatrische Arbeit, die mir noch unbekannt, erscheint ebenfalls in diesem Bande. (Heft 2. Red.)

Die Leser unserer psychiatrischen Zeitschrift werden ihr Urtheil sich gebildet haben über H.'s psychiatrische Leistungen. Es sind dieselben gewachsen auf dem Boden der s. g. somatischen Schule. Wie sehr aber demnach das Urtheil variiren möge, darin werden die Irrenärzte der verschiedensten Standpunkte übereinstimmen, dass wir auch für unser Specialfach viel verloren durch den frühen Tod eines Mannes, der, ein tüchtiger Schriftsteller unseres Faches, zugleich durch sein grosses Lehrtalent vorzüglich geeignet gewesen wäre, die täglich sich mehrenden Schätze des psychiatrischen Wissens und Könnens in weiteren Kreisen zu verbreiten.

Siegburg, im Juli 1849. *Focke.*

Literatur.

Grundzüge der Pathologie der psychischen Krankheiten. Erläutet an Krankengeschichten von Dr. *R. Leubuscher*, prakt. Arzt in Berlin. Berlin, Verlag von G. Reimer. 1848. 105 S. gr. 8.

„Wir beabsichtigen", so beginnt der Vf. — „in dem Folgenden psychiatrische Krankengeschichten zu liefern und an die Darstellung des Einzelnen allgemeinere Betrachtungen zu knüpfen." „Psychologische Krankengeschichten" würde vielleicht richtiger, den Charakter dieser Krankheitsbilder bezeichnender sein. Denn sie unterlassen jedes Eindringen in das leibliche Erkranktsein, welches doch die psychiatrische Behandlung der Krankheitsfälle fordert; sie beschäftigen sich absichtlich vorzugsweise, ja ausschliesslich mit den psychischen Verirrungen. Sie verhalten sich daher zu jenen moralischen Krankheitsbildern, die wir vor mehreren Jahren von der Hand eines geachteten psychischen Arztes unter dem Titel: „Biographieen Geisteskranker" erhielten, und zu den eigentlich psychiatrischen, wie die Psychologie zur Sittenlehre und zur Pathologie. Die Psychologie des Vf.'s ist aber nicht eine in freier Luft schwebende, eine blosse Phänomenologie der Seele; sie ist vielmehr eine Psycho-

logie des Nerven-Systems. „Es muss eine anthropologische Einheit geben (so heisst es S. 10): denn
der Mensch ist weder ein reiner Geist, noch ein reiner Körper; es ist immer nur ein *denkender, fühlen-
der, wollender* — Mensch. Aber diese anthropologische Einheit muss sich aus der analytischen Anein-
anderfügung und Heranführung beider Erscheinungs-
weisen, der geistigen wie der leiblichen, ergeben."
Auf solcher Ansicht beruht des Vf.'s Psychologie, und
auch die des Referenten. Wenn aber nun der Vf. zu
der Ausführung seiner Krankheitsbilder übergeht, so
nimmt er das so hervorgebildete Resultat jener an-
thropologischen Einheit, wie es sich in der psychischen Natur des Menschen darstellt, als ein fertiges,
und glaubt aus ihm und seinen nächsten leiblichen
Bedingungen die Abnormitäten, welche im Wahnsinn
zur Erscheinung kommen, entwickeln zu können.
„Die psychische Gestaltung des Wahnsinns, — so
fährt der Vf. fort, wird im Allgemeinen mehr vernachlässigt, als die körperliche. In der Erörterung
der Ursachen fühlt man mehr das Bedürfniss, auf-
zuzählen, welche Krankheiten der Wahnsinnige früher überstanden, als nachzuforschen, wie er früher
gedacht, wie er gefühlt, wie er psychisch gebildet
worden sei." Er beschäftigt sich, um die Entstehung
des Wahnsinns zu erklären, lediglich mit diesem
selbst, folglich mit den *secundären* und *tertiären* Erscheinungen der ganzen Krankheit, indem er die pri-
mären übergeht, ihnen wenigstens nur eine flüchtige
Beachtung schenkt. Aus den psychischen Functionen, wie sie im gesunden und allmählig erkrankenden Zustande vor sich gingen, soll die Krankheit der
Seele erklärt werden.

Hiemit sollte der Standpunkt, welchen der Vf.
sich für seine Reflexionen wählt, und folglich derjenige, von welchem aus seine Schrift zu beurtheilen

ist, bezeichnet werden. Wie jeden Versuch, das räthselhafte Wesen des Wahnsinns aufzuklären, heissen wir auch diesen neuen willkommen, wenn er uns auch keinen praktischen Gewinn abzuwerfen, und weder die Heilung, noch auch nur die Verhütung der Geistesstörungen zu erleichtern, sondern nur die Aetiologie derselben nach *einer* Seite hin aufzuklären verspricht, nach derjenigen Seite hin, wo sich am wenigsten eine Mauer gegen ihren Angriff wird aufführen lassen. In dieser Hinsicht ist für den Ref. die Schutzrede, mit welcher der Vf. seine Beobachtungen einleitet, überflüssig, um so mehr, als sich gegen die Gründe, auf die sie sich stützt, manches einwenden lassen dürfte. Der Vf. argumentirt in folgender Weise: „Die psychischen Symptome sind die wesentlichen Merkmale der Geisteskrankheiten, weil nur an ihnen, nicht an irgend welchen sonstigen Veränderungen der Lebens–Functionen die Geisteskrankheiten sich erkennen lassen. Diese psychischen Symptome haben eine Entwickelung und einen innern Zusammenhang; letzteren nachzuweisen ist die Aufgabe der Psychiatrie, weil ohne seine Kenntniss die psychischen Symptome unverständlich, ein wüstes Chaos sind. Eine richtig angestellte Beobachtung des Geisteskranken selbst und seines gesunden und kranken psychischen Lebens wird diesen Zusammenhang erkennen lassen. Bei der Verfolgung der psychischen Vorgänge auf ihren Ursprung kommt man auf leibliche Zustände und erkennt die Erscheinung, auch die psychische, als das Product der Materie. Allein man pflegt den Irrthum zu begehen, dass man die Erscheinung und die Materie, die Ursache und das Product, für identisch hält. Das Gehirn ist zwar das Organ der geistigen Thätigkeit, allein die Geisteskrankheiten sind darum nicht Gehirn–Krankheiten. Denn das Gehirn ist zwar *einestheils* eines der Organe der Sen-

sibilität und Motilität, *anderntheils* aber auch Organ
der geistigen Thätigkeiten. Daraus geht hervor die
Eigenthümlichkeit der geistigen Thätigkeiten, welche
mit der Sensibilität nicht wesentlich zusammenfallen:
das Geistige geht vielmehr nur durch die Sinne hindurch, ist aber selbst nicht sinnlich. Was der Geist,
was die Seele *sei*, gehört in ein anderes Gebiet, nicht
aber in die Psychiatrie; diese hat es nur mit der Betrachtung der krankhaften psychischen Thätigkeiten
zu thun." In dieser Argumentation, die fast durchgängig mit des Vf.'s eigenen Worten, gewiss aber in
seinem Sinne wiedergegeben wurde, sind, wenn ich
nicht irre, vornehmlich zwei schwache Stellen. Der
Vf. argumentirt so: die psychischen Symptome sind
die wesentlichen Merkmale der Geisteskrankheiten,
weil sich letztere nur an ihnen erkennen lassen: folglich ist in ihnen das Wesen der Geisteskrankheiten
zu suchen. Zwischen den wesentlichen Symptomen
und dem Wesen einer Krankheit ist aber noch eine
grosse Kluft befindlich, die sich, wenn überhaupt,
sicherlich nicht ohne Hülfe der Physiologie und Pathologie überspringen lassen wird. Der vollständigste
Inbegriff der wesentlichen Symptome eines Nerven-
fiebers, einer Wassersucht u. dgl., giebt noch keineswegs eine Idee von dem Wesen dieser Krankheiten, — man müsste denn mit den Schülern Hahnemann's in den Symptomen einer Krankheit ihr Wesen zu begreifen vermeinen. Und wäre damit auch
wirklich das Wesen erkannt, was würde eine solche
Kenntniss nützen, da sie doch nicht die Krankheit
heilen lehrt? — Sodann ist es ein gewagtes Beginnen, wenn der Vf. die beiden Gruppen von Functionen des Gehirns, auf der einen Seite die Function,
die es als Central-Organ der Sensibilität und der
Motilität, und auf der andern Seite die, welche es
als Organ der geistigen Thätigkeit ausübt, von ein-

ander in der Art trennen will, dass er wohl das
krankhafte Vonstattengehen der ersteren Gruppe, nicht
aber das der zweiten auf eine Krankheit des entsprechenden Organs, des Gehirns, bezieht. Ist es richtig,
was der Vf. (S. 7) anerkennt, dass das Gehirn das
Organ der geistigen Thätigkeit ist, so weiss ich nicht,
wie das *Erkranktsein* der geistigen Thätigkeit auf
etwas anderes, als auf ein Erkranktsein des ihr entsprechenden Organes, des Gehirns bezogen werden
kann. Der Vf. hält uns den Satz entgegen: „das
Geistige geht durch die Sinne hindurch, ist aber selbst
nicht sinnlich; — die Sinnlichkeit ist nur eine Bedingung, unter der es zur Erscheinung kommen kann."
Allein ich gestehe, ich verstehe dies nicht. — Soll
damit gesagt sein: das Geistige ist nicht gebunden
an das sinnliche (Organ), sondern *lebt nur darin*,
unabhängig von ihm hinsichtlich seiner Existenz und
seiner Thätigkeit, so komme ich in ein neues Di-
lemma. Dann nämlich kann *entweder* das „Geistige"
gar nicht erkranken, und was erkrankt, wenn jenes
erkrankt zu sein *scheint*, ist nur das Sinnliche (das
Organ, das Gehirn,) — *dessen* Krankheit also die
eigentliche Ursache und das Wesen der (scheinbaren)
Geistes-Krankheit; (was doch der Vf. läugnet;) *oder*
es kann auch das schlechthin Geistige erkranken, und
wir werden dann zu beklagen haben, dass auch das
Jenseits wahnsinnige Geister haben könne: eine eben
so unabweisliche als unerfreuliche Consequenz.

Da wir jedoch später auf diesen Gegenstand zurückkommen müssen, so wollen wir zunächst einen
Blick auf die Krankengeschichten werfen. Nachdem
oben bereits die Methode derselben näher bezeichnet
worden ist, werden wir uns hier mit der kurzen In-
haltsangabe begnügen und uns vornehmlich mit den
daran geknüpften Reflexionen des Vf.'s beschäftigen
können. 1r Fall. Erotomanie bei einem Manne. Er-

scheinung seiner Geliebten im Traume. Illusion im wachen Zustande. Tod an Lungentuberculose. — Dem Kranken war Ung. tart. stib. mässig auf den Schädel eingerieben worden. Der Trotz, welcher das Leiden des Kranken charakterisirte, wurde dadurch nicht gebrochen, doch seine Heftigkeit gemindert; allein es brach nun die Tuberculose der Lungen hervor, welche nach 4 Monaten den Tod herbeiführte. Vf. erörtert die Frage, ob vielleicht das erwähnte Mittel die Entwickelung der Tuberculose befördert habe: und wenn er gleich das Mittel als ein sehr heilsames schätzt und die gewöhnlich in Betreff seiner Nebenwirkungen gehegten Besorgnisse nicht theilt, so glaubt er doch, dass die erschöpfende Wirkung des durch die Entzündung verursachten Schmerzes auf den Gesammt-Organismus, die *dadurch* bedingte Aufregung des Gefässsystems und die Schwächung durch die sehr profuse Eiterung bei vorhandener Diathese die Ablagerung pathologischer Producte befördern könne. — Lässt sich dies gleich im Allgemeinen nicht bestreiten, so wird man doch in dem fraglichen Falle zu solcher Annahme nicht berechtigt sein, da es vor der Anwendung des Mittels nicht gelungen war, den Zustand der Brusthöhle zu erforschen; und die Erfahrung lehrt, wie nur zu oft bei geringem Nachlass der Hirnsymptome, welcher hier allerdings der Pockensalbe zugeschrieben werden durfte, auch ohne alle Mitwirkung solcher und ähnlicher Agentien, die Tuberculose, welche sonst vielleicht noch lange geschlummert hätte, sich plötzlich sehr rasch entwickelt. — 2r Fall. Religiöser Wahnsinn. Tobsucht. Hallucination des Geruchs (Schwefelgeruch der Hölle). Genesung. — Der Kranke hatte Gesichts- und Geruchs-Hallucinationen, die er mit seinen religiösen Wahnideen in enge Verbindung brachte. Der Vf. forscht nach den Beziehungen derselben zum Wahn-

sinn, ob sie Hyperästhesieen der betreffenden Sinnesnerven oder „durch die Einbildung der Vorstellung in
die Sinnlichkeit" entstanden seien. Der Verlauf des
Falles beweiset, dass die Sinnestäuschungen nicht
die ursprünglichen waren. Erzeugt können diese jedenfalls werden durch centrale Erregung der Sinnesnerven, ohne Vorhandensein einer selbständigen Hyperästhesie, wie sie ja auch im gesundesten Zustande
im Traume vorkommen. Wie sich aber die Hallucinationen mit den schon vorhandenen Wahnbildern ver-
weben können, lehrt ebenfalls der Traum. — In dem
den ganzen Krankheitsverlauf begleitenden klaren Bewusstsein, welches den Kranken nach der Genesung
zur vollkommenen Erneuerung aller äussern und innern Erlebnisse befähigte, erblickt der Vf. einen Beweis für die gesetzmässige Gliederung des Wahnsinns. Ich weise jedoch hier wieder auf den Traum hin.
Auch hier finden wir die entgegengesetzten Erscheinungen: einmal, dass von sehr lebhaften Träumen (lebhaft
bis zur Erzeugung des Schlafredens und Schlafwan-
delns) keine Erinnerung im Wachen eintritt, — sodann wieder, dass man die ganze Reihe der Traum-
bilder in der Erinnerung verfolgen kann. Wird man
aber diese letztere Erscheinung als Beweis für eine
gesetzmässige Gliederung des Traumes annehmen können? Bei dem Traume wie bei dem Wahnsinn herrscht
vielmehr das Gesetz, dass, jemehr das äussere Bewusstsein (die Besonnenheit) aufgehoben ist, — dort
durch die Tiefe des Sinnenschlafs, hier durch die
Heftigkeit und das Uebergewicht der centralen Ner-
venerregung, — desto weniger ein nachmaliges Wie-
derauffinden der, in einem wie im andern Falle ge-
träumten, Bilder im Gedächtnisse möglich wird. 3r Fall.
Erotomanie bei einer Hysterischen. Hallucinationen
des Gemeingefühls, des Gehörs und Gesichts. Tod. —
Vf. sucht das Causalverhältniss der Hysterie zum

Wahnsinn in diesem Falle zu ermitteln: ob nämlich
der Wahnsinn aus der Hysterie hervorgegangen sei,
oder ob er sich selbständig entwickelt habe und nur
gleichsam durch jene genährt sei? — und er erklärt
sich für die letztere Annahme. Die Argumentation
ruht jedoch lediglich auf psychologischen und Wahr-
scheinlichkeits-Gründen, und es werden gerade hier
bei Erörterung der angeregten Frage die Lücken der
rein psychologisch gehaltenen Krankengeschichte recht
fühlbar, — weshalb wir auf eine Revision jener.Be-
weisführung des Vf.s ganz verzichten müssen. Aehnlich ist es mit dem folgenden 4ten Fall: Erotemanie.
Tobsucht; Uebergang in Verwirrtheit, — welchen die
Krankheitserzählung gleichsam als eine blosse Potenzirung des natürlichen und gesunden psychischen Zustandes der Patientin darstellt. In der That möchte
aber die nicht ungewöhnliche Erscheinung, dass die
Eigenthümlichkeiten des Charakters sich im Wahnsinn bis zur Carricatur steigern, für sich noch keinen Beweis dafür abgeben, dass der Wahnsinn nichts
weiter sei als eine Potenzirung der concreten psychischen und Charakter-Individualität. Der folgende
5te Fall (Verwirrtheit. Tod. Cysticercus-Blasen auf
der rechten Hemisphäre) ist von dem Vf. nur wegen
seiner Verworrenheit ausgewählt und um daran die
Schwierigkeit und Unsicherheit einer genauen Diagnose
zu zeigen. — Interessant ist die 6te Beobachtung:
Gehörs- und Gesichts-Hallucinationen bei einem im
25sten Lebensjahre, und etwa 12 Jahre vor dem Ausbruch des Wahnsinns Erblindeten. Dieser Fall giebt
dem Vf. Gelegenheit ähnliche hingehörige Beobachtungen zu sammeln, und ist wichtig, weil er einen schla-
genden Beweis (sofern überhaupt die Aussage eines
Gestörten einen solchen abgeben kann) für die Möglichkeit der Reproduction von Sinnes-Perception lediglich durch einen Erregungszustand der Sinnesner-

ven, ohne Zuthun der Sinnesfläche liefert. Wir übergehen die beiden folgenden Fälle und erwähnen noch des 9ten. (Dämonomanie. Oeftere Rückfälle. Willenlosigkeit.) Der Vf. unterscheidet zwei Formen von Geistesstörung als Folge der Selbstbefleckung. „Die eine ist Stumpfsinn, mit den Erscheinungen der Abmagerung, und Säftearmuth, als Folge des Säfteverlustes und der dadurch bewirkten Schwächung der Nervenvitalität; natürliche sexuelle Ausschweifungen haben die gleiche Wirkung; bei der andern, häufiger vorkommenden, ist die Ernährung kräftig; der Wahnsinn geht hier hervor aus der Reue des Kranken über sein Laster und der Vergeblichkeit seiner Anstrengungen, dem Triebe zu widerstehen." Weiter jedoch ist diese Unterscheidung nicht verfolgt; es sind dagegen noch einige treffende Bemerkungen über die Gefahr des Recidives von Geistesstörungen und die Unmöglichkeit auf Seiten des Arztes eine dauernde Gesundheit zu verbürgen, und über die Hallucinationen angeknüpft.

In einem dritten Abschnitt unter der Ueberschrift: „Der Wahnsinn in seiner Entwickelung" stellt der Vf. die Folgerungen zusammen, die er den mitgetheilten Krankengeschichten entnimmt. Es sind diese: „Die wesentlichen Erscheinungen des Wahnsinns sind andere als wir sonst in der Entwickelung pathologischer Processe wahrnehmen; es sind psychische. Der Wahnsinn ist kein fertiges Product das fertig und unvermittelt in den Menschen hinein gesetzt wird, — sondern er ist ein gegliederter Process. Seine Entwickelung ist nach dem Gesetze der Causalität zu verfolgen; die einzelnen Entwickelungsgrade stehen in dem Verhältnisse von Ursachen und Wirkung." In der angeknüpften Beleuchtung dieser Sätze wird nochmals zugegeben, dass der Ausgangspunkt des Wahnsinns ein Leiden des Nervensystems, und

namentlich der Sinnesnerven, dass sein Anfang die
Hallucination sei; doch wird wiederholt in Abrede genommen, dass die dabei zum Grunde liegende materielle Veränderung des Nervensystems der Wahnsinn
selbst sei. Dieser Satz ist jedoch so unergiebig als
der ganz analoge: dass die organische Entartung der
Nieren in der Brightschen Krankheit verschieden
sei von den Symptomen der letzteren. Auch ist er
ungefährlich, so lange man sich nicht durch ihn zu
dem Schlusse verleiten lässt: folglich hat der Wahnsinn nichts mit dem Nervensystem zu thun. Der Vf.
bekennt sich zwar nicht ausdrücklich zu diesem
Schlusse; aber er sagt (S. 86): weil wir denn doch
für jetzt nicht den Zusammenhang der „wesentlichen"
Erscheinungen des Wahnsinns, d. h. den ätiologi-
schen Zusammenhang seiner Delirien mit den somatischen Krankheitszuständen, — den näheren (des
Nervensystems) und den entfernteren (anderer organischer Systeme), nachweisen können, — so wollen
wir vorläufig diese seine wesentlichen Erscheinungen
für sich betrachten, um aus ihnen allein seine Entstehung uns zu deuten." Wir wiederholen: das mag
in einzelnen Fällen nicht blos anregend, sondern
auch psychologisch-lehrreich sein; aber pathologisch-
lehrreich und folglich psychiatrisch-nützlich ist es
wohl nicht. Es hat aber auch noch eine andere
Gefahr in seinem Gefolge: die Verwechselung des
Wahnsinns mit dem Irrthum. Eine solche Verwechselung dürfte zum Grunde liegen, wenn der Vf. (S. 91)
schlechthin die in einem gegebenen Zeitraum herrschenden Grundansichten, wenn sie mit der Vernunft
in Widerspruch stehen, mit dem Wahnsinn in eine
Kategorie wirft und nun verlangt: man solle die Form
des Wahnsinns nach den Ideen, die in der Zeit
sind, — man solle gleichsam den Wahnsinn der Zeit
von dem Wahnsinn des Individuums unterscheiden,

und diesen ärztlich behandeln, jenem aus dem Wege
gehen. Ich habe wenigstens die Ansicht des Vf.'s
nicht anders auffassen können. Dies sind seine Worte:
„Können wir heutigen Tages die psychischen Epide-
mieen des Mittelalters für etwas Anderes halten, als
für Wahnsinn? Heute hat wenigstens Keiner das geringste Bedenken, eine Hexe, die auf einem Bock
zum Sabbat geritten wäre, oder eine Frau, die sich
einbildete, den Coitus mit einem Incubus vollzogen
zu haben, ins Irrenhaus einzuschliessen; oder einen
Gelehrten, der sein Vermögen vergeudete, um den
Stein der Weisen zusammenzuschmelzen. Der Rück-
blick auf diese Verhältnisse, die uns zu massenhaft
entgegentreten, als dass wir sie übersehen dürfen,
muss vorsichtig machen. Wir lernen zunächst daraus, dass der Wahnsinn eine ganz verschiedene Form
nach den Ideen, welche in der Zeit sind, haben wird;
der Inhalt des Wahnsinns, die Gestaltung der Vorstellungen kann für uns kein feststehendes Urtheil abgeben. Es giebt zu viel Formen, die sich so gesetzmässig und logisch entwickeln, dass man gegen ihr
wahnsinniges System nichts einwenden kann, sobald
man ihren ersten Satz, ihr Princip zugestanden und
anerkannt hat. Ist nun der Vordersatz eines solchen
wahnsinnigen Systems nicht als ausgehend von einer
sinnlichen Abnormität, von einem Leiden des Gehirns u. s. w. zurückzuführen, sondern ist er nur eine
Einzelvorstellung einer allgemeinen Volksüberzeugung,
so ist es erklärlich, dass derjenige, den wir für einen Wahnsinnigen halten, weil wir die ganze Ueberzeugung als eine wahnsinnige ächten müssen, in seiner Zeit für einen vernünftigen und ausgezeichneten
Menschen gegolten hat. Es ist auch denkbar, dass
zu derselben Zeit an verschiedenen Orten eine ganz
verschiedene Norm des gesunden geistigen Lebens
festgestellt werde" u. s. w. Ich meines Theils bin

31 *

allerdings der Meinung, dass die Dämonomanie, der
Glaube, behext zu sein, wenigstens in vielen Fällen, eine wirkliche Krankheit war; ich zweifle aber,
dass man Recht hat, den Hexenglauben jener vergangenen Zeit, so wie den, welcher noch jetzt
bei vielen Ungebildeten herrscht, als Wahnsinn zu
betrachten. In unseren Zeiten politischer Aufregung könnte eine solche Ansicht auf ein pfadloses
Gebiet verleiten. — Förderlicher sind die Erörterungen des Vf.'s über die Frage: wie der Irre
zu der Erkenntniss seiner Krankheit komme? Nur
aus Besorgniss, einen zu grossen Raum für sich in
Anspruch zu nehmen, verzichtet die gegenwärtige
Relation auf ein tieferes Eingehen auf diese Bemerkungen, versagt sich aber nicht, ihnen so wie überhaupt den ernsten Bestrebungen des scharfsinnigen
Vf.'s volle Anerkennung zu zollen.   *Flemming.*

American Journal of insanity. Vol. III. Utica 1845 — 47.

(Forts. von VI. 2. S. 334—341.)

*Gedanken über die Verbindung der Physiologie
und Psychologie* von Thomas Hun, M. D. Prof.
of the Institutes of Medicine in the Albany Medical College.

(p. 1.) Der Aufsatz enthält keine wesentlich neuen
Gedanken, aber was darin gesagt wird, ist mit Bestimmtheit und Klarheit auseinandergesetzt. — Die
Materie steht dem innern Bewusstsein gegenüber, das
Nervensystem bildet durch seine Ausstrahlung in die
fünf Sinne den Uebergang und die Vermittlung; das
Bewusstwerden der Empfindung ist nicht mehr sinnlich, gehört nicht mehr der Physiologie an, sondern
der Psychologie. Die Physiologie des Nervensystems
umfasst alle Thatsachen, die sich auf Bewegungen

oder Veränderungen der Nervenmasse beziehen. Sie ist die Wissenschaft der durch die fünf Sinne erkennbaren Thatsachen und bedient sich für ihre Untersuchungen derselben Art und Weise, wie die übrigen Naturwissenschaften. Die Psychologie ist die Wissenschaft der Seele; sie gründet sich auf Thatsachen des Bewusstseins, die nicht durch die Sinne erkennbar; sie umfasst die psychischen Vorgänge (mental operations) die von den Veränderungen der Nervenmasse vollkommen verschieden sind, und deshalb ist die Psychologie nicht ein Theil der Physiologie, sondern eine unabhängige Wissenschaft.

Ueber triebartigen Wahnsinn (impulsive insanity), von **Edward Daniell**, Esqu. Gelesen vor der Medical and Surgical Association an ihrem Jahresfeste in Sheffield am 30. u. 31. Juli 1845.

(p. 10.) Interessant durch die Mittheilung mehrerer Fälle, weniger durch die allgemeinen Betrachtungen, die namentlich gegen Ende der Abhandlung zu sehr in's Weite schweifen und viel von der nahen Berührung des Genies und des Wahnsinns erzählen. — Der Vf. hatte 1822 einen Farmer zu behandeln, der an der Leber litt und ein äusserst irritables Wesen hatte. Er findet ihn eines Tages in der fürchterlichsten Aufregung; der Kranke erzählt ihm, er habe ruhig auf dem Sopha gelegen, während seine Frau und seine Kinder am Feuer gesessen; während er in einer ganz ruhigen Unterhaltung mit ihnen begriffen ist, fällt sein Auge plötzlich auf den Feuerhaken, und der Gedanke überkommt ihm, Blut zu vergiessen. Wehrlos kämpft er gegen ihn an, aber erst, als die Seinigen auf seine Bitte das Zimmer verlassen, wird er seiner selbst wieder mächtig. Ein anderes Mal trifft er sein jüngstes Kind, ein sechsjähriges Mädchen, auf einem Abhange der Treppe, wo sich auch ein Schiebfenster befindet. Obgleich er sein Kind zärtlich liebt, treibt es ihn, es von der Höhe (15 — 16 Fuss) herabzuwerfen; schon hat er es bei den Armen ergriffen, als er sich doch noch ermannt und sich in sein Zimmer flüchtet. Eine symptomatische Gehirnreizung, namentlich der grauen Substanz, war nach der Ansicht des Vf.'s die Ursache dieses Zustandes. — *W. C.*, ein Gastwirth, der von jeher in seinem Wesen zügellos gewesen war, litt an einer Leberkrankheit; er hatte mehrmals Gelbsucht gehabt, seine Zunge war fortwährend belegt, die Haut schmutzig braun. Dan. fand ihn, als er wegen eines plötzlich bei ihm zum Ausbruch gekommenen Wahnsinnanfalls zu ihm gerufen wurde, in der Stube auf- und abspringend, laut schreiend, mit Schweiss bedeckt und in seinem Gesicht den lebhaftesten Ausdruck der Angst. Er bildete sich ein, in der Hölle zu sein, Legionen von Teufeln streckten ihre Arme nach ihm aus, Schlangen ringelten sich um seine Beine und Flammen leckten an ihm empor. Daniell besprengte endlich, da weiteres Zureden nicht half, das Zimmer mit Chlorkalk, und redete ihm ein, dass er durch den Rauch die Geister verscheuche. Der Kranke wurde in der That ruhig, und man konnte ihn dazu bringen, 15 Gran Colomel und Infus. Sennae comp. einzunehmen, was seinen Wahnsinn vollkommen beseitigte. Es ist bekannt, dass der lange fortgesetzte Gebrauch von Opiaten ähnliche Phantasmen erzeugen kann.

Das Leben und die Verurtheilung von Abner Baker, der am 31. Oct. 1845 wegen der Ermordung seines Schwagers hingerichtet wurde.

(p. 26.) Der Angeklagte, ein Arzt, ist offenbar wahnsinnig; er leidet an Hallucinationen, bildet sich ein, dass seine junge Frau an Nymphomanie leide und selbst in seiner Gegenwart Unzucht treibe, und ermordet aus Eifersucht den Bruder seiner Frau. Trotz der klarsten Beweise für seinen Wahnsinn wird er für schuldig erkannt. Die ganze Verhandlung ist ein Zeichen für die unglaublich schlechte Gerichtspflege in Kentucky.

Beiträge zur Pathologie des Irreseins, von Pliny Earle.

(p. 35 u. p. 199 Forts.) Zwei Krankengeschichten über den Ausgang des Irreseins in Lungenphthise; eine dritte, wo die Section nach zwanzigjähriger Dauer des Irreseins Atrophie des Gehirns und bedeutende Verdickung der Arachnoidea nachweist.

Der Process von Agostinho Rabello, verhandelt zu New Preston 1835.

(p. 41.) Der Angeklagte, bei einem Schuhmacher in Dienst, hatte den Sohn desselben aus einer ganz unwesentlichen Ursache (weil er ihn auf die Füsse getreten) getödtet; die Verhandlung, die sich namentlich im Gegensatz zu der vorhin mitgetheilten durch ihre grosse Gründlichkeit und allseitige Berücksichtigung aller dabei einfliessenden Momente auszeichnet, ergiebt den Wahnsinn des Angeklagten, der von mehreren Aerzten als moral insanity bezeichnet wird. Das Gericht spricht das Nichtschuldig aus.

Feier von Pinel's Geburtstage 11. April 1846.

(p. 78.) Sie fand in Utica unter Brigham's Leitung statt, dem für eine solche Würdigung eines der Gründer unserer Wissenschaft gewiss der aufrichtigste Dank von uns Allen gebührt. Von den zwei mitgetheilten Gedichten halten wir das eine besonders für werth, auch hier wiedergegeben zu werden:

> Good and great! we hail thy name
> Not for deeds of warlike fame

Not for laurels proudly wore
Steep'd in tears, and stain'd in gore
But for victories nobler far
Than the trophied spoils of war.

Thou, more truly brave than they
Who their fellow - beings slay,
Nobly dar'dst to venture where,
In the regions of despair,
Fearful shapes and horrors were,
Broke the chains of ancient night,
Pour'd on groping science light,
And the song of angels gave
For the discords of the grave.

Whereso'er, to reason blind
Moans the sick, imprison'd mind,
Whereso'er from misery's reign
Springs to health and peace again,
Set by hallow'd science free,
There, Pinel, thy praise shall be.

So, thy name shall never die,
And beneath this western sky,
In the country of the free,
Grateful hearts remember thee,
And on this, thy natal day,
Wake for thee, the votive lay,
Who in mercy's cause so brave
Didst the lost and hopeless save.

Am 11. Mai 1846 hat die zweite Zusammenkunft der Irrenärzte in Washington stattgefunden. Woodward fungirte als Vorsitzender, Kirkbride als Secretär. Die dort gehaltenen Vorträge sind leider blos ihrem Titel nach angeführt; so viel man aber daraus schliessen kann, so ist in ihnen, wie in den für das künftige Jahr neu gestellten Aufgaben eine Uebersicht und Aufklärung über die verschiedenartigsten Gebiete der Psychiatrie sowohl in pathologischer, wie in technischer Beziehung erstrebt.

Die auf diesen Bericht folgenden Aufsätze enthalten einzelne Fälle, die grossentheils aus andern
Journalen entlehnt sind; auch einige Auszüge aus
andern Werken, aus Crichton, aus Arnold, eine
Uebersetzung aus Calmeil, und zwar den Artikel
über *Jeanne d'Arc.* — Wir wollen nur *einen Fall*
kurz erwähnen, (aus dem Northern Journal of Medicine von Skae p. 145):

In einem Fall von Hypochondrie, der aus Unterleibsbeschwerden hervorgegangen, kommen die gewöhnlichen Verstellungen, dass der ganze Körper zu
Schanden sei (er hat Luft in den Adern, er spuckt
Monate lang, weil sich Alles in Speichel auflösen
müsse u. s. w.), dann die Vorstellung der Sündhaf-
tigkeit, eifrige Beschäftigung mit religiösen Schriften,
deren Blätter er fortwährend umkehrt, ohne sie zu
lesen und mit denen er sich von Kopf bis zu Füssen
zudeckt, wenn er zu Bette geht. Er hat zum öf-
tern Selbstmordversuche gemacht. Alle diese Erscheinungen sollen seit 18 Monaten vollkommen periodisch
sein, so dass er in der Zwischenzeit körperlich ganz
ohne Beschwerden und geistig ganz frei ist. An den
Tagen der Krankheit soll er vollkommen das Gedächtniss für die vorhergehenden verloren haben, so dass
er eine Art doppelter Existenz führt. — Es ist
schade, dass dieser Fall, der so interessant aussieht,
zu ungenau erzählt ist.

Auch aus dem New-York State Asylum (p. 194)
werden uns *einige Fälle aus dem Krankenjournal* mitgetheilt, die indess sehr oberflächlich und kurz gehalten sind, so dass sie wohl als Notizen für die be-
handelnden Aerzte gelten können, sich nach unserer
Ansicht aber nicht zur Veröffentlichung eignen.

In derselben Irrenanstalt wird ein *Buch über die
verschiedenen Fluchtversuche* der Irren gehalten, worunter uns Dr. Lee, Medic. Ass., einige Notizen giebt

(p. 202.). Wir sehen daraus, dass die Irren in Nordamerika es ganz ebenso machen, wie bei uns; es ist
dieselbe Schlauheit und grade bei solchen, denen
man es am wenigsten zutraut; es sind fast dieselben
Mittel. Ein Brief, in dem ein Irrer seine Entweichung selbst schildert, ist interessant wegen seiner
lebensfrischen Wahrheit.

Der folgende Aufsatz giebt Gespräche und Briefe
von Irren (p. 212.). Wir halten für richtig, dass sich
der Irrenarzt bemühen muss, durch Wiedergabe der
unmittelbaren Aeusserungen der Kranken die Schilderung objectiv zu machen und dem Hörer ein lebendiges Wesen vor die Seele zu führen. Dann aber
dürfen diese Stücke nicht abgerissen sein und heraus-
genommen aus einem ganzen, grossen Gemälde. Sie
können dann nicht mehr Werth haben, als den, welchen das Absonderliche für den Augenblick immer gewährt; sollen sie ein tieferes Interesse geben, so
müssen sie als Theile des ganzen Menschen erscheinen, und wir müssen genau wissen, in welches Stück
der Krankheit sie hineinpassen. Und dies fehlt den
hier mitgetheilten Skizzen.

Die Schilderung des Wahnsinns in Shakespeare,
von J. Ray, Superintend. of the Butler Hospital,

(p. 289.) geht vorzugsweise auf den Wahnsinn
in Lear, Hamlet und Macbeth ein. Es ist eine unserer Ueberzeugung nach vortreffliche Abhandlung, die
überall ein feines Gefühl und durchgebildetes Urtheil
verräth, die sich gleichmässig fernhält von jeder klein-
lichen Gelehrtenpedanterie, wie von jeder schwülsti-
gen Uebertreibung und Aufputzen mit Bildern: Fehler, in welche Techniker zu oft bei der wissenschaftlichen Beurtheilung dichterischer Gegenstände verfallen. Ray fasst nicht einzelne Züge des Wahnsinns
auf, sondern bemüht sich nachzuweisen, dass Shake-

speare den ganzen psychologischen Process verstanden und nachgebildet hat. „Während andere Dichter den Wahnsinn brauchen, um damit die Sinne zu beleben, und die Neugier des grossen Haufens durch das Ungewöhnliche zu reizen, spürt Sh. den Keimen des Wahnsinns nach und entfaltet die tausendfältigen Combinationen der Gedanken, die zu ihm hinführen können." Bei dieser Auffassung muss Ray natürlich zu der Ueberzeugung kommen, dass Hamlet nicht simulirt.

Statistische Uebersicht der Selbstmorde aus dem Staate New-York vom 1. Dec. 1844 — 1. Dec. 1846, von Dr. Lee. Aus den Records des New-York State L. A. in Utica.

Die Zahl der Selbstmorde betrug im Ganzen 138; 1845 74, u. 1846 64; darunter 96 M. und 42 W.; auf New-York allein kommen sowohl 1845 wie 1846 21. Nach den Monaten kommen auf

Januar	10
Februar	11
März	13
April	8
Mai	15
Juni	12
Juli	8
August	17
September	16
October	6
November	10
December	12
	138

Das Alter war nur bei der Hälfte zu ermitteln; die höchste Zahl fiel dabei auf das Alter von 20 — 25.

Art des Selbstmords:

Erhängen	44	M.	34 W.	10
Vergiften	30	„	13 „	17
Halsabschneiden . . .	25	„	17 „	8
Erschiessen	17	„	17 „	0
Ersäufen	9	„	6 „	3
Herabspringen von einer Höhe	5	„	4 „	1
Verbrennen	1	„	— „	1
Verbluten	1	„	1 „	0
Unbekannt	6			
	138			

24 davon waren nachweisbar wahnsinnig und 8 melancholisch. Die Einwohnerzahl des ganzen Staates betrug 1845: 2,233,272, die von New-York 371,223; dennoch kommt für diese Jahre für New-York 1 Selbstmord auf 8838 Menschen, für den übrigen Theil des Staates 1 auf 23263.

Aus den Miscellen wollen wir noch anführen, dass Jacobi's Werk über Tobsucht angekündigt wird.

R. Leubuscher.

London: H. Hurst, Publisher, King William Street, Strand: *Mind and Matter*, illustrated by Considerations on hereditary insanity, and the influence of Temperament in the Development of the Passions. By *J. G. Millingen*, M. D., M. A. first Class Surgeon to the forces; late Resident Physician of the County of Middlesex Lunatic Asylum at Hanwell etc. 1847. VIII u. 464 S. 8.

Es gehört zu den unangenehmen Enttäuschungen eines Gelehrten, wenn ihm ein Buch, das ihm zu besprechen obliegt, so wenig Ausbeute bietet, als das oben genannte, um so mehr, wenn er, wie hier, durch

Titel und Vorrede verleitet, sich Belehrung, Anregung und Genuss in reichem Maasse versprochen
hatte. Wer sollte auch nicht grosse Erwartungen
hegen von einem Manne, der, wie der Vf., auf ein
so viel bewegtes, an Erfahrungen reiches Leben zurückblicken kann, der sich selbst rühmt, den Menschen nicht aus Büchern, sondern aus dem Verkehr
mit der Welt studirt zu haben? Und in der That
haben ihm seine manchfaltigen Lebensgeschicke dazu
die reichste Gelegenheit geboten. Schon in früher
Jugend zog er mit seiner Familie im Jahre 1789 nach
Paris, wo er Zeuge aller schauderhaften Scenen der
Revolution war, sein Vater sein ganzes Vermögen
verlor, und er die theuersten Freunde seiner Kindheit
das Schaffot besteigen sah. Er hatte hier häufig Gelegenheit, mit *Robespierre, Danton, Couthon, Bar-
rère* und den meisten Führern des Berges zusammen-
zukommen, und lernte später auch *Napoleon* und die
ihm verwandten Celebritäten kennen. Im Jahre 1801
ging er mit der britischen Armee nach Aegypten,
diente hierauf in allen Peninsular-Campagnen unter
Wellington und seinem Freunde *Hill*, verliess nach
der Schlacht von Waterloo und nach der Einnahme
von Paris den activen Dienst, wurde nach Westin-
dien beordert und hier nach dem Verlust seiner Gesundheit in diesen traurigen Gegenden, auf halben
Sold gesetzt. Seitdem bekleidete er die Stelle eines
Arztes an der militärischen Irrenanstalt zu Chatam,
später an dem Middlesex Lunatic Asylum von Hanwell, wo er an 800 Irre zu behandeln hatte, wo ihm
aber, gleich seinem würdigen Vorgänger, William
Ellis, das Leben durch manchfaltige Chikanen der
Visitationsbehörden verleidet wurde und er der Stelle
entsagt zu haben scheint. Literarische Bestrebungen
und eine Vorliebe zu den schönen Künsten brachten
ihn in Beziehung mit manchen ausgezeichneten Schrift-

stellern und Künstlern in verschiedenen Ländern, und
während eines dreijährigen Aufenthaltes in Deutschland, am Hofe der verwittweten Grossherzogin Ste-
phanie von Baden, auf deren Bekanntschaft er grosses
Gewicht zu legen scheint, hatte er Gelegenheit, „die
ausgezeichnetsten Persönlichkeiten der verschiedenen
europäischen Staaten kennen zu lernen, und hinter
Intriguen, ja vielleicht Verbrechen zu kommen, die
in modernen Zeiten fabelhaft erscheinen können." —
„So waren denn seine Schule die Schlachtfelder und
die Höfe, die Kranken- und Irrenhäuser, die Klöster und Theater, die Visitenzimmer und die Hütten,
Gefängnisse und Armenhäuser."

In der That, man sollte meinen, wer so viel
erlebt, wer so die Menschen und ihre vielseitigen
Verhältnisse im Grossen und im Kleinen zu durchschauen Veranlassung gehabt hat, der müsse ein reiches Gemälde eigener Ansichten und Erfahrungen vor
uns aufzurollen im Stande, dem müssten die Beziehungen des menschlichen Geistes zur Welt in einem
Lichte erschienen sein, das auch auf diejenigen, die
der Vf. durch das schriftliche Wort zu belehren beabsichtigt, erleuchtend und zündend nachwirkte! Von
dem Allen findet sich in dem dickleibigen Buche kaum
eine Spur, und weder geistreiche Gedanken noch
wichtige Erfahrungen können für den Zeitverlust ent-
schädigen, den man auf die Lectüre desselben verwendet hat. Höchstens kann man ihm das Verdienst
der Unterhaltung zusprechen, wie es denn überhaupt
mehr für Laien als für Kunstgenossen geschrieben zu
sein scheint. Daneben ist es mit einer solchen Menge
von Citaten aus fremden Schriftstellern, theils Pro-
saikern, theils und zumeist aber Dichtern, überfüllt,
dass die eigenen Gedanken des Vf.'s gleichsam nur als
einzelne Inseln aus ihrer Fluth hervorsehen.

Das Ganze zerfällt in vier Abtheilungen, von denen die erste „*Organisation*" überschrieben und wieder in 5 Unterabtheilungen getheilt ist. Die erste Unterabtheilung handelt *von der erblichen Anlage zu Krankheit*. Der Vf. versteht unter erblicher Krankheit diejenigen, welche von den Eltern den Kindern ver ihrer Geburt mitgetheilt und von diesen auf ihre Nachkommen verbreitet wird. Einige derselben treten bei den Kindern in verschiedener Form, in verschiedenen Perioden des Lebens auf und nehmen zuweilen auch einen verschiedenen Charakter an. Unterschieden von den erblichen Krankheiten müssen die morbi connati und familiares werden. In manchen Fällen von Irresein ist es nicht die Krankheit, die forterbt, sondern das Temperament, das zu ihr prädisponirt; denn in Familien, wo die Kinder ein verschiedenes Temperament haben, werden nur diejenigen von Irresein befallen, deren Temperament demjenigen der beiden Eltern ähnlich ist, welches an dieser Krankheit litt. Das Irresein entwickelt sich bei denen, welche die Anlage dazu mit auf die Welt brachten, auf zweifache Weise: *physisch*, in Folge des angeerbten Temperaments, und *moralisch*, in Folge des Gemüthszustandes des Individuums, das, in der Voraussetzung, es werde früher oder später der erblichen Krankheit verfallen, den Ausbruch derselben durch stete Unruhe und Furcht begünstigt. — Auch moralische Verderbniss soll sich dem Vf. zufolge vererben und es ganze Familien von Lügnern, Dieben, Schwindlern geben. Einige merkwürdige Beispiele führt der Vf. von erblichem Instinct der Thiere an. Nach Roulin ergreifen die Hunde, welche man in einigen Gegenden von Mexiko zur Jagd auf Rothwild gebraucht, das Thier am Bauch und kehren es um, indem sie das Moment wahrnehmen, wenn der Leib desselben nur auf den Vorderfüssen ruht. Das Gewicht eines auf diese Weise umgestürzten Thieres beträgt dabei oft sechsmal soviel als das seines Gegners. Ein solcher Hund von reiner Rasse und mit dieser erblichen Anlage begabt, greift das Thier nie von vorne im Laufen an; selbst wenn es, ohne ihn zu bemerken, gerade auf ihn zukommt, schlüpft er zur Seite und fällt ihm in die Flanke, während andere Jagdhunde von grösserer Stärke und allgemeiner Sagacität, die man von Europa dahin bringt, dieses Instinctes gänzlich bar sind. Ein ähnlicher Instinct findet sich auch bei einer Rasse von Hunden, deren sich die Bewohner an den Küsten von Magdalena bei der Jagd der weissmäuligen Pecari (einer Art Schweine) bedienen. Die Kunst dieser Hunde besteht darin, dass sie ihre Begierde zu bezähmen wissen, und nie ein Thier allein angreifen, sondern die ganze Heerde im Schach halten. Es giebt manche unter ihnen, die gleich anfangs, wenn sie in die Wälder geführt werden, schon diese Angriffsmethode befolgen, während Hunde von einer anderen Rasse mit einemmale auf die Pecari losstürzen, von ihnen umringt und, wie stark sie auch sein mögen, augenblicklich vernichtet werden.

Die Frage, in welcher Weise erbliche Krankheiten sich fortpflanzen, giebt dem Vf. Veranlassung zu sehr weitschweifigen Erörterungen, die indess die Sache nicht weiter aufklären. Manche erbliche Krankheiten entwickeln sich erst in einer gewissen Periode des Lebens, andere sind angeborene Geisteskrankheiten, treten gemeiniglich erst nach dem Alter der Pubertät auf, was der in diese Epoche fallenden allgemeinen Umwälzung des ganzen Organismus zugeschrieben wird.

Die *zweite* Unterabtheilung handelt *von dem Einfluss des Temperaments auf die Entwicklung unserer körperlichen und geistigen Fähigkeiten.* Es wird hier

gezeigt, dass der menschlichen Species nicht nur eine
Anlage zu körperlichen Kraukheiten, sondern auch
zur moralischen Verderbniss und zu Verbrechen beiwohnt. Diese Anlage kann im Allgemeinen unserem
angeborenen Temperament oder unserer Constitution
zugeschrieben werden, und dieser physischen Constitution kann auch die allmählige Entwicklung unserer
verschiedenen Leidenschaften, mancher krankhaften
Begierden und unbezwinglichen Bestrebungen beige-
messen werden, je nach unserer grösseren oder geringeren Empfänglichkeit und Impressionabilität in so-
cialer Beziehung und je nach dem Einfluss unserer
geistigen Kräfte in Bezähmung und Unterdrückung
jener Begierden. Obgleich sich nicht bestimmen lässt,
welches unserer Organe der Sitz besonderer Leidenschaften ist, so leuchtet doch ein, dass das Vorherr-
schen eines besonderen organischen Systems Sensationen und Begierden erzeugt, die von den eigenthümlichen Verrichtungen dieser Organe und der Beschaffenheit ihrer Gewebe abhängen, indem sie sym-
pathisch auf unsere geistigen Fähigkeiten einwirken
und gewisse Begierden und Appetite erzeugen. Appetite sind blos thierische und instinctive Bestrebungen, während Begierden (desires) mit intellectueller
und speculativer Befriedigung verbunden sind; die
letzteren beruhen auf Reflexion und Vergleichung und
sind geistige Manifestationen, während jene nur thierische, aus der besonderen Erregung und Excitabili-
tät gewisser Organe hervorgehende Antriebe sind.
Ohne Zweifel erzeugen Appetite nicht selten Begierden, so dass sie den Charakter der Leidenschaften
annehmen, wenn sie unserer Vorstellung vergangene
Genüsse vorführen, da die geistigen Vermögen unter
dem Einfluss körperlicher Sensationen stehen. Instinct besteht 'in Ideen oder vielmehr Impulsen, welche nicht in Sensationen ihren Ursprung haben, an-

fangs von einem mechanischen oder automatischen
Princip der animalischen Aktion abhängen mögen,
aber wenn sie imperativ und habituell werden, allmählig innig sich mit geistigen Begierden verbinden.
Reize, welche anfangs organisch und von nervöser
Vertheilung abhängig waren, werden zuletzt der Einbildungskraft dienstbar in allen ihren üppigen Manifestationen, und nehmen nur zu häufig die Form nicht
zu beherrschender Leidenschaften an, so dass natürliche Instincte durch krankhafte Vorstellungen in ver-
feinerte und verbrecherische Genüsse umgewandelt
werden. So wird aus Hunger Gefrässigkeit, aus Durst
Völlerei, aus Geschlechtstrieb thierische Ausschwei-
fung. Es existirt zu allen Zeiten ein krankhafter Zustand sowohl des Körpers als der Seele, der uns bestimmt, uns dem tyrannischen Einfluss unserer con-
stitutionellen Anlagen hinzugeben. Es sind dies die
Temperamente. Es werden diese nach der älteren
Eintheilung in das sanguinische, biliöse, phlegmati-
sche und melancholische getheilt, und noch ein ner-
vöses hinzugefügt.

Dritte Unterabtheilung. *Von der Sensibilität und
dem Nervensystem.* Ganz nach alten physiologischen
Ansichten.

Vierte Unterabtheilung. *Ueber den Einfluss körperlicher Wirkungen auf die Seele.* Der Verf. unterscheidet zwischen Seele (soul) und Gemüth (mind),
— oder, wie wir aus seinen ferneren Bemerkungen
schliessen müssen — Verstand. Von der ersteren
wissen wir nichts, von dem zweiten viel, denn obwohl wir die eigentliche Natur seiner Störungen nicht
erklären können, so wissen wir doch, dass das körperliche Instrument darauf Einfluss haben und es aller
seiner herrlichen Eigenschaften berauben kann; wir
können seine allmählige Entwicklung, seine Manifestationen, seinen Verfall von der Wiege bis zum

Grabe verfolgen und ergründen. Es ist ausgemacht, dass wir mit einer Seele, aber nicht mit Verstandeskräften geboren sind; dass der Verstand, aber nicht die Seele untergehen kann. — Unsere intellectuellen Functionen können in drei Ordnungen getheilt werden: 1) Eindrücke; 2) intellectuelle Combinationen; 3) Expressionen. Die Functionen der Eindrücke zerfallen wieder in allgemeine und specielle Sensationen. Die ersteren sind solche, welche direct dem Gehirn, als dem Sitz unserer Intelligenz überliefert werden und die Elemente der Ideen erzeugen; die letzteren hängen von einer specifischen Action auf besondere Organe ab und erzeugen Das, was man die fünf Sinne nennt. 2) Die intellectuellen Combinationen begreifen die intellectuellen Fähigkeiten und die Leidenschaften. Unter dieser Kategorie ist der gegenseitige Einfluss des Instincts und der Vernunft mit der physischen und moralischen Constitution des Menschen zu betrachten. 3) Expression ist die Function, vermöge deren der äussere Mensch den inneren wahrnehmen oder zwischen unseren moralischen und unseren physischen Zustand unterscheiden kann. Besonders sind es unsere intellectuellen Combinationen und Functionen, die sich unserer Untersuchung darbieten, und Folgendes sind die Attribute dieser Instrumental-Facultäten: 1) Sensation; 2) Perception; 3) Reflexion und Consideration; 4) Gedächtniss und Erinnerung; 5) Imagination; 6) Abstraction und Analysis; 7) Association der Ideen; 8) Vergleichung; 9) Urtheil, Vergleichung der Ideen; 10) Vernunft, Vergleichung des Urtheils.

Fünfte Unterabtheilung. *Geisteskraft.* Obschon die Vernunft eine Ueberlegenheit über unsere Handlungen erlangen kann, so vermag sie doch unsere Natur, unsere natürlichen und instinctiven Triebe nicht abzuändern; sie kann die Befriedigung unserer

Begierden und Wünsche hemmen, aber sie vermag
ihr Wesen, ihre Natur nicht zu ändern, wenn die
Seele an gewissen, angenehmen oder peinlichen Sensationen oder Empfindungen haftet. Unser Wille kann
den Fluss unserer Gedanken in ein anderes Bette leiten, aber nur zu häufig ist es mit diesem Vermögen,
wie mit einem Kiesel, den man in einen Bach wirft,
um seinen Lauf aufzuhalten; die Strömung kann eine
Zeit lang um den Gegenstand kreisen, aber der Strom
wird seinen Lauf fortsetzen, bis das Wasser die
Fläche erreicht hat, die ihm durch die Gesetze der
Natur angewiesen sind. — Dass wir Richter über
unser Betragen sind, ist keinem Zweifel unterworfen; aber wir können mit allem, auch dem festesten
Willen, nicht unseren Gedanken, unseren Begierden
und unseren Gemüthsbewegungen gebieten, wir können nicht willkürlich unser Temperament und unsere
Natur abändern, leutselig, wohlthätig, mitleidig werden, einer apathischen oder egoistischen Anlage Trotz
bieten. Wir können zwar zum Schein die Attribute
dieser edlen Eigenschaften annehmen, aber unsere
Handlungen entspringen nicht aus dem Herzen, aus
wirklichem Mitgefühl für den Leidenden, aus sympa-
thetischer Theilnahme an dem Unglück unserer Mit-
geschöpfe. Unser Wille hat nichts zu thun mit unserem Erschaffensein, mit unserem Temperament,
unserem Wachsthum und unserer Entwicklung, und
steht den Gedanken ferne, die unser Gehirn durch-
kreuzen. Wir können unseren Affecten nicht gebieten, unseren Antipathien nicht widerstehen, wir können nicht einmal überlegen, wenn die Macht der Leidenschaften alle Schranken durchbricht. Auf die
Ueberlegung selbst hat der Wille keinen Einfluss, sie
ist ein mit Vergleichung und Ideenassociation verbun-
dener geistiger Process; denn wenn ein Mensch, im
Zustande des Zweifels, zu überlegen und zu erwägen

beschliesst, welcher Weg für ihn der vortheilhafteste
sein möge, hat die Ueberlegung bereits begonnen
und die intellectuellen Kräfte haben wieder ihren Einfluss erhalten.

Zweite Abtheilung. *Allgemeine Uebersicht über
die Leidenschaften. Erste* Unterabtheilung. *Natur
und Classificationen der Leidenschaften.* Von den
Leidenschaften müssen jene instinctiven Gefühle unterschieden werden, welche den Menschen auf natürliche und unfreiwillige, ja man könnte sagen, bewusstlose Weise zur Erreichung gewisser Genüsse
und Annehmlichkeiten oder Vermeidung gewisser Uebel
anregen. Der Hauptinstinct dieser Art ist Neugierde,
die sich in allen unseren Handlungen, von der Wiege
bis zum Grabe kundgiebt. Dieses Vermögen ist es,
welches uns, im Verhältniss als sich unsere intellectuellen Kräfte allmählig entwickeln, in der Erwer-
bung der wesentlichen Kenntniss von Ursachen und
Wirkungen leitet oder vielmehr die Richtung giebt,
von wo aus dann die nothwendige Association der
Ideen entspringt. Denn wo wir wissen, dass irgend
ein Ding die Ursache eines anderen ist, da hat die
Association der Ideen Einfluss auf unser Urtheil mittelst des Acts der Vergleichung. Diese instinctiven
Gefühle kann man nicht Leidenschaften nennen, obschon sie, wenn sie sehr heftig sind, ihren Charakter annehmen können. Unsere Leidenschaften haben
im Allgemeinen die Tendenz, unsere Existenz abzu-
kürzen, während unsere instinctiven Gefühle und Per-
ceptionen sie zu verlängern trachten. Die natürlichen,
thierischen Begierden unseres Geschlechts gehören den
Functionen an; wenn ihnen nicht Folge gegeben wird,
so erzeugen sie Unbehaglichkeit und Schmerz, und
nicht selten veranlasst ein Widerstreben gegen die
Vorschriften der Natur krankhafte Seelen- und Kör-
perzustände. Unsere Leidenschaften aber erzeugen

Erregungen von einem verschiedenen Charakter; sie leiten zu gemüthlichen Excessen, die den natürlichen Gefühlen fremd sind, obgleich es auch diese Gefühle sind, denen unsere modificirten Leidenschaften ihren Ursprung verdanken.

In Betracht, dass unsere Leidenschaften aus unseren instinctiven Gefühlen und Bewegungen und aus unserer relativen socialen Stellung entspringen, theilt sie der Vf. in instinctive oder animalische und in erworbene und rationale. Unter den verschiedenen Einflüssen, welche bestimmend auf die Leidenschaften einwirken, werden namentlich Klima, Lebensstellung, insbesondere Armuth und Reichthum (mit Bezug auf statistische Bemerkungen über die Häufigkeit der Verbrechen), als Beispiel hervorgehoben.

Zweite Abtheilung. *Ueber den Einfluss der fortschreitenden Civilisation auf die Entwicklung der Leidenschaften.* Es werden hier namentlich Regierungsform, Religion, Einfluss des weiblichen Geschlechts, der Buchdruckerkunst u. s. w. besprochen.

Dritte Abtheilung. *Instinctive und animalische Leidenschaften.* Die hier in sechs verschiedenen Unterabtheilungen behandelten Leidenschaften sind: Eigenliebe und Egoismus, Furcht, Aerger, Liebe, Eifersucht, Gefallsucht.

Vierte Abtheilung. Erste bis dritte Unterabtheilung. Ehrgeiz, Freundschaft, Frömmelei und Fanatismus.

Der Vf. hält selbst die Gränzen der Leidenschaften hier noch nicht für abgeschlossen; er wollte nur die wichtigsten derselben in ihren Wirkungen auf die menschliche Gesellschaft darstellen. Uebrigens verlohnt es sich nicht der Mühe, ihn weiter in das Detail zu folgen; ich würde dann nur längst Bekanntes und oft Gesagtes wiederholen müssen. Dagegen er-

laube ich mir noch Einiges von seinen Schlussfolgerungen anzuführen: Die Welt steht unter unwandel-
baren Gesetzen, und so lange die Fundamentalprin-
cipien, durch welche die Schöpfung regiert wird,
sich nicht ändern, bleibt die Vollkommenheit des
Menschen ein unerreichbares Ziel. Die Fortschritte
unserer intellectuellen Fähigkeiten, die Vervollkommnung der Wissenschaft, die Verbreitung der Intelligenz sind keineswegs fähig, diesen Zustand der
Vervollkommnung zu befördern, sondern sie dienen
nur dazu, grössere Hoffnungen auf irdische Glückseligkeit, und damit auch schwer zu bezähmende Begierden und Leidenschaften zu erregen. Unsere Leidenschaften hängen zum grossen Theil von dem Einfluss unserer Temperamente ab und entwickeln sich
nicht selten aus erblicher Uebertragung; zu gleicher
Zeit geht aus statistischen Untersuchungen hervor,
dass auch das Böse nach einem bestimmten Gesetz
der Vorsehung seine Herrschaft übt. Es würde dies
ein sehr entmuthigendes Factum sein, wäre es nicht
möglich, diesen natürlichen Einfluss durch die neu-
tralisirende Kraft der moralischen und physischen Erziehung, insbesondere unter der, das Hauptmaterial
der menschlichen Gesellschaft constituirenden Masse
des Volks zu modificiren. Ihre Erziehung ist daher
als einer der wichtigsten Gegenstände von Seiten der
Gesetzgebung wie des Privatinteresses zu betrachten.
Aber der Art und Weise sie zu fördern, den Mitteln
ihre Zwecke zu erreichen, stellen sich grosse, un-
übersteigliche, den Fortschritten dieser wünschens-
werthen Verbreitung des Wissens in den Weg tre-
tende Hindernisse entgegen. Zu den Haupthinder-
nissen gehören Frömmelei und Eigennutz. Die be-
wunderswürdigsten Theorien verfehlen ihren Zweck,
wenn Grund und Boden nicht der Verbesserung fähig
sind. Trocknes und unfruchtbares Land muss zu frucht-

barem umgewandelt werden, und eine hungernde Bevölkerung ist eben so wenig der Cultur fähig, als ein felsiger Boden oder eine Sanddüne. Die Erziehung wird daher unausführbar sein, wenn man nicht Mittel und Wege finden kann, die junge Pflanze zu nähren. Nur eine allgemeinere Vertheilung des Wohlstandes und der Behaglichkeit kann den socialen Zustand der Menge verbessern. — Dabei muss hauptsächlich für hinreichenden Schulunterricht gesorgt werden, zu welchem Ende der Vf. die Errichtung von Unionsschulen vorschlägt, die aus Beiträgen der Regierungen wie aus Privatunterstützungen unterhalten werden und unter der Aufsicht von Central-Schulcommittés der einzelnen Gewerbe stehen sollen.

Hohnbaum.

Annales médico-psychologiques. Par *M. M. Baillarger, Cerise* et *Longet.* Tome XI.

Die Psychologie des Aristoteles, übersetzt von Barthélemy St. Hilaire, angezeigt von Maury. (Vgl. diese Zeitschrift Bd. V. Hft. 1.)

Ueber die Sinnestäuschungen im Zustande zwischen Schlaf und Wachen. Von Maury. Im Zwischenzustande zwischen Schlaf und Wachen entstehen bekanntlich Sinnestäuschungen, welche in Frankreich nur von Baillarger (in Deutschland schon von J. Müller u. A., — vgl. Hdb. der Physiologie Bd. II. p. 564) gewürdigt sind. Dieselben erscheinen kürzere oder längere Zeit, nachdem man die Augen zum Schlafen geschlossen hat, und zwar sobald die Aufmerksamkeit auf äussere und innere Vorgänge sich verliert. Oefters entstehen die Sinnestäuschungen nach sehr kurzer Zeit: beim lauten Vorlesen an einen Absatz gekommen, schloss Vf. die Augen und sah sogleich die Gestalt eines Mönchs, wodurch er

sofert wieder zu sich gebracht wurde; die Unterbre-
chung im Vorlesea war so unbedeutend, dass sie dem
Zuhörer nicht auffiel. In jenem Zustande. sind aber
nicht allein die Sinne in Thätigkeit, sondern ihre
Wahrnehmungen kommen auch zum Bewusstsein;
nur sind sie nicht mehr durch die Reflexion beherrscht.
Ein starker Sinneseindruck verhindert die Hallucinationen; sie entstehen nicht bei offenen Augen, obgleich sie nach Oeffnung derselben fortdauern können,
und es genügt im Schlafzimmer Licht brennen zu
lassen, um sich vor Gesichtstäuschungen mittelst des
durch die Augenlieder wahrnehmbaren Scheins zu
schützen. Die. dem Auge vorschwebenden Bilder sind
entweder natürliche oder phantastische Objecte aller
Art, sie stehen still oder bewegen sich und werden
schnell durch andere verdrängt; die Farben sind meistens lebhaft; in der Regel sind es Miniaturen und
nicht gleichzeitig in grosser Anzahl sichtbar. Diese
Sinnestäuschungen werden durch geistige Anstrengungen, Kaffee, Champagner u. a. Erregungsmittel
vermehrt und sind besonders häufig bei habituellen
Kopfschmerzen. Der Körperzustand übt einen merklichen Einfluss und es bringen Geschlechtsreizung ob-
scöne, Herzklopfen ängstigende, Magenschmerzen
traurige Bilder hervor; nervöse Augenschmerzen er-
zeugten die Erscheinung einer sehr hellen Kerzen-
flamme, die später verlosch. Die Gehörstäuschun-
gen bestehen in Wahrnehmung einzelner Wörter,
Phrasen oder kürzlich gehörter Musikstücke; sie haben weniger Klang, als die wirklichen Laute. Häufig reihen sich ganz zusammenhangslose Sätze an einander, dieselben werden aber eigentlich nicht gehört,
sondern nur innerlich wahrgenommen. Dass die Hallucinationen öfters in den Traum übergeben, kann,
wenn der Schlaf nur kurz dauert, bestimmt beobachtet werden. Vf. meint, dass die Sinnestäuschungen

aus einer Reizung des Nervensystems entstehen und
nicht die Wirkungen vorher bestehender Ideen sind,
denn die Vorstellungen, welche letztere zu begleiten
pflegen, sind viel matter, und die Bilder drängen sich
erfahrungsmässig der Idee gradezu auf und können
nicht aus derselben abgeleitet werden.

Ueber die tonische Wirkung des Schwefeläthers.
Von Parchappe. Aus den bekannten Erfahrungen
und eigenen Experimenten (namentlich mit Injectionen
von flüssigem Aether und von Aetherdampf in den
Mastdarm) folgert Vf. folgende Wirkungsweise des
Aethers. Die reizende Contactwirkung desselben ist
unbedeutend und flüchtig, wenn er rein oder mit Luft
gemischt kürzere Zeit in Dunstform oder mit zwei
Dritteln Wasser gemischt in flüssiger Form, — sehr
heftig dagegen, wenn er rein und in starken Gaben
in flüssiger Form oder lange Zeit in Dunstform angewendet wird. Die Allgemein-Wirkung, durch Re-
sorption vermittelt, trifft das Nervensystem specifisch,
indem die Nervenkraft allmählig, bis zur gänzlichen
Vernichtung vermindert wird. Bei jeder Anwendungsweise entsteht dann zuerst eine leichte, flüchtige Erregung, dann Trunkenheit und Delirium, darauf Betäubung und Fühllosigkeit, ferner Stupor und endlich
der Tod. Es folgt die Symptomatologie der Aether-
wirkungen bei Menschen und Thieren und endlich eine
Theorie der Wirkungen, welche nichts Neues enthält; eine tonische Wirkung fand Ref. nirgends nachgewiesen.

*Historische und physiologische Studien über die
Gemüthskrankheiten.* Von Morel de G. Zwei Artikel, welche beide über Jacobi und zwar hauptsächlich über dessen „Hauptformen der Seelenkrankheiten" handeln.

Ueber die Lähmung bei Pellagra. Von Baillarger. Das Pellagra ist eine weniger eigenthüm-

liche Krankheit und die psychischen Alienationen dabei
haben weniger Specifisches, als angenommen zu werden pflegt. Das Pellagra ist weiter verbreitet als
man glaubt, selbst in Paris kamen Fälle davon vor.
Die Geistesstörung dabei tritt unter den verschiedenen Formen der Gemüthskrankheit überhaupt auf, und
die häufigen Selbstmordversuche Pellagröser haben
nichts Auffallendes, wenn man weiss, dass unter den
wahnsinnigen Pellagrösen dreimal so viele an Stupi-
dität (Georget) leiden, als unter anderen Gemüthskranken. Eben so ist die allgemeine Lähmung bei
Pellagra weder in Erscheinungen, Formen, Verlauf,
noch in den anatomischen Veränderungen von der
sonstigen verschieden; Krankengeschichten dienen hier
zum Belege. In enger Verbindung steht das Pellagra
mit dem mal del padrone, einer in der Lombardei häufigen, oft von Erythem begleiteter Form der Hypochondrie; Erythem entwickelt sich auch nicht selten
bei Geisteskranken in den dortigen Asylen. Viele
Pellagröse stammen von geisteskranken Aeltern und
Geisteskranke oft von Pellagrösen ab; ja nach von
einander unabhängigen Beobachtungen von Calderini
und Vf. sind die Verhältnisse der Erblichkeit bei beiden Krankheiten dieselben. Von drei Kindern eines
Bauers erkrankten zwei an Pellagra, einer, der in
eine Stadt gezogen war, verfiel in allgemeine Lähmung.

Behandlung der Epilepsie. Von Delasiauve.
Schluss. Nochmalige Uebersicht der verschiedenen
Klassen von Heilmitteln und Heilmethoden mit beson-
derer Rücksicht auf die hygienische Behandlung, die
von Ferrus empfohlene körperliche Arbeit und die
Beschäftigung epileptischer Kinder im Bicêtre.

*Ueber die Isolirung und Interdiction der Ge-
müthskranken.* Von Renaudin. Vf. vergleicht die
Bestimmungen des Code civil von 1790 mit dem Irren-

gesetze von 1838, und macht auf die durch letzteres gewonnenen Vortheile aufmerksam. Er wünscht hauptsächlich zwei Verbesserungen: 1) die bestehenden Gesetze sagen, dass alle gerichtlichen Acte Interdicirter, welche früher bestanden, als die Interdiction, in dem Falle nichtig sein sollen, wenn schon damals die Ursache der späteren Interdiction vorhanden war. Es fehle hier die Angabe bestimmter Formalitäten, unter welchen ein gerichtlicher Act nicht interdicirter Gemüthskranker Gültigkeit haben solle. Dazu müsse die Gegenwart der Gerichtsperson, des Asylarztes und zweier Mitglieder der Aufsichtscommission erforderlich gemacht und jede Maassregel, welche die Integrität des Eigenthums angreift, verboten werden. 2) Um die missbräuchliche, willkührliche Einsperrung Gemüthskranker in Privathäusern zu verhindern, würde die Annahme des Genfer Gesetzes zweckmässig sein, dass einer Privatanstalt gleich geachtet werden solle jede Wohnung, in der der Kranke mit Zwang zurückgehalten und, selbst allein, durch eine nicht zu der Familie gehörige Person, deren Willen der Kranke nicht untergeordnet ist, verpflegt werde.

Ueber eine plötzlich bei allen Mitgliedern zweier Familien entstandene Gemüthskrankheit. Von J. Toilroux. — Marcellin und Jean Isnard aus Senez (am Abhang der Alpen) hatten einen Process mit ihren Geschwistern wegen der Theilung der Güter ihres Vaters, wovon sie den grössten Theil in Besitz genommen hatten. Durch die vorläufige gerichtliche Sequestration der Güter im Juli 1846 wurden sie so gereizt, dass die öffentliche Gewalt gegen sie zu Hülfe gerufen werden musste, und einen Priester, welcher die Familienglieder zu einem gütlichen Uebereinkommen hatte bringen wollen, betrachteten sie deshalb als ihren persönlichen Feind. Am 7. August wurde

Marcellin von einem heftigen Leiden ergriffen, sein Körper wurde steif, er schrie über heftige Schmerzen, erklärte dem herbeieilenden Priester, alle seine Leiden entständen durch ein von letzterem gegebenes Fünffrankenstück, und wurde endlich durch ein vermeintliches stachliges Insect, grösser als ein Scorpion, belästigt, weshalb er seinen Strohsack u. A. verbrannte. Am 13. August waren die 13 Mitglieder der Familien beider Brüder, nämlich Marcellin, Cecile Collomp seine Frau, François sein 24jähriger Sohn, Henriette seine 17jährige Tochter, und zwei junge Mädchen, ferner Jean, Therese Dol, seine Frau und 5 Kinder im Hause Marcellin's versammelt; man vernahm von dort Lärmen, Schreien und Weinen, endlich aber gingen sämmtliche genannte Personen ganz nackt auf die Strasse, und zuletzt zur Kirche, in welche sie während des sonntäglichen Gottesdienstes einzudringen suchten. Marcellin commandirte sie durch Worte und Zeichen; die jungen Mädchen, welche man aufforderte nach Hause zu gehen, antworteten, ihr Vater werde sie todt prügeln; Therese beeilte sich in einem Nachbarhause sich zu verbergen, und zeigte dort die Spuren von Schlägen auf den Kopf; Henriette endlich bemühte sich auf alle Weise ihre Blössen den Blicken der Zuschauer zu entziehen. Marcellin dagegen und seine Frau überliessen sich obscönen Betastungen ihrer Körper, und letztere, als sie eine Schwägerin vorübergehen sah, schimpfte diese und warf nach ihr mit Steinen. Marcellin und Cecile gingen am folgenden Tage im Hemde nach einem Betsale, wo sie ähnlichen Unfug verübten. Da weder vor oder nach diesen Excessen bei allen diesen Personen eine Spur von Gemüthskrankheit nachgewiesen werden konnte, so wurde erkannt, dass Marcellin, um seinem alten Vater die Vortheile, welche der Gegenstand des Civilprocesses waren, zu entreissen, die Gemüthskrankheit simulirt habe, und Marcellin, Jean, François und Cecile zu Gefängnissstrafen verurtheilt.

Bericht über den Gemüthszustand der Frau Drouin. Von Girard. Versuch einer Arsenikvergiftung durch eine Melancholische.

Bericht über das Asyl zu Nantes. Von Bauchet. Der Bericht enthält hauptsächlich einzelne Krankengeschichten, worunter ziemlich viele Fälle unzeitiger Zurücknahmen aus dem Asyl und dadurch entstandener Unglücksfälle.

Ueber die Organisation der Arbeit u. s. w. Von M. Parchappe. Der Artikel enthält eine Statistik der Arbeit in den vornehmsten britischen Asylen, verglichen mit dem zu Saint-Yon (im Department der untern Seine). Es arbeiten hiernach unter 1000 Kranken in Surrey 614, Bethlem 605, Friends retreat 571, Saint-Yon 531, Hanwell 505, Gloucester 363. Die Aufzählung der verschiedenen Arbeiten, die Beschreibungen der dazu dienenden Gebäude u. s. w. und die Tabellen lehren nichts Neues. Zuletzt folgen kurz die bei der Organisation der Arbeit zu befolgenden Regeln, worin Vf. besonders gegen die Worte Conolly's, dass man die Kranken zu arbeiten nicht zwingen solle, sich ausspricht; die Vernunft habe über sie eben so viel Recht, wie über Kinder. Die Arbeit hat nicht allein einen therapeutischen und einen ökonomischen Zweck, sondern sie ist auch in den Asylen zur Erhaltung der Ordnung und der guten Sitten eben so nöthig, wie überall in der menschlichen Gesellschaft. Ausserdem besteht die grösste Zahl der Arbeiter aus Unheilbaren, und bei Vermeidung ungesunder Arbeit ist es durchaus nicht gegen die Humanität, dieselben zum Nutzen des Asyls dienstbar zu machen, was man grade in Grossbritannien vortrefflich versteht. — Zu Saint-Yon besteht die

Einrichtung, dass für jeden Arbeitstag 10 Cent. à Person für die Arbeiten berechnet wird; aus der Gesammtsumme wird jedem bedürftigen Arbeiter beim Abgange eine Summe von wenigstens 5 Fr. gegeben. Im Jahre 1846 betrug die Gesammtsumme des Arbeitslohns 8750 Fr.; davon wurde nur $\frac{1}{8}$ an 24 abgehende Kranke gezahlt, über die Hälfte zu Sonntagskleidern, Pfeifen, Taback u. s. w. für die Arbeiter verwendet, ein kleiner Theil Verwandten der Kranken übersendet und mit dem Rest das Gesammtkapital der Arbeiter, welches am 31. December 1846 21653 Fr. betrug, vermehrt.

Ueberwachung der öffentlichen Asyle. Von Renaudin. Würde die durch die Ordonnanz vom 18. Dec. 1839 angeordnete Ueberwachung der Asyle stets ausgeführt, wie sie es sollte, und wären die Mitglieder der Ueberwachungs-Commission kundige und unabhängige Männer, so würde gewiss das Wohl der Asyle gefördert werden. Aber mit Commissionen ist es überhaupt eine missliche Sache, weil Niemand die Verantwortlichkeit für die Handlungen derselben trägt, sondern eben Jeder in der Minorität geblieben sein kann; factisch kann dessen ungeachtet ein Mitglied der ganzen Gewalt derselben sich bemächtigen, und endlich ist dem Einflusse von Aussen auf die verschiedenen Mitglieder und den Intriguen viel Raum gelassen. In der Regel fehlt den Mitgliedern die gehörige Sachkenntniss, die doch bedeutend sein muss, da sie hauptsächlich die Handlungen des Directors zu beurtheilen haben. Hier fehlt das Gesetz darin, dass es nicht bestimmt vorschreibt, aus welchen Ständen die Commissionsglieder genommen werden sollen; es hätten dazu stets eine Gerichtsperson, ein Rechnungsbeamter, ein Techniker, ein Geschäftsmann und ein Jurist bestimmt sein müssen. Die Commission kann aber in verschiedener Weise störend einwirken; sie

kann gegen ihre eigentliche Bestimmung selbstthätig
in die Administration eingreifen oder doch durch Be-
vorzugung oder Beschützung einzelner Unterbeamter
dieselben zur Opposition gegen den Director bewegen
oder sie darin bestärken; sie kann ferner den Director
misstrauisch mit Spionage umgeben und ihn ver-
schreien, ehe sie seine Handlungen gehörig geprüft
hat. Ihre Stellung giebt der Commission kein solches
Interesse für das Asyl, welches sie gegen äussere,
locale Einflüsse oder gegen die ihnen bekannten Ansichten einflussreicher Personen widerstandsfähig machen könnte. In der That haben die Directoren, besonders in den Departements, oft mit unüberwindlichen
localen Schwierigkeiten zu kämpfen und mehrere verzehrten ihre Kräfte in persönlichen Streitigkeiten. Zum
Schluss spricht Vf. einen von allen Collegen getheilten Wunsch aus, dass wenigstens jährlich die Gene-
ralinspectionen der Asyle wiederholt werden möchten,
da dieselben sich eben so nützlich, wie für die Directoren ermuthigend erwiesen hätten.

W. Jessen.

L'Amulette de *Pascal* pour servir à l'histoire des
Hallucinations. Par F. Lélut, membre de l'Institut de France, médecin en chef de la troisième
Section des Aliénées de l'Hospice de la Salpé-
trière etc. Paris, Baillière, 1846. XVI et
371 S. 8.

Der Vf. sucht die Spontaneität der aus krankhafter somatischer Basis hervorgegangenen Sinnesphan-
tasmagorieen *Pascal's*, die derselbe nicht als solche
erkannte, wie das auch bei *Sokrates*, *Cardanus* und
andern hervorragenden Männern der Fall gewesen,
als eine Spiegelung seines gottesfürchtigen, transcen-

dentalen innern Wesens und des Geistes seiner Zeit
darzustellen, und leitet sein Thema mit allgemeinen Betrachtungen über die Denkoperationen, über Träume,
Sinnestäuschungen und Sinnesvorspiegelungen ein, was
fast ein Drittel des ganzen schönen Werkes ausmacht.
Ohne an dem allbekannten Ausspruch von Locke
festzuhalten, und ohne anderweitige Definitionen in
Bezug auf Bildung und Bestand des Gedankens wieder zu geben, deren Abweichungen einer Verschiedenheit des Gesichtspunktes zum Grunde lägen und die
somit immerhin eine wahre Seite haben könnten, verbreitet er sich umständlich über den Ausgangspunkt
der Ideen, ihre Rückkehr zu demselben, deren re-
präsentative Natur und eigenthümliches Leben. Die
geistige Modalität des Menschen erheischt Empfindung und Bewegung. Aus den durch die Sinne empfangenen Eindrücken entsteht erstere, die den Organismus zu dieser veranlasst. Beide Thätigkeiten
stehen unter der Herrschaft der Vorstellungen, in
welchen sich das psychische Leben und die psychischen Krankheiten umhertreiben. Die geistige Action
und die centrale Sinnesthätigknit haben eine innige,
verschlingende Wechselwirkung zu einander und halten sich vereint. Die Sinneseindrücke unterhalten die
Vorstellung, und diese erregt jene. So etwa ist der
Gang der dermaligen Exposition unseres werthen Autors. Allen vindicirt er als unerlässlich une sorte de
substratum sensible. Die psychischen Krankheiten
zerfallen hiernach in die der Empfindung, der Bewegung und der Vorstellung. Beim Irresein zeigen
sich gewisse Stimmungen, Affecte, Urtheile und Wil-
lensäusserungen ohne hinreichende äussere Einwirkungen, die auch ganz fehlen können. Gewöhnlich beginnt es mit mit einer Gemüthsstörung, die meistens
den Charakter des Gedrücktseins hat, aber auch exal-
tirt sein kann. Die Affectionen erleiden dabei nicht

selten eine totale Umänderung. Was dem Kranken
lieb und werth war, kann ihm ganz verhasst, der
Haushälter ein Verschwender werden u. s. w. Der
von falschen Urtheilen geleitete Wahnsinnige erklärt
sich seine Stimmungen und Gefühle nach seiner Individualität, und die Sinnestäuschungen üben in ihrer
Verschiedenheit einen mächtigen Einfluss auf die Be-
aussichtigung der Wahrnehmungen aus.

Was nach dem Vf. ganz besonders den Traum
ausmacht, was ihm seinen wesentlichsten und anscheinend ausserordentlichsten Charakter giebt, das
sind falsche Empfindungen in Bezug auf äussere Sinne,
ein Werk der Einbildungskraft, welche wach bleibe,
während die Aufmerksamkeit, die Ueberlegung, das
Bewusstsein halb im Schlafe wären. Es gebe Niemanden, der nicht an sich selbst diese falschen Schlaf-
sensationen wahrgenommen hätte oder wahrnehmen
könne, da sie mitunter so lebhaft, so klar, so wohl-
geordnet und scheinbar eben so reell seien, wie die
Empfindungen des thätigsten Wachens. Wenn es
auch erwiesene Geschichten von Nachtwandlern gebe,
die sich der Handlungen und Ideen aus ihrem Schlafe
erinnert hätten, so sei doch das Gegentheil wenigstens die Regel.

Illusionen in dem gewöhnlichen, natürlichen Sinne
nehmend, nennt er die Hallucinationen eine Gedan-
kenverkörperung, des transformations spontanées de
la pensée en sensations le plus souvent externes,
une sorte de délire sensorial, une forme solitaire d'un
dérangement de l'imagination etc. Dass namentlich die
Gesichtshallucinationen in aller Strenge des Wortes
une transformation de l'idée sensible en sensation
seien, sucht er mit den bekannten Visionen Benve-
nuto Cellini's zu belegen. Ich habe hier über Hallucinationen keine andere Ansicht gewinnen können,
als die in meiner 1838 herausgekommenen Schrift:

Ueber die durch subjective Zustände der Sinne begründeten Täuschungen des Bewusstseins u. s. w., ausgesprochenen: Es simuliren von innern Reizen ausgehende Wahrnehmungen äussere Objecte, die mit seltener Ausnahme für Realitäten gehalten werden, da ein lebhafter Eindruck auf das Gemüth nicht den Unterschied der Zeit erkennt, die Vergangenheit für die Gegenwart nimmt und hier die organisch begründete. sinnliche Wahrnehmung sich gewaltsam dem Bewusstsein aufdrängt. Die Wahrnehmungen sind den Sinnen immanent und negiren den äussern Reiz, dessen sie nicht wesentlich bedürfen. Während sie ihn aber negiren, setzen sie ihn durch die ihnen immanente Kraft der Negation, auch wo er nicht ist, in sich. An einem unbewussten Verharren bei so entstandenen perversen Vorstellungen nimmt das Urtheilsvermögen leicht einen grössern oder geringern Antheil und daraus geht dann Wahnsinn oder fixe Idee hervor. Sonst verhalten sich die Hallucinationen, wie auch die Illusionen, zum psychischen Leben und zum Irresein entweder ganz neutral, oder sie veranlassen nur einen auf die Voraussetzung ihrer objectiven Realität gegründeten Irrthum. Sie können jedoch auch blosse Symptome des Wahnsinnes sein. Lélut stellt die Hallucinationen neben den Träumen im liegenden, aufrechten und umhergehenden Schlafe, und nennt sie Träume im Wachen. Den Hauptantheil daran misst er der Imagination bei. Er lässt auch sie immer von etwas begleitet sein, was den Ideen – Sensationen angehört, indem er sagt: Il faut l'avouer néanmoins, il y a des hallucinations des divers sens qui semblent n'avoir aucune sorte de rapport à des pensées antérieures, soit anciennes, soit récentes, et qui pourraient sur ce point mettre en défaut toutes les tentatives; mais cela se remarque principalement, lorsque ces fausses perceptions remontent à de longues années, ou lorsqu'elles sont unics à une perturbation plus ou moins générale des autres facultés de l'intelligence.

Bleiben die Hallucinationen, deren Natur das Ich verkennt, wie die, wovon es sich Rechenschaft zu geben weiss, durchaus isolirt und ohne merklichen Einfluss auf die Richtigkeit der höheren Acte des Denkens, so soll das darin seinen Grund haben, dass die Störung der Einbildungskraft, welche sie constituirt, nur von dem ersten Grade der Unordnung der Nervenmaschine, die zur Manifestation der Ideen concurrirt, herrührt. Denn aus dieser. Störung gehe nach der Brütung einer krankhaften Reizempfänglichkeit die grösste Zahl der Geistesperturbationen hervor. Diese Störung sei es, welche sie lange Zeit fortbestehen lassen könnte, darauf beschränkt, den oft vernünftigen Ideen einen Körper zu geben.

Von allen ausgezeichneten Männern Frankreichs aus den beiden letzten Jahrhunderten, konnte keiner, durch die Eigenthümlichkeiten seines Genie's, so wie durch das Ausserordentliche in seiner geistigen Begabung und in seiner Gesundheit, die Aufmerksamkeit so sehr auf sich ziehe, und Staunen erregen als — *Pascal.*

Fast gleichgültig gegen die Spiele seines Alters, machte er schon als Kind wissenschaftliche Entdeckungen, die den reifern Männern vorbehalten zu sein pflegen. Später dehnte er die Grenzen der Wissenschaften ohne alle Anstrengung aus und nahm dabei den ersten Rang ein. In den Bahnen der Geometrie, Physik und Philosophie liess er sich nur überschreiten, als er nicht mehr darin wandelte.

Vom Jan. 1656 bis März 1657 erschienen seine berühmten Briefe gegen die Jesuiten — les Provincia-les, — in welchen er aus orthodoxer Entbrennung schonungslos deren laxe Moral enthüllte, ein vollendetes Meisterwerk einer reinen und geistvollen Prosa, gedrängt, hellfasslich, zur Ueberzeugung hinreissend und überströmend von kaustischem Spotte, das seitdem über 60 Auflagen erlebt hat.

Was aber an dem Genie *Pascal's* noch bei weitem mehr in Verwunderung setzen muss, das ist seine Natur selbst, die von Gegensätzen überfüllt war; das sind die Leiden und Wechselfälle seines in glücklichem Familienfrieden begonnenen und in harter Religionsstrenge vollendeten Lebens, das ist das plötzliche Aufgeben der Wissenschaften, die Geringschätzung aller Philosophie; das sind endlich die ohne Unterlass zunehmenden Phasen einer fast unsinnigen Schwermuth. Niemand hat mehr und besser, als er, das Widersprechende und Widerwärtige im Menschen, den er eine créature étrange, ein monstrum incomprehensibile nennt, nachgewiesen und gezeigt, welche mächtigen Banden seine Gedanken und seinen Willen unterjochen, in welcher doppelten Abhängigkeit seine Seele vom Körper steht. Voltaire verkannte nicht die Schwermuth *Pascal's*, so wie die traurige und rege Beziehung seines Genie's zu seinen Organen, seiner Gedanken zu seinen Schmerzen. Den unbestreitbaren grossen Einfluss der Leibesgebrechen auf die Affectionen der Seele und die Acte des Verstandes erwägend, nannte er die Pensées von *Pascal*, deren Schreibart er bewunderte: aegri somnia. Die älteste Schwester *Pascal's* Madame *Périer*, hat dessen Leben beschrieben, und giebt an, dass in seinem 18ten Jahre seine Gesundheit nach tiefen und anhaltenden Studien merklich alterirt gewesen wäre, und dass er, wie er späterhin selbst gestanden, von dieser Zeit an niemals ohne Leiden gewesen sei. Nach dem Berichte seiner Nichte (Margaretha *Périer*) aber datirt sich seine Ungesundheit schon aus dem ersten Kindesalter. Seine Constitution war schwach, reizbar,

kränklich und in seinem ersten Lebensjahre litt er
sehr anhaltend an einer Art Hektik (chartre). Ihre
Symptome nahmen zumeist das Nervensystem und
insbesondere den Kopf in Anspruch. Er hatte Scheu
vor dem Wasser, und konnte die Liebkosungen seiner Eltern nicht ertragen, wenn sie beide zugleich
bei ihm waren. Von Geistesanstrengungen war er
nicht zurückzuhalten. In seinem 10ten Jahre erfand
er bei Gelegenheit eines Tellerbruchs eine akustische
Theorie; im 15ten schrieb er eine Abhandlung über
die Kegelschnitte, welche die ausgezeichnetsten Männer in Erstaunen setzte.

So entnervte er von seinen ersten Lebensschrit-
ten an, hingerissen durch den unwiderstehlichen Naturdrang und durch die davon unzertrennliche leidenschaftliche Thätigkeit, überspannend diese schon so
zarte und aus sich selbst excessive Constitution, deren eigenthümliche Leiden dann begannen, um nicht
wieder aufzuhören.

Nach unausgesetzten Forschungen (Erfindung der
arithmetischen Maschine) wurde er gegen das Ende
des Jahres 1647 an den untern Extremitäten unvollständig gelähmt, und musste an Krücken gehen. Seine
Beine und Füsse waren kalt wie Marmor und mussten
täglich auf Rückkehr der Wärme in sie behandelt werden. Seine Aerzte untersagten ihm nun alles Nachdenken. Nach 3 Monaten erhielt er, was man nicht
erwartet hatte, den freien Gebrauch seiner Glieder
wieder. Eine dynamische Paralyse ist ein gewöhnliches Phänomen jener allgemeinen und erratischen
Krankheiten des Nervensystems, welche in verschiedenen Beziehungen die Störung der Bewegungen mit
Unordnung der Sensationen, Affectionen und Ideen
vereinigen, wie die Hysterie, die Hypechondrie, die
Epilepsie und einige andere nervöse Affectionen davon Zeugniss geben.

In einem bedauernswürdigen Zustande solcher Art lebte nnd dachte *Pascal* nun noch volle 20 Jahre. Die zunehmende Alteration seiner Gesundheit führte seine Imagination nicht selten zu den abenteuerlichsten Verirrungen. Während seiner eifrigen Arbeiten, die seine Lähmung herbeiführten, ergriff ihn momentan der Gedanke, selbige aufzugeben, um sich dem Einzigen ganz zu widmen, was Jesus Christus nothwendig heisse. Veranlassung dazu gab ein Unglücksfall seines Vaters, der sich durch einen Sturz auf dem Glatteise einen Schenkel verrenkt hatte, und von zwei sachkundigen Männern (les frères Bailleul) behandelt wurde, zu deren tiefem religiösen Glauben und Wissen er ein unbegrenztes Vertrauen fasste. Sein mächtiger Trieb zu den Wissenschaften liess aber die Ausführung seines Entschlusses nicht zu. Und aus dieser Zeit datiren sich fast seine sämmtlichen physikalischen und mathematischen Arbeiten, welchen er 8—10 Jahre hindurch mit unermüdlichem Eifer oblag. In einem Alter von noch nicht 24 Jahren hatte er bereits den ganzen Kreis des menschlichen Wissens durchlaufen. Nach überstandener Lähmung reiste er auf einige Zeit nach Paris, um *Descartes* zu consultiren. Seine hervorstechendsten qualvollen somatischen Leiden bestanden zu der Zeit in anhaltenden heftigen Kopfschmerzen, Intestinalhitze und einem fortwährenden Gefühle von Einschnürung der Kehle. Seine psychischen blieben davon unzertrennlich; Die Schwermuth wurde merklich intensiver. Um dieser zwiefachen Qual zu entgehen, verdoppelte er seine geistigen Anstrengungen, die ihn dann noch tiefer hineinbrachten. Souffrir parce qu'ils pensent, penser parce qu'ils souffrent, c'est là pour eux (les mélancoliques) toute la vie, heisst es im Texte. Ein mehrjähriges unkeusches Leben mochte das Seinige dazu

beitragen. Im September 1651 verlor er seinen heiss-
geliebten Vater, was ihn sehr niederbeugte, aber
späterhin die Eitelkeiten aufsuchen liess, da er durch
diesen Tod in den Besitz eines beträchtlichen Vermögens gekommen. Im October 1654 fuhr er, einer
Lebensordnung gemäss, die eine gewisse Prunkliebe
kund gab, in einer mit 4 oder 6 Pferden bespannten
Kutsche über die Brücke von Neuilly. Die beiden
ersten wurden scheu, zogen den Wagen nach einer
Stelle der Brücke, die keine Brustwehr hatte, und
standen auf dem Punkte, mit diesem in die Seine zu
stürzen. Sie zerrissen die Stränge und fielen nur
allein hinein. Der Wagen blieb dicht am Rande stehen. Dieser seinem Leben so plötzlich und unmittelbar drohende Unfall machte einen furchtbaren Eindruk
auf ihn und versetzte ihn in eine schwere, lange
dauernde Ohnmacht. Seine Rettung für ein Wunder
haltend, erwägte er nun, wie grässlich es für sein
ewiges Seelenheil hätte werden mögen, wenn er mitten in den Lüsten der Welt gestorben wäre, und auf
einmal ergriff ihn mit ganzer Gewalt der Gedanke,
dass ein Christ Gott über Alles lieben müsse, was
ihn, bei seiner unheilbaren Krankheit, zu ascetischer
Strenge und völliger Verlassung der Welt führte.
Etwa vier Wochen nach diesem Unfalle hatte er
Nachts eine mehrstündige Vision. Was er gesehen
und gehört, schrieb er nieder, ohne, ausser seinem
Beichtvater in heiligster und heimlichster Vertrau-
lichkeit, irgend Jemanden das Mindeste davon mitzutheilen. Erst nach seinem Tode bekam man davon Kenntniss. Sein Diener fühlte zufällig in seinem
Kamisole etwas Hartes und Dickes, er öffnete diese
Stelle und fand gefaltenes Pergament, worin ein Pa-
pierblatt lag. Beides war mit seiner eignen Hand beschrieben und enthielt ein und dasselbe. Diese Dop-
pelschrift, die *Pascal* seit 8 Jahren im Innern eines

Kleidungsstückes fortwährend an sich auf der Brust getragen, die er mit eignen Händen bei dem Wechsel seiner Jacke gelöst und wieder eingenäht, musste ein Denkzeichen von etwas sein sollen, das er beständig vor Augen und im Geiste gegenwärtig haben wollte. Condorcet leitete zuerst die Aufmerksamkeit der Welt auf diese merkwürdigen Handschriftfunde *Pascal's* und nannte sie Amulette mystique. Der Abbé *Périer*, Canonicus zu Clermont, *Pascal's* Neffe, hat eine Abschrift davon genommen und den 25. September 1711 zu Paris die Aechtheit derselben certificirt. Das Papier-Original wird auf der königlichen Bibliothek in Paris aufbewahrt und ist dem autographischen Manuscripte der Pensées von *Pascal* vorgeheftet. Das Pergament-Original, auf welchem einige Endreihen fehlten, scheint entkommen zu sein. Von dem Ganzen wird hier ein Fac simile gegeben, das an Undeutlichheit seines Gleichen sucht und viel Kopfbrechen gekostet haben mag, um es zu entziffern und als den Ausdruck seiner krankhaften Gedanken, Gefühle und Entschliessungen in der gerade stürmischen Nacht des 23. November 1654 darzustellen, da es zumal nur aus getheilten Phrasen, Exclamationen und Anrufungen in lateinischer und französischer Sprache besteht. Er empfand, was er sich dachte. Aus der Tiefe des Abgrundes, in den er zu stürzen so sehr in Gefahr gewesen war, erscheint ihm eine Feuerkugel, welche das Licht des göttlichen Willens ist. Ueber ihr liegt das Kreuz, dies Zeichen der Erlösung der Menschen, welches das Werkzeug der seinigen sein soll. Er ist nun sicher, er hat Verständniss; er empfand und sah. Vielleicht hörte er Reden, die tief in sein Innerstes drangen. Er ist darüber in Freuden und hat in sich Frieden. Er will die Welt und Alles, ausser Gott, vergessen; nicht den Gott der Philosophen und Gelehrten, sondern den Gott *Abraham's*, *Isaac's*, *Jacob's*, den Gott des Evangeliums, den Gott Jesus Christus, von dem er sich getrennt, den er geflohen hatte, den verläugneten, gekreuzigten. Jetzt, da er ihn erkannt, da er ihn und somit selbst die ganze Grösse der menschlichen Seele empfunden hat, will er ihm auf immer treu bleiben. Es ist die Sünde, von der er durch eine gänzliche und sanfte Entsagung durchaus und rückhaltslos ablassen will. Er will sich seinem Lenker unterwerfen, wie er sich Jesu Christo unterwirft, sicher einer ewigen Freude für solch einen Wandel hier auf Erden. Diese Schrift sollte für ihn ein zwiefacher und heiliger Schirm sein vor den Angriffen des Zweifels und gegen die Rückkehr der verzweifelten Ungewissheiten, die ihn in frühern Lebensabschnitten so sehr verfolgt und betrübt hatten. Gott war der Gedanke seines ganzen Lebens gewesen, und diese Idee hatte sich in ein grosses Bild verwandelt, das sich in allen seinen Schriften reflectirte. In der fraglichen Nacht trat es aus seinem Geiste hervor, nahm einen Körper an und die Vision war da. Ces sensations, argumentirt unser trefflicher Autor, qui succèdent aux idées, aux images, qui s'y subsistuent, ou en sont la transformation, c'est ce que la science dans son langage appelle des hallucinations. Résultat du plus violent effort de la fantaisie dans une action qu'on pourrait nommer centrifuge; elles consistent, comme je l'ai montré, dans une sorte de retour des idées à leur point de départ, retour qui pour beaucoup d'entre elles a lieu d'une manière directe, et dans le sens rigoureux du met. Die in seiner Begeisterung für Gott und das Christenthum verfassten Pensées sur la religion wurden unvollendet unter seinen Papieren gefunden und später herausgegeben. In diesen Fragmenten einer grossartig angelegten Apologie des Offenbarungsglaubens, der allein die Gebrechlichkeit des menschlichen

Wissens, wie er meint, ergänzen könne, will er zeigen, dass die Voraussetzungen des Offenbarungsglaubens nicht kühner und unhaltbarer seien, als die der
Wissenschaft. Die Natur, sagt er, macht den Zweifler zu Schanden und die Vernunft den Dogmatiker;
denn das Unvermögen dieser kann kein Dogmatiker,
die Anschauung der Wahrheit kein Zweifler je be-
siegen.

Pascal war 7—8 Jahre hindurch von falschen
Sensationen beherrscht. Die auf der Brücke von Neuilly
bestandene Gefahr hatte dermassen seine Imagination
gestört und die das Organ davon bildenden Parthieen
seines Gehirnes in eine solche automatische Bewegung
gesetzt, dass von dieser Zeit an seine Tages- und
Nachtleiden fast beständig durch das Gesicht eines
Abgrundes getrübt werden, der sich zu seinen Füssen aufthat. Vergebens stellten ihm seine Freunde
und seine Familie seinen Irrthum dar; vergebens that
er es selbst. Seine Vision gab ihm einige Ruhe und
liess ihn seine erst mit dem Tode endenden vielen
Leiden, die vorzüglich in nervösen Kopf- und Ab-
dominalschmerzen, so wie in äusserst gestörter und
geschwächter Verdauung bestanden und seine Reizempfänglichkeit progressiv bis zur äussersten Höhe
steigerten, resignirender und muthvoller ertragen.
Immer schwächer und magerer geworden, fühlte er
sein Ende herannahen, was seine Aerzte nicht für
Wahrheit hielten, weil sein Puls stets regelmässig
blieb und kein Fieber verrieth. Auf einmal wurde er
dann von heftigen Convulsionen ergriffen, nach deren
Beseitigung er das heilige Abendmahl (le viatique)
begehrte. Nun erst zum Liegen gekommen, suchte
er sich dabei aufzurichten, um es mit desto grösserer Ehrfurcht zu empfangen. Auf alle Fragen, die
ihm der Seelsorger über die vorzüglichsten Mysterien
des Glaubens stellte, antwortete er ganz deutlich:
Oui, je crois cela de tout mon coeur. Die Gefühle,

mit welchen er das Viaticum und die letzte Oelung
hinnahm, waren so zarter und weicher Art, dass er
Thränen dabei vergoss. Er dankte dem Geistlichen,
und nachdem er mit dem heiligen Ciborio gesegnet
war, sprach er: Que Dieu ne m'abondoune jamais!
Dies waren seine letzten Worte. Denn gleich nach
ihnen wiederholten sich seine Krämpfe, die ihn nicht
wieder verliessen und wobei sein Geist die Freiheit
verlor. Sie währten 24 Stunden und führten ihn zum
Tode, der den 19. August 1662 um 7 Uhr Mittags
eintrat. Am 9. Juni 1623 war er zu Clermont in Au-
vergne geboren.

Auf Antrieb seiner Freunde wurde seine Leiche
geöffnet. Man fand Folgendes: Magen und Leber
welk, Gedärme gangränescirt. Ob dies die Folge
oder Ursache seiner furchtbaren Koliken, woran er
die letzten 4 Wochen litt, gewesen, darüber fehlt
die Conjectur. Am Schädel nur 2 Nähte und zudem
sehr unvollkommnen — die sutura lambdoidea und sa-
gittalis. Die in seiner Kindheit sehr lange offen gebliebene grosse Fontanelle von einem fühlbaren bedeutenden Callus geschlossen. Von der sutura fron-
talis und coronalis keine Spur. Grosse Hirnhypertro-
phie mit sehr fester und sehr condensirter Substanz.
In cavo cranii, den Seitenventrikeln gegenüber, zwei
Eindrücke wie von einem Finger in Wachs; diese
Gruben in der Gehirnmasse von geronnenem und ver-
dorbenem Blute, das die Dura mater bereits in Gangrän
gesetzt. — Der biographische Theil dieses Buches
ist eine Quellenschöpfung und dadurch zwiefach anziehend; das Wo und Wie der einzelnen Documente
wird speciell und sorgfältig angegeben. Mit grosser
Befriedigung muss es jeden Zuständigen erfüllen, welchem die gehörige Receptivität beiwohnt.

Osnabrück.

August Droste, Dr.

Bibliographie.

---

1. *Selbständige Werke.*

Deutsche.

Beck (J.), Grundriss der empiriscken Psychologie und Logik. 3te Aufl. Stuttgart (Metzler), 1849. 8. (17¹/₂ Sgr.)

Calinich (E. A. E.), Seelenlehre für Lehrer und Erzieher, so wie für jeden Gebildeten. 3te Aufl. Leipzig (Arnold), 1849. 8. (18 Sgr.)

Hanusch, Handbuch der Erfahrungs-Seelenlehre. 3te umgearbeitete Aufl. Brünn (Winniker), 1849. VI, 113. 8.

1842 u. 1846 erschienen die beiden ersten Auflagen dieses mir unbekannten Werkes uud Vf.'s, von welchem schon mehr philosophische Handbücher herausgegeben sind. In §. 70 (Gesundheit und Krankheit der Seele) ist dem Vf. das Selbstbewusstsein a) das Wissen des Unterschiedes seiner Individualität oder Eigenthümlichkeit von der Anderer; b) weil die Individualität aber eine Totalität ist, auch das Wissen von dieser Totalität. — In diesem Wissen von sich als einer *eigenthümlichen* oder *individuellen Totalität* besteht der Zustand der *Gesundheit der Seele*; der Zustand der totalen oder partialen Aufhebung dieses Wissens ist der Zustand der Seelenkrankheit (Beispiel vom Akteur des wahnsinnigen Lear, Thiere und Kinder sind daher nie seelenkrank) —

Seelenkrankheiten treten daher ein: a) Wenn der *Unterschied des Selbstbewusstseins und der Aussenwelt* mangelt oder aufgehoben ist, und zwar:

α) *in Hinsicht des leiblichen Selbstbewusstseins: die Sinnlosigkeit*, amentia, namentlich: 1) wenn der Mensch sich nicht einmal als sein eigenes Object von der Aussenwelt unterscheidet. Diese Seelenschwäche ist der *Stumpfsinn*, Idiotismus, wenn sie im Mangel an *vegetativer* Entwicklung ihren Grund hat, z. B. bei leiblichen Verbildungen; *Blödsinn*, fatuitas, aber, wenn sie sich auf mangelhafte *Nervenentwicklung* gründet. 2) Wenn der Mensch so die Lebensempfindung verliert, dass er Theile des Leibes oder den ganzen Leib für ein *fremdes Objectives* hält. — *Irrsinn.*

β) In Hinsicht des *leiblich psychischen Selbstbewusstseins* (*Verwirrtheit* dementia) und zwar: 1) Wenn der Mensch in seinem Leibe ein *fremdes Lebenscentrum* zu haben wähnt, das seinem psychischen Centrum entgegensteht: Zustand der *doppelten* oder mehrfachen *Individualität*. 2) Wenn er *seine* gesammte Individualität unterschiedslos mit einer *andern* verwechselt. — *Wahnsinn.*

b) Wenn die *Totalität* des Selbstbewusstseins durch ein integrirendes *Moment aufgehoben* ist, das sich an die Stelle der Einheit setzt und dadurch sein wahres Verhältniss verrückt, *Verrücktheit*, delirium. Ist dieses Moment eine *Anschauung*, so werden Produkte der gereizten Sinnesorgane von dem Menschen als von sich unterschiedene äussere Gegenstände angeschaut. Solche Anschauungen sind die höhern Grade der *Sinnesvorspielungen*. Ist es eine *Erinnerung*, so wird sie zur *fixen Idee* oder zur *Faselei*, je nachdem sie erstarrt oder gesetzlos mit andern abwechselt. Ist sie eine *Einbildung*, so bildet sie den *Aberwitz* oder *Wahnwitz*; ist sie das Zerrbild eines *Verständnisses*, so giebt sie die *Narrheit*. Ist sie endlich eine *Bestrebung*, so wird sie entweder zur *Melancholie*, welche in einem thatenlosen Brüten, *Grübelei* genannt, besteht, während Vorstellungen *entweder* zum Aufheben eines geschehenen Unrechten *oder* zur Setzung eines zu geschehenden Rechten anregen, oder sie wird selbst zur *Manie* oder *Tobsucht*, wenn trotz des innern Widerstrebens und Bewusstseins der Unmöglichkeit der Ausführung die *Bestrebung* darnach allein herrschend und selbständig wird. Liegt der Manie eine *Anschauung* zu Grunde, so ist sie die *Wuth* — bei einer *Erinnerung* der sogenannte *Raptus*, bei einer *Einbildung* die *Raserei*, bei einem *Verständnisse* die *Tollheit*.

Aus dem Zusammenhange aller Seelenmomente erklärt es sich, warum eine Seelenkrankheit fast *nie* allein, *einfach* oder vereinzelt, sondern meist mit andern Seelenkrankheiten verbunden erscheint, und auch in andere übergeht.

Nach §. 72 (Erkennbarkeit der Seelenkrankheiten) ist die empirische Erkennbarkeit z. B. des Narren, *keine sichere*, da sie in manchen Zeiten und Orten *gewöhnlich* sein können, und aussergewöhnlich und krankhaft auch wesentlich zweierlei ist (ein Begeisterter u. s. w.). Die wahre Erkenntniss einer Seelenkrankheit besteht in der Beziehung der Krankheitsäusserungen auf die *Einheit* des *Seelenbewusstseins* und dadurch auf den *Endzweck des menschlichen Lebensprocesses.*

Friedrich Groos, Der Weg durch den Vorhof der politischen Freiheit zum Tempel der moralischen Freiheit. *Mit einer Antobiographie* des Vf.'s. Herausgegeben von J. B. Friedrich. Ansbach (Gummi), 1849. VI u. 122 S. 8.

Hier vorläufig die Notiz, dass unser verehrte psychiatrische Veteran die Herausgabe dieser im 81. Lebensjahre geschriebenen Abhandlung seinem früheren wissenschaftlichen Gegner. und Freunde übertrug. — Der gewiss für jeden Leser viel zu kurzen Autobiographie von Groos (10 Seiten) folgt das Verzeichniss seiner sämmtlichen im Druck erschienenen Schriften: 1) selbständige, 2) Aufsätze in Zeitschriften, 3) Recensionen (S. 11 — 16.)

Zum Rechte der Geisteskranken. Benamung und Begriffsbestimmungen der Geisteskrankheiten im Allg. Preuss. Landrecht. (Besonderer Abdruck aus Brefeld's (K. Pr. Sanitätsrathes) Beiträgen zur Reform des Sanitätswesens aus Westfalen. 1s Heft. Arnsberg (H. F. Grote), 1849. 48 S. 8.

Ausländische.

Verslag over den Staat der Gestichten voor Kranzinnigen, en toelichtende opmerkingen nopens de daarbij gevoegde statistike Tabellen, betrekkelijk de Bevolking in dezelve over het Jaar 1847, aan Zyne Excellentie den Heer Minister van Binnenlandsche Zaken ingediend door de Inspecteurs dier Gestichten. (*C. J. Feith. J. L. C. Schröder van der Kolk.*) 's Grravenhage (ter algemeene Lands-Druckerij), 1849.

Redfield (J. W. M. D.), Outlines of a new system of Physiognomy. Illustrated by numerous engravings, indicatings the signs of the different mental faculties. Fourth thousand. New-York (J. S. Redfield), 1849. 96 S. 8. (25 cents.)

Forbes Winslow, Journal of psychological medecine and mental Pathology. No. VII. — Juli, No. VIII. — Oct. 1849. London.

Wilde (W. R.), The Closing Years of Dean Swift's Life, with an Appendix containing several of his poems etc. Dublin (Hodges and Smith), 1849. 8.

(Ausführliches Referat im vorstehenden Journal No. VII.)

Report on the District, Local, and Private Lunatic
Asylums in Ireland 1848, with Appendices, presented to both Houses of Parliament, by command
of her Majesty. Dublin (Thorn), 1849.
(Ebend.)

The fourth Report of the Committee of Visitors of the
County Lunatic Asylum, at *Hanwell.* Jan. Quarter
Sessions. 1849. London (Norris), 1849.
(Ebendas.)

Mayo (Herbert M. D.), Letters on the Truths,
contained in popular Superstitions. Frankfort; Black-
wood, Edinburgh 1849.
(Analyse Winslow Journ. No. VIII.)

Holland (G. Calvert M. D.), The Philosophy of ani-
mated nature, or the Laws and action of the nervous System. London (J. Churchill.)
(Analyse ebend.)

Aston (J. J.), The Law of pauper Lunacy and pauper lunatic Asylums, as contained in the recent Sta-
tutes relating thereto, with an Appendix, containing the criminal lunatic acts; Rules for the Selec-
ction of Sites of Asylums and for their Government;
and Forms of Treasurers Accounts. London (W.
Benning), 1849. VIII u. 170 S. 8. mit einem Index
von S. 151—170.

*A Remonstrance with de Lord Chief Baron, touching
the case Nottidge* v. Ridley. By John Conolly,
M. D., Fellow of the Royal College of Physician
to the Middlesex Lunatic Asylum at Hanwell, etc.
London (Churchill), 1840· 8. (second edition.)

*A Letter to the Lord Chancellor on the Defect of
the Law regulating the Custody of Lunatics.* By
Charles Curton Cooper, one of Her Majesty's
Counsel. London (Stevens and Morton), 1849. 8.
15 S.

Copy of a Letter to the Lord Chancellor, from the Commissioners in Lunacy, with reference to theier Duties and Practice, under the Act 8 and 9 *Vict., c.* 100. Ordered to be printed by the House of Commons, on the motion of Lord Ashley, M. P., and Chairman of the Commissioners in Lunacy. 8. 12 S.

Woillez (C. J.), De l'amélioration du sort de l'homme aliéné, consideré comme individualité sociale. Paris (Masson), 1849. Vol. I. 8. (2 fr. 50 c.) avec cette épigraphe: Charité-Fraternité-Evangile-Constitution de 1848.

Belhomme, Influence des événements et des commotions politiques sur le développement de la folie. Mém. lu à l'Académie de médecine 2. Mai 1848; suivi d'un rapport de M. Londe, 6. Mars 1849 et des réflexions de l'auteur. Paris (Germer-Baillière), 1849. 32 S. 8.

Londe sagt mit Recht, dass alle zehn Fälle von Wahnsinn (7 M. u. 3 W.), nach Belhomme in Folge der Februar-Revolution erkrankt und seiner Anstalt übergeben, zum Wahnsinn sehr prädisponirt waren; und wenn L. hinzufügt: *fünf* wären schon vorher wahnsinnig gewesen, so ist diese Angabe dahin zu vervollständigen, dass von den fünf zwei schon 5—6 Anfälle gehabt hatten, bei zwei andern die Mutter wahnsinnig gewesen war, dass beim siebenten und achten Fall (1ste und 2te Beobachtung) auch schon vorher convulsions, délire aigu und ményngite légère statt gefunden hatten und der sogenannte .Wahnsinn die frühere Krankheitsform war, auch beide wie die meisten andern in einigen Wochen von der folie (?) geheilt, entlassen wurden; der zehnte Fall (9te Beob.) betraf eine schon .vorher Geisteschwache (intelligence fort médiocre, caractère foible, volonté peu arretée — und diese ist nach B. wahrscheinlich geblieben dans une demi-raison, voisine de l'imbecillité.

Der vorausgesetzte Einfluss der politischen Ereignisse und Erschütterungen auf Entwicklung des Wahnsinns war in allen 10 Fällen kein anderer als der einer zufälligen, gelegentlichen .Ursache. Die Februar-Revolution war hiernach nicht mehr und nicht weniger Ursache des Wahnsinns als tausend alltägliche Privat- und Familienereignisse, auf welche die Februarereignisse natürlich auch Einfluss übten. Alle 10 Beobachtungen sind .daher als Beweismittel für den Wahnsinn durch die Revolution an sich nicht der Rede werth; und dafür, dass Revolutionen zufällige Gelegenheitsursachen zum Wahnsinn geben, bedarf es keiner Beweise, das versteht sich ganz von selbst. Und wenn für dieses Mémoire, welches Mr. Belhomme der Académie vorlegte, dieselbe ihm den Dank votirte, so ist dies eine anerkennenswerthe Rücksicht.

Die für die Revolution des Jahres 1848 als Ursache der Zunahme des Wahnsinns geltend gemachte Thatsache der häufigeren Anfnahmen in Bicêtre und Salpetrière erklärt Baillarger mit durch die Nothwendigkeit heruntergekommener Familien, ihre Irren aus den Privatanstalten in die öffentlichen zu versetzen. Aus Charenton allein geschah dies 1848 mit 32. Bl. behauptet weiter, dass die Zahl der Aufnahmen in jenen beiden Anstalten ohne diesen Grund 1848 unter der von 1843 und 1846 geblieben sein würde. 1843 wurden 1335, 1846: 1331, 1848: 1354 aufgenommen.

Ferrus sagt auch, dass die Vermehrung der Irrenzahl im Jahr 1848 sich nicht gezeigt und er bei seiner kürzlich gemachten Inspection nichts dergleichen bemerkt habe.

Meine Erfahrungen unter 127 Aufgenommenen im Jahr 1848 stimmen hiermit überein. Auch hier waren in den betreffenden Fällen die Märzereignisse mit ihren Folgen nichts als zufällige Gelegenheitsursachen und Krankheitserscheinungen, und der Einfluss derselben ist mindestens nicht grösser gewesen als der des Hungerjahrs, der kirchlichen und religiösen Wirren, der Separationen der Grundstücke, — um nur einige allgemeine Momente namhaft zu machen.

Mögen wir uns in Acht nehmen, Revolution und Wahnsinn so ohne Weiteres als Ursache und Wirkung zusammenzustellen, damit wir nicht, um dem Publikum und den Laien, welche die Sache nicht zu durchschauen, Ursache und Wirkung nicht zu erforschen haben, aus irgend welchem Gründe mit ein Worten etwas historisch Tragisches, Grossartiges, leicht zu Behaltendes, daher überall zu Hörendes, mit imponirender Bestimmtheit zu offenbaren, uns vorübergehend mit ihnen auf eine Stufe stellen! — *Dw.*

Service des Aliénés. Commission départementale de la Seine. Rapport fait dans la séance du 30. Decbr 1848, par M. Monceaux. Paris 1849. 58 S gr. 8.

Für 1849 sind normirt 2162 Irre in Bicêtre und Salpetrière Unterhaltungskosten incl. der für Gebäude und Grundstücke

1,127,828 fr.

Hierzu kommen:

1) der Zuschuss von Pensionen für 670 Irre in den Provinzial-Asylen wegen Ueberfüllung jener beiden Anstalten mit . . . 292,628 „ 75

2) Die Pensionen für die auf dem Lande untergebrachten jungen Idioten . . . 5500 „

3) Transportkosten . . . 6000 „.

Total der Ausgabe 1,431,955 „ 75

Hiervon gehen ab muthmasslich für Wie-
dererstattung durch Departements und Com-
munen . . . . 88,628 fr.

Von dieser bleibenden Summe von 1,343,128 fr. 75 c. kommen auf die Irren der Stadt Paris: 1,155,128 fr. und auf die der
Landgemeinden 188,000 fr.

Nach dem 2ten Theile des Berichts findet dieselbe Ueberfüllung auch in den Asyls des Seinedepartements statt. Ferrus,
Generalinspector, schlägt bei der finanziellen und administrativen
Unmöglichkeit, an den Neubau einer besondern Irrenanstalt für
das Seinedepartement zu denken, vor, 1) die Irrenabtheilungen in
Bicètre und Salpetrière zu vergrössern durch Anbauten, 2) Anlegung einer colonie agricole auf dem Grundeigenthum der Hospices oder auf aequirirten. Berichterstatter stimmt bei.

(Dass der letztere Vorschlag ausführbar ist, darf auch Ref.
behaupten, da in der hiesigen Provinzial-Anstalt bei einem Bestande von ppt. 150 männlichen Kranken, ausser allen sonstigen
bedeutenden Haus- und Handarbeiten, als Schneider-, Schuster-,
Tischler-, Drechsler-, Strohdecken-, Papier-Arbeiten u. s. w.,
das Areal von circa 50 Morgen *), ohne fremde Hülfe und
ohne Unkosten unter Anleitung eines Gärtners und unter Aufsicht von einigen Wärtern einzig und allein durch die Kräfte
der Irren und zu ihrem Besten in jeder Beziehung vollständig
bebaut, bearbeitet und der ganze Ertrag, bis auf die wenigen
noch zu verkaufenden Früchte, auch verwendet wird.)

Die Stadt Paris oder vielmehr das Departement der Seine
hat nach Ferrus Bericht mehr als 3000 Irre zu versorgen und
exportirt davon 800 nach Departemental-Anstalten.

Bicètre enthält männliche Irren	841
Evacuirt sind nach Departemental-Anstalten . .	436
Salpetrière enthält weibliche Irren	1440
Evacuirt sind nach andern Anstalten	379
	Total 3096

Nachdem aus Ferrus Berichte an den Minister viele statistische
und praktische treffliche Bemerkungen über den Segen der Arbeiten besonders der Garten- u. Feldarbeiten mitgetheilt sind, geht
der Generalinspector zu der colonie agricole über. Hier sollen
nicht gerade unheilbare, aber ruhige, wenig medicinische und dis-
ciplinarische Behandlung fordernde Irre placirt werden, selbst
sogar nach F. Meinung nicht irre Epileptische. Als Wohnungen
könnten vorhandene alte oder möglichst wohlfeil und einfach er-
baute neue dienen. —

Die Departemental-Commission beschliesst in Erwägung des
ungeheuren im steten Zunehmen begriffenen Zuflusses von armen
und schlechten Menschen nach Paris, und in Erwägung der statistischen Thatsachen, dass in den Gefangen-, Findel- und
Irrenhäusern Frankreichs ohngefähr der vierte Theil dieser Bevölkerung, in jeder dieser Kategorien, dem Seinedepartement
zur Last fällt, dass die Centralisation der Gefangen-, Findel-
und Irrenanstalten in die Hände des Staats, der Republik, gelegt
und dieses durch ein Gesetz ausgesprochen und festgestellt werde.

---

*) Das ganze, noch verpachtete Land beträgt 108 Morgen. Dw.

Lunier (L. D. anc. Interne des hôpiteux), Recher-
ches sur la paralysie générale progressive, pour
servir à l'histoire de cette maladie. (Extr. des Annal. méd. psychol.) Paris (Victor Masson), 1849.
118 S. 8.

Bibliothèque du médecin practicien; ou resumé general de tous les ouvrages de clinique médicale et
chirurgicales, de toutes les monographies, de tous
le mémoires de médecine et de chirurgie practi-
ques, anciens et modernes. Publiés en France,
et à l'Etranger par une Société de médecins sous
la direction du Docteur Farre, Redacteur-en-chef
de la gazette des hopitaux: Tome neuvième. *Traité
des maladies du cerveau, maladies mentales, maladies nerveuses.* Paris (J. B. Baillière; — à Londres,
Baillière), 1849.

---

2. *Original-Aufsätze in Zeitschriften.*

Deutsche.

Hessling von Verästelung der Primitivfasern der Gehirnsubstanz.

(Froriep's Notizen IX, 10.)

Türck (Dr. L.), Mikroskopisscher Befund des Rückenmarkes eines paraplegischen Weibes.

(Henle's und Pfeifer's Zeitschr. VII, 3 in „Neue med.
chir. Zeit. No. 21. 1849. S. 245.'')

Im Halstheile einige, doch nur sparsam sichtbare Körner-
körperchen. (Gluge's Entzündungskugeln.) Im Brusttheile des
Markes zahlreicher zwischen den Nervenprimitivröhrchen, von
verschiedener Grösse, schmutzig braungelb, meist länglich, zuweilen zerfallen. In nur wenigen ein Kern mit einem oder mehreren grösseren Kernkörperchen unterscheidbar; rasch löslich
in Aether, Alkohol, Essigsäure brachte sie nur hin und wieder zum Zerfallen; Aetzkalilösung änderte sogleich die Farbe,
machte sie durchsichtiger und nach längerer Zeit verschwindend.
Oberhalb und in der Lendenanschwellung des Rückenmarkes waren sie in zahlloser Menge. Sie waren nur in der grauen Sub-

stanz so zahlreich, und in der cauda equina gar keine. Dem unbewaffneten Auge bot das ganze Rückenmark nichts Abnormes dar. *Laehr.*

„*Seiler*: Schwefeläther gegen Selbstmordmonomanie.”

(Schweizerische Zeitschr. für Med., Chir. und Geburtshülfe. Jahrg. 1838. 3tes Heft.)

Ein 20jähriges, seit 3 Jahren menstruirtes starkes Fräulein, das stets fröhlich war, war in Folge profuser Menstruation anämisch geworden, und verfiel in Wahnsinn. In wenig Tagen erschien Tobsucht, wobei sie mehre Selbstmordversuche machte. Drei Wochen nachher wurde sie in die Anstalt von S. gebracht. Sie weigerte sich Arznei und jede Nahrung zu nehmen, und es wiederholten sich die Selbstmordversuche. S. wandte nun Schwefeläther an, um sie in halbberauschtem Zustande besser zum Essen zu bringen, vorzüglich aber um eine glücklichere Stimmung zu bewirken. Nach der ersten Aetherisirung war sie nicht völlig berauscht; man konnte ihr das Essen einstossen: sie kaute und schluckte ordentlich; den Tag über war sie folgsamer. Nach der des andern Tags wiederholten Einathmung war sie aufgeregter und widerspenstiger als je; des folgenden Tags hatte sie ihre ruhigere und freundlichere Stimmung wieder erlangt. Da nun die Aetherisirungen zu schnell auf einander diese Aufregungen bewirkten, so wurde blos alle 2 Tage eine Sitzung von 15—20 Minuten gehalten. Schon nach 14 Tagen ass sie willig und mit Vergnügen mit der Wärterinn, erst nach einem Monat hielt sie sich nicht mehr für unwürdig an dem Tisch zu erscheinen. Von da an nahm ihre Kraft nun sehr zu; und zwei Monate nach völliger Herstellung erschien die Periode wieder. Erst nachdem sie zum 2ten Male die Menses gehabt, wurde sie als geheilt entlassen. *Spglr.*

Uebersicht der Arbeiten und Veränderungen der Schlesischen Gesellschaft für vaterländische Kultur im Jahre 1848. Breslau 1849. S. 155—158.

In einem Vortrage der vaterländischen Gesellschaft in Breslau über „Wahrnehmungen an den Grenzen der Sinnenwelt und im Gebiete des Traumlebens” erwähnte Geh. Rath Dr. Ehers zuerst der Erscheinungen beim Somnambulismus, Magnetismus, Mondsucht, der Wiederkehr des Verstandes im Augenblicke des Sterbens bei Gemüthskranken, wovon er selbst ein Beispiel anführt bei einer Dementia, die aus Marasmus hervorging. Aber auch im gewöhnlichen Leben zeigen sich ähnliche Erscheinungen, wie augenblickliche Extasen und Visionen selbst für alltägliche Verhältnisse, und Vf. kennt eine ihm sehr nahe stehende Dame, die sehr oft die ihr an einem Tage bevorstehenden Besuche vorhersagte.

Hierauf erwähnte er mehrerer eigenthümlichen zum Theil selbst erlebter Täuschungen, die auf einem objectiven Grunde beruhten. Mehrere Beispiele von höchster Clairvoyance folgen, die durch Magnetismus geheilt wurden.

Straub, Einige Andeutungen über Heilung und Verpflegung der Geisteskranken.

(Schweizer Zeitschr. 1849. Bd. V. Heft 1.)

1) Die ursprüngliche, auf körperlichen Eigenthümlichkeiten beruhende Anlage zum Wahnsinn ist nicht zu leugnen, indem der Wahnsinn nicht selten, wie die Epilepsie, als ein Familienübel erscheint.

2) Zufällige Körperkrankheit gehört zu den häufigeren Ursachen der Geistesstörungen, entweder unmittelbar durch Verletzung des Gehirns oder durch dessen Störungen von übermässiger oder zu geringer Thätigkeit anderer Organe.

3) Einseitige verkehrte Geistesbildung und Thätigkeit ist schon für sich das Dasein eines Narren.

4) Affecte oder Leidenschaften, deren Stärke den Verstand und die Vernunft überwindet, stellen schon Zustände des Wahnsinnes dar und unterscheiden sich nur durch kurze Dauer.

Diese Zustände compliciren sich meist unter einander und ist es daher selten, dass die Geisteskrankheiten nicht einen mehrseitigen Ursprung haben oder dadurch unterhalten oder verstärkt werden.

Die Behandlung muss meist physisch und psychisch sein. Diese besteht in angewandter Pädagogik. Vf. schliesst alle blossen Impressions- und Repressionsmethoden aus, dagegen bestrebt er stufenmässige Erregung von Anschauungs-, Begriffs- und Willensthätigkeit. Ferner gewähre man möglichste Erleichterung ihres Daseins.

Griesinger, Bemerkungen über das Irrenwesen. Bericht der ärztlichen Vertrauensmänner I, 20.

Spengler, Psychiatrische Briefe aus dem Norden.

(Neue Zeitung f. Med. u. Med.-Reform I, 45 u. 46.)

Ausländische.

Swan, Ueber die Kunst, transparente Gehirnpräparate zum Gebrauch unterm Mikroskope anzufertigen, nebst Bemerkungen über die feinere Struktur dieses Organes.

(Gaz. Lond. March. 1849.)

Lee, Das Gehirn, das Centrum solare des menschlichen Nervensystems.

(Journ. Edinb. Jan. 1849.)

Corfe, Ueber Cerebral-Störungen als Resultate von Uterus-Krankheiten.

(Times, April 1849.)

Smith, praktische Bemerkungen über die Behandlung der Geisteskrankheiten: über die nachtheiligen Wirkungen allgemeiner Blutentziehungen und anderer schwächender Behandlungsweisen.

(Gaz. Lond. Febr. 1849.)

Hastings Puerperal-Manie.

(Times, April 1849.)

Ackerley (R. G.), Mania hydrophobica erfolgreich behandelt mit Chloroform.

(Lancet 1848, Juli in „Neue med. chir. Zeitung. No. 23. 1849. S. 315.)

Ein Mann von 30 Jahren war vor c. 10—11 Jahren von einer wüthenden Katze gebissen worden. Die Symptome der Wasserscheu, namentlich Krämpfe und zuletzt wirkliche Manie, traten allmählig innerhalb 5—6 Tagen ein. Erst als die Wuthanfälle sehr bedenklich wurden, griff man neben andern Mitteln zum Chloroform, durch dessen tägliche mehrmalige Anwendung der Kranke binnen 14 Tagen vollkommen hergestellt wurde.

Macfayen, Ueber medicinische Topographie in Rücksicht auf die Wahl der zu Errichtung eines Irrenhauses in tropischen Ländern passenden Gegend.

(Journ. Edinb. Jan. 1849.)

Baly (Dr.), Ueber die Verhütung des Skorbuts in Gefängnissen, Armenhäusern u. s. w.

(London med. Gazette, Febr. in „Froriep's Notizen No. 192. 1849, S. 250.")

Vf. sucht zu erweisen, dass für solche Anstalten die Kartoffel ein antiscorbutisches Nahrungsmittel sei, was er den in der Kartoffel enthaltenen theils freien, theils mit Kali oder Kalk verbundenen organischen Säuren zuschreibt.

Flourens, Neue Versuche über die beiden Bewegungen des Hirnes, die respiratorische und die arterielle.

(Gaz. méd. de Paris 1848 No. 80 in Oppenheim's Zeitschrift 1849. No. 6. S. 211.)

Während der Exspiration fliest das Blut der Cav. sup. in die Hirn-Sinus zurück und das Hirn schwillt und hebt sich, bei der Inspiration wird das Blut aspirirt in die Jugul. und Cava gezogen und das Hirn fällt zusammen und senkt sich. An tre-

panirten Hunden sah Vf. eine mit dem Pulsschlage genau correspondirende Hirn-Pulsation und ausserdem die respiratorische
Bewegung: Hebung und Senkung in gradem Verhältnisse mit
der Tiefe der In- und Exspiration.

Chereau (Achille), Betrachtungen über den Selbstmord.

(l'Union médicale, 2. 5. 9. 23 Juni et 5 Jul. 1849.)

Vf. kommt in seinen Betrachtungen über den Selbstmord zu
dem Schlusse:

1) Dass der Selbstmord sehr häufig ein Symptom, eine
Folge von Geisteskrankheit sei, aber nicht immer.

2) Dass der Selbstmord als Delirium der Lebenslust erklärt
werden könne, insofern der Mensch, der sich tödtet, zu diesem Schritte durch das mächtige Verlangen getrieben worden
ist, ein Gut zu finden, das er nicht im Leben mehr erlangen zu
können glaubt. (?)

3) Dass der Selbstmord, der im vollen Gebrauche eines
freien Willens unternommen ist, eine Feigheit und ein rein
egoistischer Akt sei.

Michéa (Dr.), Ueber krankhafte geschlechtliche Be-
gierden.

(l'Union médic. No. 85. 1849.)

Der Process gegen den Unteroff. Bertrand, genannt der Vampyr, kam am 10. Juli vor dem Kriegsgericht in Verhandlung.
Der Thatbestand war dieser, dass B. am 6. Febr. 1847 die Leiche einer Frau ausgräbt und sie schlägt. Am 26. August 1848
gräbt er ein Mädchen von 7 Jahren aus und schneidet ihr den
Unterleib auf. Einige Tage nachher entweiht er die Leiche einer
Frau, die im Wochenbett gestorben und 13 Tage vorher be-
erdigt war. Am 16. Nov gräbt er die Leiche einer Frau von
50 Jahren aus und zerfleischt sie. Am 12. Dec. verstümmelt er
die Leiche einer andern Frau. Noch mehr, man bemerkt Spuren, dass B. seine fleischliche Lust an den Kadavern gestillt,
und B. gesteht es ein.

B. ist jung, ein intelligenter Militär, von angenehmen Aeussern und Formen. Man hatte schon vor den Thaten bemerkt,
dass er traurig war, trotz seiner Jugend die Einsamkeit suchte,
periodisch in seinen Wünschen wechselte, convulsivische Zufälle
hatte und während derselben fast unempfindlich war. Dabei
konnte man keine genügenden Gründe seiner That auffinden.

B. wurde für geisteskrank erklärt, aber doch zu 1 Jahr
Gefängniss verurtheilt.

Riboli (Dr. T.), Trepanation wegen eines fixen in
Folge einer akuten Otitis entstandenen Scheitel-
schmerzes, der mit einer ungewöhnlichen Form
von Monomanie und beschränkter Willenskraft verbunden war.

(Fil. Seb. Aprile 1848 in Schmidt's Jahrb. 1849.) No. 7. S. 70.)

Es entstand nur eine vorübergehende Besserung. Darauf und auf eine Beobachtung von Biagio Miraglio, dass, sobald jene fixen, bohrenden Schmerzen auf dem Scheitel mit maniakalischen Anfällen vorhanden waren, in der Leiche Adhäsion der harten Hirnhaut mit dem Knochen und gelatinöse Ausschwitzungen, in einem Falle Verdickung der Arachn., einzelne Gehirnwindungen an der Stelle des fixen Schmerzes gelblich gefärbt und so entwickelt waren, dass die innere Schädeltafel in Folge des Druckes gänzlich resorbirt war, darauf und auf einen durch Trepanation glücklich geheilten Fall sich stützend, empfiehlt er ziemlich allgemein als wenig gefährlich diese Operation.

Welche Ansichten muss aber Vf. über den Sitz der Geisteskrankheiten haben, wenn er als Ort der Operation den Punkt des Schädels empfiehlt, der dem Sitze jenes Vermögens entspräche, das im leidenden Zustande sei!

Miscellen.

Das Wasser zu Eberbach (Eichberg).
Eine Entgegnung.

Den Lesern dieser Zeitschrift ist es vielleicht noch erinnerlich, dass im 4ten Hefte des 3ten Bandes (1846) Herr Geh. Hofr. Lindpaintner zu Eberbach eine Berichtigung des von mir gegen die neue Irrenanstalt in Nassau, jetzt Eichberg genannt, hinsichtlich des Wassermangels ausgesprochenen Tadel drucken liess. Ich habe bisher darüber geschwiegen, weil ich lieber durch Thatsachen antworten wollte. Erst 1849 wurde Wasser nach Eichberg bestimmt, wie aus dem Berichte unserer Landstände vom 30. Januar 1849 hervorgeht, der also lautet: „Die Wasserleitung ist durch Erbauung des neuen Irrenhauses hervorgerufen worden. Die Kosten derselben sind nach den vorliegenden Etats auf 32665 fl. 26 kr. angeschlagen, wovon jedoch eine bei Veraccordirung der Lieferung der Gussröhren erzielte Ersparniss von 1347 fl. 30 kr. abgeht, so dass noch 31317 fl. 36 kr. verbleiben; von der Herz. Regierung werden indess 32527 fl. 36 kr. zur Verwendung im laufenden Jahre angefordert, weil dieselbe den Betrag von 1210 fl. für die Anlage eines Badeweihers hinzugerechnet hat; da indess über diese Anlage kein Specialetat aufgestellt, der Betrag vielmehr nur summarisch veranschlagt worden ist, so kann diese Mehranforderung nur auf einem Irrthum beruhen. Wir sind in der That erstaunt gewesen, eine so enorme Summe zur Anlage einer blossen Wasserleitung in Anforderung gebracht zu sehen, und wir haben uns aus den uns mitgetheilten Kostenüberschlägen nicht überzeugen können, dass es unmöglich gewesen, den Wasserbedarf des neuen Irrenhauses *auf weniger kostspielige Weise zu beschaffen;* wir haben uns daher auch die über diesen Gegenstand ver-

handelten Regierungsacten vorlegen lassen, woraus wir dann
entnommen haben, dass die Regierung in der That ausführliche
und umsichtige technische Gutachten über diesen Gegenstand erhoben hat, dass diese aber gleichwohl zu nichts Weiterem, als
der Ueberzeugung geführt haben, *die Leitung könne anders
nicht geführt werden, als beantragt worden ist.* Nachdem
man Bohrversuche gemacht — nachdem man einen Brunnen ge-
graben und sich überzeugt hatte, dass auf keinem dieser Wege
Wasser zu gewinnen sei, hat man untersuchen lassen, in wiefern es möglich sei, das benöthigte Wasser durch Fassung der
in der Umgegend des neuen Irrenhauses vorfindlichen Quellen
herbeizuführen. Es haben sich hierbei drei verschiedene Quellengruppen ergeben, wovon die eine durch den Kindricher Bach,
die zweite durch den hinter Eberbach herabkommenden, durch
den Klosterbening fliessenden, und weiter nach Erbach sich ziehenden sogenannten Kisselbach, die dritte endlich durch den
unter der sogenannten Ochsenwiese in der Hollgarter Gemarkung sich bildenden Klosterbach, welcher in seinem weitern
Verlauf die Gemarkung Hattenheim durchzieht, und in diesem
Orte in den Rhein einmündet, gebildet wird. — Die Technik
hat sich aus Gründen, deren Anführung hier zu weitläufig sein
würde, für die zweite dieser Quellengruppen entschieden; die
Leitung der ersten ist zwar um 482 fl. geringer angeschlagen,
allein die dabei zur Sprache kommenden *Hindernisse* sind bei
weitem grösser, als dass der an sich geringe Kostenmehrbetrag
dabei einen Ausschlag geben könnte; die dritte Quellengruppe
aber ist als *ganz unbrauchbar* gar nicht weiter in Betracht gezogen worden. Alles dieses führen wir um desswillen an, um
zu beweisen, dass eine Verminderung der Kosten, welche die
Wasserleitung erfordert, nicht möglich ist. *Wenn wir daher
den ganzen Neubau nicht gänzlich fallen lassen wollen,* so
bleibt nichts übrig, als den Betrag von 31317 fl. 36 kr., was
wir hiermit beantragen, zu bewilligen, wobei wir freilich das
Bedauern nicht unterdrücken können, dass bei diesem kostspie-
ligen Bau eines neuen Irrenhauses *das Bedürfniss des Wassers
vorher nicht sorgsamer in Erwägung gezogen* und dadurch dem
Lande eine Summe erspart worden ist, deren Aufbringung bei
der gegenwärtigen grossen Beschränkung der Staatsmittel fast
die Kräfte der Kasse übersteigt."

So weit der Bericht. Die Versammlung verwilligte die
nachgeforderte Summe.   Dr. *L. Spglr.*

Note. Ich habe die Anstalt und den neuen Director Dr. Snell
den 28. August d. J. mit Freuden wiedergesehen. Die me-

tallnen Röhren wurden geprobt und gelegt, und man hoffte, nach nummehriger glücklicher Beseitigung des Hindernisses sine qua non, im October Eichberg eröffnen zu können. *Dw.*

Eine Notiz in der Medicinischen Zeitung Russlands Jabrg. 1849. No. 1, welche das Pharmaceutische Centralblatt No. 7 d. J. wiedergegeben, macht das Verfahren bekannt, mittelst dessen Dr. F. Jlisch in Petersburg Collodium mit Kantharidin zu einem blasenziehenden Mittel verbinden lässt. Die Bereitung des *Collodium cantharidale* geschieht auf folgende Weise. In dem Mohr'schen Verdrängungsapparate behandelte man ein Pfund grob gestossener Kanthariden mit einem Pfund Aether sulfuricus und 3 Unzen Aether aceticus, und lässt diese Flüssigkeit so oft durch die Kanthariden dringen, bis sie zuletzt farblos erscheint. Man erhält nun eine gesättigte Lösung von Kanthariden nebst einer Aetherlösung von farbestoffhaltigem thierischen Fett, in der man explodirende Baumwolle löst, 25 Gran der letzteren in 2 Unzen der Lösung. Das Resultat ist eine grünliche, steif mucilaginöse Masse.

Die Vorzüge, welche dem Collodium cantharidale im Vergleich zum Emplastrum cantharidum nachgerühmt werden, bewogen mich, dasselbe anfertigen zu lassen und sowohl bei Kindern wie bei Erwachsenen anzuwenden. Hiernach kann ich die Zweckmässigkeit dieses Vesicans nur bestätigen. Man bestreicht diejenige Körperstelle, auf welche das Vesicans gerichtet sein soll, am besten mit Hülfe eines Pinsels; in einer halben bis ganzen Minute ist das Aufgetragene getrocknet. Im Fall es sich zeigen sollte, dass die Hautfläche noch nicht ganz mit demselben bedeckt ist, soll man noch einmal auftragen; noch schneller und bestimmter aber soll die Wirkung erfolgen, wenn man auf die bestrichene Stelle etwas Schweinefett oder einfache Ceratsalbe aufstreicht oder die Stelle mit dünngestrichenem Emplastrum Meliloti bedeckt. Das Collodium cantharidale bewirkt ebenso schnell eine Blase wie ein gewöhnliches Kantharidenpflaster, seine entschiedenen Vorzüge aber bestehen darin, dass es billiger ist, weil man nur wenig davon bedarf, dass die Wäsche nicht verunreinigt wird, und dass, was wohl das Wichtigste, die Bewegungen des Kranken nicht vermögend sind, die beabsichtigte Wirkung zu vereiteln.

Dieser letzte Umstand dürfte dem Collodium cantharidale gerade in der Irrenpraxis eine Bedeutung sichern. Der Vortheil, den ich von diesem Mittel bei reizbaren unruhigen Kindern

gesehen, muss sich auch bei dem unruhigen Irren bewähren.
Die Blasenbildung erfolgte jedesmal und zwar an jenem Orte,
der für dieselbe ausersehen worden, da ein Verschieben des
Aufgetragenen, wenn anders gute Aufsicht des Kranken vom
Scheuern an Wänden und Mobilien abhält, nicht statthaft ist.

Heinrich! —

Jahresbericht über die Provinzial - Irren -; und Siechen -
Aufbewahrungsanstalt zu *Rügenwalde* vom Jahre 1848. (Vgl.
unsere Zeitschr. Bd. V. S. 492.)

Bestand verblieb am 31. December 1847 . . . 57 Pfleglinge.

1) Geisteskranke männliche Pfleglinge 34
2)   „   „   weibliche   „   20
3) siechkranke   männliche   „   1
4)   „   „   weibliche   „   2
        57

Es wurden am 1. Januar bis ult. Decbr.
1848 aufgenommen . . . . 8 „

1) geisteskranke männliche Pfleglinge 6
2)   „   „   weibliche   „   2
        8

Abgang vom 1. Jan. bis ult. Decbr. 1848 . 5 „

A. *als gesund entlassen*: ein männlicher Pflegling, der an Krämpfen gelitten haben sollte
(Fischerknecht Frank von der Insel Usedom)

B. *durch erfolgtes Ableben*: .

1) geisteskranke männliche Pfleglinge 2
2)   „   „   weibliche   „   2
        4

Es blieben Bestand am 31. Decbr. 1848 . 60 „

1) geisteskranke männliche Pfleglinge 37
2)   „   „   weibliche   „   20
3) siechkranke   männliche   „   1
4)   „   „   weibliche   „   2
        60

Von diesen als Bestand bleibenden Pfleglingen sind 26 aus dem
Stettiner und 34 aus dem Cösliner Regierungs - Bezirk.

In Beziehung auf die im gedachten Jahre abgegangenen
Pfleglinge ist zu bemerken:

1) dass der nach der summarischen Nachweisung als gesund
entlassene Fischerknecht als Schlafredner durch Predigen in Vor-

pommern grosses Aufsehen erregt hatte. Nachdem er der Anstalt als an unheilbarer Epilepsie leidend überwiesen war, sagte er bei jedem Anfalle den nächsten auf Stunde und Minute voraus, und bei dem letzten und heftigsten verkündete er, dass er fortan freibleiben werde. Der Anstalts-Arzt hielt mit dem Inspector der Anstalt den Zustand für einen fingirten, und diese Annahme ist auch durch die von dem Landrath des Usedom-Wolliner Kreises ertheilte Auskunft an die hiesige Irrenanstalt vom 27. April c. bestätigt worden, da er seit seiner Entlassung von hier von den frühern epileptischen Anfällen gänzlich verschont geblieben ist. Nach dieser Auskunft des Landraths hat sich der Franck zur Auslegung der heiligen Schrift aber noch immer berufen gefühlt und seine Predigten darf er auch noch bis zur Zeit wieder fortsetzen und eine Menge Zuhörer herbei-locken, die ihm dann durch freiwillige Sammlungen die Mittel zu seiner Subsistenz gewähren. Dabei hält er die Ueberzeu-gung einer höhern Inspiration fest. In Folge dieser Ueberzeu-gung soll er auch Ansprüche auf Pension oder auf Anstellung als Lehrer oder Prediger machen. Von Seiten der Behörde wird aber von dem Franck keine Notiz genommen, und wenn derselbe auch in vielen Ortschaften auf der Insel Usedom Anhänger hat, so soll doch die Mehrzahl der dortigen Bewohner zu der Ueber-zeugung gelangt sein, dass er ein Betrüger sei.

Selbstmorde in Berlin 1848.

Monat.	Männl. Alter.	Weibl. Alter.
Januar	1 M. 30—40 J.	vac. W.
	1 - 40—50 -	
	1 - 50—60 -	
	2 - 60—70 -	
Summa	5 M.	
Februar	1 M. 20—30 J.	1 W. 15—20 J.
	1 - 30—40 -	1 - 20—30 -
		1 - 30—40 -
Summa	2 M.	3 W.
März	1 M. 20—30 J.	2 W. 50—60 J.
	1 - 30—40 -	
	2 - 50—60 -	
	1 - 60—70 -	
Summa	5 M.	2 W.

April	1 M. 15—20 J.	1 W. 15—20 J.
	2 - 20—30 -	1 - 20—30 -
	2 - 30—40 -	2 - 40—50 -
Summa	5 M.	4 W.
Mai	2 M. 15—20 J.	2 W. 15—20 J.
	1 - 20—30 -	1 - 40—50 -
	2 - 30—40 -	1 - 50—60 -
	1 - 50—60 -	
Summa	6 M.	4 W.
Juni	1 M. 15—20 J.	vac. W.
	2 - 20—30 -	
	4 - 30—40 -	
	1 - 40—50 -	
	1 - 50—60 -	
Summa	9 M.	
Juli	1 M. 15—20 J.	vac. W.
	1 - 20—30 -	
	2 - 30—40 -	
	3 - 40—50 -	
	4 - 50—60 -	
	1 - 60—70 -	
Summa	12 M.	
August	1 M. 10—15 J.	1 W. 60—70 J.
	2 - 20—30 -	
	1 - 30—40 -	
	1 - 40—50 -	
	2 - 50—60 -	
Summa	7 M.	1 W.
September	2 M. 15—20 J.	1 W. 30—40 J.
	2 - 20—30 -	
	3 - 30—40 -	
	1 - 60—70 -	
Summa	8 M.	1 W.
October	1 M. 20—30 J.	1 W.K. 1— 2 Genuss schädl.
	2 - 40—50 -	1 - 2— 3 Substanzen.
		1 W. 20—30
Summa	3 M.	3 W.

November	1 M.	20—30 J.	vac. W.
	2 -	50—60 -	
Summa	3 M.		
December	3 M.	20—30 J.	vac. W.
	1 -	30—40 -	
Summa	4 M.		

Summa Summarum 69 Männl.   18 Weibl. (incl. der beiden Kinder im October) = 87 M. und W. Selbstmorde.

(Aus den amtlichen Mortalitätslisten für Berlin von S c h n e i - d e r zusammengestellt.)

Abgesehen von der Frage nach der Vollständigkeit der eingegangenen Anzeigen über die Selbstmorde sind die Mortalitätslisten schon deshalb nicht statistisch sicher, sondern numerisch zu gering, weil unter den in den Listen als „*Verunglückte aller Art*" im Laufe des Jahres 1848 aufgeführten 107 männl. und 17 weibl. Personen in Summa 124, höchst wahrscheinlich noch ein gut Theil „Selbstmörder" sind. Unter den Verunglückten sind 16 M. im April und 18 im Mai aufgeführt; die demnächst folgende grösste Zahl ist 9 im August.

Die meisten Selbstmorde sind vorgekommen in den Sommermonaten. Die höchste Zahl im Juli (12); dem Alter nach fielen die meisten Selbstmorde bei Männern zwischen 30 — 40 Jahr (18) und zwischen 20 — 30 Jahr (17) und zwischen 50 — 60 Jahr (13).

Dw.

Bericht über die Heil - und Pflegeanstalt für Gemüths - und Nervenkranke zu *Bendorf* bei Coblenz während des zweiten Jahres, vom 1. Juli 1848 bis zum 30. Juni 1849. In dem eben genannten Zeitraum wurden im Ganzen behandelt 16 Kranke aus der Rheinprovinz, Westphalen, dem Herzogthum Nassau (3), Kurhessen, Hessen - Darmstadt und Baiern. Von denselben litten an Tobsucht 1 (M.), an Melancholie 9 (4 M. und 5 W.), an Wahnsinn 3 (2 M. und 1 W.), an Blödsinn 2 (1 M. und 1 W.), an Epilepsie 1 (M.) Es waren also im Ganzen 9 männliche und 7 weibliche Individuen, und zwar 4 Beamte, 1 Beamtenfrau, 2 Beamtensöhne und 3 Beamtentöchter, 2 Kaufleute und 2 Kaufmannsfrauen, 1 Techniker und 1 Gutsbesitzer.

Vor der Aufnahme waren 2 (ein blödsinniger Mann und ein blödsinniges Mädchen) schon in öffentlichen Anstalten behandelt und als unheilbar entlassen worden. Das Mädchen wurde mir zur Verpflegung, der Mann aber zu einem nochmaligen Kurversuche übergeben, der aber, wie sich schon bei der Aufnahme voraussehen liess, keine Linderung des Leidens herbeiführte! Der Kranke wurde als ganz ruhig zur Verpflegung in die Familie zurückgenommen.

Von den übeigen 14 Kranken wurde einer, bei dem sich in Folge eines organischen Herzleidens materielle Veränderungen im Gehirne (mit Lähmungserscheinungen, Hallucinationen und Wahnvorstellungen) ausgebildet hatten, wegen hinzugetretener Wassersucht auf Verlangen der Angehörigen entlassen, ohne dass eine Besserung seines psychischen Zustandes erzielt werden konnte. Geheilt verliessen die Anstalt 10, und 3 verblieben in Behandlung, theilweise mit grosser Hoffnung auf Heilung. Von den Geheilten hatten 8 (4 M. und 4 W.) an Melancholie, 1 (M.) an Tobsucht und 1 (W.) an Wahnsinn gelitten.

Wenngleich in dem eben abgelaufenen Jahre in den räumlichen Verhältnissen der Anstalt mancherlei Schwierigkeiten noch zu überwinden waren, die in Zukunft, wenn der besonders zur Heilanstalt für Gemüthskranke errichtete Neubau bezogen sein wird (was am 1. Juli geschehen ist), wegfallen werden, wenn besonders manche Kranke, die bei der kurzen Dauer ihres Leidens zu einer sehr schnellen Heilung Hoffnung gaben, durch Unheilbare verdrängt, abgewiesen werden mussten, so glauben wir doch mit diesen Resultaten zufrieden sein zu dürfen. Einen grossen Antheil daran müssen wir dem Umstande zuschreiben, dass die Kranken nicht durch langwierige Aufnahms-Formalitäten, wie sie bei vielen öffentlichen Anstalten stattfinden, hingehalten wurden, sondern gleich, ehe die Krankheit aus dem melancholischem Stadium herausgetreten war, in die Anstalt eintreten konnten.

Bendorf bei Coblenz.   Dr. *Erlenmeyer.*

Ueber die *Nerven der Hirnhäute* schliesst Bochdalek aus anat. und mikrosk. Untersuchungen:

1) dass sämmtliche Hirnhäute und besonders die pia mater und arachn. mit Nerven reichlich ausgestattet sind.

2) Pia mater und arachn. erhalten sowohl von vegetativen, als höchst wahrscheinlich von animalischen, sowohl sensiblen als motorischen Nerven, Zweige, zum Theil auch für die Hirngefässe bestimmt.

3) Manche Erscheinungen, wie z. B. die Ausscheidung der Cerebro-Spinalflüssigkeit, häufige Entzündung der arachn. uud pia mater, besonders an Basis des Hirns und Rückenmarkes (um

Med. obl., Pons Varol., Gehirnschenkel, Chiasma, und tuber cine-
reum), so wie die nicht selten damit verbundene, dem Grade
der Intensität häufig entsprechende Lähmung, erhalten durch
diese Nerven bessere Begründung.

4) Die port. mollis des 7ten Paars tritt vielleicht in die Stufe
jener Nerven, die sich durch Vereinigung sowohl des specifischen, als des allgemeinen Empfindungsvermögens auszeichnen
z. B. der ram. ling. nerv. trigemini.

5) Ch. Bell's und Magendie's Lehre der Empfindungs-
und Bewegungsnerven wird, wenn diese Nerven der Häute
wirklich animalischer Natur sind, etwas zweifelhaft. (Prag.
Vierteljahrschr. 1849. VI, 2. „in Neue med. chir. Zeitschrift
No. 23. 1849.")

Nach G. Carus entsteht durch einen entzündlichen Vorgang
im Blute in den Zuständen der Manie Ueberladung der Bele-
gungsmassen mit Innervation, welche theils die heftigste Flucht
der Vorstellungen im spirituellen Organismus, theils die gewal-
tigsten Reactionen im leiblichen und besonders im Muskelleben
hervoruft, wodurch sich die ungeheuren Kraftanstrengungen bei
Rasenden erklären. (System der Physiologie. Leipz. 1848.
6tes Hft. S. 343)

Duperthuis erzählt der Soc. de Méd. prat., dass bei einem alten Manne, der bei einer Mahlzeit das Bewusstsein verlor und es nach Blutentziehungen und inneren und äusseren Mitteln wieder erhielt, ein Zustand von Unbeweglichkeit und fast
gänzlicher Stummheit zurückblieb, die aller Mittel spottete, ohne
dass er gelähmt war. Vesicatore auf dem Kopfe thaten ihm gut.
Er fährt spatzieren, spricht, aber er kann seine Gedanken nicht
durch die nom. propria ausdrücken und meist bedient er sich dabei Worte, die gar nicht sie bezeichnen. Ein leichtes Oedem
der Füsse, das er vor seinem Anfalle hatte, ist ganz verschwunden. Eine auffallende Grimasse beim Sprechen und
Essen verräth die Schwierigkeit, die Stimm- und Kaumuskeln
zu bewegen. Es muss in diesem Falle noch ein Druck durch
Infiltration der Organe stattfinden, die der Intelligenz und der
Wortbildung entsprechen. (Gaz. des hôpit. No. 64. 1849. p. 257.)

Folgende 2 Fälle sollen dem Verf. zum Beweise dienen,
dass allen Geisteskrankheiten organische Veränderungen zum
Grunde liegen. Sie wurden in Bicêtre beobachtet und sollen
Moreau's Ansichten über diesen Gegenstand bestätigen.

V., 47 Jahr alt, seit c. 12 Jahren geisteskrank. Der Vater starb irrsinnig. Tiefe Melancholie, Hallucinationen des Gehöres; Kopf stets von sehr verschiedenen und lebhaften Schmerzen gequält. Gegen Ende December beklagt er sich über starkes Jucken im After, was er schon mehrere Monate empfinde; am nächsten Morgen will er kleine Würmer, ähnlich Stückchen weisser Fäden in den Kleidern gefunden haben. Nach Calomel 3 Stühle. Besserung; sein Geist beginnt zu zweifeln und richtiger zu urtheilen. Wiederholung des Calomel. In wenigen Tagen vollständige Heilung und er bleibt nur noch zur Stärkung seiner Reconvalescenz im Hospitale.

H..., 53 Jahr alt. Die Mutter war melancholisch und epileptisch; eine Schwester seit 20 Jahren periodisch geisteskrank; ein Bruder, 3 Mal in Bicêtre, tödtete sich. Er selbst bekam den ersten Anfall von Lypemanie 1817; die Krankheit dauerte beinahe einen Monat. Seitdem unregelmässig erscheinende Anfälle alle 18 Monate; ihre Dauer wuchs allmählig. Der vorletzte 1843 dauerte über 14 Monate. Seit 8—10 Jahren entscheiden sich die Anfälle durch eine Art nervöser Krise. Er verfällt in eine Ohnmacht ohne vorhergehende besondere Erscheinungen; diese dauert 20—30 Minuten und endet durch ein allgemeines Zittern und ein grosses Gefühl von Schwäche. Der letzte Anfall im Nov. 1848 dauerte 12 oder 13 Tage und endete mit einem Icterus, der noch vorhanden ist. Psychisch vollständige Heilung. (?) (La Lancette Francaise, gazette des hôpitaux etc. Samedi 20 Janv. 1849. 3te Serie. Tom. I. No. 8. S. 30.)

Belhomme referirt der Soc. de Méd. prat. in der Sitzung vom 5. April über ein Werk Aubanel's „über die Hallucinationen." Vf. stimmt nicht mit der Definition Esquirol's überein. Die Hallucinationen werden nach ihm hervorgerufen durch habituelle Täuschungen des Geistes, seien eine der constantesten Erscheinungen bei Geisteskranken. Sie finden sich nicht bei Idioten, deren Geist durch keine Idee beherrscht wird, und nicht im akuten Wahnsinn, wenigstens nur sehr gering. Nach Aub. ist die Hallucination eine Umbildung der Idee in Empfindung, aber es ist dies eine schon empfundene Empfindung, die sich das falsche Urtheil bildet. Es findet eine Analogie zwischen Hallucinationen und Träumen statt. Das Werk, in 4 Abschnitte getheilt, in denen der Vf. die Hallucinationen im Allgemeinen behandelt, Beobachtungen angiebt, über deren Natur discutirt

35 *

und sich mit Ursachen, Diagnostik, Prognose und Therapie derselben beschäftigt, verdient durch Präcision und Erschöpfung des Gegenstandes Dank.

Serrurier führt im Verlaufe der Discussion das Beispiel eines Generals an, der an Hallucination, abwechselnd mit einem ganz vernünftigen Zustande litt und in dem interv. lucidum die Irrthümer seines Geistes erkannte. Beide Zustände gingen durch einen kaum merklich gestörten Geisteszustand in einander über. Dangel führt einen sehr gebildeten jungen Mann an, der sich die unglaublichste Freiheit bei Frauen herausnahm, denen er auf der Strasse begegnete. Eines Tages stieg er in einer Kirche auf die Kanzel und predigte. Befragt, erwiderte er, dass er vollkommen seinen Zustand erkenne. Nur in Gegenwart vieler Leute überlasse er sich gegen seinen Willen solchen Handlungen, deren man ihn anklagte, sonst nicht. (Gaz. des hôpit. No. 64. 1849. p. 257.)   *Laehr.*

Im Jahr 1837/38 war in der Irrenabtheilung zu Würzburg eine Kaufmannstochter, die an *Melancholie* litt. Sie war anämisch (Menostasie) und hatte beständig Herzklopfen. Die Auscultation ergab jedesmal ein sehr rauhes systolisches Aortengeräusch mit verstärktem Anschlage am linken und rechten Herzventrikel. Sie starb nach fast halbjährigem Aufenthalte an einem *typhösen Fieber*. In der Leiche fand sich das Aortensystem und seine Klappen ganz glatt und ohne Rauhigkeiten. (Wintrich, Kritische Notizen zur physik. Diagnostik der Herzkrankheiten. Neue med. chir. Zeit. 1849. I. S. 285.)

In dem interessanten Aufsatz über *Typhus exanthematicus* von Dr. Schütz im 22ten Bde. der Prager Vierteljahrschr. heisst es, dass in der Typhusepidemie im Winter 1847—48 *Störungen der Geistes- und Sinnesfunctionen* nicht fehlten, da sie ja bei allen Typhusepidemien constant seien. Summen und Sausen in den Ohren, und leichte Delirien des Nachts fehlten selbst bei den leichtesten Formen nicht, hingegen sahen wir selten vollkommene Taubheit und furibunde Delirien; in einem Falle war der Kranke maniakalisch vom Beginn der Krankheit bis zum Tode; bei einem andern entwickelte sich das vollkommenste Bild der Hydrophobie und der Tod trat unter Convulsionen ein. (Aehnliche Fälle beschreibt Hildenbrandt) In einigen Fällen wurden die Kranken von einer Art fixer Ideen geplagt, die sich einigemal bis in die Reconvalescenz hinzogen. (Einen ähnlichen

Fall erzählt. Staudenmaier aus Wetzheim.) Am lästigsten
war in allen Fällen das Gefühl der Mattigkeit und Abgeschlagen-
heit, das vom Beginn der Krankheit bis in die Reconvalescenz
dauerte; es ist dieses Symptom wahrscheinlich eine Rückwirkung der Blutkrase auf die Nerven und ihre Centra, Gehirn,
Rückenmark und Ganglien, weil diese Erscheinungen während
des Verlaufs immer deutlicher in die Scene treten, und mit der
Abnahme der Krankheit sich allmählig verlieren.

Auf der med. Abtheilung in Prag kam folgender Fall vor
(Wisshaupt, klinischer Bericht. Prager Vierteljahrschrift
Bd. XXII.): J. K. schlief eine ganze Nacht hindurch in einem mit
Kohlen geheizten Zimmer, der Ofen war zu früh abgesperrt
worden. Des Morgens wurde er soporös gefunden. Eine kalte
Begiessung brachte ihn so weit zu sich, dass er angerufen antwortete, die Zunge streckte; doch lag er mehr als drei Monate
meistens mit geschlossenen Augen, schlief viel; immer noch
gehen Stuhl und Urin unwillkührlich ab, Speise und Trank werden gierig verschlungen; — der Mann blieb *idiotisch*. —

Die verschiedenen Krankheitszustände, welche in Folge der
Hungersnoth 1847 *in Irland* beobachtet wurden, schildert Donovan (Gaz. des hôpit. 118. 119.) Von den Geistesthätigkei-
ten sagt er, dass sie in demselben Verhältnisse abnehmen, als
die des Körpers. In manchen Fällen brach völliger *Blödsinn*
aus; in einem Falle beging ein junger, später bei guter Nahrung wieder gesunder und fleissiger Mann in diesem Zustande
sogar einen Mord an 2 Kindern, um sie einer kleinen Menge
Maïsmehls zu berauben. Delirien oder Manie, wie sie von manchen Autoren nach plötzlicher Entziehung der Nahrung beobachtet wurden, sah Donovan nie.

Als ausgezeichnetes Mittel zur Bekämpfung der *Constipation*
als Folge von Gehirnleiden, gewisser *Geisteskrankheiten* und
Hypochondrie wird Strychnin mit Extr. nuc. vom. gepriesen.
Boult in Bath giebt an, dass folgende Pillenformel: $^3/_5$ Gran
Aloë, $^3/_5$ Gran Extr. Rhei., $^2/_5$ Gran Extr. nuc. vom. Pharm.
Edinb. eine oder zwei reichliche Kothausleerungen bewirkt;
fügt man 1 Gran Calomel hinzu, so erhalte man 2—3 biliöse
Stühle. (Union méd. 1848. No. 129.)

Zincum aceticum bewährte sich dem Dr. Laymann gegen
Delirien im Typhus und bei Kopfrose, so wie gegen Irresein.
Er gab ʒj auf ℥vj Wasser stündlich 1 Esslöffel voll zu nehmen.
Mancher Kranke nahm im Ganzen ℥v—vj und darüber. (Rhein.
Monatsschrift 1849. März.)   *Spglr.*

---

*Weitere Beobachtungen über die Wirkung des Braunkoh-
lenöls (Ol. empyr. ex ligno fossili) bei chron. Gehirnerweichung und Lähmungen* von Schöller. (Aus „Oestereich. Wochenschrift" in „Neue med. chir. Zeit. No. 24. 1849.")

Nach Mittheilung neuer Fälle von Heilung, nimmt Vf. an,
dass dies Mittel die Schwäche der Innervation centripetaler Nerven beseitige und, da diese als sensible zum Gehirn gehen, dessen gesunkene Thätigkeit wieder emporrichte, zugleich aber
auch die Energie in den excitomotorischen Nerven hebe und das
erkrankte Rückenmark zu seinen Functionen anrege. Man be-
obachte zunächst: Wiederkehr der Beweglichkeit und Empfindlichkeit wie auch Wiedererstarkung der gelähmten Theile, Wie-
derbelebung der inneren und äusseren Sinne; der soporöse Zustand und die dem Gelähmten oft eigenthümliche Weinerlichkeit
machen einer gewissen Heiterkeit des Gemüthes Platz; die
Blässe des Gesichtes verschwindet und die Esslust wird angeregt. Auf längeren Gebrauch folgt Diarrhöe, meist mit Eupho-
rie und vermehrtem Harnabgange. Tritt dabei noch Brennen im
Magen ein, so ist das Mittel auszusetzen. Doch lässt dies dabei keine üble Nachwirkung zurück.

Entzündliche und congestive Zustände, wie sehr gesteigerte
Sensibilität der Verdauungsorgane und gastrischer Zustand oder
profuse Diarrhöe, gestatten die Anwendung nicht. (Vgl. unsere
Zeitschr. Bd. V. S. 286. 679 — 80. VI. S. 184.)   *Laehr.*

Die momentane Paralyse nach epileptischen Anfällen ist bekannter, als die bleibende, die nach einer Reihe von Anfällen
eintritt; nicht selten sieht man bei ihnen Strabismus, convulsivische Zuckungen, nach längerer Zeit Atrophie des Glieds.
Moreau zeigte in Bicêtre, wie es in der Gaz. des hôp. 134.
1847 heisst, mehre mit *secundärer Paralyse behaftete Epileptische*, bei einigen bewirkte das *Strychnin* Heilung. Darunter
war ein Epileptischer, welcher seit 18 Monaten (beim Beginn
der Kur) eine Lähmung des Arms mit Contractur, Beugung des
Vorderarms und der Finger hatte. Es wurde Strychnin bis zur
tetanischen Wirkung angewandt; die Kur währte 2 Monate.

Die Bewegung des gelähmten Gliedes ist vollkommen hergestellt. — In einigen desperaten Fällen von Epilepsie versuchte M. die *Cauterisation des Pharynx mit Ammoniak.* Bei einem Kranken trat darnach Besserung ein; er hatte monatlich 120 — 150 Anfälle. Im 2ten Monate kamen 14 Anfälle, im dritten 50. M. machte jeden Morgen eine Cauterisation. Diese ist nicht immer so unschuldig; bei einigen rief sie die Anfälle hervor; fast constant entstand darnach eine Anschwellung der Tonsillen, welche wochenlang dauerte, jedoch nicht schmerzhaft war. *Spglr.*

Die Epilepsie behandelt Dr. Guizan in Vivis günstig mit grösseren und steigenden Gaben von Fl. Zinci und der Wurzel und des Extracts der Valeriana. Dabei lässt er kalte Begiessungen des Kopfes machen und setzt in die Schläfengegend bei Congestionen Blutegel. Das Zink und Valer. gebe man nie in kleinen Gaben und während zu kurzer Zeit. Auch beruhige eben der durch das Zink hervorgebrachte Ekel das Nervensystem und vermindere die Congestionen nach dem Gehirne. (,,Schweiz. Zeitschr. 1848. Heft 3." in ,,Neue med. chir. Zeit. No. 28. 1849. S. 37.")

Prof. Schlossberger fand die Anwendung des Chloroforms bei Epileptischen contraindicirt, ja sogar gefährlich. (Vgl. unsere Zeitschr. Bd. V. S. 496—497, VI. S. 172. Med. Würtb. Corresp. Blatt 1848. No. 26. in: Neue med. chir. Zeitung No. 27. 1849. S. 25.)

Der neue Schwitzapparat von Hofmann in Burg-Steinfurt besteht aus einem wasserdichten Sacke, der am Halse zugezogen und dort noch mit Tüchern möglichst luftdicht abgeschlossen wird. Am Fussende ist eine Schraubenmutter, in die eine, einige Fuss lange, Gutta-Percharöhre mündet. Diese kann beliebig mit einem Wasserkessel in Verbindung gesetzt werden. Es bedarf nur 5, spätestens 10 Minuten zur Entwicklung von Wasserdämpfen, und der in seinem Bette mit Federbetten bedeckte Patient geräth in den duftendsten Schweiss, in dem er nach Gutdünken erhalten werden kann. (Allgem. med. Centralzeit. 1848. No. 68. in: Neue med. chir. Zeit. No. 28. 1849. S. 58.)

J. Raimond giebt Kunde von einem in Paris bestehenden ,,club des grands estomacs", der seine Mitglieder unter den vornehmsten und begütertsten Herren zählt. Bei den wöchentlichen viehischen Gelagen wird 18 Stunden lang ohne Aufhören gegessen und von jedem Theilnehmer in dieser Zeit 12 Flaschen Bordeaux und 4 Flaschen Champagner getrunken. Vf. bemerkt richtig, dass Völlerei überhaupt, so auch hier eine der Hauptursachen der dementia paralytica sei. (l'Union méd. No. 92. 1849.)

Cholera in der Salpetrière vom 10—30. März d. J.

in der Abth. von	Falret	10 Kranke,	6 gestorben
- - - -	Trélat	21	„	14	„
- - - -	Mitivier	19	„	9	„
- - - -	Baillarger	17	„	10	„
- - - -	Lélut	14	„	10	„
Infirmerie		170	„	99	„

Ueber die Sectionen bei den Alienirten ist nichts zu bemerken, das Verhältniss der Gestorbenen zeigt in den Abtheilungen keine bemerkenswerthe Unterschiede. (l'Union méd. Tom. III. No. 41. Vgl. unsere Zeitschr. Bd. V. S. 677 u. 678.)

	Befallene.	Todesfälle.	Genesene.
Am 18. Mai:			
Salpetrière	1031	747	187
Bicêtre	147	94	18
Am 21. Mai:			
Salpetrière	1058	775	797
Bicêtre	156	104	20
Am 23. Mai:			
Salpetrière	1075	781	197
Bicêtre	159	109	20
Am 25. Mai:			
Salpetrière	1090	793	197
Bicêtre	167	113	20
Am 28. Mai:			
Salpetrière	1120	814	200
Bicêtre	183	121	20
Am 30. Mai:			
Salpetrière	1140	825	211
Bicêtre	186	122	24
Am 1. Juni:			
Salpetrière	1158	845	233
Bicêtre	194	124	24
Am 4. Juni:			
Salpetrière	1202	871	238
Bicêtre	206	130	24

(Aus Gaz. des hôpitaux zusammengestellt.)

Ob die Cholera diesmal wieder wie das erstemal. Charenton
versohont hat, während sie damals auch in Bicêtre und der Salpetrière wüthete? Esquirol (maladies mentales II. 697.) führt
unter den damals getroffenen Vorsichtsmaassregeln bezeichnend
genug — die an, dass die Seelenkranken des Morgens auch eine
warme Suppe bekommen haben, was also früher und vielleicht
auch nachher nicht einmal der Fall gewesen ist. Nur ein ganz
gesunder Irrer unterlag damals der Cholera in 13 Stunden,
auch ein Wärter, aber weniger der Cholera, als seiner gewohnten Trunkenheit.

---

de Smyttere, Arzt an der Irrenanstalt zu Rouen,
schreibt der Acad. nation. de méd., dass die Cholera in der Abtheilung der Geisteskranken mit dement. paralyt. stark gewüthet
habe. Sie erschien Anfangs in dem am wenigsten angefüllten
Hause der Männer und erst 12 Tage später in dem daran stossen-
den mehr gefüllten Hause der Frauen, doch befiel sie bei den
letztern keine Patientin mit dem. paralytica. — Die zuerst befallenen in Saint-Yon hatten keine flüssigen Stühle, kein Erbrechen, keine Krämpfe, sie fielen wie vom Blitze getroffen um,
als ob plötzlich eine Stockung in der Circulation des Blutes und
der Innervation statt gefunden hätte. (Gaz. des hôpit. No. 59.
1849. S. 237.)   *Dw.*

Dr. Girard, Director des Irrenhauses zu Auxerre, schreibt,
dass die Cholera seit dem 12. Juni d. J. in seiner Anstalt herrsche.
Unter 289 Kranken, dem dermaligen Bestande derselben,
wovon 113 männliche und 176 weibliche, ergriff sie sogleich 11
der erstern und 8 der letztern. In allen Fällen nahm Dr. Girard Vorläufer wahr. Ihre Hauptverwüstungen richtete die
Epidemie in geschwächten Organismen an — bei chronischem
Wahnsinne, deprimirter Affectionsform, Melancholie, Idiotie
und Dementia. Die neuen Quartiere des Asyls verschonte sie,
wenn sie allerdings ihre Anfänge darin auch kund gab.
Der Briefsteller fügt seinem Berichte Bemerkungen über die
Contagiosität der Cholera und eine statistische Tabelle der von
ihm beobachteten individuellen Erkrankungen hinzu.   *Droste.*

Die Provinzial-Irrenanstalt bei *Halle* ist von der Cholera
gänzlich verschont geblieben bei einem Bestande von über 250
Kranken, obgleich sie in Halle länger als 10 Monate und auf
ihr Höhe so ausserordentlich heftig war, dass am 9. Juni d. J.

81 starben, und sie auch in den der Irrenanstalt zunächst liegenden Dörfern, mit welchen, wie mit der Stadt·Halle, wir in
täglicher Verbindung sind, herrschte und hie und da noch
(October) vorkommt.

Während der Zeit von 18 Jahren, von 1825—1843, gab
es in Frankreich von 34 Millionen Einwohnern 200000 Geisteskranke in den Anstalten, 3000 Selbstmörder, 100000 Individuen
täglich in den Hospitälern, 800000, die dem öffentlichen Mitleiden
anheimfielen und 160000 in den Gefängnissen. (l'Union medicale
1849. Tom. III. No. 45. S. 180.)

Illenau. Am 1. Jan. 1849 betrug die Zahl der Kranken 429.
Die Verpflegungskosten sind jährlich für Pensionäre 600 Gulden
(Ausländer 750 fl.), I. Klasse 400 fl. (Ausl. 500 fl.), II. Klasse
240 fl., III. Klasse 160 fl. Für arme Inländer erhebt die Regierung von den Beitragspflichtigen (Gemeinden oder Einzelnen)
eine weit geringere Summe.

Im Jahr 1848 wurden genesen entlassen 44, gebessert 31,
ungebessert 17. Gestorben sind 24.

Angestellt sind zur Leitung, ärztlichen Besorgung, Verwaltung und Oekonomie, Pflege der Religion, Unterricht über
100 Personen, davon über 70 Wärter und Wärterinnen *für die*
unmittelbare Pflege und Aufsicht.

Zur Förderung des wohlthätigen Zweckes bedarf die Anstalt einer lebendigen Mitwirkung aus den Gemeinden: frühere
Zusendung heilbarer Kranken, Zuweisung tauglicher Dienst-
leute, Gaben zur Unterstützung armer Entlassener, Mithülfe
zur Versorgung der Genesenen in der Heimath. Die Nothwendigkeit und Art einer solchen Mitwirkung für Abhülfe der man-
nigfaltigen Noth ist gezeigt in der kleinen Schrift: Der evan-
gelische Verein, ein Aufruf an die Gemeinde. Heidelberg, bei
Karl Winter. 1845.

(Vorstehendes aus einem in Sedez gedruckten Blättchen, mit
„Illenau" und einer Abbildung der Anstalt auf dem Titel, erhalten
die Genesenen bei ihrem Abgange mit — nebst einem religiösen
Heftchen (8 S. Sedez) vom Pfarrer Fink, betitelt „*zur Heim-*
kehr", enthaltend fünf Bibelstellen auf der Rückseite des Titels,
bezeichnend für den Inhalt: „Danke dem Herrn! — Woher die
Trübsal? Wozu die Trübsale? Was wird ihm dafür?"

Oldenburg. Schon seit Jahren klagte man über den Mangel einer Irrenanstalt im hiesigen Lande; jetzt, scheint es, soll ihm abgeholfen werden. Der Herr Dr. Kelp in Delmenhorst und Bauconducteur Hillerns in Oldenburg sind von der Staatsregierung beauftragt, die bedeutendsten Anstalten dieser Art in Deutschland zu besuchen und sich in denselben zu orientiren. (Aus der Weser-Zeitung in der Deutschen Reform No. 548. 1849.)

Der Kreisphysicus Dr. Kelp ist uns Allen schon sehr vortheilhaft bekannt durch seine Irrenstatistik des Herzogthums Oldenburg (unsere Zeitschr. Bd. IV. S. 585—633) und durch Beschreibung des Klosters Blankenburg (Bd. V. S. 580—601). Die Regierung konnte wohl keinen mehr geeigneten und vorbereiteten Arzt wählen. Im Voraus ist er allen Irrenanstalts-Directoren bestens empfohlen. **Dw.**

Das Hospital für Geisteskranke zu *St Lukas* hat im J. 1848 205 Kranke aufgenommen, von denen 106 geheilt, 54 für unheilbar gehalten, 17 als paralytisch zurückgeschickt wurden (daher die geringe Anzahl Todte) und 11 starben; also $58^5/_9$ p. C. Heilungen, $35^1/_3$ Unheilbare und $6^1/_{12}$ Todte.

Im Jahr 1847 gab es $64^1/_8$ p. C., im Jahr 1846 $57^2/_3$ p. C. Geheilte. Von 1754 — 1760 waren die Geheilten 59 und ein Bruchtheil p. C. und von 1831—1840 $58^3/_4$ p. C. Von den Aufgenommenen gehören 134 dem männlichen, 71 dem weiblichen Geschlechte an. Die grösste Anzahl war in der Mitte zwischen 25 und 60 Jahren, jedoch war ein Individuum unter 15 Jahren und 11 Patienten von 15—20 Jahren. Die Krankheit war erblich in 58 Fällen, worunter 20 Männer und 38 Weiber. Die Mehrzahl der Todesursachen beruhte nicht auf Cerebralaffectionen, dagegen starben 4 aus Erschöpfung. (London medical Gazette und l'Union médicale No. 59. 1849.)

Im Marien-Hospitale zu *Sewastopol* gab es unter 876 rückständigen Patienten am 1. Dec. 1847 4 Geisteskranke; aufgenommen wurden bis zum 1. Dec. 1848 16732 Patienten, darunter 30 Geisteskranke, es genasen 15735, darunter 31 (!?) Geisteskranke, es blieben daher zurück 936 Patienten, darunter 3 Geisteskranke. (Medic. Zeit. Russlands No. 23. Juni 1849.)

Laehr.

Personal - Nachrichten.

(*Beförderungen.*) **Dr. G. Herzog**, prakt. Arzt in Leipzig, wurde zum Oberarzte der Irrenanstalt Thonberg befördert.

Dr. Thurnam, Arzt in der Retreat bei York, zum Director der Bezirks-Irrenanstalt daselbst.

Dr. Sam. Gaskel, Director der Bezirks-Irrenanstalt Lankaster zum ärztlichen Commissionar in Irrenangelegenheiten an **J. Prichard's** Stelle.

Maison de Santé du Gros-Caillou hat als berathenden Arzt den Professor **Rostan**, ältern Arzt der Salpetrière, erhalten.

(*Ehrenbezeugungen.*) **J. Dufaure**, Minister des Innern, hat, in Betracht dass die Salpetrière am meisten unter allen Hospitälern von der Cholera betroffen worden ist, mehrere *Beamte* derselben mit Orden decorirt. Es empfingen: **Nathalis Guillot**, Arzt an der Salpetrière, (jetzt Chef des Findelhauses an Stelle von **Baron**,) das Patent als Offizier des Ordens der Ehrenlegion;
    Baillarger, Mitivié, Trélat, Aerzte,
    Durant, Almosenier,
    Labat, Interne,
    Poirson, Pharmaceut,
sämmtlich an dieser Anstalt wirkend, das Patent als Ritter desselben Ordens.

(*Todesfälle.*) Die Obsequien von **Ch. Londe,** Interne an der Salpetrière, sind am 19. Mai eben so feierlich begangen worden, wie 4 Tage vorher die seines Collegen **Berlié.** Beide sind Opfer des Eifers bei der Bekämpfung der Cholera in ihren Anstalten geworden.

Theodore Hémey, Director der Salpetrière, starb am 15. Juli an der Cholera, nachdem er erst vor einigen Monaten noch mit dem Orden der Ehrenlegion decorirt worden war. Sein Leichenbegängniss zeigte, wie er ebenso als Mensch, wie als Beamter geschätzt wurde.

Lindpaintner — E. Horn — Amelung — Heinrich sind uns innerhalb 7 Monate durch den Tod entrissen — und nun schon wieder — alle innerhalb eines Jahres — einer der edelsten Psychiatriker, der ausserdem durch seine seltene allgemein wissenschaftliche, schöne und humane Bildung, so wie durch seine hohe einflussreiche Stellung in *Wien* zur möglichst freien Entwickelung und Vervollkommnung der Psychiatrie sowohl im Dienste der Wissenschaft, als des österr. Staates berufene **Ernst Freiherr v. Feuchtersleben** den 3. Sept. d. J.! Einen würdigen Nekrolog erwarten wir. *Dw.*

Literarischer Anzeiger

für

Aerzte und Naturforscher.

№ 4.   1849.

Dieser literarische Anzeiger wird
    der Wochenschrift für die gesammte Heilkunde,
    der Zeitschrift für Erfahrungsheilkunst,
    der neuen Zeitschrift für Geburtskunde,
    der allgemeinen Zeitschrift für Psychiatrie,
    dem Magazin für die gesammte Thierheilkunde
beigegeben.

Berlin.   *August Hirschwald.*

☞ Sämmtliche in diesem Anzeiger aufgeführten Werke sind stets vorräthig in der

Hirschwald'schen Buchhandlung
in Berlin, Burgstraße Nr. 25.

So eben wurde ausgegeben und ist durch alle Buchhandlungen zu ziehen:

Zeitschrift

für

Erfahrungsheilkunst,

herausgegeben von
Dr. A. Bernhardi und Dr. F. Löffler.

Zweiter Band zweites Heft.
gr. 8. geheftet. Preis 20 Sgr.

Diese Zeitschrift hat sich die Pflege der erfahrungswissenschaftlichen Arzneimittellehre und Therapie zur Aufgabe gemacht. Sie namentlich die Erfahrungen und Heilgrundsätze, welche J. G. Radecher in seiner „Erfahrungsheillehre" niedergelegt hat, einer kritischen Prüfung unterwerfen, und ohne die Schärfe ihrer Principien aufopfern, strebt sie nach einer Einigung der besonders in der Therapie divergirenden Richtungen der heutigen Medicin zu einem wissenschaftlichen Ganzen.

Die bisher erschienenen Hefte sind in jeder Buchhandlung einzusehen. Das dritte Heft des zweiten Bandes befindet sich im Druck, wird im Laufe des nächsten Monats ausgegeben.

Berlin, im Mai 1849.   **August Hirschwald.**

Literarischer Anzeiger

für

Aerzte und Naturforscher.

№ 5.   **1849.**

Dieser literarische Anzeiger wird
der Wochenschrift für die gesammte Heilkunde,
der Zeitschrift für Erfahrungsheilkunst,
der neuen Zeitschrift für Geburtskunde,
der allgemeinen Zeitschrift für Psychiatrie,
dem Magazin für die gesammte Thierheilkunde
beigegeben.

Berlin.   *August Hirschwald.*

Sämmtliche in diesem Anzeiger aufgeführten Werke sind stets vorräthig in der

Hirschwald'schen Buchhandlung
in Berlin, Burgstraße Nr. 25.

Vollständig ist nun erschienen:

NOTIZEN
für praktische Aerzte
über
die neuesten Beobachtungen
in der Medicin,

mit besonderer Berücksichtigung

der Krankheitsbehandlung
zusammengestellt von
Dr. F. GRAEVELL,
Arzt in Berlin.

Erster Jahrgang (1848).
roy. 8. broch. 80 Bogen. Preis 5⅓ Thlr.

Das obige Werk hat es sich zur Aufgabe gestellt, durch eine mit Auswahl getroffene Zusammenstellung des Wichtigsten und Werthvollsten aus der neueren medicinischen Literatur, sowohl der Zeitschriften als der selbständigen Werke, die Uebersicht über den neuesten Standpunkt der Medicin zu erleichtern. Während dasselbe durch die mit besonderer Berücksichtigung der Krankheitsbehandlung gegebene Zusammenstellung der neuen Beobachtungen in der Medicin vorzugsweise den ausübenden Aerzten zu einem nützlichen Anhaltepunkte für die Praxis dienen wird, dürfte dasselbe gleichwohl den übrigen Klassen der Mediciner sich nicht minder nützlich erweisen. Es wird den Studirenden am Leichtesten in die Kenntniss der neuesten Literatur einführen, und wird namentlich auch den wissenschaftlich beschäftigten Aerzten durch den reichhaltigen Nachweis literarischer Quellen ein schätzenswerthes Hülfsmittel darbieten. Als eine werthvolle Beilage des Werkes sind die ausführlich gehaltenen Register anzusehen, die sich auch über die Erfolge der Heilmethoden erstrecken, wodurch der Herausgeber für eine dereinstige Statistik der bewährten Erfahrungen eine Grundlage zu schaffen beabsichtigte. Das Werk ist hierdurch ein zum Nachschlagen besonders geeignetes. Bei der vielseitigen Anerkennung, die der Nützlichkeit dieses Unternehmens bereits zu Theil geworden ist, glauben wir uns der weiteren Auseinandersetzung über dasselbe enthalten zu dürfen, und erlauben uns daher noch, auf die günstigen Beurtheilungen desselben im Junius III. Bd. 3. Heft, in der Prager medic. Vierteljahrschrift 1849. II. Bd. und in der Medic. Central-Zeitung 1849 No. 58 zu verweisen. Jede Buchhandlung kann obiges Werk zur Ansicht vorlegen.

Berlin, Juli 1849. **August Hirschwald.**

In meinem Verlage erschien soeben und ist durch alle Buchhandlungen zu erhalten:

Richter, Dr. A. L., Generalarzt, **Begutachtung des Berichtes der vom Kriegsministerium zur Einleitung einer Reform des Militair-Medicinalwesens niedergesetzten Commission.** gr. 8. 1849. geh. Preis 15 Sgr.

☞ Es wird diese Reformschrift nicht allein die Militair-, sondern auch die Civilärzte, und nicht allein in Preussen, sondern in ganz Deutschland, interessiren.

Adolph Büchting in Nordhausen.

In allen Buchhandlungen ist zu haben:

Anton, Dr. K. C., die bewährtesten Heilformeln für die epidemische Cholera. Nebst einer ausführlichen pathologisch-therapeutischen Einleitung. Für praktische Aerzte, zunächst für die Besitzer des *„Taschenbuchs der bewährtesten Heilformeln für innere Krankheiten"* nach den besten Quellen bearbeitet.

12. geh. Rthlr. 1. 3 Sgr.

Je mehr zu fürchten ist, dass die so vielen Tod und Verderben bringende asiatische Gästin sich in unseren vaterländischen Gauen einbürgern suchen, was die Kurmethoden aller der trefflichen Menschenfreunde in sich faßt, welche nichts unversucht liessen, diesem bösartigen Feinde auf das Entschiedenste und Gründlichste entgegen zu treten. Je schleuniger die kräftigste Hülfe bei Choleraanfällen nöthig ist, desto willkommener wird diese Sammlung der Heilformeln sein, daher insbesondere sie auch gebildeten Hausvätern, Landgeistlichen, Gemeindevorständen empfohlen werden kann.

Leipzig. *Johann Ambrosius Barth.*

Bei **Ludwig Oehmigke** in **Berlin** ist so eben erschienen:

Lindes, Dr. W., praktische Anleitung zu den wichtigsten, gerichtlich-chemischen, und sanitäts-polizeilichen Untersuchungen. Für Physiker, Aerzte und Apotheker. Mit Abbildungen.

Geheftet 1 Thlr. 10 Sgr.

Ein Buch, welches wie das vorliegende in gedrängter Kürze, sonach in übersichtlicher Weise, eine für alle Fälle ausreichende gründliche Anleitung zur Ausführung der im Leben am häufigsten vorkommenden, gerichtlich-chemischen und sanitäts-polizeilichen Untersuchungen dem neuesten Standpunkte der Wissenschaft gemäß, enthält, ist, da ein ähnliches Werk im letzten Decennium nicht erschienen, sicher für jeden Physikus und Apotheker bringendes Bedürfniß. — Wir hoffen daher, daß man diese Anleitung bald in keiner Sammlung, der einer jeden Apotheke nothwendigen Bücher vermissen werde, und glauben, in Betracht des mäßigen Preises, daß auch jüngere Pharmazeuten sich die Anschaffung desselben nicht versagen werden, indem es bei Ablegung ihrer Staatsprüfung von unverkennbarem Nutzen sich erweisen wird. —

Bei **Jent & Gaßmann** in **Solothurn** ist so eben erschienen, und durch jede solide Buchhandlung zu beziehen:

Kurze praktische Verbandlehre

von Dr. W. Emmert.

Inselwundarzt und Privatdocenten an der Hochschule in Bern.

Gr. 8. 8 Bogen mit in den Text eingedruckten Abbildungen, elegant brosch.

21 Sgr.

Bei **Frd. Schulthess** in Zürich ist soeben erschienen:

Die
Revolution in der Medicin.
Ein Versuch in Skizzen

von

Heinrich Spöndli, M. Dr.

8. broch. 10 Sgr.

Literarischer Anzeiger

für

Aerzte und Naturforscher.

№ 6. 1849.

Dieser literarische Anzeiger wird
der Wochenschrift für die gesammte Heilkunde,
der Zeitschrift für Erfahrungsheilkunst,
der neuen Zeitschrift für Geburtskunde,
der allgemeinen Zeitschrift für Psychiatrie,
dem Magazin für die gesammte Thierheilkunde
beigegeben.
Berlin. *August Hirschwald.*

Im Verlage von **Alexander Duncker**, Königl. Hofbuchhändler in Berlin ist so eben erschienen:

Romberg's Lehrbuch der Nervenkrankheiten des Menschen. Zweite veränderte Auflage. **4.** Lieferung. gr. 8. geh. 16 Sgr.

Bei **August Hirschwald** in Berlin erschien soeben und ist durch alle Buchhandlungen zu beziehen:

Vierter Bericht

über das

gymnastisch-orthopädische Institut

zu Berlin,

das 8. und 9. Jahr seiner Wirksamkeit umfassend,

nebst Beobachtungen über den Buckel (Kyphosis)

von

Dr. H. W. Berend,

Gründer und Director des Instituts etc. etc.

4. geh. Preis 5 Sgr.

Soeben wurde ausgegeben und ist durch alle Buchhandlungen zu beziehen:

Zeitschrift
für
Erfahrungsheilkunst,
herausgegeben von
Dr. A. Bernhardi und Dr. F. Löffler.

Zweiter Band drittes Heft.
(Schluss dieses Bandes.)
gr. 8. broch. Preis: 28 Sgr.
Preis des I. Bandes: 3 Thlr. 3 Sgr. Preis des II. Bandes: 2 Thlr. 18 Sgr.
Berlin.

August Hirschwald.

Bei **Vinzenz Fink** in Linz ist so eben erschienen, und in allen Buchhandlungen des In= u. Auslandes zu haben:

Die
Körper-Verletzungen,
in
gerichtlich=medicinischer Beziehung, in dem Geiste der österreichischen Gesetzgebung beurtheilt
von
Dr. Karl Snetiwy,
k. k. Districts= und Badearzt zu Hofgastein.
gr. 8. Geheftet. Preis: 28 Ngr.

Die Beurtheilung der Körperverletzungen bei Gerichte gehört von jeher unter die schwierigsten Aufgaben der Aerzte, und brachte die tüchtigsten Inquirenten nicht selten in peinliche Verlegenheiten; erstere berücksichtigten in ihren Gutachten zu wenig die bestehenden Strafgesetze, letztere sahen häufig mit Geringschätzung auf die Lehren der Medicin herab. In der vorliegenden Schrift werden die Verletzungen sowohl vom Standpunkte der österreichischen Gesetzgebung, als dem der Medicin genauer aufgefaßt, die bisher so dunklen Begriffe über die „Tödlichkeit" und „Schwere" derselben mit eben so viel Schärfe als Gründlichkeit behandelt und über das Verfahren bei derlei Untersuchungen höchst praktische Anweisungen ertheilt.

Sie wird um so mehr jetzt bei der Einführung der Geschwornen=Gerichte, wo bei dem Mangel an Selbstgeständnissen der Inquisiten der Thatbestand mit der größten Evidenz hergestellt sein muß, für jeden Justizbeamten und Gerichtsarzt höchst erwünscht, ja dringend nothwendig sein.

Die Verlagshandlung hat für elegante Ausstattung und schönen Druck Sorge getragen.

Nachstehende, von dem Königl. Preuß. Ministerium der Medizinal-Angelegenheiten herausgegebene, Schriften habe ich jetzt übernommen und sind dieselben durch alle Buchhandlungen zu beziehen:

Königl. Preußisches allgemeines Medizinal-Edikt. Berlin 1725. 4. Preis 12 Sgr.

Revidirte Apotheker-Ordnung für die Preuß. Lande. Berlin 1801. 4. Preis 8 Sgr.

Neu revidirte Taxe für die Medizinal-Personen. Berlin 1815. 4. Preis 2½ Sgr.

Regulativ für das Verfahren bei den medizinisch-gerichtlichen Untersuchungen menschlicher Leichname (Obductionen). Berlin 1844. 8. Preis 2½ Sgr.

Anweisung zur zweckmäßigen Behandlung und Rettung der Scheintodten oder durch plötzliche Zufälle verunglückter Personen. Berlin 1847. 8. Preis 1 Sgr.

Series medicaminum. Verzeichniß sämmtlicher Arzneimittel, welche bei Apotheken-Visitationen Gegenstand einer Revision werden können. Fol. Preis 4 Sgr.

Berlin, Juni 1849.   August Hirschwald.

Im Verlage von **Friedr. Mauke** in Jena erscheint und kann durch jede Buchhandlung bezogen werden:

Jenaische

Annalen

für

Physiologie und Medicin.

In Verbindung mit mehreren Gelehrten

herausgegeben

von den

DDr. **O. Domrich, E. Martin, F. Ried, J. M. Schleiden, E. Schmid, A. Siebert,**

redigirt von

Theodor v. Hessling.

In Lieferungen, deren 4 einen Band bilden. gr. 8. geh. Preis pro Band 3 Thlr.

Die Annalen enthalten:

1. Originalabhandlungen. — Blosse Auszüge und Uebersetzungen sind ausgeschlossen.
2. Berichte klinischer, überhaupt medicinischer Anstalten und physiologischer Institute. — Die Herausgeber, selbst Directoren der hiesigen Kliniken und des physiologischen Instituts werden die Resultate ihrer bezüglichen Erfahrungen und Forschungen in den Annalen niederlegen und fordern die Vorsteher ähnlicher Anstalten zu gleichen Mittheilungen auf.
3. Besprechungen schwebender Fragen und vollständige Berichte über die wesentlichen Fortschritte der genannten Wissenschaften.

Literarischer Anzeiger
für
Aerzte und Naturforscher.

№ 7.　　　　　　　　　　1849.

Dieser literarische Anzeiger wird
der Wochenschrift für die gesammte Heilkunde,
der Zeitschrift für Erfahrungsheilkunst,
der neuen Zeitschrift für Geburtskunde,
der allgemeinen Zeitschrift für Psychiatrie,
dem Magazin für die gesammte Thierheilkunde
eigegeben.

Berlin.　　　　　　　　　*August Hirschwald.*

☞ Sämmtliche in diesem Anzeiger aufgeführten Werke sind
ets vorräthig in der

Hirschwald'schen Buchhandlung
in Berlin, Burgstraße Nr. 25.

Bei dem Unterzeichneten erschien so eben und ist in allen Buchhandlun=
zu haben:

Sammlung
von
hierärztlichen Gutachten,
Berichten und Protokollen,
nebst einer Anweisung
bei ihrer Anfertigung zu beobachtenden Formen und
eln, in besonderer Beziehung auf die in den Königl.
Preuss. Staaten geltenden Gesetze,

von
Dr. W. Th. J. Spinola.
Zweite vermehrte und verbesserte Auflage.
gr. 8. geh. Preis: 1 Thlr. 10 Sgr.

Verzeichniß
der
hierärzte Preußens.
Von
Dr. E. F. Gurlt,
Professor an der Königl. Thierarzneischule zu Berlin.

iberer Abdruck aus d. Magazin f. Thierheilkunde. XV. Jahrg. 3. Heft
8. geh. Preis: 2½ Sgr.

Berlin, August 1849.　　　　　*August Hirschw*

Bei G. Reimer in Berlin ist erschienen und durch alle Buchhandlungen zu beziehen:

ARCHIV
für pathologische Anatomie und Physiologie
und für klinische Medicin.

Herausgegeben von

R. Virchow und B. Reinhardt.

I.—III. Band. Jeder Band in 3 Heften. Preis des Bandes: 3 Thlr.

Inhalt v. II. Bd. 3. Heft: Bericht über die Cholera-Epidemie des J. 1848 in Berlin, von W. Schütz, Medicinalrath und dirigirendem Arzt des Cholerahospitals. — Beobachtungen über die epidemische Cholera. Von B. Reinhardt und R. Leubuscher. — Ueber die Lage des Blinddarms beim Menschen. Von Bardeleben. — Zur pathologischen Physiologie des Blutes. Von R. Virchow.

Inhalt v. III. Bd. 1. Heft: Die Epidemie v. 1848. Von R. Virchow. — Zur medicinischen Statistik d. preuss. Staates, nach d. Acten d. statist. Bureau's f. d. Jahr 1846. Von S. Neumann. — Beiträge zur Anatomie der gesunden und kranken Niere. Von v. Wittich. — Kritisches üb. d. oberschlesischen Typhus. Von R. Virchow. — Die endogene Zellenbildung beim Krebs. Von R. Virchow. — Ueber Blut, Zellen und Fasern. Eine Antwort an Hrn. Henle. Von R. Virchow.

Zur

medicinischen Statistik
des preussischen Staates.

Nach den Acten des statistischen Büreau's für das Jahr 1846.

Von

Dr. S. Neumann,
pr. Arzte in Berlin.

8. broch. Preis: 18 Sgr.

Im Verlage von Huber & Co. in St. Gallen und Bern ist erschienen und in allen Buchhandlungen zu haben:

Das Bad Pfäfers
in seiner neuesten Gestalt.

Für Aerzte, Curgäste und Reisende bearbeitet

vom

Badearzt Dr. Rüsch.

Mit zwei neuen Abbildungen.

Preis: geh. 1 Thlr.

Gedruckt bei Julius Sittenfeld in Berlin.

Durch jede Buchhandlung des In- und Auslande
zu beziehen.

Nachstehende medicinische und naturhistorische Werke sind bi
zum Schlusse dieses Jahres bedeutend im Preise ermäßigt worden
später tritt der frühere Ladenpreis unwiderruflich wieder ein
Bei Bestellungen ist ausdrücklich zu bemerken: „Zu herabgesetzten
Preise."

DISQUISITIONES
DE
STRUCTURA ET FUNCTIONIBUS CEREBRI.
EDIDIT
BENEDICTUS STILLING.

Untersuchungen
über den
BAU UND DIE VERRICHTUNGEN DES GEHIRNS.
Von
Benedict Stilling,
**Doctor der Medicin, Chirurgie und Geburtshülfe, Arzt und Operateur zu
Cassel.**

**Mit zwanzig Tafeln lithographirter Abbildungen und zwei
Umriss-Tafeln.**

Gröstes Imperialfolio, eleg. cart. Ladenpreis 18 Thlr. für 8 Thlr.

SCRIPTORES
DE
SUDORE ANGLICO SUPERSTITES
EX OPERE
CHR. GODOFR. GRUNERI
PROF. ANTEHAC IN UNIV. LIT. JENENSI P. O.
MANUSCRIPTO
EDIDIT
HENRICUS HAESER,
MED. ET CHIR. DR. PROF. IN UNIV. LIT. JENENSI ORDINARIUS.
gr. Lex. 8°. elegant brosch. Ladenpreis 4 Thlr. für 1 Thlr. 15 Sgr.

EPIDEMIOGRAPHICA
SIVE
CATALOGUS
LIBRORUM DE HISTORIA MORBORUM EPIDEMICORUM
TAM GENERALI QUAM SPECIALI CONSCRIPTORUM.
COLLEGIT ATQUE DIGESSIT
HENRICUS HAESER,
MED. ET CHIR. ACADEMIAE JENENSIS PROFESSOR ORDINARIUS.
gr. 8. brosch. Ladenpreis 25 Sgr. für 10 Sgr.

Ueber die
Contagiosität
der
Eingeweidewürmer
nach Versuchen
und über
das physyologische und pathologische Leben
der
mikroskopischen Zellen
nach empirischen Thatsachen.
Zwei medicinisch – physiologische Abhandlungen
von
Ph. Fr. Herm. Klencke,
Doctor der Medicin, Chirurgie und Geburtskunde u. s. w.
gr. 8. brosch. Ladenpreis 1 Thlr. 20 Sgr. für 15 Sgr.

Russlands
naturhistorische und medicinische
Literatur.
I. Abtheilung.
Die in nicht – russischer Sprache erschienenen Schriften
und Abhandlungen.
Von
Dr. R. Krebel,
Kaiserlich Russischem Hofrath, Ritter und Stabsarzte in St. Petersburg.
gr. 8. brosch. Ladenpreis 1 Thlr. 6 Sgr. für 15 Ngr.

Archiv
für die gesammte Medicin.

Herausgegeben

von

Dr. Heinrich Haeser,

ordentlichem Professor der Medicin zu Jena u. s. w. u. s. w.

10 Bände.

gr. 8. brosch. Ladenpreis 26 Thlr. 10 Sgr. für 8 Thlr.

———

Versuch einer Begründung

der

Pathologie und Therapie

der

äusseren Neuralgieen.

Von

Dr. H. Bretschneider.

praktischem Arzte zu Gotha.

gr. 8. brosch. Ladenpreis 1 Thlr. 25 Sgr. für 1 Thlr.

———

Der

Schlag und die Töne

des

Herzens und der Arterien

im

gesunden und kranken Zustande

von

Dr. W. Grabau,

Professor an der Universität Jena.

8. geh. Ladenpreis 1 Thlr. für 10 Sgr.

———

J. F. Ackermann,

antis androgyni historia et ichnographia. Acced. de sexu et generatione disquisitt. physiolog. et tabb. V aeri incisae.

Fol. Ladenpreis 3 Thlr. für 15 Sgr.

F. Oesterlen,

Prof. der Medicin an der Universität Dorpat,

Beiträge zur Physiologie des gesunden und kranken Organismus. M. 3 KK.

gr. 8. brosch. Ladenpreis 1 Thlr. 20 Sgr. für 20 Sgr.

C. F. Heusinger,

Prof. der Medicin an der Universität Marburg,

Specimen malae conformationis organorum auditus humani rarissimum et memoratu dignissinum. C. III tabb. aeri incis.

Fol. Ladenpreis 2 Thlr. 15 Sgr. für 15 Sgr.

G. Gluge,

Prof. der Medicin an der Universität Brüssel,

Anatomisch - mikroskopische Untersuchungen zur allgemeinen und speciellen Pathologie. M. 5 Taff.

gr. 8. brosch. Ladenpreis 1 Thlr. 15 Sgr. für 15 Sgr.

G. Suckow,

Professor an der Universität Jena,

Beiträge zur Kenntniß Skandinaviens.

gr. 8. brosch. Ladenpreis 15 Sgr. für 6 Sgr.

Wer sämmtliche Werke, welche im Ladenpreise **64 Thlr. 1 Sgr.** kosten, zusammen bezieht, erhält dieselben für **20 Thlr.**

Jena, im Juli 1849.

Friedrich Maule.

Hr. Dr. *Focke*, 2ter Arzt der Irrenheilanstalt zu Siegbürg.
- - *Friedreich*, Prof. in Ansbach.
- - *van Geuns*, Professor d. Pathol. u. gerichtl. Medicin am Athenäum zu Amsterdam.
- - *Guggenbühl* auf dem Abendberg.
- - *Günther* in Braunschweig.
- - *Güntz*, Med. Rath, St. Phys. zu Leipzig und Dir. der Privat-Irrenanstalt zu Thonberg.
- - *Hagen*, Oberarzt der Kreisirrenanstalt zu Irrsee.
- - *Hergt*, 2ter Arzt in Illenau.
- - *Herzog*, russ. Staatsrath, Oberarzt der Irrenanstalt zu St. Petersburg.
- - *Hoffbauer* (*J. H.*), pr. Arzt zu Bielefeld.
- - *Hohnbaum*, Ob. Med. Rath, Leibarzt zu Hildburghausen.
- - *Hübertz*, pr. Arzt zu Kopenhagen.
- - *Jacobi*, Ob. Med. Rath, Dir. der Provinzial-Irrenheilanstalt zu Siegburg.
- - *Ideler*, Prof. u. dirig. Arzt der Irrenabth. d. K. Charitéheilanstalt in Berlin.
- - *Jessen*, Professor zu Kiel und Director der Privat-Irrenanstalt Hornheim.
- - *W. Jessen*, Hülfsarzt zu Sachsenberg.
- - *Julius* (*N. H.*) in Berlin.
- - *Karuth*, Kr. Phys. in Bolkenhain.
- - *Klotz*, Hausarzt auf dem Sonnenstein.
- - *Knabbe*, 2ter Arzt der Provinzial-Irrenheil- u. Pflegeanstalt zu Marsberg.
- - *Laehr*, Ass.-Arzt d. Prov.-Anstalt b. Halle.
- - *Lessing*, 3ter Hausarzt auf dem Sonnenstein.
- - *Rud. Leubuscher*, Priv.-Doc. in Berlin.
- - *Leupoldt*, Prof. in Erlangen.
- - *van der Lith*, Arzt an der Irrenanst. zu Utrecht.
- - *Mansfeld*, Med. Rath, Arzt an d. Irrenanst. zu Braunschweig.
- - *Martini*, Geh. Sanit. Rath u. Director der Provinzial-Irrenheilanstalt zu Leubus.
- - *H. Meckel v. Hemsbach*, Priv.-Doc. zu Halle.
- - *Meyer*, Sanit. Rath u. Kr. Phys. zu Creuzburg.
- - *Meyer*, prakt. Arzt, Operat., Geburtshelfer, Vorsteher einer Privat-Irrenanstalt zu Eitorf.
- - *Mittermaier*, Geh. Rath u. Prof. zu Heidelberg.
- - *Möller*, Med. Rath zu Nidda.
- - *Müller*, Medicinalrath und Director der Pflegeanstalt zu Pforzheim.
- - *Fr. Nasse.*
- - *W. Nasse* in Bonn.

Hr. Dr. *Picht*, Director d. Irren- u. Siechen-Verpflegungsanstalt zu Stralsund.
- - *Pienitz*, Hofrath, Director der Heil- u. Verpflegungs-Anstalt Sonnenstein.
- - *Pitsch*, Regierungs-Medicinalrath zu Cöslin.
- - *Quitzmann*, Priv.-Doc. zu Heidelberg.
- - *Ramaer*, erster Arzt der Irrenanstalt zu Zütphen.
- - *Reumont*, 2ter Arzt an d. Priv.-Anstalt zu Endenich.
- - *Rheiner* in St. Gallen.
- - *Richarz*, Dir. d. Privat-Anstalt zu Endenich bei Bonn.
- - *Riedel*, Director der k. k. Irrenanstalt zu Prag.
- - *Ruer*, Sanitätsrath u. Director der Provinzial-Irren-heil- und Pflegeanstalt in Marsberg.
- - *Rüppell*, 1ster Arzt der Irrenanstalt zu Schleswig.
- - *Schäffer*, Hofrath und Director der Irrenpflegeanstalt zu Zwiefalten.
- - *Schäffer*, Sanit. Rath u. Kr. Phys. zu Hirschberg.
- - *Schmidt*, Geh. Med. Rath, Prof., dirig. Arzt d. geburtsh. u. syphil. Abth. d. Charité in Berlin.
- - *S. P. Schettema*, Erster Stadtarzt zu Arnheim.
- - *Schneevoogt*, Arzt der Irrenanstalt zu Amsterdam.
- - *Schnieber*, Kr. Phys. u. Arzt d. Irrenanstalt zu Sorau.
- - *Schroeder van der Kolk*, Prof., Director der Irren-heilanstalt zu Utrecht.
- - *Schupmann*, Arzt an der Provinzial-Siechenanstalt zu Geseke.
- - *Sebastian*, Prof., Director der Irrenanstalt zu Grö-ningen.
- - *Selmer* (H.), in Kopenhagen.
- - *Sinogowitz*, Regim.-Arzt a. D. zu Berlin.
- - *Sondén*, 1ster Arzt der Irrenanstalt zu Stockholm.
- - *L. Spengler*, Nassauischer Med. Accessist zu Herborn.
- - *Spitta*, Ob. Med. Rath u. Prof. zu Rostock.
- - *Spurzheim*, Dir. d. Irrenanstalt zu Ybbs in Oesterreich.
- - *Tobias*, Reg. Med. Rath u. Arzt der Irrenpflegeanstalt zu Trier.
- - *Tribolet*, Schloss Bümpliz bei Bern.
- - *Tschallener*, Direct. der k. k. Irrenanstalt zu Hall in Tyrol.
- - *Varrentrapp* in Frankfurt a. M.
- - *Virchow*, Professor in Würzburg.
- - *Wallis*, dirig. Arzt der Land-Irrenanstalt zu Neu-Ruppin.
- - *Weigel*, Haus-Arzt der vereinten Landesanstalten in Hubertusburg.
- - *Weiss*, Direct. der Landes-Versorganstalt zu Colditz.
- - *Zelasko*, Kr.-Phys. zu Obornick.
- - *Zeller*, Hofrath u. Dir. d. Heilanstalt Winnenthal.

Gebauersche Buchdruckerei in Halle.

Allgemeine Zeitschrift

für

Psychiatrie

und

psychisch - gerichtliche Medicin,

herausgegeben von

Deutschlands Irrenärzten,

in Verbindung

mit Gerichtsärzten und Criminalisten,

unter der Redaction von

Damerow,
Flemming und Boller.

Sechster Band. Viertes Heft.

Berlin,

Verlag von August Hirschwald.

1849.

Der Druck des VII. Bandes hat begonnen.

Allgemeine Zeitschrift

für

Psychiatrie

und

psychisch-gerichtliche Medicin,

herausgegeben von

Deutschlands Irrenärzten,

in Verbindung

mit Gerichtsärzten und Criminalisten,

unter der Redaction

von

Damerow,
Flemming und Roller.

.

———————

Sechster Band. Viertes Heft.

————————

Berlin,

Verlag von August Hirschwald.

1849.

Zum bayerischen Irrenwesen.*)

Von

Dr. F. W. Hagen,

Kgl. Oberarzt und Vorstand der Kreis-Irrenanstalt in Irsee.

Der ständige Ausschuss, welcher von dem im vorigen Jahre zu München stattgehabten Congress bayerischer Aerzte niedergesetzt wurde, hat, öffentlichen Blättern zufolge, bei der (aufgelösten) Landtagsversammlung unter mehreren anderen auch einen das Irrenwesen betreffenden Antrag gestellt. Es ist somit vorauszusehen, dass dieser Gegenstand bei gegenwärtigem Landtag zur Sprache kommen wird. Und da wenigstens zu hoffen erlaubt ist, dass es dabei zu definitiven, vielleicht die Sanction der Staatsregierung erhaltenden, Beschlüssen kommen werde, so ist es Pflicht für Jeden, der in dieser Sache ein Urtheil abgeben kann, seine Ansichten auszusprechen, und so wenigstens dafür zu sorgen, dass für diese Berathung ein hinreichendes Material vorbereitet werde. Dies ist Ursache und Zweck dieser Schrift.

Damit aber dieselbe nicht von vorn herein Manchem als ganz vergeblich erscheine, so ist es nöthig, gleich hier am Anfang einen Theil ihres Inhalts anzu-

*) Diese Abhandlung hat der Herr Vf. den bayerischen Kammern überreicht und wird als Beitrag zur Geschichte des Irrenwesens hier mitgetheilt.

geben. Man könnte nämlich einwenden wollen, dieser Gegenstand gehöre nicht zum Wirkungskreis der
Kammern, weil die Irrenanstalten in Bayern schon
seit geraumer Zeit nicht zu Staats - sondern zu Kreisanstalten erklärt seien, und somit Berathungen über
dieselben nicht vor das Forum der Land*tage*, sondern
vor das der *Landräthe* gehörten. Nun, eben in dieser Bestimmung finde ich einen Hauptschaden unseres
Irrenwesens, welcher es hindern wird, jemals zu
rechter Blüthe zu gelangen, und bezwecke daher,
dass .unter Mitwirkung des Landtages dieses Gesetz
abgeändert oder genauer bestimmt werde. Hiebei
lässt sich im Voraus denken, dass, im Fall ein solches abgeändertes Gesetz, wonach die Irrenanstalten
wenigstens in einer bestimmten Weise vom Staat
übernommen würden, als nothwendig erkannt werden
sollte, dies nicht abginge, ohne dass zugleich die
Staatskassen in Anspruch genommen würden. Auch
in dieser Rücksicht ist somit die Frage des Irrenwesens Sache der Kammern.

Indem ich mich nun zum Gegenstande selbst wende, will ich nicht, wie man sonst in Schriften über
Irrenanstalten zu thun gewohnt ist, Klagen über den
schlechten Zustand derselben, und Empfehlungen zur
Verbesserung des Looses ihrer unglücklichen Bewohner an die Spitze stellen. Nicht als ob ich mit diesen Klagen, besonders auch in Bezug auf Bayern,
nicht übereinstimmte. Aber die Zeit ist hoffentlich
vorüber, wo dergleichen noch wirklich nöthig war,
und es wird wohl auch in Bayern gegenwärtig kein
Mensch von einigem Gefühl die dringende Nothwendigkeit einer geordneten Irrenpflege mehr läugnen.
Denn nach langen Mühen ist zwar in den letzten Jahren endlich ein thatsächlicher Anfang zum Besseren
gemacht; aber noch sind der Lichtpunkte nur wenige,
und im Ganzen sieht es noch nicht allzu erfreulich

aus. Ja, es schickte sich so, dass unser Irrenwesen
schòn an Uebeln von fast entgegengesetzter Natur
litt. Wenn dasselbe nämlich früher deshalb im Argen lag, weil dafür zu wenig geschah, so droht ihm
jetzt das andere Unheil, dass, wenn auch keineswegs zu viel, doch wenigstens zu vielerlei (non mul-
tum, sed multa) geschieht, wie sich aus dem Verlaufe unserer Darstellung deutlich ergeben wird. Was
diese selbst betrifft, so erwarte oder fürchte man
keine salbungsreichen Declamationen, als mit welchen sich dieser Gegenstand sehr leicht verbrämen
lässt, sondern einfache Thatsachen und eine nüch-
terne Ableitung dessen, was aus ihnen folgt. Es
wird zwar nur Wesentliches, aber Vollständiges und
Wahres zu bieten sein. Auch werden wir uns hüten
müssen, etwa von vorn herein Partei zu nehmen und
die Ursache der Uebelstände einseitig nur da oder dort
zu suchen; wir wollen im Gegentheil mit dem Gedanken an die Untersuchung gehen:

Iliacos intra muros peccatur et extra.

Nachdem wir uns so vor uns selber sicher gestellt,
wird uns sowohl vor unserm Bewusstsein als von
aussen das Zeugniss der Unparteilichkeit nicht fehlen,
es mag nun Lob und Tadel ein Ministerium oder eine
Ständeversammlung, eine Regierung oder einen Landrath treffen. Unter der Leitung solcher Gesinnungen
lade ich nun die Leser ein, mit mir einen kleinen Gang
durch die Geschichte unserer Landtags - und Landrathsverhandlungen zu machen. Wir werden ihn, um
alle Trockenheit und Langeweile zu verhüten, so
schnell als nur immer der Sache unbeschadet möglich ist, zurückzulegen suchen.

Eine Geschichte des bayerischen Irrenwesens kann
wohl füglich keinen andern Ausgangspunkt haben, als
die Zeit, zu welcher das jetzige Königreich Bayern
sich aus den verschiedenen es jetzt constituirenden

Territorien definitiv bildete, d. h. das Jahr 1816. Um
diese Zeit stand Bayern in Bezug auf Irrenanstalten
gegen andere deutsche Länder noch ziemlich günstig.
Die Anstalt zu St. Georgen bei Baireuth erfreute sich
damals noch des Rufes, welchen sie durch ihren unsterblichen Gründer Langermann erworben hatte,
obwohl sie bereits von dem in Sachsen neu aufgehen-
den Gestirn Sonnensteins überstrahlt wurde. In der
Irrenabtheilung des Juliusspitals in Würzburg übte
Müller trotz vieler Hindernisse eine gedeibliche,
vielfach anerkannte Wirksamkeit. Beide Anstalten
blieben aber natürlich, so vortrefflich sie für ihre Zeit
waren, doch bald hinter den wachsenden Anforderungen der Irrenheilkunde zurück. Die übrigen bayerischen, grösstentheils localen Anstalten, die städtischen zu Giesing bei München, zu Augsburg, Nürnberg, Bamberg, das ehemals Markgräflich Ansbachi-
sche, nun an den Rezatkreis überwiesene, Irrenhaus
zu Schwabach, und die mit der Landesarmenanstalt
zu Frankenthal verbundene Detentions-Anstalt, waren mehr oder weniger alle von derselben Beschaffenheit, wie damals noch die Mehrzahl der Irrenhäuser
überhaupt, d. h. Gefängnisse, deren Beschreibung
man hier erlassen möge, da wir ja alle wissen, wie
sie nur dazu geeignet waren, die ihnen anvertrauten
Unglücklichen des letzten Restes der Menschlichkeit
vollends zu berauben. Die ersten Anregungen zur
Verbesserung dieser Zustände erfolgten im Jahr
1822 *).
Der Abg. Schmerold stellte nämlich in der zweiten Kammer einen Antrag auf Verbesserung des Zu-

---

*) Die nachfolgenden historischen Mittheilungen aus den Land-
tags- und Landrathsverhandlungen wurden mir hauptsächlich durch das reiche Material möglich, womit der ständische Archivar Herr Stumpf mich zu versehen die Güte
hatte, und wofür ich demselben hier öffentlich meinen Dank
auszusprechen für Pflicht halte.

standes der Irrenanstalten im Untermainkreise, und
der Abgeordnete Hofstetter auf Verbesserung derselben im Allgemeinen. Der zweite Ausschuss unter-
stüzte auch diese Anträge im Vortrag über den Staats-
aufwand, und begutachtete ferner, dass in den folgenden drei Jahren das Kgl. Ministerium des Innern
zur zweckmässigeren Einrichtung der Irrenhäuser aus
den jährlichen Ersparnissen an der im Finanzgesetze
bewilligten Summe für Gesundheit und Sicherheit eine
angemessene Summe verwende, und dass das Kgl.
Finanz-Ministerium hiezu schickliche Locale, wenn
nöthig, aus den vorhandenen Staatsgebäuden aus-
wähle. Der Ministerialrath Stürmer bemerkte zuletzt,
dass zwar dem Ministerium die bestehenden Mängel
der Irrenhäuser nicht unbekannt seien, und dasselbe
stets auf Abhülfe gedacht habe, dass aber hiezu
Fonds fehlten. Der *Etat* habe hiezu keine Position;
indess würde Rücksicht genommen werden, so weit
Ersparnisse in andern Zweigen der Verwaltung es
möglich machen würden.

1825.

Abg. Anns stellte einen Antrag auf Verbesserung
der Irrenanstalten im Allgemeinen und auf Errichtung
von Kreis-Irrenhäusern, worauf der dritte Ausschuss
(Referent: Abg. Henke) sein Gutachten dahin abgab:
die Regierung sei im Verfassungswege zu bitten, die
dringend erkannte Erweiterung der bestehenden und
die Herstellung neuer Kreis-Irrenhäuser unverzüglich
zu bewirken, die geeigneten entbehrlichen Staatsgebäude dazu zu verwenden, und die Kosten des Baues
— wenn es die bestehende Landescasse nicht vermöchte — so wie die Unterhaltungskosten zunächst
aus den bestehenden Irrenfonds, aus den disponibeln
Ueberschüssen von Wohlthätigkeits- und Cultusstif-
tungen, aus dem Ertrage zu veranlassender freiwilli-
ger Beiträge, subsidiarisch aber aus Kreis-Umlagen

zu schöpfen, deren Erhebung um so weniger Schwierigkeit finden werde, als sie unter Leitung der Landräthe lediglich für die Bedürfnisse jedes einzelnen
Kreises ausgeschrieben würden. Die zweite Kammer
stellte sodann den Antrag, es möge für Errichtung
solcher Anstalten gesorgt werden, und auch die erste
Kammer beantragte Rücksichtnahme auf Errichtung
zweckmässiger Irrenhäuser und Verwendung geeigneter Fonds. Auf den Gesammtbeschluss der Stände
nach diesem Inhalt erfolgte jedoch im Landtagsabschiede keine Antwort.

1828—1830.

Beim Landtage kam diese Sache wiederum zur
Sprache, und Referent Mätzler beantragte, dass für
jeden Kreis eine eigene, oder wenigstens für zwei
Kreise eine gemeinschaftliche Irrenanstalt bestehen
solle. Hierauf wurde von der Staatsregierung den
Landräthen sämmtlicher Kreise diesseits des Rheines
die Frage vorgelegt: ob die Errichtung einer eigenen
Irrenanstalt in jedem Kreise oder einer gemeinschaftlichen, durch das Zusammenwirken mehrerer Regierungsbezirke zu unterhaltenden, vorgezogen werde.
Die Antworten der einzelnen Kreise fielen nun in folgender Weise aus. Der Landrath des Isarkreises
(Oberbayern *)) fasste den Beschluss, dass die Errichtung einer gemeinschaftlichen durch das Zusammenwirken mehrerer Regierungsbezirke zu unterhaltenden Irrenanstalt vorzuziehen sei, weil dadurch die
Verwaltung vereinfacht, so wie die Kosten sehr erleichtert würden. Der Landrath des Oberdonaukrei-
ses (Schwaben und Neuburg) stimmte für die Errich-

---

*) Der Beisatz der jetzigen Kreisbenennungen geschieht blos
um der nicht-bayerischen Leser willen, welchen nicht zugemuthet werden kann, dass sie in unsern Eintheilungen
und deren Geschichte eben so orientirt seien, wie wir.

tung einer eigenen für den Oberdonaukreis besonders
bestehenden Irrenanstalt, und entwickelte seine Gründe dafür, eben so der des Unterdonaukreises (Niederbayern), welcher dazu auch sogleich das ehemali-
lige Damenstift Osterhofen vorschlug. In dem Bescheid hierauf wurden die nöthigen Einleitungen hiezu
anbefohlen, und sodann auch geäussert: „Dabei soll
auf den Vorschlag des Landrathes, dass damit auch
ein entsprechendes Lokal für solche Unglückliche in
Verbindung gesetzt werde, welche wegen Ekel er-
regender oder anstockender Krankheiten (! diese
schliesst man anderwärts grade mit grösster Sorgfalt
aus! Vf.) der Gesellschaft zur Last fallen, und in
ihren Gemeinden nicht untergebracht werden können,
besondere Rücksicht genommen werden." — Der
Landrath des Regenkreises (Oberpfalz und Regensburg) wollte ebenfalls eine Anstalt für seinen Kreis
allein, und den gleichen Beschluss fasste der des
Obermainkreises (Oberfranken), welcher zugleich begutachtete, dass die schon bestehenden Anstalten in
Baireuth und Bamberg zu vereinigen, und zu einer
Kreisanstalt zu erheben seien. Der Untermainkreis
(Unterfranken) äusserte den Wunsch, eine gemeinschaftliche Anstalt unter Mitwirken des Obermain-
und Rezatkreises zu gründen. Der Landrath des Rezatkreises (Mittelfranken) endlich beantragte die Gründung einer neuen, allen Anforderungen entsprechenden Anstalt zu Erlangen, unter Aufhebung der Schwa-
bacher, aber nicht in Gemeinschaft mit einem an-
gränzenden Kreise, sondern für den Rezatkreis allein.

Somit hatten fünf Kreise gegen zwei die Errichtung einer besonderen Irrenanstalt für jeden einzelnen
Kreis begutachtet.

Obgleich es uns drängt, schon hier unser Urtheil
über dieses Resultat abzugeben, so wollen wir es

doch suspendiren, bis wir den weiteren Verlauf kennen gelernt haben. Die Staatsregierung ging auf die
Ansichten der Mehrzahl, wiewohl nicht ohne Widerstreben, ein, und befahl demnach, dass für jeden
Kreis die erforderlichen Vorarbeiten gemacht, und
dem betreffenden Landrathe bei seiner nächsten Versammlung vorgelegt werden sollten.

1831 — 1833.

In der Kammer beantragte *Closen*, dass entbehrliche Staatsgebäude zu Irrenhäusern verwendet, die
Kosten der ersten Herstellung aus Ersparnissen früherer Jahre bestritten, und hiefür vorläufig 80,000
Gulden votirt werden möchten. Die Kammer nahm
den Antrag dahin an, dass entbehrliche Gebäude verwendet und die Kosten der Herstellung aus Ersparnissen bestritten werden sollten, ohne jedoch ausdrücklich für die von Closen bezeichnete Summe zu
votiren. Der *Reichsabschied* bemerkte hierauf: Seine
Majestät habe bereits in den Landrathsabschieden für
Regen - und Untermainkreis für 1829 die Kgl. Geneigtheit erklärt, der Benutzung entbehrlichen Staats-
eigenthums Statt zu geben, finden aber den weiteren,
die Kosten der ersten Herstellung betreffenden Antrag der Stände bei der mangelnden Zuweisung der
erforderlichen Mittel im Finanzgesetze zur Berücksichtigung nicht geeignet. *Schwindl's* Antrag, aus
dem Lotto jährlich 80,000 Gulden zur Errichtung und
Erweiterung von Irrenhäusern, und zwar jedem Kreise
jährlich 10,000 Gulden zu überlassen, war von der
Kammer verworfen worden. —

In den einzelnen Kreisen war der Verlauf der
Sache folgender. Der Isarkreis stellte die fernere
Bitte, die Kgl. Staatsregierung wolle huldvollst zu
veranlassen geruhen, dass auf geeignetem Wege wenigstens einer der übrigen Kreise vermocht werde,

diesfalls mit dem Isarkreise gemeinschaftliche Sache
zu machen; die neue Anstalt solle zugleich als Lehranstalt dienen; und die bisherige städtische Anstalt
in Giesing sei unter der vom Magistrat in München
gesetzten Bedingung von 6 Freiplätzen zu diesem
Zwecke zu acquiriren und einzurichten. Im Falle
aber auf Trennung der Heil- von der Verpflegs- und
Aufbewahrungsanstalt bestanden werden sollte, so
möchte jene in Giesing errichtet, für diese aber das
Kloster Indersdorf verwendet werden. Die Staatsregierung schien hierauf eingehen zu wollen, und be-
auftragte die Kreisregierung zu den nöthigen Voran-
schlägen und Einleitungen. Im Jahr 1833 erklärte
jedoch der Landrath seine Ueberzeugung, dass Indersdorf nicht passend sei, demnach die Arbeiten
daran einzustellen, und dagegen Giesing durch Neubauten zu erweitern sei. Die Staatsregierung war indess der gegentheiligen Ueberzeugung, und die Arbeiten in Indersdorf wurden fortgesetzt. — Der Oberdonaukreis brachte die Klöster Irsee oder Wörisdorf
in Vorschlag; ersteres würde vom Staat überlassen,
und die Arbeiten begonnen. Im Unterdonaukreis kam
man in dieser Zeit mit der Wahl des Locals nicht
zum Ziele, während der Regenkreis sich für den Ankauf der Karthause bei Regensburg entschied. Der
Landrath des Obermainkreises gelangte zu keinem
Beschluss in dieser Sache, und der des Untermain-
kreises schlug vor, dass dieser sich mit dem Rhein-
und Untermainkreise vereinigen, und diese drei Kreise
dann zwei Anstalten haben sollten, nämlich eine Heilanstalt bei Würzburg und eine Pfleganstalt zu St.
Georgen bei Baireuth. Im Rezatkreis blieb man zwar
bei der Entscheidung, dass die Anstalt in Erlangen
zu errichten sei, stimmte aber den dessfallsigen von
der Staatsregierung vorgelegten Bauplänen ihrer Kostspieligkeit wegen nicht bei.

1834—1836.

Auf den vom Abg. *Anns* in der Kammer geäusserten Wunsch, Errichtung eines Irrenhauses im Regenkreise und Genehmigung des Ankaufes des hiefür geeigneten Gebäudes bei Regensburg betreffend,
erwiederte der Minister des Innern, dass dieser Gegenstand besondere Umsicht erheische, und nicht
übereilt werden könne. In einem besondern Antrag
erläuterte hierauf Abg. Anns, dass für zweckmässige
Unterbringung und Behandlung der Irren noch nirgends hinreichend gesorgt sei, und beantragte daher,
dass 1) streng untersucht werde, warum und aus
welcher Ursache das Vorhaben und der Beschluss des
Landrathes für den Kauf einer Realität zu Errichtung
eines Irrenhauses im Regenkreise nicht realisirt werde, und 2) die Errichtung von Irrenhäusern in allen
Kreisen mit Beseitigung alles luxuriösen Aufwandes
möglichst beschleunigt und erleichtert werde. Der
Antrag wurde an das Ministerium des Innern zur
Würdigung abgegeben.

In Oberbayern geschah in dieser Zeit nichts Er-
hebliches. In der Anstalt für Schwaben, Irsee, wurde
mit grossen Unterbrechungen und nach wechselnden
Systemen gebaut, so dass die ursprünglich berechnete
Summe für die bauliche Herstellung fast bis auf das
Doppelte stieg, und der Landrath sich zu bittern Klagen veranlasst sah. Eine Zeit lang herrschte damals
bei der Staatsregierung der Wunsch vor, diese Anstalt als für drei Regierungsbezirke gemeinschaftlich
zu bestimmen. Für den Unterdonaukreis wurde als
Sitz der Irrenanstalt vom Landrath die Stadt Deggen-
dorf in Vorschlag gebracht, alles Uebrige aber der
wohlwollenden Fürsorge Seiner Majestät anheimgestellt. Im Regen-, Ober- und Untermainkreis gedieh die Sache um nichts weiter, obgleich in den
Landrathsabschieden fortwährend genaue Erörterungen

und Vorlagen versprochen, und die Kreisregierungen dazu angewiesen wurden. Für den Rezatkreis wurde die Errichtung einer eigenen Heil- und Pfleganstalt bei Erlangen mittels Neubaues nach einem vollständig bearbeiteten, von dem Landrathe beifällig aufgenommenen Plane allerhöchst genehmigt, und der Bau auch wirklich begonnen. Die Stadt Erlangen gab 20,000 Gulden dazu her.

Unterdessen hatte das Ministerium nochmals den Versuch gemacht, die Bemühungen der einzelnen Kreise für Irrenanstalten in ein System zu bringen. Es pflichtete damals dem der völligen Trennung der Heil- von den Pfleganstalten bei, und verfügte im März 1835, dass für ganz Bayern drei Heilanstalten und vier Pfleganstalten bestehen sollten, und zwar: *Heilanstalten* zu Indersdorf für den Isar-, Ober- und Unterdonaukreis, bei Erlangen für den Rezat- und Regenkreis, bei Würzburg für den Ober- und Untermainkreis und den Rheinkreis; *Pfleganstalten* zu Irsee für den Ober- und Unterdonaukreis und Isarkreis, bei Regensburg für den Regen- und Rezatkreis, zu St. Georgen bei Baireuth oder Bamberg für den Ober- und Untermainkreis; endlich zu Frankenthal für den Rheinkreis. Dieser Plan schlief indess, vielleicht auch in Folge des Widerstandes der Landräthe, wieder ein, und man findet später keine Spur mehr, dass etwas zu seiner Verwirklichung geschehen sei.

1837—1839.

Der praktische Arzt und Irrenarzt zu Giesing, Dr. Christlmüller, gab eine Vorstellung betreffs der zweckmässigen Einrichtung der Irrenanstalt zu Giesing, resp. der Einrichtung einer Irrenheilanstalt durch Bewilligung von Staatsmitteln ein. Der Ausschussreferent Schwindl glaubte jedoch, der Regierung nicht vorgreifen, vielmehr vorerst nur eine die verzweiflungsvolle Lage so mancher Familie beher

gende Rücksichtnahme erbitten zu dürfen. Sonst kam
auf diesem Landtage nichts diese Angelegenheit direct Betreffendes zur Sprache. Hingegen entstand
auf ihm ein wichtiges Gesetz, welches von dieser
Zeit an den Erisapfel zwischen Landräthe und Staatsregierung warf, nämlich das *Gesetz über die Ausscheidung der Kreislasten von den Staatslasten*, und
die Bildung der Kreisfonds. Nach Art. I. D. e. dieses
Gesetzes gehört zu den nothwendigen, gesetzlich auf
die Kreise hingewiesenen, Lasten auch der jeweilige
Gesammt-Staatsaufwand auf die als Kreisanstalten
bereits bestehenden oder etwa künftig zu errichtenden Irrenanstalten, Armenbeschäftigungs- und Wai-
sen-Unterstützungs-Anstalten. Für den, welcher in
den gesetzlichen Bestimmungen weniger bewandert
ist, möge die Bemerkung dienen, dass bei uns die
Ausgaben für nothwendige Kreiszwecke, im Gegensatz
zu den s. g. facultativen Zwecken, von der Staatskasse bestritten werden müssen. Wir werden sehen,
wie sich nun hierüber ein noch nicht zu Ende gegan-
gener Kampf entspinnt.

In den einzelnen Kreisen ist Folgendes zu bemerken. Der Landrath von Oberbayern bedauert betreffs der Anstalt zu Indersdorf, dass eine das Interesse des Kreises und seines Fonds so vielfach be-
rührende Angelegenheit bisher so sehr vernachlässigt
wurde, indem in grossem Abstande gegen die primiti-
ven Voranschläge von 17000 und dann noch 7000 Gulden schon 27000 verbaut seien, und doch jetzt noch
ohne die innere Einrichtung 102990 Gulden postulirt
würden, wovon 81002 Gulden aus Kreiszuschüssen
zu decken seien, wozu bei den vorhandenen Mitteln
noch 13—14 Jahre nöthig seien. Es wurde genaue
Untersuchung der Beschwerden und Bedenken des
Landraths zugesagt. — In Schwaben und Neuburg
glaubte man 1838 die Sache schon so weit gediehen,

dass der Landrath schon Summen zur innern Einrichtung
beantragte und Vorschläge in Bezug auf das anzustel-
lende Personal machte, auch der Landrathsabschied aussprach: nach den beantragten Etatsmitteln habe die
Kreisregierung ungesäumt das Weitere einzuleiten, um
pro 1839/40 die Anstalt eröffnen zu können (!!).
Im Jahr 1839 hingegen „vernahm der Landrath mit
höchstem Bedauern den Stillstand in der Herstellung
und Einrichtung dieser Anstalt", und zwar um so
mehr, als die schon im Jahre 1834/35 projectirte Vereinigung dieser Anstalt mit Oberbayern im Antrage
liege. Gegen die Vereinigung sprach sich der Landrath als nicht nützlich und wünschenswerth aus, und
es wurde zugesichert, dass nach sorgfältiger Prüfung der Sache weitere Entschliessung solle ertheilt
werden. — Der Landrath von Niederbayern wünschte
einstweilen erst den Plan zu einem Gebäude; der
oberpfälzische kaufte zwar die Karthause bei Regensburg um 60,000 Gulden; aber in Bezug auf die Einrichtung derselben blieb es bei Anträgen, welche der
Landrathsabschied stets reiflichen Erwägungen unterstellen lassen zu wollen versprach. — In Oberfranken rückte die Sache auch wenig von der Stelle,
und in Unterfranken wurde einstweilen admassirt und
um Vorlage von Bauentwürfen gebeten. In Erlangen
wurde fortgebaut.

1840—1842.

Beide Kammern fassten den Beschluss: Seine Majestät seien auf verfassungsmässigem Wege zu bitten,
die Herstellung, resp. Vollendung und Eröffnung der
nöthigen Irrenanstalten als eines der dringendsten Bedürfnisse des Landes möglichst beschleunigen zu
lassen, hiezu die disponibeln Kreismittel zu verwenden, und die weiter nöthigen Credite auf die Er-
übrigungen der dritten Finanzperiode zu eröffnen.
Darauf hiess es im Landtagsabschied: `Wie nun die

auch von Sr. Maj. lebhaft gewünschte Vollendung der Kreisirrenhäuser so schleunig als möglich bewerkstelligt werden könne, werden Allerhöchstderselbe nach Eröffnung des Reichsabschiedes in weitere Erwägung ziehen, und haben vor, das Geeignete zu verfügen.

In Oberbayern gerieth die Anstaltsfrage völlig in Stocken. — Nach Irsee wurde vom Ministerium Dr. Hipp (der damals von einer Reise zurückgekommen war) geschickt, und dessen Bericht dem Landrath vorgelegt. Da derselbe jedoch ausser dem bisherigen Gebäude, das er zur Pfleganstalt bestimmen wollte, noch einen Neubau für heilbare Irren verlangte, so fürchtete der Landrath, es möge auf diese Art die Vollendung der Anstalt auf weitere 10 Jahre verzögert werden, und bat, lieber den begonnenen Bau in kürzester Zeit zu vollenden. Später berechnete der Landrath, dass bis jetzt nahe an 100,000 Gulden postulirt und verausgabt worden seien; nun aber sei von der Regierung ein neuer Vorschlag zu Errichtung einer neuen Oeconomie u. dgl. m. gemacht worden, wodurch voraussichtlich ein neuer Aufwand bis zum Betrage von 200,000 Gulden entstünde; er bat daher um einem Zuschuss aus Centralfonds, wurde aber mit folgendem Bescheid abgewiesen: „Dass für den Schwäbisch-Neuburg'schen Kreis eine eigene Irrenanstalt mit grossem Kostenaufwande errichtet wird, ist keineswegs Folge eines gesetzlichen Anspruchs auf Zuschuss aus Centralfonds, sondern einzig und allein der desfallsigen beharrlichen Wünsche des Landraths und seines entschiedenen Widerspruchs gegen jede Vereinigung mit andern Kreisen. Uebrigens ist es Sr. Maj. genehm, dass nach dem Wunsche des Landraths vorerst nur zur theilweisen Vollendung des für die Kreis-Irrenanstalt zu Irsee bestimmten Gebäudes und zu dessen Eröffnung für die Aufnahme von Irren geschritten werde." — Es wurde jetzt auch definitiv bestimmt, dass die Anstalt zu Irsee nur auf den Kreis ausschliessend beschränkt bleiben, und beide Zwecke, nämlich Heilung und Bewahrung der Irren, in sich vereinigen solle. In Niederbayern, Oberpfalz, Ober- und Unterfranken bewegte sich die Angelegenheit immer auf gleichem Standpunkt fast nur um Admassirung von Geldern. — Der Landrath von Mittelfranken gab dem Antrag der Stadt Erlangen, dass sie zum Behufe der Beschleunigung des Baues einen Vorschuss zu 4 Procent mit jährlichen Tilgungen geben wolle, seine Zustimmung.

1843—1845.

Auch dieses Mal stellten beide Kammern Anträge über das Irrenwesen. Sie beschlossen: Se. Maj. sei zu bitten, auf den Grund des Ausscheidungsgesetzes d. d. 17/11. 1837 Art. I. D. 3. den Gesammtstaatsaufwand auf die als Kreisanstalten bestehenden und in der fünften Finanzperiode noch errichtet werdenden Irrenanstalten ermitteln, und die Ausgaben hieher als nothwendige, gesetzlich auf die Kreise hingewiesene, Lasten aus den Centralfonds auf die Kreisfonds überweisen zu lassen. Der Minister des Innern erklärte, dass man die beabsichtigte Trennung der Heil- und Pfleganstalten aufgegeben habe, und dass nunmehr in Bayern drei relativ verbundene Anstalten errichtet werden sollten, welche nothwendig mit den Universitäten in Verbindung gebracht werden müssten. Der Landtagsabschied sagte (§. 8): „Wir haben von die geeigneten Anordnungen unverzüglich treffen lassen, damit die Herstellung wohl eingerichteter u vollkommen ausgestatteter Irrenanstalten in einer dem wahren Bedürfnisse entsprechenden Zahl zunäch mittelst der Verwendung der hiefür bereits aus der Kreisfonds angesammelten Mittel in möglichst kurzer Zeitfrist bewerkstelligt werde." Und §. 19: „Da der Aufwand für Herstellung und Erh der Irrenhäuser nach der Bestimmung der Verordnung über das Armenwesen vom 17/11. 1816 schon früher den Centralfonds nicht obgelegen ist, das Gesetz vom 17/11. 1837 aber lediglich die Aufgabe und den Zweck gehabt hat, zum Vollzug des §. 3. des Landrathsgesetzes vom 15/8. 1828 die bis dahin von der Staatscasse bestrittenen und nach ihrer Natur zur Uebertragung auf die Regierungsbezirke geeigneten Ausgaben auszuscheiden und den Kreisfonds zugleich die für solche bisher schon getragene Ausgaben unter den allgemeinen Staatseinnahmen enthaltenen Fonds zu überweisen, so müssen wir im Hinblicke auf die erwähnte gesetzliche Bestimmung Bedenken tragen, die Dotation solcher Anstalten auf die Centralfonds zu übernehmen."

In Bezug auf Oberbayern bestand die Staatsregierung auf Errichtung der Anstalt zu Indersdorf, resp. bedingungsweise Auflösung der Giesinger Anstalt, machte jedoch keine Hoffnung auf einen Beitrag aus der Staatscasse, sondern wies auf die Vereinigung mit Niederbayern oder Oberpfalz hin, was jedoch der einstweiligen Errichtung der Anstalt blos für Oberbayern nicht hinderlich sein solle. Der Landrath glaubte aber auf keinen Beschluss eingehen zu können, bevor ihm nicht definitive Vorlagen über die Bedingungen der Vereinigung mit andern Kreisen, weitere Baulichkeiten, Entsumpfung der Umgegend, Einrichtung und Deckungsmittel gemacht seien, in Bezug auf welche letztere er sich wiederholt gegen eine etwaige ständige Hinweisung auf die Fonds für facultative Zwecke verwahren zu müssen glaubte. Es wurde zugesagt, dass nach beendeter Sachinstruction Entschliessung erfolgen werde; bei der nächsten Landrathsversammlung war aber diese Instruction noch nicht zum Schlusse gediehen. — In Schwaben und Neuburg war durch das Ministerium ein neuer Bauplan für Irsee entworfen worden, was dem Landrathe Gelegenheit zu bittern Klagen über die ewig neuen Hindernisse gab, die der Vollendung in den Weg gelegt würden; er trug jetzt schon zu wiederholten Malen auf Ernennung des Arztes und Verwalters an. Was die Kosten für Unterhaltung der Irren betreffe, so war der Landrath der Ansicht, dass der Vermögliche seine Bedürfnisse aus eigenen Mitteln, der Mindervermögliche theils aus eigenen, theils aus Mitteln der Gemeinde, und der Unvermögliche blos aus Mitteln der Gemeinde zu bestreiten haben solle; wo aber letztere mangeln, da gab sich der Landrath der Hoffnung hin, die künftigen Ausfälle der Anstalt zu Irsee in Hinsicht der Unterhaltungskosten aus dem Etat der Staatsanstalten gedeckt zu sehen, um nicht den Gemeinden, die ohnehin durch verschiedenartige indirecte Abgaben oft sehr überbürdet sind, und denen der Verlust eines ihnen angehörigen von Wahnsinn befallenen Individuums an und für sich schon in mancherlei Beziehungen schmerzlich fällt, auch noch die drückenden Lasten und Abgaben für Verpflegung desselben im Irrenhause zur Last legen zu müssen. Auch die Besoldung des Arztes und seines Assistenten möchte auf die Kreisfonds für nothwendige Zwecke übernommen werden. Vom Ministerium wurde nun der Regierung aufgetragen, die nöthigen Einleitungen für Vollendung, innere Einrichtung u. s. w. zu treffen, dass die Eröffnung der Anstalt bis zum Jahre 1847 bewerkstelligt werden könne. — Der Landrath von Niederbayern beschloss, von der Errichtung einer eigenen Anstalt ganz Umgang zu nehmen, dagegen aus den admassirten Geldern einen besonderen Fond für Unterstützung der Irren des Kreises zu bilden, und die Zinsen desselben mit Zurechnung der jährlich nach Bedürfniss aus den facultativen Fonds zu gewährenden Beiträge zur Unterbringung der Irren in den verschiedenen Anstalten des Lan

weit dieselben nach den gesetzlichen Bestimmungen
eine Kreis-Unterstützung in Anspruch nehmen können,
verwendet, und die Verfügung über diese Fonds der
Kreisregierung überlassen werden möge, welche sodann jährlich die Nachweisung über Einnahme und
Ausgabe dieser Mittel dem Landrathe zur Anerkennung mitzutheilen hätte. Dieser Antrag erhielt auch
die allerhöchste Genehmigung. — Obgleich der Landrath des oberpfälzischen Kreises dringend bat, dass
dessen Anstalt doch bald in's Leben gerufen werde,
erfolgte doch der Bescheid, dass von der Errichtung
derselben Umgang genommen werden, und der Kreis
seine Kranken in Anstalten anderer Kreise unterbringen solle. Der Landrath machte hierauf den Antrag
zu einem Anschlusse an die Erlanger Anstalt. Dieser
wurde jedoch erst von einer vollkommenen Verstän-
digung mit dem mittelfränkischen Landrath abhängig
gemacht, und einstweilen nur die Unterbringung der
Kranken in der Erlanger Anstalt genehmigt. — In
Oberfranken gedieh die Sache um nichts weiter; in
Unterfranken wurden erst die Einleitungen zur Ent-
werfung des Bauplanes getroffen. Für den Ausbau
der mittelfränkischen Anstalt kam der Vorschuss der
Stadt Erlangen von 50000 Gulden mit jährlichen Rück-
zahlungen von 3000 Gulden zu Stande, und die Anstalt wurde vollendet. Fortwährend erklärte übrigens
der Landrath auf das Bestimmteste, dass er nach dem
Ausscheidungsgesetze die Ausgaben auf die Kreis-
Irrenanstalt als auf die Fonds für nothwendige Zwecke
gehörig betrachte, mithin alle Summen, die hiefür bisher aus den Fonds für facultative Zwecke verwendet
wurden, nur als einen Vorschuss an die Fonds für
nothwendige Zwecke ansehen könne, der seiner Zeit
den Fonds für facultative Zwecke zu ersetzen sei.
Aber eben so bestimmt wies die Staatsregierung dieses Ansinnen stets zurück.

1846—1849.

In den Kammern kam nun nichts mehr über Irrenanstalten vor. Hingegen fällt in diese Periode (23. Mai
1846) die *Abänderung* des *Ausscheidungsgesetzes.*
Nach diesem abgeänderten Gesetz, welches vom 1. October 1849 an in Wirksamkeit treten soll, werden nun
alle Ausgaben „für allgemeine Sanitäts-Anstalten des
Regierungsbezirks, namentlich Kranken-, Gebär- und
Irrenhäuser" ausdrücklich den Kreisfonds überwiesen;
was indessen durchaus nicht hindert, dass für diese
Anstalten Staatsmittel verwendet werden können, da
nach demselben Gesetz (Art. VI. 3.) die zur Deckung
sämmtlicher Kreisausgaben zu bildenden Kreisfonds
unter Anderm auch gebildet werden „durch den bud-
getmässigen Zuschuss der Staatskasse für Industrie
und Cultur, oder für andere Kreis-Zwecke". Es
kommt also lediglich auf Ministerium und Landtag an,
ob sie in das Budget Summen für Kreis-Irrenanstalten einstellen wollen oder nicht.

Betreffs der oberbayerischen Anstalt war eine neue
umfassende Instruction angeordnet worden, deren Abschluss aber sich von Jahr zu Jahr verzögerte, und
auch bis jetzt noch nicht erfolgt zu sein scheint.
Unterdessen gab der Landrath ein sehr gut motivirtes
Gutachten ab, in welchem er entwickelte, dass das
Kloster Indersdorf sich zu einer Irrenanstalt nicht eigne,
daher zu einer Armenbeschäftigungsanstalt für den
Kreis verwendet, die Irrenanstalt aber in der Nähe
von München, wo auch die Universität aus derselben
Vortheil ziehen könne, errichtet werden sollte. Wegen letzterer Beziehung möge sich an dem Bau und
den Unterhaltungskosten der Staat betheiligen. Ausserdem, dass noch jährlich Geld admassirt wird, scheint
diese Angelegenheit jedoch nun ganz zu ruhen. Man
hat sich überzeugt, dass Indersdorf zu einer Irrenanstalt nicht passe, und daher den Bau aufgegeben;

37 *

dem Vernehmen nach soll nun der Landrath von der Staatsregierung die Summen, welche gegen seinen schon früher ausgesprochenen Willen doch noch in die Anstalt verbaut wurden, reclamiren. — Der Landrath von Schwaben liess den Stand der Bauten in Irsee durch eine eigene Deputation untersuchen, und ergoss sich in bittern Klagen über manche unnöthige Ausgaben, und dass die so oft verheissene Eröffnung immer wieder von Neuem verschoben werde. Es wurden stets baldige Entschliessungen zugesagt, aber erst im März 1849 kam es zu der längst erbetenen Ernennung des Oberarztes und Verwalters. In Niederbayern blieb sich der Stand der Sache wesentlich gleich. Die Oberpfalz brachte einen Theil ihrer Irren in Erlangen unter; von der Regierung Mittelfrankens war zwar dessen Landrath eine Erweiterung der Anstalt mit Zuziehung der Oberpfalz zu den Bau- und Unterhaltungskosten vorgeschlagen worden; der Landrath fand aber, dass bei den Bedingungen, welche dieser Vereinigung zu Grunde gelegt werden sollten, der eigne Kreis zu kurz käme, und stellte andere, deren Annahme von Seite der Oberpfalz noch in Frage steht. Das Ministerium hat sich hierüber Entschliessung vorbehalten. In Oberfranken blieb sich die Sache gleich. Der Landrath von Unterfranken stellte die Frage, ob nicht statt eines Neubaues es in Betracht der Kosten räthlicher wäre, das ehemalige Benedictinerkloster zu St. Stephan in Würzburg, welches Heine bisher zu seiner nunmehr aufgelösten orthopädischen Anstalt benutzt hatte, zur Irrenanstalt zu verwenden; aber sowohl von baulich- als medicinisch-technischem Standpunkt wurden diese Gebäude als nicht geeignet befunden. Unterdessen wuchs durch Admassirung der Irrenfond bis circa 200,000 Gulden, und es werden nun die Einleitungen zum Beginne des Baues getroffen. Die Irrenanstalt in Erlangen, welche bis zu ihrer Voll-

endung nebst Einrichtung 236,567 Gulden gekostet
hatte, wurde am 1sten August 1846 eröffnet, die Irren
von Schwabach und Nürnberg übergesiedelt, und, da
Pfleglinge aus allen Kreisen Aufnahme fanden, so hat
sich die Zahl der Patienten bis jetzt auf nahe zu 160
erhöht, womit jedoch die Anstalt bereits überfüllt ist.
Uebrigens erneuerte der Landrath stets seinen Vor-
behalt betreffs der Kreislasten.

In der Rheinpfalz ist der wesentliche Stand der
Sache gegenwärtig dieser, dass der Landrath aus
verschiedenen plausibeln Gründen sich weigert, für
die Irren des Kreises auf einen Anschluss an die
Würzburger Anstalt einzugehen, aber gleichwohl das
Ungeeignete der Bewahranstalt zu Frankenthal und
die dringende Nothwendigkeit einer neuen Irrenanstalt
lebhaft fühlt. Da er jedoch darauf besteht, dass die
Erbauung einer solchen von der Staatskasse übernommen werde, die Staatsregierung aber sich dessen
standhaft weigert, so ist die Sache dort bis jetzt
nicht weiter gediehen, sie müsste denn durch die letzten Landrathsverhandlungen und den betreffenden Abschied, welche mir bis zum Druck dieser Blätter
nicht mehr bekannt worden, eine andere Wendung
genommen haben.

Dies ist in kurzen Umrissen die Geschichte des
bayerischen Irrenwesens. Demnach wären denn seit
dem Jahr 1822, wo dieser Gegenstand zuerst in der
Ständeversammlung zur Sprache kam, und das Ministerium versicherte, dass es auf Abhülfe denke, zwei
von den projectirten Kreisanstalten im Gange, bei
einer dritten steht die Eröffnung in beiläufig 6 Jahren
in Aussicht; zwei Kreise besitzen alte Detentionsanstalten, und drei gar keine (denn Giesing ist keine
Kreisanstalt).

Was diese letzteren betrifft, so sollen sie ihre
Kranken in einer der übrigen Kreisanstalten unterbringen, und zu diesem Zwecke den betreffenden Familien oder Gemeinden Unterstützungen aus den ursprünglich zur Gründung von Anstalten admassirten
Fonds verabreichen. Dies geschieht auch, und man
sollte glauben, so wäre die Sache ganz in der Ordnung, und zweckmässig eingerichtet. Allein in der
That ist es nicht so; die Zahl der sich in ordentlichen
Anstalten befindenden Irren aus diesen Kreisen ist im
Vergleich zu den Kreisen, welche selbst Anstalten
besitzen, unverhältnissmässig gering. So waren z. B.,
als die Anstalt Erlangen 130 Kranke zählte, 80 davon
aus Mittelfranken, und nur 50 aus allen übrigen Kreisen Bayerns und dem Ausland zusammen genommen,
und bei dem neuen Etat hat man deren auch nicht
mehr angesetzt. Es liegt am Tage, dass in diesen
Kreisen nicht im Entferntesten Alle, welche die Hülfe
einer Irrenanstalt bedürfen, dieselbe wirklich erhalten,
und dass somit der Stand der Dinge hier ein noch
sehr ungünstiger ist. Die Gründe sind nicht weit zu
suchen. Die überwiegende Mehrzahl der Irren gehört
theils den armen, theils den wenig bemittelten Klassen
an, und hier ist der Geldpunkt meistens das allein
über die Verbringung in eine Anstalt Entscheidende.
Nun liegt es in der Natur der Sache, dass ein Kreis,
welcher eine Anstalt besitzt, Angehörige fremder Kreise
nicht unter denselben Bedingungen aufnimmt, wie seine
eigenen, sondern jene um ein Beträchtliches mehr
zahlen lässt. Dies wird schon einen grossen Theil
Derer zurückhalten, welche die Kosten ganz aus eigenen Mitteln bestreiten müssen. Eben dadurch sind
aber auch für diejenigen Kranken, welche die erwähnte
Kreisunterstützung erhalten, diese Kreisbeiträge leichter erschöpft, und ohnedies wird ein Kreis, der keine
Irrenanstalt besitzt, einen um Vieles geringeren Auf-

wand auf's Irrenwesen machen, als ein solcher, der eine hat, da ein Eigenthum, das eine bestimmte äussere lebendige Gestaltung angenommen hat, bei weitem mehr Interesse und Theilnahme erweckt, als das blosse Vorhandensein einer zu Unterstützungen disponiblen Summe *). Ferner sind diese Kreise viel zu weit von den bestehenden Anstalten entfernt, und es lassen Viele sich durch die Länge des Weges, die Schwierigkeit des Krankentransports, die Kostspieligkeit von Kleider – und Wäschsendungen, und die seltenere Möglichkeit des Besuches der Angehörigen von der Benutzung derselben abschrecken. Endlich ist auch wohl zu beachten, dass immer noch grosse Vorurtheile gegen Irrenanstalten bestehen; Vorurtheile, welche nur durch die eigene Anschauung guter Anstalten, und der in ihnen herrschenden Pflege und Behandlung der Kranken beseitigt werden können. Eine derartige Aufklärung ist aber in der nächsten Umgegend der Anstalt am leichtesten, und wird in dem Maasse schwieriger und seltener zu verwirklichen, je weiter die Aufzuklärenden von der Anstalt entfernt sind. Die Vorurtheile gegen Anstalten werden also in den Kreisen, welche keine haben, am grössten sein und bleiben, und diese werden jenen die wenigsten Bewohner schicken.

Gehen wir nun von diesen noch ganz entblössten Kreisen zu jenen über, welche ältere Anstalten besitzen, so sind diese zwar etwas besser daran; aber immer geniessen, vom Heilzweck noch ganz abgesehen,

---

*) So waren in Niederbayern nach dem Landrathsabschied vom 19. Juli 1849 (S. 733 ff.) die Mittel des Kreisirrenfonds in diesem Jahre für 21 in Irrenanstalten untergebrachte Individuen verwendet worden, eine Zahl, die gewiss gering ist, wenn man bedenkt, dass Niederbayern eine Bevölkerung von circa 540,000 Seelen, und keine eigene Anstalt zu unterhalten hat.

die Irren daselbst bei Weitem nicht die geeignete
Pflege, welche ihnen nach dem jetzigen Standpunct
dieses Wissens- und Verwaltungszweiges gebührt.
So ist z. B. die Baireuther Anstalt von Stufe zu Stufe
von ihrer ehemaligen Höhe heruntergesunken, und es
ist nichts geschehen, um sie auch nur mit auswärtigen *Pfleg*anstalten ebenbürtig zu erhalten. Noch
schlimmer sieht es in Frankenthal aus. Nicht dass
dieser Uebelstand nicht eingesehen worden wäre; die
betreffenden Landräthe sprachen vielmehr das Wün-
schenswerthe zeitgemässerer Irrenanstalten mehrfach
aus; aber es war keine rechte Energie dahinter, man
drängte nicht so wie in den andern Kreisen, und hielt
die bisherigen Detentionsanstalten denn doch wohl
immer noch für erträglich genug, um noch eine Weile
zusehen zu können. In der Pfalz gaben dabei wohl
vielen Ausschlag politische Rücksichten, indem man
die unbeugsame Freisinnigkeit auch durch festes Beharren auf dem in dem Ausscheidungsgesetz gefundenen Rechte des Kreises in dieser Beziehung bewähren, und die Staatsregierung nach und nach doch
nöthigen wollte, die Herstellung der Anstalten aus
Staatsmitteln zu bestreiten. Die städtische Anstalt
zu Giesing wäre vom Münchener Magistrat wohl schon
längst aufgehoben worden, wenn nur bereits in Oberbayern eine andere existirte. Der Landrath von Unterfranken hat sehr rühmenswerthe Anstrengungen
gemacht, um zu einer allen Anforderungen entsprechenden Anstalt zu gelangen, und, wie man vernimmt,
soll nun bald zur Ausführung geschritten werden.

Wenn sich nun die Leser fragen, welcher Gedanke
ihnen bei diesem historischen Ueberblick über das
bayerische Irrenwesen am ersten und häufigsten gekommen sei, so besteht derselbe wohl bei Allen in
der Verwunderung über die enorme Langsamkeit, mit
welcher derartige Anstalten zur Ausführung und Voll-

endung gelangen; und vermöge des psychologischen
bei den s. g. Ideenassociationen herrschenden Gesetzes
des Contrastes denken jedenfalls Viele auch an die
Schnelligkeit, mit welcher, zum Theil von Ständen
bewilligt, Palläste aus dem Boden wuchsen. Es ist
natürlich, die Gründe hievon aufzusuchen. Wir sahen,
und werden es später noch mehr erörtern, dass an
dieser auffallenden Langsamkeit zunächst hauptsächlich der Geldmangel Schuld war, indem die Kreise
ganz auf ihre eigenen Mittel angewiesen waren, von
denen sie jährlich nur wenige Tausende (4—6000 Fl.)
zu diesem Zwecke verwenden konnten und durften.
Doch war dies nicht die einzige Ursache. So blieb
z. B. die Erlanger Anstalt noch lange Zeit nach ihrer
endlichen Vollendung uneröffnet; die Bauten in Irsee
geriethen oft längere Zeit ganz in Stocken und selbst
in Rückgang, obgleich die jährlichen Kreiszuschüsse
nicht fehlten, und schon vor 10 und dann wieder vor
7 Jahren die baldigste Eröffnung verheissen worden
war; und Indersdorf gab zu Klagen über viele in ver-
gebliche Bauten verwendete Tausende, und Jahrelanges
Ausbleiben fernerer Entschliessungen Anlass. Dabei
fehlte es keineswegs an äusseren Anregungen zu ernst-
licherer Thätigkeit. Landstände und Landräthe liessen
oft ihre Stimme vernehmen, und letztere häufig sehr
dringend; bayerische und ausserbayerische Aerzte erhoben ihre Stimme, und man konnte keineswegs sagen, dass ihr Tadel etwa nur aus Unkenntniss oder
Uebelwollen entsprungen sei *). Daher konnten selbst

---

*) Nur *einer* sah die Dinge in rosigerem Lichte, nämlich
P o p p (kurze Beschreibungen mehrerer Irrenanstalten u. s. w.
Erlangen 1844.). Dieser sagt S. 8: „Aber auch in meinem
Vaterlande, wo ein grosser, schöpferischer König, als Be-
schützer und Beförderer der Künste und Wissenschaften,
sich bereits unsterbliche Denkmäler gesetzt hat, entfaltet
sich auch in dieser Beziehung auf Sein gegebenes Machtwort

die öfteren Versicherungen des lebhaften Interesses
an diesem Gegenstande in einigen Abschieden das, allgemeine Bedenken nicht zerstören, dass man in den
höchsten Regionen für diese Sache kein rechtes Herz
habe; ja, wenn man Gerüchten Glauben schenken darf,
so hatte ein damals allmächtiger Minister zuletzt, eben
der deshalb auf Bayern gerichteten Angriffe wegen,
einen förmlichen Widerwillen gegen die Irrenanstalts-
Frage.

Die Hauptschwierigkeit lag jedoch, wie gesagt,
im *nervus rerum*, dem Geld, da die Irrenanstalten rein
aus Kreismitteln versorgt werden mussten. Die Staatsregierung sträubte sich, wie wir sahen, beharrlich, aus
Staatsmitteln irgend etwas (ausser entbehrlichen Gebäuden, die aber erst herzurichten waren) auf Irrenanstalten zu verwenden, und berief sich dabei auf
frühere Verordnungen, während die Landräthe stets
behaupteten, diese seien durch das Ausscheidungsgesetz aufgehoben. Es ist nicht meines Amtes, in
diesem Streit ein rechtliches Urtheil abzugeben.
Faktisch blieben die Irrenanstalten Kreissache, und
durch das spätere Ausscheidungsgesetz wurden sie
erst recht förmlich dazu gemacht. Hiebei fragte es
sich denn, ob jeder Kreis seine eigene Irrenanstalt

---

eine segenbringende und glanzvolle Zukunft. Schon steht
eine Anstalt zu Erlangen durch königliche Munificenz pracht-
voll aufgeführt bis auf die innere Einrichtung fertig da. Ihr
werden gleich dieser bald in den übrigen Provinzen des
Reiches andere, keiner des Auslandes nachstehend, muster-
haft und jeder Anforderung der Technik und Wissenschaft
entsprechend, folgen." — Letzteres hat sich bis jetzt noch
nicht erfüllt. Was aber die königliche Munificenz für Erlangen betrifft, so ist hier ein Irrthnm zu berichtigen. König Ludwig hat für die Erlanger Anstalt weder aus Privat-
noch aus Staatsmitteln jemals irgend etwas hergegeben, sondern blos gestattet, dass der Kreis Mittelfranken und die
Stadt Erlangen sie auf eigne Kosten bauen durften. —

haben solle, oder ob sich je mehrere zu Gründung
einer solchen vereinigen sollten. Die Mehrzahl der
Kreise entschied für Ersteres: eine Entscheidung,
welche ich für eine Calamität halten muss. Denn
offenbar sind acht öffentliche Anstalten, wenn jede
zweckmässig eingerichtet sein soll, für Bayern zu viel,
namentlich wenn, wie es jetzt den Anschein hat, jede
Anstalt zugleich Heil- und Pfleganstalt sein soll. Es
ist dann nicht möglich, jede so gross zu bauen, dass
in ihr diese beiden Theile relativ gehörig getrennt
seien, und die Verbindung hat dann nur Nachtheile,
während die Vortheile der relativen Verbindung an-
erkannter Massen nur bei einer gewissen Grösse zu
erreichen sind. Im Jahr 1835 hatte zwar das Ministerium eine völlige Trennung von Heil- und Pfleganstalten beschlossen, so dass drei Heil- und vier Pfleganstalten hätten bestehen sollen; allein, noch ganz
abgesehen von der Streitfrage über die Zweckmässigkeit dieser Trennung, so wären sieben Anstalten für
Bayern offenbar um nicht viel weniger zu viel gewesen, als acht. Man hat diesen Plan auch wieder fallen
lassen. Der Hauptgrund, warum eine solche Anzahl
für Bayern zu gross ist, besteht im Kostenpunct.
Schon die Kosten der Herstellung sind, wenn diese
nicht, wie es in der That der Fall war, und zum
grössten Theil noch ist, sich unendlich verzögern soll,
zu gross. Aber auch die Unterhaltungs- und Verwaltungskosten kommen für einen Kreis zu hoch, da
wenigstens die letzteren sich bekanntlich durchaus
nicht in gleichem Verhältniss zur Grösse der Anstalt
befinden. In Erlangen zwar thut sich's gegenwärtig
noch, da diese Anstalt, so lange sie die einzige neuere
in Bayern war, viel Zufluss aus andern Kreisen hatte,
deren Angehörige ein Beträchtliches mehr zahlen. Wie
aber, wenn jeder dieser Kreise seine eigene Anstalt
bekäme, und also seine Patienten für sich behielte,

dann auch allmälig die Ausländer wegfielen? Es ist
klar, dass sich sodann die Einnahmen schmälern, die
Kreiszuschüsse aber erhöhen müssten. Dasselbe würde
aber bei jedem andern Kreise in ähnlicher Weise eintreten. Und auch selbst dann würden die Anstalten
ihrem Zweck, möglichst vielen Bedürftigen Hülfe zu
gewähren, nicht genug entsprechen. Die Kreise, welche
schon auf die Verwaltung und bauliche Unterhaltung
der Anstalt so und so viel zu verwenden hätten, könnten die Verpflegungsgelder nicht niedriger stellen.
Diese sind aber offenbar zu hoch, namentlich was die
dritte Classe betrifft. Eine Menge Unglücklicher, namentlich solche, für welche die Gemeinden zu sorgen
haben, werden dadurch noch von der Benutzung der
Anstalten abgehalten, und verkümmern zu Hause;
und werden sie doch in dieselben verbracht, so fordert man sie häufig noch vor beendigter Heilung oder
Besserung zurück. Man wende mir nicht das Beispiel
Preussens ein, wo auch eine jede Provinz ihre eigene
Anstalt habe; denn unsere Kreise, von denen mehrere
keine 500,000 und die grössten höchstens 700,000 Einwohner zählen, lassen sich in Bezug auf Bevölkerung
durchaus nicht mit jenen Provinzen vergleichen, welche
meistens 1 bis 2, ja 3 Millionen Einwohner haben,
weshalb dort jede Provinzialanstalt immer auf 200 bis
300 Kranke aus der Provinz zählen kann, die dann
schon durch ihre Anzahl die Verpflegung weniger kostspielig machen. Die Staatsregierung sah auch diese
schlimmen Folgen der Vereinzelung der Kreisanstalten
sehr wohl ein, und wies die einzelnen Kreise immer
wieder auf die Vereinigung mit anderen hin, scheiterte
aber an dem Widerstreben der Mehrzahl der Landräthe.

Indessen dürfen wir gegen diese doch auch nicht
ungerecht sein. Unter den damaligen Umständen war
nämlich dieses Sträuben einzelner Landräthe nicht ganz
unbegründet, und zwar in folgenden Erwägungen.

Wenn sich je zwei oder drei Kreise zu Gründung
und Unterhaltung einer Anstalt verbanden, so musste
natürlich jeder dieser Kreise je nach seiner Bevölkerung einen verhältnissmässigen Theil der Kosten tragen, eine verhältnissmässige Anzahl von Patienten
schicken dürfen, und zu einem Antheil an der Verwaltung berechtigt sein. Es war vorauszusehen, dass
sich hiebei eine unerschöpfliche Quelle von Streitigkeiten, gegenseitigen Ansprüchen, Verlangsamungen,
Störungen in Betrieb und Verwaltung öffnen würde.
Die Leitung des Ganzen der Regierung und dem Landrath eines einzigen Kreises zu übertragen, dazu würden sich die übrigen gleichberechtigten schwerlich
verstanden haben, und es wäre somit, um doch eine
Einheit zu erzielen, nichts übrig geblieben, als die
Verwaltung in die Hände des Ministeriums zu legen.
Auf diese Weise hätte aber letzteres die ganze Angelegenheit in die Hände bekommen und vollständig
beherrscht, während den Kreisen nur die Ehre und die
Last des Zahlens geblieben wäre; die Anstalten wären
Staatsanstalten geworden, während der Staat doch
keine Beiträge für sie geleistet hätte. Angesichts des
damaligen durchgreifenden Systems der Bevormundung
konnte man es den einzelnen Kreisen fast nicht ver-
denken, wenn sie so viel als möglich von ihrer Selbstständigkeit zu retten, und sich einen Spielraum zu
erhalten suchen, auf welchem sie doch auch etwas
Eigenthümliches schaffen und verwalten konnten.
Nichts desto weniger bleibt das System, für jeden
Kreis eine eigene Anstalt zu gründen, immer ver-
werflich.

Da ich aber eben nicht minder tadelte, dass
mehrere Kreise noch gar keine oder schlechte Anstalten haben, so fragt sich, wie aus diesen Klippen
herauszukommen ist, und was ich demnach eigentlich
will, dass werden soll?

Meine Antwort ist: das einzige Mittel für alle diese Schäden is dies, die Irrenanstalten zur Staatssache zu machen. Und dazu sollen die Kammern helfen. Die Hindernisse sind mir nicht unbekannt. Das erste, ja wohl das einzige, ist das nämliche, woran schon so viele andere gutgemeinte Anträge scheiterten. Das Donnerwort: Es ist kein Geld da! So kategorisch und abschreckend indess diese Behauptung auch lauten mag, so darf sie uns doch nicht abhalten, ihr etwas näher zu Leibe zu gehen, wobei wir vielleicht finden werden, dass die Schreckensgestalt sich in ein Luftgebilde und Scheingespenst auflöst. Es giebt nämlich sehr viele Dinge, bei welchen es lediglich auf den *Willen* ankommt, ob *für sie* Geld da sein soll oder nicht. Ich will nicht bittere Erinnerungen aufregen; sonst würde ich diesen Satz, wie sehr leicht ist, historisch beweisen, und darthun, für *was Alles* bei uns in den letzten 20 Jahren Ueberfluss an Geld da war; während es für die Irrenanstalten niemals welches gab. Ich denke übrigens, auch ohne solche historische Excurse sind wir über diesen Punkt so ziemlich einig. Auch gehören die begangenen Sünden einer Zeit an, welche jetzt hinter uns liegt. Ein anderer Monarch und andere Minister lenken jetzt die Angelegenheiten des Staates; sie haben hierin ein reines Feld vor sich, und können in dieser Frage sich frei bewegen, ohne dass ihnen etwa Consequenzen aus ihren eigenen früheren Schritten hindernd im Wege stünden.

Es sind ja nicht Millionen, nicht viele hundert Tausende nöthig, sondern die Ansprüche an den Staat wären sehr mässig. Nicht die Unterhaltung und Verpflegung der Kranken nämlich müsste der Staat zu leisten haben; denn hiermit würden schon eine Menge anderer wichtiger, das Armenwesen betreffender, Fragen zusammenhängen, welche so schnell nicht zu lösen sind. Auch hat der Gedanke sehr viel Wahres, dass man in solchen Dingen stets auch der Anstrengung des Einzelnen und dem Wohlthätigkeitssinn der Gemeinden etwas übrig lassen müsse; und die Staatsregierung würde bei dem übergrossen Andrang, der bei völliger Freiheit der Aufnahme stattfinden würde, in vielfache Conflicte kommen, und bei grosser Ueberlastung der Staatskassen doch die Anforderungen der Einzelnen niemals völlig befriedigen können. Der Staat hätte daher meiner Meinung nach nichts zu thun, als eine bestimmte Anzahl von Anstalten zu bauen (von Uebernahme bereits bestehender s. weiter unten), vollständig einzurichten, und für jede eine bestimmte jährliche Summe für Regie und Besoldung der Aerzte und Verwaltungsbeamten und des höheren Dienstpersonals auszusetzen. Dafür hätte er das Recht, den Ort für die Anstalt auszuwählen, das Personale anzustellen, die Grösse der Verpflegungsgelder zu bestimmen, und überhaupt die oberste Aufsicht über den ganzen Betrieb. Die Beischaffung der Verpflegungskosten für die Kranken wäre, wo diese sie nicht oder nicht ganz selbst aufzubringen vermöchten, Sache des Kreises und der Gemeinden, welchen es dann freistehen würde, ihre Kranken da oder dorthin zu schicken. Durch eine solche Einrichtung würden eine Menge Vortheile erzielt.

Erstlich würde wenigstens in dieser Beziehung der unerquickliche Streit zwischen Landräthen und Staatsregierung aufhören. Den Kreisen würde eine bedeutende Last abgenommen, ohne doch die Staatskasse sonderlich zu beschweren. Die Anstalten würden gleichmässiger, in angemessenern Distanzen auf das Land vertheilt, und so allen Gegenden eine gleich leichte Benutzung derselben möglich werden. Sie würden zweckmässiger gebaut werden können, indem bei den grösseren Mitteln des Staates leichter Neubauten zu Stande kämen. Wie die Sachen bisher lagen, griffen einzelne Kreise nur zu begierig nach der einzigen Hülfe, welche der Staat ihnen für diesen Zweck nicht verweigern konnte, nämlich der Abtretung älterer entbehrlicher Staatsgebäude. Dass dies ein Missgriff ist, dass nur in höchst seltenen Fällen ein älteres Gebäude zu einer Irrenanstalt sich eignet, und dass meistens das Herrichten und ewige Flicken fast eben so hoch kommt, als ein Neubau, während die Hauptmängel doch niemals völlig beseitigt werden können, ist so allgemein anerkannt, dass ich dabei nicht länger verweilen will. Ein fernerer Vortheil wäre, dass der Staat beliebig seine Ansichten betreffs der Benutzung zu klinischem Unterricht geltend machen könnte. Endlich würden den Kreisen Mittel disponibel bleiben, die grossen Lasten zu erleichtern, welche bisher auf die Schultern mancher weniger bemittelten Familien und Gemeinden, die solche Unglückliche zu ernähren hatten, drückten. Dieser Punkt ist so wichtig, dass wir bei ihm etwas länger verweilen müssen.

Ein Hauptgrund, weshalb die den Irren geöffneten Asyle bis jetzt noch immer verhältnissmässig so wenig benutzt werden, ist, besonders eben für die ärmeren Klassen, die Kostspieligkeit der Verpflegung, welche in der Natur der Sache liegt. Denn es braucht wohl nicht erst bemerkt zu werden, dass an einen Profit, welchen die Anstalt etwa von solchen Kranken zöge, nicht zu denken ist, da ja ohnedies jeder Kreis jährlich noch so viele Tausende zuschiessen muss. In Erlangen, so wie jetzt in Irsee beträgt das Kostgeld für die dritte Classe bei Patienten, welche aus eigenen Mitteln unterhalten werden, 146 Gulden, und bei denen, wo die Gemeinden zahlen, 127; ist der Pflegling jedoch aus einem andern Regierungsbezirk, so zahlt er 164. Die Kleider sind dabei nicht

mit eingerechnet. Es ist nicht zu läugnen, dass
manche Familien und von den Gemeinden diejenigen,
welche sich reicher Wohlthätigkeitsstiftungen erfreuen,
diese Kosten leicht erschwingen können; aber ungeheuer drückend sind sie für kleinere, namentlich arme
Gemeinden, die diese Last oft noch dazu Jahrzehende
lang tragen müssen, ferner für jene wenig bemittelten
Familien, welche für sich in gewöhnlichen Tagen
gerade genug zum Leben haben, aber auf solche Unglücksfälle nicht gerüstet sind, und doch beim Eintritt derselben keinen Anspruch auf Unterstützung
haben, eben weil sie doch noch etwas Weniges besitzen. Werden solche doch durch die Noth oder
durch ihr Herz getrieben, die Hülfe einer Anstalt in
Anspruch zu nehmen, so stürzen sie sich eben dadurch völlig in Armuth; die Gemeinden geben nichts
her, so lange jene noch einen Pfennig haben, und so
kommen diese Bemitleidenswerthen erst völlig an den
Bettelstab, wovon ich selbst mehrere Beispiele zu
erzählen wüsste. Oder die Folgen treffen den Kranken; dieser wird zu Hause behalten, unheilbar, oft
bis zum Thier erniedrigt; im besten Falle auf kurze
Zeit in die Anstalt geschickt, und dann wieder mit
unablässigem Andringen zurückgefordert, um, wenn
auch bis auf einen gewissen Grad hergestellt, bald
genug wieder rückfällig zu werden, und dann vielleicht unheilbar zu bleiben. Unter solchen Umständen
ist es klar, dass die Anstalten nicht im Entferntesten noch ihren Zweck vollständig erfüllen. Es ist
daher der von so Vielen ausgesprochene Wunsch,
dass solche Anstalten doch immer auch eine Anzahl
Freistellen haben möchten, ein sehr begründeter.
Indess ist aus gewichtigen, schon angegebenen, Gründen die Zahl solcher völligen Freistellen nicht zu
hoch anzusetzen, sondern lieber die Verpflegungsgelder im Ganzen auf eine niedrigere Summe herunter-

zusetzen, und so dem Einzelnen immer noch einige
materielle Sorge um den Kranken zu überlassen. Baden hat in dieser Beziehung eine treffliche Einrichtung; unbemittelte Gemeinden dürfen für einen Kranken nur so viel zahlen, als ihnen nachgewiesener
Maassen die Pflege desselben zu Hause kosten würde.
Will man diese Einrichtung auch nicht bei uns einführen, so sollen wenigstens die Verpflegungsgelder
für diejenigen Kranken, welche von Gemeinden unterhalten werden, oder deren Einkommen nicht eine bestimmte Höhe erreicht, auf 60 oder 70 Gulden her-
untergestellt werden. Die völligen Freistellen, deren
Anzahl bei etwa 200 bis 300 Kranken einer Anstalt
nur etwa 10 betragen dürften, sollten, um den
Schwarm unbegründeter Bewerbungen abzuhalten, niemals gleich bei der Aufnahme von Kranken vergeben
werden, sondern nur für länger in der Anstalt befindliche und unheilbar gewordene, um den Familien und
Gemeinden eine schon länger getragene Last abzunehmen, Dabei sollte auf die Länge der Zeit, auf
den Vermögensstand der Betheiligten, vorzüglich aber
auch darauf gesehen werden, wie bald nach dem Erkranken der Patient in die Anstalt geliefert wurde.
Diejenigen, welche bald dazu thaten, sollten unter
sonst gleichen Umständen den Vorzug haben. Dies
würde ein wesentlicher Sporn sein, die Verbringung
in Anstalten nicht, wie es bisher so oft geschah, zu
lange zu verzögern.

Den Einwand, welchen mir Viele machen werden, dass solche Wohlfeilheit und Freistellen zwar
sehr wünschenswerth seien, die Anstalt aber dabei,
wenn der Staat blos Regie und Angestellte bezahle,
nicht werde bestehen können, mache ich mir selbst,
beseitige ihn aber auch zugleich auf folgende Weise.
Hier soll eben der Kreis ins Mittel treten. Er bilde
eine grossartige Unterstützungs-Anstalt, durch wel-

che bewirkt werde, dass die Bestreitung der Kosten nicht allein auf den einzelnen Unvermögenden, die das Unglück betrifft, laste, sondern sich zur Hälfte auf die ganze Kreisgemeinde vertheile, welche die Bürde weniger empfindet. Er zahle also für die niedrigen Verpflegungssätze die andere Hälfte des Kostgeldes darauf, und verwende hiezu einen Theil derjenigen Summen, welche er bisher auf die Unterhaltung seiner Anstalt oder auf die Admassirung zur Errichtung einer solchen oder ohnehin schon zu Unterstützungen verwendet hatte. Angenommen, dass die Zahl der in dieser Weise zu Unterstützenden jährlich für einen Kreis 50 Gulden, und die Unterstützungssumme für jeden Einzelnen 70 Gulden betrüge (Sätze, welche gewiss schon sehr hoch gegriffen sind), so betrüge die jährliche Summe nur 3500 Gulden, zu welchen noch 5 Freistellen mit einer Totalsumme von höchstens 700 Gulden kämen, im Ganzen also 4200, somit um Vieles weniger, als bisher ein Kreis jährlich auf seine Anstalt verwendete. Und welche Masse von Elend könnte dadurch gelindert werden! Wie viele Unglückliche würden der Gesellschaft wiedergegeben, die jetzt noch zu Grunde gehen! Wie vielen Familien würde die schmerzliche Aussicht erspart, zuletzt doch noch den Gemeinden zur Last zu fallen!

So würde denn die Theilnahme an der Irrenpflege in schöner und angemessener Organisation sich an die verschiedenen Glieder der Gesellschaft, von der Staatsregierung bis zum Einzelnen, vertheilen; jedes dieser Glieder würde seinen Beitrag leisten, und dafür seinen Genuss, sei es auch nur die Freude an dem Gedeihen des Werkes, haben; und dass es segenreich gediehe, ist ausser Zweifel.

Die Frage wäre nun zunächst, wie viele solcher Staatsanstalten es geben solle. Ihre Lösung ist uns

wesentlich dadurch erleichtert, dass wir nun nicht
mehr an die Gränzen gewisser Kreise gebunden sind
denn nach unseren Grundsätzen stünden die Irrenanstalten jedem Kreis zur Benutzung offen, hätten ganz
gleiche Aufnahmsbedingungen, und die Kreise könnten daher ihre Kranken schicken, in welche Anstalt
sie wollten. Es fiele also von vern herein die namentlich bei Bayern seiner Eintheilung nach immer sehr
häkelige Frage weg, wie viele Kreise (2 oder 3)
und welche man zusammen thun wolle. Die Vertheilung der Anstalten könnte nun ganz frei von individuellen Rücksichten geschehen. Nur die Rheinpfalz
genirt durch ihre isolirte Lage; sonst würden wir mit
vier vereinigten Heil- und Pfleganstalten ausreichen.
Da aber doch die dortige Bevölkerung ein gleiches
Bedürfniss hat, wie die diesseitige, und es derselben
allerdings zu viel zugemuthet wäre, bei der weiten
Entfernung ihre Kranken in eine diesseitige Anstalt
zu schicken, so wird es schon nöthig sein, diesem
Kreis eine eigene, wenn auch kleinere, auf nur etwa
100 Kranke berechnete Anstalt zu bewilligen. Auf
die übrigen Kreise würden senach noch vier Anstalten, jede zu etwa 200 Kranken, kommen, d. h. bei
einer Bevölkerung von nahezu vier Millionen auf je
eine Million eine. Man könnte vielleicht denken, dies
wäre schon zu viel, und drei möchten hinreichen;
und ich würde ganz beistimmen, wenn nur dann die
Ausführung, nämlich die geeignete Vertheilung, nicht
so schwierig wäre. Wir können nämlich doch nicht
so ganz ungebunden mehr verfahren, sondern haben
gewisse wirkliche Verhältnisse zu berücksichtigen. Erstens nämlich müssen die drei bis jetzt noch am
schlechtesten versehenen Kreise Ober- und Niederbayern und Oberpfalz berücksichtigt werden. Zweitens besteht die Erlanger Anstalt bereits, und muss
ohne allen Zweifel bestehen gelassen werden. Nun

sind aber, einstweilen von der oberfränkischen ganz
abgesehen, noch die so eben erst eröffnete in Irsee,
und die schon beschlossene und mit Grundbesitz und
einem gehörigen Baucapital versehene in Würzburg
vorhanden. Wollte man also im Ganzen für das diesseitige Bayern nur drei Anstalten, so müsste entweder keine neue Anstalt mehr gebaut werden, oder
eine der letzteren wegfallen. Man möchte aber thun,
welches von Beiden man wollte, so lehrt schon ein
Blick auf die Karte, dass sodann immer ein unverhältnissmässig grosser Theil von Bayern auf eine einzige Anstalt angewiesen wäre. Es ist also nothwendig, vier Anstalten beizubehalten. Hiebei besorge
man ja nicht, dass dann bei keiner derselben die po-
stulirte Zahl von 200 Kranken erreicht werden möchte.
Einige wenige statistische Bemerkungen werden zu
Widerlegung dieser Besorgniss hinreichen. Hiezu
wäre es freilich gut, wenn man die Zahl der Irren
in Bayern kennte; es sind auch solche Zählungen
vorgenommen worden; die Resultate der Erhebungen
liegen aber in den Acten begraben, und man erfährt
nichts davon. Nehmen wir aber an, dass Bayern in
dieser Beziehung nicht allzusehr von den Verhältnissen anderer deutscher Länder abweiche (und die
bayerischen Stämme sind doch auch nicht besonders
geschützt), so können wir das Verhältniss der Irren
mit Einschluss der Blödsinnigen zu der Gesammtbevölkerung auf nahezu wie 1 : 1000 anschlagen, was
also für die diesseitige Bevölkerung 4000 ausmachen
würde. Rechnet man hievon zwei Drittel auf geborne
oder ganz ungefährliche Blödsinnige, so kamen über
1300 eigentliche für Anstalten passende Irre heraus.
Somit wäre die Zahl mehr als gedeckt. Indessen kann
man von einer solchen allgemeinen Statistik doch keinen absoluten Schluss auf die wahrscheinliche Bevölkerung der Irrenanstalten machen. Denn es werden

durchaus nicht alle Irre in Anstalten gebracht, sondern viele derselben befinden sich ausserhalb, und
kommt es hiebei sehr viel auf individuelle Verhältnisse, namentlich auf die Zahl der Anstalten eines
Landes, auf die Begriffe, welche die Bevölkerung
von denselben hat, und vor Allem auf die Höhe der
Verpflegungsgelder und die Aufnahmsbedingungen überhaupt an. Diese Dinge gestalten sich alle erst mit
dem Bestehen der Anstalt, und lassen also vorher
keine bestimmte Rechnung zu. Wir thun daher besser, wenn wir unsern Berechnungen Analogieen von
andern Staaten zu Grunde legen, wo bereits Anstalten unter ähnlichen Verhältnissen bestehen, und wählen dazu füglich am besten zwei uns zunächst liegende Länder, Würtemberg und Baden. Würtemberg hat zwei öffentliche Anstalten, eine Heilanstalt
zu Winnenthal, und eine Pfleganstalt zu Zwiefalten,
und, bei einer Bevölkerung von etwa 1,800,000, in
beiden zusammen über 200 Kranke aus dem Inland;
hier wäre also die Proportion eine andere, als ich sie
für Bayern anzunehmen vorschlug. Allein es ist hiebei zu bedenken, dass die Directoren beider Anstalten schon seit einer Reihe von Jahren dringend über
Mangel an Raum klagen, und dass man dort schon
lange ernsthaft damit umgeht, noch eine Pfleganstalt
ins Leben zu rufen. Dies ist um so wichtiger, als
kein Land verhältnissmässig so viele Privatanstalten
(an denen es uns fast noch ganz fehlt) hat, als Würtemberg, wodurch schon eine grosse Menge Kranke
den Staatsanstalten abgenommen werden, die bei uns
in denselben Unterkunft finden müssen. Baden hat
bei einer Bevölkerung von 1,400,000 eine einzige Heil-
und Pfleganstalt zu Illenau mit 400 Kranken, und
ausserdem noch etwa 70 Blödsinnige und Epileptische
in der Siechenanstalt zu Pforzheim. Nun sind zwar,
wie ich schon erwähnt habe, die Aufnahmsbedingun-

gen in Illenau sehr günstig; allein nach meinem Vorschlag würden sie bei uns nicht viel ungünstiger werden. Nach diesen Erwägungen bleibt es somit ge-
gewiss, dass 200 Kranke für eine Anstalt auf eine
Bevölkerung von einer Million auf keinen Fall zu viel
gerechnet sind.

Von den vier Anstalten bestünden nun also bereits zwei, in Erlangen und in Irsee, eine dritte in
Würzburg ist beschlossen, und es würde sich nur
noch um den Ort für die vierte handeln. Bei dieser
Wahl kommen wir aber auf Erwägungen, die wieder eine andere Seite unseres Gegenstandes berühren.

Es ist dies nämlich die Benutzung der Anstalten
zum Unterricht der Studirenden der Medicin. Vermöge eines sehr natürlichen Ideenganges vindicirt man
so gut als für Erlangen und Würzburg auch für München die Nähe einer Anstalt, um mit dem Vortrage
der Psychiatrie die lebendige Anschauung verbinden
zu können. Die Acten über die Streitfrage, ob es
räthlich sei, in einer Irrenanstalt Klinik zu halten,
sind zwar noch nicht geschlossen, und sehr gewichtige Stimmen unter den Irrenärzten sind noch fortwährend dagegen; andererseits sind aber auch schon
an mehreren Orten die praktischen Versuche nicht
übel ausgefallen, und es käme vielleicht nur auf die
besondere Art der Ausführung für diese Art von Klinik an, etwaige Inconvenienzen dabei zu beseitigen.
Es würde hier nicht am Orte sein, mich weitläufiger
über das Für und Wider in Erörterungen einzulassen,
daher es genügen mag, meine Ueberzeugung auszusprechen, dass die Benutzung der Irrenanstalten zu
psychiatrischen Kliniken auch ohne Nachtheil oder Unannehmlichkeit für die Kranken wohl zu ermöglichen
ist. Wenn dem so ist, so entscheidet sich die Frage,
wo die vierte Anstalt errichtet werden soll, eo ipso

für München. Und so viel mir bekannt, ist dies auch der Wunsch der Staatsregierung und der meisten Aerzte. Nur *eine* Frage wäre dabei noch zu lösen, ob sich für die Anstalt nämlich ein geeigneter Platz finden möchte. Sie innerhalb oder unmittelbar an die Stadt zu bauen, ginge auf keinen Fall an, da die Stadt hiezu zu gross und zu geräuschvoll ist *). Sie müsste somit in einiger Entfernung von derselben stehen. Nun muss ich bekennen, dass mir noch nicht alle Umgebungen von München bekannt genug sind, um hier ein Urtheil fällen zu können. Weiter als eine halbe Stunde dürfte die Entfernung desshalb nicht sein, weil sonst eben der Zweck der klinischen Be-

---

*) Man berufe sich nicht auf das Beispiel anderer Anstalten. Bedlam liegt zwar mitten in der Surreyseite von London; es ist dies aber auch einer seiner grossen Fehler, und hat unter Anderem die schlimme Folge, dass es an freien Plätzen für Irre sehr grossen Mangel leidet. Ebenso St. Lukes. Die Salpetrière in Paris liegt ebenfalls in der Stadt, allein wie bekannt ist sie gleichsam als eine kleine Stadt für sich abgeschieden, und hat in ihrem Innern ungemein grosse freie Räume, wie sie nicht leicht mehr bei einer neuen Anstalt zu ermöglichen sein dürften; übrigens ist sie dennoch gewiss kein Muster für neu anzulegende Anstalten. Eben so wenig (der Baulichkeit und Lage nach) die mitten in der Stadt liegende Anstalt für weibliche Irre in Gent, die noch überdies, wohl eben deshalb, ein ziemlich gefängnissartiges äusseres Ansehen hat. Dass die Lage der Irrenabtheilung der Charité in Berlin eine sehr ungünstige ist, erkennen und erkannten von jeher alle ihre Aerzte. Selbst die treffliche Prager Anstalt, so reizend sonst ihre Lage ist, dürfte immerhin noch etwas weiter von der Stadt entfernt sein. Alle übrigen mir aus eigener Anschauung bekannten Anstalten, wovon die meisten neuere, Surrey Asylum, Hanwell, Bicêtre, Charenton, Stephansfelden, Illenau, Eberbach, Siegburg, Winnenthal, Sonnenstein und die bei Halle, liegen theils bei kleinen, theils eine halbe bis mehrere Stunden von grossen Städten entfernt.

natzung nicht zu erreichen wäre. Es fragt sich nun,
ob sich im Umkreis von einer halben Stunde ein tauglicher Platz findet. Sollte dies nicht der Fall sein,
so würde uns die über jeder andern stehende Rücksicht auf das Wohl der Kranken nöthigen, auf München zu resigniren. Wenn es sich sodann um eine
weitere Wahl handelte, so wäre es gewiss am besten, die Anstalt in die Nähe einer der grösseren
niederbayerischen Städte, Landshut oder Straubing,
zu verlegen, damit auch die östlichen Theile des Königreiches, welche ohnedies des Transportmittels der
Eisenbahnen entbehren, näher zu einer Irrenanstalt
hätten. Die Benutzung zum Unterricht wäre dadurch
nicht ausgeschlossen, indem Mediciner im Biennium
(und für solche ist doch wohl die psychiatrische Klinik nur berechnet) immerhin ein halbes Jahr dort
zubringen könnten, was ihnen natürlich als Theil des
Bienniums angerechnet werden müsste. Auf der andern Seite ginge aber freilich wieder der grosse Vortheil, welchen eine Universität für Lehrer und Ler-
nende, auch für die Irrenärzte als solche, ja hie und
da selbst für Kranke bietet, verloren. Bei solcher
Sachlage sei denn die Frage über den Ort der Errichtung der vierten Anstalt diesseits des Rheins noch
offen gelassen.

Sämmtliche Anstalten würden, der jetzt so ziemlich allgemein geltenden Ansicht gemäss, relativ verbundene Heil- und Pfleganstalten sein, wie dies auch
bei zweien bereits der Fall ist. Alle übrigen kleineren Irrenanstalten in Bayern wären sodann aufzuheben. Die Stadt Nürnberg hat damit schon vor drei
Jahren einen lobenswerthen Anfang gemacht, indem
sie unmittelbar nach Eröffnung der Erlanger Anstalt
ihr städtisches Irrenhaus auflöste. Augsburg hat bereits beschlossen, und steht im Begriff, seine im
städtischen Krankenhaus untergebrachten Irren nach

Irsee überzusiedeln, und der Magistrat von München
würde, wie schon bemerkt, die Anstalt zu Giesing
schon längst aufgelöst haben, wenn er eine andere
in der Nähe gehabt hätte. Die einzige städtische Anstalt, die dann noch übrig wäre, wäre sodann die
zu Bamberg, und es ist zu hoffen, dass der Magistrat dieser Stadt bei den vorgeschlagenen günstigeren Aufnahmsbedingungen keinen Augenblick Bedenken tragen wird, dem Beispiele der übrigen zu folgen.
gen. Die Irrenabtheilungen in Frankenthal und im
Würzburger Juliusspital würden, sobald die neuen
Irrenanstalten eröffnet wären, sicherlich sogleich aufgelöst und zu anderen Zwecken verwendet werden.
Nur mit der Baireuther Anstalt ginge das nicht so
leicht; aber es wäre ein anderes Mittel da, sie dennoch im Interesse der Sache zu verwenden.

Ein nicht zu läugnender Mangel, welchen das
System der Vereinigung von Heil- und Pfleganstalten
darbietet, ist nämlich der, dass es eben doch unter
den Unheilbaren sehr Viele giebt, welche für die
übrigen Irren störend und abschreckend sind, während der grössere Theil derselben in seinem äusseren
Verhalten und Eindruck allerdings bei Weitem nicht
so sehr von den frischeren Fällen abweicht, als man
sich insgemein vorstellt. Daher hat selbst einer der
eifrigsten Vertheidiger des Systems der relativen Verbindung, Roller, dennoch ins Statut von Illenau folgende Bestimmung aufgenommen (§. 9): „Ausdrücklich als nicht aufnahmsfähig werden bezeichnet:
1) Idioten, Cretine, sogenannte Simpel und Tölpel,
Blödsinnige des höchsten Grades, Menschen, denen
mehrere Sinne fehlen, deren geistige und körperliche
Entwickelung auf einer niedern Stufe geblieben ist;
2) Seelengestörte, die zugleich epileptisch sind, es
sei denn, dass die Epilepsie erst aus der Seelenstörung hervorgegangen und diese die vorwaltende Krank-

heit ist; 3) Seelengestörte, welche mit äusserlichen, in hohem Grade entstellenden und Abscheu erregenden oder ansteckenden Uebeln, als Krebs, allgemeiner Syphilis u. s. w. behaftet sind." Er fügt hinzu, dass diese Klasse von Kranken allerdings etwas Grauenerregendes habe, schon auf die Unheilbaren nachtheilig einwirke, und dem Ganzen einen allzudüstern Charakter aufdrücke. Solche Unglückliche seien daher selbst für Pflegeanstalten eine grosse Last, und so bestehe denn nun in Baden eine eigene wohlthätige Anstalt, die allgemeine Siechenanstalt in Pforzheim, welche auch für das Gedeihen von Illenau von entschiedenem Werth sei. Dergleichen, meine ich, könnte man nun auch in Bayern einführen, und wäre dazu die Baireuther Anstalt für die nördliche Hälfte des Königreichs ganz geeignet. Für die südliche vermag ich in dieser Beziehung noch keinen geeigneten Verschlag zu machen, da mir die verschiedenen Localitäten noch zu wenig bekannt sind; es würde sich aber gewiss leicht ein Platz finden lassen.

Schliesslich bleibt uns nur noch übrig, die Mittel ausfindig zu machen, durch welche die Ausführung des Planes, die Irrenanstalten zur Sache des Staates zu machen, unter den gegebenen Verhältnissen praktisch möglich wird. Dass der Staat sie sämmtlich neu baue, dagegen spricht schon das Bestehen zweier Anstalten, und bezüglich der beiden andern liesse sich voraussehen, dass sich die Verwirklichung des dringenden Bedürfnisses, bei dem Mangel so grosser augenblicklich verfügbarer Summen, wiederum ins Unendliche verzögern würde. Dem würde freilich schnell dadurch abgeholfen werden, wenn nicht allein die zwei fertigen Anstalten, sondern auch die Summen, welche andere Kreise für dahin einschlägige Zwecke gesammelt haben, an den Staat überlassen würden. Dagegen werden sich aber die Kreise, und

nicht mit Unrecht sträuben, da sie ja ohnehin schon
immer auf Anerkennung der Kreis-Irrenanstalten als
einer Staatslast gedrungen hatten, und nun dem
Staat noch obendrein ihr vollstes Eigenthum schenken
sollten. Bei solcher Sachlage wäre demnach sehr zu
befürchten, dass unsere frommen Wünsche in der
Ausführung ein unüberwindliches Hinderniss fänden,
und die ganze Angelegenheit in der alten Weise fort-
ginge, rein wegen der nun eintretenden Folgen eines
früher eingeschlagenen falschen Princips. Sollen wir
aber dulden, dass alle künftigen Geschlechter noch
von den Wirkungen eines unter einem unglücklichen
Stern einmal beliebt gewesenen Systems leiden? Das
sei gewiss ferne. Mögen denn zum Heil der Sache
beide, Staatsregierung und Landräthe, endlich ihren
alten Hader fahren lassen, und sich gegenseitig nachgebend, das neue Werk friedlich mit einander aufführen! Mögen sie sich vergleichen, und jedes die
Hälfte der Last übernehmen! Die Kreise, welche
bereits neue Anstalten besitzen, würden demnach
dieselben dem Staate gegen die Hälfte der Errich-
tungskosten, und diejenigen, welche einstweilen blos
einen Fond besitzen, dem Staate die Hälfte desselben
überlassen; dieser aber in kürzester Frist die zwei
noch fehlenden neuen Anstalten erbauen. Ein solches
Opfer von Seiten der Kreise ist, wenn man die Sache
näher betrachtet, keineswegs gross. Den Kreisen
würde ja von diesem Zeitpunkt an nicht nur die Last
der baulichen Unterhaltung, sondern auch des grössten
Theils der Verwaltungskosten abgenommen, und es
bleiben ihnen dann endlich Mittel, um für ihre Angehörigen eine leichtere Benutzbarkeit der Anstalten
möglich zu machen. Der hohe Satz der bisherigen
Verpflegungskosten wurde ja als höchst drückend für
viele Familien und Gemeinden schon seit lange von
mehreren Landräthen lebhaft beklagt; mit einem hoch-

herzigen Entschluss wäre ein für allemal der Wunsch nach Erleichterung dieser Last erfüllt. Und dieser Entschluss würde gewiss erfolgen, wenn ihm die Staatsregierung auch ihrerseits mit einem ähnlichen entgegenkäme. Sie bedarf dazu aber der Bewilligung der Kammern. An die Vertreter des bayerischen Volkes richte ich daher im Namen aller der Unglücklichen, welchen selbst zu bitten eben ihr Unglück nicht gestattet, im Namen der vielen Familien, in deren Elend noch das Irrewerden eines ihrer Glieder als letztes drückendes Gewicht fällt, die Bitte, sich dieser Sache anzunehmen. Es geht vielfach die Rede, auf gegenwärtigem Landtag wolle man weniger um Principien kämpfen, und sich mehr mit der Gesetzgebung und materiellen Fragen beschäftigen, die Noth des Volkes zu lindern. Nun, eine solche Frage ist diese! —

Selbstbericht

einer genesenen Geisteskranken, nebst Krankheitsgeschichte und Bemerkungen.

Von

Dr. Friedr. Engelken
zu Oberneuland.

Ihrem Wunsche gemäss, lieber H. D., will ich Ihnen
von meinem Zustande, so viel mir davon bewusst ist,
von seinem ersten Entstehen an mittheilen; und wenn
menschliche Hülfe möglich ist, habe ich nächst Gott
zu Ihnen das feste Vertrauen, das schönste Erden-
gut, einen gesunden Geist und Körper, Ihnen danken zu können. Ich halte es daher für meine Pflicht,
ganz offen zu Ihnen zu reden und mein kurzes höchst
unbedeutendes Leben in der Kürze Ihnen aufzuzeich-
nen, weil es vielleicht sein könnte, dass Erziehung
und Umgebung schon nachtheilig auf mich eingewirkt
hätten.

Meine Schwester verheirathete sich sehr früh;
ich war neun Jahr alt und seit der Zeit der Verzug
der Eltern, vorzüglich des Vaters. Ich soll, abge-
rechnet einen sehr starren Sinn, ein ganz liebens-
würdiges Kind gewesen sein. Ich erinnere mich, dass
ich oft grosses Amüsement erregte durch mein Tan-

zen, Komödienspielen und Nachahmungstalent. Ich
hatte immer ein sehr weiches Gemüth und eine ganz
unendliche Liebe zu meinen Eltern. In dieser Zeit
hatten wir auch ein Dienstmädchen, das an starken
Krämpfen litt. Wahrscheinlich hat dies einen sehr
tiefen Eindruck auf mich gemacht, denn ich wurde
der Mutter in einem ähnlichen Zustande einmal in's
Haus gebracht und litt während sieben Wochen an
dieser Krankheit, wobei meine Umgebung, wie bei
meiner gegenwärtigen, mehr litt als ich selbst. Ich
erinnere mich, dass ich während der Krämpfe volles
Bewusstsein hatte, Alles hörte, was um mich vorging und eine ganz ungeheure Körperkraft entwickelte.
Ich selbst fühlte mich nur nachher ermattet, hatte
keinen Appetit, im Uebrigen verspürte ich kein Unwohlsein. Merkwürdigerweise weiss ich mir diesen
Zustand jetzt lebhaft zu erinnern. Als die Zufälle
seltener kamen, befiel mich eine ungeheure Angst,
dass es in meiner Macht gewesen, sie ganz zu be-
kämpfen, ich quälte mich dermassen damit, dass sich
die fixe Idee bei mir festsetzte, ich sei eigentlich gar
nicht krank gewesen und habe meinen Eltern diese
furchtbare Angst um keiner Ursache willen gemacht.
Ich konnte nach meiner Einbildung diese Schuld nicht
länger tragen und entdeckte mich endlich einer Freundin meiner Mutter, als diese abwesend war, nachher
aber mit ganz zerrissenem Herzen dieser selbst. Sie
nahm dieses Bekenntniss ganz erschrocken auf, machte
mir Vorwürfe, es Anderen gesagt zu haben und tröstete mich. Es war aber vergebens, — erst als
sie mit unserem sehr erfahrenen Arzte gesprochen
und dieser ihr gesagt, dass dies eine sehr häufige
Folge der fraglichen Krankheit sei und sie selbst nun
ganz beruhigt war, gelang es ihr, mich mit mir
selbst einigermaassen auszusöhnen. Aber noch Jahre
nachher konnte ich nicht ohne gewisse Beschämung

und Grauen daran erinnert werden, bis man mich endlich förmlich damit auslachte. Uebrigens war ich das lustigste und ausgelassenste Kind unter allen meinen Gespielinnen und nach dieser Krankheit sehr gesund. Weil ich aber eine sehr grosse Neigung zur Unabhängigkeit blicken liess und trotz meiner eilf bis zwölf Jahre noch sehr ungestüm und wild war, beschloss meine Familie, nach vieler eigener Ueberwindung, mich fremden Händen anzuvertrauen. Die Mutter lebt nämlich seit funfzehn Jahren ganz häuslich, hatte früher unendlich viele bittere schmerzhafte Erfahrungen gemacht und lebt nur für das Glück ihrer Kinder. Sie gestand selbst, sie habe nicht Kraft und Festigkeit genug, um mich erziehen zu können. Der Vater verzog mich ganz rasend; ich hatte aber dessen ungeachtet einen bedeutenden Respect vor ihm. Aber er besass einen sehr unruhigen, lebhaften Geist, der ihm nicht erlaubte, meine Erziehung mit Aufmerksamkeit zu leiten. Ungeachtet meiner Verzweiflung und flehentlichsten Bitten wurde ich nach H. gebracht in eine sehr achtbare Pensionsanstalt, wo ich mit sieben Mädchen meines Alters sollte erzogen werden.

Es waren ein Paar unverheirathete Damen, die neben dieser Pensionsanstalt eine grosse Schule hatten. In dem ersten Jahre konnte ich mich dort durchaus nicht gewöhnen, hatte so heftiges Heimweh, dass man eine Krankheit befürchtete. Es ward aber keine Rücksicht darauf genommen, und ich fand mich in mein Schicksal, indem sich eine abentheuerliche Idee bei mir festsetzte, womit ich meine müssigen Stunden, vorzüglich aber die Zeit vor'm Einschlafen, hinbrachte. Ich wollte mir nämlich Geld ersparen, das Guitarrespiel erlernen und als kleiner Troubadour mich nach K. einschiffen, um so unerkannt das Herz meiner Eltern zu rühren und sie zu bestimmen, mich

wieder zu sich zu nehmen. Unendlich lange lebte
und webte ich nur in diesem Gedanken und bildete
mir einen förmlichen Roman aus, lebte dabei ganz
in der Gegenwart, und gewöhnte mich so an meine
Verhältnisse, dass ich das Drama beendete und mich
sehr an meine Erzieherinnen und Freundinnen an-
schloss. Ich bin immer ungemein lebhaft und in meinen Gefühlen, sowie in Allem was ich unternahm,
sehr wechselnd gewesen; deshalb war in wissenschaftlicher Hinsicht Nichts mit mir anzufangen; ich
hatte zu Allem Lust, fing es erst mit einer wahren
Leidenschaft an, aber sehr bald wurde es mir zu
trocken und mechanisch; dabei fasste ich aber Alles
mit einer grossen Leichtigkeit auf, und war bei dem
was mich interessirte sehr gelehrig, jedoch Ausdauer
fehlte ganz. In meinem Charakter lag etwas sehr
Beissendes, Scharfes; ich zeigte für Menschen die
ich lieb hatte eine blinde Anhänglichkeit, vergötterte
Eltern und Geschwister auf eine fast lächerliche Art,
war förmlich stolz auf sie; in Schmerz und Freude
war ich sehr leicht ausser mir, jedoch nur vorübergehend. Den Ansprüchen meiner Eltern in Betreff des
Lernens entsprach ich nicht, und wurde nur um so
mehr getadelt, da meine Lehrerinnen versicherten,
Anlage und Fähigkeiten seien vorhanden, es fehle
nur an Lust und Ausdauer. Dessen ungeachtet habe
ich für ein gutes Betragen mehre Jahre hindurch vor
meinen Mitschülerinnen die Prämie bekommen. Dadurch söhnte ich meine Eltern vollkommen wieder
aus, noch mehr aber durch meine guten Ausarbeitun-
gen über Religion, so wie auch durch meine Aufmerksamkeit. Ja, Dank sei meinen vortrefflichen Eltern, die mir die Religion früh als wahre Freundin
anempfohlen; ihr allein dank' ich meine Kräfte, womit ich lange getragen habe, was ohne die Hoffnung
auf eine milde, gütige Vaterhand, die nicht mehr

aufbürdet, als der Mensch ertragen kann, meinem
moralischen Werthe hätte aber zum Nachtheil als zum
Vortheil gereichen können. In meinem funfzehnten
Jahre stellte sich ein Uebel bei mir ein, woran viele
Damen leiden sollen (fluor albus). Ich brauchte viel
dagegen, allein ohne Erfolg; späterhin badete ich
auch, aber ich leide noch daran; nach Tanzen, Gemüthsbewegungen verschlimmert es sich. Vielleicht
kann gerade jetzt, da eine Art Revolution in meinem
Körper vorgegangen, Rücksicht darauf genommen
werden. Mein unglücklicher Stern wollte, dass ich
ein Verhältniss entdeckte, worin meine Erzieherin zu
einem verheiratheten Herrn stand, und ich kann sagen, dass dies einen unauslöschlichen Eindruck zurückgelassen hat. Von diesem Augenblick an wich
alle Liebe, alles Vertrauen von mir; eine Art Ver-
achtung, ein trotziges Selbstvertrauen trat an die
Stelle. Sie ahnte nicht, dass ich sie durchschaute,
ich liess aber mein Inneres nicht mehr durch sie leiten. Ich war noch so jung, das war mir ein wahrer
Seelenschmerz. Ohne dass ich es wusste, hat diese
Täuschung bei einem Wesen, das mir als Vorbild
dienen sollte, einen sehr ernsten Eindruck auf mich
gemacht. Ich fühlte mich mit einem Male ganz verlassen; da aber sorgte der Himmel für mich, indem
eine Demoiselle L.—, die elternlose Tochter einer Ju-
gendfreundin meiner Mutter, zu meinem Bruder kam,
um ihm den Haushalt zu führen. Ich stand dem Alter nach eigentlich als Kind zu ihr; sie nahm mich
aber als Freundin auf, schenkte mir ihr ganzes Vertrauen und erzählte mir ihre höchst interessante Lebensgeschichte. Ich verehre sie bis diesen Augenblick, sie war die erste, die bewunderungswürdigen
Einfluss auf mich geübt. Sie hat zuerst meinen Sinn
für etwas Höheres, Edles geweckt; ich verdanke ihr
sehr viel. Ich wurde sinniger, auch denkender, und

der Mensch mit seinem Werthe und Berufe zu wirken und zu handeln fing an mich ungemein zu interessiren.

Sogar die Geschichte, die uns in der Schule vorgetragen wurde, erschien mir interessant, sobald Lebensbeschreibungen berühmter Männer erzählt wurden. Wurde mein Gefühl nur im Geringsten angeregt, so hatte ich ein vortreffliches Gedächtniss, aber den Verstand mochte ich nicht gern anstrengen. Ich hatte damals sehr grosse Fehler, aber es wurde mir klar, dass ich nur einer aufmerksamen liebevollen Zurechtweisung bedurfte von Jemandem, den ich durchaus achten konnte. Jene L. steht ungeachtet eines barocken, oft nicht zu begreifenden Wesens sehr hoch, ihr Inneres schien ganz für mich passend und unter ihrer Leitung — ich sah sie nur alle acht Tage — habe ich manche Fehler und Unarten abgelegt. In dieser Zeit verlor ich einen Bruder auf D. —; es schmerzte mich *sehr*, aber nicht lange, ich hatte einen sehr leichten Sinn. Aber ein Jahr später verlor ich auch meinen Vater; es waren drei Monate vor meiner Heimkehr ins elterliche Haus. Ich wurde hingeholt, weil ich der Liebling des Vaters war, und hatte den Trost, obgleich er mich nur einen Augenblick erkannte (er starb am Schlage), ihm die letzten vierzehn Tage seines Lebens nahe sein zu können. Ich kann nichts darüber sagen, es ist mir noch zu herbe, um den Eindruck zu schildern, den dies Ereigniss auf mich machte. Ich erinnere mich nur noch, dass ich bei Licht allein dazu leuchten musste, als unser alter treuer Bedienter, nach einer stillen Uebereinkunft ihm nach seinem Tode die Pulsader abschneiden musste und statt Blut Wasser kam und ich meine letzte Hoffnung scheitern sah, dass ich einen gränzenlosen Schmerz empfand. Ich musste zur Erholung und zum Trost meiner Mutter noch kurze Zeit in R.

bleiben, kehrte dann nach H. zurück und wurde in
dieser wehmüthigen Stimmung confirmirt. Ich glaubte
nie wieder froh werden zu können, allein ich machte
keine Ausnahme und empfand nach einigen Monaten,
dass die Zeit Alles lindert. Mit etwas klösterlichen
Sorgen betrat ich zwar Anfangs die Welt, doch auch
bald erschien sie mir von tausend Sonnen aufgehellt,
und recht sehr keck sah ich in's Leben hinaus; ich
dachte es mir wie ein Lustschloss, alle Menschen wie
Engel. Ich hatte bisher sehr wenig gelesen und noch
einige Wochen vor meiner Confirmation mit der Puppe
gespielt, d. h. im Geheim; kein Wunder also, dass
ich recht dumm in die Welt eintrat, mich der Freude
von ganzem Herzen hingab, und bis zu meinem acht-
zehnten Jahre führte ich ein beneidenswerthes unan-
gefochtenes Leben. Uebrigens muss ich es den sonst
liebenswürdigen R—n nachsagen, dass, meinem (vielleicht vorlauten) Urtheile nach, ich sie für unbedingt
oberflächlich erkläre, sie bewegen sich nur in diesen
faden Gesellschaften, unterhalten ganz vortrefflich, und
man kann sie allerdings gebildet nennen; aber z. B.
sind von unserer Bekanntschaft kaum drei Menschen
musikalisch, selbst für Lectüre fehlt ihnen ein sehr
lebhafter Sinn; kurz sie sind, vorzüglich die jungen
Mädchen, mehr für das Aeussere als Innere bedacht.
Als ich ein wenig zu Verstande kam, sah ich dies
sehr bald ein, und dass hier an Fortschritten und
Ausbildung weder des Geistes noch Herzens zu denken sei. Ich fühlte mich sehr verlassen, obgleich ich
durchaus nicht mehr leisten konnte; mir fehlte Etwas,
was ich mir selbst nicht zu erklären wusste. Ich
konnte mich an Niemanden recht anschliessen, es
war mir immer als verstände mich Niemand. Sehr
bald wusste ich, was von der sogenannten Mädchen-
freundschaft zu halten sei, und meine Schwester,
zwar acht Jahre älter und ganz anders stehend wie

ich, blieb meine Vertraute. Aber jetzt griffen verschiedene Ereignisse in mein Leben ein, die mein Gemüth tief erschütterten und worüber ich mich nicht weiter aussprechen kann.

Es bedurfte eines reiferen Verstandes, als ich damals besass und eines consequenten Betragens, um meine Existenz nur leidlich zu erhalten, und ich fühlte gerade, dass mein Geist litt und auch der Körper, denn ich sah oft sehr blass aus, konnte das Gehen nicht vertragen, ja zuweilen hatte ich eine fast graue Gesichtsfarbe. Das Leben fing an mir öde und traurig zu erscheinen, und ich begann viel zu lesen, mehr wie mir gut war, bezog Alles auf mich und mein unglückliches Schicksal, hatte keine Lust mich nützlich zu beschäftigen, ging sehr viel aus, tanzte mehr als mir diente, denn ich befand mich nach dem Balle gewöhnlich sehr schlecht. Dabei ging mir aber mein inneres Leben mehr auf, ich dachte halbe Nächte über mich nach, über meine Pflichten, und verglich mich, wie ich war, mit dem was ich sein könnte, und fand einen grossen Abstand. Eine tiefe Schwermuth ergriff mich, die von Tag zu Tag schlimmer wurde; meine Verhältnisse waren mir unerträglich, nirgends fand ich Ruhe und Rast. War ich zu Hause, so erschien es mir erschrecklich einsam, ich weinte, sobald ich nur meine Mutter verlassen konnte, sehnte mich dann fort unter Menschen, um mich zu zerstreuen. Anfangs gelang es mir, dadurch meinen Trübsinn zu verscheuchen, allein das Glück ausser dem Hause kennt man wohl.

Den Meinigen wusste ich meinen Seelenzustand zu verbergen, um sie nicht zu betrüben. Endlich brach meine Kraft, es war mir schrecklich, Menschen, besonders solche, die ich sonst lieb gehabt, zu sehen, ich fühlte nicht die geringste Theilnahme für sie, obgleich ich ihr Wohlwollen tiefer wie je

gerade in dieser Stimmung, empfand. Ich lebte ganz
häuslich, las, weinte und hatte keinen Appetit und,
ich kann es nicht ohne Schaudern aussprechen, eine
Gleichgültigkeit, Heftigkeit gegen meine himmlische
Mutter angenommen, worüber ich mich verachten
musste; ich hatte aber keine Kraft mich zu beherrschen. Nein, diesen schaudervollen Zustand kann ich
nicht würdig genug beschreiben! Meine Mutter fing
an, sich um mich zu ängstigen, fragte mich oft, ob
ich körperlich unwohl sei; da ich aber keine Schmerzen hatte, verneinte ich es, die übrigen Kleinigkeiten nicht achtend. Es wurde von Tag zu Tag nun
schlimmer, ich hasste das Leben, mich selbst. Schon
da kam mir oft der sündige Gedanke, dieses freuden-
lose Dasein zu beendigen, aber es hatte noch nicht
den höchsten Grad erreicht. Der Gedanke an Gott,
ein frommes Gebet zu ihm, liess mich die Trauer der
Meinen bedenken und senkte in mein Herz die Hoffnung, dass es so nicht immer bleiben könne; aber
auch zugleich ermahnt es mich, dass ich nicht müssig sein dürfe, sondern handeln müsse, denn der
Himmel giebt uns ohne unser Zuthun gar nichts.
Aber wie anfangen? Aus R—, aus diesen Verhältnissen musste ich heraus in einen ernsteren, grösseren Wirkungskreis musste ich versetzt werden, um
nicht so viel über mich nachdenken zu können; aber
ich hatte keinen Grund, weder für meine Verwandten
noch für die Welt. Mehre Anspielungen dieser Art,
mich noch etwas mehr auszubilden, den Haushalt
recht aus dem Grunde zu lernen, wurden als ungül-
tig abgewiesen, und in Betreff des letzteren bekam
ich mehre Einladungen von meinem Bruder, in seinem sehr grossen Haushalt mitzuwirken. Aber ich
wollte geradezu ganz fremde Menschen. Den schon
berührten triftigen Grund durfte ich ausser meiner
Mutter ja Niemandem sagen. Jetzt folgte eine Zeit,

die ich vielleicht zu der interessantesten oder doch intrigantesten meines ganzen kleinen Lebens zählen darf. Ich befand mich in einer rathlosen Lage. Meine Mutter durfte nicht allein für mich handeln, aus pecuniären Gründen, anderntheils aber weil mein älterer Bruder mein Vormund mit war. Mein Gefühl war damals himmelhochjauchzend, zum Tode betrübt. Aus wahrer Verzweiflung zeigte ich oft die fröhlichste Maske, ich habe auch in der Welt immer für ein ausgelassenes, leider! zuweilen für ein keckes Mädchen gegolten, ich war meinem zwanzigsten Jahre nahe. Nach vielen Bitten und Vorstellungen meiner Mutter und Schwester, die sehr unzufrieden mit mir waren, besuchte ich mit ungeheurem Widerwillen wieder Bälle und Gesellschaften: meine damalige sogenannte Freundin überraschte mich aber oft, nach beendigtem Tanze, mit Thränen in den Augen und konnte mich nicht begreifen; ich war mir selbst dann oft lächerlich, eine Balldame, die das Glück hatte immer zu tanzen. O Gott, es war grässlich! Da kam der kleine pfiffige Amor mir zu Hülfe und traf für mich das Herz eines gewissen Doctors, der mir im höchten Grade lächerlich und zuwider war, und doch danke ich diesem kleinen Roman, dass ich auf diese Weise meinen Zweck erreichte. Die Sache wurde von seiner und seiner Familie Seite so rasch und öffentlich betrieben, dass meine Schwester anfing für mein weiches Herz besorgt zu werden. Ich war meiner Sache zu gewiss, theils aber habe ich nie geglaubt, dass es möglich wäre, dass ich je in meinem Leben einmal soweit kommen konnte, theils empfand ich ein Uebergewicht über diesen zwar schönen aber etwas verwirrten Kopf, und ich begnügte mich damit ihn sehr ingezogen zu behandeln. Die Sache wurde aber ein venig zu ernst, und ich bat meine Schwester, sie möge mir behülflich sein, dass ich eine Zeitlang zu

anderen Leuten käme, und sprach meinen Kummer,
den ich mir selbst nicht zu erklären wusste, offen
aus. Sie war sehr überrascht, konnte es nicht begreifen, dass ich mich unglücklich fühlte und machte
mir sehr ernste Vorstellungen. Mein Entschluss war
aber gefasst, ich schwatzte ihr so lange vor, bis sie
auf meinen Plan einging, und endlich erschien es ihr
der letzten Affaire wegen selber sogar nothwendig;
diese Gewissheit brachte ein neues Leben in mir hervor; ich sah aber sehr elend aus, so dass es all'
meinen Bekannten auffiel. Meine Mutter weinte bit-
terlich über mich und meinen unnatürlichen Vorsatz,
sie verlassen zu wollen, um bei fremden Menschen
mein Glück zu suchen, was mir so nahe bei ihr wäre.
Ich fühlte diese gerechten Vorwürfe sehr tief, aber
ich konnte bei Gott nicht anders. Ein unerklärliches
Etwas trieb mich vorwärts, um ein noch grösseres
Unheil zu verhüten. Der Plan wurde meinen Brüdern
vorgelegt; sie genehmigten ihn endlich, um mich zufrieden zu stellen. Auch Madame N., die Freundin
meines Bruders, hat auf das Beste für mich gesorgt,
indem sie Mad. X., ihre Freundin, mir als die beste
zweite Mutter anwies. Mit einer ausserordentlichen
Eile betrieb ich meine Abreise; jeder Tag, der ihr
näher rückte, nahm mir eine Last vom Herzen; ich
lebte ganz nur in der Zukunft; mich viel von ihr ver-
sprechend, lebte ich ganz wieder auf. Ich fühlte mich
wie umgewandelt und hatte die ganz feste Ueberzeugung, dass durch diese Veränderung mein Charakter und Schicksal auf eine besondere Weise, aber
auf keine leichte Art bestimmt werden würde. Die
schriftliche Erklärung meiner künftigen Pflegemutter,
dass ich ganz häuslich leben und, ausser unserer
zahlreichen Hausgesellschaft, keinen Umgang haben
würde, weil sie ihn durchaus für unnöthig halte, kam
mir sehr erwünscht. Ein feiner häuslicher Umgang

ist gerade, was mir am meisten zusagt. Ich war von dieser Zeit an sehr aufgeregt, meine künftige Existenz wurde mir von vielen Seiten als sehr schwer vorgehalten. Aber gerade das Schwere war mir lieb, ich wollte gleichsam allen Verhältnissen Trotz bieten, mich selbst und mein Schicksal beherrschen, nicht ahnend, wie schwach der Mensch ist, trotz seiner gepriesenen Kraft. Einige Tage vor meiner Abreise schlief ich eine Nacht einmal gar nicht, und meine aufgeregte Phantasie zauberte mir eine graue, fast nebelige Frauengestalt vor mein Bette, die mit unkenntlichen Zügen mehre Minuten mich neugierig anstarrte. Ich richtete mich auf, sie zu berühren; da zog sie sich aber zurück nach dem Bette meiner Mutter und verschwand. Mir war durchaus nicht unheimlich, sondern es befestigte nur die Idee bei mir, dass mir etwas Besonderes widerfahren würde: ein kindischer Aberglaube, den ich vielleicht meiner Schwester zu danken habe. Es ist etwas Seltsames aber doch Wahres, dass meine L., von ihrer Jugend glaube ich schon an, jede ausserordentlich trübe Begebenheit in unserer Familie oder ihr sehr theure Menschen betreffend, vorherträumt, sie hat es uns immer gleich erzählt, und es ist jedesmal eingetroffen. Sie darf uns deshalb jetzt nichts mehr sagen. Auch hat mich immer eine gewisse Hauptmann H.— interessirt, die fest behauptete, dass jede Veränderung in ihrem Leben durch das Erscheinen einer grauen Dame angezeigt würde. Ihren Mann, den sie ohne alle Neigung geheirathet hatte, verlor sie nach einem Vierteljahr. Sie verfiel dann in eine höchst merkwürdige Krankheit, die sie schon öfter, aber nicht in dem Grade gehabt hatte. Mir ist nur noch Einiges davon bekannt, aber ich interessirte mich sehr für diese Person, und daher leite ich denn auch obige Erscheinung. Ich wurde indess, als ich diese Sache

erzählte, damit ausgelacht und dachte deshalb nicht
weiter daran. Je näher aber die Zeit meiner Abreise heranrückte, desto gespannter und aufgeregter ward ich, und mit einem nicht zu beschreibenden
Gefühle verliess ich Mutter und alle meine Freundinnen. Der Bruder aus Z. und die Schwester brachten
mich hin, die ganze sehr hübsche Reise noch mit
vielen Umwegen ging für mich verloren. Ich dachte
nur an mein Ziel, und mein ganzes Herz gehörte
nur diesen noch unbekannten Menschen. Und meine
Ahnung hat mich nicht betrogen; vom ersten Augenblick an fühlte ich mich heimisch und entliess meine
Geschwister mit der festen Zuversicht, sie glücklicher wiederzusehen. Mit einem heissen Gebete zu
dem Höchsten um Kraft und Licht, diesen neuen
Weg richtig zu betreten und zu verfolgen, begann
ich; und der Vater hat mir den Himmel auch schon
hier auf Erden gezeigt, denn mir fehlte Nichts zu
meinem Glücke. Alles erlebte Trübe deckte ich mit
dem Schleier der Vergessenheit zu, ich fühlte mich
jeder drückenden Last enthoben, mein Geist war auf
einmal frei. Ich kann mir nicht denken, dass dies
Krankheit gewesen ist, sonst möchte man ja wahrlich
in Versuchung kommen, sich in diesen Zustand zurück-
zuwünschen. Nein, mit wahrem Entzücken denke
ich an diese Zeit und glaube auch eigentlich, dass
ich damals recht gesund gewesen bin; die Ruhe, die
Veränderung der Luft, und gerade diese sehr gesunde Bergluft, wirkten gewiss sehr vortheilhaft auf
mich. Ich sah meine Erwartungen hinsichtlich meiner Ansprüche an eine neue Mutter bei weitem übertroffen. Es ist eine sehr talentvolle, an Geist und
Herz gleich ausgebildete Frau, sie hat sehr in der
Welt geglänzt, sich zu ihrem Unglück sehr jung
verheirathet; ihr Mann hat, nachdem er sich ein gro-
bes Versehen hat zu Schulden kommen lassen, sich

auf eine schreckliche Weise das Leben genommen.
Durch dieses Ereigniss und viele bittere Erfahrungen
hat ihr Wesen etwas Leidendes, aber dabei unendlich Liebevolles bekommen. Sie war sehr nachsichtig
und gütig gegen mich, und zeigte *mir* vorzugsweise
ihre Liebe, die sie mir während meines ganzen dortigen Aufenthalts auch erhalten hat. Ich gab mich
ihr ganz hin, und habe deutlich erfahren, wie Umgebungen, die uns zusagen, mächtig auf uns wirken
können. Mit Lust und Liebe fing ich mit Fanny
(Mad. X—s Tochter) den Haushalt zu führen an,
und dies bekam mir auch sehr gut. Ich nahm noch
einigen Unterricht in wissenschaftlichen Dingen, und
auch dies gefiel mir sehr. Mit einer Leichtigkeit, die
ich früherhin gar nicht bei mir geahnet hatte, fasste
ich und lernte ich Alles. In einem Kreise von acht,
grösstentheils erwachsenen Mächen war ich seelenfroh, hatte wenig Zeit und Lust, über mich nachzudenken, und das wird wohl die Hauptsache gewesen sein, weshalb ich mich so sehr wohl befand.
Wir gingen gar nicht aus, sehr selten spazieren, aber
Alles gefiel mir gut; ich hatte mich selbst, meinen
frohen Sinn wieder, und das war mir genug; ich sah
die ganze Welt, das Leben von einer andern leichten und schönen Seite an, konnte meinen frühern
Missmuth gar nicht begreifen; mein inneres Auge
war mir geöffnet; ich empfand eine Unabhängigkeit,
eine Herrschaft über mich, die mich sehr glücklich
machte. Ich hatte mir gedacht, dass es so kommen
würde, aber unbegreiflich war mir diese gänzliche
Umwandlung dennoch. Auch auf meine Briefe erstreckte sie sich. Meine Schwester antwortete mir
ganz erstaunt und glücklich zugleich. Die Einwohner
von B.— lernten mich nach gerade kennen und waren
so artig, mich in ihren Kreis zu ziehen. Ich galt
überall für ein sehr lebenslustiges Geschöpf und war's

auch in der That. Ich hatte ein sehr lebhaftes Interesse für Alles was ich hörte und sah, und die Eindrücke waren tiefer und bleibender wie sonst. Es trat mehr eine Harmonie meines Inneren und Aeusseren ein, wonach ich so lange gestrebt hatte und zwar vergebens. Ich fühlte Kraft und Vertrauen zu mir selbst, um jede Schwierigkeit, die mir in den Weg trat, zu überwinden, und dachte mit Entzücken an meine Rückkehr nach R., sicher, dass nichts störend in mein neu erlangtes inneres Glück eingreifen werde. Jedoch war die Zeit nicht da, den Haushalt zu führen neben dem übrigen Unterricht; das erstere wurde aufgegeben, und Kopfarbeiten nahmen den grössten Theil meiner Zeit hin. Dies gefiel mir gar nicht. Ich fühlte, dass diese sitzende Lebensweise mir nicht bekam, sagte aber nicht viel darüber, weil Mad. X. es so wünschte. Ungefähr drei bis vier Wochen fühlte ich mich nur sehr wohl, da merkte ich mit Entsetzen, dass meine alte unglückselige Stimmung mich auch hier verfolgte, obgleich Alles nach meinem Wunsche ging.

Es war mir, als stünde ich an einem Abgrunde, so fürchterlich war mir die Entdeckung. Ich sah klar ein, Verhältnisse waren es nicht, also an und in mir selbst lag der Himmel und die Hölle. Der Trübsinn war nur stunden- und tageweise, und mein leichter Sinn behielt noch eine Zeitlang die Oberhand. Ich hatte noch Kräfte, mich herauszureissen, und deshalb hielt man mich nur für etwas traurig, was man sehr oft bei lebhaften Menschen findet. Aber meine Stimmung veränderte sich sehr, meine Umgebung kam mir lästig, langweilig vor, ich wurde gegen mich selbst, wie auch gegen Andere, kalt, bitter, oft sogar sarkastisch im hohen Grade, sehr streng gegen Alles, erfasste alles Aeussere mit einer Heftigkeit, die mir ganz unnatürlich war. Mit einer unbegreif-

lichen Nachsicht wurde mein Wesen geduldet von
den jungen Mädchen, und selbst von Mad. X.—
Mit einer Liebe und Freundlichkeit, die ich nicht verdiente, thaten sie mir Alles zu Gefallen, fragten mich,
ob ich Etwas gegen sie hätte, und behandelten mich
sehr zart. Ich fühlte meine Unart sehr und konnte
es nicht lassen, ich war durchaus nicht zornig, aber
schneidend, bitter im höchsten Grade war ich in ihrer
Gesellschaft, einsam im höchsten Grade unglücklich.
Ich fühlte wieder das Uebel, woran ich schon früher
gelitten, und glaubte endlich, darin den Grund gefunden zu haben, weil ich stets gehört hatte, dass
Unterleibsbeschwerden so ungeheuren Einfluss auf die
Stimmung hätten, dazu kam das früher erwähnte Uebel
(fluor albus), woran ich in B. recht sehr gelitten
habe, so dass ich mich entschloss, mit Mad. X.—
und einem Arzte deshalb zu sprechen. Es wurde
aber von beiden Seiten wenig Rücksicht darauf genommen, und der Medicinalrath H. rieth mir nur viel
Wassertrinken und Bewegung. Das letztere unter-
blieb aber, und ich fühlte mich nur selten wohl und
leicht. Da wurde ich sehr weich, weinte sehr viel.
Jedes Traurige und Freudige brachte mich zu Thränen, obgleich ich mir Mühe gab, sie zurückzuhalten.
Ich konnte die fröhliche Aussenseite jetzt nicht mehr
retten, es war mir, als wäre ich in einem krampfhaften Zustande gewesen, der sich jetzt durch häufiges Weinen lös'te. Ich war ganz demüthig und
voller Reue über mein früheres Betragen, und bestätigte die Meinung meiner Pflegemutter, dass es eine
Reizbarkeit der Nerven gewesen sei, die mich so
umgewandelt hätte; sie erklärte mir aber, dass sie
mich für ausserordentlich lebhaft hielt, und ich deshalb sehr auf mich achten, und suchen müsste, mir
eine grössere Gleichmässigkeit und Ruhe in meinem
Wesen anzueignen. Ich versprach Alles. Nach sol-

chen Unterredungen fühlte ich mich gewöhnlich leichter, aber es dauerte nicht lange. Immer düsterer wurde es um mich her. Es zeigte sich eine Schwerfälligkeit in meinem Wesen, die mir jedes kleine Geschäft unerträglich machte. Ich fühlte eine gänzliche Lähmung des Geistes, worüber ich durchaus nicht Herr werden konnte. Ich kann es mit dem vergeblichen Aufflattern eines Vogels vergleichen, dem die Flügel beschnitten sind. Ich sprach jetzt wiederholt mit Mad. X. über mich, und bat sie, mir diesen traurigen Zustand meines Innern zu lösen; sie nannte es eine Laune, welche zu beherrschen meine Pflicht wäre; ich dürfte meinen Gedanken nicht nachhängen, sondern müsste durch anhaltende eiserne Thätigkeit meine Grillen zu vergessen suchen; tröstete mich, dass sie selbst ihr funfzehntes Jahr sehr melancholisch zugebracht, weil ihr aber Nichts darauf zu gute gethan wäre, hätte sie auch weiter keine Notiz davon genommen, sagte mir auch, dass ich für diese Pensionsanstalt nicht länger passte, und widersprach meinem Glauben, dass es vielleicht körperlich sein könnte, durchaus. So war und blieb ich immer nur auf mich beschränkt; vergebens hoffte ich von jedem folgenden Tage Rettung, vergebens flehte ich zum Himmel, die Kraft des Gebetes nicht empfindend; es war wie ein finsterer Dämon, der mich stets verfolgte, ich mochte thun und sagen was ich wollte.

Ich hatte leider einen so unglücklichen Einfluss auf die übrigen Mädchen, dass wir unser Institut das melancholische Kloster nannten; sie schrieben trostlose Briefe nach Hause (ich nicht), worin sie das schrecklichste Heimweh als Ursache ihres Kummers angaben. Mad. X.— machte mir Vorwürfe darüber, weil die übrigen ihr gestanden hatten, sie könnten mich nicht immer traurig und weinen sehen, ohne

selbst trübe zu werden, weil ich früher gerade die
fröhlichste gewesen war. Dies war mir zu schrecklich, ich vergrub meinen Schmerz und zeigte eine
freundliche Aussenseite, redete ihnen jeden trüben
Gedanken aus, und hatte auch wirklich die Freude,
sie nach und nach alle wieder aufleben zu sehen,
Aber keine frohe Umgebung, keine Abwechselung
durch öfteres Ausgehen half mir Armen, im Gegentheil die einförmige Ruhe, wo ich nicht nöthig hatte,
irgend Etwas zu leisten, that mir am wohlsten.
Frohe Menschen waren mir schrecklich, Musik brachte
mich gleich zu Thränen, und nur Menschen und Erzählungen von unglücklicher Stimmung, überhaupt
Unglück, interessirte und erregte mich. Ich könnte
unendlich viel darüber sagen, aber ich will Ihre Geduld auf keine zu harte Probe stellen. Nun bemei-
sterte sich meiner die fixe Idee, ich würde immer
schlechter und ein moralisch verdorbenes unbrauchbares Geschöpf; hatte keine Kraft über mich, kein
Vertrauen mehr zu mir, hoffte aber fest, der Himmel werde mir Etwas von Aussen senden, wodurch
plötzlich diese Eisrinde, möchte ich sagen, gebrochen würde. Es war in der Zeit, wo meine theure
Fanny, — sie war mir wirklich eine zweite Schwester geworden, — eine glückliche Braut wurde. Bei
dieser Gelegenheit fühlte ich mit Entzücken, dass
ich noch Sinn und Theilnahme für fremdes Glück
hatte, war also noch nicht ganz unglücklich, sah aber
klar ein, dass auch dies noch schwinden würde, und
hatte auch damals schon zuweilen die Idee, dass
mich der Tod erst retten könne, wenn der Himmel
nicht ein Wunder geschehen liesse. Wir Mädchen
waren in dieser Zeit ganz uns selbst überlassen, die
hirtenlose Heerde verwilderte indess ein wenig, und
ich trat als zwanzigjährige Duenna auf, und bekleidete dies Amt mit solch' einer Würde, dass Mad. X.

mir einen sehr theuern Ring schenkte, den sie einen
Talisman nannte. Es war mir sehr rührend, und
ich sagte scherzend, er solle mir eine heilige Reliquie
sein und mich gegen Alles schützen. Nach einigen
Tagen brach der goldene Reif, und ich sah eine traurige Vorbedeutung darin. Ich schickte ihn hin zum
Repariren, er konnte aber nicht gemacht werden: das
war mir schrecklich, unheimlich, ich war überhaupt
ungemein abergläubisch in jener Zeit. Mein innerer
Zustand wurde alle Tage schlimmer, ein Interesse
nach dem andern schwand. Mir wurde oft der Vorwurf der Einseitigkeit gemacht. Durch angestrengtes
Kopfarbeiten suchte ich mir wenigstens den inneren
Vorwurf der Trägheit zu ersparen, aber doch fand
ich keine Beruhigung darin. Mein Körper kam sichtlich herunter, häufige Thränenströme hatten meine
Wangen merklich gebleicht. Ich machte mich denn
zu Zeiten selbst lächerlich damit, weil ich gar keinen reellen Grund angeben konnte, und immer nur
auf eine gränzenlose Selbstunzufriedenheit mit meinem Denken und Handeln hinwies. In dieser Zeit
kam der Sohn der Mad. X.—, auf den ich sehr
neugierig gemacht worden war durch seine wirklich
wundervollen Briefe, in denen sich Geist und Gemüth aufs angenehmste vereinigte und auch durch der
Mutter und Tochter mündliche Beschreibungen, manche scherzhafte Aeusserung der Mutter, die aber
wohl wusste, dass, wenn sie es sagte, ich dergleichen auch ebenso leicht und unbedeutend aufnahm,
wie es gemeint war; und ich freute mich recht, mit
Fanny den Bruder als neugebackenen Lieutenant bald
kennen zu lernen. Ich sehe wohl, ich muss ganz
offen in dieser Sache reden, weil ich Ihnen schon zu
viel vertraut habe, um hinterm Berge zu halten. Er
überraschte uns plötzlich an einem Abend, und sein
Anblick frappirte mich ungemein. Wir machten uns

schnell aus dem Staube, und den andern Morgen
wurde er mir ganz insbesondere vorgestellt. Nein,
er war doch wunderschön, ich habe nie einen so
schönen Herrn gesehen, so klug und schwärmerisch
sah er aus. Wie tiefen Eindruck er auf mich machte,
will ich nicht bestimmen, weil ich mich durchaus zu
den Laien in dieser Sache zähle, wenigstens war ich
sehr unbefangen. Ich erinnere mich, dass ich mit
seinem Säbel und Federhute spielte und er mich auslachte. Ich sass mit ihm zu Tisch und war wie immer sehr trübe gestimmt, was ich jetzt sehr tief empfand, weil ich so herzlich wünschte, ihn im Gespräche etwas näher kennen lernen zu können und
zugleich dem Wunsche der Madame X. nachzukom-
men, auch ihn der Gesellschaft nicht als Stummen
zu präsentiren. Aber es war mir ganz unmöglich,
ein vernünftiges Gespräch durchzuführen. Nachher
war Fanny so unzart, mir, indem ich mit ihrem
Bruder sprach, ihre eigenen Briefe an ihn vorzuhal-
ten und vorzulesen, worin lange Abhandlungen über
mich standen, und zwang mich dadurch, das Zimmer zu verlassen. Darauf haben wir sehr wenig mit
einander gesprochen; er blieb acht Tage, hat mir aber
durchaus weiter keine Aufmerksamkeit erwiesen, wonach ich mich auch keineswegs sehnte, denn ich hatte
wahrhaftig kein anderes Interesse für ihn, als man
für einen sehr liebenswürdigen Bruder einer Freundin
empfindet. Wenn ich gesund gewesen wäre, hätte
es vielleicht anders kommen können, aber mein Gefühl war gar nicht im Stande, irgend Etwas mit Feuer
aufzufassen. Ich erklärte Mad. X. auf ihre Anfrage,
dass er in jeder Beziehung meine Erwartungen übertroffen, und sagte: ich fürchte, dass er der Damen-
welt noch sehr gefährlich werden könne, gerade weil
er so wenig Notiz von ihr zu nehmen schiene; ich
sei überzeugt, dass sie durch ihn und eine spätere

gute Wahl

den ·könne,

Gelegenheit

mung ihn w

zu lernen.

ziemlich die

späterhin m

Nach seiner

mehr gezeig

jedem Tage

mir Beispiel

es überwund

hinein wir

hatte es nie

mir sagte, j

gen, ich die

nie mehr da

den, so ka

finde, es li

lichen Brust.

und zögern

Anderen ern

und zum E

deutlicher,

Anderer ein

nehmen woll

wachte ein

pflegt wurde

und ich übe

schreckt ha

ganz in mic

übrigen Mäd

„sie denkt

todt, ganz N

lichen, ihn g

Interesse, z

in uns gepflanzt ist, hält ihn doch am Leben, aber
mir war Alles verloren; ich war gänzlich abgestumpft
für Alles, ich malte mir die schaudervollsten Bilder
aus, den Tod der Meinen, aber Nichts rührte mich.
Ich hatte oft gehört, recht zu leben sei eine Kunst,
aber, dass es eine furchtbare Last sei, fand ich grausam, und dabei rief eine innere Stimme mir fortwährend zu: „*Dein ist die Schuld!* Jeder trägt sein eigenes Glück im Herzen, dich kann Nichts retten,
wenn du's nicht selbst thust." Es ist ein grässlicher
Zustand. Entzweiung mit sich selbst ist das Trau-
rigste, dünkt mich, was man hat. Meine Briefe trugen endlich auch den Stempel des Trübsinns; aber
von allen Seiten nur Ermunterungen, nur Hinweisun-
gen auf mich selbst! Gott! wie hab' ich gerungen,
gekämpft, das höchste Wesen um Hülfe angefleht,
umsonst, mir wurde kein Trost in dem Gebet. Nun,
dachte ich, verlässt dich der Himmel auch, so bist
du ein Kind des Todes, du bist verloren; wen die
Sünde erst bei einem Haare hält, den packt sie bald
ganz. Und forschte ich recht nach, so war ich mir
keines Unrechts bewusst. Und dies war das Jahr,
worauf ich alle meine Hoffnung gesetzt hatte. Der
Sommer kam, Alles freute sich, nur mich liess er
kalt, eine starke Hitze, die Alle ermattete, empfand
ich gar nicht, ich übertäubte mich selbst auf eine
Art, die mich so aufregte, dass ich oft ganz besinnungslos war. Gedächtniss hatte ich gar nicht. Wir
lasen jeden Abend sehr interessante Bücher, aber
nicht zwei Zeilen konnte ich verfolgen, habe auch
kein Wort davon behalten. Ich wurde tüchtig mit
meiner Zerstreutheit, wie sie es nannten, ausgelacht.
Es war ein Vierteljahr vor dem Ausbruch meiner
Krankheit, dass ich oft schon ganz sonderbar auffallend sprach, nur von Selbstmord und unglücklichen
Menschen redete, ganz willenlos, maschinenmässig

40 *

mit mir verfahren liess, ganz dumm und lächerlich
mich oft äusserte. Auch veränderte sich mein Aussehen sehr, meine Augen wurden ganz glanz- zuweilen farblos, ein tiefer dunkler Rand herum, und
das Gesicht ganz ohne Röthe, liessen mich als krank
und verblüht erscheinen. Mad. X. sagte mir, es käme
von diesem unaufhörlichen Denken und Abquälen, womit ich Nichts erreichte, sie müsste mir aufrichtig
bekennen, dass es eine Leere des Herzens bei mir
wäre, oder ich interessirte mich für Jemand; ihr
Schwiegersohn und Mehre hätten diese Vermuthung
schon geäussert. Das konnte ich nicht ertragen.
Mad. X., sagte ich, kennen Sie mich nicht besser,
als mich in die Reihe solcher Geschöpfe zu stel'en,
von denen das Erste gesagt werden kann. Das Letztere zu haben bin ich unfähig, entweihen Sie dieses
heilige Gefühl nicht, indem Sie es mir zutrauen. Mir
kam jetzt oftmals wieder der Gedanke, die Meinigen
von einer Last zu befreien, ich sprach's auch aus,
aber mit Lachen wurde es aufgenommen. Sehr viel
las ich in den Stunden der Andacht, fand aber keinen Muth daraus, wohl aber eine treffende Darstellung meines Zustandes. Zerrüttete Nerven wurden
als Ursache angegeben. Jetzt fingen die Nächte an
fürchterlich zu werden, ich hatte die letzte Zeit fast
gar keinen Schlaf, die grausenhaftesten Bilder und
Gedanken verfolgten mich wachend und träumend, ich
hatte keinen Appetit, aber einen heftigen Druck im
Kopfe, auch hatten meine Augen sehr durch heftiges
Weinen gelitten. Fremden Menschen fiel ich sehr
auf, die Zeit meiner Abreise rückte immer näher;
dass dieser Act aber unter solchen Umständen nie erfolgen sollte, war fest beschlossen. Ich schrieb gar
nicht mehr nach Hause. Meine Schwiegerin schrieb
mir, dass meine Abreise früher, als festgesetzt war,
erfolgen würde. Ich war in Verzweiflung darüber,

immer hoffte ich, dass etwas Besonderes vorfallen würde, meine Fesseln zu lösen, das Jahr schien mir ganz nutzlos verstrichen, ich würde den Meinigen Nichts als ein kaltes gefühlloses Herz und einen schwachen zerrütteten Geist zu bieten haben. Fanny's Hochzeit sollte während meines Aufenthalts dort noch sein, und nur ihr Bruder, der erwartet wurde, und ich, Zeugen dieser Handlung sein. Ich versprach mir viel davon; weil ich das Mädchen unbeschreiblich lieb hatte, hoffte ich doch Etwas zu empfinden; an ihren Bruder dachte ich nicht, sein Bild war längst mit allen andern untergegangen. Mechanisch that ich die kleinen Geschäfte, die mir oblagen. Sonderbar war es, dass meine Sinne so litten, ich hatte fast gar keinen Geschmack mehr. Meine Augen sahen alles hässlich an, die Gesichtsfarbe erschien mir grau, die Nächte waren fürchterlich, kein Schlaf kam in meine Augen.

Ich empfand die Qualen des grössten Verbrechers, musste mich mit einer Giftmischerin vergleichen, jedes kleine unschuldige Vergehen aus früherer Zeit erschien mir im grellsten Lichte und ein Keim zu dem grössten Verbrechen zu sein. Da erhielt ich die Nachricht, dass ich in fünf Tagen geholt werden sollte. Jetzt war das Maass voll, und ich fasste den schrecklichsten Entschluss. Niemand konnte Etwas verlieren, nach meiner Meinung im Gegentheil nur gewinnen, indem ich Schlimmerem vorbeugte, und die Gewissheit, dass es meinen Zustand ändern würde, schien mir trostreich. Ich hoffte zuversichtlich auf des Himmels Gnade, er sah ja in mein Herz und konnte es wegen dieses Schrittes einzig und allein nicht verdammen. Dass es meiner Familie ein Schmerz sein musste, mich zu verlieren, dass die Welt zweifelhaft über mich denken musste, kam mir gar nicht in den Sinn. Nachdem ich den Entschluss gefasst

hatte, war mir unbeschreiblich heiter und ruhig zu
Muthe. Ich war mit Fanny und ihrem Bräutigam den
Abend zum Thee geladen. Als es anfing zu däm-
mern, bat ich ausgehen zu dürfen, unter dem Vorwande, etwas zu kaufen. Fanny musste indess mit-
gehen, wozu sie eine dunkle Ahnung, wie sie mir nachher sagte, getrieben. Ich besuchte noch mit ihr ihre
künftige Wohnung, ich weinte heftig, Fanny auch,
aber wie sie mir sagte, wahrscheinlich aus einem
ganz andern Grunde als ich, nämlich, dass ich nicht
auf ihrer Hochzeit sein könne. Wir gingen nach
Hause; es war fast ganz schwarz vor meinen Augen, es wurde finster, die Zeit drängte. Ich schrieb
einige Zeilen für Mad. X. auf, flehte um Vergebung,
hoffte auf Wiedersehen, und schloss mit dem Gedanken an meinen verklärten Vater, legte dies auf ihr
Bett und ging fort; ich nahm im Stillen Abschied von
Allen, und versprach die Anderen beim Kaufmann
zu erwarten, man liess mich ruhig gehen. Ich lief
mehr als ich ging, der Schlossgraben war mein Ziel;
es war finster, fast Niemand sah mich, ich warf Hut
und Tuch ab, und mit zum Himmel gewandtem Blicke
sprang ich hinein. Ich tauchte unter. Gott! das war
schrecklich, mir vergingen einen Augenblick die Sinne, aber ich wollte nicht um Hülfe rufen. Mein sei-
denes Kleid hielt mich, glaube ich, oben. Ich schwamm
vom Ufer fort, ich kämpfte schrecklich mit dem grau-
sigen Element, meine Kräfte sanken. Da rief ich,
dass mir die Brust fast platzte, und so lange bis ich
nicht mehr konnte. Da hörte ich eine Stimme und
sah ein Gesicht, es war das eines stillen Verehrers.
Ich rette Sie, Gott, das ist schrecklich, rief er aus.
Nein, rief ich, das sollen Sie nicht, Sie haben Eltern;
der Gedanke, dass ich vielleicht zwei Leben auf meinem Gewissen haben sollte, war mir schrecklich. Ich
sah ihn von der Mauer heruntersteigen, da vergingen

mir wieder die Sinne. Nun, ich wurde gerettet, mich
fasste dieses Menschen kräftige Hand, ich sah eine
ungeheure Masse von Menschen, die ich fast alle erkannte. Ich fühlte mich kräftig genug, um zu gehen,
sagte, dass ich zu Mad. X. gebracht werden wollte.
Den Dr. H. sah ich unter den Umstehenden, und dies
war mir ein Trost. Ich wurde in ein anderes Haus
getragen zu Bekannten; ich sah meine Hoffnung ge-
scheitert, indem ich wünschte ertrunken zu sein.
Alle mögliche Mittel wurden angewandt, viele Damen
kamen mich zu sehen. — Man fragte mich um den
Grund, ich wusste Nichts zu antworten. Dr. H. schien
einen gewöhnlichen zu vermuthen. Ich hörte, Mad.
X. sei ausser Fassung. Dies gab mir einiges Gefühl, ich wurde nach Hause und zu Bett gebracht,
sah meine Pflegemutter jedoch nicht. Jetzt wurde
ich aufs strengste examinirt. Ich war ganz starr,
antwortete nur, was ich wusste, und bat immer um
Opium, um nur ein wenig zu schlafen. Fanny machte
mir Vorwürfe, stellte mir den Tod ihrer Mutter als
wahrscheinlich vor, und hielt mir lange moralische
Predigten, meinte gewiss, mich dadurch am ersten
auf mich selbst zurückzuführen, verursachte mir aber
dadurch eine grössere Aengstlichkeit und Seelen-
unruhe.

Dr. H. theilte fast die ganze Nacht zwischen Mad.
. X. und mir. Ich sagte ihm, ich glaubte nicht, dass
ich seiner bedürfe, ich wäre auf ewig verloren; mein
Geist und Herz hätten nicht die mindeste Gewalt mehr
über mich, einem durchaus gefühllosen Wesen hätte
die Welt nichts mehr zu bieten, ich hätte keine Anhänglichkeit mehr für die Meinen, dies für mich wichtig sein sollende Jahr wäre theils verträumt, theils
vertändelt, und für dieses Uebel würde er keine Medicin haben. Diese Gedanken folterten mich so, dass
ich seit sechs Wochen fast keine Stunde geschlafen.

Er ging nicht darauf ein, stellte es mir nicht als Ursache zu einem solchen Schritte vor, und vermuthete
einen andern Grund, den ich ihm als Unbekannten
vielleicht nicht sagen könnte oder wollte. Ich merkte
wohl, wo hinaus er wollte, und arbeitete dem so viel
wie nur irgend möglich entgegen. Wir hielten jetzt
sehr ernste religiöse Gespräche; der Arzt war Jude.
Ich war überrascht, ihn von solchen Sachen mit einer Tiefe und Klarheit reden zu hören, die auf eine
grosse Freiheit des Geistes hindeutet. Nachdem es
ihm gelungen war, mein Uebel mir als körperlich darzustellen, wurde ich ruhig, mein Zustand veränderte
sich. Mit der grössten Aengstlichkeit achtete ich auf
mich und hoffte, dass bald ein anderes Leben in mich
kommen würde. Den zweiten Tag kam mein Bruder,
dies erregte grosse Sensation in meinem Körper, und
zwar der Art, als schliefe einem der Fuss, ein solches Gefühl im ganzen Körper; es hinderte mich ein
Glied zu rühren, und doch fühlte ich mich stark und
alle meine Lebensgeister in Aufregung. Ich sprach
ihn nur kurze Zeit. Fanny fing an, mich mit einer
gewissen Strenge zu behandeln, die mir unerklärlich
war. Es war wohl nur zufällig, dass ich vieles wusste
und vorhersagte, wovon mir Nichts bekannt war, man
wunderte sich sehr darüber, man hielt mich für clair-
voyante, und ich wurde als solche behandelt. Der
Arzt fragte mich um Alles, auch muss ich im Schlafe
gesprochen haben, denn ich hörte im Nebenzimmer
davon reden, dass er gerufen sein wollte, wenn ich
schliefe. Man hatte die Fenster stark verwahrt, auch
durfte kein scharfes Instrument in meinem Zimmer
sein; ich merkte es wohl, und empfand bei dem Gedanken eines Messers oder einer Schere ein Zucken
durch den ganzen Körper, besonders auch bei Erzählungen von traurigen schreckhaften Dingen, womit die
Wärterinnen so gerne bereit sind. Es fing jetzt wun-

derbar in mir zu tagen an, aber dies grade war meine
Verwirrung des Geistes; ich bekam Blutigel, und darnach wurde mir unbeschreiblich wohl; von leichten
Wolken wurde ich gehoben, es war als winde sich
mit jeder Minute der Geist mehr los aus seinen Banden, und ein namenloses Entzücken und Dankbarkeit
nahm in meinem Herzen Platz, ich konnte den Arzt
nicht genug sehen und sprechen, um ihm meine gren-
zenlose Dankbarkeit zu erkennen zu geben. Es begann ein ganz neues himmlisches Leben in mir, mein
früheres Dasein verschwand in gänzlichem Dunkel.
Ich hatte früher gehört, alle sieben Jahre sollte sich
der Mensch ganz verändern. Ich war ein und zwanzig, und schrieb es diesem Alter zu. Ich sammelte
gleichsam meine Gefühle, ob mir aus meinen gesunden Tagen nichts mehr fehle; aber Etwas suchte ich
immer vergebens. Meine Ideen häuften sich so, dass,
was ich eine Stunde vorher mit dem grössten Eifer
vorgetragen, ich jetzt widersprach; aber ich war unbeschreiblich heiter, sah ganz verklärt aus. So ging
es ein paar Tage. Dass hierauf Etwas folgen würde,
stand fest bei mir, ich fürchtete eine Geistesverwirrung, weil ich keine Idee festhalten konnte, dann
fürchtete ich auch eine schwere Krankheit und zuletzt sogar den Tod. Ganz ruhig dachte ich an mein
Ende, und wünschte blos, nur die Meinigen noch
einmal zu sehen. Es war den fünften Tag, als mir
das Bild des jungen X. im Schlafe plötzlich vorgehalten wurde, und ein namenlos süsser Schmerz durchzuckte mich; ich erwachte. Jetzt hatte ich, was ich
suchte, wie Schuppen fiel's von meinen Augen; ich
glaubte genesen zu sein. Ein wirklich poetisches Sein
fing jetzt an. Diese Idee hielt ich von jetzt an fest,
ungeheuer fest. Ich empfing Fanny damit: „das war
Tell's Geschoss." Mein ganzes Leben in B., meine
traurige Stimmung, Alles hatte eine Bedeutung. Ich

verlangte mein Tagebuch, meine Aufsätze, Alles hatte eine poetische, auf dieses zielende Gestalt. Ich schlief und fühlte Stiche in der Brust und im Herzen; bei meinem Erwachen fragte der Arzt mich, ob ich jetzt wüsste, was mir fehlte; ich konnte nicht antworten, glaubte mich verrathen und wurde dunkelroth. Mit einem höchst feierlich theilnehmenden Tone wiederholte er diese Frage, und als ich mich ganz abwandte, ging er schweigend fort. Er musste es wissen, sonst hätte er so nicht gefragt. Ich beklagte mich bei Fanny über des Doctors Indiscretion, und sie sagte mir auf den Kopf zu, was ich noch nicht ausgesprochen hatte. Jetzt konnte ich nicht aufhören, von ihm zu reden, Alles zusammen zu reimen, Alles aufzuklären. Es erschien mir so wunderbar und doch so ganz natürlich. Fanny ging mit darauf ein, sprach wenig, aber ganz ausgemacht darüber, erklärte mir selbst Manches und schied ganz glücklich, liess aber Vieles zu rathen und zu denken übrig. Er wurde schon seit mehren Tagen vor meiner Krankheit erwartet. Ich glaubte fest, er sei da und glaubte an eine geheime magische Verbindung und Vereinigung mit ihm, wodurch er mich unsichtbar umschwebte. Ich sprach mit dem Arzte jetzt wenig, trennte meine Krankheit ganz von meiner Liebe, berichtete nur ganz kurz den Zustand der ersteren, sah ihn gar nicht an. Es fiel ihm auf, weil ich früher so unbeschreiblich offen ihm Alles mitgetheilt, ihm von meinem früheren Seelenzustand Alles berichtet hatte. Ich sagte ihm, ich wäre jetzt soweit, dass ich schon viele überflüssige, nicht zu meiner Krankheit gehörige Gedanken habe, die ich nach meiner Ansicht ihm nicht mitzutheilen brauche. Schweigend spazierte ich wohl eine halbe Stunde im Kreise um ihn herum und hing meinen eigenen, sehr angenehmen Gedanken nach. Er sah mich unaufhörlich an, um mich recht genau zu beobachten. Dies war mir am Ende so lächerlich, dass ich laut meinem Herzen Luft machte, und ihm auf seine desfallsige Anfrage antwortete, dass ich ihn auslache. Darauf bat er mich, doch irgend eine Conversation mit ihm anzuknüpfen. Ich sagte, er wolle gewiss sehen, ob ich meinen völligen Verstand noch hätte, ich fühle mich aber so wunderbar wohl und sei so vergnügt, und doch auch so natürlich, dass, wenn er mir versichern könnte, ich würde nicht sterben, ich ihm dankbar sein würde für ein so himmlisches Gut, wie die Gesundheit sei. Während meiner ganzen Krankheit habe ich auch nicht die geringsten Körperschmerzen gehabt, ausser einer oftmaligen Mattigkeit, ich fühlte mich vollkommen gesund. Mein Zustand war damals beneidenswerth, so hatte ich ihn mir immer gewünscht. In meiner Seele empfand ich wahrhaft einen Vorschmack des Himmels, war durchdrungen von Dankbarkeit gegen Gott, der Alles so gelenkt und zum Besten gefügt. Welt und Menschen lachten mich an, ich verlangte sehr nach Thätigkeit, um auf's Neue anzufangen zu leben. Ich war ganz ausgelassen, wenn ich Jemand Bekanntes sah, sehr ungehalten, dass man mich der Gesellschaft entziehen wollte, hätte mich so gern den Menschen gezeigt, um ihnen das Grauen vor meinem gethanen Schritte zu nehmen, indem ich ihnen durch meine Heiterkeit zeigte, dass er nur körperlich gewesen. Meine Stimme wurde auf einmal ganz hell und klar, ich sang beständig; ich durfte Niemand sehen, selbst die Hausbewohner nicht. Mit einer grossen Sehnsucht erwartete ich den Sonntag; ich wollte zur Kirche mit ihm. Der früher von Mad. X. geschenkte Ring spielte eine grosse Rolle; es war ein grüner Stein darin (die Hoffnung) mit Perlen (Thränen) eingefasst, das Gold (die lautere Tugend) war gebrochen durch mein Vorgreifen des Schicksals. Ich war meiner Sache ge-

wiss und liess deshalb, äusserlich willenlos, Alles
mit mir geschehen. Dass er mich beschütze und für
mich sorge, war gewiss, nur konnte ich die Zeit
nicht erwarten, ihn zu sehen, wurde dadurch in meiner Spannung erhalten, die mich rasend ungeduldig
machte, und die ich nicht ertragen wollte. Jetzt
musste ich sogar abreisen, ohne ihn zu sehen, ich
sollte nur eine kleine Tour nach L. machen, dann
wieder zurückkommen, das erfordere meine Gesundheit, und sollte dann eine glückliche Zeit in B. ver-
leben. Ich war's zufrieden, Dr. H. entliess mich
ganz feierlich, mit der Frage, wann er mich wieder-
sehe und ob ich dann ganz glücklich sein würde?
Das erschütterte mich ungemein. Ich fand es nicht
fein von ihm; er sprach aber für meine eingebildete
Sache und für mein Gefühl, woran Mad. X. vielleicht
noch zweifelte. Ich sagte Ja, vermochte aber nicht,
ihn anzusehen. Ich verlangte von Mad. X. stürmisch,
in die Stube gelassen zu werden, wo er sich befände.
Sie sagte, ich möchte noch warten, um sie vollkommen glücklich zu machen. Sie kam mir vor, wie eine
Wachsfigur, schön aber ohne Ausdruck. Jedes Gesicht schien mir zum unkenntlichen verschönert. Ich
wurde in den Wagen gehoben, meine Nachbarn in
demselben kamen mir unheimlich vor, ich sprach
nicht, dachte und sang. Ich war in einer ungemeinen Spannung, es war mir als sollte ich mein Glück
erst errathen, als sollten noch ganz ungewöhnliche
Dinge und Opferungen vorhergehen. Ich glaubte, Jeder wüsste es, ich führe zu irgend einem Ball oder
Fest, wo ich ihn sehen sollte, oder wir sollten erst
von einander getrennt und geprüft werden, ob wir
für einander passten: eine Sympathie in einigen Sachen, die ich früher bemerkt hatte durch Mad. X.
ihre Erzählungen und Beschreibungen, in Grundsätzen,
Neigungen, Geschmack schien mir ein Wink vom

Himmel. Mein Herz eröffnete sich allen Menschen, ich gab genau auf Alles Acht, irgend eine Beziehung darin zu finden und fand es auch. Ich nahm Alles bildlich. Die Fahrt durch L. kam mir wie ein lebendes Wachskabinet vor, die Züge der Menschen waren mir alle bekannt, mehre Gestalten, die mir vorüberschwebten, haben gewiss nur in meiner Phantasie gelegen, solche hatten alle einen eigenen Ausdruck, etwa den eines Bittenden oder Schuldbeladenen. Deshalb grüsste ich alle freundlich, konnte sie alle lieben. Die Nacht in N. brachte ich schrecklich zu; da wurde ich gänzlich verwirrt, Alles gelesene durchkreuzte meinen Geist, vorzüglich spukten die Schiller'schen Werke darin, den einen Augenblick dachte ich mir, ich sei Franz Moor, dann die engelgleiche Amalie; ich weinte schrecklich, war ganz ausser mir, rief entfernte Menschen, die mir theuer waren, herbei. Es war mir, als sei Alles um mich versammelt. Aber in einer Minute hatte ich Alles vergessen, und eine übersprudelnde Fröhlichkeit behielt die Oberhand. Die ganze Welt drehte sich in meinem Kopfe rund um, Todte und Lebende warf ich durch einander, ich war der Mittelpunkt, um mich drehte sich Alles. Ich hörte die Stimmen verstorbener Menschen ganz deutlich, mitunter auch diejenige von Wilhelm X. Ich hatte eine unbeschreibliche Freude bei dem Gedanken, meiner Mutter einen neuen lebenden Wilhelm wieder zuzuführen. Ich habe einen Bruder dieses Namens verloren, bei dessen Tode meine Mutter ihre wunderschönen Augen fast ganz eingebüsst hat; ich hoffte, an dem Strahle der Seinigen würden sie sich wieder entzünden. Doch das Räthsel wurde mir zu schwer, zu verworren, ich war furchtbar aufgeregt, ich sehnte mich unbeschreiblich nach Ruhe, aber, ohne ihn gesehen zu haben, konnte ich weder ruhen noch rasten, man sollte von ihm sprechen, endlich dies räthselhafte Schweigen brechen, oder ich musste vergehen. Mein Bruder kam mir erschreckt, wie ein Marmorbild, entgegen, er schien gänzlich unbekannt mit dem, was mich erfüllte. Deshalb freute ich mich, Z. zu sehen; glaubend, er wisse Alles, redete ich auch offen heraus. Ich kann meinen Zustand nicht besser schildern, als wenn ich ihn mit einem starken Champagnerrausch vergleiche, ich denke mir wenigstens, dass den Leuten dann so zu Muthe sein muss, aus Erfahrung kann ich freilich nicht reden. Ich war wie ein Kind, ich wollte das neugeschenkte Leben recht geniessen, wollte den Augenblick festhalten und nachholen, was ich versäumt. — Z. bereitete mich vor, seinen Bruder zu sehen. Ich glaubte, er gäbe X. nur diesen Namen, und erwartete ihn. Da kamen Sie, und Ihr Gesicht, obgleich Sie keine braune Augen hatten, verkündete mir gleich etwas Gutes, aber den strengen Arzt ahnete ich nicht in diesen, mir zu jugendlich scheinenden Zügen. Als Sie fort waren, glaubte ich, Sie hätten mich in aller Geschwindigkeit magnetisirt. Ich merkte aber gar nicht, dass Anstalten zu irgend einem Feste gemacht wurden. Noch immer sah ich den sehnlichst Erwarteten nicht, ich träumte nicht, zu oft hatte ich mit ihm gesprochen, er hatte mir die Hand gegeben, mein Haar angefasst, nun gar sah ich seine wohlbekannte Gestalt in bittender demüthiger Stellung vor meinen Augen. Ich erinnerte mich, dass Fanny mir in meiner Krankheit gesagt, ich hätte einmal mit ihm getanzt; da hatte er mich durch Etwas böse gemacht. Daher also jetzt die bittende Miene. Nun, ich wollte ihm verzeihen, nur nicht länger gezögert, ihn zu sprechen. Noch mehre Gestalten, eine wunderschöne Dame sah ich. Da war mir auch zu Muthe, als der Jungfrau von Orleans, als müsste ich ihn erkämpfen, erringen.

Ich war schrecklich matt, hatte aber doch unmensch-
liche Kräfte. Mit Dreien konnten sie mich nicht halten, ich glaubte zu der Zeit, dass er auf eine andere
Art kämpfe, wirke. Ich wollte nicht müssig sein,
der Wirkungskreis für meine geistigen Kräfte war
geschlossen, so wollte ich meine körperlichen üben.
Ich soll oft heftig geweint haben, davon erinnere ich
mich aber Nichts. Ich hatte das Bedürfniss, die
ganze Welt durch eigene Aufopferung zu beglücken,
jedes Missverhältniss zu lösen, das Jahr 1832 war
als wichtig prophezeit, ich schien es wichtig machen
zu sollen. Wären alle Menschen von dem Gefühle
durchströmt, wie ich, die ganze Welt müsste ein
Paradies sein; ich hielt mich für einen zweiten Hei-
land, sie glücklich und wichtig machen zu sollen
durch meine Liebe; für die Sünder wollte ich flehen,
die Kranken heilen, die Todten wecken und dadurch
die Thränen trocknen; und hatte ich dieses Werk
ausgeführt, dann erst durch seinen Besitz glücklich
sein. Ich rief, so oft es meine Kräfte gestatteten,
die Verstorbenen. Es war mir, als sei ich im Blei-
keller, befinde mich unter Mumien, die ich durch
meine Stimme erwecken sollte. Das Bild des Erlösers
und seines verschmolzen in einander, so rein und
mild stand er vor mir, dann auch wieder als der
Mörder seines Vaters, wie ein Verirrter, für den ich
beten musste; ich arbeitete furchtbar, und fand nur
im Gesange Erholung. Ein Lied schien für mich gemacht:

„Nah und ferne, ewig durch das Reich der Sterne,
schwingt in tief verwob'ne Kreise magisch leise,
sich der Seelen zartes Band. Drum von Ahnung
still gehoben, schwebt das Herz hinauf nach oben.
Droben fühlt's im schönern Land sich verwandt."

„Hoffen, Sehnen, klares Wissen, trübes Wähnen; Nacht und Hölle wechseln, weben ur

Leben zauberisches Dämmerspiel. Ein Accord, wodurch die Geister ewig lenkt der grosse Meister,
tönet durch das Weltgewühl — Gott! Gefühl!"
Dann reihten sich Gedanken an Gedanken; ich dankte
dem Himmel, meinem Gotte und meinem Ideale —
Gefühl. Ich hielt ihn für den Vf. dieses Liedes. In
jede Idee musste ich erst Ordnung und Folge bringen,
dann suchte ich eine neue. Mein Haar schien mir
das Band zwischen uns. Warf ich es ihm hin, so
gab mir meine innere Stimme neue Gedanken ein,
woran ich arbeiten musste. Die grösste Kleinigkeit
hatte eine hohe Bedeutung für mich, ich genoss
Nichts, ich wollte meiner Mutter, dachte ich, endlich begreiflich machen, worüber sie mir so oft Predigten gehalten, dass man doch von der Liebe leben
könne. Man hatte mich zu Anfang in L. auf ein an-
gekommenes Schiff aufmerksam gemacht; meine letzte
französische Arbeit war gewesen „Napoleon en Egy-
pte." Alles Erlernte, Gehörte, Gelesene kam mir wie
erlebt vor. Napoleon, meinte ich, sei jetzt von Aegypten zurückgekommen, sei nicht am Magenkrebs
gestorben, ich sei das wunderbare Mädchen, in dessen Auge sein Name stand; mit ihm käme auch mein
Vater wieder, der grosser Bewunderer von ihm war.
So ging es Tag und Nacht fort, bis ich hierher gebracht wurde, unter dem Vorwande, nach A—s gebracht zu werden, um einen Ball dort mit zu machen.
Meine Begleiterinnen habe ich schrecklich gequält,
sie wollten mir meinen Willen nicht lassen, und das
wollte ich nicht ertragen. Ich zerriss Alles, um ganz
ohne Schmuck und Zierde ihm entgegenzutreten.
Schleifen riss ich ab, weil man sie oft Schmetter-
linge nennt; ich wollte nicht mehr flattern, mich für
gefangen erklären. Da war ich hier auf einmal wie
unter Fremden, aber Sie erschienen mir, wie ein bekannter guter Genius, dem ich, wie meinem Bruder

unbedingt vertraute. Ihre Mutter hatte sprechende
Aehnlichkeit mit einer Schwester meiner früheren Erzieherin, die ihren Mann auf eine traurige Weise verloren hatte. Ihre Mutter trauerte, ihr linkes Auge
weinte, ich war siecher, konnte sie aber trösten, ich
hatte ja die Todten in B. erweckt. Ihre Schwester
J. bestürmte mein Herz gleich mächtig; ein dunkles
Gefühl liess mich D. als Braut erkennen und nennen.
Hier, dachte ich mir, würde mein Schicksal sich
entscheiden. Wunderschön erschienen mir die Menschen hier, das Haus, wie ein Feenpalast. Ich hörte
J. und Sie singen, da glaubte ich unter Schauspie-
lern zu sein, wollte für mein Leben gern auch spielen. Am besten habe ich mich im Nebenhause, im
dunkeln Zimmer amusirt, keine Strafe darin erkennend; ich glaubte nur zeigen zu sollen, ob ich auch
Alles, was mir passirt, verstände und gut behalten
hätte. Aber der Spass währte mir zu lange, Alles
kam mir kalt und gefühllos um mich her vor, darüber musste ich mir Licht verschaffen. Erinnern Sie
sich, dass Sie mir von ungefähr auf den Fuss traten, Sie hatten Pantoffeln an. Ach! soll das so hinaus, dachte ich. Den andern Morgen trat ich Sie
wieder, um Ihnen zu zeigen, dass ich nicht unter'n
Pantoffel, sondern ihn schwingen wollte. Schwerlich
haben Sie diese Sprache verstanden. Dass Sie mir
auf irgend eine Art nahe standen, sah ich wohl. Als
Arzt konnte ich Sie aber unmöglich erkennen, denn
ich war nicht krank; ich glaubte fest, Sie wären J.'s
Verlobter, dann wieder, Sie würden mir Schwager
oder besonderer Freund, aber so recht wusste ich
Sie doch nicht zu stellen. Mit X. war ich indess
immer in Verbindung, er gab mir am Fenster oder
an der Thür ein Zeichen, was ich beginnen sollte,
und stärkte mich zur Geduld; auch sprach
aus R., die ich sehr lieb habe, zu mir,

tete und war fest überzeugt, sie sei hier. Es ist
unmöglich, das Alles zu sagen, was in mir verging,
aber es war ein reges lebendiges Leben, ich möchte
die Zeit wohl zu der glücklichsten meines Lebens
rechnen. Wie sich späterhin mein Zustand gestaltet,
haben Sie selbst beobachtet. Dass viel dazu gehörte,
mich von diesem schönen Traum loszureissen, die
Vernunft ganz wieder verwaltend zu machen, ist mir
bisher ziemlich fremd geblieben. Die ganze Krankheit hat in meinem Gemüthe viele Spuren zurückgelassen, eine gewisse Kraftlosigkeit kann ich durchaus nicht verläugnen. Ich möchte wohl behaupten,
dass meine Nerven etwas erschöpft wären, ich habe
nicht die Freude am Umgange mit Menschen, nicht
Erregbarkeit, Lust und Ueberlegung Etwas zu unter-
nehmen. Die Erinnerung aus meinem Zustande ist
mir zu lebhaft geblieben, um nicht einen grossen
Rückstand zu bemerken; ich hoffe indess das Beste
vom Himmel, er wird mich nicht umsonst so wunderbar gerettet haben, er lenkt die Herzen der Menschen und wird auch mich regieren und leiten.

Ein wenig ängstlich zwar betrete ich meine neue
Bahn, ich weiss nicht, was meiner wartet, doch in
des Höchsten Schutz mich wissend, will ich mich
bestreben, ruhig zu sein. Dass Sie sich ein ewig
dankbares Herz erwerben, brauche ich Ihnen nicht
zu versichern. Ihr Bewusstsein belohnt Sie, es muss
ein unaussprechlich angenehmes Gefühl sein, der
Menschheit auf diese Weise zu nützen. Der beste
Lohn für tausend Anstrengungen. Möcht' ich Sie immer recht, recht glücklich wissen!

———

Vorstehende geschichtliche Momente stimmten
einigermassen mit denjenigen überein, welche von
den Angehörigen angegeben wurden, nur waren sie

begreiflicherweise mangelhafter und einseitiger aufgefasst. Ich will sie hier nicht noch einmal wiederholen, da ich einige anamnestische und ätiologische
Verhältnisse noch in der nachfolgenden Bemerkung
zu berühren denke, vielmehr zunächst hier nur die
zusammengedrängte, eigentliche Krankheitsgeschichte
zur Mittheilung bringen.

Fräulein N. N., 21 Jahre alt, evangelischer Religion, wurde am 17. Septbr. 1832 meiner Anstalt als
Geisteskranke zugeführt.

Status praesens: Allgemeine Aufregung; Patientin sprach sehr viel, bald über diesen, bald über jenen Gegenstand, war dabei lustig, ausgelassen, unstät, unbäudig, sang, rief, schrie, gewöhnlich redete
sie über junge Männer, namentlich von dem schon
oben erwähnten Herrn X., sie glaubte ihn zu sehen,
oder dass er sich verborgen habe, weil sie seinen
Mantel habe hängen sehen. — Haare: blond, wild
umherflatternd; Augen: gross, blau; Blick: lebhaft,
unstät, freundlich, verliebt; Gesichtsfarbe: blass, jedoch war dies in gesunden Tagen einigermaassen natürlich; Gesicht: voll; Gehör: sehr scharf; Geruch
und Geschmack schienen mehr abgestumpft; Zunge:
rein, Appetit unregelmässig, Verdauung nicht sichtbar gestört, Unterleib jedoch etwas aufgetrieben,
Menses regelmässig; Haut normal; Puls fast schwach,
klein und etwas beschleunigt; Schlaf fast gar nicht.

Diagnose. Der Zustand stellte sich dar als allgemeiner heiterer Wahnsinn, mit den vorherrschenden Symptome einer leidenschaftlichen Liebe zu einem
jungen Manne.

Prognose. Die Form und ganze äussere Erscheinungsweise der Krankheit, das heitere lebens-
frohe Temperament in gesunden Tagen,
bildete, kluge Charakter, das jugendlich

nicht erbliche Anlage und das religiöse Gemüth waren die vorzüglichen Data, welche die Prognose im Allgemeinen als günstig erscheinen liessen,

Kur. In den ersten acht Tagen ihres Hierseins blieb Patientin fortwährend unruhig, die Wärterin musste ihr fast beständig die Hände halten, damit sie ihre Kleidung nicht zerriss und sonstige Thorheiten angab. Ihr Schamgefühl hatte etwas gelitten; wiewohl sie sich nicht grade absichtlich entblösste, und überhaupt der Zustand noch keineswegs eigentliche Nymphomanie war, so schienen doch ihre Geschlechtsverrichtungen ebenfalls an erhöhter Reizbarkeit zu leiden, und einige Male, als ich auf ihr Zimmer kam, hatte sie ihre Brüste ganz entblösst und trat mir etwas frei und ohne sich zu bedecken entgegen. —

Es erschien zweckmässig, zunächst das antagonistische Heilverfahren einzuschlagen und zwar einmal um die erhöhte Reizbarkeit etwas vom Gehirn abzuleiten, sodann aber um indirect auf die Seele einzuwirken und dieselbe wieder auf sich selbst zurückzuführen. Diesemnach wurde denn verordnet: Tart. stibiat i r d., kühle Regenbäder, Diät karg, zum Getränk Wasser, Isolirung in einem halb dunkeln Zimmer. Hiermit wurde etwa acht bis zehn Tage fortgefahren. Patientin wurde etwas ruhiger, der Zustand nahm mehr einen remittirenden Charakter an, und waren dann die Exacerbationen mitunter sehr heftig. Eben bei einer solchen Gelegenheit war es, als sie einmal einen ganzen Tag in völlig dunkeln Raume zubringen musste, worüber sie im Berichte einige Mittheilung macht. Der Fall schien mir nun ganz für die Anwendung des Opiums geeignet. Es wurde also verordnet Opii pur. gr. 1, Morgens und Abends zu reichen. Am ersten Tage keine Wirkung; am zweiten erfolgte aber ein langer anhaltender Schlaf. Vom

dritten Tage an wurde blos gr. 1 des Tages gereicht
und der Leib zwischendurch durch eröffnende Arznei
solvirt. Bei diesem Verfahren besserte sich die Kranke
zusehends; schon nach einigen Tagen sass sie in Gesellschaft einiger gebildeten Damen im Garten und beschäftigte sich mit Handarbeit; sie schwatzte freilich
noch manches confuses Zeug, gleichwohl war einigermaassen mit ihr umzugehen. Vierzehn Tage später konnte man sich schon ziemlich vernünftig mit ihr
unterhalten, sie sprach ganz offen über die Vergangenheit und machte mir schon damals manche interessante Eröffnungen über ihren Zustand. Wegen grossen Verlangens nach den Ihrigen besuchte der Bruder die Kranke schon sechs Wochen nach ihrer Hier-
herkunft; er fand sie sehr gut, so wie sie nach seiner
Aeusserung in langer Zeit nicht gewesen war. Auch
versicherte sie, sie fühle sich ganz ausserordentlich
leicht und wohl.

Der Besuch des Bruders hatte keine Nachtheile
hervorgebracht; inzwischen fand ich die Kranke nach
einigen Tagen doch sehr verstimmt. Als ich sie um
die Ursache befragte, gab sie mir zur Antwort, sie
mache sich jetzt Vorwürfe, dass sie jene Aufregung
nicht unterdrückt, was ihr doch vielleicht wohl möglich gewesen wäre; sodann aber klagte sie auch über
Leibschmerzen, Aufgeblasenheit der epigastrischen
Gegend, Beängstigung, Schlaflosigkeit, gerade so,
wie vor ihrer Krankheit, was denn ihren Geist mit
allgemeinem Trübsinn erfüllte, ohne dass sie sich
von letzterem einen anderen Grund angeben konnte.
Es wurde gereicht die Mutzelsche Composition (Tart.
tartar. Extr. taraxaci mit Aqu. laurocerasi) und
um den andern Abend ein Doversches Pulver. Hiernach besserte sich der Zustand ziemlich. Patientin
machte nun zuweilen Besuche bei ihren in der Nähe
wohnenden Verwandten und kehrte immer heiter und

vergnügt in die Anstalt zurück. Nachdem sie ein Vierteljahr in derselben zugebracht, wurde sie entlassen, weil besondere Umstände es erheischten. Jedenfalls würde eine noch fortgesetzte Kur ihr von Nutzen gewesen sein. Sie kehrte nach R. zur Mutter und Schwester zurück, an einen Ort, wo sie sich früher sehr unglücklich gefühlt hatte. Es war dies freilich nicht zweckmässig, aber nicht abzustellen. — Das Befinden im Hause war erträglich, doch war ein oft wiederkehrender Trübsinn in ihren Briefen nicht zu verkennen, und gestand sie mir dies auch. Die monatliche Periode verlor sich ganz und stellte sich darauf eine starke Anschwellung der Nase ein, und die wiederholten Klagen bezogen sich immer auf den Unterleib. Die Hauptursache schien mir jetzt noch immer in einer Verstimmung der Nervengeflechte des Unterleibes zu liegen. Es wurde dagegen verordnet: Rec. As. foet. ℥iß, Aloës, Ferr. mur. cryst., Extr. marrub. āā ℨß. M. f. p. gr. ij. Tags dreimal vier bis fünf Stück. Hiermit wurde eine Zeitlang fortgefahren und Abends gr. j. Extr. hyosc. in einer Pille gereicht.

Bei diesem Verfahren befand sich Patientin leidlich wohl. Die Periode kehrte wieder, Anschwellung der Nase verlor sich; etwas mehr Heiterkeit des Gemüthes. Dabei blieb es nun aber, weitere entschiedene Besserung wollte nicht erfolgen, körperliche Verstimmung und geistiger Kleinmuth, wenn auch nicht entschiedener Trübsinn, schienen vorzugsweise, jetzt wenigstens aus nur einer Quelle, nämlich einer Paraesthesis der Nerven hervorzugehen, und hielt ich den Fall deshalb ganz für die Anwendung eines Seebades geeignet. Das wurde denn nun verordnet und zwar mit dem allerbesten Erfolge, denn ich erhielt später zu verschiedenen Zeiten die Nachricht, dass sie sich darnach vollkommen wohl befinde. Persön-

lich· sah ich sie erst etwa vier Jahre später, als sie
bei ihren Verwandten zum Besuche war, wieder. Ich
fand sie gesund und blühend aussehend, sehr heiter,
ich kann wohl sagen, etwas aufgeregt, so dass,
wiewohl sie versicherte, sehr wohl und gesonnen zu
sein die Freuden des Lebens, wie bisher wieder,
auch ferner noch gründlich geniessen zu wollen, ich
doch nicht umhin konnte, ihr einige Vorsicht anzu-
empfehlen. — Vier Jahre darauf hatte sie auch wirklich das Unglück, abermals in Geistesverwirrung zu
verfallen. Ohne allen Zweifel war, ausser mehren anderen, die eigentliche veranlassende geistige Ursache
die, dass Patientin sich sehnlichst zu verheirathen
wünschte, und irgend eine Speculation in dieser Rücksicht zu Wasser wurde. Das Uebel hatte wieder eine
ähnliche Form wie früher, war etwas hartnäckiger,
wurde aber fast mit denselben Mitteln wieder geheilt.
Nach einem Vierteljahr war sie freilich der Hauptsache
nach wieder geheilt, blieb dann aber noch längere
Zeit in meiner Behandlung und unter meiner speciellen Aufsicht. Vollkommen wiederhergestellt, heira-
thete sie nach zwei Jahren einen schon etwas in Jahren vorgerückten Herrn, mit dem sie seitdem, wenn
auch in kinderloser, doch in sehr glücklicher Ehe lebt
und sich in moralisch tüchtiger Gesinnung sowohl als
Gattin wie Hausfrau auf das trefflichste bewährt.

Bemerkungen.

Krankheitszustände, wie der vorliegende, werden,
sowohl von Aerzten als auch von Laien, gewöhnlich
sehr einseitig aufgefasst; man sagt hier z. B., die
Kranke habe sich in einen jungen Mann verliebt, den
sie nicht habe bekommen können, und sei darüber in
Wahnsinn verfallen, weiss aber, oder berücksichtiget

wenigstens gar nicht alles früher Vorausgegangene.
Deshalb wollen wir denn Veranlassung nehmen, diesen Fall einmal etwas weiter zu zergliedern.

Patientin war ursprünglich mit einem sanguinischen Temperament und einer nervösen Constitution
begabt, damit correspondirend zeigte sie sich in en-
gerer geistiger Beziehung klug, gescheit und in gemüthlicher ebenso leicht in ihren Gefühlen, wie in ihrem Wollen angeregt, jedoch ohne Ausdauer. Solche
Persönlichkeiten bedürfen begreiflicherweise von vorn
herein einer aufmerksamen und sorgfältigen Erziehung.
Diese wurde ihr aber in keiner Weise zu Theil, im
Gegentheil, vom neunten Jahre an war sie einziges
Kind im Hause, und besonders vom Vater, wie sie
selbst sagt, sehr verzogen. Krämpfe der Dienstmagd
riefen bei ihr eine Art von Veitstanz hervor, ein Beweis, wie reizbar ihre Nerven schon damals waren.
Diese Krankheit ist in ihrer nächsten Ursache, wie
das Irresein, eine Neurose, es sind also psychisch und
somatisch ähnliche Zustände, erstere geht auch, wie
ich häufiger bemerkt habe, nicht selten in einen wahn-
sinnähnlichen Zustand über oder complicirt sich damit und beide werden auch in ähnlicher Weise behandelt. Dass sie sehr verwandt mit einander sind, darauf deutet auch die Bemerkung der Kranken hin, dass
sie während ihres Irreseins sehr klare Erinnerungen
aus dem früheren Veitstanz wieder gehabt habe. Letzterer besonders, wenn er öfter wiederkehrt, verstärkt gleich von vorn herein, wenn manche andere
Ursachen hinzukommen, die Disposition zum Irresein.
— Patientin machte sich nachher Vorwürfe, dass sie
die Krankheit nicht durch ihren eigenen Willen zu beherrschen gesucht habe, und in der That glaube ich
fest, dass, wenn sie bereits durch die Erziehung einige
Selbstbeherrschung gelernt hätte und von den Eltern
in vernünftiger Weise nachgeholfen wäre, es ihr hätte

gelingen können; denn man begreift sonst nicht, wie
sie als zehnjähriges Kind zu der Idee hätte kommen
können, dass sie theilweise selbst schuld· an dieser
Krankheit gewesen. Ihr Gemüth beunruhigte sich sehr
darüber. Im zwölften Lebensjahre fand man es zweckmässig, sie einer Erziehungsanstalt zu übergeben.
Natürlich konnte ·sie, bisher an gar keinen Zwang
gewöhnt, sich erst nicht recht in diese neuen Verhältnisse finden, mochte dort nicht sein, fasste den
abenteuerlichen Plan, als Troubadour verkleidet, heim-
lich zu entweichen und mit der Guitarre in der Hand
das Herz ihrer Eltern zu rühren. Inzwischen· gewöhnte sie sich nach und nach an die Menschen und
Verhältnisse, lernte aber nicht viel, wiewohl ihre
schnelle Auffassungsgabe und ihre guten Ausarbeitun-
gen in der Religion ihr doch gute Zeugnisse einbrach-
ten. Die Kranke spricht bei der Gelegenheit einen
warmen Dank gegen ihre Eltern aus, dass sie ihr
schon früh die Religion als ihre beste Freundin anempfohlen; ihr allein, sagt sie, danke sie die Kräfte,
womit sie lange getragen, was ohne die Hoffnung auf
eine milde, gütige Vaterhand, die nicht mehr aufbürdet als der Mensch tragen kann, ihrem moralischen
Werthe hätte eher zum Nachtheile als zum Vortheile
gereichen können. — Ja, gewiss ist die Religion es,
die vor vielem Jammer, Noth und Elend schützt, oder
wenn wir durch eigene oder fremde Schuld her-
hineinverfallen sind, als rettender Anker uns auf
erhält, auch wieder davon befreien hilft. Es ist-
lich wahr, über das Gottbewusstsein darf das W-
bewusstsein nicht zu sehr in den Hintergrund tre-
Was im Bereich des Könnens und Wissens des Me-
schen liegt, darin muss er auch einer höheren Vollkommenheit anstreben, und insofern das Sprich-
wort richtig: „Hilf dir selbst, so Gott auch
helfen." Wahrlich liegt darin der

Mensch nun auch sich in Allem genug sein und, wie die Religion der Zukunft von Feuerbach es will, nur nach irdischer Glückseligkeit streben soll. Zunächst schwebt diese ganze Glückseligkeit aber grösserentheils in der Phantasie und in der Luft, wovon sich jeder überzeugen kann, der sich mit den Fabeleien des Socialismus und Communismus eines Babeouf, Fourier u. s. w. und selbst eines Theils unserer neueren Philosophen näher bekannt zu machen die Mühe geben will. Ausserdem ist es ein Erfahrungsgrundsatz, den jeder sehr leicht an sich selbst bestätigt finden kann: je mehr Vergnügen deste weniger Befriedigung, und auf irdisches Vergnügen geht am Ende doch die Glückseligkeitslehre, — der Eudämonismus der Alten — hinaus. — Betrachten wir dies also nicht als unser Ein und Alles, als unser einziges Streben, sondern kehren wir zu unserm Gottbewusstsein zurück. Auf diese höhere Macht wird der denkende Mensch bei allen Mängeln und Gebrechen des Irdischen, die alltäglich in sein Bewusstsein treten, stets wieder hingeleitet und ihm, wenn er nur sehen will, die Ueberzeugung gebracht, dass sein Schicksal doch grösstentheils vom Allbewusstsein, dem er deshalb vertrauen soll, abhängig ist. — Aber man hat nun ja besonders in neuerer Zeit der Religion den Vorwurf gemacht, dass sie sogar zum Irresein Veranlassung gebe, ich selbst habe an einem andern Orte derartige Fälle vorgeführt. Die Sache hat ihre Richtigkeit, Alles kann das Maass überschreiten, verkehrt angewandt werden, so auch leider! die Religion.

Ausgehend von der Erbsünde und der unsinnigen Idee, dass jedes Menschenkind von vorn herein grundschlecht sei, was weit weniger in der geoffenbarten Religion als in den späteren verschiedenen symbolischen Büchern und daraus hervorgehenden Dogmen liegt, klebte man an dem Buchstaben und verlor dar-

über den Geist. — Christum nachfolgen heisst nicht
mehr soviel, als, ihn als Erlöser ansehen, insofern er
die Seele durch Lehre und Beispiel vom Bösen rei-
nigt und frei macht, ihr die Tugend einhaucht, ihre
edelsten Fähigkeiten und Gefühle hervorruft, sie mit
moralischer Kraft ausrüstet und ihr Leben, Ordnung, Gesundheit, Freiheit wiedergiebt, mit einem
Worte, der, wie er selbst sagt, gekommen ist, ein
Königreich in uns zu gründen; vielmehr versteht man
darunter, sich an ihn, das Opferlamm, den himmlischen Bräutigam, der auf einmal alle Sünden der
Menschen auf sich genommen hat, mit der Bitte um
Gnade zu wenden, dass auch unsere endlosen Sünden nicht gerochen werden mögen, da wir durch eigenes Bestreben und Verdienst keine Vergebung beanspruchen dürfen. Zu welchen extremen und exclusi-
ven Ansichten, die am Ende sogar in Wahnsinn übergehen können, dies führen muss, liegt eben so klar
auf der Hand, als die Erfahrung häufig genug derartige Beispiele vor Augen bringt. — Inzwischen, wie
gesagt, auch die Religion muss massvoll betrieben
werden; weichen dann ihre einzelnen Formen und
Wege auch von einander ab, das Endziel bleibt doch
immer dasselbe: es ist die Anbetung des höchsten
Wesens, von dem wir uns abhängig fühlen und dem
wir uns in allen Stücken zu verähnlichen suchen sollen. Wenn diese ziemlich allgemein gefasste Religion
den Menschen förmlich durchdringt, in succum et san-
guinem übergeht, wie es geschehen soll und muss,
giebt das allerdings eine feste Stütze im Leben, wie
im Sterben. Wünschen möchten wir von Herzen
dass diese tiefe Wahrheit mehr und mehr wieder zur
Geltung käme, da die Auflösung alles Bewusstseins
in Weltbewusstsein immer mehr überhand zu nehmen
droht. — Zu unserer Kranken zurück!   ich
nicht unterlassen, zu ihrer eigenen

auszusprechen, dass bei ihr die Religion in Tagen der Gesundheit, und bis zu einem gewissen Grade auch der Geisteskrankheit, ihres Lebens beste Stütze und Stab war, die auch wahrscheinlich am meisten verhindern wird, dass, nach zweimal überstandenen Anfällen, die Krankheit noch wieder zurückkehre.

Die Pensionsanstalten verdienen meistentheils nicht den guten Ruf, mit dem sie sich zu umgeben wissen, oder den ihnen das Publicum oft unverdienterweise zollt. Gründlich gelernt wird daselbst fast regelmässig nicht. Manches Tadelnswerthe eignet man sich aber manchmal daselbst an, oder scheut sich wenigstens nicht, momentan es zu begehen, besonders wenn sich Gefährten dazu finden. Ausserdem sind die Knabeninstitute, wie ich aus mehrfacher Erfahrung nachweisen könnte, nicht selten die Pflanzschulen der Onanie.

In der Pensionsanstalt, der unsere Kranke anvertraut wurde, und die wohl renommirt war, liess sich's die eine Vorsteherin beikommen, ein Liebesverhältniss mit einem verheiratheten Herrn einzugehen, eine Handlungsweise, von der man nur mit kurzen Worten sagen kann, dass sie ebenso schmutzig als gewissenlos war für eine Dame, der junge Mädchen anvertraut waren, in einem Alter, wo die grössten Gefahren drohen, namentlich insofern, als von dem guten oder schlechten Grunde, der dann in physischer und moralischer Hinsicht gelegt wird, nachher das ganze Leben abhängt. Patientin durchschaute dies Verhältniss, und einen wie tiefen Eindruck es auf ihr Gemüth gemacht, das wird in ihrem Bericht Jedem aufgefallen sein. Unter anderm sagt sie: von dem Augenblicke an, sei alle Liebe, alles Vertrauen von ihr gewichen und ein trotziges Selbstvertrauen an die Stelle getreten. Wendet der Himmel nun auch manchmal Gefahrdrohendes durch die Dazwischenkunft von irgend etwas Unerwartetem ab, oder mildert er es wenigstens, indem auch hier durch die Einwirkung einer andern jungen Dame in höchst wohlthätiger Weise dem beleidigten Gefühle eine Linderung wurde, so leidet es doch keinen Zweifel, dass diese ganze Angelegenheit einen so bleibenden Eindruck zurückgelassen hatte, dass man ihn unter den disponirenden Ursachen des späteren Wahnsinns nicht den letzten Platz geben darf.

Im funfzehnten Jahre trat, ungewöhnlich früh, schon fluor albus bei Patientin ein. Nachdem sie nun einen Bruder in Amerika und bald darauf ihren Vater verloren hatte, worüber sie grossen Schmerz empfand, kehrte sie in ihre Heimath zurück. Wiewohl ihr die Einwohner von R. sehr fade, läppisch und oberflächlich vorkamen, so verlebte sie unter ihnen doch drei sehr glückliche Jahre. Am Ende dieser Periode fing sie aber an, sich einsam und verlassen zu fühlen, es fehlte ihr Etwas was sie sich selbst nicht zu erklären wusste. Es traten andere, sie tief afficirende Verhältnisse hinzu, über die sie - sich nicht aussprechen kann und will. Wie ich glaube, war es die Liebe, ihr angeboten von einem Manne, den sie nicht lieben konnte, durfte und wollte, wodurch sie aber in einer beständigen Spannung erhalten wurde, gerade zu einer Zeit als ihr Herz nach einem unbekannten Etwas suchte. Hier täuscht die Kranke nun absichtlich oder unabsichtlich sich selbst und Ande. Dass es eigentlich ein männliches Ideal war, was suchte, geht weder aus ihren schriftlichen noch münlichen Mittheilungen hervor. Bei derartigen Temperamenten und Constitutionen spielen die Geschlechtsfunctionen gewöhnlich von früher Jugend an, besonders bei mangelhafter Erziehung eine vorwaltende Rolle. Bei ihrem zarten Gefühle grössen Sinne mag sie sich Anfangs selbst und

die fleischlichen und geistigen Ideale mit einander con-
fundirt haben, jedenfalls hatten die ersteren, wie vornehmlich aus meinen späteren Beobachtungen hervorging, eine sehr wesentliche Rolle übernommen, ja eine
grössere, als die Kranke selbst weiss und glaubt.
Es trat nun ein sehr trauriger Zustand ein, den der
oberflächliche Beobachter als allein aus der angegebenen nicht befriedigten Sehnsucht nach einem Ideale
hervorgegangen ansehen dürfte. Die Sache verhielt
sich aber nach meinem festen Dafürhalten doch etwas
anders. Durch Temperament und Constitution begünstigt, hatten die bereits oben erwähnten anderweitig
eingewirkten Ursachen dazu beigetragen, eine krankhafte nervöse Reizbarkeit zu Tage zu fördern. Bei
Frauenzimmern schliesst dieser Zustand sehr häufig
auch eine functionelle Aufregung des Sexualsystems
in sich. Möglicherweise kann dadurch von körperlicher Seite vorzugsweise die Vorstellung eines Idea-
les rege gemacht sein. Inzwischen war auch das Alter da, wo solche Vorstellungen und Gefühle am meisten von der Seele ausgeben, und so mag sich denn
beides gegenseitig in dem Maasse bedingt haben, dass
bei der schon vorhandenen Irritation des ganzen Nervensystems daraus ein Zustand erwuchs, der sich in
körperlicher und geistiger Beziehung als allgemein
krankhafte Stimmung, die im Psychischen mitunter
schon an Melancholie mit Lebensüberdruss streifte,
documentirte. Ich kann nicht unterlassen, bei dieser
Gelegenheit einen Blick auf einen Zustand zu werfen,
den ich Ueberreizbarkeit der Nerven (hyperaesthesis
nervorum) nennen möchte, die dann die erhöhte Reizung (Irritation) und die damit verbundenen krankhaften, bald mehr den Geist bald mehr den Körper,
bald beide gleichmässig afficirenden perversen Stimmungen, Gefühle und selbst Schmerzen hervorrufen. Anfangs ist dieser Zustand mehr allgemein, nach und

nach nimmt er aber entweder irgend bestimmte Formen an, die sich aber doch auf das Leiden des ganzen oder doch grösseren Theils des Nervensystems
beziehen; z. B. Epilepsie, allgemeine Krämpfe, Veitstanz, Wahnsinn, oder aber die krankhafte Reizung
concentrirt sich endlich mehr und mehr in einem Organe, stört dies zunächst anhaltend in seinen Functionen, was früher oder später nicht ohne Nachtheil auf
das Allgemeinbefinden bleiben kann, und ebenso allmählig die Materialität des Organes selbst unterg a-
ben muss.

Somit ist denn die allgemeine Ueberreizbarkeit
des Nervensystems als functionelle Störung, und in
ihrer etwas weiten Entwickelung nicht nur an und für
sich schon ein krankhafter Zustand, sondern man
kann ihn als den Grund und die Ursache einer Menge
functioneller und selbst organischer Uebel betrachten.

Bei den ältesten und selbst späteren Schriftstellern finden wir ihn gar nicht erwähnt, und fast sollte
man glauben, dass sie ihn nicht gekannt hätten. Wie
es mir scheint, hat man ihn erst näher beachtet, seitdem man überhaupt gründlicher die Verrichtungen des
Nervensystems erforscht hat. Dass man ihn gar nicht
sollte gekannt haben, ist sehr zu bezweifeln, viel seltener dürfte er aber doch jedenfalls gewesen sein,
und das führt uns zunächst zu der Frage, wodurch
jener krankhafte und dadurch zu vielen Krankheiten
weiter disponirende Zustand vornehmlich hervorgebracht werde? Der sinnige James Johnson sagt
in seiner Economy of health u. s. w.: die nervöse Reizbarkeit sei eine Art von Ungeheuer, was unter verschiedenen Gestalten zum Vorschein komme und offenbar die Geburt der Civilisation und Verfeinerung,
der sitzenden Lebensweise und geistigen Ausbild⁻⁻
der physischen Schwächung und geistigen Stö₁

der Aufregung und Erschöpfung; Unmässigkeit könne nicht die Schuld tragen, denn unsere Vorfahren seien unmässiger gewesen wie wir, auch die Verweichlichung dürfe man nicht anklagen, da das jetzige Geschlecht weit mehr Sorge und Arbeit zu ertragen habe, als jedes der früheren. Johnson hat in diesen Behauptungen ganz und halb das Rechte getroffen. Die krankhafte Nervenreizbarkeit ist als blosse Disposition und als krankhafter Zustand erblich. Anstatt diesem traurigen Erbtheil nun gleich in der Jugend, durch eine zweckmässige physische und moralische Erziehung einen wirksamen Damm entgegenzusetzen, befördert man die weitere Entwicklung fast systematisch, besonders in den höheren Ständen. So lange die Geisteskräfte unentwickelt sind, gereicht der Jugend nichts mehr zum Wohle, als eine einigermaassen entschiedene Abhängigkeit von einem andern vernünftigen Willen, am besten stellvertretend wohl immer von dem der Eltern. Tages sind die Kinder nun aber in der Schule, und Abends suchen die Eltern ihr Vergnügen in Gesellschaften und Klubs, was denn zunächst die Folge hat, dass erstere ohne alle Aufsicht oder den Domestiken überlassen bleiben, deren Einwirkung und Beispiel begreiflich sehr häufig ganz direct nachtheilig einwirken muss. Die Eltern kennen ihre Kinder zu Zeiten gar nicht einmal genau. Theils aus verschrobenen philanthropischen Ansichten, theils um das Unrecht, was sie im Innern fühlen, zu beschönigen, hört man auch nicht selten die Behauptung aufstellen, ein Kind müsse sich frei und naturwüchsig entwickeln, härtere Strafen seien unsinnig, zwecklos, barbarisch, und was dergleichen Unverstand mehr ist. Nun kommen die verschiedenartigen Vergnügungen, wozu namentlich auch Bälle gehören, die nicht wenig dazu beitragen dürften, schon frühzeitig den Geschlechtstrieb mit seinen unglückseligen Folgen, der

Onanie, anzuregen. Ein reichliches Taschengeld sorgt
für mancherlei Genüsse, die von den Eltern nicht genügend berücksichtigt werden, namentlich für alle
möglichen Leckereien, auch für die so nachtheiligen
Cigarren u. s. w. Von vorn herein nicht gewohnt
sich zu beherrschen und zu entsagen, hängt das Kind
allem Sinnlichen mit Begierde nach, schwächt und
stört seine Gesundheit um so mehr, als die physische
Ausbildung in keiner Weise berücksichtigt wird. Die
Religion wird im günstigeren Falle als überhaupt im
Allgemeinen mit zum Leben gehörig, keineswegs aber
als die eigentliche Basis betrachtet. Dazu kommen
nun die grossen, ja übermässigen Anstrengungen rücksichtlich des zu Erlernenden, was man nicht zu streng
bezeichnet, wenn man es oftmals unsinnig nennt, besonders beim weiblichen Geschlecht. In Folge aller
dieser störenden und schwächenden Einflüsse, die,
um hier nicht zu weitläufig zu werden, Jeder selbst
weiter ausmalen mag, sind denn junge Leute theilweise dann schon mit dem Leben fertig, wenn sie
eigentlich erst damit beginnen sollten. Blasirtheit,
Ekel, Ueberdruss sind die Folgen in geistiger Beziehung, in körperlicher eine schon minder oder mehr
ausgebildete nervöse Reizbarkeit, mit allen ihren kleinen und grossen Folgen, ein äusserst schlechtes Rüst-
zeug gegen alle Gefahren und Mühseligkeiten des
nachherigen Lebens, die an und für sich schon im
Stande sind, einen kräftigen gesunden Körperbau zu
untergraben, wie viel mehr einen schon kränklichen.
Die Ursachen, welche nun im weiteren Leben die nervöse Reizbarkeit befördern und zum grossen Theil
allerdings durch die Civilisation verstärkt werden,
lassen sich auf drei zurückführen: Gemüthsunruhe und
übertriebene Geistesanstrengung, sitzende Lebensweise
und Völlerei. Die Ansprüche an das Leben und das,
was es bietet, haben sich in den letzten funfzig Jah-

ren fast zum Extrem gesteigert, was zur natürlichen
Folge eine Ueberanstrengung der geistigen und körperlichen Kräfte hat; in gemüthlicher Beziehung werden Affecte und Leidenschaften zu einer excentrischen
Thätigkeit angestachelt. Ehrgeiz und Habsucht spielen bei dem vorherrschenden Weltbewusstsein, dessen vorzügliches Streben auf Geltung und äusseren
Glanz gerichtet ist, die erste Rolle und geben dem
Handeln eine Richtung, das in seiner Gewagtheit nicht
selten die schlimmsten Folgen nach sich zieht. Die
Liebe, sonst die edelste Leidenschaft, bringt aber
doch von vorn herein, wie männiglich bekannt, vielfache Störung in's Leben, noch mehr aber dann, wenn
sie die dienstbare Magd der übrigen beiden Leidenschaften wird und leider manchmal wohl werden
muss. Viele Convenienzheirathen werden geschlossen, um dadurch an Gut und Ansehen noch mehr
zu gewinnen, die grössere Zahl aber, um überhaupt
nur zum Heirathen zu kommen, da, bei den grösseren Bedürfnissen, des Mannes eigener Erwerb zu
einer standesmässigen Lebensführung nicht ausreicht.
Die Folgen für die ganze Familie sind oftmals viel
schlimmer als der oberflächliche Beobachter vermuthet. Das theils willkührliche theils unwillkührliche
Treiben und Jagen nach Auszeichnung und Gewinn
bedingt bei vielen Individuen eine anhaltend sitzende
Lebensweise. Es würde hier zu weit führen, ihre
nachtheiligen Folgen, die übrigens den Aerzten ja
auch bekannt sind, des Weiteren hier zu entwickeln, sie beziehen sich zunächst auf den Unterleib,
und zwar in nicht ganz viel geringerem Maasse,
als die Völlerei. Diese war bekanntlich auch im Al-
terthume keine Seltenheit, traf aber damals einen wi-
derstandsfähigeren Körper und hatte einen anderen
Inhalt; das will sagen, die Genüsse bezogen sich mehr
auf natürliche und einfache Dinge, waren also mehr

quantitativ als qualitativ abweichend, während in neuerer Zeit die letztere Art, wenn nicht prävalirt, doch der ersteren gleichkommt. Die immer nach Veränderung und Neuerung strebende Mode hat auch gegenwärtig auf Küche und Keller offenbar grossen Einfluss, und von beiden Seiten her werden dem Magen Zumuthungen gemacht, die er, sei er auch in gesundester Disposition, nicht vertragen kann, wenn die Folgen vielleicht auch erst später eintreffen.

Die Geistesthätigkeit oder sensu strictiori Verstandesthätigkeit ist zunächst auf das Gehirn beschränkt und wirkt nur indirect auf das Gangliensystem der Brust und des Unterleibes, so dass sie einen Theil der für diese Organe bestimmten Sensibilität gewissermaassen absorbirt, was denn für jene leicht Abstumpfung zur Folge haben kann. Denn die eigentliche Gemüthsthätigkeit, als der Inbegriff von Gefühlen, Affecten und Leidenschaften, hat eine sehr directe Beziehung zu den oben bezeichneten Ganglien.

Es ist keine Seltenheit in der Medicin, dass der klarste Unverstand und bodenloseste Unsinn lange Zeit, ja Jahrhunderte lang, im Gange bleiben kann, während einfache und klare Wahrheiten bestritten werden. So hat man denn nun auch in Betreff der Ganglien bald ganz unrichtige, bald nur halb wahre Ansichten aufgestellt. —

Es ist beim gangliösen Theile des Nervensystems offenbar darauf abgesehen, dass es nur mittelbar in's Gehirn übergehen soll. Durch seine netzförmige Vertheilung wird die Leitungsfähigkeit unterbrochen, besonders wenn sich in demselben, wie beim plexus phrenicus und solaris, hier und da Gehirn- oder Bläschensubstanz ansammelt, die denn besondere kleine Heerde für Empfindung und Bewegung abgeben. Da wo Erfühlungen und Reactionen, namentlich Bewegungen für das Bildungsleben, nöthig werden, werden

dieselben durch den sympathicus vermittelt. Bei irgend-
welcher Reizung in einem oder dem anderen Theile
desselben aber wird die unbewusste Empfindung trotz
der Ganglien in entschiedenem Maasse auch auf das
Gehirnnervensystem übertragen und so dem Subjecte
das Bewusstsein zur Kenntniss gebracht, und die
Empfindung, vorzüglich wohl durch das Ungewöhnliche der von dort her empfangenen Eindrücke, denen
die Seele auch eine grössere Aufmerksamkeit schenkt,
erhöht.

Aus dem Verhältniss des sympathischen wesentlich nur erfühlenden Nervensystems zum centralen
wird es deutlicher, wie mächtig die dunkeln Gefühle
von den verschiedenen Zuständen des bildenden Lebens auf unser bewusstes Seelenleben wirken; und
wer nur einigermaassen sich selbst zu beobachten gelernt hat, der kann in sich selbst auch die besten Belege für obige Wahrheit finden. Wiederholen sich
nun die dem Gehirn zugeführten Irritationen sehr häufig, und wird andererseits die Seele es gewohnt, ihre
Aufmerksamkeit darauf zu richten, so wird die wider-
natürliche Strömung der Innervation zwischen Ganglien
und Gehirn am Ende stehend, und diejenigen Krankheiten, welche am häufigsten daraus hervorgehen, sind:
Hypochondrie, Hysterie und sonstige Neurosen, die
die gewöhnlichen Uebergangsformen zum Wahnsinn
oder, allgemeiner gesprochen, zum Irresein bilden. In
den allermeisten Fällen geht das letztere, wenn seine
nächste Ursache oder vielmehr die Irreseinserscheinung
auch im Gehirn liegt, doch entfernter aus Verstimmungen und abnormen Körpergefühlen hervor, die die
Seele dann auf Gegenstände, die im Bereich ihrer geistigen Sphäre liegen, bezieht, und so auf dem aller-
natürlichsten Wege in Geistesstörung verfällt, die
ebenso natürlich wieder, je nach Temperament, Constitution, geistiger Ausbildung und ganz zufällig ein-

wirkenden sonstigen Umständen, bald diese bald jene
Form annehmen kann, nicht selten ganz die entgegengesetzte von derjenigen, auf welche man nach der
früheren Disposition und den einwirkenden Ursachen
und Verhältnissen hätte schliessen sollen.

Nachdem wir dies vorausgeschickt, kehren wir
wieder zu unserer Kranken zurück. Durch die verschiedenen namhaft gemachten physischen und moralischen
Ursachen war bereits der Grund zu einer nervösen
Reizbarkeit gelegt worden, die ihrerseits unter Fort-
wirkung der ersteren Kategorie auf das Gemüth reagirte. Patientin sagt: „es bedurfte jetzt eines con-
sequenteren Betragens und eines reiferen Verstandes
als ich damals besass, um meine Existenz nur leidlich
zu erhalten; ich fühlte, dass mein Geist litt und auch
der Körper, denn ich sah oft sehr blass aus, ja zuweilen hatte ich eine fast graue Gesichtsfarbe, konnte
das Gehen nicht vertragen. Das Leben fing an mir
öde und traurig zu werden, ich las mehr wie mir
gut war, bezog Alles auf mich und mein unglückliches
Schicksal, hatte keine Lust, mich nützlich zu beschäftigen, ging sehr viel aus, tanzte mehr als ich durfte,
denn ich befand mich schlecht darnach. Dabei ging
mir aber mein inneres Leben mehr auf, ich dachte
halbe Nächte über mich und meine Pflichten und verglich mich, wie ich war, mit dem, was ich hätte
sein können, und fand einen grossen Abstand. Eine
tiefe Schwermuth ergriff mich, die von Tag zu Tage
schlimmer wurde u. s. w.” Es kam der Kranken
schon damals der Gedanke, ein so freudenloses Dasein zu beenden, das Uebel hatte aber noch nicht
seinen höchsten Grad erreicht, der Gedanke an Gott
und ein frommes Gebet liess sie die Trauer der Ihrigen bedenken und senkte in ihr Herz die Hoffnung,
dass es doch nicht so bleiben könne, ermahnte aber
auch zugleich zum Handeln, da der Himmel ohne un-

ser Zuthun nichts (?) gebe. Das Beste, was zuich

für sie geschehen konnte, verordnete sie sich, u

vielleicht instinctmässigem Drange und Gefühle, selb

nämlich eine Ortsveränderung. Ein ihr Gemüth g

nicht weiter berührender Liebeshandel kam ihr dab

ihren Angehörigen gegenüber, zu Hülfe. Sie kan

eine Pensionsanstalt für schon erwachsene Mädch

zu einer gewissen Mad. X., einer allerdings, wie u

Patientin sich darüber ausspricht, achtungs- und s

schätzenswerthen Dame. Plötzlich war sie, ehe

noch ihr neues Ziel erreicht hatte, (scheinbar) geh

Sie sagt: „mit einem heissen Gebete zu dem Hö

sten um Kraft und Licht, diesen neuen Weg ric

zu verfolgen und zu betreten, begann ich, und

Vater hat mir den Himmel auch hier auf Erden sc

gezeigt, denn mir fehlte nichts zu meinem Glü

Alles erlebte Trübe deckte ich mit dem Schleier

Vergessenheit zu, ich fühlte mich jeder drücke

Last enthoben, mein Geist war auf einmal fre

wahrem Entzücken denke ich an diese Zeit und gl

auch eigentlich, dass ich damals recht gesund ge

sen bin. Die Ruhe, Veränderung der Verhältn

die schöne Bergluft und die fast übertroffenen Er

tungen in Betreff meiner neuen Mutter und der n

Umgebung wirkten höchst wohlthätig auf m

Geist" u. s. w. Dergleichen günstige Wendu

sind für Laien und selbst für nicht tiefer schau

Aerzte häufig Veranlassung, solche Krankheits

stände dem rein geistigen Gebiete zuzuschiebe

sie Grillen, Launen, Einbildungen, Phantasterei

nennen, die man in sich niederkämpfen müsse. S

häufig liegt die Sache aber etwas anders, so

hier. Einbildungen u. s. w. können allerdings

zugsweise auf rein geistigem Gebiete erzeugt we

und verharren. In anderen Fällen aber werden

erzeugt, unterhalten, oder erhalten wenigstens

besondere Färbung durch nähere oder entferntere, bald
dunklere bald hellere körperliche Gefühle und Stimmungen. Je mehr die Seele daran denkt und ihre
Aufmerksamkeit darauf richtet, desto stärker wachsen, wie wir schon oben gesehen haben, diese sympathischen Stimmungen und die sie verstärkenden
oder allein daraus hervorgehenden Einbildungen an.
Wirkt nun auf die wenigstens noch relativ gesunde
Seele irgend etwas Frappantes ein, was ihre intelli-
gente Seite ebenso sehr in Anspruch nimmt, als es
ihr Gefühl angenehm und freudig berührt und dadurch
den Willen zur That anregt, so vergisst sie darüber
ihre Grillen und Einbildungen, und die Aufmerksamkeit wird nicht mehr auf die krankhaften Stimmungen
des Körpers gerichtet, die dem Bewusstsein jetzt
nicht mehr vorstellig werden, da sie an und für sich
doch eigentlich nur eine übertriebene Bedeutsamkeit
erlangt hatten.

Das plötzliche Gefühl des Wohlseins kann förmlich ekstatisch werden, vorzüglich durch den Contrast; sie vergleicht ihren früheren, so jammervollen
Zustand mit dem gegenwärtigen und ist voller Wonne
und Entzücken über das so plötzlich errungene Heil
und Glück, täuscht aber dadurch sich und Andere.
In manchen Fällen kehrt das alte Uebel allmählig oder
urplötzlich wieder zurück; es war nur, weil die Anlage sehr stark war, suspendirt, nicht geheilt. So
auch bei unserer Patientin. Nachdem dieselbe vier
Wochen in einem höchst zufriedenen glücklichen Zustande fortgelebt, der nur den einzelnen ungünsti-
gen Umstand mit sich geführt hatte, dass sie mehr
zu geistiger wie zu körperlicher Thätigkeit war angehalten worden, bemerkt sie mit Entsetzen, dass
ihre unglückselige Stimmung sie auf's Neue verfolgt.
Sie sagt selbst: „es waren also nicht die Verhältnisse, sondern in mir selbst lagen der Himmel und

die Hölle, das sah ich klar." Das Uebel zeigte sich
erst nur periodisch, wurde aber sehr bald wieder anhaltend und trat in ähnlicher Gestalt auf wie früher.
Fluor albus stellte sich auf's Neue wieder ein. Sie
vertraute sich nun ihrer Pflegemutter und einem Arzte.
Von beiden wurde wenig Notiz davon genommen.
Letzterer empfahl blos Spazierengehen und Wassertrinken. Erstere nannte es Laune, welche zu beherrschen ihre Pflicht wäre. Sie fährt fort: „Immer
düsterer wurde es um mich her; es zeigte sich eine
Schwerfälligkeit in meinem Wesen, die mir jedes
kleine Geschäft unerträglich machte; ich fühlte eine
gänzliche Lähmung des Geistes, deren ich nicht Herr
werden konnte; ich kann es mit dem vergeblichen
Aufflattern eines Vogels vergleichen, dem die Flügel
beschnitten sind." —

Nun kam die Erklärung ihrer Pflegemutter, dass
sie für ihre Anstalt nicht mehr passe, es folgten Vorwürfe, dass sie durch ihren fortwährenden Trübsinn
höchst nachtheilig auf die übrigen jungen Mädchen
wirke. Durch alles dieses stellte sich die Idee bei
ihr fest, dass sie immer noch schlechter werde und
überhaupt schon ein in jeder Beziehung moralisch verdorbenes und unbrauchbares Geschöpf sei. Begreiflich musste dieser Gedanke das an und für sich zarte,
schon kranke, zwischen Hoffen und Fürchten schwebende heftig kämpfende Gemüth, das keine Stütze
und Trost mehr in sich selbst, noch — traurig genug — bei anderen Menschen finden konnte, erst
recht herunter bringen. Das Brautwerden ihrer Freundin, der Tochter der Mad. X., liess sie noch einmal
wieder die freudige Entdeckung machen, dass ihr
Herz noch nicht ganz in der Theilnahme für fremdes
Glück erstorben sei, zog aber zugleich doch die Ueberzeugung nach sich, dass auch diese noch schwinden werde, wenn der Himmel nicht ein Wunder thue.

Es kam nun auch der Sohn der Mad. X., ein
geistreicher, sehr hübscher junger Mann, derselbe,
der in der nachherigen Krankheit eine wesentliche
Rolle spielte. Was Patientin über das Zusammentreffen mit ihm sagt, erkennen wir als vollkommen
richtig an; sie war bereits in einem so höchst trost-
losen Zustande, dass sie an nichts weniger als an's
Verlieben dachte; wir werden indess nachher noch
auf diesen Gegenstand zurückkommen, und wollen
deshalb einstweilen ihre eigene weitere Schilderung
vorwegnehmen. Immer dunkler und schwerer wurden
die Wolken des Trübsinns, und das Sonnenlicht der
Vernunft von Tag zu Tag mehr verdunkelt; sie sagt,
es sei ganz Nacht um sie geworden, jedes Interesse
sei geschwunden und dabei habe eine innere Stimme
ihr stets zugeraunt: „Dein ist die Schuld"; — ein
grässlicher Zustand sei die Entzweiung mit sich
selbst.

Dass sie einen Theil der Schuld auf sich zu nehmen hatte, ist nicht zu verkennen; inzwischen erschien ihr dieselbe deshalb um so grösser, weil ihr
der körperliche Antheil des Uebels, aus einer Verstimmung des ganzen, namentlich aber des sympathischen Nervensystems hervorgehend, natürlich unbekannt bleiben musste, andererseits aber sie selbst nicht
in Anschlag bringen konnte, dass bei einer so gearteten Constitution und Temperamente die Krankheits-
disposition um so mehr anwachsen musste, als die
Erziehung ganz verfehlt war, eine Menge von zufälligen Schädlichkeiten eingewirkt hatten, und unter
solchen Umständen Selbstbestimmung und Selbstbeherrschung nur zu einem geringen Grad der Entwicklung gelangt sein konnten: was natürlich den
Grad ihrer Zurechnungsfähigkeit auf eine niedrigere
Stufe herabsetzt.

Mad. X. äusserte nun etwas irritirt gegen sie:
„mit ihrem Denken und Abquälen richte sie nichts
aus, es deute dies nur auf eine Leere des Herzens,
oder sie interessire sich für irgend Jemand" — (damit
meinte sie ihren Sohn) —. Diese unverdienten und
allerdings sehr unseitigen Vorwürfe ergriffen die Kranke
tief und verschlimmerten ihren Zustand noch mehr;
der Gedanke, die Ihrigen von einer Last zu befreien,
wurde immer mehr vorherrschend. Sie sagt: „die
Nächte fingen auch an fürchterlich zu werden, ich
hatte gar keinen Schlaf, die grauenhaftesten Bilder
und Gedanken verfolgten mich wachend und träumend"
u. s. w. Die Zeit meiner Abreise rückte immer näher
heran, ich war aber bereits fest entschlossen, dass
sie unter solchen Umständen nicht erfolgen sollte."
Plötzlich kam die Nachricht, dass sie in etwa fünf
Tagen abgeholt werde, und damit kam denn auch
ebenso rasch der Entschluss, ihrem traurigem Dasein
vorher ein Ende zu machen, zur Reife, wodurch dem
Gemüthe unbeschreibliche Ruhe und Heiterkeit zugeführt wurde. Hinsichtlich dessen, was nun vor und
nach der Ausführung ihres Entschlusses sich ereigne-
te, wolle man den Bericht selbst nachsehen. Die
Krankheit behielt erst noch die frühere Form der Melancholie. „Auf einmal", sagt sie, „fing es wunderbar in mir zu tagen an, und dies grade war meine
Verwirrung. Ich bekam Blutegel, und darnach wurde
mir unendlich wohl, von leichten Wolken wurde ich
gehoben, es war als winde sich mit jeder Minute der
Geist mehr los aus seinen Banden, und ein namenloses
Entzücken und Dankbarkeit nahm in meinem Herzen
Platz. Es begann ein neues himmlisches Leben in
mir. Ich sammelte gleichsam meine Gefühle, ob mir
aus meinen gesunden Tagen nichts fehle, aber Etwas
suchte ich immer vergebens. Dass hierauf etwas folgen werde, stand fest bei mir. Bald fürchtete ich

eine schwere Krankheit, bald Geistesverwirrung. Es war den fünften Tag nachher, als mir plötzlich das Bild des jungen X. im Schlafe vorgehalten wurde und ein namenlos süsser Schmerz mich durchzuckte. Ich erwachte. Jetzt hatte ich, was ich suchte; ich glaubte genesen zu sein. Ein wirklich poetisches Sein fing jetzt an" u. s. w.

Hier begann nun die eigentliche Geisteskrankheit; alles Frühere gehörte zu den Vorboten, Uebergangs- und Zwischenzustand von Krankheit und Gesundheit. Früher waren vom Unterleibe per sympathiam dem Gehirn Eindrücke zugeführt worden, die in Verbin- dung mit dem im geistigen Organismus schwebenden verwaltenden Ideen mehr einen melancholischen, der Selbstherrschaft aber noch einigermaassen unterwor- fenen Zustand hervorgebracht hatten. Der versuchte Selbstmord und was dem unmittelbar folgte, nament- lich die verkehrte körperliche und geistige Behand- lung, brachten die Irritation des Gehirns quantitativ und qualitativ zur gänzlichen Abweichung, die durch das im Traum ihr verschwebende Bild des jungen X. nicht nur den höchsten Grad erreichte, sondern nun auch dem ganzen Irresein eine besondere Färbung, nämlich die des sogenannten verliebten Wahnsinns gab. Allerdings lag in der Tiefe des Gemüths, der Kranken selbst nicht immer ganz klar, das Suchen nach einem Ideale, mit anderm Worte, die Liebe, durchaus aber doch nicht in dem Grade, dass die- selbe ihren früheren krankhaften Zustand allein zur Folge haben und am Ende sogar das Maass soweit überschreiten konnte, dass, weil sie einem nur aus flüchtiger Bekanntschaft hervorgegangenen und in der Person des Hrn. X. sich ihr darstellenden geliebten Gegenstande sich nicht zu eigen geben konnte, in Selbstmord und totalen Liebeswahnsinn überzugehen im Stande war. Der junge X. war eins der

Bilder, die ihrem Geiste verschwebten und beim Gemüthe wenigstens nicht ohne allen Eindruck verüber-
gegangen waren. Häufig kann man allerdings wahrnehmen, dass der Charakter sich — in der Krankheit
so herausgiebt, wie er seiner eigentlichen Natur nach
ist. Die Schranken der Klugheit, Berechnung und
des Gesetzes fallen weg oder treten bald minder bald
mehr in den Hintergrund; es ist aber ein sehr grosser Irrthum, daraus eine allgemeine und immer gel-
tende Regel zu folgern. Oftmals sind die verherr-
schenden irrigen Ideen, Vorstellungen und Gefühle
rein zufällig und stehen im directesten Widerspruch
mit der allgemeinen Gemüthsstimmung und den ver-
herrschenden Denkprincipien in ganz und relativ gesunden Tagen.

Den weiteren Verlauf der Krankheit hat der
Selbstbericht in charakteristischer Weise bereits gegeben. — Am Schluss sagt sie unter anderem, es sei
ein so reges, lebendiges Leben in ihr gewesen, dass
sie die Zeit wohl zu der glücklichsten ihres Lebens
rechnen möchte. Höchst traurig und beklagenswerth
ist, wie wir schon bemerklich gemacht, sehr häufig
das mitunter ganz allmählig heranschleichende und
längere Zeit währende Stadium der Verboten, wo die
Seele im fortwährenden Kampf gegen eine auf sie
hereinbrechende feindliche Macht zu Felde liegt. Das
Irresein selbst ist für die Kranken, darin stimmen die
meisten Aussagen überein, keineswegs so sehr traurig, ja zuweilen, wie in unserem Falle, sogar das
Gegentheil, und selbst die Erinnerung daran wird
nach der Wiederherstellung nur dann gescheut, wenn
die Kranken in ihrem Ehrgeize der Welt gegenüber
sich compromittirt zu sehen glauben oder überaus
empfindlich sind. Man arbeite also darauf hin, wie
es nach und nach doch auch zu geschehen scheint,
der Welt eine naturgemässere und verständigere An-

sicht von den Geisteskrankheiten beizubringen. Danken kann man dem Himmel nur, dass er, wie immer so auch hier, für eins der traurigsten Leiden neben dem heilenden auch einen lindernden Balsam zur Hand hat.

Schliesslich noch einige epikritische Bemerkungen.

Die Kranke befand sich mehre Jahre im Stadium der Vorboten oder des Ueberganges zum Irrsein. Es ist sehr zu beklagen, dass dasselbe so wenig von den Aerzten überhaupt gewürdigt und erkannt wird, sie sehen noch kaum die Gefahr, wo dieselbe schon entschieden im Anlauf ist, oder glauben wenigstens ein Genüge gethan zu haben, wenn sie ein paar allgemeine diätetische Vorschriften, um die sie sich weiter nicht bekümmern, ob sie befolgt werden oder nicht, im Uebrigen aber den wohlweisen Rath ertheilen, Einbildungen und Grillen sich ohne weiteres aus den Kopf zu schlagen. Sehr gut, wenn das nur ohne weiteres so ginge. — Die psychische Einwirkung besteht auch keineswegs, wie man noch hie und da zu glauben scheint, in psychologischen Kunststücken, geistreichen Witzen, Einfällen, Wendungen u. s. w., vielmehr beruht sie auf allgemein zweckmässigen und vernünftigen psychischen, wie diätetischen und regiminellen Maassregeln, die auch mancher Laie herausbringt. Die Hauptsache muss aber immer, besonders auch in den mehrerwähnten Zwischenzuständen, eine Vertrauen einflösende Persönlichkeit, besonders die des Arztes thun. An sie lehnt sich der schon halb Kranke am liebsten an, weil er gewöhnlich, bald klarer bald dunkler, die theilweise körperliche Begründung seines Uebels fühlt, und aus der desfallsigen ärztlichen Bestätigung schon gleich wesentliche Trost- und Beruhigungsgründe schöpft; und damit ist er um so mehr auf rechtem Wege, als wenigstens in sehr vielen Fällen eine entschiedene materielle

Einwirkung hinzukommen muss, um die drohend
Krankheit zu cupiren. So wie Hygea überhaupt ih
schönsten Triumphe eigentlich darin feiert oder w
nigstens feiern sollte, Krankheiten zu verhüten, we
es auch nicht so vielen äusserlichen Ruhm gewä
dasselbe ist ganz besonders auch beim Irresein zu
ansprechen. Ich für meinen Theil erkläre es, d
ich auf diesem, leider noch viel zu wenig betrete
und cultivirten Felde, viele dem innern Bewusst
angehörige Lorbeeren gepflückt habe, auf die ich
wahrer Genugthuung zurückblicke.

Somit wagen wir denn nun, auf unsern in F
stehenden Krankheitsfall die Nutzanwendung zurü
führend, es auszusprechen, dass dem Ausbruch
Krankheit durch eine angemessene psychische
somatische Behandlung ohne alle Frage vorzube
gewesen wäre. Ist die Krankheit erst einmal au
brochen, so ist, wenn sie auch geheilt wird, u
manchen andern üblen Folgen die schlimmst
Ende die, dass sich so leicht, bald früher bald
ter, Rückfälle ereignen und, wenn man genauer u
forscht, die Zahl der einmal erkrankt Gewese
welche einigermaasen geistesgesund zu ihrem nä
lichen Lebensziele gelangen, ziemlich zusam
schmilzt. So wie in der Strategik, der das ärzt
Verfahren gegen Krankheiten methaphorice in E
gleichzustellen ist, im Allgemeinen als Grundsatz
nicht sogleich die besten Truppen ins Feuer zu
ren, so steht man sich in der Irrenbehandlung
gewöhnlich am besten, wenn man erst mit geh
ren mehr vorbereitenden Mitteln anfängt.

Die Sensibilität hatte sich am Ende vorzugsw
im Gehirn angehäuft, das sympathische Syste
jetzt mehr an einem gewissen Torpor; es war
zweckmässig, diesem auf antagonistischem W

durch die Ekelkur zu begegnen, um so mehr als dadurch eine psychische indirecte Wirkung hervorgebracht und die ganz zerfahrene Aufmerksamkeit des Geistes mit seinem überschwenglichen Gefühlsenthusiasmus auf den krankgemachten Körper und dadurch mehr und mehr auf sich selbst zurückgeführt wurde. Unterstützen thaten diesen Heilzweck: dunkles Zimmer und kalte Regenbäder. Beide Mittel haben ausser einer direct körperlichen, ebenfalls eine entschieden indirect psychische Wirkung. Hiermit war, was mehr aus dem Ganzen der Erscheinung hervorging, nach etwa zehn Tagen schon etwas gewonnen.

Den allermeisten Irrseinsformen liegen eigentlich vires languentes zum Grunde. Die Erregungstheoretiker nannten es directe Asthenie, d. h. grosse Erregbarkeit bei geringerem Wirkungsvermögen. Die sehr lebhaften, hastigen, sehr erhöhten geistigen und körperlichen Thätigkeiten dürfen uns darin nicht beirren, es liegt ihnen keine wirkliche vermehrte Kraft zum Grunde, und ist es deshalb sehr zu bedauern, dass noch so viele Aerzte der allgemeinen Praxis ihre Zuflucht zu einem, mitunter sogar grossartigen Blutabzapfen nehmen. Nach meiner Erfahrung nutzt dies nur in sehr wenigen Fällen, nämlich in ganz acuten, wo wirklicher Orgasmus im Blutgefässsystem vorhanden, und die Aufregung in ihm in dem Maasse concentrirt ist, dass, wenn auch nicht von vorn herein, so doch augenblicklich das Blutleiden mehr protopathisch und das der Nerven und respective des Geistes mehr deuteropathisch erscheint.

Eine grosse Zahl von Beobachtungen hat mich gelehrt, dass in all den psychischen und körperlichen Zuständen, die aus einer nervösen Reizbarkeit hervorgehen oder sich mit ihr compliciren, worunter namentlich auch die meisten Formen von Hy-

und Hysterie und überhaupt die verschiedenen Uebergangsformen zum Wahnsinn rechne, im Opium ein
ganz vorzügliches wenn nicht das beste Heilmittel
finden. Es wirkt, wenn auch mit Wahrscheinlichkeit durch das Blut, doch vorzugsweise aufs Gehirn
und die Nerven, deren ganz in centrifugaler Richtung
fast zerfliessende Innervation es anhält und so dem
Wirkungsvermögen wieder Halt und Einheit giebt und
zwar nachhaltig, woran der Geist ganz in derselben
Weise participirt; denn ein gewisser Parallelismus
findet hier immer statt. Es kommt vorzüglich darauf
an, einen Umschlag, einen gewissen Wendepunkt, wo
das vernünftige Selbstbewusstsein, wenn auch erst
mit unklaren und schwachen Anfängen wieder beginnt, hervorzubringen, und man erreicht denselben
sehr häufig am besten durch Opium. Nur erfordert
es allerdings einigen Tact und Erfahrung, den richtigen Zeitpunkt zu wählen, so wie auch zu bestimmen, ob mit mittleren aber länger fortgesetzten Gaben oder mit steigenden grösseren zu operiren sei.
Während zum Beispiel in unserem Falle bei der ersten
Erkrankung gr. j. genügte, wurde bei der zweiten,
welche ich bedaure nicht näher mittheilen zu können,
da sie nach allen Beziehungen, wieder sehr interessant war, bis zu gr. vij. allmählig gestiegen. Es
musste Schlaf erzielt werden; dieser erfolgte nach
obiger Gabe und damit war die gedachte Wendung
eingetreten und zugleich die Vorbereitung zur Darreichung von anderen zweckmässigen Mitteln, namentlich des Eisens, getroffen. Gelangt die Seele nach
gebrochener Krankheit wieder zu einigem Selbstbewusstsein, so tritt nun auch, nicht selten freilich
mit noch vielen Intermezzos, wo sie momentan noch
wieder unterliegt, eine bald mehr bewusste, bald
unbewusste Selbstbeherrschung und Regierung ein,
bis nach vielen Kämpfen der früherhin eingenommene

Höhepunkt der Vernunft wieder erreicht ist. Man darf nicht glauben, dass der Arzt allein durch künstliche Kurmaassregeln die Genesung wieder erzielt. Dieselben sind oft sogar sehr unkünstlerisch, oder es wirken bedeutende äussere Schädlichkeiten störend auf sie ein; dennoch erfolgt Genesung. Also, sowohl die bewusste als die unbewusste Vernunft ist entschieden auf das Zweckmässige gerichtet und sucht dies wieder zu erstreben, falls sie nicht ganz von materieller Seite überwältiget worden. Inzwischen kommt in der bewussten Sphäre begreiflicherweise sehr viel darauf an, welchen Standpunkt die Seele in ihrer geistigen und moralischen Entwickelung früherhin angenommen hatte, um darnach den Grad der nachherigen Selbshülfe einigermaassen zu bemessen. Das eigentliche Wie der Genesung ist uns, wie überhaupt, so auch beim Irresein verborgen, das eigentliche Heilen muss die Natur selbst thun, und wir haben uns zu begnügen, ein Ensemble von Mitteln bald in mehr rationeller, bald aber auch, wie wir gern offen gestehen wollen, in empirischer Weise anzuwenden, um diejenigen Bedingungen, unter denen sie nur heilen kann, unsererseits herbeizuführen, da sie dieses häufig wenigstens nicht selbst thut.

Hiermit wollen wir denn unsere Bemerkungen über den in Frage stehenden Krankheitsfall schliessen, da wir vielleicht für Einen oder den Andern schon zu weitläufig geworden sind. Inzwischen hatten wir die Ueberzeugung, dass durch derartige vom Standpunkte der Identitätsphilosophie aus aufgefasste genetische Entwicklungen von psychisch-somatischen Krankheitszuständen den Anforderungen einer immer noch etwas zurückgebliebenen praktischen Irrenbehandlung am besten Rechnung getragen werden könne.

Tabelle

von einigen Kopfmessungen taubstummer Zöglinge.

Von

Dr. G. H. Bergmann.

— · ———— —

Wenn aus dieser kleinen Ueberschau noch nicht eben viel Positives abzuleiten sein möchte, so scheint doch, Alter und Körpergrösse mit berechnet, als ob die grössere Breite über den Ohren auf eine bessere Anlage schliessen lasse, indem sie auf eine grössere Entwicklung der mittleren und hinteren Region des Hirns hindeutet. Die pori acustici bilden, meiner Ansicht nach, in den drei Zonen des Ovals oder der Ellipse des Schädels und des Gehirns die kleine Achse, worüber gelegentlich mehr.

Wo, wie in Nr. 5 und 13, die Dimensionen überhaupt zunehmen, ist eine geringere Cohäsion der Hirnmasse mit serösem Ergusse oder sonst eine Anomalie zu vermuthen.

Männlichen Geschlechts	Alter	Körper-Grösse		Länge des Kopfs		Breite über den Ohren		Breite an den Schläfen		Bemerkungen.
		Fuss	Zoll	Zoll	Linien	Zoll	Linien	Zoll	Linien	
1. R.	14 J.	5	4	7	5	6	2	5	5	Ausgezeichnetes Gedächtniss, Auffassungskraft geringer, grosse Lernbegier.
2. Rh.	15 „	4	9	7	4	6	2	5	2	Mässige Anlagen.
3. S.	13 „	4	9½	7	4	6	2	5	2	Gute Anlagen.
4. W.	14 „	4	7	7	3	6	—	5	5	Gedächtniss schwach, Urtheilskraft gut.
5. M.	16 „	5	½	7	4	6	3	6	2	Gedächtniss schwach, Fassungskraft gering.
6. Str.	10 „	4	5½	7	3	5	7	5	4	Träg; mässiger Verstand.
7. Sch.	15 „	5	1	7	2	2	5	5	2	Sehr schwache Intelligenz.
8. T.	11 „	4	7	7	— 1	6	1	5	5	Gute Anlagen.
9. Sth.	13 „	4	9½	7	1	5	5	5	7	Ohne Formanschauung und Fähigkeit etwas nachzubilden.
10. V.	9 „	4	2½	7	2	6	1	5	3	Gute Anlagen.
	10 „	4	3	7	3	5	7	5	3	Fast stumpfsinnig, höchst eigensinnig.
	9 „	4	3½	7	2	6	1	5	5	Fast stumpfsinnig.
	15 „	5	5½	7	6	6	3	6	3	Schwache Intelligenz.

43 *

Weiblichen Geschlechts	Alter	Körper-Grösse		Länge des Kopfs		Breite über den Ohren		Breite an den Schläfen		Bemerkungen.
		Fuss	Zoll	Zoll	Linien	Zoll	Linien	Zoll	Linien	
1. N.	13 J.	4	11½	7	4	6	1	6	1	Gute Anlagen.
2. G.	14 „	4	7½	7	2	5	6	5	5	Kann hören, ist sehr beschränkt, schwach an Gedächtniss und Fassungskraft.
3. St.	7 „	3	8½	6	7	5	6	5	2	Nicht ohne Anlagen.
4. B.	15 „	5	1	7	3	6	2	5	6	Gute Anlagen.
5. W.	11 „	4	6	7	1	5	7	5	4	Mässige Anlagen.
6. P.	9 „	3	9½	7	1	5	4	5	2	Gute Anlagen, scrofulös.
7. Br.	14 „	4	11	7	2	6	2	5	7	Sehr gute Anlagen.
8. O.	12 „	4	6½	7	—	5	6	5	3	Schwache Anlagen.

Einige
Bemerkungen

über

Störungen des Gedächtnisses und der Sprache, über Stummheit und Taubstummheit.

Von

Dr. G. H. Bergmann,
in Hildesheim.

Die Annalen der Wissenschaft sind reich an Beobahtungen dieser Art; aus vielen eigenen möchte ich ir einige hinzufügen, welche dazu beitragen können, einer festeren psychologischen Theorie den Weg bahnen.

In vielen Fällen von Gedächtnissmangel ist das dächtniss an sich nicht geschwunden, sondern nur Fähigkeit, das Gedachte und Erinnerte in Worte fassen. Findet Paraplegie oder Hemiplegie statt, en Ursprung gewöhnlich aus dem grossen Hirn ab- siten ist, so wird davon auch der Vorderstrang medulla oblongata afficirt und die von mir be- riebenen Filamente der Olivengrube, sowie die tela endula der Oliven selbst wirken nicht mehr ge- end auf die Nerven, welche die Lautsprache ver- eln.

Die Lähmung, die im Allgemeinen das laute Sprechen hindert, ist dieselbe, welche die Bewegung der Extremitäten hemmt; mit der Gedankenbewegung nimmt auch die Sprachbewegung und Gliederbewegung häufig ab.

Bei Stumpfsinnigen kann man die Mängel und Störungen in der Sprache in vielfacher Weise beobachten.

Mancher spricht von selbst gar nicht und muss erst lange gereizt und angestossen werden, ehe er einen Laut oder eine Antwort hören lässt.

Manche können nur einzelne Wörter hervorbringen, aber auch nicht den kleinsten Redesatz mehr; einige lallen nur, andere murmeln nur, articuliren gar nicht mehr oder falsch und undeutlich. Wieder andere articuliren noch, aber in so leisem Geflüster, dass man sie selten versteht, dies fand ich vorzüglich bei solchen, wo das Parenchym der Lungen stark verhärtet war. Bei Auszehrenden überhaupt und im letzten Stadium wird gewöhnlich die Sprache leiser und die Betonung weniger fest. Die Verknüpfung gewisser Consonanten wird schwerer, man setzt einen Vocal wohl dazwischen, wie Ordenung, Handelung. Eine Hastigkeit der Sprache, wo sich die Worte überstürzen, wie die vom Sturm über einander geworfenen Wellen, ist zwar mehr den Exaltirten unter den Verrückten und Thoren eigen, aber auch bei einem sonst stillen, ruhigen und sanften Kranken beobachtete ich ein solches Sichüberrollen der Silben, wiewohl sie immer nur ganz leise oscillirten, gleichsam wie manche Secundenzeiger oder wie der rasch rieselnde oder rasselnde Ton einer Uhr, die abläuft. Bei diesem an Schwermuth mit Verrükkung leidenden Kranken fand ich übrigens, nachdem er an Lungenzerstörung verstorben war, ein so ausserordentlich schönes inneres Instrument der Sprache, wie ich es kaum jemals schöner erblickt und studirt habe. Dass es ein solches giebt, und dass es da ist, wo ich es bereits in einer eigenen Abhandlung bezeichnete, wird durch alle meine späteren Untersuchungen wohl ausser Zweifel gesetzt sein. —

Zu den Fällen, die ein besonderes Interesse fordern, wird der folgende gehören, der im Jahre 1819 in meine Beobachtung kam. Ein Knecht, *Wr.* aus dem Amte Meinersen, 40 Jahre alt, von kleiner Statur, war ein halbes Jahr zuvor aus einer Bodenluke auf eine Lehmdiele herabgestürzt, indem er diese zuerst mit den Füssen berührte und dann auf die linke Seite des Kopfes schlug. Viel Blut drang sogleich aus dem linken Ohre und dem Munde hervor, der Blutfluss aus dem Ohre zeigte sich zeitweise noch ein paar Tage hindurch, auch hatte sich Erbrechen eingestellt; der Arzt, der ihn behandelte, hatte Eisumschläge angewandt. Vier Wochen lag er betäubt ohne Besinnungskraft, hörte nicht und sprach undeutlich, die Augen waren geschlossen. Nachdem er wieder zu sich selbst gekommen und wieder bei Verstande war, bemerkte man erst die schiefe Stellung beider Augen, die Pupillen waren so sehr der Nase zu nach innen gewandt, dass die innere Seite der Conjunctive gar nicht mehr sichtbar war und demnach ein starkes Schielen die Folge sein musste. Während seines betäubten und unbesinnlichen und verwirrten Zustandes hatte er immer still und ruhig, ohne alle Aufregung, mehr in einem delirium mite dahin gelegen.

Seit diesem Vorfalle litt sein Gedächtniss auf eigenthümliche Weise und zwar ganz bestimmt nur partiell. Sein Sachgedächtniss und Ortsgedächtniss war zu der Zeit, da er mich besuchte und ich ihm Rath ertheilen musste, in seiner Thätigkeit nicht gestört und geschwunden, nur das Namengedächtniss litte, nur Nennwörter konnte er in seinem inneren Wortregister nicht finden, während er die Zeitwörter

richtig aussprach und anwandte. Er wusste, was er
sagen wollte und sollte, konnte aber die Buchstaben
zu den Nennwörtern nicht an einander reihen. Er
kannte genau die Orte, die Wege, die Strassen, hatte
ihre Namen gewusst, konnte sie jetzt aber nicht nennen. Dasselbe war mit allen Gegenständen, dem Haus-
geräthe u. s. w. der Fall. Ich zeigte ihm ein Feder-
messer, einen Schlüssel, den Spiegel, er bezeichnete
ihren Gebrauch durch Umschreibung; so sagte er von
der Scheere, die ich ihm vorhielt: es ist das, womit
man schneidet — auf das Fenster hindeutend sagte
er: es ist das, wodurch man sieht, wodurch es hell
wird. Druckschrift, selbst die gröbste, war er nicht
zu lesen im Stande. Was er an Gesängen und Gebeten wusste, hatte er meistens vergessen.

Ausser der unrichtigen Stellung waren seine Augen auch sehr empfindlich, das Helle war ihm un-
genehm und er fühlte dabei eine starke Hitze. Zugleich sah er sehr undeutlich und immer doppelt,
die Farben unterschied er nicht immer gehörig. Die
nach innen gerichteten Pupillen waren etwas erweitert und starr, auch etwas getrübt. Um die Gegenstände genauer zu betrachten, pflegte er sie so zu
setzen und zu legen, dass sie den Augenachsen entsprachen. War der Einfallsstrahl ein anderer, z. B.
im spitzen Winkel, so sah er undeutlich. Wenn
das linke Auge schloss, wurde er schwindlig, verwirrt und drehte sich nach der linken Seite wie zum
Umfallen. Beim Schliessen des rechten Auges geschah es aber nicht. Die rechte Conjunctive war
übrigens mehr geröthet von Gefässen als die linke.

Es ward ihm zuerst äusserlich das Ol. cajep.
innerlich die Acconittinctur verordnet.

Nach ein paar Monaten sah ich ihn erst wieder;
sein Gedächtniss war zwar noch schwach, hatte sich
indess gebessert, das Schielen dauerte noch fort, auch

der Blick war fester, er sah noch doppelt, aber schärfer.

Leider! konnte ich die Beobachtung nicht fortsetzen, vernahm aber, dass derselbe nach einer Reihe von Jahren bei einem Schneegestöber im Wasser verunglückte, ein Unfall, der vielleicht eine noch andauernde Gesichtsschwäche vermuthen lässt.

Durch den Sturz waren wahrscheinlich die motilen Stränge des Grosshirns erschüttert, und diese dynamische Erschütterung wirkte nachtheilig auf die Mechanik der Augenmuskeln, die Thätigkeit der geraden Muskeln hatte nachgelassen, die Wirksamkeit der N. oculomotorii und der N. abducentes war beeinträchtigt.

Die mangelhafte Motilität hier im Aeussern lässt auf eine gleichartige im Innern in Bezug auf das Gedächtniss schliessen; warum aber die mangelhafte Erinnerungskraft sich blos auf die Nennwörter beschränkte, diese Frage ist dadurch nicht beantwortet. Es scheint dies nur geschehen zu können, wenn man ein eigenes Organ für dieselbe annimmt, wie man gethan und wofür manches spricht, oder wenigstens eine eigenthümliche organische Vermittelung, die erst durch eine tiefere Einsicht in die psychologischen Vorgänge erkannt werden mag. Vielleicht lassen sich hier die Grundfarben und die Grundaccorde oder Stammaccorde analogisch in Anwendung bringen. Nach vielfachen Beobachtungen darf ich vermuthen, dass die Flabellá, die Ausstrahlungen der Gränzgürtel an den Streifenhügeln damit in Beziehung stehen.

Ein Postillon, von grosser Statur, kräftiger Constitution, angenehmer Gesichtsbildung, suchte kürzlich Rath bei mir. Vor zwei Jahren war er vom Wagen auf steinigen Grund gestürzt, wobei hauptsächlich die linke Schläfe den Stoss empfangen hatte. Seitdem verspürte er allmählig eine Abnahme des Gedächtnisses. Bei meiner Untersuchung bemerkte ich indess bald, dass das Uebel schon tiefer eingegriffen, wahrscheinlich eine anfangende Erweichung an der linken Hemisphäre hervorgebracht haben musste denn nicht nur die Besinnungs- und Erinnerungskraft war bedeutend geschwächt, sondern auch schon die Urtheilskraft in Unordnung gerathen, so dass er die Gedanken nicht mehr gehörig zu combiniren, gegen einander zu halten und zu vergleichen wusste. Es lag eine Art Distraction zum Grunde, ein disapplicato, wo die Rede leer, abspringend und albern wird.

Gleichwie in der höheren Region der Gedankenbewegung, zeigte sich auch schon in der äussern Dynamik die anfangende Kraftlosigkeit, die Sprache war gezogen, langsam, ungleich, etwas zitternd und stotternd, zuweilen stockend, eben so bemerkte man ein Zittern der Hände, der Gang war nicht mehr fest und gleichmässig, der rechte Fuss ward nachgezogen. Die Schwäche des motilen Factors liess sich noch mehr erkennen, wenn er in Eifer gerieth oder seinen Unwillen äussern wollte, die Silben wurden in der Hast dann durch einander verschlungen oder plötzlich unterbrochen.

Nebst der Störung der Intelligenz nahm man auch eine Störung der Gemüthsseite wahr, er hatte nämlich eine feststehende Antipathie gegen seine Mutter, während es gegen seine Frau nicht der Fall war. Wie er einen Satz, der ihm eben in die Gedanken kam, oft und lange zu wiederholen pflegte, eben so machte sich auch in seinen Gefühlen ein Repetiren und Nachklingen bemerklich.

Ob die verordneten Mittel, wie Arnica, später Senega u. s. w., den gänzlichen Verfall des Kranken noch mindern und aufhalten konnten, habe ich bislang nicht erfahren.

In diesem Falle hatte die Erschütterung des Gehirns durch den Sturz mächtiger eingewirkt, als im vorigen Beispiele, wo die krankhaften Erscheinungen nur mehr im Einzelnen sich verkündigten; diese Verschiedenheit lässt daher auf eine verschiedene Affection des Organs schliessen, die erforscht werden muss.

Die mangelhafte Thätigkeit des motilen Factors bedingt hauptsächlich die mangelhafte Denkkraft und Willenskraft, was immer klarer wird, je mehr man das Wahre zu suchen und zu finden weiss.

Denken ist ein bewegtes Gedächtniss, die Gedanken kommen und fliehen, wie die Wellen, die der Hauch der Luft erregt. Jener Mangel herrscht immer mehr und weniger in den Zuständen des Stumpfsinnes, zunächst in der Phase der Intelligenz, während nicht selten die affective Seelenatmosphäre daneben noch ihre Gewitter haben kann.

Da hier nur auf gewisse Mängel der Sprache und des Gedächtnisses Rücksicht genommen werden soll, so mögen dazu noch ein paar Beobachtungen zur Erläuterung dienen.

Bm. im hohen Grade blödsinnig, ganz aus dem Zusammenhange mit sich und der Welt, aber nur von der Seite der Intelligenz, denn bei erhöheter Sensibilität konnte er früher nicht die geringste Berührung vertragen.

Einst konnte er sprechen, pflegte auch zu singen. Seit zwei Decennien war er in Stumpfsinn und Willenlosigkeit verfallen, seit 15 Jahren hatte er gesenkten Kopfs fast immer vor sich dahin gesessen und nie ein Wort von selbst gesprochen, selbst nie eine Antwort mit Ja oder Nein gegeben. Zuweilen machte er in einem sehr kleinen Raume nach einem und demselben Tacte stundenlang vier Schritte; im Bette wandte er das Gesicht ab und stiess stets vier un-

verständliche Silben aus, die er stundenlang wied
holte, und zwar nach dem Tacte wie er seine Schri
machte. Die Stimme war sehr leise. Er starb a
zehrend in Folge einer totalen Verhärtung beider L
gen. Die Destruction derselben deutet freilich
eine Adynamie des N. pneumo - gastricus, es hat d
aber nur Bezug auf die Stimme, nicht auf die S
che, welche bei der so häufigen Zerstörung di
Organe gewöhnlich noch bis ans Ende fortzuda
pflegt.

Die Hauptgebrechen im Gehirn, welche die !
tion vorlegte, waren: eine fast gänzliche Verw
sung beider Hinterhörner, ein völliges Schwinde
Flabella, ein völliges Schwinden der acustischen
brillen und der Klangstäbe, eine mangelhafte Bes
fenheit der tela filipendula am Vordersegel a
linken Seite, während sie an der rechten Seite f
und zuletzt ein Schwinden der fasciculi tre
an der unteren Fläche des Segels auf der einen

Diese Beobachtung bestätigt die von mir a
stellte Theorie über die Sprache nicht wenig. I
war in diesem Beispiele die Intelligenz sehr ni
aber das Schwinden der Flabella und die Verw
sung der Hörner hebt noch nicht absolut die F
keit der Sprache auf, wie Erfahrung mich belehr

Ein hochbejahrter verrückter und stumpfsin
Mann, *Sch.*, hatte seit einer Reihe von Jahren
articulirtes Wort mehr laut werden lassen. Sein
sönlichkeitsgefühl war längst geschwunden, er b
nur noch den einen Trieb, alles zu sammeln, w
fand. Die Section lehrte, dass die Zirbel nach
verwachsen und mächtig umwuchert, das eine
terhorn theilweise verwachsen und damit der Col
lus verbildet, die Gränzgürtel verhärtet und nur
geringe Spuren der Flabella zu finden waren.

Die acustischen Fibrillen zeigten sich wie verloren, eben so die Wirbelchorden, selbst die langen gewundenen Chorden, die seltener abweichen, waren zum Theil entstellt durch einen höckerigen Aufwurf, theils geschwunden und unterbrochen, besonders deren Einsenker in der Mittelrinne.

Die fasciculi tripartiti waren nicht mehr abgetheilt in ihrer bestimmten Zahlreihe, sondern in einander verschmolzen, das Vordersegel zeigte sich verdickt und verhärtet, wie lederartig, die Hintersegel waren zum Theil verwachsen.

Auch dieser Fall spricht wieder für die erwähnte Theorie.

Ein Stumpfsinniger, der als Vagabond aufgegriffen war, dessen Name und Herkunft unbekannt blieben, murmulte nur wortartige Laute, ohne Articulation und ganz unverständlich, er konnte indess hören, wenn auch nur in geringerem Grade und ohne das Gehörte hinlänglich zu vernehmen und zu verstehen.

Der Kranke starb an Auszehrung. Die Untersuchung zeigte: Verwachsung beider Hinterhörner, eine Unregelmässigkeit in den Fasern des Delta, ein starkes Schwinden der Flabella, von dem linken Hinterhorn war nur noch eine unbedeutende Spur vorhanden. Zu diesen Mängeln der vorderen Phase kamen in der hinteren: ein völliges Geschwundensein der acustischen Fibrillen und der Klangstäbe. Ferner waren die Wirbelchorden nicht gehörig und die langen gewundenen Chorden nicht normal in Zahl und Ausdruck.

Bildungsfähige *Taubstumme* pflegen in der Mehrzahl völlig taub zu sein, einzelne haben noch einen geringen Grad von Empfänglichkeit für Schall und Ton, und es kann diese ihre Bildung er}

Trotz ihres Gehörmangels lernen viele mehr und weniger sprechen. Dagegen giebt es viele Stumpfsinnige, die hören, aber nicht sprechen können. So habe ich eben noch 9 Fälle vor Augen, wo dies wahrzunehmen ist, und zwar bei 4 männlichen und 5 weiblichen Personen von frühester Kindheit auf.

Bei den bildungsfähigen Taubstummen litt, so weit ich nach eigenen Untersuchungen annehmen darf, nur der äussere Gehörapparat, während der innere in der Rautengrube u. s. w. in seiner normalen Verfassung sich befand, eben wie die übrige Ausbildung des Gehirns. Dagegen ist bei den Stumpfsinnigen, welche hören können, der äussere Gehörapparat und der acustische Nerv bis zum Uebergange in die Rautengrube wohl gewöhnlich noch normal, nur in dem weiteren Verlaufe der dazu gehörigen Faserngebilde liegt der Unterschied. Hier fehlen sie mehr und weniger oder sind sehr mangelhaft, zugleich leidet aber, mit einigen Ausnahmen, das grosse Gehirn in seiner höheren Construction. So beschränkt zwar die Gedankenarmuth und der Gedankenmangel die Sprache dem Inhalte nach, aber noch nicht immer die Fähigkeit, Sprachlaute hervorzubringen. Wo die innere Organisation der Rautengrube mangelhaft ist, da muss die Leitung vor und rückwärts mangelhaft sein.

Dieser Mangel kann für sich schon eine gewisse Anlage zum Stumpfsinn verursachen, indem er die Bildungsfähigkeit durch das Gehör, die so wirksam und wichtig ist, hemmt oder hindert.

Diejenigen, bei denen die innere Gehörconstruction noch genügend erscheint, pflegen auch dann noch gefügiger, lenksamer und gehorsamer zu sein, wenn auch die vorderen Regionen des Hirns und die Verstandeskräfte gelitten haben. Wenn beide organische Unterlagen bedeutend leiden, werden auch der Stumpfsinn und der Sprachmangel um so mehr hervortreten müssen, und so fand ich es mehrmals entschieden.

Die hier gegebenen Beobachtungen veranlassen mich, auf eine eigenthümliche Sprachlosigkeit aufmerksam zu machen, welche ich mehrfach bei Irren wahrgenommen. Ausser jenen, die an apoplektischer Anlage, an Hemiplegie oder Paralyse, an Idiotismus, Imbecilität und Blödsinn leiden, giebt es viele, die nicht sprechen, sei es aus Eigensinn, in Folge fixer Ideen, durch Abulie und Apathie u. s. w.; es kommen jedoch noch andere Fälle vor, wo solche Ursachen nicht vorhanden sind, und solcher habe ich so eben noch drei vor Augen.

1. Der erste Fall betrifft einen Mann von sehr grosser Statur, kräftigster Constitution und frischer Gesichtsfarbe, mit klugen, lebhaften, ausdrucksvollen Augen. Seit 10 Jahren und darüber hat er kein einziges Wort gesprochen, weder ein Ja noch ein Nein, weder für sich noch mit Anderen. Er hört sehr gut, hat gutes Gedächtniss und reichlichen Gedankenzufluss, er schreibt eine treffliche feste und correcte Handschrift, und wird nicht müde, seine Gedanken und thörichten Einfälle aufs Papier zu werfen. Daraus ergiebt sich, dass er sich für einen hohen Herrn und Potentaten hält, der seine Ukasen und Decrete und Remonstrationen und Rescripte in die Welt sendet. Er klagt immer an, aber im Hochgefühl seiner Würde er befiehlt und instruirt in der Weise der Rechtsgelehrten bei einem höchsten Appellationsgerichte.

Man erkennt hier einen Nachklang und Reflex jenes weit entlegenen Zustandes der Intelligenz und des Gemüths, wo er, mit Widerwärtigkeiten kämpfend, stets als Kläger und Angeklagter in Prozesse unaufhörlich verwickelt, so oft vor den ...nd. Man sieht, der Kranke hat Verstand, richtigen, er hört und vernimmt und härte; denn dies beweiset seine schriftliche Antwort und sein sonstiges Benehmen, ja, er ist folgsam, gehorsam fast immer auf der Stelle, er dient anderen Kranken wie ein braver Wärter, er beschäftigt sich gern und auch mit gewöhnlichen Handarbeiten. Seine äussere Erscheinung überhaupt wie die Beschaffenheit aller zur Sprache gehörigen äusseren Organe lassen nichts erkennen, was hier der Sprachfähigkeit im Wege sein könnte. Nichts bleibt übrig, als anzunehmen, es herrsche hier eine fixe Idee, ein fixer Wille, ein Eigensinn, ein starrer eiserner Vorsatz, oder ein wirkliches inneres organisches Moment, was die Sprachlosigkeit erzeuge. Dies letztere aber scheint eher annehmbar als ersteres. Kaum möchte in so langer Zeit ein Mittel unversucht geblieben sein, um Aufschluss über dies physiologische und psychologische Räthsel zu erlangen. Keine List, keine Ueberraschung, kein plötzlicher, kein heftiger Schmerz, kein elektrischer Schlag, kein Glühhammer, keine Bitte, keine Drohung hat jemals vermocht, auch nur das leiseste Ja oder Nein hervorzulocken. Betrachtete man bei allen diesen Proben seine Physiognomie, so schien sie zwar zu sagen: ei, macht nur, versucht nur, ich bleibe doch fest und mir treu, ich will meinen Willen durchsetzen, will triumphiren, will und will nicht wanken und weichen. Bedenkt man aber wieder, dass er gutartig ist und gutherzig, gefällig, dienstfertig, anständig, artig und freundlich, dass sein Auge gern lächelt und selbst bei allem Widerstande gegen seine Wünsche kaum einmal zürnt, so scheint es kaum glaublich, dass es einen Willen geben könne, der so consequent und unerschütterlich jahrelang wollen könne, so starr auf sich selber stehen könne; wahrscheinlicher ist es also doch wohl, dass hier ein geheimes Hinderniss sei, welches ein Nichtkönnen veranlasse?

2. *Anna W.* alt 30 Jahre. Bis zum 20sten Jahre
war sie körperlich und geistig gesund. Ein Fieber,
wahrscheinlich ein Nervenfieber, legte nun den Grund
zur Seelenstörung, zunächst zu heftigen chronischen
Kopfschmerzen.

Später bemerkte man zuerst eine grosse Gedächtnissschwäche, die noch immer zunahm, sie konnte
z. B. zum Spinnen sich hinsetzen und das Spinnen
vergessen.

Mit dieser Vergesslichkeit schwand auch der
Trieb zur Thätigkeit, dabei ward sie theilnahmloser,
gleichgültiger und unempfindlicher. Man hielt sie für
schwerhörig oder taub, weil ihre Schweigsamkeit zunahm und sie oft auf alle Fragen keine Antwort
ertheilte. Wenn es geschah, durfte man aus ihren
Aeusserungen wie aus ihrem Benehmen schliessen,
dass ihr Verstand, ihre Urtheilskraft schon gelitten
hatte. Ihr Gedächtniss zeigte sich besonders in Beziehung auf Gegenstände der letzteren Zeit höchst
schwach oder wie erloschen, wogegen sie Dinge früherer Zeit vor ihrer Erkrankung sich noch gut zu
erinnern wusste.

Während ihres Aufenthalts in der Anstalt seit
zwei Jahren und drüber hat sie nie ein Wort gesprochen, so viel man sie ermunterte, so viel überhaupt
auf ihren kranken Zustand eingewirkt wurde. Ihre
Folgsamkeit, ihre Mienen, der Blick ihrer freundlichen oft lächelnden Augen verriethen, dass sie hören konnte und das Gehörte verstand. Bei angeneh-
mem Aeussern war sie ordentlich in der Kleidung,
reinlich und anständig; nur zur Beschäftigung musste
sie immer von neuem angehalten werden, trotz der
Mühe, die man sich gab, versank sie dennoch immer
wieder in den apathischen, passiven Zustand.

In dieser Hinsicht wäre hierwohl eher eine reine
Abulie und Apathie vorauszusetzen. Kommt aber

solcher psychischen Energielosigkeit die Sprachlosigkeit auch oft vor, wie in verschiedenen Arten des
Blödsinns, so sind doch hier viele Merkmale vorhanden, welche diesem nicht angehören und eher auf
einen speciellen und partiellen Mangel des inneren
Sprachsinnes schliessen lassen und nicht auf einen
allgemeinen Mangel, wie es in Zuständen des Blödsinns oft vorzukommen pflegt. Das ganze Aeussere,
Wesen und Benehmen unserer Kranken liess keine
Spur von Stumpfheit bemerken, das einzige, was
auffiel, war ihre Passivität, ihr Hinbrüten mit stets
gesenktem Kopfe, den sie aber gleich erhob, wenn
man sie anredete, auch drehete sie ihn um, wenn
man hinter ihr stehend sie anrief. Sie kauerte gern
am Fussboden, scheuerte gern den Rücken an der
Wand und kaute viel an den Nägeln; dergleichen
kommt vielfältig bei melancholischen Irren vor. Krankhaft körperliche Beschwerden gaben sich hier *nicht*
kund, nur litt sie an einem trockenen Ausschlage am
Hinterkopfe und Spuren von Flechten hier und da,
aber in sehr leichtem Grade.

Das Gedächtniss litt hier zuerst; es könnte die
allmählig zunehmende Verstimmung also vielleicht dem
nach und nach vergangenen Wortgedächtnisse beige-
messen werden. Dagegen spricht, dass sie Worte
vernimmt, auf Fragen hinmerkt, auf Geheiss Folge
leistet. Sie hat demnach Gedanken, Vorstellungen,
Begriffe, es dürfte also nur ein organisches Hinderniss da sein, welches sie unfähig macht, ihre Gedanken durch Worte oder irgend einen Laut zu
äussern.

Es ist gewiss (und kann nicht anders sein) ein
gleiches Verhältniss zwischen den Hirnfasern, wie
zwischen den motilen und sensilen Nerven. So wie
peripherisch unter diesen eine Disharmonie so häufig
vorkommt, indem z. B. der motile Factor danieder-

liegt, während der sensile vorherrscht, und umgekehrt, so geschiehts auch im Centralorgane: Empfindung und Gedanke sind da, haben ihren inneren Anlauf und Anschlag im organischen Lebensraume, aber das Darleben nach aussen, der Auslauf, Ausdruck, das Wort fehlt.

3. *Marie D.*, 29 Jahre alt, war im 24sten Lebensjahre in Melancholie mit religiöser Richtung verfallen, die sich durch hartnäckige Schweigsamkeit und Eigensinn, durch Ausbrüche von Zornwuth und eine Sucht, allerlei Kleinigkeiten zu sammeln, auszeichnete. Zur Entwickelung dieser Krankheit schienen ein unterdrückter Kopfausschlag und niederdrükkende Affecte beigetragen zu haben; auch eine erbliche Anlage mochte mit im Spiele sein, denn einer ihrer Brüder litt an wirklicher Seelenstörung, von der ich ihn herstellte, der andere zeigte ein etwas beschränktes, befangenes Wesen.

Bei ihrer Aufnahme in die Anstalt sah man ihre Melancholie mit einer Art Katalepse complicirt. Sie ward nach und nach lenksam und folgsam, zeigte sich reinlich, Ordnung liebend, anständig in Kleidung, angenehm im Betragen, fleissig und geschickt in Handarbeiten. Auffallend nur war ihre Schweigsamkeit, ihre Sprachlosigkeit, die drei Jahre hindurch während ihres Aufenthalts in der Anstalt nicht wich, bis die Verhältnisse geboten, sie versuchsweise den Ihrigen zurückzugeben.

Die lange unterdrückt gewesene Menstruation ward hergestellt, ohne dass dies Einfluss hatte, eben wie jedes andere Mittel, wozu auch der Rotations-Magnetismus gehörte.

Bei ihrer völligen Verstummung war ihre übrige geistige Thätigkeit nicht in Stillstand gerathen. Sie hielt die Augenlider meistens geschlossen, sie nur wenig öffnend, wenn sie sich mit Nähen beschäftigte.

Die Lider blinzelten und vibrirten stark, wenn sie lebhaft angeredet und angeregt wurde, wo denn ein leises Lächeln oder ein Unwille an ihnen spielte.

Im Essen war sie eigen, genoss nie Fleisch, Butter, Bier. Aus diesem Umstande vermuthete ich manchmal, als habe sie deshalb ein Gelübde gethan. Gesicht, Hände und Füsse zeigten früher ein leichtes Oedem, das besonders nach dem Elektrisiren sich verlor. Sie schien zuweilen zu beten und bewegte leise die Lippen, ohne aber jemals einen Laut hören zu lassen. Es gehörte mit zu den Zeichen des Starrsinns, dass sie zu einer gewissen Tageszeit stundenlang an einem und demselben Orte des Corridors auf und ab ging und sich nicht darin stören liess. Munterte man sie auf, scherzte man mit ihr, tadelte man sie, so spitzte sie zuweilen den Mund, als wolle sie sprechen, aber es schien nur so; übrigens konnte man aus ihrem ganzen Verhalten ersehen, dass *sie* Alles um sich her wahrnahm und verstand. Sie schien eine Art Somnambüle mit einer kataleptischen Anlage zu sein. Musik und Tanz liebte sie nicht und entfernte sich, wie sie überhaupt gern für sich blieb, und weder Unterhaltung noch Umgang suchte. Krankhafte Beschwerden bemerkte man nie, nur litt sie ein paarmal an einem Ausflusse der Nase, der kein gewöhnlicher Schnupfen war, Sie hörte gut und leise, und verstand gleich was man ihr sagte und auftrug.

———

Es giebt eine Gedankenstarre wie eine Gedankenflucht, eine intellectuelle Katalepsis und Chorea. Dort kann man vor Gebundenheit und Erstarrung, hier vor dem Wanken und Schwanken, dem Hin- und Herfahren der Gedanken nicht zum festen Entschlusse und Wollen kommen. Man hat nicht das Vermögen seinen Willen zu äussern, der geistige Wille, die primitive Potenz, geht nicht ins Leben über, wodurch sie erst zur Willenskraft wird. Bei Kataleptischen ist Sprachlosigkeit häufig, aber auch in jenen Zuständen der Chorea, die mit einem Hirnleiden verbunden sind, sah ich Mangel und Schwerfälligkeit in der Sprache vorkommen.

Schon Kant stellte den Satz auf: dass die Naturwissenschaft durchgehends eine reine oder angewandte Bewegungslehre sei. Gewiss hat er Recht. In der Welt der Erscheinungen wird und ist und ändert sich nichts ohne Bewegung, in der unsichtbaren Welt wird aber ohne sie auch nichts gefühlt, erkannt und gewollt, die geistige Bewegung ist mit der physischen im Grossen wie im Kleinen stets verbündet, beide fordern sich gegenseitig.

Eine stumpfsinnige Person, die durch ein Nervenfieber in Seelenstörung verfallen war, und seit einer langen Reihe von Jahren kaum noch einen articulirten Laut äussern konnte, es sei denn, dass im Zorn etwas dem Aehnliches hervorbrach, zeigte dieselben Mängel, deren ich schon so viele gefunden. Auch hier war die Integrität der Rautengrube völlig gestört, und ausser sonstigen Fehlern zeigten zugleich die Fasern der Gränzgürtel, die flabella, Garben und Wellen eine tabula rasa.

Es giebt indess Complicationen, die zu beachten sind. Eine Idiotin, *Dh.*, die ich einst lange beobachtete und nach ihrem Tode untersuchte, war primitiv sprachlos gewesen; hier fanden sich alle die grossen Fehler, welche dem Idiotismus eigen sind, partiell entstand der gänzliche Gehörmangel, aber nicht von dem Mangel der Fibrillen und der Klangstäbe allein, sondern auch davon, dass die Gehörknöchelchen fehlten.

Eine Blödsinnige, *Kr.*, die als eine Landstreiche-
rin aufgegriffen wurde und deren Verhältnisse ganz
unbekannt blieben, sprach während ihres langen Aufenthalts in der Anstalt nie ein Wort. Ihr Blick verrieth noch etwas verständigen Sinn, sie konnte hören, aber nicht mehr vernehmen und verstehen, sie
war übrigens gutartig und beschäftigte sich noch mit
Spinnen, obgleich sie sonst in Abulie und Apathie
versunken, ohne Leidenschaft, ohne Hass und Liebe
und begehrliche und zornmüthige Anlage zu sein
schien. Lange litt sie an Lungenschwindsucht und
langsam abzehrend endete sie. Die Hinterhörner waren nicht verschlossen, es fehlten aber die Colliculi
und der Calcar, der Kanal war erweicht, aber auch
sonst nicht ganz normal, (Erweichung einzelner Theile
ist oft erst Folge eines langsamen schwindsüchtigen
Hinsterbens,) es fehlten die gabelförmigen Conducto-
ren, so wie die dreigetheilten Chordenbündel, ebenfalls die Klangstäbe und die acustischen Fibrillen.

Noch eine andere weibliche stumpfsinnige, *A.*, war
lange in meiner Beobachtung, die erst im späteren
Leben völlig taub und dann stumm und zugleich
stumpfsinnig geworden. In dieser Verstummung liess
sie nur zuweilen noch die Laute ae ae hören. Im
letzten Stadium der Abzehrung gegen die Zeit der
Auflösung fing sie wieder an, wirklich und gut arti-
culirte Worte hervorzubringen.

Der Sterbeakt bei Irren befreit meistens schon
mehr oder minder das geistige Leben, wenn das organische nicht überall und zu sehr gebunden war,
und so haben wir hier einen neuen Beweis für seine
Fortdauer. —

Wenn bei Apoplexie, Paralyse, Tetanus, Katalepse u. s. w. die Sprache aufhört, so erklärt sich
dies leicht, weil der Factor der Bewegung kürzer

oder länger in Stillstand geräth, wie die Uhr, die nicht aufgezogen ist, oder die Voltasäule, die zuweilen nicht wirkt. In den hier bezeichneten Fällen scheinbarer Stummheit ist aber ein solches ursachliche Moment nicht so deutlich aufzufinden, da überall die Bewegung frei ist, in Hand, Fuss, Auge, Lippe, Zunge und Lunge, es dürfte daher nur ein partielles und örtliches Hinderniss hier vermuthet werden.

Der für Ausbildung empfängliche Taubstumme, der vor derselben immer schon dachte, aber ohne Worte, lernt durch den Unterricht mit Zeichen und Worten denken, erst dadurch wird das Begreifbare ihm fühlbar, und so erlangt er auch festere Begriffe.

Der gesunde Sprechende hat beständig seine innere Gedankensprache, die nicht laut und Anderen, selbst dem eigenen Ohre, nicht hörbar ist, man fühlt sie mehr, als man sie hörend vernimmt, wenn man genau auf sich achtet. In den Stummen, die hier dem Betrachter vorgestellt wurden, scheint dies innere Gehör und Tongefühl latent oder mangelhaft zu sein und es ihnen so unmöglich zu werden, ihre Gedanken und Empfindungen, ihre Affecte und Begierden und Leidenschaften durch wirkliche Worte zu äussern, indem erst die sensile Faser ihr Leben zeigen muss, ehe die motile es verkündet, es ausspricht.

In der Sprache ist ein freies und nothwendiges Element. Zwar ist das Lebenselement, gleich wie das geistige, an sich ein freies und flüssiges, aber es bewegt sich an einem Festen, an Fasern, Linien und Curven. Durch die beschränkte Bewegung im Einzelnen entsteht der Laut, und die Lautform macht die Verschiedenheit der Sprachen. Der Geist verhält sich zu der Sprache wie die Luft zur Aeolsharfe. Es ist ein ewiger Parallelismus zwischen Geist und

Leben. Wie das Lebenselement sich in Aeste und
Zweige darlebt, so am höchsten und reinsten in den
Fasern und Chorden des Gehirns, die mit ihrer lebendigen Oscillation und Rhythmik dem Geiste entgegen-
kommen, und so scheint und klingt der Geist durch
die ganze Natur.

Es sagt Wilh. von Humboldt (über die Kawi-
sprache), man könne die Sprache mit einem grossen
Gewebe vergleichen, in dem jeder Theil mit dem
Ganzen zusammenhängt. Die Chordensysteme sind
das plastische Bild dieses Seelengewebes. Die Rede,
die Sprache ist, ihrem Inhalte und Wesen nach, schon
in der Seele, aber sie muss Werkzeuge haben, um
sie Anderen zu offenbaren durch Ton und Schrift und
Geste und Gebärde.

Der Laut ist die hörbare Empfindung und der
hörbare Gedanke. Sprache ist die Synthese von Me-
taphysik und Physik. Das Denken verhält sich zum
Worte, wie das Tonelement zur Chladni'schen *Figur*
und zur Schrift. Es muss also eine ideale Sprache und
Schrift geben, die aber noch Keiner entdeckt hat.

Denken ist ein Leuchten im Allgemeinen; ein
Denken im Besonderen ist ein Strahlen. Der geistige
Strahl darf nur lebenvolles Organ berühren, wie der
Sonnenstrahl die Memmonssäule, und es tönt.

Der Mensch, sagt der Hebräer, ist eine sprechende Seele; man setze hinzu, als Organ des Geistes.

Einfluss des Pönitentiarsystems auf Irresein.

Die Mainummer der Abeille médicale theilt aus dem Sitzungs-protokolle der Academie de medécine zu Paris vom 29. April 1848 einen diesen Gegenstand betreffenden Brief mit, den Bouchet, Arzt der Irrenanstalt zu Nantes, an Ferrus geschrieben und welcher, wenn auch durch die Redaction verspätet, doch noch von Interesse ist. Bouchet nahm 1845 aus dem Auburn'schen Detentionshause zu Vannes (Départem. du Morbihan) 15 weibliche Sträflinge in seine Anstalt auf, die in jenem Hause irre geworden sein sollten. Davon sind bereits 9 entlassen und 1 gestorben. Drei derselben wurden nach Ablauf ihrer Strafzeit als nicht geheilt in eine Zufluchtsstätte ihres Departements versetzt. Eine war blödsinnig und epileptisch, eine monomaniaca von altem Datum mit Gesichts - und Gehörs-hallucinationen und die 3te von Mania sine delirio befallen (de cette espèce de monomonie raisonnante ou instinctive, qui, prenant sa source dans une lésion de la sensibilité, n'affecte pas assez le raisonnement pour faire prononcer le mot de folie, jusqu'à ce que des actes graves viennent la caractériser). Von den 6 andern litten drei an Monomanie, die neu zu sein schien, so wie an Hallucination der Sinne, die sich auf Furcht und Schrecken bezog. Die 3 übrigen, wovon eine noch Intelli-genzschwäche documentirte, laborirten gleichfalls an der rai-sonnirenden oder instinctiven Monomanie, die schon lange und vor ihrer Verurtheilung existirt hatte. Die gestorbene Irre weinte ohne Unterlass. Sie wollte in diesem Zustande 10 Jahre lang gewesen sein, obgleich sie erst seit 2 Jahren condemnirt war.

Von den in der Bouchet'schen Anstalt verbliebenen 5 Gei-steskranken bietet eine Monomanie mit Gesichtshallucinationen dar, ist aber schon 3 oder 4 Jahre vor ihrer Verurtheilung irre gewesen. Die 2te war schon 2 Jahre vor ihrem Diebstahle, wel-

cher ihre Detentionsstrafe herbeiführte, als Irre eingesperrt
worden. Die 3 andern lassen eine mehr oder weniger ausgesprochene Art instinctiver Monomanie mit intellectueller Schwäche erkennen. Bouchet fragt nun, ob er aus diesen Thatsachen den Schluss ziehen dürfe, dass das Auburn'sche Strafsystem eine wesentlich productive Ursache der Geistesstörung
sei? Die Antwort könne, meint er, mindestens nicht absolut
sein. Denn nur 3 Fälle schienen, aber ohne ganz vollkommene
Gewissheit, affirmativ zu sein. Er ist der Meinung, dass man
dabei vornehmlich erwägen müsse, wie das auch schon Lélut
und Baillarger bemerkt hätten, dass die geistige Alienation
häufig dem die Verurtheilung herbeiziehenden Verbrechen vor-
angehe und es selbst meistens in diesem Falle beschliesse, zu-
wege bringe, ohne dass die Gerechtigkeit sich dessen aus un-
verwerflichen Anzeichen versehe. In Bezug auf die hier mitgetheilten Fälle hätten die genauesten Erkundigungen fast überall die Präexistenz der Geisteskrankheit vor dem Verbrechen
ergeben und eine eigentliche Manie habe sich unter allen 15
Sträflingen nicht gefunden.

Was nun die allgemeine Frage anbetrifft, auf welche sich
diese Discussion bezieht, so hält Bouchet dafür, dass, ohne
das Zellen-Isolirungs-System oder das System des absoluten
Schweigens im gemeinsamen Leben ganz verwerfen und ein
neues in Vorschlag bringen zu wollen, man folgende Principe,
die auch bereits in der Praxis ihre volle Weihe erlangt hätten,
annehmen könne: Die intellectuellen Geisteskrankheiten erfahren bei einem gemeinschaftlichen, einer Regel unterworfenen
Leben, einem ordnungsmässigen Umgangs- oder Zusammen-
Leben (vie en commun, assujettie à une règle) im Allgemeinen eine Besserung, während die moralischen Seelenstörungen
sich unter dem Einflusse derselben Verhältnisse, die ohne Unterlass ihre Sensibilität reizen und selbige von ihrem Normal-
wege abbringen, verschlimmern. Und so glaubt er sich berechtigt, das Auburn'sche System als Besserungs- und Heilmittel
des Lasters, wenn auch nicht gänzlich verwerfen, doch aber
mit Misstrauen betrachten zu dürfen. Vielleicht würde, bemerkt er, das pensylvanische (Cherry-Hill'sche, Ref.) System,
bei gut geleiteten Relationen, diese reizbaren Naturen mehr beruhigen und auf die Länge verbessern.

Aug. Droste, Dr.

In der Sitzung der Academie vom 4. Jan. d. J. las C o l l i - n e a u in seinem und F e r r u s Namen einen Bericht über ein mémoire von J o r e t , Arzte de la maison centrale de force et de correction de Vannes: de la folie dans le régime pénitentiaire, depuis l'exécution de l'ordonnance ministérielle du 10. Mai 1839, qui préscrit le silence absolu de jour et de nuit.

Vor der Analyse erwähnt Berichterstatter, dass er, seit fast 40 Jahren Arzt an den Frauengefängnissen zu Paris, niemals besonders Wahnsinn in demselben beobachtet habe. J o r e t berichtet von dem pénitentiaire (Auburn) das Gegentheil — nämlich durchschnittlich 8 auf 300 Gefangene. Allgemeine Ursachen: die gewöhnliche organische Disposition, schlechte Erziehung, liederliches Leben, geistige Verwilderung. Als bestimmende Ursachen der folie pénitentiaire führt er auf: 1) absolutes Schweigen bei gemeinsamem Leben, 2) Ingrimm vermehrt dadurch, 3) Mangel an Motion. Das Schweigen wirkt hiernach nachtheiliger und schädlicher für Sträflinge, Beamte und Direction der Anstalt, als bei dem absoluten Zellensystem.

R o c h o u x ist für Beförderung der folie durch das système pénit., desgl. L o n d e , welcher sagt: les seuls partisans de ce système sont ceux, qui sont payés, pour le soutenir, ceux qui en vivent. Nur ein Arzt hat gewagt, das s. p. gegen folie in Schutz zu nehmen, und der eine ist Arzt eines Zellengefängnisses. Schweigen müsse durch Prügel hervorgebracht werden.

Ein Vergleich zwischen den Fällen von Wahnsinn in dem Gefängnisse von Philadelphia und Charlestown (Auburnsche System) innerhalb der letzten 10 Jahre ergiebt ein auffallend günstiges Resultat für das letztere. Die des ersteren Gefängnisses beliefen sich auf 126, hingegen die des letzteren nur auf 7, von denen noch obendrein 5 schon wahnsinnig bei ihrer Aufnahme waren. Zwar kämen auch von jenen 126 siebzehn in Abzug, weil sie schon wahnsinnig bei ihrer Aufnahme waren, indess bleiben immer noch 109, die im Gefängnisse wahnsinnig wurden. — Das Auburnsche System mache im Allgemeinen die Sträflinge moralisch schlechter, das Pensylvanische mehr Wahnsinnige.   *Dw.*

Aus: *Gray* Prison Discipline in America. (Vgl. uns. Zeitschrift Bd. VI. S. 163.)

Literatur.

v. **Wick, F.**, die Isolirung der Sträflinge, mit
Rücksicht auf die Erfahrungen in der mecklenburgischen Landesstrafanstalt Dreibergen. Schwe-
rin 1848. VI u. 74 S. in gr. 8.

Vorliegendes Schriftchen ist das 1ste Heft der „Abhandlungen aus dem Gebiete der Gefängnisskunde"
von demselben Vf., der darin seine auf Erfahrung
gestützten in einer 20jährigen praktischen Beschäftigung gewonnenen Ansichten darlegen will. Vf. ist
mit der oberen Leitung der neuen mecklenburgischen
Strafanstalt Dreibergen beauftragt. Im Wesentlichen
redet der Vf. der Vereinzelnung das Wort, und will
sie zur Regel erhoben haben, aber die erforderlichen
Modificationen und Ausnahmen angebracht wissen, damit jegliche Grausamkeit und Störung höherer Zwecke
verhütet werde. Wir übergehen hier das speciell der
Gefängnisskunde Angehörige, und beschränken uns
zunächst auf die so oft ventilirte Frage der Begünstigung des Wahnsinns durch die Isolirung. Im Allgemeinen nimmt Vf. an, dass die Einsamkeit mehr
zum Wahnsinn disponire, als das Leben in Gemeinschaft, weil er dies überhaupt von jeder Krankheit
behauptet. Wird übrigens das Isolirsystem nicht mit
starrer Consequenz, sondern mit Milde und Vorsicht

durchgeführt, dann ist der Gesundheitszustand nicht schlechter, als bei dem Gemeinschaftssysteme; und so hat es sich in Dreibergen bestätigt. Bedenkliche psychische Zustände wurden zwar öfter bei isolirten wahrgenommen; der Wahnsinn kam aber in *keinem* Falle zum Ausbruch. Die Selbstmorde kommen unter den Isolirten ebenfalls nicht häufiger vor. In 8 Fällen wurden in den 9 Jahren nach Eröffnung der Anstalt Anfänge wirklicher Seelenstörungen wahrgenommen, bei 5 Männern und 3 Weibern; davon waren 7 isolirt, 4 Männer und 3 Weiber, woraus Vf. schliesst, dass Weiber die Isolirung weniger vertragen. Sämmtliche 8 Kranke wurden in der Anstalt hergestellt, nachdem sie der Einzelnhaft entgingen. Ueber Erblichkeit oder schon Ausbruch vor Einlieferung, ist nichts gesagt. — Selbstmorde sind in diesen 9 Jahren 7 vorgekommen, 3 unter den Nichtisolirten, 4 unter den Isolirten (die durchschnittliche Bevölkerung der Anstalt betrug für den Tag $232^3/_4$.) Zwei dieser Selbstmörder waren zum Tode verurtheilte, aber mit lebenswierigem Zuchthause begnadigte Mörder. — Die in diesen Beziehungen also gegen das Isolirsystem erhobenen Bedenken und Einwürfe haben sich während 9 Jahre in Dreibergen nicht bestätigt. Vorsicht und Milde in der Handhabung der Isolirung scheint hier jede Gefahr zu beseitigen. Lange Isolirung macht allerdings den Körper schlaff und hinfällig und wirkt dadurch deprimirend. Dr. *Spengler.*

Du médecin, de la folie et de la société par J. A. Malatier, Doct. en médecine. Paris, Baillière 1847. 104 p. 4.

Vorliegende Broschüre scheint der Abfassung nach eine Inauguraldissertation für die pariser Facultät zu sein, und wir begegnen also in ihr das Erstlingswerk

eines jungen und wir setzen nach Durchlesung der
Schrift hinzu, sehr talentvollen Autors, von dem wir
in Zukunft noch viel Gutes und Treffliches erwarten
können. Zwar bietet das Werkchen durchaus nichts
Positives, sondern besteht fast nur in einer Aufzählung verschiedener Ansichten und Lehren, sowie in
einer Nachweisung des Unsichern und Widersprechen-
den in denselben; zwar vermissen wir eine gehörig
verarbeitete Kritik der citirten Doctrinen, noch viel
weniger können wir behaupten, dass der Vf. Herr
sei des weiten Gebietes, das er sich zu besprechen
vorgenommen, vielmehr tritt fast auf jeder Seite der
Uebelstand hervor, dass die Fülle der Ideenassociationen sich gegen die stricte, einem bestimmten Ziele
entgegenschreitende Entwicklung sträubt, ja wir möchten behaupten, dass das Ziel, nach dem der Vf. hin-
arbeitet, ihm bis jetzt mehr in poetischer Ahnung,
als in wissenschaftlicher Klarheit vor der Seele stehe;
aber trotz aller dieser grossen Uebelstände sind wir
dem Werkchen mit Freude begegnet, und zwar hauptsächlich um zweier Ideen willen, die nach unserer
Meinung der französischen Psychologie bisher auf das
empfindlichste gefehlt haben, nämlich die Anerkennung der eigenen Ursächlichkeit der Seele vis-à-vis
dem Körper, und zweitens die Anerkennung der allgemeinen menschlichen Vernunft in abstracto („entendement humain") als maassgebend gegenüber dem
concreten Denken des Einzelnen. So viel Gutes die
exclusiv materialistische Richtung der französischen
Philosophie der französischen Medicin gebracht, indem sie dieselbe vor Thorheiten bewahrt, die leider
bei uns Deutschen lange Zeit hindurch eine wichtige
Rolle gespielt, ebenso sehr hat sie der Psychologie
und mithin der Psychiatrie als Wissenschaft geschadet. Der Materialismus, wie er in der Religion zum
Unglauben, in der Moral zum Egoismus, in der Po-

litik zum Despotismus führt (und scheint es doch auch
fast, als wenn das französische Volk trotz seines
60jährigen Ringens letztere durch alle seine staatli-
chen Systeme mit hindurch nehme), so führt er in der
Wissenschaft zum exclusiv-individuellen Standpunkte.
Verkennend die unmittelbare Göttlichkeit menschlicher
Vernunft überhaupt, blieb dem französischen Psychologen weiter nichts übrig, als sein eigenes Denken
als souveränen Maassstab alles übrigen Denkens auf-
zustellen. „Notre raison est la mesure de la folie des
autres" sagt Leuret. Und zwar soll unser individuel-
les Denken nicht allein endgültiger Schiedsrichter
über die Ideen unserer Zeitgenossen sein, sondern
wir sollen auch mit vollkommenem Rechte den Stab
brechen dürfen über alle Ansichten der Vergangenheit und sie als krank bezeichnen, wenn sie unserem
dem jetzigen Zeitbewusstsein entsprossenen Denken
zuwiderlaufen. „L'état de l'esprit humain, sagt derselbe Schriftsteller (fragments psychologiques de la
folie p. 255) chez nos aïeux concourait sans doute
puissament à la production fréquente de visions; mais
pour dépendre d'une cause générale, *une maladie ne
cesse pas pour cela d'être une maladie* et comme il
n'y a pas de difference essentielle entre les visionaires
d'autre fois et ceux d'aujourd'hui, *les uns et les autres
doivent être mis aux rangs des aliénés.*" Consequenter Weise scheuet er sich denn auch nicht Moses,
die Propheten, sowie alle christlichen Heiligen unter
die Irren zu versetzen. — „Socrate, sagt M. Lélut
(Démon de Socrate p. 13) était un théosophe, un vi-
sionnaire et pour dire le mot, un fou; cette opinion
est la seule vraie." Dasselbe Schicksal erleiden bei
ihm ausser den schon genannten Männern: Mahomet,
Luther, Pascal, Rousseau u. s. w. u. s. w., kurz
fast alle Männer, auf deren Schultern der Bau der
heutigen Civilisation steht. Ansichten dieser Art,

nach denen die grossartigsten, die Geschicke ganzer
Völker bewegenden Schöpfungen für das Erzeugniss
des Wahnsinns ausgegeben werden —, Ansichten
dieser Art, sage ich, sind leider unter den französischen Psychologen die häufigsten, und wir könnten
deren noch viele citiren. Wo aber bleibt hier der
feste Punkt, an den der Mensch sich zu halten vermag? Werden nicht unsre Nachkommen mit ihrem
erweiterten, gereinigtern Zeitbewusstsein über uns
dasselbe Urtheil fällen, das wir selbst über die besten
unserer Vorfahren ausgesprochen? Und bleibt nach
dieser Ansicht die Weltgeschichte zuletzt noch etwas
anderes, als die Geschichte eines Narrenhauses, in
dem Jeder nur Narren sieht und sich einbildet, der
einzige Vernünftige zu sein?

Es ist hier nicht der Ort, tiefer in eine Kritik
dieses Materialismus, noch der ihm zum Grunde liegenden Anschauung der Weltgeschichte, noch endlich der hier stattfindenden Verwechslung zwischen
Irrthum, Schwärmerei und Wahnsinn — einzugehen;
allein so wenig ein Mann die Irrthümer seiner Kindheit, die oft mit der Wirklichkeit direct in Widerspruche stehenden Schwärmereien seiner Jugend als
krankhaft bezeichnen, so wenig er sie als etwas anderes ansehen wird, denn als die der Bildungsperiode
adäquaten Manifestationen des geistigen Lebens: eben
so wenig dürfen wir die Irrthümer und Schwärmereien vergangener Zeiten als etwas anderes betrachten, denn als die der Bildungsperiode entsprechenden
Manifestationen des geistigen Lebens der Menschheit
überhaupt. Denn so wenig es dem einzelnen Menschen vergönnt ist, mit *einem* Schlage zur geistigen
Klarheit zu gelangen, ebenso wenig hat es Gott bestimmt, dass die Menschheit in *einem* Alter zum vollen Besitze der Wahrheit gelange, und die Weltgeschichte ist ja nichts anderes als das langsame Sich-

Durchwinden der Menschheit durch alle die Klippen des Irrthums und das mühsame Streben nach der in der unendlichen Ferne liegenden vollen Wahrheit.

Doch kehren wir zu unserer Broschüre zurück. Bei der ebenbezeichneten Richtung der französischen Psychologie hat es uns, wie wir schon oben sagten, Freude gemacht, einem Schriftsteller zu begegnen, der mit allem Eifer derselben entgegenzutreten sich bemüht. Die ganze Psychologie und Psychiatrie, ist sein Raisonnement, ist bei uns in Frankreich auf einem falschen, nie zum Ziele führenden Wege. In einem einseitigen Materialismus befangen, hat man das Gehirn („das Organ, das die Gedanken secernirt und krank sein muss, wenn das Secret krankhaft ist") und den ganzen Körper durchwühlt, um den Grund und die Beschaffenheit der Geisteszerrüttung aufzuklären; es haben sich Streitigkeiten erhoben, ob z. B. der Selbstmord aus einer Plethora biliosa (Retz) oder einer Gehirnreizung (Falret) hervorgehe, ob die Hypochondrie auf einer Krankheit des Unterleibes (Louyer-Villermay), auf einer Gastritis (Broussais), auf einer Stasis des Gehirns (Falret) oder einer allgemeinen Plethora biliosa (Retz) beruhe; alles Heilige, das des Menschen Herz hebt und stärkt, ist profanirt —: und die Unsicherheit, Verwirrung und Unklarheit ist nur noch grösser geworden. Auch Leuret's Weg ist missglückt, der, um zu einem sichern Ausgangspunkte zu gelangen, die Ideen der Kranken untersuchte, und gesteht: il ne m'a pas été possible, quoique j'aie fait, de distinguer par sa nature une idée folle d'une idée raisonnable. Jai cherché soit à Charenton, soit à Bicêtre, soit à la Salpêtrière, l'idée, qui me paraîtrait la plus folle; puis quand je la comparais à un bon nombre de celles, qui ont cours dans le monde, j'étais tout surpris, presque honteux, de n'y pas voir de différence (l. c.

p. 44): Ref. meint, dass dies ein ebenso naiver Weg
ist, als wie wenn Jemand, um die Richtigkeit eines
Wortes zu untersuchen, bei einer Untersuchung der
Richtigkeit der Buchstaben anfängt und sich, wenn
die Buchstaben nicht falsch sind, wundert, dass es
keinen Unterschied zwischen richtigen und unrichtigen Worten gäbe. Mit Recht sagt daher Hr. Malatier: „Quand les choses en sont venues à ce point,
quand les erreurs se sont ainsi accumulées, il n'y a
qu'un moyen de remettre l'ordre dans la faculté de
penser: c'est d'oublier tout ce que nous avons appris,
de reprendre nos idées à leur origine et de refaire
l'entendement humain." Als Ausgangspunkt diene, bis
ein ursächliches Verhältniss zwischen Geist und Körper *bewiesen*, der Geist selbst; man analysire von
neuem seine Eigenschaften an und für sich, und zweitens wie sie durch die Einflüsse der Erziehung und
der Civilisation geworden sind. Letzteres ist von
hoher Bedeutung, indem in diesem Momente *hauptsächlich* der Grund der krankhaften Störungen zu suchen ist. Schliesslich giebt der Vf. eine kurze Skizze
der Eigenschaften des menschlichen Geistes, die er
selbst nur als solche hinstellt und an die wir daher,
wenn wir nicht hart gegen ihn sein wollen, nicht
den strengen Maassstab der Kritik anlegen wollen;
wir übergehen sie deshalb, von Herzen wünschend,
dass der Vf. Musse finden möge, seine Ideen ausführlicher zu entwickeln und so zu einer Umänderung
in der Richtung der französischen Psychologie mit
beizutragen, die für die Wissenschaft von der höchsten Bedeutung ist.

  Braunschweig.　　　　　　Dr. *Günther*.

Insanity tested by science and shown to be a disease
  rarely connected with permanent organih lesion

of the brain etc. by C. M Burnett. M. D.
London 1848. IV. et 99 p. 8.

Der Titel des Buches spricht seinen leitenden Gedanken aus. Der Wahnsinn ist für B. eine *Blut-
krankheit* und rührt von einem Missverhältniss in den
Bestandtheilen des Gehirns, namentlich des Kohlen-
stoffs und des Phosphors her, den Hauptconstituenten
in der Nervenmasse. Es ist vorzugsweise das Fett
im Blute, dessen krankhafte Veränderung den Koh-
lenstoff und Phosphor in der gehörigen Verbindung
zusammentreten u. s. w. So wird auf Grund uner-
wiesener und aus der Luft gegriffner chemischer Hypothesen eine Ansicht von den Geisteskrankheiten als
blosser Functionstörungen zusammen construirt. Es
scheint uns keine Gefahr vorhanden, dass diese Darstellung irgend Jemand verlocken und überzeugen
könnte.   *R. L.*

*Psychiatrisches aus nicht-psychiatrischen
Werken.*

Bonycastle, R. H., Canada and the Canadians
in 1846. London. 2. voll. 1847. 8.

Vf. theilt Vol. II. S. 262 eine Statistik der *Taubstummen, Blinden* und *Wahnsinnigen* in *Canada* aus
dem Jahre 1843 mit.

Im Jahr 1843 zählte *Untercanada* 693649 Einwohner; darunter befanden sich

	Männer	Weiber	Summa.
Taubstumme	447	278	725
Blödsinnige	478	472	950
Wahnsinnige	156	152	308

Dies giebt 1 Taubstummen auf 957 Einwohner, ein
im Allgemeinen sehr ungünstiges Verhältniss.

45 *

Obercanada zählte im Jahre 1842 eine Bevölkerung von 506505 Einwohnern; darunter

	Männer	Weiber	Summa.
Taubstumme	222	132	354
Blödsinnige	221	178	393
Wahnsinnige	241	478	719

Also unter einer Gesammtbevölkerung von 1,200,154 waren 1343 Blödsinnige und 1027 Wahnsinnige, in Summe 2370 Irre.

Der Vf. sucht die Ursache dieser traurigen Erscheinungen in dem übermässigen *Branntweintrinken*. Während in England und Wales, wo die genauesten Acciseberechnungen zum Belege dienen, der Verbrauch des Branntweins nie 0,69 auf die Person im Jahre beträgt, in Schottland 2,16, in Irland 0,64 und in den drei Königreichen mit Einschluss der Kinder unter 15 Jahren, im Durchschnitt nur 0,82: findet man dagegen in Canada, wo die Accise keineswegs so genau beaufsichtigt wird, wenn man die Kinder unter 15 Jahren mitrechnet, 2,45 auf die Person, allein es muss viel mehr betragen. Dazu das beständige *Tabakrauchen*, von dem der Vf. glaubt, es sei noch schädlicher für das Nervensystem, als das Trinken. Jeder irische Arbeiter, sagt der Vf., den ich noch mit der Pfeife seine Leiter besteigen sah, war ein Faulenzer, und jeder meiner Stallknechte, der raucht, hat noch jederzeit meine Pferde vernachlässigt. Wenn *Goethe* das Rauchen für kein Zeichen des Genies hält, so muss man wenigstens zugeben, dass es kein Zeichen des Fleisses ist. Dem Engländer ist es aber eigentlich so durch und durch verhasst, als ein Zeichen der Rohheit.

Martin, J. R., Topographical and historical Notice of Calcutta. (The Lancet. Sept. 1847.)

Vf. giebt in diesem auf Kosten der Regierung in Calcutta gedruckten Werke über die Krankheiten des Gehirns Folgendes an:

		Seeküsten			Ebenen			Hochebenen		
		Krke.	starb.	Verh.	Krke.	starb.	Verh.	Krke.	starb.	Verh.
Europäer	Apoplexie	9	8	8: 9	11	7	2: 3	37	20	1: 2
	Lähmung	24	0	0:24	27	2	2:27	81	13	1: 6
	Epilepsie	61	1	1:61	24	1	1:24	107	5	1:22
	Blödsinn	19	0	0:19	3	0	0: 3	5	0	0: 5
	Wahnsinn	25	3	1: 8	0	0	0 —	25	2	2:25
	Summa	138	12	2:22	65	10	2:13	255	40	2:13
	Verh. 100	17	1,5		15	2,2		11	1,8	
Eingeborne	Apoplexie	16	10	2: 3	16	12	3: 4	15	9	2: 3
	Lähmung	106	10	2:21	59	10	1: 6	119	11	1:11
	Epilepsie	28	6	2: 9	19	3	1: 6	58	5	1:12
	Blödsinn	45	6	2:15	19	1	1:19	45	3	1:15
	Wahnsinn	72	3	1:24	47	2	2:47	117	4	1:29
	Summa	267	35	2:15	160	28	1: 6	351	32	1:11
	Verh. 1000	4	0,5		3	0,5		3	0,3	

Die Verhältnisse des Erkrankens und der Sterbefälle unter den eingebornen Truppen sind fast dieselben, wie die der englischen Truppen in England; dagegen sind die der europäischen Truppen fast dreimal grösser, als wenn sie zu Hause dienen. — In die vorstehende Tafel ist das *Delirium tremens* nicht aufgenommen. Aus dem allgemeinen Bericht der Präsidentschaft Madras ergiebt sich, dass in den 10 Jahren von 1829—1838 die Aufnahme an Delirium tremens jährlich $31\frac{1}{2}$, die Todesfälle an demselben 0,5 per 1000 betrugen unter den europäischen Soldaten, während unter den eingebornen die Aufnahmen nicht ganz 0,2, die Todesfälle 0,01 per 1000 jährlich ausmachten. In derselben Periode betragen die Aufnahmen an *Ebrietas* unter den Europäern 49 per 1000, und unter den Eingebornen kam kein Fall vor. — Die Unmässigkeit wurde sehr unterhalten durch die üble

Gewohnheit, dem Soldaten täglich eine gewisse Portion Branntwein zu geben. Diese soll jedoch jetzt
auch in Indien abgestellt sein, wie solches in de
übrigen britischen Besitzungen schon im Jahr 18?
geschehen ist.

Spglr.

Bibliographie.

1. *Selbständige Werke.*

Deutsche.

nn (Dr. Ed. Prof. zu Halle), Leib und Seele
ihrem Begriff und ihrem Verhältniss zu ein-
. Ein Beitrag zur Begründung der philoso-
hen Anthropologie. Halle (Schwetschke u.
), 1849. X u. 174 S. 8.

(Theod., Dr. u. Prof. der Philosophie zu Mar-
:), Lehrbuch der Psychologie als Naturwissen-
ft. Braunschweig (Vieweg), 1849. XVI u.
S. 8.
gl. unsere Zeitschrift Bd. III. S. 529—531.)

te (K. Chr. Fr.), Vorlesungen über die psychi-
e Anthropologie, herausgegeben von Dr. A.
rens. Göttingen (Comm. d. Dieterich'schen Buch-
ıdlung), 1848. XXXIV u. 401 S. gr. 8.

e (Georg, Dr. med.), Die Macht der Seele über
ɑ Körper, in Beziehung auf Gesundheit und Sitt-
hkeit. Nach der vierten Aufl. aus dem Englischen
ɵrsetzt von Dr. Ernst Susemihl. Leipzig
Kollmann), 1850. XXVIII u. 347 S. 8.
Nächstens erscheint von demselben Vf. und Uebersetzer: *Der*
ɑuch des Körpers in Bezug auf den Geist (nach der 2ten
.. Ausg.; s. unsere Zeitschr. Bd. V. S. 117.)

Carus (C. G.), Denkschrift zum hundertjährigen Ge-
burtsfeste Goethe's. Ueber ungleiche Befähigung der
verschiedenen Menschenstämme für höhere geistige
Entwickelung. Mit 1 Taf. Leipzig (Brockhaus),
1849. VI u. 108 S. gr. 8. Vel.

Eine etwas erschöpfendere Beleuchtung des zuerst im Um-
riss in des Hrn. Vf.'s System der Physiologie dargelegten Gedankens, vom physiologischen und psychologischen Standpunkte
aus (VI). — Nach den Gesetzen der Natur in der Bildung ihrer
Erzeugnisse lebt der in einem grossen Irrthume befangen, wer
die Menschheit als ein Aggregat gleichbefähigter und gleichbe-
rufener Geister voraussetzt (2). Hiernach ist nicht auf die
vollkommene Gleichartigkeit, sondern auf die möglichste Verschiedenartigkeit der Menschen die Vollendung der Menschheit
gegründet (4). Von den Millionen und Millionen gewesener,
seiender und künftiger Menschen, konnte nicht sein, war nie
ein Einziger einem Andern vollkommen gleich ausgebildet, gleich
denkend, gleich fühlend. Diese unabsehbare Verschiedenheit ist
in grössere Massen zu sondern, daher die steten Versuche: das
Unabsehbare sich irgendwie übersehbar zu machen durch Sonderung der Menschheit in grössere Massen nach Racen, Stäm-
men u. s. w. —

Carus unterscheidet 1) Volksstämme, welche der *Nacht
des Planeten* entsprechen, der *äthiopische* Stamm — *Nachtvöl-
ker*, durch dunkle vollkommen *schwarze* Färbung bezeichnet.
2) Völker, welche dem *Tage des Planeten* entsprechen, der
kaukasische Stamm — *Tagvölker*, alle von mehr oder minder
weisser Färbung; 3) Volksstämme, welche der *Dämmerung
des Aufgangs* entsprechen, der *mongolische* Stamm (malayi-
sche) — *östliche Dämmerungsvölker*, durch dunkle oder hellere *gelbliche* Färbung bezeichnet; 4) endlich Völker, welche der
Dämmerung des Untergangs entsprechen — westliche Dämmerungsvölker, durch bald dunklere, bald hellere *röthliche* Färbung bezeichnet.

Dies der naturphilosophische, anthropologische Höhenpunkt,
von welchem aus Carus, der grosse Verehrer Goethe's, mehr
Licht wollend und gebend, einen bedeutungsvollen Blick wirft
auf die Menschenstämme der Erde.

Domrich (Dr. Prof. zu Jena), Die psychischen Zustände, ihre organische Vermittelung und ihre Wirkung in Erzeugung körperlicher Krankheiten. Jena
(Mauke). 1849. X u. 370 S. 8.

Engelken (Friedr., Dr. zu Oberneuland bei Bremen),
Die Psychiatrie. Bremen (G. Heyse), 1849. 16 S. 8.

Die Bestimmung der vorliegenden Blätter ist laut Vorwort:
das allgemeine Urtheil und die öffentliche Meinung in Betreff der
noch herrschenden falschen Vorstellungen und Begriffe über Geistes-

störungen und Irrenanstalten nach verschiedenen Seiten hin zu
berichtigen. Zu *diesem* populären Zweck giebt der Hr. Vf. eine
bekannte kurze geschichtliche Uebersicht der Seelenkrankheiten
und Irrenanstalten, seine Theorie von demselben (beruhend auf
den Beziehungen des Körperlichen und Geistigen zu einander),
seine Ansichten über die Entstehung der Seelenkrankheiten aus
nervösen Verstimmungen und dunklen objectlosen Gefühlen
(S. 6. 7.), über Behandlung, mit der Erklärung, dass die Ansicht,
die abwartende psychische Methode sei die allein wahre, unbedingt falsch sei, über Irrenanstalten, die Nothwendigkeit der
frühzeitigen Einlieferung, über Zunahme der Seelenkrankheiten
und die Ursachen dieser Zunahme. Wir heben nur noch die
Bemerkung heraus, dass nach dem Hn. Vf. im Allgemeinen die
deutschen Irrenanstalten in Betreff der inneren Einrichtung und
ärztlichen Leitung diejenigen fremden Länder übertreffen. Völlig unparteiisch ist das Urtheil des Hrn. Vf.'s (S. 4) über Vorzüge und Nachtheile der öffentlichen und Privat-Irrenanstal-
ten, obgleich derselbe einem der ältesten schon unter seinem
Vater aufblühenden Privat-Institut vorsteht.

Helferich (Jak. Heinr.), Das Leben der Cretinen,
mit besonderer Rücksicht auf Psychologie, Physiologie, Pathologie, Pädagogik und Humanität, nach
den neuesten Ergebnissen der Wissenschaft und
eigenen Erfahrungen geschildert. Stuttgart (Müller), 1850. IV u. 84 S. 8.

Früher Lehrer auf dem Abendberg und in Mariaberg
(Württemberg), dermalen Vorsteher einer Erziehungs- und Be-
wahranstalt für schwachsinnige Kinder zu Fellgersburg bei
Stuttgart.

Von demselben Vf. ist 1847, während er Lehrer auf dem
Abendberg war, erschienen: Pädagogische Auffassung des See-
lenlebens der Cretinen, als Kriterium für deren Perfectibilität.
Bern 36 S. 8. (Vgl. Recens. uns. Zeitschr. Bd. IV. S. 639—645.)

Löschke (J. T.), Ueber das Turnen Geisteskranker
im Allgemeinen und insonderheit über das Turnen
der Geisteskranken in der königl. sächs. Heil- und
Verpfleg-Anstalt Sonnenstein bei Pirna. Pirna,
(Keller u. Sohn) — (Leipzig, E. Fleischer), 1849.
48 S. 8.

(Eine ausführliche Mittheilung über diese Abhandlung, von
Hrn. Dr. Klots, im nächsten Hefte.)

Tauck (Gustav, Dr.), Aphorismen des Dr. Ernst
Horn. Eine Denkschrift. Dresden u. Leipzig (Arnold'sche Buchhandlung), 1849. 89 S. 12.

Diese den Schülern und Verehrern des GR. Herrn gewid-
meten und nach Hipp. unter der Dreiheit: die Krankheit, der
Kranke, der Arzt, subsumirten Aphorismen, erfüllen mit dem
„Eingang" den am Schluss desselben ausgesprochenen Hauptzweck: die Persönlichkeit des Lehrers ihnen ins Gedächtniss zu
rufen, in ächt praktisch origineller, so erfrischender als lehr-
reicher Weise. —

Gleich die ersten sieben Aphorismen von den 51 in I. (Krankheit), betreffen die Geisteskrankheiten. Der 3te lautet: Ein
krankhaft vermehrter Geschlechtstrieb, der nicht befriedigt werden kann (junges Mädchen, Nonne, Wittwe) erzeugt Krämpfe,
Hysterie, Magnetisiren, Homöopathie: die Verrücktheit ist da.
Aphorism. 34. Man findet viel mehr Epileptische mit Würmern
als durch Würmer; die Würmer gehen fort, die Epilepsie bleibt.
Der II. Abschnitt, (der Kranke) — 60 Aphorismen — beginnt
auch mit psychiatrischen Aphorismen 1—9. Der 7te: Es ist für
ein Zeichen zu halten, dass die Kur bei den Geisteskranken
noch nicht beendet ist, wenn sie nicht Vertrauen und Dank
gegen ihren Arzt zeigen. Wenn aber Verrückte den Arzt loben,
ist es Tadel; desgl. Aph. 16, 18, 19, 31, 32. Unter III. (der Arzt)
—86 Aph.— 14: Der Arzt, welcher Hypochondrische und Hysterische behandelt, soll nicht mürbe werden, — leicht gesagt,
aber schwer ausgeführt! Pferdearbeit. — 15. Ich will lieber
zehn Hypochonder besuchen, als Einen bei mir empfangen. —
Ich denke an meinen Major. —

Hager (Mich., k. k. Rath, Stabsfeldarzt), Die Anzeigen zu Amputationen, Exarticulationen, Resectionen
und Trepanationen, die *Nervenkrankheiten* u. s. w.
Wien (Comm. in Fr. Beck's Univ.-Buchhandlung),
1849. XIV u. I. 1—192 S. u. II. 1—272 S. (Krankengeschichten enthaltend.)

Abschnitt I. S. 86—140 *Nervenkrankheiten*, über Thätigkeit
des Gehirns und Nervensystems — Unterschiede der N. Kr.
(Schmerz, Gefühllosigkeit, Krämpfe, Lähmungen nach Romberg) — Ursachen, Vorhersagung, Behandlung. Im II. Abschnitt
S. 123—172. 53 Nervenkrankheitsfälle.

Der Vampyr in den Pariser Friedhöfen. Von *François
Bertrand*. A. d. Franz. der Gaz. des Tribunaux.
Stuttgart (Scheible), 1849. 62 S. 12.

(Vgl. unsere Zeitschr. Bd. VI. Hft. 3. S. 520.)

Ausländische.

Roorda (T.), Zielkunde, of Beschouwing van den
Mensch als bezield Wezen. Leeuwarden (Surin-
gar), 1849. gr. 8. (1 fl. 50 c.)

Upham (M.), Elements of mental Philosophy, embracing Intellect and the Sensibilities. New-York (Wiley), 1849. 2 Vol. 57³/₄ Bog. gr. 12.

Lunier (L., Dr.), Récherches sur la paralysie générale progressive, pour servir à l'histoire de cette maladie. Paris (Victor Masson), 1849. 118 p. 8. (Extr. des Annal. méd. psychologiques.)   *Dw.*

Inaugural - Dissertationen.

Axmann (Carol. Frider.), De gangliorum systematis structura penitiori ejusque functionibus. Diss. inaugural. Berolin. 1847. Acced. un. tabul. 38 p. 4.

Die Veranlassung zu den folgenden Untersuchungen war für A. die Beobachtung zweier Fälle von Verletzung des Rükkenmarkes, wo in den der Empfindung beraubten und paralysirten Gliedern eine gewöhnliche Entzündung auftrat. Die beiden Fälle sind:

Zwei Eisenbahnarbeiter wurden, als sie an den Abhang eines Hügels gelehnt ihr Frühstück verzehrten, durch eine Last von hintenher umgeworfen; sie mussten mehrere Augenblicke unter der Last liegen bleiben. Sechs Stunden später brachte man sie in's Spital und fand die untern Eztremitäten empfindungslos und paralysirt. Besonders der Eine, Franz Lott, 19 Jahr alt, ein Mensch mit kräftigem Körper, zeigte vollkommene Anästhesie bis zu einer Linie, die man von der spin. anter. sup. oss. il. gezogen dachte. Oberhalb des letztern Rückenwirbels normale Sensibilität. Die specifische Verletzung war bei ihm nicht zu diagnosticiren. In der Gegend des ersten Lendenwirbels etwas Geschwulst und Blutextravasat in den Weichtheilen. Der Sphincter ani wurde erst am 4ten Tage, der Sph. vesicae erst am 10ten Tage nach der Verletzung paralysirt. Der Detrusor urinae aber bald von Anfang an, man musste täglich mehrmals katheterisiren. Normale Funktion der Nieren. Die Lage auf dem Bauche war dem Kranken die liebste. Durch den Druck entstand eine *Entzündung der Haut* an den Knieen ohne den geringsten Schmerz. Der Kranke musste sich jetzt auf den Rücken legen, was er vertrug, und nach drei Tagen bildete sich die Entzündung vollkommen zurück, während die übrigen Krankheitserscheinungen unverändert fortbestanden. Am achten Tage nach der Verletzung Fieber, nach und nach Anästhesie der obern Extremitäten; am 18ten Tage Tod. Bei der Section die queren, obern und untern Gelenkfortsätze des ersten, zweiten und dritten Lendenwirbels jedoch ohne Dislocation fracturirt, der erste vom zweiten getrennt, jedoch ebenfalls ohne dislocirt zu sein, so aber, dass die Intervetebralsubstanz vom ersten losgelöst war. Die Häute des Rückenmarks verletzt (?); zwischen ihnen und dem Marke Blutext---

vasete. Auch das Mark mit den Nerven leicht beschädigt (?). Einige Spinalganglien von Extravasat umgeben. Die Muskeln der Extremitäten und des Bauches gesund.

Der andere, ein kräftiger Mensch von 20 Jahren, klagte ohne äusseres Zeichen der Verletzung über Schmerz in der Gegend des untersten Lenden- und ersten Kreuzbeinwirbels. Anästhesie und Paralyse der untern Extremitäten und des Detrusor urin. Der Kranke wurde gesund und konnte nach 15 Monaten geheilt entlassen werden, nur mit unbedeutenden Spuren von Anästhesie und Paralyse in einzelnen peripherischen Ausbreitungen des n. peronaeus. Besonders zu erwähnen ist, dass einige Decubitus-Geschwüre am Kreuzbein und den Glutaeen durchaus nicht heilen wollten, obwohl sich die Sensibilität und Beweglichkeit der untern Extremitäten im Allgemeinen schon wieder hergestellt hatten, dass aber die Heilung innerhalb 4 Tagen nach *Anwendung des Elektro-Galvanismus* eintrat. Diese Wirkung musste offenbar von einer andern Nervensphäre, als von der der Sensibilität und Motilität abhängen. Nach andern Beobachtungen (Harrold, Astley Cooper) ist es in dem letzten Falle trotz der Heilung nicht unwahrscheinlich, dass eine stärkere Läsion des Markes, als blosse Concussion stattgefunden habe. — Aus der Thatsache, dass eine Hautentzündung an paralysirten und der Sensibilität beraubten Gliedern entstehen könne, schloss A. auf die Thätigkeit einer andern Nervensphäre, als der des Rückenmarks, und dieser Gedanke wurde das treibende Motiv für die folgenden Untersuchungen. Sie sind, soweit sich aus der Schilderung ersehen lässt, *mit seltener Genauigkeit* angestellt, und wenn man auch von der Zukunft ihre weitere Bestätigung noch erwarten muss, so sind die gewonnenen Resultate doch für die Nervenphysiologie so bedeutend, dass eine Mittheilung nothwendig erscheint. Da es nicht möglich ist, die ganze Abhandlung zu übersetzen, so müssen wir uns darauf beschränken, die zusammengefassten Resultate hervorzuheben.

1) In allen Ganglien entstehen *neue* Nervenfasern.

2) Sie sind zwar etwas feiner, aber sonst haben sie dieselben Eigenthümlichkeiten, wie die übrigen Nervenfasern.

3) Diese feinen Fasern der Ganglien gehen nach ihrem Ursprunge in *gangliospinale* und *gangliosympathische* auseinander.

A. nennt diejenigen Primitiv-Nervenfasern, welche aus den Bauchganglien entstehen, *gangliosympathische*, die aus den Spinalganglien entstehenden *gangliospinale*.

4) Jeder Organ selbst mit Einschluss des Gehirns und Rückenmarks, dient ihrer peripherischen Ausbreitung.

5) Man findet sie daher in allen Nerven.

6) Jeder Nervenstamm, den man als einen Cerebrospinalnerv bezeichnet, enthält also cerebrospinale, gangliospinale und ganglosympathische.

7) Dasselbe gilt vom Ramus communic., in ihm aber sind die Fasern der Ganglien vorwaltend.

8) Es findet durch Durchsetzung der Fasern eine gegenseitige Verbindung des Cerebrospinalsystems mit dem Gangliensysteme, so wie auch eine gegenseitige Verbindung der Ganglien unter einander statt.

Aus einer grossen Menge von *Experimenten* haben sich folgende Resultate ergeben:

1) Das Gehirn und Rückenmark und die von ihnen entspringenden cerebrospinalen Fasern üben auf die von der Willkühr unabhängige Motilität und Contractilität der Gewebe keinen Einfluss aus.

2) Ebenso wenig haben sie einen directen Einfluss auf die Ernährung in der weitesten Bedeutung des Wortes.

3) Das Gangliensystem hat seine eigne *absolute*, von Gehirn und Rückenmark unabhängige Kraft.

4) Jedes Ganglion ist ein centrales, für sich bestehendes Organ.

5) Indem die einzelnen Nervenfasern die einzelnen Ganglien durchsetzen, vermitteln sie die Sympathieen.

6) Gehirn und Rückenmark haben dieselbe Beziehung zum Gangliensystem.

7) Die einzelnen Gewebe können durch Verletzung der Spinalganglien und der aus ihnen entspringenden Fasern mannigfach verändert werden.

8) Auch die Secretion der Drüsen hängt von den Spinalganglien ab. Es lässt sich indess nicht entscheiden, ob unmittelbar oder mittelbar in Folge veränderter Ernährung.

9) Specifisch verschiedene Nerven, welche der specifischen Secretion vorstehen, giebt es nicht.

10) Man muss annehmen, dass in den Drüsen, wie in allen andern thierischen Geweben specifische Kraft innwohne, wodurch an der einen Stelle Fett, an der andern Muskeln, Gehirn, Galle u. s. w. entsteht.

Für diese verschiedenen Kräfte ist die Mitwirkung der gangliospinalen Nervenfasern nothwendig.

11) Diese besondern, den einzelnen Organen innwohnenden Kräfte bedürfen zu verschiedenen Zeiten grösserer oder geringerer Wirksamkeit der Spinalganglien. So treten zur Zeit des Coitus der Frösche bei Durchschneidung der Nerven viel schneller trophische Störungen ein, als im Sommer und Herbst, wo die Irritabilität des Nervensystems geringer ist. Aehnliche Erscheinungen sind beim Menschen zu beobachten.

12) Die Spinalganglien und ihre Fasern üben keinen directen Einfluss auf die Bewegung des Blutes aus; indirect nur in Folge der veränderten Gewebe.

13) Die sympathischen Ganglien und ihre Fasern enthalten die Bedingungen, für die der Willkühr entzogene vitale Contractilität der Gewebe und den capillaren Blutkreislauf.

14) Auch die vitale Contractilität ist als eine den Geweben innwohnende Kraft zu betrachten; dies zeigt die normale Wiederkehr des normalen Kreislaufs in den Gliedern, deren gangliosympathische Fasern durchschnitten sind.

15) Es lässt sich anatomisch nicht entscheiden, ob es eigne Nerven für die Bewegungen der Eingeweide giebt; dass diese aber vom Gehirn und Rückenmark nicht abhängen, geht daraus hervor, dass die breiten Fasern im sympathicus äusserst selten zu finden sind und dass bei den Fröschen die peristaltischen Bewegungen fortdauerten, auch wenn mehrere Wochen vorher das

Rückenmark exstirpirt worden war; nach Exstirpation des sympathischen Ganglions hörten sie sogleich auf.

16) Die Unabhängigkeit der rhythmischen Herzcontractionen vom Rückenmark wird anatomisch bewiesen durch die kleinen von Remak im Herzen gefundnen Ganglien, welcher Beweis ausserdem durch directe Experimente geführt wird. (Philipp, Bidder, Volkmann.)

17) Die Fasern der Ganglien des sympathicus haben keinen directen Einfluss auf die Umwandlung der Materie der Gewebe; indess kann ihr mittelbarer Einfluss nicht geleugnet werden, insofern von dem Grade der Contractilität eines jeden Gewebes Endosmose und Exosmose abhängt. Daher können bei Paralyse der die Contractilität vermittelnden Nervenfasern Wassersucht und profuse Secretionen entstehen. *R. Leubuscher.*

Lieberkuehn (Nathanael), De structura gangliorum penitiori. Commentatio ab ampl. medicorum ordine aureo praemio ornata. Berol. 1849. 17 p. 4.

Auerbach (Leop.), De irritamentis nervorum studia critica. Berol. 1849. 37 p. 8. (Du Bois-Reymond!)

Neiss (Car. Aug.), De morborum medullae spinalis symptomatibus. Berol. 1848. 29 p. 8.

Anführung einzelner Stellen der bekannten Autoren über diesen Gegenstand im Allgemeinen und über *myelomeningitis*, *myelitis*, hypertrophia, atrophia med. spin.

Funcke (Fr. Hub.), Quomodo corporis conditiones iu formas insauiae et primarias et secundarias valeant. Berol. 1848. 27 p. 8.

Die Diss., unserm allverehrten M. Jacobi gewidmet, unter dessen Leitung der Vf. vom Oct. 1847 während acht Monate als zweiter Assistenzarzt fungirte, giebt eine sorgfältige Krankengeschichte nebst Sectionsbericht, als Bestätigung, wie und dass die Geisteskrankheiten von körperlichen Ursachen abhängig sein sollen. Die erste Thesis ist auch: Omnes morbi materiales.

Strahl (Friedr.), De psychosi typica. Diss. inaugur. Bonnae 1848. 26 p. 8.

Das Wechselfieber steht in doppelter Beziehung zu den Geisteskrankheiten: einmal, indem es ein grosses Moment zu deren Heilung abgiebt, das andere Mal, indem es zur Erzeugung derselben beiträgt. Zu den von Focke, in unserer Zeitschrift (Bd. V. S. 373—87. u. S. 121 — 122. aus Koster's Diss.) mitgetheilten veröffentlichen Fällen fügt Vf. 2 neue Beispiele hinzu. In dem einen wurde der Kranke nach einem anhaltenden Wechselfieber (wobei übrigens noch andere psychische und physische Einflüsse einwirkten) geisteskrank, es gestalteten sich periodiselle Anfälle, die jedoch nicht eine strenge Periodicität, auch keine reinen Intermissionen darboten und endlich allmählig bei dem Gebrauche von Tct. Fowl. und Chin. sulph. milder wurden, so dass Hoffnung auf Heilung ist.

In dem andern Falle hatte ein von Jugend auf beschränkter Mensch sich später den sinnlichen Trieben, besonders dem Trunke, ergeben, bekam febr. interm., deren Anfälle, nachdem sie einige Mal rein aufgetreten waren, periodisch mit Wahnsinn und Tobsucht wiederkehrten, endlich durch Chin. sulphur. beseitigt wurden. Der Vf. fügt noch 2 Krankengeschichten hinzu, die eine von Spengler (Beobacht. von interm. comit. in Casper's Wochenschrift für die ges. Heilk. Nr. 21. 1848), und die andere von Armand Beaupoil (Gaz. medic. de Paris Samedi 6. Mai 1848. Nr. 19). Vgl. noch uns. Zeitschr. Bd. V. S. 676—677.

Alt (Ottocar), De haematomate auriculae. Hal. Sax. 1849. 42 p. 8.

Der Vf. wurde durch die in der psychiatrischen Klinik des Prof. Marcus zu Würzburg beobachteten drei Fälle von Ohrblutgeschwulst zu dieser Dissertation veranlasst. Sie ist die erste m. W. über diesen Krankheitszustand, zweckentsprechend bearbeitet und beachtenswerth für die betreffende Literatur. Der Verf. giebt unter guter Benutzung derselben eine Zusammenstellung der Veranlassungen, der Ursachen, des äusseren und inneren Ganges, der eigenthümlichen Natur, der Prognose und Therapie der Krankheit mit kritischen Bemerkungen und theilweiser Mittheilung von Ansichten, welche während seiner Besuche in der hiesigen Anstalt Behufs Förderung der Arbeit, zur Sprache kamen. Am Schluss giebt Vf. noch eine übersichtliche numerische Zusammenstellung, der in der *Hallischen* Provinzial-Irrenanstalt seit der Eröffnung derselben vorgekommenen Fälle, und zwar 1) der aus der Irrenbewahrsanstalt zu Zeitz hieher versetzten Kranken, welche das Hämaton gehabt hatten, 2) der in der Anstalt hier davon befallenen aber abgegangenen, und 8) endlich der z. Z. vorhandenen *sechs* Kranken (3 männliche und 3 weibliche) mit dem Hämaton, worunter jedoch kein ganz frischer Fall. Die Summe aller Fälle beträgt 26 (20 männliche und 6 weibliche). Die Bezeichnung der Kranken und Krankheitsfälle ist nur angedeutet, nicht durchweg richtig, daher nicht ausreichend für die Beurtheilung, was auch der Vf. nicht bezweckte.   *Dw.*

2. Original-Aufsätze in Zeitschriften.

Deutsche.

Hohnbaum (Karl Dr.), Das Thier im Menschen.
(Bl. f. litt. Unterhaltung 1849. Nr. 186—189.)

Eine dem Zwecke der Blätter entsprechende zeitgemässe Abhandlung, ausgehend von dem Grundgedanken der fortschrei-

tenden Entwickelung der Thiere bis zum Menschen, der ohne
das Vorrecht der Vernunft nicht hinreichende Merkmale hätte,
ihn der thierischen Natur zu entkleiden. Der Hr. Vf. spricht
sodann über das *Thier* im Menschen im Sinne der vergleichenden Psychologie mit den maassgebenden Unterschieden durch
Vernunft und Unvernunft, Vergeistigung und Verthierung, Ver-
edlung und Vergemeinerung in den analogen Trieben, Begierden, Affecten, Leidenschaften, mit Ein- und Hinblicken auf Ereignisse und Personen der Gegenwart, auf Staats- und Rechts-
verhältnisse, auch gedenkend der Vereine gegen Thierquälerei.

Dw.

Ideler, Bauchschwangerschaft bei einer wahnsinnigen
Frau.

(Berl. Vereinszeitung 1849. Nr. 29 u. 30.)

Schnurrer, Bemerkungen über gewisse psychische
Krankheitssymptome, die wie bei Geisteskrankheiten, ebenso bei Typhus und Spinal-Irritation vorkommen.

(Vgl. diesen Bd. uns. Zeitschr. Hft. 3. S. 532—33.)
(Württb. Corr.-Blatt XIX. 1849. Nr. 10.)

Bernhard, Ueber die Idiotie im Allgemeinen und einen speciellen Fall derselben insbesondere, sammt
dessen Obductionsbericht.

(Rhein. Monatsschr. 1849. Nr. 5.)

Ammann (Arzt in Niederglatt), Beobachtung einer
sehr weit fortgeschrittenen Hirnerweichung, die mit
dem Tode endigte.

(Schweizerische Zeitschrift für Medicin, Chirurgie und Geburtshülfe. 1848. 4tes Heft S. 478—486.)

J. R. aus N., 33 Jahr alt, ledig, von starker Constitution,
erlitt als 7jähriger Knabe einen Fall (vom Hausboden auf der
Tenne), in Folge dessen eine nur wenig blutende Wunde und
eine starke Blutgeschwulst in der Stirnbeingegend sich zeigte, auch
etwas Hirnsubstanz und Knochensplitter entfernt wurden. Der
Kranke ward sorgfältig behandelt, erhielt erst im Verlauf mehrerer Wochen sein Bewusstsein wieder. Die Heilung der Wunde
erfolgte nach einem halben Jahre. *Bis zum 18ten Jahre befand
der Kranke sich körperlich und geistig in einem sehr befriedigenden Zustande.* Er trat zu einem Zimmermeister in die
Lehre. Hier zeigte sich aber bald periodisch „besonders zur
Zeit der Mondsveränderungen" närrisches Betragen mit wildem
Blick, zu dem sich auch bald epileptische Anfälle gesellten. Er
beendete indes seine Lehrjahre und arbeitete nachher noch eine
Zeitlang für sich selbst fleissig fort. Bald aber ward er lässig
und träge trotz der Bemühungen seiner Umgebung; die Anfälle
vermehrten sich und öfter entfernte er sich längere oder kürzere

Zeit, ohne dass man wusste wohin. Im Jahre 1838, dem 24sten seines Alters, ward er wegen Angina und Affection der Luftröhre behandelt und verfiel in ein Delirium tremens, nachdem die epileptischen Anfälle den Winter über ausgeblieben waren, im Frühjahr 1839, da er sich dem Genuss geistiger Getränke seit einiger Zeit ergeben. Er ward durch Opium hergestellt. — Jetzt traten 1841 im März, 1843 im December, 1844, 45 u. 47 im Juni Anfälle von Verwirrtheit ein, in denen er bei normalem Verhalten der körperlichen Functionen fort verlangte, weil die ganze Umgegend in Brand stehe und er löschen müsse, kündigte auch seinen nahen Tod an. Die Heilung erfolgte bei den 4 ersteren Anfällen in einigen Tagen bei Anwendung von Aderlass, Purganzen und dann krampfstillenden Mitteln, in den letzten aber starb der Kranke in der 3ten Nacht. Bei der Section fand sich nun unter der normalen Hautbedeckung in dem wirklich dicken Schädel nach innen neben dem linken Stirnbeinhügel eine ovale Oeffnung nach der beigegebenen Tafel $3/8$ Zoll lang und $1/4$ Zoll breit — und in der Umgebung sowohl an der äussern als inneren Fläche Zeichen des Bruches, Unebenheiten und Vertiefungen. Die Hirnhäute zeigten eine eben solche Oeffnung und adhärirten, wie die äusseren Bedeckungen, fest im Umkreis der Oeffnung. Das Gehirn zeigte an der entsprechenden Stelle einen Substanzverlust von der Grösse einer Wallnuss, *und ein fingerdicker hohler Gang verlief bis in die Hirnhöhle.* Die Substanz war an dieser Stelle sehr missfarbig, bräunlich und zum Zerfliessen mürbe, wie dieselbe überall sehr weich und missfarbig war. Beide Seitenventrikel waren mit einer milchähnlichen geruchlosen Flüssigkeit erfüllt; die Gefässe mit Blut überfüllt; das kleine Gehirn wenig erweicht. Wenn nun auch gleich in die Augen springt, dass die Verletzung in der Jugend als das Hauptmoment unter den Krankheitsursachen auftritt, so ist es doch keineswegs leicht, den Complex der folgenden Erscheinungen daraus zu erklären. Wenn gleich Ref. dem Vf. darin beistimmt, dass durch eine geregelte Lebensweise manchem hätte vorgebeugt werden können, so glaube er doch nicht blos die einzelnen Anfälle von Epilepsie und Verwirrtheit, sondern auch die Neigung zum Trinken und unordentlichen Leben selbst auf Rechnung der Krankheit setzen zu dürfen, zumal der Vf. erwähnt, dass die Familie durchaus brave Leute seien. Man würde also wahrscheinlich zur Versetzung des Kranken in eine Krankenanstalt gezwungen worden sein, um den Kranken vor Excessen und ihren Folgen zu sichern. Ref. erinnert hierbei an einen in diesem Bde. S. 166. aus der vereinten Deutsch. Zeitschrift f. d. Staats-Arzneikunde 1848. Bd. IV. Heft 1. aufgenommenen Fall von Epilepsie, den ebenfalls eine halbjährige Verdrossenheit und Neigung zum Branntweintrinken vorausging. Zu welcher Zeit aber die Erweichung des Hirns eingetreten ist, darüber lassen sich wohl kaum Hypothesen aufstellen. Der Vf., der den Kranken noch 6 Tage vor dem Anfalle völlig gesund fand, neigt sich der Ansicht zu, dass dieselbe erst in der letzten Krankheit sich völlig ausgebildet habe, obschon ihn die Kürze der Verlaufszeit zweifelhaft macht.

Dr. *C. Jessen.*

Menomanie und beschränkte Willenskraft nach Otitis acuta.

(Schmidt's Jahrbücher 1849. S. 70.)

Beobachtungen über plötzlich eintretende Geisteskrankheit bei des Diebstahls beschuldigten Personen.

(Ebend. S. 97.)

In der physikalisch-medicinischen Societät zu Erlangen liest *Hagen* über das Verhältniss der Lungentuberkulose zu den Geisteskrankheiten:

eine Abhandlung, deren Abdruck in dieser Zeitschrift zu hoffen ist.

Ausländische.

Osborne, Einige Betrachtungen zum Beweise, dass der plexus choroideus das Organ des Schlafes ist.

(Gaz. Lond. Jun. 1849.)

Latham, Ueber einen Fall von Kopfverletzung, auf die Verlust des musikalischen Talents erfolgte.

(Lanc. Jun. 1849.)

Levison, Ueber die Bedeutung der Phrenologie für medicinische Diagnostik.

(Lanc. Jun. 1849.)

Lane, Ueber den psychischen Einfluss der Mutter auf das Kind.

(Journ. prov. VI, 5. 1849.)

Ueber Geisteskrankheiten und die pathologischen Befunde dabei.

(Dubl. Press. XXI, 544. 1849.)

Jones, Wirkung der Tinct. digitalis in grossen Gaben in gewissen Fällen von Geisteskrankheit.

(Times, Mai 1849.) (Vgl. uns. Zeitschr. Bd. I. S. 351.)

Cerri, Ueber den Gebrauch des schwefelsauren Chinin in einem Falle von religiöser Manie.

(Gaz. di Lomb. 51. 1849.)

Barlioni, Interessanter Fall von Epilepsie mit hinzutretender Pleuro-pneumonia acutiss.

(Gaz. di Lomb. 40. 1848.)

Verga, Ueber das Pellagra und die allgemeine Para_
lyse der Geisteskranken.

(Gaz. di Lomb. 49. 1848.)

Verga, Section eines Wahnsinnigen.

(Gaz. di Lomb. 43. 1848.)

Verga, Ueber die Blutgeschwulst der Ohren bei den
Geisteskranken.

(Gaz. di Milano Nr. 30. 1847. Schmidt's Jahrbücher 1849.
Heft 9. S. 339.)

Vf. theilt einen im Dec. 1844 heobachteten Fall dieser von
E. Schmalz in keiner Irrenanstalt Italiens gesehenen Ohrkrank_
heit mit. Der Patient war 47 Jahr alt und wurde im Aug. 1844
im Zustande von Blödsinn und Contractur der Glieder und Wir_
belsäule in die Anstalt aufgenommen. Es war das linke Ohr,
das plötzlich um das Doppelte seines früheren Umfanges an_
schwoll und schmerzlos schien. Die Geschwulst machte den ge_
wöhnlichen Verlauf und nach einem Einschnitte nahm das Ohr
allmählig wieder die normale Gestalt an. Der Kranke starb am
23. Jan. Auch der Vf. nimmt eine besondere Disposition bei den
Geisteskranken an, wo dann eine geringe Contusion hinreichend
sei, eine solche Blutaustretung zu erzeugen. Vf. hat bei de_
ment. paral. ähnliche Ecchymosen an verschiedenen Theilen des
Körpers, z. B. an der Fussplatte, längs der Beine, am Knie,
längs des Vorderarmes gesehen. Auch obiger Kranke trug schon
im Nov. durch einen Fall eine grosse Ecchymose in der Nähe
der linken Augenbraune davon, und Anfang Dec. war er schon
so gelähmt, dass er nicht mehr gehen konnte. (Vgl. uns. Zeit_
schrift Bd. V. S. 134—135.) *Dw.*

---

3. *Recensionen.*

Deutsche Werke.

Hagen, Psychologische Untersuchungen u. s. w., Stu_
dien im Gebiete der physiologischen Psychologie.

(Vgl. uns. Zeitschr. Bd. V. S. 665 ff.)

1. Prag. Viertelj. 1849. Bd. I. S. 31 Analect., von Nowak.

Die erste Untersuchung handelt über das, was physiologi_
sche Psychologie sei. Es sei dies die, welche die Wechsel_
wirkung zwischen Gehirn und Nervensystem einerseits und sinn_
liches Seelenleben andererseits untersucht und ihre Gesetze er_
forscht, also das Seelenleben vorzugsweise in seinen Beziehun_
gen zum physischen Theile des Organismus auffasst. Die Psy_
chologie wird aber noch dadurch physiologisch, dass sie die
Seele in den zahlreichen Arten von Seelenvermögen auffasst
und die psychisch-physischen Organe kennen lehrt.

46 *

Die nächste Abhandlung handelt vom „Weinen". Angabe
eines vorzüglich gezeichneten Totalbildes eines Weinenden. Physiologische Vermittlung der Thränen-Se- und Excretion. Sie
komme vor bei dem höchsten Grade von Wehmuth und ver-
schwinde mit ihr; womit Refer. nicht übereinstimmt.

Der 3te Abschnitt: von der „Schamröthe". Das Erröthen
entstehe durch einen Reiz in der Gesichtshaut, dieser Reiz durch
die sensiblen Nerven der Gesichtshaut, die Erregung dieser Nerven aber von der ausschliesslichen Beschäftigung des sich Schä-
menden mit seinen Gesichtszügen; der Reflex auf die Gefäss-
nerven der Gesichtshaut habe dann den Zufluss von Blut um so
leichter zu Folge, als das gleichzeitig aufgeregte Herz ohnedies
in stärkerer Bewegung sei.

In dem 4ten Abschnitt erklärt Vf. die Schmerzlosigkeit bei dem
Aetherrausch: es werde dadurch eine Anzahl Stimmungen des
Gehirns und Rückenmarks und entsprechender sinnlicher Ge-
fühle von solcher Intensität gesetzt, dass der Mensch für ein
anderes durch einen äussern Reiz bewirkte Gefühl, wie der
Schmerz ist, keine Empfänglichkeit mehr hat. Aehnlich in der
Hitze des Gefechtes, bei Märtyrern u. s. w.

In der 5ten Abhandlung nimmt Vf. als ausgemacht an, dass
die Formen der Schädel zu den psychischen Eigenthümlichkeiten
in einer nahen Beziehung stehen. Die Deutung ist bisher nur
nicht sehr glücklich gewesen. Carus's Annahmen seien nicht
hinreichend begründet. Vf. kommt zu dem Resultat, dass dem
Schädelbau das sogenannte Naturell eines Menschen entspreche,
und dass die Schönheit und Vollkommenheit eines Schädels in
gleichem Maasse steigt, je mehr die Profilform des über der
Grundlinie befindlichen Schädeltheils sich einem Halbkreis nähert.
Versuch einer näheren Begründung nach den Racen. Jedoch ist
eine vollständige Charakteristik blos aus der Schädelbildung unmöglich.

Die Richtung und die Art und Weise dieser Untersuchungen
ist nach dem Urtheil des Ref. eine höchst lobenswerthe.

Laehr.

2. Schmidt's Jahrbücher 1849. Heft 8. S. 248 ff.

Ideler, Der Wahnsinn in seiner psychologischen und
socialen Bedeutung u. s. w.

Oppenheim's Zeitschr. u. s. w. Febr. 1849. S. 293—299.
von Hohnbaum.

(Vgl. uns. Zeitschr. Bd. V. S. 669.)

Dieses gleichzeitig mit anderen von geistiger Verwandtschaft erschienene Werk des fruchtbaren Vf.'s, liefere zwar zugleich den Beweis vieljähriger Studien vor Abfassung derselben,
leide aber doch an zu grosser Breite, die, wenn auch nicht zu-
rückschreckend wegen Geist und Gewandtheit in der Darstellung, doch wohl den eigentlichen Kern, auf welchen es ankommt, zu sehr verdecke.

Nach Abschweifungen nach verschiedenen Gebieten hin,
rücke der Vf. seiner Aufgabe näher. Folgt Mittheilung des Inhalts. Die Krankengeschichten seien von mannigfachem Interesse;

der 7te und letzte Fall sei besonders durch die klare Selbster-
kenntniss nach der Genesung und durch das sich selbst vorge-
schriebene Regimen merkwürdig, welches kein Arzt hätte besser geben können.

Ebendaselbst von demselben Ref. S. 300—301 angezeigt:

Heinrich, Denkschrift über den Zustand der Irrenpflege in der Provinz Preussen.

Leubuscher, Der Wahnsinn in den vier letzten Jahrhunderten. Nach Calmeil u. s. w.

1. Allg. Hall. Lit. Zeitung 1849. Nr. 18, 19 u. 20.
Ref., ein epidemisches Auftreten des Wahnsinns voraus-
setzend, dankt dem Uebertrager des Werks wegen der Kür-
zung und der den Gehalt erhöhenden Zusätze. — Die hie und da
versuchte Erklärung des „epidemischen Wahnsinns" sowohl
von Seiten des Vf.'s als Uebertragers hat Ref. am wenigsten
befriedigt. Wir lassen die sehr beachtenswerthe Bemerkung des
Ref. folgen. Sie lautet: „Wie wäre es auch möglich, jetzt nach
Verlauf von Jahrhunderten, den ursächlichen Zusammenhang
von Phänomenen zu deuten, die uns von der Seelenkunde gänzlich unkundiger, grösstentheils selbst in dem grassesten Aberglauben der Zeit befangener, die Thatsachen selbst absichtlich
entstellender oder doch nicht mit freiem Blick auffassender Berichterstatter überliefert worden sind? Wie wäre es möglich,
eine genaue Einsicht in die einzelnen Aeusserungen des Seelenlebens jener Zeitalter zu gewinnen, ohne sich die verschiedenen Stufen des Culturzustandes in jenen Zeiten zur Anschauung
gebracht zu haben? In der That sind wir aber von der Einsicht
in jene Zustände so weit entfernt, und können uns auf dem
jetzigen Standpunkte unserer geistigen Bildung so wenig in sie
hineinversetzen, dass jedes Urtheil über *besondere psychische
Erscheinungen* nur mangelhaft bleiben muss."

2. Götting. gelehrte Anzeigen 1847. St. 75 u. 76. S. 784 von
H. Bergmann.
Rec. findet den vom Uebersetzer gewählten Titel nicht be-
zeichnend genug und hätte es gewünscht, dass die Vorrede des
Verf.'s dem Buche nicht gemangelt hätte. An passlichen Zu-
sätzen habe es Uebersetzer nicht fehlen lassen.

Leubuscher, Grundzüge der Pathologie der psychischen Krankheiten u. s. w.

Allg. med. Centr. Ztg. 1849. Nr. 27 — von Dr. Abar-
banell.
Ref. tadelt, dass Vf. in einen Principienkampf in Bezug auf
Psychiatrie eingegangen sei, da er selbst zugestehe, dass die
Psychiatrie noch kein Princip habe. Wenn der Vf. seine Scheu,
dunkle Ansichten schon zu festen Grundlagen seiner Arbeiten in
der Psychiatrie zu machen, einfach, ohne Räsonnement hingestellt hätte, dann würde er über den ganzen Principienkampf
mit Leichtigkeit ohne alle Transaction hinweggekommen sein.

Ref. zählt die Krankengeschichten zu den besten der Literatur (ein Urtheil, welches vollständige Kenntniss derselben und der prakt. Psychiatrie bedingt). Die Entwickelung des Wahnsinns nennt er den Kern der ganzen Schrift, welcher er die grösstmöglichste Verbreitung wünscht.

Schlemm (Dr. Theod.), Britisches Irrenwesen u. s. w.

(Vgl. uns. Zeitschr. Bd. V. S. 670 u. dies. Bd. S. 100—113.)

Allg. Hallische Literaturzeitung 1849. Nr. 165 u. 166. von R. Leubuscher.

Nachdem der Ref. über die Dank verdienende, mühevolle, mit grossem Fleiss zusammengetragene Arbeit, über subjective Urtheile in einem Reiseberichte und über manchen Ballast von Reiseliteratur neuerer Zeit, deren „allbekannte Anfertigungsgeschichte er einen Schimpf und eine Schande" nennt, sich geäussert hat, verfolgt er den Gang, den der Vf. genommen, begleitet ihn mit gelegentlichen Bemerkungen, und nachdem er mit Recht die gepolsterten Räume für unpraktisch erklärt und es eine Spielerei genannt hat, ob man sie mit Canvas oder Mackintosh oder mit Gutta percha überzieht, benutzt er hier die Gelegenheit, um sich über „Vorwürfe" zu rechtfertigen, die ihm Damerow (Zeitschr. f. Psych. 1848. S. 667.) wegen einer auf „die baulichen Einrichtungen bezüglichen Aeusserung" in der Rec. von Maas (Allg. Literaturzeit. 1848. Nr. 4.) gemacht habe.

Diese Rechtfertigung lautet wörtlich so: „Ich verkenne durchaus nicht, wie das Irrenhaus eine besondere Stellung einnimmt, dass es anders sein muss, als ein gewöhnliches *Spital*, anders wie eine Strafanstalt, dass der Irrenarzt und der Baumeister einander in die Hände arbeiten müssen, dass wir den Männern, die uns das administrativen Verhältnisse und ihre Ordnung vorgearbeitet haben, grossen Dank wissen müssen; aber ich bin immer der festen Ueberzeugung gewesen, dass ein schlechter Irrenarzt in der best eingerichteten Irrenanstalt Nichts vermögen, der geborne Irrenarzt aber aus jedem Hause eine Irrenanstalt machen wird, in welchem er Kranke behandelt, und dass wir um deswillen mit der Erforschung des Krankheitsprocesses beginnen müssen. Dies zur Berichtigung meiner Bemerkung, deren Schroffheit im Ausdrucke ich zugestehe."

Was an diesem Satze, dass der geborne Irrenarzt aus *jedem Hause* eine Irrenanstalt machen wird, in welchem er Kranke behandelt u. s. w. — einem unvollständigen, nicht ganz getroffenen Nachbilde von Langermann's herrlichen Worten — (Schluss m. Abhandlung über Irrenanstalten) Wahres ist, weiss jeder nach Leubuscher schlechter oder geborner Irrenarzt. Diejenigen jedoch, welche unsern L. nicht persönlich kennen, müssen ihn übrigens nach den einleitenden Worten zu jenem Satze „ich bin *immer* der *festen* Ueberzeugung gewesen", für reicher an Jahren halten, als er ist.

Engelken (Fr.), Das pensylvanische Strafsystem u. s. w.

(Vgl. diesen Bd. unserer Zeitschr. S. 114—117. u. Bd. V. S. 669—70.)

Allg. med. Centr.-Zeit. 1848. St. 89 von Quitzmann.

Vom Standpunkte des Irrenarztes interessante kritische Uebersicht, häufige Anwendungen aus der Irrenpraxis auf die nachtheiligen Folgen der einsamen Haft auf Seele und Leib. Sehr richtig hebt nach Ref. Vf. hervor, dass die läuternden und kräftigenden Vorzüge der Einsamkeit nur dem zu Theil werden, welcher sich ihr mit geweihtem Sinne ergiebt. Angabe der Endresultate des Vf's. Am Schluss ein scharfes kräftiges Wort gegen L. F. v. Froriep's Vorschläge zur Isolirung der Sinne. (Vgl. uns. Zeitschr. Bd. III. S. 533—34.)   *Dw.*

Dietl, Anatomische Klinik der Gehirnkrankheiten.

(Vgl. uns. Zeitschr. Bd. IV. S. 692. u. Bd. V. S. 669.)

Schmidt's Jahrb. Jahrg. 1849. Nr. 6. S. 344—362. von Scuhr.

Rec. hält dies für den ersten Versuch und glücklichen Anfang, die Hirnkrankheiten auf eine der jetzigen wissenschaftlichen Anschauung entsprechende Weise darzustellen. Vorarbeiten dazu waren vorhanden, vor allem von Rokitansky, aber sie waren noch nicht benutzt. Vf. habe lobenswerth im ganzen Werke den Standpunkt des Klinikers festgehalten. Statt der Namen und abstracter Begriffe von Hirnkrankheiten gebe er uns bei einer richtigeren Erkenntniss des Mechanismus der Hirnthätigkeit oft mit Glück die Diagnostik und die Pathogenie der anatomisch erkennbaren Hirnkrankheiten.

Dennoch fehle dem Werke der Charakter einer strengen und wissenschaftlichen Darstellung. Es treibe der Vf. ein unbeherrschter Eifer, die Vorzüge des anat.-pathologischen und physiologischen Standpunktes herauszuheben, wobei tadelnswerthe Ausfälle gegen die früheren Richtungen der Heilkunde. Er will viel zu sehr die Wirkungen der lokalen Destructionen des Gehirnes erklären. Seine Versuche, die functionellen Erscheinungen nach Art und Grad als die begreiflichen Folgen jener darzustellen, sind oft sehr gelungen, nicht selten aber auch sehr gewagt, einseitig und nur scheinbar. Hierüber sei die Beschreibung der Krankheiten vernachlässigt und gebe Vf. nur Beweisführungen, dass die Symptome immer den inneren Störungen entsprächen und aus der Kenntniss dieser meist auch ohne Erfahrung erschlossen werden könnten. Letzteres, meint Rec., sei doch sehr zu beschränken und ungern vermisse er eine bestimmte Angabe, was Vf. am Krankenbett erfahren, und was er nach Anleitung der pathologischen Anatomie apriorisch geschlossen hat.

Die Therapie des Vf.'s betreffend, seien die positiven Mittheilungen äusserst dürftig; seine verwerfende Kritik anderer Heilverfahren bedürfe kaum einer Widerlegung, Vf. lasse uns leider über den Inhalt seiner Erfahrung, über die Resultate seiner Behandlung ganz im Ungewissen, was zu wissen uns doch noch immer von Nutzen gewesen wäre.

Indem er sich in einen idealen Zustand der Heilkunst hineinträume und die Empirie ganz verwerfe, begehe er doch selbst Widersprüche; er läugnet, dass Blutentziehungen den Blutgehalt der Schädelhöhle vermindern können und empfiehlt doch einen mässigen Gebrauch, er verwirft einzelne Arzneimittel und empfiehlt wieder andere ohne irgend eine theoretische Erklärung.

Die Gründe, die für Verwerfung und Empfehlung anderer Arzneimittel angeführt werden, sind äusserst einseitig und oberflächlich.

Stahl, Neue Beiträge zu Physiognomik und pathol.
Anatomie der Idiotia endemica.
(Vgl. uns. Zeitschr. Bd. V. S. 656.)
Schmidt's Jahrb. 1849. Nr. 2. S. 257. von Rösch.

Vf. rechnet dies Leiden zu der Klasse der Bildungskrank-
heiten. Es verläuft entweder schon während der Fötalperiode
oder es wird nur die Anlage geboren und die Krankheit entwickelt sich in einem gewissen Zusammenhange mit den Meta-
morphosen des Gehirnes im Laufe des 1sten Jahres, oder endlich
der Blödsinn entsteht erst später bis zur Vollendung der physiologischen Entwicklung des Gehirnes um das 7te Jahr als
Folge acuter oder chronischer Leiden desselben. Obgleich der
cretinische Blödsinn auch bei augenscheinlich regelmässiger Kopf-
bildung vorkommt, lassen sich doch für gewöhnlich folgende
Formen unterscheiden:
  der im Verhältniss zum ganzen Körper in allen seinen Durchmessern zu kleine Kopf (Microcephalus, auch Atrophia cerebri);
  der zu grosse Kopf (Hydrocephalus);
  der im Verhältniss zur Höhe und Breite des Gesichtes zu niedrige Schädel;
  die pyramidenförmige Zusammenpressung der Scheitelbeine, in
  Folge von Verkleinerung ihrer seitlichen Wölbungen;
  der Kopf mit dem bekannten Scheitelbeineindruck von Mangel
  der hinteren Wölbung der beiden Seitenwandbeine, wodurch
  das Hinterhaupt kapselartig vorspringt;
  die sogenannte Maske (der höhere Grad der vorigen Form),
  schroffe Abdachung nach hinten, so dass der Mittelkopf und
  der Hinterkopf zu fehlen scheint;
  der Spitzkopf, die zuckerhutförmige Gestalt des Kopfes;
  der schiefe Kopf, Asymmetrie, Ungleichheit der beiden Seiten-
  hälften des Kopfes, häufig verbunden mit Schiefstellung des
  Gesichtes.
Obgleich diese Gestaltungen nicht stets bestimmte Grade und
Formen des Blödsinnes bedingen, so hat Ref. doch stets beobachtet, dass, wo der Kopf in allen seinen Durchmessern zu
klein ist, wo er hinter sich so abflacht, dass der Hinterkopf
und selbst der Mittelkopf ganz zu fehlen scheint, so wie da,
wo er sich von allen Seiten gegen den Scheitel hin zuspitzt,
immer ein bedeutender Grad von Blödsinn da ist.
  Bei zu grossem, mehr oder weniger dem hydrocephalischen
sich nähernden Kopfe sind die Geistesfähigkeiten in der Regel
nicht so gering, dagegen häufig Schwerhörigkeit oder Taubheit
und Sprachlosigkeit, so wie Lähmungen, Krämpfe bei allen
Formen, Verbesserungen oder Verschlimmerungen des Leidens,
am häufigsten im Laufe des 1sten und 2ten Jahres, dann im
6ten u. 7ten und endlich in der Zeit der Geschlechtsentwicklung.
  Vf. fügt sodann 9 Krankengeschichten mit 5 Abbildungen
hinzu. Darauf folgen 19 Untersuchungen von Gehirn und Schä-

deln. Er fand Verkümmerung der Kopfknochen, meist in einzelnen Theilen, zu frühe Verknöcherung oder zu mangelhafte
Knochenbildung, häufige Zwickelknochen, fortbestehende Trennung von Grund- und Keilbein. Fast durchgehends grössere Entwicklung des Mittelhauptes auf Kosten des Vorder- und Hinter-
hauptes, und die Augenwirbel entwickelter als die Ohrwirbel.
Asymmetrie des Schädels äusserst häufig.

Das Gehirn selbst entweder im Ganzen oder in einzelnen
Theilen hinter der normalen Entwicklung zurückgeblieben, am
häufigsten die grossen Hemisphären beeinträchtigt und zwar sowohl vorderer als hinterer Lappen; oft bedeckte dieser fast nicht
mehr das kleine Gehirn. Windungen nicht normal ausgedrückt;
Consistenz zu weich oder zu fest; fast überall die Rindenmasse
auf Kosten des Markes vorherrschend; häufig Abweichungen der
räumlichen Verhältnisse in den Ventrikeln; oft hydropische Ausschwitzungen.

Bretschneider, Versuch einer Begründung der Pathologie und Therapie der äusseren Neuralgieen.

Neue Jenaische Allg. Lit.-Zeitung 1848: Nr. 270. von H.
Haeser.

Mit der Anwendung der neueren Nervenphysiologie auf die
Nervenkrankheiten ist zuvörderst gleichsam nur deren Mechanik
in Ordnung gebracht worden, während über den letzten Ursachen des Zustandekommens derselben noch vielfach dichtes Dunkel liegt. Damit wird Jeder übereinstimmen, nicht aber mit
den deshalb vom Vf. Romberg gemachten Vorwürfen, der
diese Lücken der Therapie weniger fühlbar zu machen sich bestrebt. Das Buch bringt übrigens das historisch-literarische
Material sehr vollständig. Ganz ist die Zurückführung der Neuralgieen als symptomatischer Zustände auf die zu Grunde liegenden Krankheitsprocesse nicht gelungen, da diesen eben noch
eine genaue physiol. Erläuterung fehlt und eben deshalb die Gesetze des Einflusses der rheum., arthrit., scorbutischen Processe noch unbekannt sind. Was aber bekannt ist, hat der Vf.
sorgsam benutzt. Sorgfältig sind Krankheitsgeschichten den einzelnen Species zugefügt, die aber wohl noch hätten kürzer sein
können.

Kaula, der Samenfluss. Aus d. Franz. von Eisenmann.

(Vgl. uns. Zeitschr. Bd. IV. S. 678. u. Bd. II. S. 22—57. und
S. 685—699.)

1. Jenaische Lit.-Ztg. 1848. Nr. 271. von H. Haeser.

Deutsche Gründlichkeit und Ordnung. Die Notizen über die
Spermatozoën sind ungenügend. Von dem Uebersetzer ist dem
2ten Hauptstücke hinzugefügt ein Anhang, in dem er gegen den
Vf. die Spermatorrhöe nur als Symptom, als Ursache aber
krankhafte Erregbarkeit der Ejaculationsorgane ansieht, daher
er die veränderte Blutmischung solcher Patienten hauptsächlich
von der Affection des Rückenmarks ableitet.

Im 3ten Hauptstück die Aetiologie; die Spermatorrhöe beruht wesentlich 1) auf einem hypersthenischen Zustande, einer chronischen Entzündung, einer directen oder indirecten Irritation; oder 2) auf einem Erschlaffungszustande, oder 3) auf einem nervösen Zustande, oder 4) auf einer rein mechanischen Wirkung.

Am dürftigsten natürlich die pathologische Anatomie, doch von Kaula einige hübsche Sectionsberichte.

Ausführlich die Therapie. Am meisten wird Eisen, Katheter, Acupunktur und Kauterisation empfohlen. Ref. vertheidigt die Höllensteininjection gegen den Vf.

2. Prager Vierteljahrschr. V. Jahrg. 1848. IV. Bd. Lit.-Anz. S. 1. von Dr. Waller.

Ref. hat schon das Originalwerk im 15ten Bande der Vierteljahrschrift als eine wesentliche Bereicherung der Wissenschaft beurtheilt. Er erkennt daher die Uebersetzung für eine nützliche an und erklärt die obwohl kurzen und spärlichen Bemerkungen des Uebers. für gewichtig genug.

Hamburger (Dr. W.), Das Mutterkorn und seine ausserordentlichen Heilwirkungen in Nervenkrankheiten, nach eigenen zahlreichen Beobachtungen und Versuchen dargestellt. Dresden u. Leipzig (Arnold), 1848. 8. VIII u. 216 S.

Prager Viertelj. V. Jahrg. 1848. 4r Bd. Lit.-Anz. S. 2. von Dr. Kraft.

(Engländer wenden es fast als Specificum in Nymphomanie an.) Im ersten allgemeinen Theile eine physik. und chem. Untersuchung nebst einer Geschichte desselben; als Heilmittel in kleinen Gaben erregend und belebend auf die motorischen und trophischen Nervenfunctionen, nach grosser und längerer Anwendung Ueberreizung, zuletzt Anästhesie und Paralyse nebst Blutveränderung. Das Decoct (2 Dr. auf 4 Unz. Colatur) am besten.

Im 2ten speciellen Theile Angabe der Fälle, wo es nützte. Als Fälle der ersten Indication, Neuralgieen: Cephalaea, Hemicranie, Prosopalgie, Photophobie, Cardialgie (besonders gut), Pruritus vulvae, Erethismus motorischer Nerven, Tussis spastica, Singultus, Vomitus chron., Chorea, Hämorrhagien. — Als Fälle der 2ten Indication, wo Adynamie im Nervensysteme ohne Steigerung der Reizbarkeit da ist: Ischuria paralytica, Mydriasis, Paraplegie, Bleilähmungen, Hemiplegie. Als Fälle der 3ten Indication werden „alle abnorme Zustände, die in einer adynamischen Körperbeschaffenheit dieses Organes (des Uterus) begründet sind" genannt. Wehenschwäche, Metrorrh., Nachwehen, Künstl. Frühgeburt, Hervortreibung der Polypen, Dysmenorrhöe, Menostasis, Leucorrhöe, Chlorose.

Fälle der 4ten Indication: lang eingewurzelte oder an sich schwere Neurosen, die nur durch eine bedeutende Metasynkrise geheilt werden können.

Es sind in diesem Buche neben dem Verdienste einer erschöpfenden Benutzung der einschlagenden Literatur zahlreiche eigene Erfahrungen niedergelegt.   *Laehr.*

Friedreich (J. C.), Zur Bibel.

(Vgl. uns. Zeitschr. Bd. V. S. 487—488.)

Rec. Hallische Allg. Lit.-Ztg. 1849. Nr. 124 u. 25. von H. F(riedländer).

Nach einigen einleitenden Worten über die „medic. Götter oder Götzen, denen heute gehuldigt wird und bei denen solche alte Gelehrsamkeit mit Achselzucken betrachtet wird," zweifelt Ref. nicht, dass Vf. durch die Anerkennung von Theologen und allen Freunden urgeschichtlicher Forschungen entschädigt werden wird, zumal er den historischen Boden nie verlässt und vorzugsweise derjenigen Betrachtung Raum giebt, welche das in der Bibel Gegebene als etwas Objectives erfasst, es jedoch so zu deuten sucht, dass es mit der Anschauungsweise der reinen Vernunft vereinbar sei. Dabei habe der Vf. von aller eiteln Erklärerei sich fern gehalten, und keinen Augenblick die Pietät und den Ernst bei Seite gesetzt, welchen die Aufgabe erfordert. Ref. geht darauf zur nähern Bezeichnung des Inhalts über, welcher, ohne eine systematische Form zu beanspruchen, in einzelne Abhandlungen oder Fragmente zerfällt. Im ersten grösseren Theile kommen zuletzt *Seelenstörungen* an die Reihe: a) die periodische Melancholie (Saul nebst vielen Beispielen, um die wohlthätige Wirkung der Musik auf Seelenkranke zu zeigen), b) insania zoanthropica (Boanthropie) des Nebucadnezar. Sehr genaue und schon früher mit ähnlichen Beispielen belegte Erörterung dieser merkwürdigen Psychose; c) die Dämonischen des neuen Testaments. Vf. sieht auch in ihnen nur Wahnsinnige mit fixen Ideen. Sehr ausführlich geht er auf die Krankheit des Dämonisch-Stummen und des dämonischen Gadareners ein. Der Erklärung von der Versetzung der bösen Geister in die Schweine werde man wenigstens den Scharfsinn nicht absprechen können. — Im 2ten kleinern Theil unter 16 der *Selbstmord.* Er kommt in der Bibel nur selten vor und die Mosaische Gesetzgebung hat seiner nicht gedacht. (Saul, sein Waffenträger, Ahitophel Nikanor, Judas Ischarioth.) — Schliesslich sagt Ref., dass Vf. alle Mittel der geistigen Befähigung und der ausgebreiteten Belesenheit redlich genannt habe.

Ennemoser, Geist des Menschen.

(Vgl. uns. Zeitschr. Bd. VI. Hft. 1. S. 158.)

Morgenblatt, *Literaturblatt.* Nr. 40 u. 41. 1849. Referirend.

Lotze (Dr., R. C.), Allg. Pathologie und Therapie als mechanische Naturwissenschaften, 2te verb. Aufl.

(Selbstanzeige des Vf.'s in Göttinger gel. Anz. 1849. St. 16. S. 159—60.)

Er sagt, dass im gegenwärtigen Augenblicke die mechanische Betrachtungsweise der Lebenserscheinungen von so vielen Seiten bereits als ein dringendes Bedürfniss anerkannt sei, dass ihm bei Ausarbeitung dieser 2ten Aufl. nicht mehr nöthig scheinen konnte, *diese* Seite seiner Ansicht stärker hervorzuheben.

Viel lieber, fährt er fort, würde er, wenn es Zweck und Gränzen dieses Berichts gestattet hätten, den *andern* Theil seiner
Ueberzeugung ausführlicher entwickelt haben, wonach allerdings die mechanische Betrachtungsweise des Lebens eine andere,
idealere als Gegengewicht bedarf. Zwar mehrmals habe er, der
Vf., sich entschieden dahin ausgesprochen, dass er alle diese
mechanistischen Bearbeitungen der Physiologie *nur* für den *einen*
Theil der zu einer vollständigen Biologie gehörenden Betrachtungen anerkennen könne; dennoch sei es ihm begegnet, sowohl
von den Anhängern als Gegnern missverstanden zu werden.

Dagegen behält der Vf. sich vor: diesen Gegenstand in einer Schrift über allgemeine Physiologie, die erscheinen wird,
sobald es die Zeitumstände gestatten, ausführlicher zu behandeln.

Ausländische.

Lisle, Examen de la loi du 30. Juin 1838.

(Vgl. uns. Zeitschr. Bd. V. S. 285.)

Rec. Oppenheim's Zeitschr. u. s. w. Febr. 1849. S. 302.

Nach Ref fordert Vf., so sehr er sich auch immer auf
Thatsachen stützt und so ehrenhaft und ärztlich schön seine Gesinnung hervortritt, zu viel "für die Armen, zu viel vom Gesetze und zu viel von den "Verwaltern" des Gesetzes.

Vf. tadelt zunächst dreierlei: die langsame Anwendung der
zum Schutze der Gesellschaft gegen Irre getroffenen Bestimmungen, die häufige Schwierigkeit der Aufnahme der Irren, namentlich der nicht gefährlichen, und die Einziehung ihres kleinen Besitzes statt Bezahlung. (Vgl. Heft 2 dieses Bds. S. 344.)
Etwas leicht und frisch hingeworfen, aber richtig im Allgemeinen, bemerkt Ref., dass keiner vor Transportation ins Irrenhaus sicher wäre, wenn die Präfecte nicht nur notorisch gefährliche Irre, sondern auch alle diejenigen, welche ihnen als
mit "evidenten" Zeichen von Irresein bezeichnet würden und
über welche ihre Familien eine wirksame Aufsicht nicht ausüben könnten oder wollten, officiell ins Irrenhaus transportiren
dürften. An die Freiheit der Familienrechte ist nicht einmal gedacht, aber an den Nachweis der hiernach vorausgesetzten Capitalien. Ref. schliesst mit dem Wunsche, dass die Administra-
tionen die traurigen und nothwendigen Härten der Statuten zu
mildern, nicht sie zu schärfen berufen sind.   *Dw.*

Miscellen.

Corr. Je seltener es der Fall ist, dass das anatomische Messer in den Leichen Geisteskranker materielle Veränderungen im Organismus nachweist; Veränderungen, von welchen angenommen werden darf, dass sie mit der im Leben unzweideutig ausgeprägten Krankheit in ursächlichem Zusammenhange stehen, desto unerlässlicher ist es, nichts in dieser Beziehung Aufgefundenes mit Stillschweigen zu übergehen.

Ich erlaube mir daher über einen jüngst vorgekommenen Fall aus unserem, erst seit einem Jahre bestehenden *Genesungshause* zu *Roda*, eine kurze Mittheilung zu machen.

G. Hauptmann, 63 Jahre alt, ein Schneider, wurde, an fixem Wahnsinn leidend, am 16. August vorigen Jahres der Anstalt zur Verpflegung übergeben.

Der Kranke war von mittlerer Grösse, derb und regelmässig gebaut, die Muskeln stark entwickelt, sein Aussehen blühend, die Haare noch wenig ergraut, der Ausdruck im Gesicht freundlich und zufrieden.

Er hatte stets den besten Appetit, schlief ruhig, die Se- und Excretionen immer in gutem Zustande.

Er klagte nie über einen innerlichen Schmerz, oder sonst eine unangenehme Empfindung; immer zufrieden und heiter bis zu seinem Tode, trug er mit Geduld die Beschwerden, welche er, wegen eines lähmungsartigen Zustandes der Füsse, beim Gehen zu tragen hatte.

Sein äusserst beschwerlicher Gang rührte, wie seine Frau angab, von einem Sturze her, wobei er vorzüglich die linke Hüfte beschädigte.

Ueber seine früheren Lebensverhältnisse konnte ich nur so viel erfahren, dass er in seiner Jugend, und besonders in der Fremde, Vieles ausgestanden habe.

Er litt, wie oben bemerkt, an fixem Wahnsinn und es sprach sich diese Form nicht allein dadurch aus, dass er des festen Glaubens war, er habe die Kraft, einen ungeheuren Schatz zu heben, sondern noch mehr dadurch, dass er dieser krankhaften Vorstellung in Handlungen nachkam, indem er sich beständig im Freien mit Nachgrabungen beschäftigte, wobei er den oben angeführten Sturz in eine beträchtliche Tiefe erlitt.

Uebrigens war er sehr verständig und hatte namentlich auch ein gutes Gedächtniss.

Während seines Aufenthalts in der Anstalt nahm sein Körper schnell an Masse zu, dagegen ging es mit seinen Füssen immer schlechter, so dass er schon seit geraumer Zeit von einem Ort zum andern getragen werden musste. Am 17. August versagte er das erstemal das Essen, klagte jedoch weiter nicht. Die Zunge zitterte, die Sprache wurde undeutlich, er hatte Neigung zum Schlaf, am 19ten früh erfolgte der Tod, nachdem zuvor die Unterkinnlade tief herabsank.

Die Section ergab dann Folgendes:

Brust und Unterleibsorgane sämmtlich im gesundesten Zustande. Kopf:

Die dura mater an mehreren Stellen fest mit dem Schädel verwachsen, die Blutleiter nur wenig Blut enthaltend. Zwischen der arachnoidea und der pia mater, über die ganze Hirnoberfläche, eine Wasserergiessung; die Hirnsubstanz selbst weisser wie gewöhnlich, am kleinen Gehirn am auffallendsten, die Marksubstanz durchaus prävalirend.

Der rechte Ventrikel leer, der Plexus choroideus von Auftreibungen umgeben — auf den ersten Anblick glaubte man Hydatiden vor sich zu haben, bei einer genauern Untersuchung stellte es sich jedoch heraus, dass es *variköse Erweiterungen* der Venen waren.

Im linken Ventrikel ein festgeronnenes Blutextravasat, was die ganze Höhle ausfüllte.

An einem ausgeschnittenen Stück der Basilararterie wurden mehrere kreide- oder kalkartige Stellen wahrgenommen — anfangende Verknöcherung.

Auch in dem linken Ventrikel, so wie im dritten, zeigten die Venen am Plex. choroid. dieselbe variköse Anomalie.

Im Grunde des Schädels eine trübe, röthliche Wasserergiessung von mehreren Unzen.

Betrachten wir das Ergebniss dieser Section, zuerst in Bezug auf den Tod und die Todesart des Verstorbenen, so ist dieser, so wie die Art desselben hinlänglich begründet.

In welchem Zusammenhange aber die vorgefundenen organischen Abweichungen mit dem Wahnsinn des Verstorbenen stehen mussten, ist eine andere, wichtigere Frage.

Der Bluterguss im linken Ventrikel ist ein Ergebniss, was nur kurze Zeit vor dem Tod geschehen sein kann, es kann also auch mit der Geisteskrankheit nichts zu schaffen gehabt haben, und eben so verhält es sich mit der Wasserergiessung zwischen den Hirnhäuten, sie bedingten wohl den Tod — den Tod durch Lähmung und Apoplexie zugleich, aber nicht die früher bestandene Geisteszerrüttung.

Ganz anders wird man aber über die varikösen Venen am Plex. choroid. urtheilen müssen. Dieser Zustand konnte nur nach und nach statt gehabt haben und bestand also schon lange; es darf daher auch angenommen werden, dass durch den Einfluss dieser Varix-Bildung theils eine gestörte Circulation im Hirn, theils eine mechanische Reizung desselben bedingt wurden, wodurch nun eben in den Functionen des Hirns eine Störung eintreten musste. Eine Störung, welche sich hier als Wahnsinn manifestirte.

Genesungshaus Roda.   Dr. *G. Richter.*

Wäre der Hr. Dr. Richter Jahrelang Arzt an einer grossen Irrenanstalt gewesen, so würde er dem Befunde weniger Wichtigkeit beigelegt und denselben epikritisch anders beurtheilt haben   angenommen selbst, dass die Auftreibungen des pl. choroideus variköse Erweiterungen der Venen waren. *Dw.*

Zu den „*traveaux*" de la Societé de médecine zu Nancy (während der Jahre 1847 u. 1848) gehört auch folgende „Theorie der Geisteskraft von Hn. Putagnet" (Oppenheim's Ztschr. 1849. Nr. 9. S. 53). Das Gehirn ist der Brennpunkt zahlreicher elektrischer Säulen, das Blut excitirt dieselben und die Geisteskraft ist die daraus resultirende Gesammtsumme. — Nach solcher Theorie erscheinen die von Irren über Wirkungen der Elektricität ganz verständig. *Dw.*

Gefühlseindruck der Schallwellen. In der Sitzung der Academie der Medicin zu Paris am 12. August d. J. ist von Dr. Blanchet eine Abhandlung vorgelesen, die nachstehende Ueberschrift führt: De l'impression tactile des ondes sonores et de leur transmission à l'appareil centralencéphalique par d'autres organes que le nerf spécial de l'ouie.

Die Schwingungen der elastischen Körper, welche den Ton
hervorbringen, afficiren nicht nur den Gehörnerven auf bekannte
Weise, sondern erregen auch in unsern Organen eine Empfindung, die der Vf. impression tactile des ondes sonores nennt.
Durch zahlreiche Experimente will er bestimmt erfahren haben,
dass die sensitiven Nerven die einzigen Organe der Perception
und Transmission der Schallwellen sind. Die senoren Vibratio-
nen wirken demnach nur auf die Gefühlsnerven.

Die sensitiven Nerven hätten die Fähigkeit, die Intensität,
den Ton und den Klang der Schallwellen abzuschätzen, wiewohl auf eine beschränkte Weise.

Die Schalllaute würden um so besser innerhalb gewisser
Grenzen wahrgenommen, aus einer je weniger beträchtlichen
Anzahl Schwingungen sie beständen. Der Vf. schliesst seine
Abhandlung mit der Exposition des Nutzens und der Möglichkeit, den Taubstummen und den unheilbaren blinden Taubstummen Begriffe vom Schalle durch diejenigen Körpertheile beizubringen, welche die Schallwellen am besen percipirten.

Droste.

Hamernjk, *über Obliteration der Arterien.* (Vgl. unsere Zeitschrift Bd. V. S. 285—86.) Die Gehirnventrikel findet man am grössten im *Hydrocephalus* bei marastischen Individuen, insbesondere bei sehr *abgemagerten Irren*, bei Tu-
berculosen u. s. w. Die weiten Ventrikel marastisch verstorbener Irren sind nicht die Grundlage des Irreseins, wie dies
die verirrte Psychiatrie glaubt, weil noch so weite Ventrikel
mit normalen Gehirnfunctionen viel häufiger vorkommen, als
mit anomalen; die Weite der Ventrikel steht mit den verschieden gearteten Gehirnfunctionen in keiner ursächlichen Verbindung; die Weite der Ventrikel ist mit wenigen Ausnahmen,
wo nämlich dieselbe von anderweitigen Erkrankungen des Gehirns selbst abhängt, proportional der Masse des Gehirns, pro-.
portional dem Schwunde der übrigen weichen und flüssigen
Theile des Körpers. (Prag. Viertelj. 20. p. 70.)

Seiler: *Schwefeläther gegen Selbstmordmonomanie.* Ein
20jähriges seit 3 Jahren menstruirtes starkes Fräulein, das stets
fröhlich war, war in Folge profuser Menstruation anämisch geworden, und verfiel in Wahnsinn. In wenig Tagen erschien
Tobsucht, wobei sie mehre Selbstmordversuche machte. Drei
Wochen nachher wurde sie in die Anstalt vor S. gebracht. Sie
weigerte sich Arznei und jede Nahrung zu nehmen, und es wiederholten sich die Selbstmordversuche. S. wandte nun Schwe-

feläther an, um sie in halbberauschtem Zustande besser zum Essen zu bringen, vorzüglich aber um eine glücklichere Stimmung zu bewirken. Nach der ersten Aetherisirung war sie nicht völlig berauscht; man konnte ihr das Essen einstossen: sie kaute und schluckte; den Tag über war sie folgsamer. Nach der des andern Tags wiederholten Einathmung war sie aufgeregter und widerspenstiger, als je; des folgenden Tags hatte sie ihre ruhigere und freundlichere Stimmung wieder erlangt. Da nun die Aetherisirungen zu schnell auf einander diese Aufregungen bewirkten, so wurde blos alle 2 Tage eine Sitzung von 15—20 Minuten gehalten. Schon nach 14 Tagen ass sie willig, und mit Vergnügen mit der Wärterinn; erst nach einem Monat hielt sie sich nicht mehr für unwürdig an dem Tisch zu erscheinen. Von da an nahm ihre Kraft nun sehr zu; und zwei Monate nach völliger Herstellung erschien die Periode wieder. Erst nachdem sie zum 2ten Male die Menses gehabt, wurde sie als geheilt entlassen. Vgl. unsere Zeitschr. Bd. IV. S. 356. u. Bd. VI. S. 360. u. 517. (Aus Schweiz. Zeitschr. für Med., Chir. und Geburtshülfe Jahrg. 1848. 3s Hft.)   *Spglr.*

Godfrey kannte eine Dame, die täglich 40 Gr. Opium nahm und einen Pat., der oft 60 Gr. Morph. acet. wegen Neuralgie im Tage verzehrte, *Norman* einen Mann, von Gangr. sen. genesen, der sich 2 Mal täglich durch ein Weinglas Laudanum ($\tilde{3}$ijβ Opium in einem Quart Branntwein einen Monat macerirend) aus eigener Fabrik erheiterte; Blackmore einen Fall, wo 400 Gr. (?) Opium, in einem Tage genommen, keine Narkose bewirkten. (Aus ,,Prov. Journ. 1848. Nr. 22. S. 613." in Oppenheim's Zeitschr. 1849. Nr. 9. S. 131.)

Thomas Satler, Fall von *Heilung einer Epilepsie* durch den Saft von Cotyledon umbilicus, 2—3 Mal täglich 2 Esslöffel voll davon einem kräftigen Mädchen von 14 Jahren gegeben, das ohne bekannten Anlass die Krankheit bekommen und sie nun schon 12 Jahre lang hatte, befreiten sie davon. In mehren Fällen ausserdem hat es dem Vf. gute Dienste geleistet. (Aus ,,London medical Gazette, März 1849." in Oppenheim's Zeitschr. 1849. Nr. 9. S. 182.)

Joh. Baptista Pesta spricht in einem Kapitel von der sehr flüchtigen *Essenz der Mandragora*. Diese Essenz, unter die Nase gehalten, verscheucht alle Sinne so sehr, dass man den Eingeschläferten begraben könne; nach dem Erwachen wüsste er aber nichts vom Vorgefallenen.

Albert, magn. hat eine Art Vorschrift zu Chloroform; seine Aqua ardens wird aus Wein, Aetzkalk und Kochsalz bereitet. (Aus ,,Snow über Mandragora" in Oppenheim's Zeitschr. 1849. Nr. 9. S. 135.)

Ein betäubendes Mittel, aus einem *Hanfaufguss* bestehend, war schon den Chinesen im 3ten Jahrhundert bekannt; sie benutzten es, wie wir das Chloroform und den Aether, bei Operationen, der Kranke soll ohne Empfindung die schmerzhafte Operation ertragen. (Comptes rendus 12. Februar 1849. aus Froriep's Notizen 1849. Nr. 222. S. 48.)

Um *Harnverhaltung in Gehirn-Affectionen* ohne Katheter zu heben, setzt van der Broek seit 20 Jahren grosse Schröpfgläser auf den obern oder innern Theil der Schenkel. Grosse Biergläser sind noch besser. Unter 12 Fällen erfolgte die Harnentleerung in 9 Fällen nach einigen Minuten. Oft ruft die Reizung der Harnröhre schon Contractionen der Blase hervor. (Aus „Revue méd chir. de Paris 1848. Jan. Neue med. chir. Zeit. Nr. 38. 1849.")

Cholera in der Salpetriére und Bicêtre.

(Fortsetzung von S. 536 dieses Bandes.)

Bis 6. Juni wurden von der Cholera	befallen	starben	genasen
in der Salpetrière	1276	922	240
in Bicêtre	229	138	24
Bis 8. Juni			
in der Salpetrière	1352	970	240
in Bicêtre	259	145	24
Bis 11. Juni			
in der Salpetrière	1512	1050	240
in Bicêtre	290	163	27
Bis 13. Juni			
in der Salpetrière	1561	1099	242
in Bicêtre	333	176	20
Bis 15. Juni			
in der Salpetrière	1591	1141	243
in Bicêtre	355	192	29
Bis 18. Juni			
in der Salpetrière	1688	1183	245
in Bicêtre	376	202	—
Bis 20. Juni			
in der Salpetrière	1661	1205	248
in Bicêtre	384	205	208

Am 6. u. 7. August d. J. sind in der Salpetrière nur 2 Cholerakranke vorgekommen, desgleichen 2 am 10. — 12. August; im Bicêtre seit 6. August keiner. (l'Union méd. 1849. Nr. 95.)

Der Präsident der Republik besuchte am 18. Juni die Salpetrière und stattete Namens der Nation den Beamten für deren Muth und Eifer gegen die Cholera den Dank ab. (Gaz. de hôpit. 1849. Nr. 71.)

Nach v. Watteville „Essai statistique sur les *établissements de bienfaisance.* 2ème Ed. revue, corrigée et considerablement augmentée. Paris 1847. 96 S. 8." ist, was die *Irren-Anstalten* betrifft, der Dienst derselben durch das Gesetz vom 30. Juni 1838 und die Verfügung vom 18. Dec. 1839 regulirt worden. Seitdem dies geschehen ist, hat man weit erfreulichere Ergebnisse gehabt, als früher. Die Irren genesen schneller, werden, wenn auch ihre Heilung nicht vollständig erfolgt,

mit Humanität behandelt und geniessen wenigstens einer ruhigen
Existenz, Einige dieser Anstalten haben bereits sehr erfreuliche
Resultate geliefert: so zeichnen sich die von St. Yon, in Rouen,
in Lafont, bei la Rochelle, in Bordeaux (das Asyl), und die
Abtheilung des Hospitals St. Jacques in Nantes, das von dem
Dr. Bouchet sehr geschickt geleitet wird, aus. Als Muster
kann auch das Haus der frères St. Jean de Dieu, in der Vor-
stadt Guillotière in Lyon, genannt werden. Die Zahl der bedürftigen Irren in Frankreich, welche auf Kosten der Depp.
erhalten werden, beträgt 12,286, worunter 5936 Männer und
6331 Frauen. Die Kosten ihrer Erhaltung betragen alljährlich
4 Mill. 826,168 Frs. 78 Cts.

Die Arbeit ist (nach dem Bericht in der Spen. Zeitung Beilage zu Nr. 177 d. J.) eine musterhafte und eine der besten
statistischen Monographien. Den Werth derselben beweiset
schon der Umstand, dass von ihr, wenn sie gleich nur einen
einzelnen Gegenstand berührt und fast nur Zahlen enthält, dennoch eine zweite Auflage nothwendig geworden ist. Sie ist das
Ergebniss vieler mühsamen Zusammenstellungen, und die grosse
Anspruchslosigkeit, womit der Vf. seine Arbeit einleitet, giebt
ihr einen noch grössern Werth. Der Vf. hat das Werkchen
in 6 Abtheilungen getheilt: Hospitäler und Armenhäuser (hôpitaux u. hospices), die Armen-Commissionen (bureaux de bienfaisance), die Leihhäuser (monts de piété), die Taubstummen-
und Blinden-Anstalten, die Findelhäuser und die Anstalten für
bedürftige Wahnsinnige (Irrenhäuser).

Wir theilen des nahe liegenden Interesses wegen noch Nach-
stehendes daraus mit: Es giebt in Frankreich 1164 Hospital-
Verwaltungen, welche 1338 Hospitäler und Armenhäuser verwalten, deren Einkünfte sich auf 53 Mill. 632,992 Frs. 77 Cts.
(ungefähr 14 Mill. 430,000 Thlr.) belaufen, von denen 80 über
100,000 Frs., 157 von 30- bis 100,000 Frs., 278 von 10- bis
30,000 Frs. und 669 unter 10,000 Frs. Einkünfte besitzen. Die
am reichsten ausgestatteten Hospitäler sind die von Paris mit
14 Mill. 524,298 Fr. 26 Cts., die von Lyon mit 3 Mill. 147,454
Frs., von Bordeaux mit 995,877 Frs. 80 Cts., die von Rouen
mit 995,000 Frs., die von Marseille mit 985,287 Frs., die von
Lille mit 777,102 Frs. 35 Cts., die von Nantes mit 713,817 Frs.
34 Cts., die von Strassburg mit 609,804 Frs. und die von An-
gers 505,987 Frs. 12 Cts. So geht es hinunter bis zu 213 Frs.,
welche die Stadt Saint-Satur (Cher) verwendet.

Die *Armen-Commissionen* sind durch das Gesetz vom Jahr V
(1797) regulirt, und an die Stelle der bureaux de *charité* getreten. Alle Hauptorte der Departements und der Kreise (arron-
dissements), so wie fast alle Hauptorte der einzelnen Bezirke
haben eine Armen-Commission (bureau de bienfaisance).

An *Taubstummen-Instituten* giebt es gegenwärtig in Frankreich 39, welche in 28 Dep. belegen sind. In diesen befinden
sich 1675 Zöglinge beider Geschlechter; mehr als $1/_3$ davon gehört dem weiblichen Geschlechte an. Zwei dieser Anstalten,
die eine in Paris und die andere in Bordeaux, werden auf königl.
Kosten unterhalten und führen den Titel königliche Institute.
Die Kosten ihres Unterhalts belaufen sich auf 255,505 Frc. und
sie haben 260 Zöglinge. Neun Anstalten werden von *Weltli_*

eben geleitet, 28 stehen unter der Aufsicht von Geistlichen oder
religiösen Gesellschaften. Es giebt in Frankreich nur ein
Blinden-Institut, das in Paris, das auf Staatskosten erhalten wird. Es befinden sich darin 220 Kinder, 140 Knaben und
80 Mädchen. Die Unterhaltungskosten betragen 156,699 Frs.
Es soll in Frankreich 20—25,000 Taubstumme und 12—15,000
Blinde geben.

Die Zahl der *Findelkinder* unter 12 Jahren in Frankreich
beträgt 123,394, die im Jahre 1844 für Ammen und Verpflegung
6 Mill. 707,829 Frs. kosteten, die Kosten der Windeln und Kleidungsstücke ungerechnet. — Die Zahl der alljährlichen Aussetzungen von Kindern beträgt ungefähr 34,000, von denen ungefähr *drei Fünftheile* in dem *ersten* Jahre ihres Alters *sterben*. — Unter den 144 Findelhäusern haben 90 ein Drehfenster
(tour d'exposition). Es giebt kein Departement, das nicht sein
Findelhaus hätte: 54 davon sind ohne Drehfenster. Die Zahl
der Findelkinder, welche von den Departements erhalten werden müssen, beträgt, wie oben erwähnt, 123,394, so dass,
da Frankreich (1847) 34 Mill. 249,875 Einwohner zählt, ein Findelkind auf 278 Bewohner kommt. Die *wenigsten* Findelkinder
kamen in den Dep. der Ober-Saône, der Vogesen, des Ober-
Rheins, der Mosel und des Unter-Rheins; die meisten in denen der Rhone, der Seine, der Rhonemündungen, der Gironde
und des Aveyron vor. Im Dep. der Ober-Saône kommt ein
Findelkind auf 8695 Einwohner, im Dep. der Rhone ein Findelkind auf 42 Einwohner. Die meisten Findelkinder findet man
in den Depp., welche starke Garnison haben (1 auf 560 Einw.),
in den bergigen Depp. (1 : 485), in den Ackerbau-Depp. (1 : 420)
und in den Manufactur-Depp. (1 : 392). (Vgl. unsere Zeitschr.
Bd. I. S. 350—51. VI. S. 514—15, 538.)

Paris zählt 17 Kranken- und 11 Armenhäuser. Die 17 Krankenhäuser enthalten 7174 Betten, im Jahre 1837 waren es nur
5184 Betten. Die 11 Armenhäuser, welche Geisteskranke, unheilbare Kranke, Kinder und Greise u. s. w. aufnehmen, entsalten 11,079 Betten, 1039 mehr als im Jahre 1837. Im Jahre
1847 waren 88,993 Kranke in den Hospitälern und 12,690 in den
Armenhäusern; 27,903 wurden in den Anstalten für die Findelkinder und Waisen aufgenommen. Der Kranke kostete im
Durchschnitt 1 Frs. 97 Cts. pro Tag in den Krankenhäusern, in
den Armenhäusern 1 Frs. 30 Cts. Jedes Findelkind kostete
1 Fr. 44 Cts. pro Tag. Im Ganzen waren 88 Aerzte, 42
Wundärzte, 18 Apotheker und 192 Lehrlinge bei den Anstalten
beschäftigt.   *Dw.*

Predigtkrankheit. In den „Reisebildern und Skizzen aus
Dänemark, Schweden und Norwegen" von Heinzelmann, die
den ersten Band der Weltkunde von Harnisch, Leipzig 1847,
bildet, ist eine Mittheilung enthalten, die der Reisende in Fålun
von einem Arzte erhalten, der um die Krankheit zu studiren
eine Reise in diejenigen Gegenden gemacht, wo diese eigenthümliche Erscheinung am stärksten hervortrat. Dies war das
Stift Skara in Westgothland.

Die Krankheit hat viel Aehnlichkeit mit dem magnetischen Zustande des Hellsehens und beginnt mit krampfhaften Zuckungen, Verdrehungen der Augen u. s. w. Der 2te Grad ist eine fieberhafte Betäubung, in der der Kranke Nadelstiche nicht fühlt, allerhand Gestalten sieht, Schlangen, Engel mit Palmzweigen und Kronen. Der höchste Grad ist das Singen von weltlichen und geistlichen Liedern und das Predigen oder „Rufen." Dieses war etwas durchaus unfreiwilliges und mit dem Gefühle seliger Wonne verbunden. Der Inhalt zeigte nichts, was über die Bildung des Rufenden gegangen wäre. Im Stifte Skara wurden Tausende von der Krankheit angesteckt. Die Einsamkeit der Krankenhäuser unter weiser Behandlung der Aerzte bewirkte die Heilung am schnellsten. Bei einigen hatten die Erscheinungen Aehnlichkeit mit dem Veitstanze: sie bellten wie Hunde; heulten wie Wölfe, sprangen, tanzten, rollten sich auf dem Boden. Von Dr. Sköldberg erfuhr H. Folgendes: der Unfall begann mit einer drückenden Unruhe in der Brust und einem unbehaglichen Gefühl in Armen, Schultern, Hals und Nacken. Bald entstand ein schnaufender, heftiger Athemzug, die Gesichtszüge veränderten sich und nahmen den Ausdruck eines tiefen innerlichen Leidens an; als ob sich ein herzzerfressender Schmerz darin malte. Dann begann ein mächtiger Krampf; einzelne, unartikulirte Laute wurden hervorgebracht und vergebens strebte der Kranke den innern Trieb zu bewältigen, denn noch war die Besinnung nicht aufgehoben. Plötzlich veränderte sich die Scene. Die Augen wurden klar glänzend und lebhaft, alle Gesichtszüge gingen, wie durch einen Zauberblitz, von dem Ausdrucke des schmerzhaften Leidens in den der Entzündung über, die zuvor unregelmässig herausgestossenen Töne wurden gleichmässig, lang und voll. Wer diese Verklärung auf dem vom himmlischen Frieden durchleuchteten Antlitz einmal gesehen hat, vergisst das Bild niemals. Nach einem Choralvers brach die Predigt durch, die mit hoher auf- und absteigender Stimme declamirt wurde." — Dies erinnert an die Camisarden, oder die französischen Reformirten in den Cevennen, bei welchen zu Anfang des 18ten Jahrhunderts in Folge religiöser Bedrückungen ganz ähnliche Erscheinungen vorkamen. — Die Krankheit scheint in Schweden ausregiert zu haben. (Vgl. dies. Bd. uns. Zeitschr. S. 253—261.)

Irrenhäuser in Mexiko. Die Bibliothek der Länder- und Völkerkunde, die Dr. W. Stricker zu Frankfurt a./M. bei Meidinger herausgiebt, enthält in ihrem 1sten Hefte die Republik Mexiko. Wir finden darin folgende Notiz. Früher gab es acht Kranken- und Irrenhäuser, von denen eben vier während und nach der Revolution eingingen, während die vier andern nebst dem Findelhaus ziemlich kümmerlich noch fortbestehen. Ihre Einkünfte wurden zersplittert, oder zur Zeit dringender Bedürfnisse in Beschlag genommen und später festgehalten, während da, wo einem Krankenhaus etwa noch einiges Vermögen blieb, die geistliche Behörde sich weigert, es herauszugeben, da sie es bei anderweitiger Veringerung ihrer Einkunfte gar wohl gebrauchen kann. So musste die Stadtbehörde durch jährlichen Zuschuss von etwa 160,000 Pesos vier: 1) das allgemeine Krankenhaus mit der Abtheilung für männliche Wahnsinnige, 2) das weibliche Irrenhaus, 3) das Krankenhaus der barmherzigen Brüder und 4) das für Hautkrankheiten, unterhalten. *Spglr.*

Die Buräten heilen auch den Wahnsinn, und zwar durch Einwirkung auf die Psyche vermittelst einer heftigen Nervenerschütterung. Die Behandlung besteht darin, dass man den Kranken auf irgend eine Weise plötzlich zu erschrecken sucht; man lässt ihn z. B. allein in der Jurte, und wenn man ihn ganz in Tiefsinn versunken sieht, feuert man eine Flinte ab, oder man geht mit ihm spazieren, geleitet ihn wie von ungefähr zum hohen Ufer eines Sees, Teiches oder Flusses, und benutzt den passenden Augenblick, um ihn ins Wasser zu stürzen; der Schreck bringt eine heftige Erschütterung der Nerven hervor, und der Kranke erlangt die verlorene Gesundheit wieder. (Aus „Einige Worte über den Zustand der Heilkunde bei den Buräten" in Med. Zeit. Russlands 1849. Nr. 37. S. 291.)

Aus Würtemberg. Schlussbericht der Kommission der ärztlichen Vertrauensmänner. Referenten: Griesinger, Faber. (Aus Allg. med. Centralzeit. 1849. Nr. 72. XII. Irrenwesen.)

§. 1. Die Kommission bedauert das Aufgeben des Projectes, eine landwirthschaftliche Filialanstalt in Verbindung mit der Pflegeanstalt Zwiefalten für unheilbare Irren zu gründen.

§. 2. Sie erkennt die Errichtung einer oder mehrerer neuen Pflegeanstalten für ein dringendes Bedürfniss des Landes und bittet deshalb die Regierung um Erwägung, ob nicht *mittelst* Benutzung vorhandener Staatsgebäude, worunter etwa eines der zu veräussernden Bäder (Boll), eine oder mehrere Pflegeanstalten mit ganz mässigen Ansprüchen an Ausstattung für arme Kranke gewonnen werden könnten.

§. 3. Sie befürwortet dringend die Errichtung einer kleineren Irrenheilanstalt an der Universität, hauptsächlich wegen des Bedürfnisses einer solchen für den psychiatrischen Unterricht.

Ad 3) schwer auszuführen, mit Rücksicht auf die Auforderungen an eine Irrenheilanstalt, auf die Wahl und auf das Wohl der Irren. (*Dw.*)

Personal - Nachrichten.

Der Director der Irrenanstalt zu Valladolid D. V. Luza Barresa wird eine grosse Reise antreten, um die bedeutendsten Irrenanstalten in London, Paris und Bordeaux kennen zu lernen und die Anstalt in Valladolid darnach zu verbessern. Madrid 3. December d. J. (Haude und Spenersche Zeit. Nr. 290. erste Beilage.)

Es starb Bottex, Chefarzt der Irrenanstalt zu Lyon.'

Literarischer Anzeiger

für

Aerzte und Naturforscher.

№ 8.   1849.

Dieser literarische Anzeiger wird
der Wochenschrift für die gesammte Heilkunde,
der Zeitschrift für Erfahrungsheilkunst,
der neuen Zeitschrift für Geburtskunde,
der allgemeinen Zeitschrift für Psychiatrie,
dem Magazin für die gesammte Thierheilkunde
beigegeben.
Berlin.   *August Hirschwald.*

Soeben ist erschienen und durch alle Buchhandlungen zu beziehen:

Verhandlungen

über die

Reorganisation des Medicinalwesens.

Protokolle

der

zur Berathung der Medicinalreform

auf Veranlassung

Sr. Excell. des Herrn Ministers v. Ladenberg

vom 1. bis 22. Juni 1849

in Berlin versammelten

Ärztlichen Conferenz.

Amtliche Ausgabe.

gr. 8. geh. Preis: 1 Thlr. 10 Sgr.

Berlin, August 1849.   *August Hirschwald.*

In der Dyk'schen Buchhandlung in Leipzig ist erschienen:

Polunin, A., Abhandlung über die Cholera,
vorzüglich auf Beobachtungen gegründet, die in der therapeutischen
Hospital-Klinik der kaiserlich-russischen Universität zu Moskau
in den Jahren 1847 u. 1848 gemacht wurden. 8.
geheftet. Preis: 10 Ngr.